標準作業療法学
専門分野

身体機能作業療法学

第4版

■編集

山口　昇　合同会社ライフケアゆうあい・代表社員
玉垣　努　神奈川県立保健福祉大学保健福祉学部リハビリテーション学科作業療法学専攻・教授
李　範爽　群馬大学大学院保健学研究科作業療法学専攻・教授

■執筆（執筆順）

山口　昇　合同会社ライフケアゆうあい・代表社員
會田玉美　目白大学保健医療学部・作業療法学科長/教授
李　範爽　群馬大学大学院保健学研究科作業療法学専攻・教授
谷村浩子　京都医健専門学校作業療法科・専門作業療法士（手外科）/認定ハンドセラピスト
小沢健一　健康科学大学健康科学部作業療法学科・教授
對間泰雄　神奈川県総合リハビリテーションセンターリハビリテーション部作業療法科・総括主査
玉垣　努　神奈川県立保健福祉大学保健福祉学部リハビリテーション学科作業療法学専攻・教授
坂本安令　横浜市立大学附属市民総合医療センターリハビリテーション部・担当係長
能登真一　新潟医療福祉大学リハビリテーション学部作業療法学科・教授
森田千晶　作業療法士
長谷川明洋　群馬大学医学部附属病院リハビリテーション部・副療法士長
高畑進一　京都橘大学健康科学部作業療法学科・教授
山口良樹　村上華林堂病院リハビリテーション科・科長
生須義久　群馬県立心臓血管センターリハビリテーション課・課長
成田雄一　医療法人光陽会関東病院リハビリテーション科・科長
白濱勲二　神奈川県立保健福祉大学保健福祉学部リハビリテーション学科作業療法学専攻・教授
渡邉　誠　北里大学医療衛生学部リハビリテーション学科作業療法学専攻・講師

医学書院

標準作業療法学　専門分野
身体機能作業療法学

発　　行　2005年 4月 1日　第1版第1刷
　　　　　2009年12月15日　第1版第8刷
　　　　　2011年 2月15日　第2版第1刷
　　　　　2016年 1月15日　第2版第8刷
　　　　　2016年11月 1日　第3版第1刷
　　　　　2020年12月15日　第3版第5刷
　　　　　2021年12月15日　第4版第1刷©
　　　　　2023年12月 1日　第4版第3刷

シリーズ監修　矢谷（やたに） 令子（れいこ）
編　　集　山口（やまぐち） 昇（のぼる）・玉垣（たまがき） 努（つとむ）・李（い） 範爽（ぽんそく）
発 行 者　株式会社　医学書院
　　　　　代表取締役　金原　俊
　　　　　〒113-8719　東京都文京区本郷 1-28-23
　　　　　電話　03-3817-5600（社内案内）
組　　版　ウルス
印刷・製本　大日本法令印刷

ISBN978-4-260-04682-4

刊行のことば

21 世紀に持ち越された高等教育の課題を表す重要キーワードとして，“教育改革”という 4 文字がある．このことは初等・中等教育においても同様と考えられるが，きわめて重要な取り組みとして受け止められている．また，大学入学定員と志願者数が同じになるという“全入時代”を数年後に控えた日本の教育界において，“変わる教育”，“変わる教員”が求められる現在，“変わる学生”が求められるのもまた必然の理となる．教育の改革も変革もまだまだこれからであり，むしろそれは常に“今日”の課題であることはいうまでもない．ただし，改革や変革を安易に日常化してしまうのではなく，それら 1 つひとつを真摯に受け止め，その結果を厳しく評価することで，教員も学生も一体となって教育の成果を体得することこそ重要になる．

このような状況下にあって，このたび「標準作業療法学 専門分野」全 12 巻が刊行の運びとなった．これは「標準理学療法学・作業療法学 専門基礎分野」全 12 巻，および「標準理学療法学 専門分野」全 10 巻の両シリーズに並び企画されたものである．

本シリーズの構成は，巻頭見開きの「標準作業療法学シリーズの特長と構成」の項に示したように，「作業療法教育課程の基本構成領域」（指定規則，平成 11 年度改定）に基づき，『作業療法学概論』以下，各巻の教科タイトルを選定している．加えて，各領域の実際の臨床現場を多様な事例を通して学習する巻として『臨床実習とケーススタディ』を設け，作業療法教育に関連して必要かつ参考になる資料および全巻にわたる重要キーワードの解説をまとめた巻として『作業療法関連資料・用語解説』を設けた[注1]．

また，シリーズ全 12 巻の刊行にあたり心がけたいくつかの編集方針がある．まず注意したことは，当然のことながら“教科書”という性格を重要視し，その性格をふまえたうえで企画を具体化させたことである．さらに，前述した教育改革の“改革”を“学生主体の教育”としてとらえ，これを全巻に流れる基本姿勢とした．教員は学生に対し，いわゆる“生徒”から“学生”になってほしいという期待を込めて，学習のしかたに主体性を求める．しかし，それは観念の世界ではなく，具体的な学習への誘導，刺激があって，学生は主体的に学習に取り組めるのである．いわば，教科書はそのような教育環境づくりの一翼を担うべきものであると考えた．願わくば，本シリーズを通して，学生が学習に際して楽しさや喜びを感じられるようになれば幸いである．

編集方針の具体化として試みたことは，学習内容の到達目標を明確化し，そのチェックシステムを構築した点である．各巻の各章ごとに，教育目標として「一般教育目標」(General Instructional Objective; GIO)をおき,「一般教育目標」を具体化した項目として「行動目標」(Specific Behavioral Objectives; SBO)をおいた. さらに, 自己学習のための項目として「修得チェックリスト」を配した. ちなみにSBOは,「〜できる」のように明確に何ができるようになるかを示す動詞によって表現される. この方式は1960年代に米国において用いられ始めたものであるが, 現在わが国においても教育目標達成のより有効な手段として広く用いられている. GIOは, いわゆる"授業概要"として示される授業科目の目的に相当し, SBOは"授業内容"または"授業計画"として示される授業の具体的内容・構成に通ずるものと解することができる. また, SBOの語尾に用いられる動詞は, 知識・技術・態度として修得する意図を明確にしている. 今回導入した「修得チェックリスト」を含んだこれらの項目は, すべて学習者を主体として表現されており, 自らの行動によって確認する方式になっている.

チェックリストの記入作業になると, 学生は「疲れる」と嘆くものだが, この作業によって学習内容や修得すべき事項がより明確になり, 納得し, さらには学習成果に満足するという経験を味わうことができる. このように, 単に読み物で終わるのではなく, 自分で考え実践につながる教科書となることを目指した.

次に心がけたことは, 学生の目線に立った内容表現に配慮したという点である. 高校卒業直後の学生も本シリーズを手にすることを十分ふまえ, シリーズ全般にわたり, わかりやすい文章で解説することを重視した.

その他, 序章には見開きで「学習マップ」を設け[注2], 全体の構成・内容を一覧で紹介した. また, 章ごとに「本章のキーワード」を設け, その章に出てくる重要な用語を解説した. さらに終章として, その巻の内容についての今後の展望や関連領域の学習方法について編者の考えを記載した. 巻末には「さらに深く学ぶために」を配し, 本文で言及しきれなかった関連する学習項目や参考文献などを紹介した. これらのシリーズの構成要素をすべてまとめた結果として, 国家試験対策にも役立つ内容となっている.

本シリーズは以上の点をふまえて構成されているが, まだまだ万全の内容と言い切ることができない. 読者, 利用者の皆様のご指摘をいただきながら版を重ね, より役立つ教科書としての発展につなげていきたい. シリーズ監修者と8名の編集者, および執筆いただいた90名余の著者から, ご利用いただく学生諸氏, 関係諸氏の皆様に, 本シリーズのいっそうの育成にご協力くださいますよう心よりお願い申し上げ, 刊行のあいさつとしたい.

2004年5月

シリーズ監修者
編集者 一同

〔注1〕本シリーズの改訂にあたり, 全体の構成を見直した結果,『作業療法関連資料・用語解説』についてはラインアップから外し, 作業療法士が対象とする主要な対応課題である高次脳機能障害の教科書として,『高次脳機能作業療法学』の巻を新たに設けることとした. (2009年8月)

〔注2〕改訂第3版からは, "「標準作業療法学シリーズ」の特長と構成" に集約している. (2015年12月)

第4版　序

作業療法が実施される分野には，大きく分けて5領域(本シリーズの構成でいえば，身体機能，精神機能，発達過程，高齢期，地域)がある．どの分野で実施される作業療法であっても，作業療法は対象者が望む“意味ある作業”に取り組めるようにすることを目指している．そのために作業療法士は，対象者がかかえる障害や問題だけでなく利点(機能している点)をも含めて，また心身両面にわたって対象者を包括的にとらえ，アプローチ(治療・指導・援助)を行っている．領域を分けるのは，どの側面により重点をおいてアプローチしているかである．その点からいえば，本書は身体機能の側面に重点をおいた作業療法を解説している．

第4版では，前版と同じく2部構成とし，第1部では身体機能作業療法の基礎と治療原理をまとめて解説した．第1部を受けて第2部では，国家試験出題基準を参考にしながら臨床場面で遭遇することの多い疾患を選択し，作業療法がどのように展開されるかを解説した．その構成は，作業療法を実施するうえで欠かせない医学的知識と作業療法の関連，作業療法評価，目標設定，急性期から地域生活を送るうえでの作業療法プログラムとし，各疾患で可能なかぎりこの構成となるよう統一した．

第4版での変更点は，章末にあったキーワードの解説を本文のなかに配して理解しやすくするとともに，ボディメカニクスや脳血管疾患，脊髄損傷で動画を参照できるようにした．動画からは，文章では得られない深い理解が得られるだろう．また，2020年度入学生より，カリキュラムの改正がなされた．本書との関連でいえば，「画像評価」と「喀痰等の吸引」の必修化がそれに該当する．「画像評価」については，従来より各種疾患のなかで解説をしていた．「喀痰等の吸引」については，新たに項を設けてカリキュラム改正に対応できるようにした．「摂食・嚥下」や「喀痰等の吸引」は，学内でそれらを完全に習得することは難しく，命に直結する側面もあるため卒後の勉学・研修が必須であるが，在学中に少なくともその基礎を習得しておくことが求められる．

身体機能作業療法の分野では，急性期の医療施設から回復期リハビリテーション病棟や介護老人保健施設を経て地域生活へという流れが定着してきている．そして，病院を含めた施設の滞在時間を可能なかぎり短縮するよう求められ，在宅での生活が強調されるようになった．それに伴って，作業療法士に求められる知識・技術もさらに幅広いものとなっている．医療色が強い施設では医学的な知識と技術が，地域もしくは在宅生活を援助するうえではより福祉的な知識と技術が必要である．作業療法士は対象者の“意味ある作業”を実現する役割を担ってはいるが，作業療法士は医療職であり，どの臨床場面であってもしっかりとした医学的知識と技術がそのベースになければならない．本書ではそれを学んでほしい.

身体機能作業療法の分野で対象とするのは，ほとんどが自分の祖父母あるいは父母ともいえる社会経験を積んだ方々である．その方々の“意味ある作業”を実現するには，それまでに対象者が歩んできた個人的な生活歴を理解するとともに，社会的な出来事を知り，それをもとに対象者の今おかれている状況に共感できる必要がある．それを可能にするのは，本書の初版の序にあるように“出逢い体験”と“作業体験”である．作業療法士にとって無駄となる経験はない，すべての経験が臨床のための糧となる．勉学は当然のことであるが，それとともに多くの体験をしてほしいと願う.

2021 年 11 月　執筆者を代表して

山口　昇

初版の序

大量生産・大量消費という高度消費社会は，人々を生産活動から遠ざけてきた．すべてが機械化され，ものの売買さえ電子市場で行われる時代である．ものを育て・つくる現場を知らない，また売り手と買い手のコミュニケーションもないという現実は，ものと人，人と人とのかかわりを希薄にする．ものと人が出会う場である「作業」を対象領域とする作業療法にとって，この出逢い体験の少ない者が治療者になっても対象者になっても，治療効果を上げるにはさまざまな困難を伴うことが予想される．

本書を学ぶ皆さんに期待するのは，作業体験の少なさを認識し，可能なかぎり多くの作業体験(スポーツ，レクリエーション，家事手伝いなど)を積む努力をしてほしいということである．すべてのものを手作りしていた超高齢期の方々から，バーチャル・リアリティの世界に生きる現代の若者まで，作業療法士が臨床で出会う人々は実にさまざまである．作業療法は「生活への援助である」と一言で言うが，“生活”の実態が異なればそれに合わせた指導・援助法が求められる．しかし，このような柔軟な対応ができるまでには多くの臨床経験がいる．最低限，作業療法士として行わなければならない日常生活活動(動作)や日常生活関連活動(動作)の指導は，生活体験の少ない学生でも批判的に動作分析をする習慣をつけておけば可能である．また，項目「身体機能障害の治療原理」で紹介している多くの病的状態も，まず正常状態での身体の運動学的知識を自らの身体で確認しておくことが基礎となる．

本書は3章で構成されている．第1章「身体機能作業療法学の基礎」では，第1に，生活機能分類(ICF)の導入によって，対象者の生活機能全体をみて，それに必要な心身機能障害の回復に努めるというトップダウン方式の治療順序を強調した．第2に，身体機能障害にかかわる作業療法士の必須知識・技術としての9種の治療原理を紹介した．評価学と合わせてしっかり身につけてほしい．第2章「身体機能作業療法学の実践」は，作業療法開始から終了に至る一連の流れと，対象者の病気の経過(病期)のなかでどのような治療・指導・援助が，どこ(実施場所)で行われるのか解説した．第3章「身体機能作業療法の実践事例」では，日本作業療法士協会編『作業療法白書』を参考に，作業療法士がかかわっている主たる疾患と障害を取り上げ，優れた臨床実践を長年続けてこられた作業療法士の方々に執筆していただいた．また，呼吸器疾患とターミナルケアは作業療法士の実践は少ないが，高齢社会の今日きわめて重要な分野となるであろうと判断し，ご執筆いただいた．合わせて深く感謝申し上げる．

2005年3月

岩﨑テル子

「標準作業療法学シリーズ」の特長と構成

シリーズコンセプト

毎年数多く出版される作業療法関連の書籍のなかでも，教科書のもつ意義や役割には重要な使命や責任が伴います．

本シリーズでは，①シリーズ全12巻の構成内容は「作業療法教育課程の基本構成領域（下欄参照）」を網羅していること，②教科書としてふさわしく，わかりやすい記述がなされていること，③興味・関心を触発する内容で，自己学習の示唆に富む工夫が施されていること，④学習の到達目標を明確に示すとともに，学生自身が自己学習できるよう，“修得チェックリスト”を設けること，といった点に重点をおきました．

シリーズ学習目標

本シリーズによる学習を通して，作業療法の実践に必要な知識，技術，態度を修得することを目標とします．また最終的に，作業療法を必要とする人々に，よりよい心身機能の回復，生活行為達成への支援，人生の意味を高める援助のできる作業療法士となることを目指します．

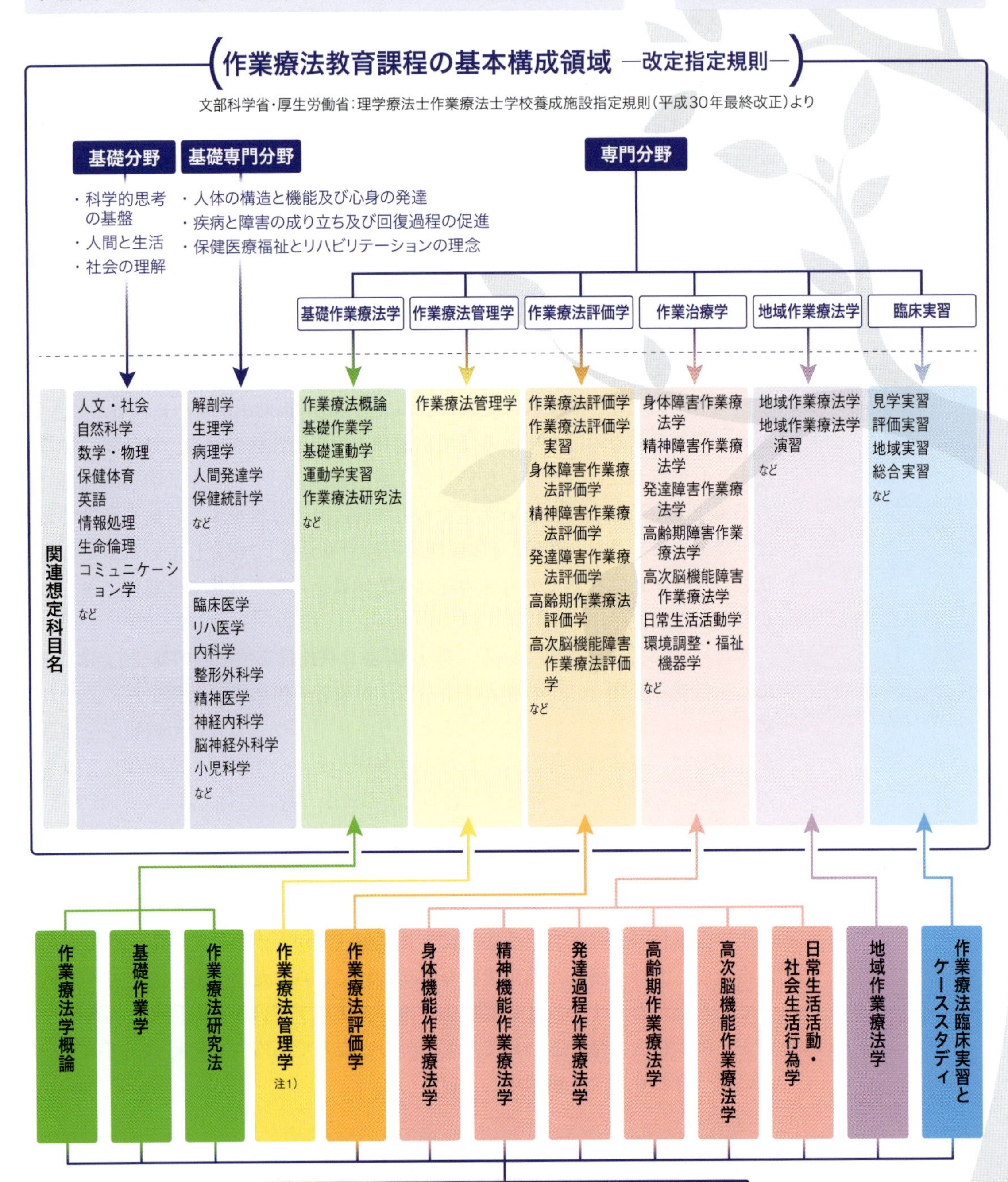

注1）標準理学療法学・作業療法学・言語聴覚障害学 別巻シリーズとして『リハビリテーション管理学』が発行されている．

作業療法臨床実習とケーススタディ

臨床実習は作業療法の全教育課程の 3〜4 割を占めるとされる専門分野の領域にあたります．これまで学んできた全教科のいわば総合編にあたり，多様な臨床の現場の実態を事例ごとに紹介し，実践教育として学習を深めます．

地域作業療法学

現在，作業療法が対象とする領域は，医療機関から地域へと広がっています．本巻では介護保険をはじめとする諸制度とのかかわりや地域作業療法の評価・プログラムの立案・実践過程について学習します．また，他職種との連携やさまざまな施設での実践事例を紹介します．

日常生活活動・社会生活行為学

個人の日常生活から心身の統合や社会生活の満足度を高める作業療法について，日常生活活動（ADL）の行為ごとに，作業療法士が行うべき評価，プログラム立案，訓練に至るまで事例を交えて学びます．

高次脳機能作業療法学

人の行動に深くかかわる中枢機能としての高次脳機能について，障害の基礎的な理解および評価・治療などの実践について学びます．また，関連する法律や制度などの社会的支援体制についても紹介しています．

身体機能作業療法学

身体障害に関して『基礎作業学』や『作業療法評価学』で学んだ関連事項をもとに，作業療法の特性を生かした治療・指導・援助の方法を学習します．脳卒中をはじめ，整形外科疾患，難病，内部障害など幅広い疾患に対する作業療法の実際を網羅しています．

精神機能作業療法学

精神障害に対する作業療法を，『基礎作業学』や『作業療法評価学』で学んだ関連事項をもとに学習します．主要な疾患の実践事例をもとに，必要とされる作業療法士の思考過程と技術の展開方法を学びます．

発達過程作業療法学

乳幼児から青年までを対象とした作業療法を，『基礎作業学』や『作業療法評価学』で学んだ関連事項をもとに学習します．発達途上にある対象児個人の将来の可能性を広げるために，家庭生活や教育環境などで活かせる，より適切な援助法を学びます．

高齢期作業療法学

高齢期を迎えた対象者の心身機能の変化や，それによる生活上の動作・行動・行為への援助法について学びます．障害をもつ対象者に関してはもちろん，健康である高齢者へのかかわりも含めて作業療法がどうあるべきか学習します．本書の内容は『地域作業療法学』とも深い関係があります．

作業療法評価学

作業療法の全領域で使用されている評価と評価法に関する知識および技法を，理論・演習を通して学習します．またそれらが各領域での実践において，どのような意味をもつものであるかについても学びます．これらの評価法の学習を通して，対象者個人と人物・物的・文化的環境とのかかわりまで幅広く見て，プラス面・マイナス面を同時に評価し，治療に結びつけられるような視点を養います．

基礎作業学

作業療法の最大の特徴である“作業・活動”に焦点を当てて，作業療法としての運用のしかたを学習します．また，『作業療法学概論』で述べた“作業・活動”がどのように選択され，治療に使われるのか，その理論と実際を深く学びます．

作業療法研究法

作業療法という専門職の研究・発展に必要な研究基礎知識や，実際に研究の演習法についても学習します．作業療法の効果を明示し社会的評価へとつなげる研究は，今後ますます重要になります．すでに発表された研究論文の読み方などについても学びます．

作業療法学概論

作業療法学全体を見渡すための巻です．身体機能・精神機能・発達過程・高齢期の各専門領域について導入的に説明します．また，作業療法士に求められる資質や適性，記録や報告など，作業療法を行うにあたり最低限必要とされる知識を万遍なく学びます．

本シリーズの共通要素について

■「標準作業療法学シリーズ」の特長と構成　※前頁に掲載

本シリーズの全体像，ならびにシリーズ各巻と作業療法教育課程の基本構成領域との関係性を図示しています．また，本シリーズ全体における各巻の位置づけや役割が把握しやすくなっています．

GIO 一般教育目標　一般教育目標(General Instructional Objective; GIO)

各章の冒頭に設け，それぞれの章において修得すべき知識・技術・態度の一般的な目標(学習終了時に期待される成果を示すもの)について把握します．通常講義などで使用されている“講義概要”や“一般目標”に相当します．

SBO 行動目標　行動目標(Specific Behavioral Objectives; SBO)

一般教育目標(GIO)を遂行するために立てられた具体的な目標です(GIO を達成するためのいくつかの下位目標)．知識面，技術面，態度や情意面に分けられ，それぞれの達成目標が明確に表現されていますので，自分の学習目標がはっきりします．通常授業などで使用されている“学習目標”や“到達目標”に相当します．

☑ 修得チェックリスト

行動目標(SBO)を受けた形で，さらに学習のポイントを具体化したものです．修得度をチェック項目ごとに確認していく自己学習のためのリストです．

■キーワード

学習する際に役立つキーワードを紹介し，簡潔に解説を施しています．さらに深い知識が身につき，理解力がアップします．本文中の該当語には🔑をつけています．

■さらに深く学ぶために

巻末に設けたまとめです．本文では言及しきれなかった，その巻に関連する学習項目や参考文献などを紹介し，今後の学習の道筋が広がる内容となっています．

本シリーズの呼称・表記について

■サービスの受け手の表現について

作業療法領域ではサービスの受け手を主に以下の 5 通りで表現しています．

- 「**対象者・対象児**」は，サービスの受け手を限定せずに指すときに使われます．またサービスの受益者と提供者が対等な関係であることを示しており，日本作業療法士協会が採用しています(「作業療法臨床実習の手引き第 4 版」2010 年)．英語そのままに**クライエント**(client)の語も多く用いられます．
- 「患者」はもっぱら医療の対象者を指します．上記，実習の手引きでも，作業療法を含めて主に医療の対象者として表現する場合は「**患者**」の語を使うとしています．
- 「**当事者**」は精神障害分野において一般の人々が抱くマイナスイメージを避ける意味を込めて使われます．
- 「**利用者**」は疾患や障害に関係なく，在宅サービス(通所や訪問)を受ける人々を指して用いられます．
- 「障害者」は，本シリーズでは文脈上必要な場合を除き，極力用いない方針をとっています．ただし，「上肢機能障害」など障害そのものを表す場合は「障害」としています．

■「介入」という用語について

「介入」は，問題・事件・紛争などに，本来の当事者でない者が強引にかかわることという意味の用語です．本シリーズでは，作業療法が対象者とともに問題を解決するという立場から，「介入」は極力用いず，「**治療，指導，援助**」を行うという表現にしています．

■本書での「IADL(instrumental activities of daily living)」の訳語について

IADL とは，炊事や掃除，洗濯などの家事全般，買い物，金銭や薬の管理，交通機関の利用など，セルフケア以外で多くの人々が日常的に行う活動を指します．手段的日常生活活動と訳されることもありますが，生活関連活動のほうがよりその概念を表現する適切な訳語であると考え，本書では，文献引用などの場合を除き，「**生活関連活動**」を用いています．

目次

1 身体機能作業療法学概論

I 身体機能作業療法学の基礎

II 身体機能作業療法の治療原理

② 疾患別身体機能作業療法

III 中枢神経疾患

IV 運動器疾患

4 上肢の末梢神経損傷 谷村浩子 278

5 腱損傷 301

1 手指腱損傷 谷村浩子 302

2 腱板断裂 李 範爽 314

6 熱傷 能登真一 321

7 切断と義肢 森田千晶 333

VI 神経変性疾患

1 パーキンソン病　高畑進一　380

2 脊髄小脳変性症　山口良樹　392

3 筋萎縮性側索硬化症　山口良樹　400

VII 内部疾患

VIII 悪性腫瘍(がん)

1 悪性腫瘍切除術後 渡邉 誠 460

2 ターミナルケア(終末期がん) 渡邉 誠 467

身体機能作業療法学の発展に向けて 玉垣 努 475

さらに深く学ぶために 玉垣 努 481

付録Web動画の使い方

- 本書には，付録のWeb動画と関連する箇所に ▶ と動画番号を示してあります．
- Web動画は，PC，iPad，スマートフォン（iOS/Android）でご覧いただけます．フィーチャーフォンには対応していません．
- 下記QRコードまたはURLからアクセスしてください．または 医学書院 で検索し，医学書院ウェブサイトから 04682 または 身体機能作業療法学 第4版 で検索し，書籍紹介画面にある 付録・特典 をクリックしてください．
- ログインのためのID，パスワードは表紙裏のシールをはがしてご利用ください．

https://www.igaku-shoin.co.jp/prd/04682/

- 動画を再生する際の通信料（パケット通信料）は読者の方のご負担となります．パケット定額サービスなどにご加入されていない場合，多額のパケット通信料を請求されるおそれがありますのでご注意ください．
- 配信される動画は予告なしに変更・修正が行われることがあります．また，予告なしに配信を停止することもありますのでご了承ください．
- 動画は書籍の付録のため，ユーザーサポートの対象外とさせていただいております．ご了承ください．

動画一覧

3. 脊髄損傷

略語一覧

略語	フルスペル	邦訳
ADL	activities of daily living	日常生活活動
AOTA	American Occupational Therapy Association	米国作業療法協会
BI	Barthel Index	バーゼルインデックス
CKC	closed kinetic chain	閉鎖運動連鎖
CM	carpo metacarpal	手根中手
CNS	central nervous system	中枢神経系
COPM	Canada Occupational Performance Measure	カナダ作業遂行測定
CPX	cardiopulmonary exercise test	心肺運動負荷試験
CT	computed tomography	コンピュータ断層撮影
DIP	distal interphalangeal	遠位指節間
FIM	Functional Independent Measure	機能的自立度評価法
GCS	Glasgow Coma Scale	グラスゴーコーマスケール
HDS-R	Hasegawa Dementia Scale revised	改訂長谷川式簡易知能評価スケール
IADL	instrumental activities of daily living	生活関連活動
ICF	International Classification of Functioning, Disability and Health	国際生活機能分類
ICU	intensive care unit	集中治療室
IP	interphalangeal	指節間
JCS	Japan Coma Scale	ジャパンコーマスケール
MAS	Modified Ashwarth Scale	(なし)
METs	metabolic equivalents	代謝当量
MMSE	Mini Mental State Examination	(なし)
MMT	manual muscle testing	徒手筋力検査
MP	metacarpal phalangeal	中手指節
MRI	magnetic resonance image	磁気共鳴撮影
NRS	Numerical Rating Scale	数値評価スケール
NST	nutrition support team	栄養サポートチーム
OKC	open kinetic chain	開放運動連鎖
ORIF	open reduction and internal fixation	観血的整復固定術
PIP	proximal interphalangeal	近位指節間
QOL	quality of life	生活の質
ROM	range of motion	関節可動域
RPE	rating of perceived exertion	自覚的運動強度尺度
$\mathbf{SpO_2}$	percutaneous oxygen saturation	経皮的動脈血酸素飽和度
STEF	Simple Test for Evaluation Hand Function	簡易上肢機能検査
SWT	Semmes-Weinstein monofilament test	セメス-ワインスタイン・モノフィラメントテスト
THA	total hip arthroplasty	人工股関節全置換術
TKA	total knee arthroplasty	人工膝関節全置換術
VAS	Visual Analogue Scale	視覚的アナログスケール
$\mathbf{\dot{V}O_2max}$	maximum oxygen consumption	最大酸素摂取量
WHO	World Health Organization	世界保健機関

▶本書に掲載の血液検査の略語

略語	検査項目
ALB	アルブミン
ALT(GPT)	アラニントランスアミナーゼ
AST(GOT)	アスパラギン酸アミノトランスフェラーゼ
BS	血糖値
BUN	血中尿素窒素
CK	クレアチニンキナーゼ
CRP	C 反応性蛋白
ESR	赤血球沈降速度
K	カリウム
LDH	乳酸脱水素酵素
Na	ナトリウム
PLT	血小板数
RA 因子	リウマチ因子
RBC	赤血球数
TP	総蛋白
WBC	白血球数
γGPT	γ-グルタミントランスペプチターゼ

1

身体機能作業療法学概論

身体機能作業療法学の基礎

GIO 一般教育目標

1. 対象者に応じた身体機能作業療法が実施できるようになるために，身体機能作業療法の概要を理解する.

➡ 8 ページ〜

SBO 行動目標

1-1） わが国における作業療法士の位置づけを説明できる.

- □ ①作業療法士に求められる業務内容を 6 つあげることができる.
- □ ②欧米における作業療法の起源と哲学を説明できる.
- □ ③わが国における作業療法の起源と思想の変遷を説明できる.

1-2） 身体機能作業療法のアプローチ方法を説明できる.

- □ ④脳卒中片麻痺の対象者に，作業療法士がとるアプローチ方法を 3 つあげることができる.

1-3） 国際生活機能分類（ICF）の特徴を説明できる.

- □ ⑤ ICF による機能と障害の関連性を説明できる.

1-4） 作業療法士が請求できる診療報酬を説明できる.

- □ ⑥身体機能作業療法領域において請求できる診療報酬を 5 つあげることができる.
- □ ⑦作業療法の診療報酬上の問題点を説明できる.

2. 対象者に応じた身体機能作業療法が実施できるようになるために，評価・治療プロセスの概要を理解する.

➡ 17 ページ〜

SBO 行動目標

2-1） 評価・治療方式について説明できる.

- □ ①評価・治療方式の名前を 2 つあげることができる.
- □ ②ボトムアップアプローチのメリットとデメリットを説明できる.
- □ ③補助的手段・準備活動もしくは類似活動の例をあげることができる.
- □ ④トップダウンアプローチのメリットとデメリットを説明できる.
- □ ⑤作業療法士がとるべき現実的な評価・治療の方向性を説明できる.

2-2） インフォームドコンセントについて説明できる.

- □ ⑥インフォームドコンセントとは何かを説明できる.
- □ ⑦作業療法においてインフォームドコンセントに該当する様式を列挙できる.

2-3） 作業療法のプロセスを説明できる.

- □ ⑧作業療法のプロセスを図示し，その流れを説明できる.
- □ ⑨処方箋や各種記録の情報が作業療法の実施にあたってどのように活用できるかを説明できる.
- □ ⑩作業療法評価の 3 つの手段をあげることができる.
- □ ⑪作業療法評価の流れを説明できる.
- □ ⑫評価のまとめ方を説明できる.
- □ ⑬問題点の種類を列挙し，それぞれを説明できる.
- □ ⑭治療目標の種類を列挙し，それぞれを説明できる.
- □ ⑮定量的目標と定性的目標の例をあげることができる.
- □ ⑯制約条件が治療目標に与える影響を説明できる.
- □ ⑰治療計画を立案するときに考慮すべき要因を 3 つあげることができる.
- □ ⑱再評価の目的を 2 つの視点から説明できる.
- □ ⑲根拠に基づく実践のために記録・報告が重要であることを説明できる.

2-4） 治療選択を決定する臨床推論について説明できる.

- □ ⑳ 5 つの臨床推論をあげ，それぞれを説明できる.
- □ ㉑根拠に基づく作業療法（EBOT）を実践するために何が必要かを説明できる.

2-5） 身体機能作業療法で使われる治療理論を説明できる.

- □ ㉒身体機能作業療法で使われる治療アプローチを 3 つあげ，それぞれを説明できる.

2-6） 作業療法の臨床場面でのリスク管理を説明できる.

- □ ㉓組織的なリスク管理がなぜ重要なのかを説明できる.
- □ ㉔インシデント（ヒヤリ・ハット）とアクシデントの具体例を説明できる.

- □ ㉕作業療法の臨床場面で気をつけるべきリスク管理の項目を 4 つ列挙できる．
- □ ㉖手指衛生（手洗い）を実践できる．
- □ ㉗感染経路別に予防策を説明できる．
- □ ㉘尿道留置カテーテルの取り扱い上の注意点を説明できる．
- □ ㉙心肺蘇生法の流れを説明できる．
- □ ㉚作業療法備品の管理がなぜ重要であるのかを説明できる．
- □ ㉛誤用症候群の例を 2 つあげ，それぞれの注意事項を説明できる．

GIO 一般教育目標

3. 対象者に応じた身体機能作業療法が実施できるようになるために，病期・実施場所に応じた治療・指導・援助の概要を理解する．

➡ 50 ページ～

SBO 行動目標

3-1）病期に応じた治療・指導・援助の違いを説明できる．
- □ ①5 つの病期について説明できる．
- □ ②病期に応じた治療・指導・援助の概要を説明できる．
- □ ③途切れのない作業療法を提供する方法を説明できる．

3-2）実施場所に応じた治療・指導・援助の違いを説明できる．
- □ ④医療領域における身体機能作業療法の治療・指導・援助の内容を説明できる．
- □ ⑤保健・福祉・介護保険領域における身体機能作業療法の治療・指導・援助の内容を説明できる．
- □ ⑥地域包括ケアシステムにおける作業療法士の役割を説明できる．
- □ ⑦職業関連領域における作業療法の関与について説明できる．

1 身体機能作業療法学を学ぶ皆さんへ

A はじめに

作業療法士が治療・指導・援助の対象とする領域には，大きく分けて5領域(身体機能，精神機能，発達過程，高齢期，地域)がある．本書は，そのなかの身体機能作業療法(作業療法教育の専門分野としては「作業治療学」に入る)について解説したものである．

「作業治療学」は，本書「『標準作業療法学シリーズ』の特長と構成」(➡ viii ページ)にあるように，作業療法専門分野の「基礎作業療法学」および「作業療法評価学」が基礎となっている．対象者に適切な治療・指導・援助を行うには，対象者をどのように理解するか(「作業療法評価学」)，また作業活動をいかに活用するか(「基礎作業療法学」)という知識や技術が必要である．作業治療学を学ぶにあたって，機会あるごとにこれらを復習し，その関連性を常に考えながら学習を進めていってほしい．

B なぜ身体障害ではなく身体機能か

従来，上記の作業療法の5領域は「障害」の名前を付した呼称がなされていた．たとえば，身体障害作業療法，精神障害作業療法，発達障害作業療法，老年期障害作業療法などである．本シリーズでは，この従来の呼称の仕方を採用していない．本書をなぜ「身体機能作業療法学」にしたのかは，以下の3つの理由による．

第1に，以前から，作業療法士は対象者(client；クライエント)の否定的側面や障害面だけをみて対応してきただけでなく，肯定的側面やうまく機能している面も評価し，それを治療・指導・援助に活用してきた．これは，以下に述べる世界保健機関(WHO)の国際生活機能分類(ICF)の考え方にも近い．

ICFでは，「障害」を**生活機能**のなかに含まれるものと考え体系化している．生活機能を“心身機能・身体構造”と“活動と参加”という2つの構成要素からみたときに，肯定的側面(プラス因子，うまく機能している側面)と否定的側面(マイナス因子)の2方向性があり，後者がいわゆる「障害」を意味する．心身機能・身体構造のマイナス因子は「機能障害」とされるが，活動と参加では「活動制限」，「参加制約」とされ，「障害」の語は使われていない．そして，“環境因子”や“個人因子”の状況によっては，「機能障害」があっても，それがすぐに「活動制限」や「参加制約」になるとは限らず，これらの因子はダイナミックな相互作用がある〔本章2の図5(➡ 15ページ)参照〕．

第2に，加齢の過程を考えてみよう．高齢になれば，当然のことながら心身機能は衰えてくる．身体的にも以前できていたことができなくなった

Keyword

生活機能　functioning．国際生活機能分類(ICF)の定義では，「生活機能とは心身機能・身体構造，活動，参加のすべてを含む包括用語である」とされている．「障害」の用語は身体機能と身体構造の著しい変異や喪失の場合に限って使われ，機能障害，構造障害と表現される．

り，記憶力が低下してくる．これらが生活に影響を及ぼすようになれば「障害」と呼ばれるかもしれないが，一方で正常な加齢の過程（機能低下）ととらえることもできる．このように，正常機能と機能障害は明確に区別することができず，連続した線上にあると考えることもできる．

第3に，作業療法が対象とする対象者の広がりがある．超高齢社会の到来をにらんで，国は「地域包括ケアシステム」を推進しようとしている（➡55ページ）．それは「高齢者の尊厳の保持と自立生活の支援の目的のもとで，可能なかぎり住み慣れた地域で，自分らしい暮らしを人生の最期まで続けることができるよう，地域の包括的な支援・サービス提供体制（地域包括ケアシステム）」を構築しようとするものである．

このなかでは，「障害」が発生してから対応する介護・リハビリテーションだけでなく，「障害」が発生しないようにする保健・予防を有機的に連携し，それらを一体的に提供するようにすることが強調されている（▶図1）．作業療法士もその役割（予防的作業療法）を期待されており，その対象者はまさに「障害」を有していない対象者である．

これらの理由から，あえて「障害」の語を使用せず「身体機能作業療法学」とした．

C 本書の構成

ここでは，本書の概要と学習の進め方について解説する．

本書は大きく2部構成となっている．第1部「身体機能作業療法学概論」では，身体機能作業療法を実施するうえでの基礎を学習する．

第Ⅰ章「身体機能作業療法学の基礎」では，身体機能作業療法の目的や対象，治療のプロセスや考え方，リスク管理を概説する．ここでは，どの対象者にも共通する作業療法過程や治療方法選択の基礎となる推論の考え方を述べる．対象者の年齢・社会的役割・生活環境によって，治療・指導・援助の仕方が異なることを理解してほしい．

▶**図1　地域包括ケアシステム**
〔厚生労働省ホームページ：https://www.mhlw.go.jp より〕

第Ⅱ章「身体機能作業療法の治療原理」では，各種疾患や外傷の治療に共通した心身機能・身体構造に対するアプローチ法を学習する．これらは第2部の「疾患別身体機能作業療法」の基礎となるので，しっかり身につけることが大切である．

第2部では，疾患別の身体機能作業療法について述べてある．作業療法の具体的な治療・指導・援助の展開を説明するときに，大きく分けて疾患別もしくは障害別という2つの方法がある．ここでは，作業療法士の国家試験の出題基準を参考に，疾患別で章立てすることとした．そのなかには，近年作業療法の対象となることが多い内部疾患（心疾患，呼吸器疾患，糖尿病）と悪性腫瘍（がん）も含めてある．

そして，各章は各疾患や外傷の概要や医学的治療と作業療法との関連，一般的作業療法評価と注意事項，治療目標，一般的な作業療法プログラムと注意事項という構成になっている．

作業療法士が活躍する場は広範にわたっているが，第Ⅰ章でも述べるように，作業療法士は医療職として位置づけられ，期待されている．作業療法を展開するにあたっては，基礎医学の知識をもとにして対象者を深く理解することが大切である．その基礎の上に作業療法独自の治療・指導・援助が実施される．いろいろな治療方法・内容・手技を身につけるようにしてほしい．

2 身体機能作業療法の目的と方法，対象

A 身体機能作業療法の3つの目的

1 作業療法士に求められているもの

作業療法は“作業”を治療手段として用いたり，疾病や外傷のために困難になった“作業”を再び行えるよう治療・指導・援助を行う医療専門職である．この“作業”は文化の影響を受けるため，作業療法の具体的な実施内容・方法は国や文化によってさまざまである．

わが国における作業療法士の資格や業務内容は，理学療法士及び作業療法士法(1965年6月交付)によって規定されている．それによれば，「作業療法士」とは，「厚生労働大臣の免許を受けて，作業療法士の名称を用いて，医師の指示の下に，作業療法を行うことを業とするもの」であり，「作業療法」とは，「身体又は精神に障害のある者に対し，主としてその応用的動作能力又は社会的適応能力の回復を図るため，手芸，工作その他の作業を行なわせることをいう」とされている．また，同法の15条では，「理学療法士又は作業療法士は，保健師助産師看護師法(中略)の規定にかかわらず，診療の補助として理学療法又は作業療法を行なうことを業とすることができる」と規定されている．

この法律は現在も有効であるが，施行から年月を経て，保健・医療・福祉をとりまく状況にも変化がみられるため，2010年に厚生労働省は「チーム医療」を推進する観点から，「医療スタッフの協働・連携によるチーム医療の推進について」の通知を出し，そのなかで作業療法の範囲を次のように示した[1]．

> 理学療法士及び作業療法士法第2条第2項の「作業療法」については，同項の「手芸，工作」という文言から，「医療現場において手工芸を行わせること」といった認識が広がっている．以下に掲げる業務については，理学療法士及び作業療法士法第2条第1項の「作業療法」に含まれるものであることから，作業療法士を積極的に活用することが望まれる．
>
> - 移動，食事，排泄，入浴などの日常生活活動(ADL)に関するADL訓練
> - 家事，外出などのIADL(生活関連活動)訓練
> - 作業耐久性の向上，作業手順の習得，就労環境への適応などの職業関連活動の訓練
> - 福祉用具の使用などに関する訓練
> - 退院後の住環境への適応訓練
> - 発達障害や高次脳機能障害などに対するリハビリテーション

ここで強調したいことは，少なくともわが国においては，作業療法士は医療補助職として法的に

Keyword

IADL　本書では生活関連活動と訳す．一般には手段的日常生活動作と訳されるが，適切な用語ではない．食事，整容，更衣，排泄，入浴，起居などの基本的日常生活活動(ADL)以外の，多くの者が日常的に行う家事(炊事，洗濯，掃除など)，買い物，金銭管理，趣味活動，服薬管理，公共交通機関の利用，自動車運転，電話をかけるなどの日常生活に関連した活動をいう．

位置づけられており，上記通知のような広範な業務を求められているということである．この観点からも，作業療法を実施するにあたっては，しっかりとした医学的知識や障害に関する知識をもつ必要があり，それに基づいて作業療法を展開する必要があるといえよう．

2 作業療法の起源と哲学

身体機能作業療法のアプローチを述べる前に，作業療法の起源と哲学について以下に簡単にまとめる．

a 欧米における作業療法の起源

作業療法の起源を記した書籍[2-4]のほとんどは，紀元前 2000 年代の古代エジプトをそのルーツとしている．当時のエジプトの神殿では，身体と精神の相互関係を重要視し，「ゆううつ病」などの精神を病む人々に身体を使う楽しい作業をすすめたといわれている．

作業療法を治療として初めて用いたのは，紀元前 600 年代のギリシャのアスクレピオス(Asklepios)とされている．アスクレピオスは医療職の神(医神)とされており，彼の持っていた蛇のからまりついた杖は，今日の医学のシンボルとなっている．彼は譫妄症(せんもうしょう)(delirium；軽度から中等度の意識障害に幻覚や精神的な興奮を伴う)の対象者に音楽や歌，演劇などを用い，精神の鎮静効果を得たとされている．これを彼は「activity treatment」と呼んだ．

彼に続くヒポクラテス(Hippocrates，紀元前 460〜377 年)も身体と精神の相互関係が重要であることに注目し，レスリングや乗馬，労働などの作業を課し，その効果を仕事へ転嫁する訓練を進めた．

ケルスス(Celsus，紀元前 25〜45 年)は，健康維持のために帆走，狩猟，ボールゲーム，ランニングなどのスポーツを推奨した．このように，エジプト，ギリシャ，ローマの医師は，何かをすること(occupation)と健康には密接な関係があると気づいていたといえる．

作業が治療上有効であることを明確にしたのは，ギリシャの医師ガレン(Galen，130〜201 年)である．彼は「仕事をするということは自然の最も優れた医師であり，それが人間の幸福に必要不可欠である」との言葉を残している．これは作業療法の基本的な考え方，哲学であるといえ，彼は作業療法の元祖ともいえる．彼は種々の作業(土堀り，農園作業，魚釣り，舟造りなど)を治療の手段として用いた．

このの ち，5 世紀にはイタリアのアウレリアヌス(Aurelianus)が，他動および自動的療法，言語治療，抵抗運動などを行わせ，「患者自身が回復への努力をする」という点を重視した．これは，自己活用を奨励した作業療法の原点にもつながる．1780 年にティソ(Tissot)は occupational exercise を自動，他動，および両者混合の 3 つに分け，さらに手芸，バイオリン，掃除，鋸引き，鐘撞き，ハンマー作業，木割り，乗馬，水泳などの諸活動が治療に役立ち，それらを使用することを推奨したとされている．

18 世紀のヨーロッパでは，これらの治療法を「work therapy」や「work treatment」と呼び，19 世紀初頭の人道主義に基づくフランスの医師ピネル(Philippe Pinel，1745〜1826 年)の「鎖からの解放(＝拘束からの解放)」へとつながっていく．ピネルは，精神に障害のある対象者を「鎖から解放」することを提唱し，フランスのビセートル(Bicêtre)収容所で 50 人の対象者に身体運動と手工芸を処方し，心身機能の向上をはかるという「work therapy」を実施した．これは徐々にヨーロッパに広がっていった．これを英国で学んだ医師 Thomas Eddy は，1815 年にこの「work therapy」を米国に持ち帰った．しかし，これは大きな展開をみせることなく，約 1 世紀の時間が流れることとなった．

b 米国における作業療法専門職の確立

米国において，作業療法が大きな発展を遂げたのは，第1次世界大戦時(1914～1918年)の1917年の作業療法推進全国協議会(The National Society for the Promotion of Occupational Therapy)の発足であった．この協議会の設立に携わった関係者の言葉から作業療法についての当時の作業療法のあり様を振り返る．

建築家であり，作業療法協会の初代会長であるGeorge E Barton(建築家)は作業療法(occupational therapy)の命名者である．自らも障害(結核，左足切断，左半身麻痺)をもち，人生の1/4を患者として病院生活を送り，作業療法を受けた経験をもとに，作業療法を精神科領域から身体に障害のある対象者にも広げるべきと主張した．そして，「(作業療法は)物をつくることでなく，1人の人間をつくることである」と考え，作業療法を「望ましい治療的効果を引き起こすような，エネルギーと諸活動を含む作業を病者に教え，励みを与えていく科学である」と定義した．そして，作業療法を受けられる施設「Consolation House(慰めの家)」をニューヨークに設立した．

William R Dunton Jr(精神科医)は自らの病院で作業療法を実践し(reconstruction therapy；再建療法)，「作業は食物や飲料と同じように生活にとって重要なものである．それゆえにすべての人が身体と精神の両方のために作業を行うべきである．その要素には誰でもが楽しめる内容をもち，少なくとも屋外と屋内の2か所でなされるべきである．心や身体が病んだり，魂が迷ったりするときには，作業がその治療の道へと導いてくれるものである」と主張した．

コロンビア大学の学生であったSusan E Tracy(看護婦)は，病院内の対象者で手を動かし，なんらかの手作業をしている者は，ほかの対象者よりも回復が早いということに気がつき，彼女の“療法”を編み出し，その後の看護婦教育に取り入れた．そして，「彼ら(患者)のつくった作品のできばえいかんが問題なのではなく，大切な作品は患者さん自身です．患者さんがよくなれば，彼らが作品をつくったことがよかったということです」という名言を残している．

Elenor Clarke Slagle(精神科ソーシャルワーカー)は「生活の大部分は習慣的反応から成り立っている」との考えに基づき，ジョーンズホプキンス(Johns Hopkins)病院で実践し，「習慣形成プログラム(habit training)」を発展させた．

この協議会は，教育や実践を通して作業療法を米国に浸透させ，1922年には現在の名称である米国作業療法協会(AOTA)に改組された．

c 日本における作業療法専門職の確立[5-7]

日本においても，現代の作業療法は精神科領域に起源をもつ．明治から大正にかけて先進的な医師〔呉秀三，加藤晋佐次郎，菅修(巣鴨病院，のちの松沢病院)〕らは無拘束主義を掲げ，縫製や菜園の作業を「作業治療」として行っていた．関西では，高橋清太郎(境脳病院，のちの浅香山病院)が開放病棟を建て，生産的な作業療法を行った．

発達障害の領域では，高木憲治が大正時代に肢体不自由児(これは高木の創り出した用語である)の巡回相談を実施し，また1942(昭和17)年に整肢療護園(のちの心身障害児総合医療療育センター)を建て，「手工芸練習」や「克服訓練」を実施した．上にあげた菅修は，のちに国立精神薄弱児治療教育施設国立秩父学園の初代園長となり，心身障害児の治療援助に尽力した．

身体障害の領域では，1950(昭和25)年に水野祥太郎が，欧米視察後の報告書で初めて「リハビリテーション」という用語を紹介した．整形外科領域および身体障害者福祉法のもとで，水野や田村春雄(大阪の身体障害者更生指導所初代所長)らによる「職能訓練」が行われた．九州労災病院では，1960(昭和35)年に内藤三郎，原武郎らがカナダの方式を取り入れた総合的なリハビリテーションサービスを展開した(作業療法は「職能療法」と呼ばれていた).

一方，結核の対象者の社会復帰をはかるための作業療法は，戦前より試みられており，新井英夫(東京府立静和園，のちの国立療養所中野病院，その後，国立国際医療センターに統合)が，また野村實(白十字会村山サナトリウム，のちの東京白十字病院)は「転換療法」と称して実施していた．野村は，「作業療法はその生活に生きる喜びを与え，生命の意味を味わううえで欠かすことのできないものである」とし，人間の精神性，心の状態を最重要視した．

日本人の作業療法士の先駆者としては，1951(昭和26)年に渡米し，作業療法を学んだ長谷川峰子がいる[8]．2年半の留学後帰国した彼女は，北海道札幌医科大学や神奈川県立芹香園をはじめとした数か所の施設で精神医学的作業療法を実践し，日本の作業療法士の指導にあたった．

1963(昭和38)年には日本リハビリテーション医学会が創設された(初代会長：水野祥太郎)．そして，同年に第1回日本リハビリテーション医学会が開催され，それまで「職能療法」などさまざまな呼称があった療法を「作業療法」に統一した．同年，WHOよりDorothy大森が派遣され，国立身体障害者センターにおいて3か月間の作業療法に関する講習を行った．

これに先立ち，1961，1962年には厚生省(当時)医療制度調査会が「医学的リハビリテーション専門技術職の資格制度を速やかに創設すべき」と厚生白書で強調した．同省医務局医事課に設置された「医療関係者審議会，理学療法士作業療法士部会」(部会長：砂原茂一)で養成校設立や法制定，国家試験に関する事項が審議された．そして，1963年3月に養成校設立の予算案および設置法が国会で成立し，同年5月に国立療養所東京病院附属リハビリテーション学院が開校された(初代学院長：砂原茂一)．1965(昭和40)年6月29日には，理学療法作業療法身分制度調査委員会が理学療法士作業療法士の身分法を制定した．1966(昭和41)年2月には第1回国家試験(初代試験委員長：東大リハビリテーション部部長，津山直一)が実施され，22名の有資格者が誕生した(学院卒5名，経過措置者17名)．このほかに外国免許取得者2名がいた．同年9月には，日本作業療法士協会が会員20名で設立された．

d 作業療法に関する思想の変遷[9,10]

米国で作業療法が確立された当時，その思想的背景となっていたのは人道主義に基づく「道徳療法」であった．道徳療法は，ピネルに代表されるように19世紀のヨーロッパに起源をもち，精神に障害のある対象者を人間以下で治癒不可能という悲観的な見方から，了解可能で，人道的な治療に反応しうる能力があるとみなす楽観的な観点に換えた．道徳療法の特徴としては，人間の個性の尊重，精神と身体の一体性を受け入れること，日課と作業を用いた人道的アプローチは回復を導くことができるとする点である．作業には，音楽，体操，芸術や農作業，大工仕事，塗装工事，手工芸などがあった．この道徳療法の思想は，米国作業療法の創始者たちに大きな影響を及ぼした．

一方で，1930年代の大恐慌という厳しい社会状況に対応し，作業療法士の社会的地位を確立するため，AOTAは養成校の最低基準をつくって作業療法士の質を保証するとともに，米国医学協会との連携を模索し，作業療法士は医療補助職の1つとなった．そして，医療専門職社会から，全体論的哲学(人道主義)から還元主義的哲学(医学モデル)へと変化するよう圧力を受けた．還元主義とは，機能を細分化し，その部分の分析によって機能を理解しようとする科学的手続きの1つである．関節可動域(ROM)や筋力への直接的な働きかけ，さらには運動療法的手技が主流となり，作業療法の草創期に使われていたような目的活動や作業は次第に作業療法の中心的存在とはみなされなくなった．

以降，作業療法のあり方を巡って全体論と還元主義の間で論議がなされた．1980年代から，AOTAは「目的活動」について順次定義を発表し

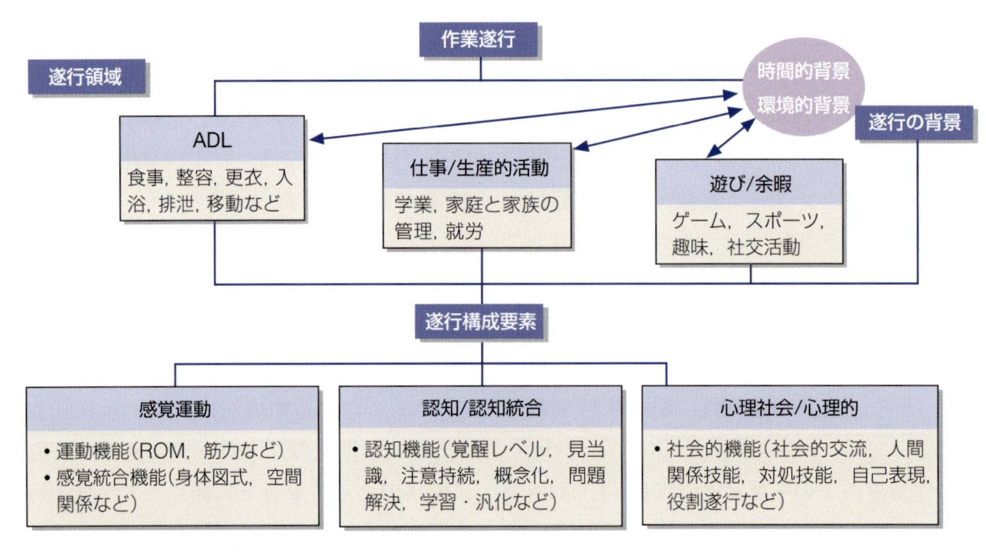

▶**図 1　作業遂行モデル**
〔Pendelton HM, 他（編著），宮前珠子，他（監訳）：身体障害の作業療法．改訂第 4 版，p4，協同医書出版社，1999 より改変〕

た．1993 年には，目的活動を「日々の生活の日課のなかで人々が主体的に参加する課題または経験」であるとし，「目的指向的な行動あるいは作業を含む課題」とした．

また，作業療法のサービスを説明するために「作業療法の統一用語」を作成していたが，1994 年の統一用語第 3 版で「作業遂行モデル（occupational performance model）」*1を発表した（▶図 1）[9]．LW Pedretti は，この作業遂行モデルを基礎として次の 4 段階にわたる作業療法治療の連続性を提示している〔本章 3「身体機能作業療法学の枠組み」（➡17 ページ）参照〕．

- 第 1 段階（補助的手段）：目的活動の使用に先立って対象者に作業遂行の準備をさせる手技．運動訓練や，ポジショニング，感覚刺激，物理療法の一部，装具やスプリントなど
- 第 2 段階（準備活動）：目的活動を模倣した準備的用具や手段．サンディングボードやスケートボード，ペグボード，種々のシミュレーターなど
- 第 3 段階（目的活動）：活動に独自の目標があり，対象者にとって適切で意味のある活動．ADL や趣味活動，仕事，勉学など
- 第 4 段階（作業遂行と作業役割）：治療の連続性の最後の段階．対象者がその生活環境や地域社会において作業役割を再獲得または獲得し，遂行する．

統一用語は 2002 年に改訂され，作業遂行モデルに代わって「作業療法実践の枠組み（occupational therapy practice framework; OTPF）」が公表された．これは「作業療法士が行うこと（作業療法の領域；occupational domain）」と「作業療法の実践の仕方（作業療法の過程；occupational process）」を明確にし，作業療法の対象者や他の保健医療職，医療費支払機関に対し，共通言語を使って作業療法の説明をわかりやすくすることが目的であった．

*1：本文に述べたように，「作業遂行モデル」は 2002 年に「作業療法実践の枠組み（OTPF）」に変更されているが，人の行為・行動・活動についての構造的な理解がしやすいため，「作業遂行モデル」で説明した．OTPF の詳細については，文献 10) を参照のこと．

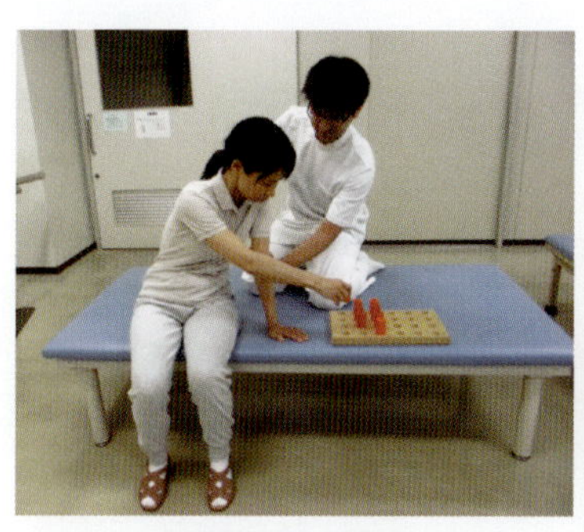

▶図 2　機能(回復)訓練の一例
麻痺側(左)で体重を支えながら，ペグの移動を行っている．

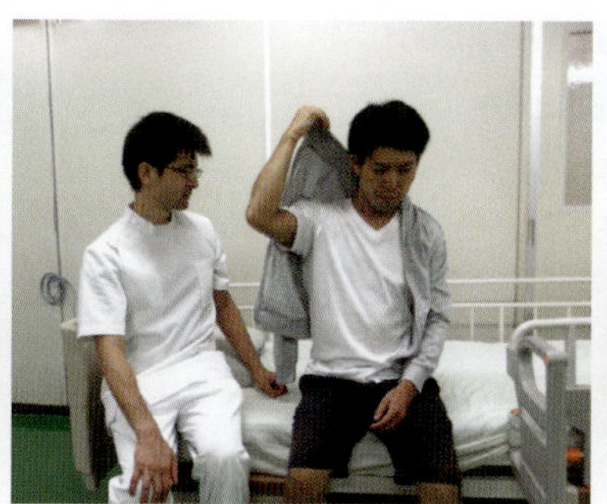

▶図 3　動作訓練の一例
片手動作で上着の着脱を練習している．

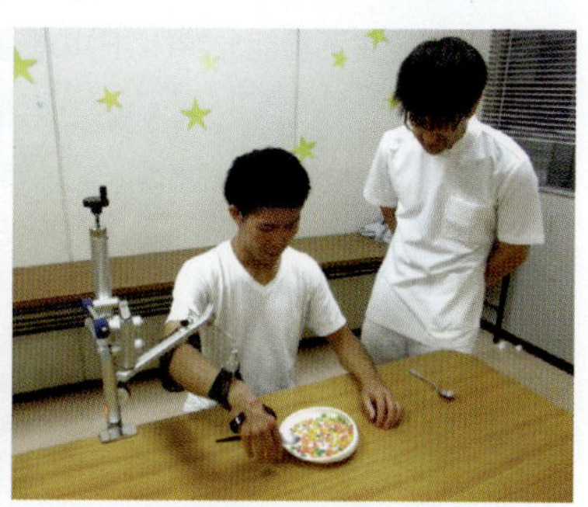

▶図 4　福祉機器の適合の一例
ポータブルスプリングバランサーとハンドカフを用いて食事動作の練習をしている．

3 身体機能作業療法の 3 つのアプローチ

作業療法の究極的な目的は，対象者が望む“作業”が行えるようになるよう援助することである．はじめに述べたように“作業”は文化的な影響を受けるが，ある程度共通した枠組みを提示することができる．ここでは，上述した「作業遂行モデル」をもとに説明する．「作業遂行モデル」では 3 つの遂行領域，3 つの遂行構成要素，2 つの遂行の背景を示している．

遂行領域の 1 つである ADL(食事・整容・更衣・入浴・排泄・移動など)がなんらかの障害によって行えなくなったとき，そして対象者が再びその活動を行いたいと望むとき，作業療法士はどのようにアプローチするだろうか．

たとえば，脳卒中〔第 III 章の 1「脳血管疾患」(➡176 ページ)参照〕によって利き手である右上肢が麻痺したとき，どのようにしたら再び自力で食事ができるようになるだろうか．作業療法士は次のような 3 つのアプローチ法を考える．

①麻痺した右上肢の機能を回復させるような訓練を行って，右手で食事ができるようにする．
②麻痺していない左手で箸を使う練習を行い，食事ができるようにする．
③皿やスプーンを工夫し，麻痺していない左手でも食事しやすいようにする．

これを日常的な言葉で表すと，①は「対象者を変える」，②は「やり方を変える」，③は「環境を変える」方法であるといえる．作業遂行モデルに関連していうと，①は遂行構成要素の領域に対する治療方法であり，一般に「機能(回復)訓練」と呼ばれる方法である(▶図 2)．②および③は遂行領域および遂行の背景に対する働きかけであり，②は「動作訓練」(▶図 3)，③は「福祉機器の適合」や「環境調整」といわれる領域に属する(▶図 4)．この 3 つのアプローチ法が身体機能作業療法の治療・指導・援助の大枠の考え方である．

B 身体機能作業療法の対象疾患と障害

1 身体機能作業療法で対象とする疾患

身体機能作業療法の対象者は，疾病や外傷に基づいて分類する場合と，障害に基づいて分類する場合とに分けて考えることができる．疾病や外傷によっては特有の障害像を示すものがあり，その原因や経過，予後を知らないと，作業療法においても有効な対応ができない場合が多い．そのため，医療補助職として疾病や外傷についての医学的知識をもつことは重要である．20 世紀初頭か

▶**表 1　国際生活機能分類(ICF)の概観** (WHO, 2001)

	第 1 部：生活機能と障害		第 2 部：背景因子	
構成要素	心身機能・身体構造	活動・参加	環境因子	個人因子
領域	心身機能 身体構造	生活・人生領域 (課題，行為)	生活機能と障害への外的影響	生活機能と障害への内的影響
構成概念	心身機能の変化(生理的) 身体構造の変化(解剖学的)	能力：標準的環境における課題の遂行 実行状況：現在の環境における課題の遂行	物的環境や社会的環境，人々の社会的な態度による環境の特徴がもつ促進的，あるいは阻害的な影響力	個人的な特徴の影響力
肯定的側面	機能的・構造的統合性	活動 参加	促進因子	非該当
	生活機能			
否定的側面	機能障害 (構造障害を含む)	活動制限 参加制約	阻害因子	非該当
	障害			

〔障害者福祉研究会(編)：ICF 国際生活機能分類―国際障害分類改訂版. p10, 中央法規出版, 2002 より〕

ら始まったリハビリテーション(以下，リハ)の歴史のなかで，作業療法士は対象とする疾患を徐々に拡大し，その評価・治療法が確立されている主な疾患や外傷は，第 2 部に掲載した 26 種類である．

2 身体機能作業療法で対象とする障害

たとえば風邪のように，ごく短期間の一過性の病気であり，障害がない(あるいは障害を残さない)とすれば，それは作業療法の対象とならない．疾病や外傷によって生活上の困難さや不自由さ，不利益など(つまり障害)が生じ，それが一定期間以上持続すると考えられるときに，それを軽減させ，生活の質(QOL)を向上させるために，作業療法士は治療・指導・援助を行う．

以上のように，一般的には作業療法の対象者は障害を有する人々である．しかし，近年，特に高齢者を対象として，障害が発生しないよう予防的にかかわりをもつ「予防的作業療法」が新しい分野として注目されている．

障害もしくは機能を分類する方法には，国際生活機能分類(ICF)がある．ICF の概観を**表 1**[11]および**図 5**[11]に示した．また，作業療法の治療対象となる各構成要素に含まれる項目の例を**図 6**[12]に示した．

ICF の分類は，「生活機能」という観点から，機能と障害の両側面に着目して組み立てられている．また，障害が個人の心身の状態によって引き起こされるだけでなく，社会環境によってもおこる「生活障害」であるとしている．この考え方は，「人─作業─環境」の相互作用のなかで障害を総合的にとらえ，対象者の否定的側面だけでなく，肯定的側面を評価し，それを治療に生かそうとする作業療法の考え方とよく合致している．

3 診療報酬上からみた作業療法

リハ専門職は保健・医療・福祉分野でその治療に対して対価が支払われている．この対価は医療分野では「診療報酬」といい，保健・福祉分野では「介護報酬」といわれる．報酬が支払われる基準(施設の規模や職種・人数，備えるべき機器)と診療・介護点数は，国の財政状況によって大きく左右され，厚生労働省が定期的に改定している．

この診療報酬は，以前は「作業療法料」として請求が可能であった．しかし，2006 年に「疾患別リ

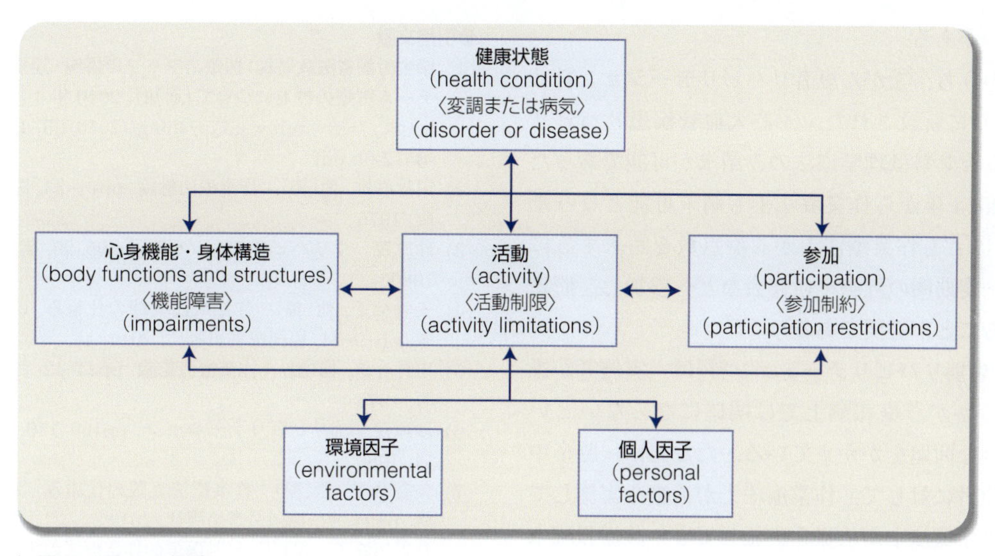

▶**図 5　ICF の概念**
〔障害者福祉研究会(編)：ICF 国際生活機能分類―国際障害分類改訂版. p17, 中央法規出版, 2002 より一部改変〕

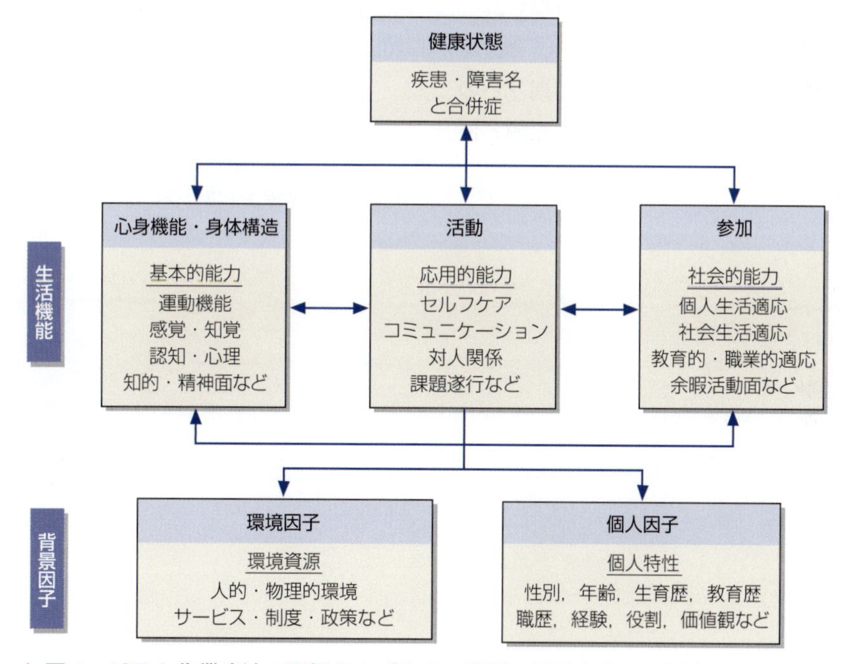

▶**図 6　ICF と作業療法の評価および治療・指導・援助内容との対応**
〔日本作業療法士協会(編)：作業療法ガイドライン(2018 年度版). pp8–10, 日本作業療法士協会, 2019 を参考に作成〕

ハビリテーション料」に改定された．現在，作業療法士が請求できる診療報酬には，
①脳血管疾患等リハビリテーション料
②運動器リハビリテーション料
③呼吸器リハビリテーション料
④心大血管疾患リハビリテーション料
⑤がん患者リハビリテーション料
⑥廃用症候群リハビリテーション料

の6つがある．

このうち，⑤がん患者リハビリテーション料は2010年に新設された．④心大血管疾患リハビリテーション料は理学療法のみ請求が可能であったが，2014年から作業療法士も請求可能となった（④，⑤とも作業療法士が診療点数を請求するには，一定期間の経験や研修会などへ参加し，研鑽を積むことが必要である）．

「疾患別リハビリテーション料」は，実施者が誰であるかが診療報酬上では明確にならないという大きな問題をかかえている．たとえば，脳卒中の対象者に対して，作業療法士が治療を実施しても，理学療法士が治療を実施しても，診療報酬上は「脳血管疾患等リハビリテーション料」を請求することになり，実施者が作業療法士なのか，あるいは理学療法士なのかは明らかにはならない．

介護報酬では疾患名にかかわりなく，①介護老人保健施設でのリハ，②通所リハ，③訪問リハの3種が認められているが，こちらも診療報酬と同様，職種による区別は明らかにならない．

●引用文献

1) 厚生労働省医政局長：医療スタッフの協働・連携によるチーム医療の推進について（通知）．2010年4月30日．https://www.mhlw.go.jp/shingi/2010/05/dl/s0512-6h.pdf
2) 田村春雄，他（編）：作業療法総論．pp14–23，医歯薬出版，1976
3) 砂原茂一：リハビリテーション．pp95–99，岩波書店，1980
4) 矢谷令子，他（編）：作業療法実践の仕組み．改訂第2版，pp19–24，協同医書出版社，2014
5) 田村春雄，他（編）：作業療法総論．pp24–42，医歯薬出版，1976
6) 砂原茂一：リハビリテーション．pp100–110，岩波書店，1980
7) 矢谷令子，他（編）：作業療法実践の仕組み．改訂第2版，pp24–32，協同医書出版社，2014
8) 長谷川峰子：復刻版 精神医学的作業療法の実際．シービーアール，2012
9) Pendelton HM，他（編著），宮前珠子，他（監訳）：身体障害の作業療法．改訂第4版，pp4，15–14，協同医書出版社，1999
10) Pendelton HM，他（編著），山口　昇，他（監訳）：身体障害の作業療法．改訂第6版，pp23–33，協同医書出版社，2014
11) 障害者福祉研究会（編）：ICF国際生活機能分類—国際障害分類改訂版．pp10，17，中央法規出版，2002
12) 日本作業療法士協会（編）：作業療法ガイドライン（2018年度版）．pp8–10，日本作業療法士協会，2019

3 身体機能作業療法学の枠組み

A 2種類の評価・治療方式

作業療法過程について述べる前に，評価や治療を計画するときの全般的な考え方・アプローチについて説明する．評価や治療を計画するときの考え方として2種類がある．それは，ボトムアップアプローチ(bottom-up approach)とトップダウンアプローチ(top-down approach)である(▶図1)．

1 ボトムアップアプローチ

ボトムアップアプローチとは，心身の要素的機能の評価・治療から開始し，次に活動・参加の領域の評価・治療へと進めていく“積み上げ”方式を指す．

これは，心身機能・身体構造(以下，心身機能・構造)が活動や参加のための基礎であり，心身機能・構造を正常な状態に回復させることによって，生活全般の活動や参加の領域は機能的に行えるようになるとの前提に基づいている．したがって，このアプローチでは，はじめに対象者の心身機能・構造に焦点を当てた評価と治療が行われる．

a 方法

(1) 機能(回復)訓練

まず，心身機能・構造の障害に注目して評価を行い，それらの回復と機能向上を目指して治療する．これらの治療方法は「機能(回復)訓練」と呼ばれている．

機能(回復)訓練の方法には，補助的手段(adjunctive modality)と，準備活動(enabling activity)もしくは類似活動(simulated activity)がある[1]．

補助的手段は，疾病や外傷の急性期に用いられることが多い．補助的手段では，対象者が作業活動を行えるようにするための準備を行う．具体的

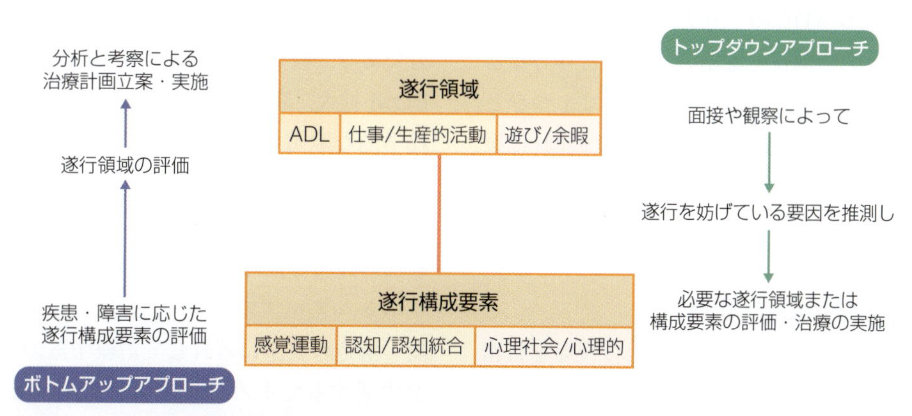

▶図1 ボトムアップアプローチとトップダウンアプローチ

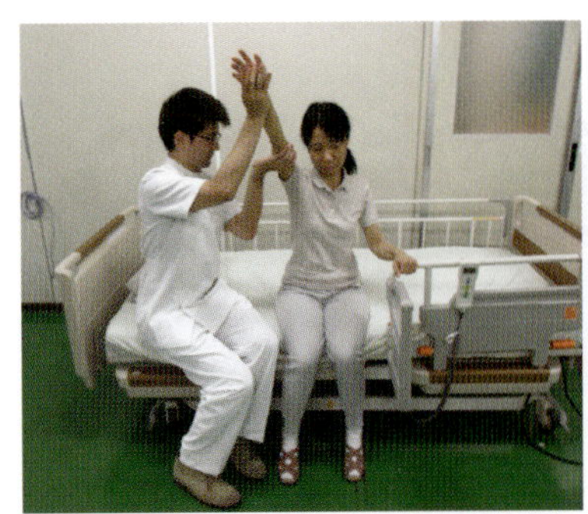

▶図 2　運動機能訓練の一例
作業療法士が他動的な ROM 訓練を実施している.

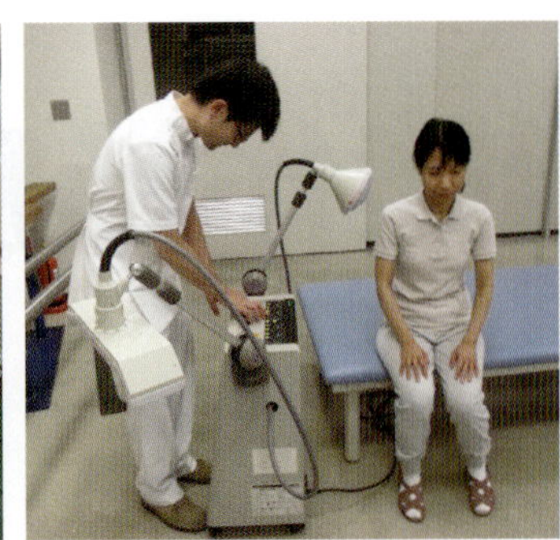

▶図 3　物理療法の一例
肩関節にマイクロウェーブを照射している.

▶図 4　準備活動の一例
サンディングを使って筋力増強訓練を行っている.

には，訓練機器や道具を使用して，あるいは作業療法士が徒手的に運動機能訓練を行う(▶図 2)．また，装具やスプリントを使用したり，感覚刺激を与えたり，時には物理療法手段の一部(ホットパックやパラフィンなど)を用いることもある(▶図 3).

準備活動(類似活動)は実際の活動に似せた，繰り返し行える活動である．作業療法士は，数々の準備的用具や準備的手段を考案している．たとえば，サンディングボードやペグボード，コーン(円錐)や積木，職業や学業を模した机上活動などである(▶図 4).

(2) 活動に対する治療・指導・援助

次に，回復した機能で活動能力を高める，つまり，ADL や IADL，社会生活が送れるよう治療・指導・援助する.

着替えなどの ADL のやり方から，職場復帰のためのパソコンの練習や電話のメモのとり方などまで，対象者の必要性に合わせ具体的に 1 つひとつ指導する．この段階では，主に医療機関(作業療法室または病棟)の設備機器を利用して，いわば実際場面を想定し，シミュレーションとして練習が行われる.

(3) 実際場面での指導・援助

最終的に個人生活・社会的生活への復帰を目指して，実際場面での指導・援助が行われる.

家庭復帰のためには，外泊訓練，家事動作訓練，家屋改造などが必要になるだろう．復学のためには，登下校，教室間の移動，学校でのトイレ，学習方法などの問題を解決する必要があるだろう．そして，職場復帰では，通勤や仕事上要求される能力に問題がないかどうか，あるいはすぐに原職復帰が可能でなければ職能訓練施設への入所などが検討される.

さらに，社会生活を送るための一般的技能(例：買い物，公共交通機関の利用，建物へのアクセス)や趣味活動など，個々の対象者が希望する課題の問題を解決し，QOL の向上を目指すための指導・援助が行われる.

b メリット

ROM 拡大，筋力増強，随意運動の回復，視覚・認知機能の向上など，心身機能・構造の回復・改善は，実生活上の活動を遂行するための基礎的能力である．整形外科的障害を改善させること(例：ROM 拡大，筋力増強など)や神経筋疾患・神経生理学的な障害を軽減すること(例：脳卒中による中枢性運動麻痺の随意運動の回復，視覚・認知機能の向上など)で，多くの具体的な日常の活動や参加の障害を同時に治療することが可能になる.

ボトムアップアプローチでは，対象者の心身機能・構造の要素に着目して治療するので，対象者が生活するであろう環境要因に対する配慮をあまりしなくてもすむ．したがって，臨床場面では導入しやすく，かつ経済的でもある．ボトムアップアプローチの初期では，作業療法士が現実の物的・人的環境を評価したり，管理することはあまりない．

c デメリット

心身機能・構造の障害と具体的な日常の活動(ADL や IADL)との結びつきを考えながら評価をしないと，日常の活動とは関連性のない，または必要性のない心身機能・構造に焦点を当てた治療を行ってしまう可能性がある．また，基本的な心身機能・構造の回復が，必ずしも具体的な日常の活動に結びつかないおそれがある．つまり，筋力増強訓練や ROM 訓練が“訓練”としてとらえられ，それによって得られた能力を実際場面で使うには，改めて指導が必要になることもある．

日常の活動が行える実用的レベルまで心身機能・構造が回復しない疾患・外傷は多い．その場合，心身機能・構造の回復訓練に取り組む意味合い，治療に費やす時間や費用が対象者にとって不利益になるのではという問題が残る．しかし，心身機能・構造の回復にまったく取り組まないで，日常の活動の練習をすることも，**障害受容**に影響を及ぼすだろう．

次に問題となるのは，作業療法士の治療技能である．作業療法士が十分な治療技能をもたなければ，対象者の心身機能・構造の回復を十分に引き出せない可能性がある．心身機能・構造の回復に使われる手技，特に徒手的な方法による手技は理学療法の手技を基本にしたものが多い．これらの手技は，習得するには卒後の研修や学習を必要とするものがほとんどである．当然のことながら，初心の作業療法士と経験を積んだ作業療法士とでは，対象者から引き出せる回復に差異が出る可能性がある．

2 トップダウンアプローチ

トップダウンアプローチでは，まず日常の活動や社会参加を困難にしている状況に着目して対処し，最後に活動と参加の困難さの原因となっている心身機能・構造に焦点を当てる．

心身機能・構造が回復しなくても，行うべき活動内容を変更したり，やり方を変えることで，日常の活動や社会参加は可能になる場合がある．また，実際場面での課題の遂行状況をみることで，焦点の合った心身機能・構造の障害評価および治療が可能になる．

トップダウンアプローチでは，面接や生活行為の観察によって得た情報から，対象者にとって必要な，あるいは対象者が行いたいと考えている活動を明らかにし，それを妨げている要因を推測し，必要な遂行領域または遂行構成要素の評価や治療・指導・援助をピックアップして実施する〔「身体機能作業療法のプロセス」の項(➡ 21 ページ)参照〕.

a メリット

心身機能・構造の回復が十分ではない，あるいはそれが望めない場合であっても，やり方の工夫や環境を変えることで，具体的な日常の活動や社会参加が可能になることがある．これは，対象者に目に見える結果を提示できることにつながり，対象者のモチベーションを高めることになる．

日常活動の遂行や社会参加という観点から心身機能・構造を観察・確認することで，焦点を絞った機能障害の評価と治療が可能となる．入院期間の短縮と地域リハビリテーション(以下，リハ)の進展により，作業療法が通所や在宅にシフトしつつある現在，このアプローチが効力を発揮し，作業療法独自の効果を提示することにもつながる．

Keyword

障害受容　病気や障害を直視し，障害に立ち向かい，「障害とともに生きる」ことも自己の生き方の1つであると受け止め，生活を再構築していくことである．しかし，この心境にいたるにはさまざまな心理反応を呈する．この心理的変化のプロセスを「障害受容の過程」といい，ショック期，否認期，怒り・恨み期，悲観・うつ期，解決への努力期，受容期に分けられる．

b デメリット

トップダウンアプローチの根底には，“活動的・生産的人生を生きること”と“個の自立”を重んじる西欧的思想がある．しかし，家族を含めて集団のなかでの“和”を重んじ，自己主張が苦手な人が多いわが国においては，一律に西欧流の理念が通用しない場合もある．また，“対象者の自己決定”を基本とする場合，急性期の意識障害がある対象者，重度の認知症や精神疾患で意思表示ができない対象者などが，作業療法の対象から除外されてしまう危険性をはらんでいる．わが国においては，これらの対象者にも作業療法が実施されており，この場合にはトップダウンアプローチの考え方が使えないことがある．

障害受容の観点からは，疾病や外傷を受けた初期のころに，心身機能・構造の回復に十分に取り組む機会が与えられず，代替・代償法に重点がおかれると，対象者に後悔の念が残り，いつまでも機能回復にこだわる状況をつくり出してしまう可能性がある．

また，活動や社会参加が行えない状況とその原因となっている心身機能・構造の障害との結びつきを見抜く能力が作業療法士にないと，焦点がずれた機能障害の評価や治療を行ってしまう可能性がある．この能力はすぐに身につくものではなく，機能障害と活動・社会参加の困難さとの関連性を丹念に評価する経験を積み重ねて得られるものである．

3 今後のアプローチの方向性

身体機能作業療法の対象は，整形外科的疾患から慢性中枢性疾患まできわめて幅が広い．そこには，良好な回復が期待できる疾患や外傷ばかりでなく，障害が残る疾患，進行性の疾患までが含まれる．また，作業療法が提供される場も，急性期病院から回復期病棟，介護老人保健施設，通所・在宅までと幅広い．

このような状況において，1つのアプローチや治療方法のみで対処することは不可能であるし，現実的ではない．作業療法士は，対象とする疾患・外傷や病期に応じたアプローチや考え方，治療手技を選択できるようになる必要がある．

急性期や回復期では，対象者は心身機能・構造の回復に最大の期待をかけている．先に述べたように，この時期に機能回復に取り組む機会を奪うことは，障害受容を妨げる可能性がある．また逆に，生活期において機能回復に固執すると，日常活動の自立や社会参加の機会を逃しかねない．

したがって，上記2つのアプローチは，疾患・外傷の特性，作業療法が実施される場に応じて，選択的もしくは同時並行的に用いることが現実的である．このために必要なのは，しっかりとした医学的知識と対象者の立場・価値観に基づいて生活を見つめられる目である．さらに，作業療法が実施される場(保健，医療，福祉，教育，職業)の間で，実施機関どうし，作業療法士どうしの連携を緊密にとり，役割分担をしつつ，可能なかぎり社会的役割を遂行するという最終目標に到達できるよう，一貫した治療・指導・援助を行うことである．なお，ここでいう社会的役割とは，いわゆる“寝たきり”でも「生きてここにいる」ことが家族の心理的支えとなるような状況をつくることも含んでいる．

B インフォームドコンセント

作業療法過程を円滑に進めるには，対象者・家族との信頼関係を築く必要がある．そのために，対象者・家族を尊敬し，訴えを傾聴することは基本である．加えて，専門職が行うことを対象者・家族に十分に理解してもらい，協力を得ることも欠かせない．その1つに**インフォームドコンセント**(informed consent)がある．

インフォームドコンセントとは，医療行為(検査や治療)に際し，医療従事者側が対象者に十分な説明を行い，対象者の同意を得ることをいう．インフォームドコンセントでは，最初に基本的な内容として，検査内容，診断結果，治療内容，今後の見通しなどについての十分な説明を行う．この説明には，単に病名や病状，予後といったものだけでなく，検査や治療行為に伴って生じる生活上の変化，治療のために利用可能な各種の保健・福祉サービスについての情報，それに要する費用などについても含む必要がある．また，これらの検査や治療については，複数の選択肢を提示すること，それぞれのメリットやデメリットを提示し，対象者がどの方法を選ぶかの余地を残す必要がある．

説明する際には，対象者の年齢，理解度，心理状態，家族的・社会的背景を配慮し，説明の時期については，対象者の要望，信頼関係の構築，対象者の疾病の受容や不安が取り除かれる時期の観点を考慮しつつ，できるだけ早い時期に行うことが重要である．その際，対象者が理解しやすい言葉を用いることはいうまでもない．さらに，必要に応じて説明の文書や疾患別のガイドブックを用いること，繰り返し説明することが必要である．

医療従事者側は，説明した内容を対象者が十分に理解したかどうかに注意を払うとともに，対象者側が知りたいことを遠慮なく申し出ることができるような雰囲気づくりや態度が必要である．

リハ分野でインフォームドコンセントに相当し，様式化したものが「リハビリテーション実施計画書」(▶表 1)[2]，「目標設定等支援・管理シート」(▶表 2)[3] などである．これらの計画書はリハチームが共同で作成し，一定期間ごとに説明し，対象者の同意を得て署名をもらい，その写しを診療録に添付しておくよう義務づけられている．

C 身体機能作業療法のプロセス

作業療法は，図 5 に示すようなプロセスで展開される．この流れは「問題解決のプロセス」[4] と同様であり，身体機能作業療法の領域だけでなく，他の作業療法領域でも同様のプロセスをとる．作業療法プロセスの具体的な展開は，ICF に沿って上述したトップダウンアプローチで(つまり，本人・家族の希望→参加→活動→心身機能・構造)で行われることが多い．特に，介護老人保健施設や生活施設ではその傾向がある．

以下に作業療法のプロセスを説明するが，評価から治療・指導・援助に至るすべての過程で，対象者を尊重し，対象者の同意と理解を得ながら，対象者の意味ある重要な作業が行えるように援助するために，作業療法の知識・技術があるということを忘れてはならない．

1 作業療法への処方・依頼

主治医や担当医からの**処方箋**を受け取ることが作業療法実施のプロセスの第一歩である．医療機関や介護施設などで診療報酬や介護報酬を請求するには，処方箋が必須である．

処方箋には，一般的に**表 3** に示すような内容が書かれており，この内容はその後の情報収集の過程での 1 つの情報源となる．

2 情報収集と整理・解釈

情報収集とは，作業療法を開始するにあたり，対象者の全体像や問題点を把握するために，それ

Keyword

インフォームドコンセント　インフォームドコンセントは，「説明と同意」と訳されるが，対象者が自分で自らの治療方法を決定する “informed choice” または “informed decision” を意味する．「医師が説明して患者の同意を取り付ける」という意味に誤解されるが，「コンセント」の主語は，医師ではなく対象者である．

処方箋　指示箋または依頼箋ともいう．作業療法は医師の指示のもとに行われることが法律で定められている．その指示を書いた書類なので処方箋または指示箋であるが，薬物の処方とは異なるという意味で「依頼箋」とする病院もある．

▶表1　リハビリテーション実施計画書

患者氏名	性別（　男・女　）	年齢（　　　　歳）	計画評価実施日（　　年　　月　　日）
算定病名	治療内容 □理学療法　□作業療法　□言語療法		発症日・手術日（　　年　　月　　日） リハ開始日（　　年　　月　　日）
併存疾患・合併症	安静度・リスク		禁忌・特記事項

心身機能・構造　※関連する項目のみ記載	
□意識障害（JCS・GCS　　　　　）	□関節可動域制限（　　　　　）
□呼吸機能障害	□拘縮・変形　（　　　　　）
ー□酸素療法（　　　　）L/min　□気切　□人工呼吸器	□筋力低下　（　　　　　）
□循環障害	□運動機能障害
ー□ EF（　　　　）%　□不整脈（有・無）	（□麻痺　□不随意運動　□運動失調　□パーキンソニズム）
□危険因子	□筋緊張異常（　　　　　）
□高血圧症　□脂質異常症　□糖尿病　□喫煙	□感覚機能障害（□聴覚　□視覚　□表在覚　□深部覚）
□肥満　□高尿酸血症　□慢性腎臓病　□家族歴	□音声・発話障害
□狭心症　□陳旧性心筋梗塞　□その他	〔□構音　□失語　□吃音　□その他（　　　　　）〕
□摂食嚥下障害（　　　　　）	□高次脳機能障害（□記憶　□注意　□失行　□失認　□遂行）
□栄養障害　（　　　　　）	□精神行動障害（　　　　　）
□排泄機能障害（　　　　　）	□見当識障害　（　　　　　）
□褥瘡　（　　　　　）	□記憶障害　（　　　　　）
□疼痛　（　　　　　）	□発達障害
□その他　（　　　　　）	（□自閉スペクトラム症　□学習障害　□注意欠陥多動性障害）

基本動作	
□寝返り　（□自立　□一部介助　□介助　□非実施）	□座位保持（□自立　□一部介助　□介助　□非実施）
□起き上がり（□自立　□一部介助　□介助　□非実施）	□立位保持（□自立　□一部介助　□介助　□非実施）
□立ち上がり（□自立　□一部介助　□介助　□非実施）	□その他（　　　　　）

日常生活活動（動作）（実行状況）　※ BI または FIM のいずれかを必ず記載			得点　開始時→現在		使用用具および介助内容など
項目			FIM	BI	
運動	セルフケア	食事	→	10・5・0 → 10・5・0	
		整容	→	5・0 → 5・0	
		清拭・入浴	→	5・0 → 5・0	
		更衣（上半身）	→	10・5・0 → 10・5・0	
		更衣（下半身）	→		
		トイレ	→	10・5・0 → 10・5・0	
	排泄	排尿コントロール	→	10・5・0 → 10・5・0	
		排便コントロール	→	10・5・0 → 10・5・0	
	移乗	ベッド，椅子，車椅子	→	15・10・5・0 → 15・10・5・0	
		トイレ	→		
		浴槽・シャワー	→		
	移動	歩行（杖・装具：　　　　）	→	15・10・5・0 → 15・10・5・0	
		車椅子			
		階段	→	10・5・0 → 10・5・0	
	小計（FIM 13–91，BI 0–100）		→	→	
認知	コミュニケーション	理解	→		
		表出	→		
	社会認識	社会的交流	→		
		問題解決	→		
		記憶	→		
	小計（FIM 5–35）		→		
合計（FIM 18–126）			→		

社会保障サービスの申請状況　※該当あるもののみ				
□要介護状態区分など □申請中　□要支援状態区分（□1　□2） □要介護状態区分（□1　□2　□3　□4　□5）	□身体障害者手帳 種　　級	□精神障害者保健福祉手帳 級	□療育手帳・愛護手帳 障害程度	□その他 （難病など）

目標（1か月）	目標（終了時） □予定入院期間（　　　　） □退院先（　　　　） □長期的・継続的にケアが必要
治療方針（リハビリテーション実施方針）	治療内容（リハビリテーション実施内容）
リハ担当医＿＿＿＿　主治医＿＿＿＿ 理学療法士＿＿＿＿　作業療法士＿＿＿＿ 言語聴覚士＿＿＿＿　看護師＿＿＿＿ 管理栄養士＿＿＿＿　社会福祉士＿＿＿＿ 説明者署名	説明を受けた人：本人，家族（　　）　説明日：　　年　　月　　日 署名

▶表 1　リハビリテーション実施計画書(つづき)

<table>
<tr><td colspan="2">栄養(※回復期リハビリテーション病棟入院料 1 を算定する場合は必ず記入)</td></tr>
<tr><td colspan="2">基礎情報　□身長(＊1)：(　　　　)cm　□体重：(　　　　)kg　□ BMI(＊ 1)：(　　　　)kg/m²
栄養補給方法(複数選択可)　□経口：(□食事　□補助食品)　□経管栄養　□静脈栄養：(□末梢　□中心)　□胃ろう
嚥下調整食の必要性：〔□無　□有：(学会分類コード　　　　)〕
栄養状態の評価：□問題なし　□低栄養　□低栄養リスク　□過栄養　□その他(　　　　)
【上記で「問題なし」以外に該当した場合に記載】
必要栄養量　熱量：(　　　　)kcal　蛋白質量(　　　　)g
総摂取栄養量(経口・経腸・経静脈栄養の合計(＊2))　熱量：(　　　　)kcal　蛋白質量(　　　　)g</td></tr>
</table>

＊1：身長測定が困難な場合は省略可　＊2：入院直後などで不明な場合は総提供栄養量でも可

	目標　※該当する項目のみ記載する	具体的な対応方針　※必要な場合記載する
参加	□居住場所 ー□自宅(□戸建　□マンション)　□施設　□その他(　　　　) □復職 ー□現職復帰　□配置転換　□転職　□不可　□その他(　　　　) ー□通勤方法の変更 □就学・復学・進学 ー□可能　□就学に要配慮　□不可　□その他(　　　　) ー□療育・通学先(　　　　)　□通学方法の変更(　　　　) □家庭内役割(　　　　) □社会活動(　　　　) □趣味(　　　　)	
活動	□床上移動(寝返り，ずり這い移動，四つ這い移動など) ー□自立　□介助　□非実施 ー□装具・杖など　□環境設定 □屋内移動 ー□自立　□介助　□非実施 ー□装具・杖・車椅子など(　　　　) □屋外移動 ー□自立　□介助　□非実施 ー□装具・杖・車椅子など(　　　　) □自動車運転 ー□自立　□介助　□非実施 ー□改造(　　　　) □公共交通機関利用 ー□自立　□介助　□非実施 ー□種類(　　　　) □排泄(移乗以外) ー□自立　□介助(□下衣操作　□拭き動作　□カテーテル) ー□種類〔□洋式　□和式　□その他(　　　　)〕 □食事 ー□自立　□介助　□非実施 ー□箸　□フォークなど　□胃ろうまたは経管 ー□食形態(　　　　) □整容　□自立　□介助 □更衣　□自立　□介助 □入浴　□自立　□介助 ー□浴槽　□シャワー ー□洗体介助　□移乗介助 □家事 ー□すべて実施　□非実施　□一部実施：(　　　　) □書字 ー□自立　□利き手交換後自立　□その他：(　　　　) □ PC・スマートフォン・ICT ー□自立　□介助 □コミュニケーション ー□自立　□介助 ー□コミュニケーション機器　□文字盤　□他者からの協力	

	対応を要する項目	具体的な対応方針
心理	□精神的支援(　　　　) □障害の受容(　　　　) □その他(　　　　)	
環境	□自宅の改築など(　　　　) □福祉機器の導入(　　　　) □社会保障サービス ー□身障手帳　□障害年金　□難病・小慢受給者証　□その他(　　　　) □介護保険サービス ー□通所リハ　□訪問リハ　□通所介護　□訪問看護　□訪問介護 □老健　□特養　□介護医療院　□その他(　　　　) □障害福祉サービスなど ー□放課後デイ　□児童発達支援(医療・福祉)　□生活介護　□その他 □その他(　　　　)	
第三者の不利	□退院後の主介護者(　　　　) □家族構成の変化(　　　　) □家庭内役割の変化(　　　　) □家族の社会活動変化(　　　　)	

〔医学通信社(編)：診療点数早見表. 2020 年 4 月版, pp619–620, 医学通信社, 2020 より〕

▶表 2　目標設定等支援・管理シート

作成日　　　　年　　月　　日
説明・交付日　　　　年　　月　　日

患者氏名：　　　　　　　　生年月日：　　　　年　　月　　日

1. 発症からの経過(リハビリテーション開始日：　　　年　　月　　日)

2. ADL 評価(Barthel Index または FIM による評価)(リハビリ開始時および現時点)

(Barthel Index の場合)

	リハビリテーション開始時点			現時点		
	自立	一部介助	全介助	自立	一部介助	全介助
食事	10	5	0	10	5	0
移乗	15	10 5	0	15	10 5	0
整容	5	0	0	5	0	0
トイレ動作	10	5	0	10	5	0
入浴	5	0	0	5	0	0
平地歩行	15	10 5	0	15	10 5	0
階段	10	5	0	10	5	0
更衣	10	5	0	10	5	0
排便管理	10	5	0	10	5	0
排尿管理	10	5	0	10	5	0
合計(0–100 点)　点				合計(0–100 点)　点		

FIM による評価の場合

大項目	中項目	小項目	リハビリテーション開始時点	現時点
			得点	得点
運動	セルフケア	食事		
		整容		
		更衣(上半身)		
		更衣(下半身)		
		トイレ		
	排泄	排尿コントロール		
		排便コントロール		
	移乗	ベッド，椅子，車椅子		
		トイレ		
		浴槽・シャワー		
	移動	歩行・車椅子		
		階段		
	小計			
認知	コミュニケーション	理解		
		表出		
	社会認識	社会交流		
		問題解決		
		記憶		
	小計			
合計				

▶表 2 目標設定等支援・管理シート(つづき)

3. 現在リハビリテーションの目標としているもの，および現在のリハビリテーションの内容との関連

	目標としているもの	関連する現在の リハビリテーションの内容
心身機能		
活動		
社会参加		

4. 今後の心身機能，活動および社会参加に関する見通し

- 医師の説明の内容
- 患者の受け止め

5. 介護保険のリハビリテーションの利用の見通し(あり・なし)
介護保険のリハビリテーションサービスなどの紹介の必要性(あり・なし)
紹介した事業所名

事業所名	連絡方法	備考(事業所の特徴など)

説明医師署名：　　　　　　　　　　患者または家族等署名：

〔記載上の注意〕
1. 本シートの交付，説明は，リハビリテーション実施計画書またはリハビリテーション総合実施計画書の交付，説明と一体として行って差し支えない.
2. 「今後の見通し」について，必要な場合は，「今後のリハビリテーションが順調に進んだ場合」などの前提をおき，場合分けごとに記載してもよい.
3. 「現在のリハビリテーションの目標」は，医師およびその他の従事者が記載したのち，本シートの説明を通じて患者または家族などと面談し，患者の価値観などをふまえてよりよい目標設定ができると考えた場合は，赤字で追加，修正するなどしてよい.

〔医学通信社(編)：診療点数早見表. 2020 年 4 月版, p609; 医学通信社, 2020 より〕

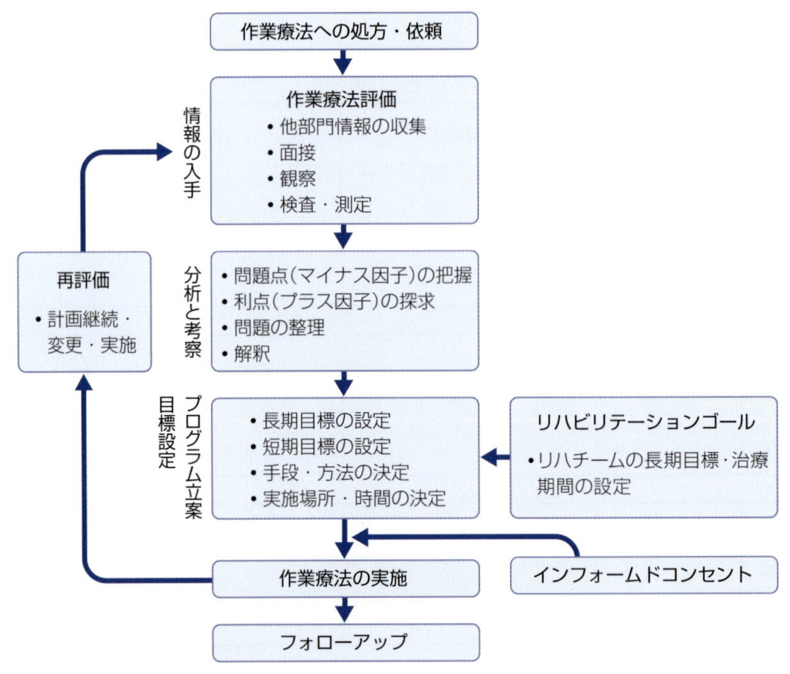

▶図 5　作業療法実施のプロセス

らのもととなっている疾病や外傷，およびそれによりどのような障害や困難さをかかえているかをあらかじめ把握することである．的確な情報を得るためには，対象者の疾病や外傷の特徴や徴候，一般的な医学的治療，その疾患や外傷がたどるであろう経過について熟知しておかなければならない．

a 情報収集源

情報収集源としては上記の処方箋のほかに，カルテなどの経過記録や検査記録などがある．また，対象者にかかわる関係者（医師，看護師，理学療法士，言語聴覚士，医療ソーシャルワーカー，介護職員など）から直接，聞き取ることもある．

情報は，記録などから収集できるものを先に収集する．そして，関係者から直接聴取する場合は，得られた情報を整理・理解したうえで，事前に聴取内容を整理し，質問内容を明確にして要領よく聴取する必要がある．具体的な情報の内容を**表 3**に示した．

b 情報の収集と読み取り

得られた情報はそのままではデータの 1 つにすぎないので，その情報を作業療法実施と関連づけて読み取る必要がある．

(1) 処方箋

処方箋には各専門職への依頼内容が大まかに書かれている場合（例：OT 評価依頼，ADL 訓練など）と，細かく書かれている場合（例：食事動作および更衣自立のための訓練など）とがある．処方内容はその後の評価・治療・目標設定の大きな指針となる．

処方箋に記されている診断・障害名，発症日からは，今後その疾患・外傷がたどるであろう経過や予後予測，回復の過程，さらに機能（回復）訓練を重点的に実施することが妥当か，あるいは他の代償的方法や環境調整に重点をおくべきかということが検討できる．また，全身状態や禁忌・合併症は作業療法実施時のリスク管理〔治療の中止基準や注意すべきバイタルサイン，治療の負荷量（身体的・精神的）〕，治療の場所（ベッドサイド，作業

▶表 3 作業療法評価：情報の種類

情報の種類	情報源	情報の内容
基礎情報	処方箋(指示箋)	氏名，年齢，性別，住所，主治医名，疾患名・障害名，発症(受傷)月日，手術の日付と種類，合併症，処方先(PT，OT，ST など)，処方(指示)内容
医学的情報	カルテ	医学的検査の内容と結果，病状，病棟 ADL の状況，家族構成，家族関係(主介護者)，職業，経済状況，社会保険の種類
	リハカンファレンス資料	担当者名，リハカンファレンスの日付，長期目標(リハゴール)，各職種の評価と短期目標
*生活機能と機能障害	作業療法評価(面接，観察，検査・測定)	①心身機能(生理学的・精神心理学的側面) ②身体構造(解剖学的側面) ③活動(ADL，IADL，代償手段の適用，コミュニケーション能力，対人関係技能) ④参加(家庭，職業，教育，社会生活への適応，余暇活動への参加)
*環境因子	対象者，家族，医療ソーシャルワーカー，職場，教師，自治体，障害者団体などから聴取	①人的環境(家庭介護力，親族・近隣・ボランティアなどの協力度) ②物的環境(家屋・公共機関・道路・建築物などのバリアフリー度，福祉用具の普及度) ③文化的環境(障害者に対する個人の態度や社会的包容力) ④社会政策(介護支援制度，教育保障，職業的自立支援，生活保障などの国・自治体の制度政策)
*個人因子	対象者，家族，関係者から聴取	個人の人生や生活の特別な背景(価値観，QOL，個性，ライフスタイル，習慣，生育歴，教育歴，人生の出来事，経験，困難への対処方法など)

*の項目は ICF に含まれる.

療法室)などを決定する際の資料となる.

(2) カルテ・検査記録

カルテなどの経過記録からは既往歴・現病歴，診断名，病状・病期，合併症，毎日のスケジュールや ADL の状況，他部門の治療内容などを知ることができる．これらの情報からは，対象者の現在の能力(例：心身機能・構造の状態や「しているADL」)がわかるだろう．個人因子(学歴，職業，趣味嗜好など)，環境因子(家族，家屋，経済，キーパーソンなど)についての情報も得られ，治療の計画や退院先を検討するときの資料となる.

検査記録，たとえば画像情報からは病巣を確認できるし，**ラボデータ**や心電図検査の結果からは全身状態を確認できる．これらの情報は疾病や外傷の予後予測をしたり，リスク管理をする際の参考となる.

3 作業療法評価

情報収集の次のステップは作業療法評価である．その目的は，対象者の心身機能・構造や生活状況，参加の状態について現状を把握することである．そして，得られた情報に基づいて利点や問題点を整理・解釈し，治療目標を設定するまでが評価に含まれる.

a 評価の手段

評価の手段として一般には，観察，面接，検査・測定の 3 つがあげられる．上述したように評価過程には治療目標の設定までが含まれており，観察や面接，検査・測定を行うことだけが評価ではない．これらは情報収集のための手段である.

その他，作業療法に独特の評価手段として「作業課題の実施」がある．作業課題に取り組んでいる様子の観察から，対象者の運動機能や精神機能，高次脳機能，対人関係技能など，幅広い評価を行うことができ，定型的な検査・測定場面ではみられない自然な場面での情報を得ることができる.

Keyword

ラボデータ laboratory data．病気の有無や診断を目的に行われる臨床検査結果の値．臨床検査には検体検査(血液学的検査，微生物学的検査，尿・便検査など)と生体検査(呼吸循環機能検査，脳波検査，超音波検査，内視鏡検査など)がある．画像診断や病理診断も臨床検査に含むことがある.

以下に，ICF の項目およびトップダウンアプローチの考え方に基づいて評価の概要を述べる．具体的な評価の詳細(評価計画の立案や注意事項，おのおのの検査・測定などの実施)については，本シリーズ『作業療法評価学』を参照してほしい．

b ニーズと期待，参加状況の把握

作業療法士にとって最も重要なことは，「対象者1人ひとりが独自の人生経験(作業歴)をもち，異なる生活パターンのなかで生き，特有の価値観と興味・関心をもっている」ということを理解することである．したがって，評価の目標は，対象者の生活が障害によってどのように困難になっており，思いどおりにならない状況にあるかを，本人と関係者双方からの系統的な面接によって引き出すことである．このことを念頭において対象者・家族のニーズや期待の聴取を行う．

対象者の現在のニーズと期待，退院後の生活についての希望を聞く．急性期などで対象者自身との意思疎通ができない場合は，家族などからこれらについて聴取する．対象者の作業歴や生活パターン，興味，価値観，ニーズなどを面接やチェックリストに基づいて把握する．

また，家庭生活，社会生活，余暇活動などへの参加の希望を聞く．対象者が継続して行いたいと考えている活動，新たに取り組みたいと考えている活動，本人が復帰できそうにない，あるいは中止すべきと判断している活動を明らかにして，対象者の目標を決める際の参考とする．さらに，環境因子・個人因子を含めてプラス因子(利点，肯定的側面)とマイナス因子(問題点，否定的側面)を明らかにする．

c 活動状況の把握

活動状況は面接や観察，検査・測定によって把握する．対象者が希望する活動の参加状況を半構成的面接法〔カナダ作業遂行測定(COPM)など〕によって絞り込んでおけば，その後の観察や検査・測定の焦点が絞りやすくなる．

次に，活動への参加を困難にしている状況をADL 検査などによって明らかにする．ADL 検査においては，病棟や自宅などで実際に「しているADL」と，訓練室などの標準的な環境で，評価や訓練時に「できる ADL」がある[5]．この両者は一致しないことが多い．それは，対象者の能力が発揮できない環境(物理的，時間的，人的)が原因であったり，対象者に依存心があって能力を発揮しようとしなかったりと，その理由はさまざまである．このような不一致の状況をみることによって，対象者のもつ心身の状況と環境の問題を判断できる場合が多いので，両者は常に評価しておく必要がある．

その他，IADL や教育，仕事，遊び，余暇，社会参加の全遂行領域にわたって各種遂行技能(運動技能，プロセス技能，コミュニケーション技能，対人交流技能)や遂行パターン(習慣，日常的な業務，役割)を評価する．ここでも，環境因子・個人因子を含めてプラス因子とマイナス因子を明らかにする．

d 心身機能・構造の把握

活動と参加を妨げている要因としての心身機能・構造について評価する．ここまでの面接や観察，検査・測定によって，ある程度の絞り込みが行われているはずであるので，対象者の状態に合わせた検査・測定の項目を選択するようにする．

心身機能・構造は，常に「それがなぜ・どのように活動と参加を妨げているのか」という視点で評価する必要がある．さらに，代償機能や代償手段を使用した場合の活動状況へのプラスの影響も評価する．

疾患・外傷によっては特有の機能障害があるので，それらについては第2部「疾患別身体機能作業療法」で確認してほしい．身体機能障害に合併しておこる高次脳機能障害(失行，失認，失語)や知的機能障害(認知症)，精神心理学的問題の詳細は，本シリーズの『高次脳機能作業療法学』および『精神機能作業療法学』に述べられているので，それらを参照のこと.

4 評価のまとめ(分析と考察)

評価が終了したら,そのまとめを作成する.評価のまとめとは,面接,観察,検査,測定などの結果をすべて記載するものではなく,それらを分析・解釈(「統合と解釈」ともいわれる)し,まとめたものである.評価のまとめは「対象者の全体像」といわれることもあり,第三者が読んでも対象者の状況がイメージできるようなものでなければならない.

個人因子(対象者の年齢,性別,疾患・障害名,現病歴),心身機能・構造の状態,活動や参加の状況,環境因子,さらにマイナス因子だけでなくプラス因子も含め,結果のなかから必要な情報を選択し,系統的にそして簡潔に述べる.以下に例を述べる.

[例] ○歳,男性,脳血管障害,右片麻痺.発症後○病日(または○週)経過〈個人因子〉.

麻痺側上肢・手指の随意性は低いが,下肢は支持性が出現している〔ブルンストローム・ステージ II–II–III〕〈心身機能の状況〉.

移動は一部介助,車椅子操作は見守りレベル.セルフケアは食事自立,入浴全介助,その他は一部介助.半側空間無視による ADL 遂行上の不注意が目立つが知的機能低下はなく,注意すれば修正可能〈活動状況〉.

自宅復帰を希望しているが〈希望〉,夫婦 2 人暮らし〈環境因子〉のため ADL 自立か軽度介助レベルになることが必要〈目標〉.自宅は一戸建ての 2 階家で大幅な家屋改造が必要と予測される.2 人の子どもは遠方別居のため,在宅ケア利用の検討が必要になるだろう〈付帯条件〉.

5 問題点の抽出

問題点とは,作業療法実施によって解決しなければならない事項を指す.問題点は長期目標と短期目標につながる.したがって,問題点は病期によっても,実施場所によっても異なる.

問題点は,発生型,予測(予防)型,設定型に分類できる.

a 発生型の問題点

今現在,発生している機能障害や生活上の困難さである.たとえば,「麻痺や筋力低下がある」,「ADL が遂行できない」,「病気によって仕事ができない」などである.発生型の問題点は,医学的知識(疾患・外傷の病状・病期やその予後予測など),正常値や標準値(検査・測定,ラボデータの結果など),標準的な行為(ADL の遂行状況など),および臨床経験などに照らして,現在発生している事柄が問題点となるかを検討する.

たとえば,同じ脳卒中片麻痺でも,病状・病期によっては問題点とならないこともある.

[例]

①発症後 2 週の脳卒中片麻痺者の運動麻痺は,発症の時期から考えて,積極的に治療する時期であるので問題点となる.

②発症後 10 年経過した脳卒中片麻痺者の運動麻痺は,回復が見込まれる時期を過ぎており,積極的に運動麻痺の回復をはかるという意味では問題点とならない.

b 予測・予防型の問題点

今現在は障害はないが,対応しなければ将来的に問題点となると予測されること(予測型),あるいは今以上に状況が悪化しないように対策が必要と考えられる事柄(予防型)である.

[例]

①意識障害があり,運動麻痺もあって自発的な関節運動ができない対象者の場合,現在は関節拘縮がなくても,将来,拘縮がおこるだろうと予測されるので問題点となる.

②全身状態が悪く,安静にしていなければならない対象者の場合,全身体力の低下や精神機能の

荒廃がおこると予測され，なんらかの対策をとる必要があり，問題点となる．

c 設定型の問題点

現状よりもさらによりよい状況を目指す場合に，現状とさらによりよいと考えられる状況との差を問題点として取り扱う．

[例] 施設内生活で十分なケアを受け，毎日の生活に不自由はないが，変化の少ない生活を送っている．この生活をもっと活発にすることで，より充実した生活が送れるだろうと作業療法士が考えるような場合，現在の生活状況と“もっと活発な生活”との差を問題点として扱う．この場合，作業療法士の側に「変化のない生活は対象者にとって満足できる状態ではない」とする視点があることが前提となる．

問題点を検討するときには，まず収集した情報や検査・測定のデータから発生型の問題点があるかを検討し，さらに予測・予防型の問題点が考えられるか，設定型の問題点が考えられるかを検討していくほうが考えやすいだろう．この3つの問題点のどれが中心となるかは作業療法を実践する場によっても異なってくる．

d 病期による問題点の違い

急性期の作業療法では，麻痺やベッド上ADLが行えないなどの発生型の問題点や，褥瘡予防などの合併症の防止(予防型の問題点)への対応が主となるだろう．

回復期になれば，生活の全領域にわたる活動の側面に関する発生型の問題点が検討され，問題解決に向けた多様な治療目標が設定されるだろう．しかしここでは，実際場面を想定したシミュレーションとして治療・指導・援助が実施されることが多く，それらの結果が実生活で生かされるかどうかは，頻回な外泊訓練や家庭訪問によって問題点を検討・修正し，それに基づく治療・指導・援助目標の修正にかかっている．

生活期になれば，実生活に即した活動の側面の発生型の問題点と，QOLの向上を目指した参加の側面の設定型の問題点に重点が移行するだろう．

e 職種による問題点の違い

作業療法評価は生活全般にわたるので，治療においては他職種と重複する領域の問題点もあるが，その視点とアプローチは当然異なるものとなる．たとえば，歩行障害，コミュニケーション障害などは生活の自立には欠かすことのできない治療上の問題点であるが，歩行障害は理学療法士の，コミュニケーション障害は言語聴覚士の専門領域である．理学療法士や言語聴覚士は歩行や言語の基礎的訓練をより重視するが，作業療法士は歩行やコミュニケーションと実生活との関連性を問題点とする．

たとえば，作業療法士が行うADL訓練では，それぞれの家庭でトイレや風呂の構造が異なるので，その構造に合った歩行の方法が問題となる．したがって問題点は，「居間からトイレまでの歩行およびトイレ内の移動が困難」という，より実生活に即したものになり，治療計画も「車椅子利用でトイレまでの移動練習および便器への座り・立ち上がり練習」というようになる．理学療法で歩行訓練が進み，杖歩行ができるようになれば，作業療法では「トイレで立位でのズボンの上げ下ろし練習」のような応用動作に変更されるだろう．

コミュニケーション障害の問題も，作業療法では「活動場面で話し言葉による意思伝達が困難」ということになり，治療計画は「意思伝達のためのイエス・ノーカードの利用練習」とか，「紙に書いてもらい確認してもらう練習」などとなる．言語聴覚訓練の進行状況をみながら，実際場面での意思伝達方法を工夫する．他の職種との関連も同様である．

6 治療目標設定

問題点を決定したら，次に治療目標を設定する．

治療目標は，作業療法実施によって問題点を解決することで「対象者の行動がどのように変化するか」ということ（予測）を明らかにしたものである．治療目標は達成可能と思われる現実的な目標でなければならない．

作業療法の治療目標には，長期目標（long term goal; LTG）と短期目標（short term goal; STG）がある．また，定量的目標および定性的目標という分類がある．

a 長期目標

一般には社会的側面（参加および参加制約）に関する目標を示す．作業療法における長期目標はリハチームのリハゴールとほぼ同一で，いつ・どこへ・どのような状態で退院・退所するか（入院または入所している対象者の場合），あるいは最終的な生活場所がどこになるかを決めることである．

施設によっては，短期目標の積み重ねによる対象者の全般的行動変化を長期目標とする場合もある．

b 短期目標

一般には機能障害や活動制限に関する行動変化を示す．短期目標は，「活動」および「心身機能・構造」について設定する．施設によっては，一定期間（例：1 か月後）の治療実施後の変化を示す場合がある．

長期目標・短期目標は，疾患・外傷の予後予測ができないと難しい．しかも疾患・外傷とその治療に関する理論的推論・臨床的推論（➡ 34 ページ）ができないと不可能である．学生にとっては経験のある臨床実習指導者による指導が必要となろう．

c 定量的目標と定性的目標

定量的目標とは数値で示される目標をいう（例：肘の屈曲角度が 90° から 120° になる）．この目標は，治療効果を評価しやすいという利点はある．しかし，この目標を設定するには医学的知識や臨床経験が必要であり，学生が設定するのは困難かもしれない．

定性的目標とは質的に表される目標をいう（例：肘の関節角度の拡大，上肢機能改善など）．この目標は臨床場面で多く使用されている．定性的目標は設定することは容易である．たとえば，「上肢機能の低下」という問題点があれば「上肢機能の改善」というように，「～低下・制限・障害」を「～拡大・改善・向上」に変えると定性的目標になる．しかし，定性的目標は治療効果を評価するときに，どの程度「向上・拡大・改善」すれば目標達成できたといえるかという明確さがないため，効果判定があいまいになるという欠点がある．

定性的目標で表現したほうがふさわしいもの（「生きがいのある生活を送る」など QOL を問うような目標）もあるが，作業療法の効果を明確に示すためにも，可能なかぎり定量的目標を設定するようにしたほうがよい．

d 参加の治療目標

まず長期目標である対象者の生活場所を決める．現在は多くの医療機関で入院期間が短縮されてきている．リハの必要な疾患では，一般的に救急病院からリハ専門の回復期病棟に転院して，そこでのリハを経由して自宅退院となる．同一施設内に救急病棟と回復期病棟をもっている医療機関もある．さらに，障害の程度が重い，家庭介護力が不足しているなど，医療機関から直接自宅に退院することが困難な対象者は，介護老人保健施設などでのリハを経て自宅退院，または特別養護老人ホームなどへの施設入所という経過をたどるだろう．対象者・家族との話し合いでどの方向性の可能性があるか予測する．退院間際に変更になる場合も多い．

最終的な生活場所での役割や対象者にとって意味ある大切な作業（家事，職業復帰，就学再開，趣味活動など）については，対象者・家族と話し合って決める．

e 活動の治療目標

ADL や IADL について，リハ終了時にどのレベルまで実行できるようになるかを設定する．これらの目標は，心身機能・構造の障害程度と密接に結びついているので，障害の回復過程と予後予測に基づき，可能な到達レベル（介助か自立か）を予測して目標を定める．

利き手交換などの代償方法や，福祉用具（装具，自助具，福祉機器）などの代償手段，あるいは環境調整（家屋改造）などによって自立可能であるかどうかも検討する．

f 心身機能・構造の治療目標

活動と参加を可能にする基本的能力の回復目標を立てる．疾患や外傷の回復過程の理解と予後予測が必要で，最新の研究結果に基づき，最新の治療方法と援助技術をもって治療・指導・援助を行った場合に到達可能な目標を設定しなければならない．

このレベルで検討するのは，下記のうちで対象者の活動と参加を妨げる心身機能・構造の障害である．

- 感覚・運動要素（感覚障害の種類・程度，神経・筋・骨格系，運動機能など）
- 認知統合と認知要素（覚醒レベル，見当識，認識，理解，注意，記憶，問題解決など）
- 心理社会的技能と心理学的要素（心理学的には価値・興味・自己概念，社会的には役割行為・社会的行動・対人関係技能・自己表現，自己管理では対処技能・自己管理・自己統制など）

g 治療目標と制約条件

制約条件とは治療目標を設定し，達成しようとする場合にそれを制限する事柄であり，個人の立場では対処できない，取り除くことが難しい状況をいう．制約条件は治療目標を設定・達成するための手段と活動（治療内容）を制限する．一般に制約条件と考えられるものには，次のようなものがある．

①施設の運営方針：たとえば，作業療法士が勤務する施設が急性期病院であるか，生活施設であるかといったこと．これによってどのような対象者が作業療法の対象となるかが決まる．

②施設の設備や人的条件：これらによって，治療に利用できる資源の種類・規模・内容が制約される．たとえば，対象者の要望に沿って陶芸をしたいと計画しても，陶芸のための設備がなければ実施できない．

③個人的条件：学生であるということそのもの（知識や技術の未熟さ）は，対象者に提供できる治療手段が制限されることになる．あるいは，学生であることで対象者の受け入れが悪くなる可能性がある（逆の場合もあるが）．

④対象者側の条件：身体的側面（年齢，性別，体質，病巣など），精神的側面（気質や性格など），社会的条件（家族・家屋状況，職場の勤務条件，経済的状況など）．たとえば，高齢で病巣も広範な脳梗塞の対象者は，機能的回復が悪いことが予測される．あるいは，ADL が自立しており，在宅生活が可能であると思われても，家族の受け入れが悪いために退院できないこともある．

制約条件は，ほとんどが変えることができないものであり，問題点を解決しようとするときにすでに存在している．したがって，これらの条件を考慮して目標を設定し，治療計画を立てる必要がある．

7 治療計画立案

治療目標は問題点を解決することによって達成されるという前提に立つので，問題点（＝目標達成を妨げている原因）を解決するよう治療計画を立てる．

治療計画は，どうしてその計画を立案したのかということが，しっかりとした基礎のうえに説明される必要がある．その基礎とは臨床的推論と根拠〔エビデンス（evidence）〕である．そして，設定した治療計画に基づいて，作業療法士は今ある評価法・治療法のうちで最もよい方法を参照しながら実践を行っていく．

具体的な治療計画を立案するにあたっては，次のような点を考慮する必要がある．

(1) 治療の優先順位

対象者のかかえる問題点のうち，どれから解決していくか．対象者のニーズをもとに，作業療法士の臨床的判断も交えながら決定する．

(2) 治療手段

問題点を解決するために具体的にどのような治療手段(治療活動)を使うかを決める．

(3) 治療頻度

その治療活動を行う実施時間・回数を決める．つまり，ある1つの種目(治療活動)を1回の治療時間に，1日に，1週間に，どのくらい，何回行うかを決める．

一般に，作業療法の治療時間は限定されている(20分を1単位として40～60分まで)ので，各治療手段がその治療時間に納まるよう，時間配分を考えることも重要である．

[例]

- 食事動作の練習を昼食時に毎日行う．
- サンディングを1日に1回，次の条件で行う(角度30°，負荷5kgで30回)．

(4) 段階づけ

さらに，治療手段の段階づけを検討する．段階づけでは対象者の変化に応じて，治療活動をどのように変えていくかを決める．考慮する点は，身体的側面では運動の回数や負荷量，介助量などがある．認知・知的側面では作業工程の難易度，指示の内容・複雑さなどを考慮し，機器や器具の使用については自助具や介助機器の使用などを考える．

[例]

- サンディング：筋力が増強してきたら負荷量を5kgから7kgにする．
- 輪かけ：可動域が拡大してきたら高さを30cmから40cmにする．
- 折り紙：工程を覚えてきたら間違えたときだけ口頭指示をするようにする．

8 再評価

一定期間，作業療法を実施したら再評価を行う．再評価には2つの目的がある．1つは，「対象者が治療目標を達成できたか」を確認するものである．一般には，検査・測定などを再び実施することが再評価であると思いがちである．しかし，検査・測定は再評価のためのデータを得る1つの手段である．再評価において重点をおかなければならないのは，作業療法開始時に立てた治療目標を達成できたかを検討することである．

再評価のもう1つの側面として，「治療計画が適切であったかを見直す」ことがある．対象者側の能力評価によってのみ治療目標が達成できたかどうかを検討するのではなく，再評価を通してはじめに計画した作業療法の治療計画案が適切であったかという視点で客観的に振り返る必要がある．

9 ニーズを充足させるための治療の選択

作業療法は個人や集団に対して実施される．治療は1つの治療理論に沿って系統的に行う場合と，いくつかの治療方法を組み合わせて行う場合とがある．対象者の心身機能や活動・参加の状態に応じて，最も適切な方法を選択する．

どのような治療が有効であるかは，以下に紹介する推論を経て導き出される．学校で学ぶ知識・技術は，系統立って一貫しており，評価と治療の目標・内容・方法を決定するときの基礎となるものである．これを理論的推論(theoretical reasoning)という．この基礎の上に立って，臨床では対象者を1人ひとり異なる個人としてとらえ，その人に特有の問題の解決をはかるために，作業療法士がどう働きかけるかを考える．この意思決定を行う過程を臨床的推論(clinical reasoning)と

▶表 4　評価と治療計画のための推論

理論的推論(theoretical reasoning)
教科書や講義で学ぶ基礎医学や作業療法の知識を対象者に適用して，作業療法を実施するセラピストの意思決定過程
臨床的推論(clinical reasoning)
ユニークな個人としての対象者に特有の問題点を理解し，対象者中心の作業療法を実施するための，セラピストの思考と認知，意思決定過程
この過程はセラピストの理論的知識を実践の場に適用し，適切な行動をおこす実際的な知識・技能を必要とする

いう(▶表 4).

ここでは，実際の治療計画のための臨床的推論を中心に，その概念と治療のプロセスについてふれる.

10 根拠に基づく実践の基礎となる記録・報告

後述するように，作業療法にも根拠に基づく治療・指導・援助が求められている．これを根拠に基づく実践(evidence-based practice; EBP)という．EBP を確立する第一歩となるのは日々の記録・報告である.

作業療法士が作成する記録・報告には多くのものがある．記録とは事実または事件の参考書類保存を目的として記述したものであり，報告とは記録を基礎として作成され，その任務の遂行状況，結果を関係職員に伝える目的で作成されるものといわれる[6]．多くの事例の共通項を集積することによって，他の同様の対象者に適用可能と判断され，同様の効果を期待できるようになる．つまり，正確かつ信頼性の高い記録・報告を集め，まとめることが EBP を確立することにつながる.

EBP 確立のための記録の要点について，矢谷[6]は次の 3 つに集約している.

- 対象者の現時点の状態に対して
- どのような作業療法を行って
- どのような状態に変化したか

上記の観点に基づいて，1 人の対象者に対する定量的な評価(治療・指導・援助の内容を継時的に比較判断すること)と，状態・現象などの変化をありのままに記録し，比較判断して記録するという質的評価の両方の記録法から作業療法実施結果(変化・効果)を残すことが，根拠に基づく医療(evidence-based medicine; EBM)を確立することにつながる.

また，記録を書く際の原則として，以下の項目をあげている.

①想像・憶測を避け，事実を述べる.
②不要な語句を避け，文章は最小限に明確に示す.
③医学用語を適切に使用する.
④句読点を明確に示す.
⑤勝手な略語を使用しない.
⑥客観的表現法を使用する.
⑦法的にも確実性のある記録を書く.
⑧指定された用具を使用する(電子カルテなど).
⑨署名の形式(氏名，資格，職名，押印の要否).
⑩作成の年月日，記録者名を必ず記録する.

報告書の作成に必要な基本的知識は同様であるが，報告書は内容に注意し，個人情報保護法の規則に従うなど，用途に応じた考慮が必要となる.

D 臨床的推論，根拠に基づく実践，治療理論

1 臨床的推論(クリニカルリーズニング)(▶表 5)[1]

臨床的推論には，以下に示すようなものがある.

a 物語的推論

物語的推論(narrative reasoning)は叙述的推論ともいわれる．物語的推論では対象者の言葉(語り)を用いる．これは対象者の経験を理解し，対象者がかかえる問題を発見するために作業療法で

▶表 5　臨床的推論と考慮すべき点

物語的推論(narrative reasoning)
● 作業遂行の変化はこの対象者にとって何を意味するか ● 対象者の人生のなかで，この変化はどのように位置づけられているか ● 対象者は障害をもつ状況をどのように経験しているか ● 対象者の将来について，作業療法士はどのような見通しをもっているか ●「明らかになった」どの物語が，この見通しを達成へと導くか
現実的推論(pragmatic reasoning)
● サービスの提供にあたり，どのような組織の支援や制約を考慮しなければならないか ● 治療計画を立てる際に，どのような物理的環境の要素を考慮しなければならないか ● 作業療法士の知識や技術のレベルはどの程度か
手続き的推論(procedural reasoning)および **診断的推論**(diagnostic reasoning)
● 診断名は何か ● この診断に伴う予後，合併症やその他の要素には何があるか ● この診断の評価や治療に関する一般的な手順は何か ● どのような治療(機能回復的あるいは代償的方法など)を用いることができるか
相互交流的推論(interactive reasoning)
● 対象者の目標，心配事，興味，価値は何か ● 対象者は，自身の作業遂行の状況をどのようにとらえているか ● 対象者の作業遂行パターンに病気や障害はいかに適合しているか ● この対象者に，私(作業療法士)はどのように取り組もうと考えているか ● この対象者とどのようにコミュニケーションをとることができるだろうか

〔Pendelton HM, 他(編著), 山口　昇, 他(監訳)：身体障害の作業療法(改訂第 6 版). pp45–48, 協同医書出版社, 2014 より改変〕

用いられることが多い．対象者が人生や自分の障害経験を“語る”ことで疾病や外傷が対象者に与える心理的影響や立ち直りの過程，生活への適応の仕方などを把握し，評価・治療の方法を決定する参考とする．

b 現実的推論

現実的推論(pragmatic reasoning)もしくは実際的推論は，臨床では最も多く用いられる推論である．これは，作業療法士が働く場の条件と作業療法士の個人的状況や制約によって対象者に何ができるのか，あるいは何ができないのかを決定するプロセスをいう〔「治療目標と制約条件」の項(➡ 32 ページ)参照〕．

作業療法士の働く場は保健・医療・福祉にわたり幅広い．入院，入所，通所(通園)，在宅など，それぞれの場所によってサービスの目的・種類・内容も異なる．また，作業療法士の個人的状況や制約(常勤か非常勤か，その疾患・外傷に対する知識や技能の有無，ベテランか初心者か)も治療内容を決定するうえで影響する．

それぞれの状況に合わせて，作業療法士は対象者のニーズを充足できるよう治療・指導・援助の内容・方法を決定する．

c 手続き的推論

手続き的推論(procedural reasoning)では，細かい評価をする前に，まず対象者の問題の概要を把握する．対象者のニーズ，年齢・性別，家庭や社会での役割などから，まず治療すべき問題点と治療の優先順位を決定し，問題を解決あるいは軽減する方法を組み立てるプロセスである．

これはトップダウンアプローチ(➡ 19 ページ)ともいい，上記の現実的推論と併せて，臨床では多く用いられる推論である．

d 診断的推論

診断的推論(diagnostic reasoning)は，学生の臨床実習で多く用いられる推論で，

- 情報収集
- 治療仮説の設定(こうしたらどのような結果になるかという推理)
- 評価・治療結果の分析と解釈
- 仮説の検証

を行う．この結果が作業療法診断(効果判定)となる．

この推論は，初期評価では“治療効果の予測”として，中間評価では“治療結果の分析・解釈”，および“仮説の検証”として検討される．中間評価の結果，治療が変更された場合は，最終評価と

して再度，分析や検証が行われる．

ちなみに，わが国では「診断」という用語は医師の行う“医学的診断”の意味合いが強いので，作業療法では「効果判定」という用語を使用することが多い．

e 相互交流的推論

相互交流的推論(interactive reasoning)は，対象者と作業療法士間のやりとりに関するものである．作業療法士はこの推論を対象者とともに取り組み，対象者を理解し，対象者を動機づけるために用いる．作業療法士は，自身の個人的な技能や特性をも治療に用いることから，**“自己の治療的使用”**がこの推論形態によく適合している．

2 根拠に基づく実践

医療，特に医師を対象として「根拠に基づく医療(EBM)」という用語が用いられる．これは，病気の診断や治療法の選択において，先人の教えや自分の経験に基づくのではなく，科学的に信頼できるデータに基づき，最も信頼性のある，あるいは有効な治療法を選択することである．

EBM の代わりに看護やリハの領域では EBP，つまり「根拠に基づく実践」という用語が用いられることがあり，作業療法に限定する場合 EBOT (evidence-based occupational therapy；根拠に基づく作業療法)という用語を使用することもある．どのような用語を使用するにしても，対象者に対して最良の科学的根拠をもった治療を提供しようとする点は変わりない．

EBOT を実践するには，上述した正確な記録・報告を集積するほかに，日々の臨床に用いる治療手段を最新のものにしていく必要がある．そのためには，作業療法に関連する雑誌(ジャーナル)や大学・研究機関が発刊する研究論文を読み，学会や研修会に参加して最新の知識・技術を習得しようとする姿勢が必要である．インターネットでは多彩なデータベースが利用でき，短時間で手軽に情報が得られる点で有利であるが，情報の信頼性について疑問があるサイトも多く，その利用には十分に注意する必要がある．

Keyword

自己の治療的使用　治療過程の一部として，作業療法士の個性や知識，感性，判断を意図的に計画して使用すること．自己の治療的使用がうまくできている作業療法士には次のような特徴がある．対象者の障害や置かれた状況に対して共感を示す；自己洞察や自己認識ができる；積極的な傾聴によって効果的なコミュニケーションがとれる；対象者中心(client centered)の観点を一貫して保つことができる．

3 治療理論

以下に身体機能作業療法分野で用いられることの多い治療アプローチを紹介する．これらは他のリハ専門職と共通の治療・指導・援助法である．作業療法ではこれらの治療原理を ADL や活動に生かし，応用して治療するのが特徴である．

a 生体力学的アプローチ

生体力学的アプローチ(biomechanical approach)では，人体の運動や動作を骨・筋・関節の物理学(力学)的・運動学的分析を通して評価し，訓練する．

生体力学的アプローチは中枢神経系(CNS)に問題のない整形外科的障害をもつ対象者に最も適した方法である．たとえば，関節リウマチ，骨関節症，骨折，切断，手の外傷，熱傷などの整形外科的障害や，末梢神経損傷，ギラン-バレー(Guillain-Barré)症候群，脊髄損傷，筋ジストロフィーなどの運動単位の障害などである．

生体力学的アプローチでは，ROM や筋力，筋持久力などを評価し，それらの回復を試みる．このアプローチの具体例は，ROM 訓練，筋力訓練，スプリントや装具，運動療法などである．

b 神経生理学的(発達学的)アプローチ

神経生理学的アプローチ(neurophysiological approach)または発達学的アプローチ(neurodevelopmental approach)は，感覚運動アプローチ(sensorimotor approach)ともいわれる．CNSの障害，あるいはCNS障害に起因する発達過程の障害を，神経生理学的・神経発達的・運動学的原理を基礎に分析し，治療する．

CNSが損傷されると随意運動のコントロールが欠如し，協調的な運動とよく調整された運動や制御された運動は不可能になる．このアプローチでは，筋緊張の正常化と正常な運動反応を引き出すために神経生理学的メカニズムを利用する．

作業療法士がこのアプローチを使用するときは，そのアプローチが具体的な作業や日常の活動とどのような関連性があるかを考え，説明できなければならない．

C リハビリテーション的アプローチ

リハ的アプローチ(rehabilitation approach)では，なんらかの機能障害が残存していても，可能なかぎり自立した生活を送れるようにする方法を用いる．

機能障害の回復がみられなくなったとき，あるいはそれが期待できないときに，医学，物理科学，リハ工学などを基礎に，代償機能(残存機能の利用)と代償手段の利用によって生活の自立を獲得させる．たとえば，次のような手段がある．

- ADLの評価と訓練
- 補助具の選定とその使用訓練
- 義肢使用訓練
- 家屋評価と家屋改造
- 環境制御装置

リハ的アプローチは生体力学的・神経生理学的アプローチと組み合わせて用いることが多い．

E リスク管理

1 リスク管理とは

リスク管理とは，対象者に作業療法を実施する際に，「身体や精神，生命に危害や損失がおこる危険性を最小にコントロールすること」と表現できる．従来，作業療法士の行うリスク管理は，対象者1人ひとりの疾患別の特性や術式による制限や禁忌事項，年齢による特徴などに合わせて行われる作業療法士の治療技術の1つであるという考え方が中心であった．たとえば，脳血管疾患の急性期におけるバイタルサインのチェック，頸髄損傷者の自律神経症状に対するコントロール，感染症および易感染性の対象者に対する対応などが代表的である．

しかし，航空機事故の発生および医療機関での対象者取り違え，薬物投与のミスなどの医療事故の分析を経て，技術者1人ひとりによるリスク管理には限界があり，システムとしてのリスク管理が最も効果がある[7]ことが明らかになってきた．医療のリスクマネジメントもこの考えに則って対策が講じられている．

2 リスクマネジメント

リスク管理は「リスクマネジメント」とも呼ばれ，企業の投機の際におこる損失の危機に対処すること[8]から始まって，製造機械のリスク管理，自治体の災害に関するリスク管理，そして医療分野のリスク管理にも使用されるようになった．

その流れを受け，わが国では2001年，厚生労働省の通達により医療機関の医療安全体制の整備義務が定められた[9]．それ以降，対象者の身体に侵襲が及ぶ危険性のある処置や薬物投与，検査に関するものだけでなく，作業療法を実施するうえでの施設・備品，転倒予防や感染症対策，リスク

▶表 6　インシデントとアクシデント

	定義	具体例
インシデント	事故にはつながらなかったが，重大な事故につながる可能性のあるヒヤリ・ハッとした事例	1. 歩行訓練中の対象者が，車椅子の対象者と接触し，転びそうになったが，通りかかった作業療法士がかろうじて抱き止めた 2. 作業療法士がベッドサイドで関節角度を評価用紙に記入しているときに，対象者が経鼻栄養チューブを 10 cm ほど引っ張って抜こうとしていた 3. 対象者を車椅子からベッドに移乗させようと介助で立ち上がらせたところ，その日は急に抵抗を示し，そのまま対象者とともにベッドに倒れるようにして移乗させた
アクシデント	事の大小や過失の有無を問わず，医療従事者が想像していなかった悪い結果が対象者に発生した事例	1. 作業療法を実施中，使用中の重錘が対象者の足の上に落ちたが，対象者は何も怪我をしなかった 2. 作業療法終了後，対象者を病棟まで車椅子で搬送中に，対象者が使用していた輸液ポンプがエレベーターの段差に引っ掛かって倒れかかり，輸液ポンプが対象者の頭にぶつかってしまった 3. 嚥下障害があり，液体にはとろみを加えて摂取している対象者が，リハビリテーション科待合室で作業療法の受診を待っている間に，他の対象者にすすめられ，オレンジジュースを飲んでしまった

情報のコミュニケーション，研修制度などを含めた作業療法部門としてのリスクマネジメントに対する必要性が高まってきた．また災害や新たな感染症などのさまざまな事象に対応するために，作業療法部門のリスクマネジメントは日進月歩で発展しており，ますます重要になっている．

したがって，作業療法部門のリスクマネジメントの一般的なシステムや決まりごとを基礎知識としたうえで，対象者の疾患や症状に合わせたリスク管理の知識を整理しておく必要がある．

3 リスクマネジャー

リスクマネジャー(安全管理者)とは，医療機関の医療安全体制の整備の義務化とともに，2002 年より病院内の配置が義務づけられているが，その役割は以下の 3 点である．

①現場での医療事故予防活動の推進(インシデント・アクシデントレポートの提出の促進)

②施設内の医療事故予防対策委員会と職場の相互連携をはかること

③対象者からの苦情を聴取すること

医療機関ではリスクマネジャーを中心にインシデント・アクシデントレポートの集約・分析を行い，医療事故予防対策委員会を設置し，医療の安全に向けて情報を共有していくことが義務づけられている[10]．

4 インシデント(ヒヤリ・ハット)・アクシデントレポート

インシデントとは，「事故にはならなかったが対象者に重大な傷害を及ぼしかねない事象(ヒヤリ，ハット)のこと」を指し，アクシデントとは，「ことの重大さにかかわらず対象者に不利益をもたらす事故がおこってしまったこと」を指す．

このような事象がおこったときは，インシデント事例およびアクシデント事例を施設指定の報告手順で報告することにより，医療事故につながる潜在的な事故要因など(時間，人的状況，物理的環境，対象者の要因など)を把握し，これに基づいて医療事故の発生防止策を検討する仕組みを設けている．

報告すべき事項は，対象者の取り違えや医療ミスに代表される医療行為にかかわるもの，転倒・転落などの対象者自身にかかわるものはもちろん，機器・設備の不具合や管理上の事故など，接遇に関するもの，その他，無断離院や対象者どうしのトラブルなどである(▶表 6)．

5 作業療法部門におけるリスク

2010年度の日本作業療法士協会の「作業療法事故実態調査―事故防止マニュアル第2版」[11]によると，すべての領域で圧倒的に多い事故が「転倒・転落」で，42%を占めた．また，「怪我」も共通して高い割合であった．身体障害領域においては，「チューブ類のはずれ・抜去など」，「症状の悪化・急変」が事故の内容で多いものにあげられている．医療機関全体では転倒・転落・誤嚥などの「療養上の世話」が最も多い．また，整形外科および精神科での療養上の世話における医療事故の死亡例も数多く報告されている[12]．

次に，いかなる対象者にも一般的なことであり，押さえておく必要があるのは，急変時の対応とそれを早期に予測するためのバイタルサインの測定である．バイタルサインとは生命徴候，すなわち生きている状態を示す指標のこと[13]である．具体的には，体温，呼吸，脈拍，血圧などを指している．

もう1つは感染に関するリスクである．対象者が感染性の疾患をもつ場合，または易感染性の症状をもつ場合において，対象者どうしあるいは対象者と作業療法士が作業療法室の空間や時間を共有することにより，直接，あるいは作業療法士を介して感染する危険性がある．代表的なものにMRSA（メチシリン耐性黄色ブドウ球菌）の院内感染がある．対象者に安全な作業療法を提供するために，標準予防策[14]に準拠した対応が要求されている．

ここでは，バイタルサインの把握，転倒・転落予防，感染予防策，点滴・チューブ類の管理，緊急時の対応の5点について述べる．

a バイタルサインの把握

対象者の異常を早期に発見するために，各疾患の特殊性に応じて対象者の病態を把握し，疾患に対する十分な知識を身につけることが必要である．また，担当者は医師の処置が終了するまで，急変した対象者のそばを離れないこと，他のスタッフは対象者の家族や作業療法室内の他の対象者にも気を配る必要がある．

(1) 血圧，脈拍，呼吸

意識レベルの低下がみられたり，気分不快を訴えたとき，血圧は最も重要なバイタルサインである．まずは背臥位にし，血圧を測定する．

一般的には，収縮期血圧/拡張期血圧が140/90 mmHg以下を正常血圧といい，160/95 mmHg以上を高血圧，90/50 mmHg以下を低血圧としているが，緊急に対処を要するとされるのは，収縮期180 mmHg以上，収縮期80 mmHg以下である[15]．いずれも個人差が大きいため，作業療法実施の目安となる血圧を主治医に確認することと，日ごろからその対象者の血圧の傾向を確認しておくことが必要である．

脈拍は橈骨動脈ないしは頸動脈で測定する[16]．自覚症状の有無や内容，顔色，発汗の有無などの症状も併せて注意する．成人では60～90回/分が基準値であり，100回/分以上は頻脈，50～60回/分以下は徐脈とされている[17]．

年齢，原疾患の状態，合併症などの対象者の個人差が大きいために，作業療法の中止基準として明確に指定されたものは見当たらないが，リハビリテーションの中止基準〔第VII章2の表7（➡437ページ）参照〕を参照のこと．対象者ごとの訓練中止の基準は主治医に確認することが重要である．

呼吸は，呼吸数，リズム，形，深さ，姿勢，皮膚の色，喘鳴（ぜんめい），咳嗽（がいそう）を確認する[18]．パルスオキシメータは酸化ヘモグロビンと還元ヘモグロビンの色調の違いによって吸光度を検出し，経皮的動脈血酸素飽和度（SpO_2）を算出する機械であり，気道を通して取り込んだ呼吸の**酸素化能**を測定する[19]ことができる．

気管切開を行っている場合，喘鳴，咳嗽，顔面紅潮やチアノーゼ，呼吸苦が現れることがあり，喀痰が詰まっている場合もあるので，ただちに吸引を行う必要がある（➡151ページ）．気管切開を行っていると発声が不能であるため，他覚症状や呼吸器の経路に十分注意を払う．また，人工呼吸器を装着している対象者は，上記気管切開を行っている対象者と同様の注意を必要とし，併せて作業療法の実施によって呼吸器の経路が妨げられていないかを常時確認する必要がある．

(2) 意識レベル

意識障害は意識がどの状態であるか，また現在どのように変容したかが重要である[20]．意識レベルが低い状態が急変につながるのではなく，意識レベルが変化し，低下した場合は緊急を要する状態である．そのような場合には，速やかに医師に連絡し，バイタルサインを確認しておく必要がある．

意識障害のスケールには，ジャパンコーマスケール(JCS)(▶**表 7**)とグラスゴーコーマスケール(GCS)(▶**表 8**)がある．

▶**表 7　ジャパンコーマスケール(JCS)**

Ⅰ	刺激しないでも覚醒している状態(1 桁で表現) (せん妄，錯乱，無感覚) 1. だいたい意識清明だが，今ひとつはっきりしない 2. 見当識障害がある 3. 自分の名前，生年月日が言えない
Ⅱ	刺激すると覚醒する状態――刺激をやめると眠り込む(2 桁で表現) (昏迷，嗜眠，過眠，傾眠) 10. 普通の呼びかけで容易に開眼する 合目的的な運動(例：手を握れ，離せ)をするし，言葉も出るが，間違いが多い 20. 大きな声または体を揺さぶることにより開眼する なんらかの理由で開眼できない場合，簡単な命令には応ずる(例：手を握れ，離せ) 30. 痛み刺激を加えつつ，呼びかけを繰り返すとかろうじて開眼する
Ⅲ	刺激しても覚醒しない状態(3 桁で表現) (深昏睡，昏睡，半昏睡) 100. 痛み刺激に対し，払いのけるような動作をする 200. 痛み刺激で少し手足を動かしたり，顔をしかめる 300. 痛み刺激に反応しない

R：不穏状態(restlessness)，I：失禁(incontinence)，A：無動性無言(akinetic mutism)，失外套症候群(apallic state)
記載方法例：100-I，20-R

b 転倒・転落予防

ここでは意思に反してバランスを崩し，転倒してしまうことと，椅子やベッドから転げ落ちる転落について扱う．転倒・転落事故が医療機関の事故発生全体に占める割合は非常に多い[21]ことと，高齢者では大腿骨頸部骨折や慢性硬膜下血腫などの原因となり，さらにそれが廃用症候群を引き起こすなど，対象者の予後に与える影響が大きいため，予防には十分な対策が必要である．

転倒・転落事故は，対象者のもつ症状に起因するところが大きい．片麻痺やパーキンソニズムなどの運動障害，半側空間無視や注意障害などの高次脳機能障害があげられる．これらの要因に環境面や管理面での要因が複雑に重なって事故がおこる[22]．対象者がもつ要因を十分に評価，把握して危険を予測することが重要であり，そのうえで，見通しをよくする，動線をシンプルにする，入口付近，通路に十分な広さを確保するなどの環境面の配慮が必要である[23]．管理面では他職種および作業療法士間の対象者に関する情報の共有や，安全確認のために声をかけ合うなどの協力体制が重要である．

Keyword

酸素化能　酸素を取り込む装置としての肺の働き具合，すなわち酸素化装置としての肺の効率を指す．血中の酸素は大きく分けてヘモグロビンに結びついている酸素と血液中の水分に溶けている酸素とがある．酸素化能をはかる検査に血液ガス分析(blood gas analysis; BGA)があり，血液中に含まれる酸素や二酸化炭素の量，あるいは pH を測定する．

意識障害　意識とは，覚醒していること，周囲の状況を把握できていること，精神的活動が遂行できるなどの精神状態を指す．これが障害されると，意識不鮮明，傾眠，昏睡，せん妄，錯乱，もうろう状態と呼ばれる意識障害をきたす．

c 感染予防策

■標準予防策(スタンダードプリコーション)

スタンダードプリコーションとは，湿性生体物質(汗を除くすべての体液，分泌物，排泄物，損傷のある皮膚，粘膜など)には感染の可能性があると考えて取り扱うことにより，未知・既知の感染源から微生物の伝播を予防する対策を指す[24]．最も

▶表8 グラスゴーコーマスケール(GCS)

反応様式	重症度	スコア
A. 開眼 (eye opening)	自発的に(spontaneous)	E4
	言葉により(to speech)	3
	痛み刺激により(to pain)	2
	反応なし(nil)	1
B. 発語による反応 (verbal response)	見当識あり(orientated)	V5
	混乱した会話(confused conversation)	4
	不適当な言葉(inappropriate word)	3
	理解不能な発声(incomprehensible sounds)	2
	反応なし(nil)	1
C. 運動による反応 (motor response)	命令に従う(obeys)	M6
	痛み刺激部位に手足をもってくる(localises)	5
	屈曲逃避(withdraws)	4
	異常屈曲(abnormal flexion)	3
	伸展反応(extensor response)	2
	反応なし(nil)	1

記載方法例：E2, V3, M4：coma score 9 (= E + V + M)

重要な感染予防策として，手指衛生の方法と基本的な個人防護具(personal protective equipment; PPE)の使用法をあげる．これらの感染予防策を身につけることはすべての医療従事者が取り組むべき重要事項である．

■手指衛生

必要な場面で手指衛生を行うことにより，手指を介した接触感染を防止することが最終的な目標である．手洗いを効果的に行うには，着衣は半袖が望ましく，時計と指輪を外し，爪は短くしておく．ハンドソープを用いた流水による手の洗浄は，目に見えるような汚れがある場合や蛋白質による汚れがある場合に限定されつつある．目に見える汚染がある場合，確実に手洗いを実施し，ペーパータオルを使用する(▶図6, 7)[25,26]．

速乾式消毒薬の擦り込みによる消毒は，対象者と接触する前，滅菌手袋使用前，および侵襲的処置前，対象者の正常な皮膚に接触したあと，ディスポーザブルのグローブを装着して湿性生体物質，粘膜，健康でない皮膚に触れる処置の前後などに実施する．また，目に見える汚れのないとき，同一の対象者でも汚染した部位から清潔な部位に移る場合，対象者の周囲の物品や環境に触れたあと，手袋を外したあとにも使用する．速乾性擦式消毒薬で手指の汚染を除去するときは，片手の手掌に取り，手指の全表面をくまなく両手で手が乾くまで擦り込む．ハンドソープ，速乾性擦式消毒薬には手荒れを防ぐ成分が含まれているが，ハンドローションやクリームを適宜利用して手荒れを防止する[24]．

■感染予防策のための基本的な個人防護具

手袋，マスク，保護着衣，ゴーグル，フェイスシールドなど，防護用具の種類，特徴を理解して使用法を身につけることは，すべての医療従事者が取り組むべき重要な感染対策である．血液・分泌液などの湿性生体物質から医療従事者を守るために，PPEを選択する[27]．

主なPPEとして，ガウン，手袋，マスク，キャッ

1

流水で手全体を濡らす

2

洗浄剤を適量手のひらにとる

3

十分泡立てながら手のひらを洗う

4

手のひらで手の甲を包みながら洗う（反対側も）

5

両方の指をクロスさせながら指の間もよく洗う

6

指先・爪は手のひらの上で円を描くようにこすりながら洗う

7

親指は片方の手で包み込んで洗う

8

手首も回しながら洗う

9
流水でしっかり洗い流す
1〜9 まで 15 秒以上かける

10

ペーパータオルでしっかり乾燥させる

▶**図 6　手指衛生の仕方**
〔世界保健機関(WHO)：医療における手指衛生についてのガイドライン：要約版. 新潟県立六日町病院, 2009 より改変〕

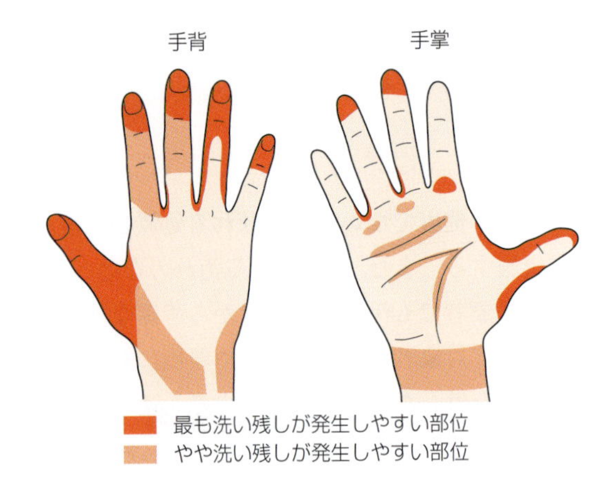

▶**図 7　洗い残しの多い部位**
〔Taylor LJ: An evaluation of handwashing techniques–1. *Nurs Times* 74:54–55, 1978 より改変〕

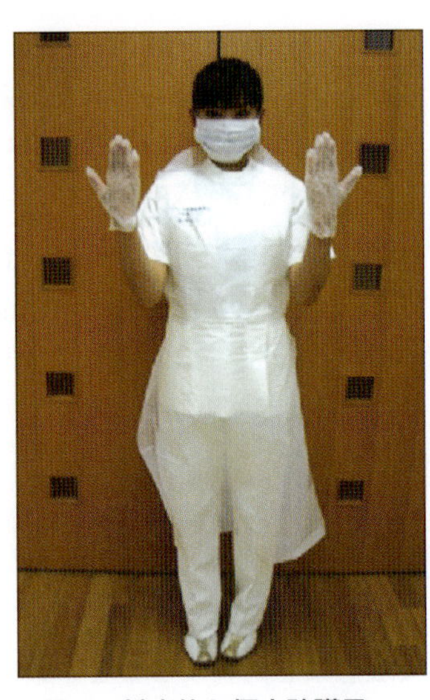

▶**図 8　基本的な個人防護具**

プ，エプロン，シューカバー，フェイスシールド，ゴーグルなどがあり，すべてディスポーザブルである(▶図 8)．確実な着用と正しい着脱順序を順守することが重要である．

(1)　PPE の着用手順

①手指衛生を実施する．
②ガウン・エプロンを着用する．
③マスクを装着する．
④ゴーグルを装着する．
⑤手袋をする．

(2)　PPE の脱ぎ方の手順

①一方の手袋の外側をつかんで裏返しに脱ぎ，もう片方の手で持つ．脱いだ手袋を持っているもう片方の手の手袋の中に手を入れ，裏返しに脱ぐと同時につかんでいた先に脱いだ手袋を，あとに脱いだ手袋の中に入れて医療廃棄容器に入れる．
②手指衛生を実施する．
③前面に触れないようにゴーグルを外し，医療用

廃棄容器に入れる.
④ガウン・エプロンを脱ぎ，外側が中になるように丸めて医療用廃棄容器に入れる.
⑤手指衛生を実施する.
⑥前面に触れないようにゴムやひもをつまんでマスクを外し，医療用廃棄容器に入れる.
⑦手指衛生を実施する.

ディスポーザブルの手袋にはピンホール(小孔)が存在するため，手袋をしていても感染の可能性があることを想定し，手順のように手指消毒をし，再利用は行わない.

■感染経路別予防策

すべての対象者に対応するスタンダードプリコーションに加え，特異な感染経路をもつ感染症に適応するものである.

(1) 接触感染予防策

感染源が感受性宿主に触れることで伝播する.環境や医療器具が感染源になることもあるが，ほとんどは手指が感染源になる.原則として個室隔離，あるいは同一疾患の対象者と集団隔離する.手洗い，手袋，マスク，ゴーグル，ガウン・エプロンはスタンダードプリコーションの概念に従って確実に実施する.

(2) 飛沫感染予防策

咳，くしゃみ，会話などによって飛沫を吸入することで伝播する.対象者はマスクの使用，作業療法士(医療従事者)や家族はマスクを着用する.原則として個室管理であるが，同一疾患の対象者と集団隔離するか，あるいはパーテーションで仕切るか，ベッド間を2m以上離す処置でもよい.

(3) 空気感染予防策

飛沫核および病原体を含む塵が空気中に浮遊，それを吸引して伝播する.陰圧管理した病室に隔離し，1時間に6回以上の十分な換気を行い，排気はフィルターを通して戸外に排出する.作業療法士(医療従事者)や家族は**N95マスク**を着用する[28].

「病院感染対策ガイドライン2018年度版」の感染経路別予防策の概略(▶表9)[29]を参照し，作業療法実施環境，リネンの取り扱い，対象者の作品，訓練場面などに応用する.

d 点滴・チューブ類の管理

点滴，輸液ルート(管)に関して作業療法士が注意すべき事柄としては，輸液ルートの外れや移動動作などに伴うルートの引っかけ，輸液スタンドの転倒などである.心電図モニター，生体観察計にも同様の注意を行う.その他の輸液チューブのトラブルに対しては，各作業療法室の緊急時対応手順に従う.経鼻栄養チューブを挿入している場合は，自己抜去に注意する.栄養剤が逆流しないように注入後30分～1時間は完全な臥位になることを避ける[30].

対象者が尿道留置カテーテルを装着している場合，採尿バッグは常に膀胱より低くし，尿の逆流を防止する.尿の流出を妨げず，チューブにねじれがない状態に保つ(▶図9).また床には多くの細菌が存在しており，カテーテル，ドレナージチューブ，採尿バッグの排尿部などからの逆行性感染の危険性があるため，採尿バッグが床に着かないように注意する[31].

e リハビリテーションの実施基準と緊急時の対応

リハビリテーション医療における安全管理・推進のためのガイドラインに沿ったリハビリテーション医療における安全管理・推進のための診療アルゴリズムを示す(▶図10)[32].それに基づき，運動負荷を伴う訓練の開始前，開始後の対象者の状態に応じて訓練を安全に継続することが可能か，あるいは控えるべきかを判断する指針が示さ

Keyword

N95マスク 「N」は耐油性がないことを示し(Not resistant to oil)，「95」は0.3μmの微粒子を95%以上捕集できることを示す.これに対し，一般的に使われているマスクは「サージカルマスク」と呼ばれている.

▶表 9　感染経路別予防策の概略

	標準予防策	接触感染予防策	飛沫感染予防策	空気感染予防策
感染媒体	●血液，体液 ●分泌物，排泄物 ●創のある皮膚，粘膜	〈直接接触感染〉 ●直接接触して伝播 ●皮膚どうしの接触 ●患者ケア時など 〈間接接触感染〉 ●汚染された器具や環境などを介して	●直径 5 μm を超える飛沫粒子 ●微生物を含む飛沫が短い距離（2 m 以内）を飛ぶ ●飛沫は床に落ちる	●直径 5 μm 以下の飛沫核粒子 ●空気の流れにより飛散する
主な疾患および微生物	感染症の有無にかかわらずすべての患者に適応される	腸管出血性大腸菌，MRSA，*C. difficile*，緑膿菌など	インフルエンザ，流行性耳下腺炎，風疹など	結核，麻疹，水痘
手洗い*	●血液，体液，創のある皮膚，粘膜に接触後 ●手袋をはずしたあと ●普通石けん使用	●患者接触時，汚染表面接触時に手洗い	—	—
手袋	●血液，体液，分泌物，排泄物，創のある皮膚，粘膜に接触時 ●使用後，速やかにはずし，手洗い	●患者ケア時手袋を着用 ●汚染物に触ったあとは交換 ●部屋を出る前にはずし，手洗い	—	—
マスク，ゴーグル	●血液，体液が飛散し，目，鼻，口を汚染する可能性がある場合	—	患者から 2 m 以内の距離で働くとき，マスクを着用	部屋に入るときにタイプ N95 マスクを着用
ガウン	●血液，体液，分泌物，排泄物で衣服が汚染する可能性がある場合 ●汚染されたガウンはただちに脱ぎ手洗いする	●患者，環境表面，物品と接触する可能性がある場合 ●部屋に入るとき着用し，退室前に脱ぐ	—	—
器具	●汚染した器具は，粘膜，衣服，環境などを汚染しないように注意 ●再使用のものは清潔であることを確認	●できるかぎり専用とする ●専用でない場合は他患者に使用前に消毒	—	—
リネン	汚染されたリネンは，粘膜，衣服，ほかの患者や環境を汚染しないように扱う	—	—	—
患者配置	環境を汚染させるおそれのある患者は個室隔離	個室隔離あるいは集団隔離あるいは患者の排菌状態や疫学統計に基づき対応を考慮	個室隔離あるいは集団隔離の場合はベッドを 2 m 離す	個室隔離 部屋の条件 ①陰圧 ② 6 回/時以上の換気 ③院外（HEPA フィルター）排気
患者移送	—	●制限する	●制限する ●部屋から出る場合にはマスクを着用させる	●制限する ●部屋から出る場合にはサージカルマスクを着用させる

* 流水と石けんがすぐに利用できない場合は，アルコールをベースとした速乾式手指消毒薬を用いてもよい．

〔国公立大学附属病院感染対策協議会（編）：病院感染対策ガイドライン．2018 年度版（2020 年 3 月増補版），p22，じほう，2020 より一部改変〕

れている．指針では，バイタルサインとして血圧上昇・低下，不整脈，呼吸異常，その他の症状として意識障害，胸痛，筋骨格系の疼痛，頭痛，嘔気・嘔吐，めまい，痙攣，発熱，浮腫をあげてい

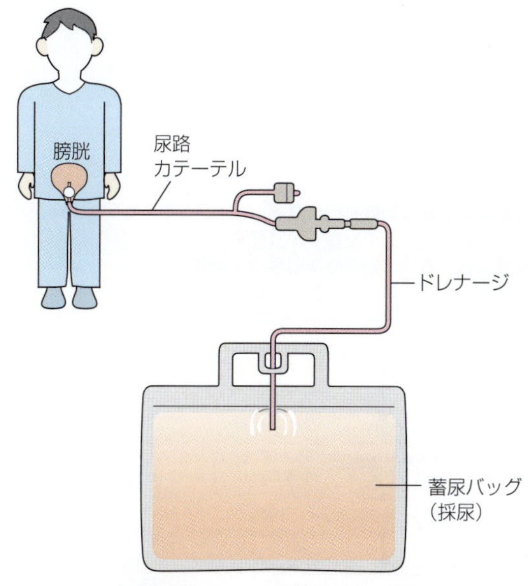

▶図 9 尿道留置カテーテル・ドレナージチューブの名称

る〔第 VII 章の 2「呼吸器疾患」の表 7(➡ 437 ページ)も参照〕. 全身状態は個々の対象者によりさまざまであること, また訓練の負荷も段階づけが可能であるため, 訓練を中止することを含めた総合的な判断が必要である.

緊急時対応のための電話対応や救助する人の流れを明確にしたマニュアルを策定するなど, 急変を避け, 緊急時の対応を円滑に進められる作業療法部門内のシステムを作成し, 定期的にロールプレイなどを行って練習しておく. また作業療法実施時の対象者の状態を注意深く観察し, モニタリングをするために, バイタルチェックのための機器(モニター装置, あるいは血圧計, 心電図モニター, パルスオキシメータなど)がすぐ稼動できるように整備し, 決まった場所で管理しておく. 併せて, ストレッチャー, 酸素・吸引ユニットと用具, 救急カート, 自動体外式除細動器(automated external defibrillator; AED)の位置を明示しておく.

また, 心肺蘇生訓練および緊急時の対応訓練の定期的な実施と参加, 感染症予防対策研修への参加など, 平素からの医療安全教育が重要である. 作業療法部門内にもリスクマネジャーを配置し, インシデント・アクシデント報告検討のシステムが確立されている必要がある. さらに, 新人職員に対し, 医療安全教育を行うことが必須である.

(1) 救急カート

緊急時に救急処置が即座に行えるように, バッグバルブマスク(bag and mask)(▶図 11), 気管挿管などの機材や薬剤などを収納した移動が容易なカートである.

(2) 心肺蘇生法

心肺蘇生法(cardiopulmonary resuscitation; CPR)は呼吸も心臓も止まっていると考えられる人の救命のチャンスを維持する方法である. 心臓マッサージおよび可能であれば人工呼吸を行う. 特殊な器具や医薬品を用いずに行う一次救命処置と, それでもなお心拍が再開しない場合に, 医師や救急救命士が気管挿管や高濃度酸素, 薬物も用いて行う二次救命処置がある.

以下, 病院における一次救命処置と, その後の二次救命処置のために作業療法士が行う救急救命処置について述べる.

心肺蘇生法は, 以下の流れで行う.

①意識障害を確認：周囲の人に応援を依頼し, AED, 心電モニターなどを用意してもらう.
②呼吸を確認：舌根沈下などによる閉塞があれば頭部後屈あご先(おとがい部)挙上法あるいは下顎挙上法で気道確保を行う.
③胸骨圧迫：胸骨圧迫式心マッサージ開始, 100 回/分のスピードで, 心マッサージ 15 回, 可能であれば人工呼吸 2 回を繰り返す.
④人工呼吸：無呼吸あるいは不規則な呼吸を認めれば, バッグバルブマスクにより人工呼吸を開始する.
⑤ AED にて除細動を行う.

(3) 自動体外式除細動器

心室細動(VF)・心室頻拍(VT)は循環不全をきたす致命的な不整脈であり, これに対して心臓に電気刺激を与えて洞調律に戻すことを電気的除細動という. この際に用いられるものが AED であ

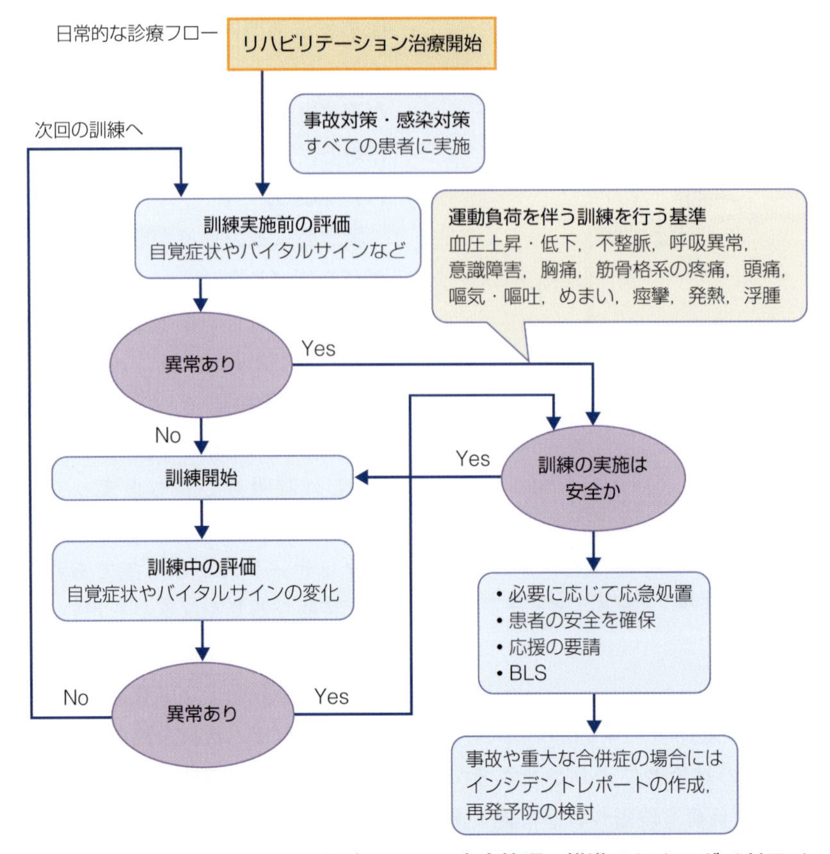

▶図 10　リハビリテーション医療における安全管理・推進のためのガイドラインに沿ったリハビリテーション医療における安全管理・推進のための診療アルゴリズムと運動負荷を伴う訓練を行う基準

〔日本リハビリテーション医学会 リハビリテーション医療における安全管理・推進のためのガイドライン策定委員会(編)：リハビリテーション医療における安全管理・推進のためのガイドライン. 第 2 版, p xiv, 診断と治療社, 2018 より改変〕

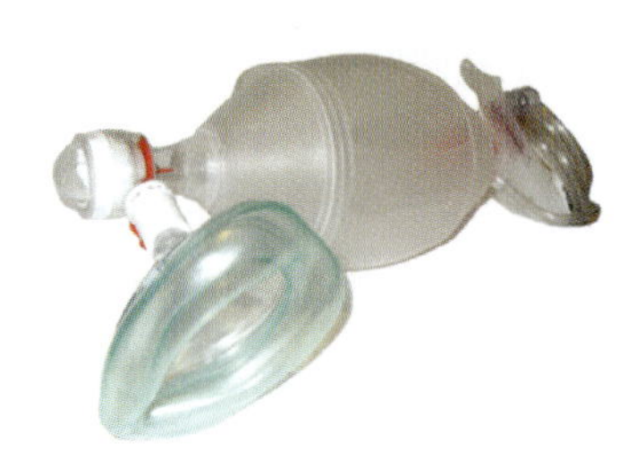

▶図 11　バッグバルブマスク

▶図 12　AED 設置の表示例

る(▶図 12)．AED のアナウンスに従いパッドを貼ると，電気刺激が必要かどうかを自動解析し，必要なら電気刺激を行う仕組みになっている．

(4) モニター装置

作業療法室での急変時にはバイタルサインを確認しながら救急処理を行うためベッドサイドモニターが必要になる．心拍数，心電図波形，SpO_2，呼吸数，血圧などが表示される．**図 13**[33] にベッ

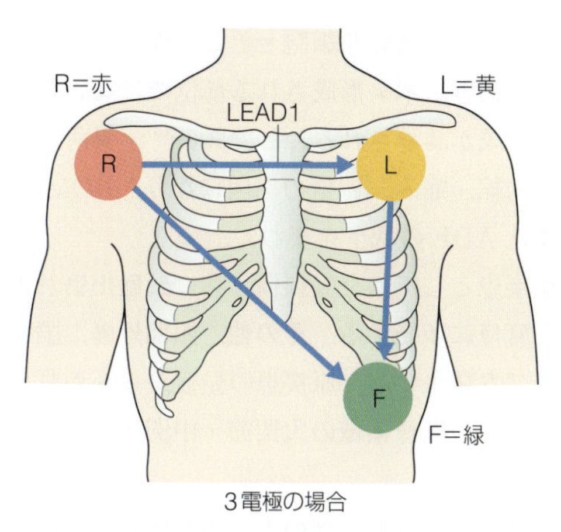

▶図 13 ベッドサイドモニターのパッドを貼る位置
〔文化放送ナースナビ看護学生：ベッドサイドモニタの実際
https://kango.bunnabi.jp/sp_bedside02.php を参考に作成〕

ドサイドのモニターのパッドを貼る位置を示す．

6 作業療法備品の管理

作業療法室に特徴的なこととして，工具・作業機器の安全管理と，車椅子・椅子などの福祉機器に代表される直接対象者の身体に使う機器，ないしは対象者が使う作業機器の安全管理もあげられる．バイタルサインの測定に使う機器の整備・管理はもちろんのこと，はさみや鋭利な刃物の個数を管理する．また，車椅子などを安全にすぐ使用できるように整備し，使用方法や調整方法を明確に表示しておくことが必要である．車椅子・椅子などを対象者 1 人ひとりに適合させておくことは，転倒の予防，不良姿勢による痛み，不快，動機づけの低下から発生する事故を予防することにつながる．

7 医療安全教育

リスクマネジメントに最大の効果を上げるためには，システムの整備やマニュアルなどの決まりごとに従って業務を進行させることである．それを周知させ，実践を積んでおくことにより，リスクを最小限に抑えることができる．

そのためには，定期的な医療安全教育の実施が欠かせない．新職員が加わったときには，緊急時の対応手順，感染予防策の手順，備品および機器管理，インシデント・アクシデント情報の集約，共有のシステムについての教育を行う必要がある．そして作業療法士の職員を対象に心肺蘇生法(人工呼吸，心マッサージ法)[34]，AED などの救急救命処置技術の習得，緊急時の対応手順についてのロールプレイ，シミュレーションを実施し，緊急時に備えておく必要がある．

8 作業療法の治療に伴うリスク

脳卒中による片麻痺や脊髄損傷による麻痺，関節リウマチによる関節拘縮などは，その疾患が原因でおこる障害であるが，不動性の関節拘縮や褥瘡，尿路感染症などは二次的に発生した障害である．これら二次的障害のなかには，原因となる疾患の治療の経過で不適切な治療が原因で引き起こされるものがある．

このように，原因となる疾患によっておこったものでなく，必要以上に安静，制限されておこったものを廃用症候群といい，不適切に処置されたためにおこったものを誤用症候群という[35]．どちらも予防が重要であり，原疾患による一次的な治療と並行して注意深く予防されなければならない．

本項では不適切な処置によっておこる誤用症候群の例を述べる．いずれも対象者の円滑なリハの重大な阻害因子となる．

a 麻痺性有痛肩

麻痺，感覚障害のある肩に ROM 訓練を強制的に行うことによって発生することがある．肩関節は球関節であり，回旋筋群(棘上筋，棘下筋，小円筋，肩甲下筋)が関節の不安定性を補うように配置されている．肩の屈曲の際，90° 以上では上腕骨は外旋する．また，**肩甲上腕リズム**により，肩関節外転の 1/3 は肩甲骨の回旋で行われている[36]．このメカニズムを確認せず，肩関節の屈曲および外転の ROM 訓練を激しく行うと，回旋筋群に内出血や微細な損傷が生じ，屈曲・外転・内外旋の動きに痛みが生じ，拘縮がおこる．これは急性期・慢性期，麻痺の程度を問わずおこることが指摘されている[37]．肩の痛みは起居動作の妨げや，ADL の低下につながるだけでなく，痛みによる不眠，抑うつを引き起こし，**肩手症候群**，**反射性交感神経性ジストロフィー**[38]の原因ともなる．

肩関節の**亜脱臼**や感覚障害，筋緊張の亢進などがみられる重度麻痺の対象者には，アームスリングや三角巾の使用，および起居動作時やベッド上，車椅子上でのポジショニングの指導が重要である．介護者へのトランスファー指導も同時に行う．

また，作業療法士は対象者に自己他動 ROM 訓練を指導するとき，上記の肩のメカニズムと自己他動 ROM 訓練の方法を説明して理解を得，十分な予行演習を行ったうえで実施してもらう必要がある．

b 異所性骨化

異所性骨化とは，原疾患のために長期安静，臥床，血流うっ滞，浮腫，低酸素状態などの骨化しやすい状態に，強制的な他動運動による微細な出血が加わり，前骨芽細胞とそこに作用する骨誘導因子が働き，本来形成される部位ではないところに骨形成が誘導されることである[39]．異所性骨化は，拘縮，痛み，褥瘡の原因になり，ROM 制限による ADL の低下をまねく．

原疾患としては脊髄損傷，特に頸髄損傷および完全麻痺に多発する．その他，頭部外傷，脳血管障害でも発生する．原疾患の発症から 6 か月以内に発生し，麻痺領域の大関節・中関節の軟部組織に発生する[40]．

予防には，麻痺領域の大・中関節の局所的な血流障害や浮腫を避け，強制的な ROM 訓練を避けることが重要である．異所性骨化が発生している場合には，不良肢位を避け，ROM 訓練は抵抗を感じる直前で止め，痛みが増悪しない範囲で注意深く行う．

●引用文献

1) Pendelton HM, 他(編著), 山口　昇, 他(監訳)：身体障害の作業療法. 改訂第 6 版, pp45–48, pp800–802, 協同医書出版社, 2014
2) 医学通信社(編)：診療点数早見表. 2020 年 4 月版, pp609, 619–620, 医学通信社, 2020
3) 厚生労働省：http://www.mhlw.go.jp
4) 山口　昇(編著)：作業療法臨床実習マニュアル―指導者と学生のために. pp27–41, 三輪書店, 2013
5) 上田　敏：「社会生活行為(ASL)」の位置づけと評価・訓練の原則. 作療ジャーナル 33:1039–1044, 1999
6) 矢谷令子, 他(編)：作業療法実践の仕組み. 改訂第 2 版, pp177–193, 協同医書出版社, 2014
7) 河野龍太郎：医療におけるヒューマンエラー―なぜ間違えるどう防ぐ. pp26, 27, 医学書院, 2004

Keyword

肩甲上腕リズム　上腕骨が外転 30° 以上の場合，上腕と肩甲骨が 2：1 の割合で外転する．上肢を基本肢位から 180° 外転すると，肩甲上腕関節は 120° 外転，肩甲骨は 60° 上方回旋する．

肩手症候群　脳血管疾患や心筋梗塞，頸椎症，外傷後などにみられ，肩・手の痛みを伴う運動制限，手の腫脹や皮膚温の上昇，中手指節関節(MP 関節)・近位指節間関節(PIP 関節)の背側の発赤などを呈する病態．これらの症状が強い時期(第 1 期)，痛みや腫脹が消失し，皮膚や手内筋の萎縮が著明になる時期(第 2 期)，手指の拘縮と骨粗鬆症が著明になる時期(第 3 期)の経過をとる．痛みに対する交感神経の異常な状態と考えられる．治療としては温熱療法，ステロイドの投与，星状神経節(頸部にある交感神経幹神経節)ブロックなどが行われる．

反射性交感神経性ジストロフィー　主に四肢に外傷を受けたのちに，受傷部位を含む広範な部位に，交感神経機能障害の症状(発汗の異常，灼けるような痛み，痛みに対する過敏，異常知覚，腫脹，血行障害，皮膚・骨・筋などの栄養障害)を呈する病態．

亜脱臼　相対する関節面の接触が完全に絶たれている状態を脱臼といい，部分的に接触しているものの正常ではない状態を亜脱臼という．亜脱臼は脳血管障害による片麻痺の肩関節でみられることが多い．

8) 横川 廣：治療・組織運営医療環境におけるリスクマネジメント. 広島理療 12:24, 2003
9) 河野龍太郎：医療におけるヒューマンエラー―なぜ間違えるどう防ぐ. pp8, 9, 医学書院, 2004
10) 都立病院医療事故予防対策推進委員会：医療事故予防マニュアル(参考資料). リスクマネジメントとは. pp6, 7, 2000
11) 日本作業療法士協会(編)：作業療法事故実態調査―事故防止マニュアル第2版. 2011
12) 日本医療機能評価機構：2016 年医療事故情報収集等事業 平成 28 年 年報. http://www.med-safe.jp/pdf/year_report_2016.pdf(2020 年 11 月 11 日アクセス)
13) 山口瑞穂子(編著)：看護技術講義・演習ノート 上巻―日常生活支援技術篇. 新訂版 第 2 版, p70, サイオ出版, 2016
14) 向野賢治：院内感染の標準的予防策. 日医雑誌 127:340–346, 2002
15) 山口瑞穂子(編著)：看護技術講義・演習ノート 上巻―日常生活支援技術篇. 新訂版 第 2 版, p76, サイオ出版, 2016
16) 則竹敬子：脈拍の見方. 平 孝臣, 他(編)：わかるバイタルサイン A to Z. pp83–86, 学習研究社, 2000
17) 松崎有子(執筆), 佐竹節子, 横井和美(監)：リスクを防ぐ臨床看護ガイダンス. pp20–22, 医学芸術社, 2005
18) 松崎有子(執筆), 佐竹節子, 横井和美(監)：リスクを防ぐ臨床看護ガイダンス. pp197–199, 医学芸術社, 2005
19) 松崎有子(執筆), 佐竹節子, 横井和美(監)：リスクを防ぐ臨床看護ガイダンス. pp204, 205, 医学芸術社, 2005
20) 高須伸克(編)：ピンチに役立つ急変対応完全マニュアル. pp23, 24, 医学書院, 2003
21) 森 功：リスクマネジメントと医療の安全管理. *Biomed Perspect* 10:122–132, 2001
22) 杉山良子：転倒・転落の要因と分析. 三宅祥三, 他(編)：実践できる転倒・転落防止ガイド. pp6–13, 学習研究社, 2007
23) 會田玉美, 他：作業療法部門のリスクマネジメント項目の検討―作業療法部門管理者の考えるリスクマネジメント項目. 作業療法 26:131–143, 2007
24) 職業感染制御防止研究会：特設コーナー「安全器材と個人用防護具」個人用防護具(PPE)の脱着手順. https://www.safety.jrgoicp.org/ppe-3-usage-putonoff.html(2020 年 11 月 11 日アクセス)
25) 世界保健機関(WHO)：医療における手指衛生についてのガイドライン：要約版. 新潟県立六日町病院, 2009
26) Taylor LJ: An evaluation of handwashing techniques–1. *Nurs Times* 74:54–55, 1978
27) 亀田メディカルセンターリハビリテーション科リハビリテーション室(編)：リハビリテーションリスク管理ハンドブック. 改訂第 4 版, pp363–365, メジカルビュー社, 2020
28) 洪 愛子(編)：院内感染対策必携ハンドブック. 第 2 版, pp49–50, 中央法規出版, 2013
29) 国公立大学附属病院感染対策協議会(編)：病院感染対策ガイドライン. 2018 年度版(2020 年 3 月増補版), p22, じほう, 2020
30) 日本看護協会教育委員会(監修)：看護場面における感染防止―新人ナース指導者必携. pp10, 11, インターメディカ, 2007
31) 向野賢治：院内感染の標準的予防策. 日医雑誌 127:340–346, 2002
32) 日本リハビリテーション医学会 リハビリテーション医療における安全管理・推進のためのガイドライン策定委員会(編)：リハビリテーション医療における安全管理・推進のためのガイドライン. 第 2 版, p xiv, 診断と治療社, 2018
33) 文化放送ナースナビ看護学生：ベッドサイドモニタの実際. https://kango.bunnabi.jp/sp_bedside02.php
34) 高須伸克(編)：ピンチに役立つ急変対応完全マニュアル. pp36, 37, 医学書院, 2003
35) 栢森良二：末梢神経障害. 三上真弘, 他(編)：リハビリテーション医学テキスト. p209, 南江堂, 2000
36) 中村隆一, 他：基礎運動学. 第 6 版補訂, p219, 医歯薬出版, 2012
37) 栢森良二：過用・誤用症候群. 三上真弘, 他(編)：リハビリテーション医療事典. p59, 朝倉書店, 2007
38) Brotzman SB, 他(著), 薄井正道, 他(監訳)：運動器疾患臨床ガイドブック―診断とリハビリテーションプロトコール. pp461–469, 診断と治療社, 2005
39) 竹内正人：異所性骨化. 三上真弘, 他(編)：リハビリテーション医療事典. pp10–12, 朝倉書店, 2007
40) 中村隆一(監)：入門リハビリテーション医学. 第 3 版, pp582, 583, 医歯薬出版, 2007

4 身体機能作業療法学の実践

A 病期に応じた作業療法の実践

病期とは，疾病と障害の経過をその特徴によって区分した時期のことをいう．リハビリテーション(以下，リハ)分野では，一般に，急性期，回復期，維持期の3つに区分している．

『作業療法ガイドライン』[1]では**表1**のように5つの区分にしている．ここでは，この5区分に基づいて説明する．

1 予防期

予防期は特別な障害のない対象者・時期における作業療法のかかわりである．加齢によって，あるいはストレスがあると心身の健康を崩しやすく，それによる障害がもたらされる可能性がある．そうならないように，予防および健康増進の観点から作業療法のかかわりを行う．この時期の作業療法は個別にというより，地域住民集団を対象として行われることが多い．具体的には，市町村の保健センターでの健康教室や地域包括支援センターでの介護予防事業，老人クラブやデイサービスでの健康体操の指導などである．

高齢社会が進展する今後，医療費抑制の観点からも予防は非常に重要な課題であり，作業療法士への期待も大きいが，この領域で働く作業療法士は，職場の少なさもあって，まだ多くはない．

2 急性期

当然のことながら，急性期の作業療法は医療施設において行われる．急性期における入院期間は2週間程度に短縮されてきている．このようななかでは，作業療法においても医学モデルによって心身機能・構造の回復を促し，短期間での結果を示していかなければならない．急性期の作業療法は以下のようなことが行われる．

- 生命維持や覚醒レベルを考慮に入れたうえで，徐々に心身の負荷を高め，覚醒レベルを高めるための対応．
- 良肢位保持による拘縮・変形予防(このことが，急性期以降の作業療法実践を行いやすくする)．
- 基本的ADLの部分的な習得．

急性期医療施設での予後予測に基づいた対象者と家族への障害の説明は重要で，それ以降の回復期や生活期において対象者が作業療法にかかわっていく姿勢に大きな影響を与える．また，急性期であっても，対象者が地域に戻って生活するという長期的展望に立って，急性期の目標を設定し，達成するようにしなければならない．

3 回復期

回復期の作業療法も回復期リハ病棟をもつ医療施設で行われることが多いが，介護老人保健施設や障害者リハビリテーションセンターなどの介護・福祉施設で行われることもある．医療施設で行われる作業療法は，疾患・外傷によって差異が

▶表 1 作業療法士が対象者とかかわる時期

時期	内容
予防期	日常生活に支障をきたさないように疾病や障害を予防する時期．加齢やストレスで心身機能の低下を引き起こしやすくなった人に，疾病の罹患や疾病による障害を防ぐ目的で作業療法士がかかわる．各市町村保健センターが行う健康教室，地域包括支援センターが行う介護予防事業，老人クラブやデイサービスなどで健康な高齢者を対象に行う健康指導の講師など，その活動は多岐にわたる
急性期	発症後，心身機能が安定していない時期．生命にかかわる心身機能・身体構造の安定をはかるため，医療による集中的な治療が中心となる．心身の急変に配慮した作業療法の提供を行い，二次的障害の予防や，回復期への円滑な導入に向けて早期からかかわる
回復期	障害の改善が期待できる時期．疾病・外傷の予後予測をふまえて，生活に必要な基本的能力と応用能力，社会的適応能力の機能を獲得できるように，治療，指導，援助を行う．基本的には，回復期リハ病棟，精神科の病棟，総合療育センターなどの医療機関が実施場所となる
生活期	疾病・外傷や障害の回復が一定レベルに達し固定化した時期．疾病・外傷や障害の再燃・再発，悪化を予防することに重点がおかれる．さらに，IADL などの個人生活への適応能力，対人関係や社会参加などの社会生活の向上を援助するなど，対象者の生活における活動範囲の拡大をはかる．実施場所は，復帰先により自宅であったり，自宅以外の施設などであったりする
終末期	人生の最後の仕上げとしてのかかわりが重要となる時期．終末期は，がんや進行性疾患で終末期を迎える対象者であり，疾病の治癒や機能の回復，向上を目標とするよりは，対象者の価値観や満足度といった視点からいかに QOL を高め，維持していくかが課題となる．また，対象者だけでなく家族への心理的な支援も行う．実施場所は，緩和ケア病棟，一般病院，介護老人保健施設などの保健・福祉施設，また自宅など多岐にわたる

IADL：生活関連活動，QOL：生活の質

〔日本作業療法士協会（編）：作業療法ガイドライン（2018 年度版）．pp20–21，日本作業療法士協会，2019 をもとに作成〕

あるものの，発症・受傷後およそ 5〜8 か月までに制限されている．回復期では，体調も回復し，対象者は自分の障害と向き合うことになる．この時期の作業療法は，急性期において一部を習得した ADL の完全習得に目標をおいて行う．福祉用具の活用を含めた対応も検討される．

回復期では以下の点がポイントとなる．

- 心身機能・構造の回復を考慮しながら，あるいは心身機能・構造の回復をはかりながら並行して ADL の自立をはかる．
- 生活の自立度を高めるために，身体に負担がかからないような代償的方法および福祉用具を検討し，実践する．
- 対象者の個別的な問題点を解決するために，対象者の残存能力や利点をも活用した対応を行う．
- 将来的な生活環境を考慮した応用方法を指導する．

障害が残存しない場合はよいが，障害が残存する場合，それを受け入れるために心理的な壁にぶつかる時期でもある．対象者は，思うようにならない身体や精神と向き合い，不安になり，思い悩んでストレス反応をおこしてくる．このような場合，単に障害受容ができないと判断するのではなく，障害受容の過程を考えた対応も必要となってくる．

4 生活期

生活期は維持期といわれることが多い．どの時期からを生活期とするかは議論のあるところである．ここでは，社会資源を活用しながらでも在宅生活もしくは施設生活が可能になった時期を生活期とする．生活期の作業療法は，対象者の自宅，介護保険施設，障害者自立支援施設，デイサービスなど，いろいろな場で行われる．

心身機能・構造を維持していくということは，対象者のみならず家族や周囲の協力なくしては

行えない．生活期においては，いかにADLを維持していけるかが鍵となる．健康管理も重要となる．定期的な健康管理，救急時の対応法を確立することなどにより，対象者・家族の不安を軽減し，日常生活を安心して過ごせるようになる．自主的に健康管理が行えるようになると，活動範囲が拡大し，自宅以外の活動にも目が向くようになり，心身ともに，より健康的な生活が維持できるようになるだろう．

生活期の作業療法は，主に以下にあげることが行われる．

- 定期的に心身機能のチェックを行う．
- 健康上の問題に対して的確な判断を行い，適切な受診が行えるよう指導する．
- ADLが習慣的に遂行されるよう促すために，対象者および家族，施設職員とともにその方法を具体的に1つひとつ考え，練習する．
- 対象者に合った福祉用具を検討し，必要に応じて使用練習を行う．
- 対象者の興味・関心を引き出し，意義のある生活を送ることでQOLを高める．
- 対象者が利用できる社会資源(例：対象者の団体，地域のクラブ)や社会制度の情報を探索するとともに，必要に応じてその情報を提供する．
- 家族や施設職員からの相談に対応する．

5 終末期

疾患によって余命が限られた対象者に対して，心身機能・構造の低下や社会生活能力の制限があっても，人生の振り返りとまとめができるよう，個人のQOLを保障し，尊厳のあるケアを提供する．がんの対象者を中心とした緩和ケア〔第Ⅷ章「悪性腫瘍(がん)」(➡ 460ページ)参照〕が行われ，作業療法士もチームメンバーとして参加し，診療報酬が請求できるようになった．しかし，がん以外の進行性疾患の対象者も最終的には終末期を迎え，それは必ずしも緩和ケア病棟などの医療施設だけでなく，自宅や介護老人保健施設，特別養護老人ホームなどの施設であることもある．

終末期の作業療法では機能回復や生活機能の向上を目標とするよりも，対象者の満足や価値観といった観点から，対象者のQOLを高め，維持していくことが課題となる．対象者が今までの人生を肯定的にとらえ，残された時期を意義深く過ごせるようなかかわりをもつことが重要である．それは，積極的に治療・訓練をしなくても，定期的に対象者に会い，話を傾聴し，対象者に安心感をもってもらうことでも実現できるかもしれない．

また，対象者だけでなく，家族や関係者の心理的ケアも課題となる．

6 途切れのない作業療法を提供するために

a 地域連携

急性期から回復期，在宅までの医療機能の分化・連携を推進し，途切れない医療およびリハを提供し，在宅医療の充実による対象者のQOLの向上をはかる必要がある．これを制度的・経済的に支援するものとして，診療報酬上「退院時共同指導料」，「介護支援等連携指導料」，「介護保険リハビリテーション移行支援料」などがある．

「退院時共同指導料」は地域における退院後の対象者の在宅医療を担う医療機関との連携を，「介護支援等連携指導料」は退院後の介護サービスや障害福祉サービスの導入の支援を，「介護保険リハビリテーション移行支援料」は訪問リハや通所リハへの移行促進を支援するものである．

これらによって，地域医療を提供する多職種，介護支援専門員(ケアマネジャー)らが対象者の入院中からカンファレンスに参加し，退院後の生活を見据えた，いわゆる“目に見える連携”を可能としている．

b 作業療法士個人の努力

作業療法士は，自身が勤務する施設の使命に沿ってそれぞれの病期に応じた作業療法を実施する．しかし，病期が変わっても対象者が地域に戻って生活するという最終的目標は変わることはない．急性期から生活期，終末期までの作業療法にはそれぞれ重点をおくべき課題はあるが，1人の対象者として最終目標を達成できるよう考え，連携する必要がある．

各期の作業療法士が連携するために，対象者の状況や作業療法における変化を伝えるツールとして前記の連携指導料や「施設間連絡書」などの報告書がある．一般に，これらの連携指導や報告書によることで連携していると考えがちである．しかし，これは真の意味での連携とはいえない[2)]．対象者が最終的に到達するであろう（あるいは到達したい）目標を，各期の作業療法士が意識して，共有して，それぞれの病期に応じたサービスを実施することが，途切れのない作業療法を提供することにつながる．

医療体系の重心が急性期にシフトし，各施設の役割分担が明確にされ，診療報酬を請求できる期間も制限されるようになってきた．このようななかでは，1人の作業療法士が1人の対象者を急性期から生活期まで一貫して担当し，最終的な転帰（最終的にどのような生活を送るようになったか）を体験し，知ることは困難である．しかし，このような経験がなければ，各病期を担当する作業療法士が対象者の最終目標を達成すべく，真の意味で連携していくことが難しいことも事実である．

個人の力ではいかんともしがたい側面もあるが，たとえば急性期施設の作業療法士は，自分が担当した対象者が，今どのような生活をしているのかを自分の時間を使ってでも追跡し，自分の治療・指導・援助が適切であったかを振り返ることも必要だろう．生活期の施設に勤める作業療法士は，急性期施設ではどのような対象者に，どのような作業療法が実施されているかを見学し，急性期での制約を知る機会をもつことも必要だろう[*1]．

このような努力を通して，1人の対象者の最終的な目標を達成するために，各期の作業療法士がどのように役割を分担し，連携すべきであるかが理解できるだろう．それが，途切れない作業療法を提供することにつながる．

B 実施場所に応じた作業療法の実践

作業療法士は，どの領域で，どの程度の人数が働き，どのような臨床を行っているのだろうか．その1つの手がかりとなるのが，日本作業療法士協会の統計資料[3)]である．それによれば，2020年3月末での作業療法士有資格者数は94,255名（推計値）であり，組織率は66.1%（登録会員数62,249名）である．組織率からみて作業療法士の有資格者全体の動向を反映しているとはいえないが，参考にこの統計資料の領域別会員数をみると，医療法関連施設が58.9%（同36,693名），介護保険法関連施設が9.9%（同6,147名）と，この2つの領域で68.8%を占めている．この数値（%）は，前年の統計資料[4)]とほぼ同様であり，近年は同様の推移をしていると思われる．

医療法関連施設のうち，身体機能障害領域と関連のある施設として，一般病床，回復期リハ病棟，療養型病床群が上位3施設であり，71.3%（同26,160名）を占めている．また，介護保険法関連施設では，介護老人保健施設と老人訪問看護ステーションで大部分（96.7%，同5,942名）を占める．今後の医療・福祉の動向，高齢社会の到来を考えると，老人訪問看護ステーションでの作業療法士の需要が伸びると考えられる．

日本作業療法士協会は5年に1度，会員の就業状況などをまとめた『作業療法白書』を発行している．最新のものは『作業療法白書2015』[5)]である．以下には，この作業療法白書をもとに，身体機能

*1：施設を超えた追跡や見学を行うには，あらかじめ施設や対象者，関係者の許可を得ておく必要がある場合が多い．

障害に対する医療領域および介護保険領域の対象疾患・外傷，評価項目，目標，治療手段の概要と特徴をまとめて提示する．

1 医療領域における身体機能障害への指導・援助

a 対象疾患・外傷

作業療法白書[5] によれば，作業療法の治療対象として頻度の高い疾患・外傷は，65 歳未満，65 歳以上ともに「脳血管疾患」，「骨折」が上位 2 位を占めている．65 歳未満では「脳血管疾患の合併症と考えられる高次脳機能障害や失行失認」，「脊髄疾患」などが上位 5 位にあがっている．65 歳以上になると「パーキンソン（Parkinson）病」，「高次脳機能障害や失行失認」などが上位 5 位となっている．

このほか，全世代でみると「呼吸器疾患やその他の骨・関節疾患」，「悪性新生物（がん・腫瘍など）」，「心臓疾患」などが上位 10 位までにあげられている．これは，作業療法の診療報酬の対象に呼吸器疾患やがん，心臓疾患が加えられたことを反映していると思われる．作業療法実施にあたっては，これらの疾患・外傷に対する知識，治療技術が必須であることを認識しておく必要がある．

b 評価項目

作業療法の評価として実施されていた上位 5 位は，「関節可動域」，「筋力・筋持久力」，「上肢動作」，「姿勢・肢位」，「身辺処理」である．

そのほか，「起居移動」，「筋緊張」，「精神・認知・心理」，「感覚・知覚」，「個人生活適応（家事，健康管理，交通機関の利用，車の運転など）」が続いている．身体機能障害領域であることを考慮すれば，基本的能力，特に運動機能にかかわるものが多いが，個人生活に関する項目もあり，広い視野に立った評価の知識・技術が必要であるといえる．

c 目標

白書にあげられた短期目標と長期目標の上位 5 位までをみると，短期目標では「運動機能の改善」，「上肢運動機能の改善」，「起居動作の改善」，「身辺処理能力の改善」，「日常生活活動の改善」の順となっている．

一方，長期目標では「日常生活活動の改善」，「運動機能の改善」，「上肢運動機能の改善」，「身辺処理能力の改善」，「運動機能の維持・代償指導」となっている．

短期目標と長期目標を併せてみると，運動機能および身辺処理能力の改善の積み重ねにより，最終的に ADL を改善させていくという道筋がみえる．

d 治療手段

治療手段として上位にあがったのは，「基本動作訓練（生活に関連する作業を用いない訓練）」である．これは，徒手的訓練，器具を用いた訓練，各種運動療法，その他の基本訓練を指す．以下，「各種作業活動（日常生活活動）」，「各種作業活動（手工芸）」，「用具の提供・適合・考案・作製・使用指導」，「相談・指導・調整」と続いている．

作業療法士の日々の取り組みの大部分は，前述した目標からも，また治療手段からみても，基本的能力である運動機能の改善および ADL 自立に向けた内容が中心となっており，これらについての知識・技術は必要である．

2 介護保険領域における身体機能障害への指導・援助

a 対象疾患・外傷

介護保険領域においては，医療ケア終了後の対象者が継続的に生活期のケアを受けることになるため，医療領域と同様，対象とする頻度の高い疾患・外傷は上から順に「脳血管疾患と骨折」，「器質性精神障害〔アルツハイマー（Alzheimer）病，脳血管疾患などによる認知症，頭部外傷などによる人格・行動障害〕」，「パーキンソン病」，「心臓疾患」となっており，器質性精神障害が第2位にあげられていることが特徴的である．

b 評価項目

介護保険領域における評価の上位5位は，「筋力・筋持久力」，「姿勢・肢位」，「関節可動域」，「起居移動」，「精神・認知・心理」である．

これに続いて，「身辺処理」，「筋緊張」，「上肢動作」，「趣味・興味」，「コミュニケーション能力」となっている．

c 目標

短期目標の上位5位は，「運動機能の維持・代償指導」，「運動機能の改善」，「日常生活活動の改善」，「起居動作の改善」，「起居動作の維持・代償指導」となっている．

長期目標の上位5位は，「日常生活活動の改善」，「運動機能の維持・代償指導」，「運動機能の改善」，「生活リズムの改善」，「身辺処理能力の維持・代償指導」である．

短期目標と長期目標を併せてみると，運動機能については改善よりも維持・代償を，そしてそれをもとにADLの改善や生活リズムの確立を目指していると思われる．

d 治療手段

介護保険領域における治療手段は，「基本的動作訓練（生活に関連する作業を用いない訓練）」，「各種作業活動（日常生活活動）」，「各種作業活動（身体運動活動など）」，「各種作業活動（生活圏拡大活動）」，「各種作業活動（手工芸）」が上位5位となっている．

生活期において，生活そのものへのかかわりもなされているが，心身の要素的機能のアプローチ（基本的動作訓練）が上位にあがっていることは，機能回復にかける対象者の希望が大きいこともうかがえるが，この領域に勤める作業療法士が対象者の生活にじっくりと取り組めない人的要因（介護老人保健施設における施設基準など），作業療法士自身がもつ知識や治療技術の広がりの少なさなど，複合的な要因によるものであろう．

e 保健・福祉領域の事業・制度と作業療法

わが国における介護保険制度は2000（平成12）年から施行され，定期的に改定されながら今日に至っており，ある程度の認識は得られたものと思われる．以下，介護保険以外の近年の保健・福祉領域の事業・制度と作業療法について述べる．

(1) 介護予防と地域包括ケアシステム

2025年には団塊の世代が75歳以上になり，医療にかかわる費用が膨大化することは避けられない．要介護状態になることを防ぎ，医療費を抑制するために，また要介護状態になっても住み慣れた地域で自分らしい暮らしを続けることができるよう，医療・介護・予防・住まい・生活支援を一体的に提供する地域包括ケアシステムの構築が進められている（▶図1）．

地域包括ケアシステムで想定されている介護予防は，

- 今までの介護予防が機能訓練に偏りがちで，生活機能を重視してこなかった
- 介護予防ができたとしても，それを維持するための場がなかった

という反省点をもとに，

- 心身機能・活動・参加のそれぞれの要素にバランスよく働きかけ
- 日常生活の活動を高め，家庭や社会への参加を促し
- 1人ひとりの生きがいや自己実現のための取り組みを支援して，QOLの向上を目指す

とされている．

地域包括ケアシステム構築の主体は，地域の実情をよく把握し，かつ地域づくりの中心である市町村である．そして，「公助」や「共助」だけでなく，高齢者自身もサービスの担い手となり社会的役割

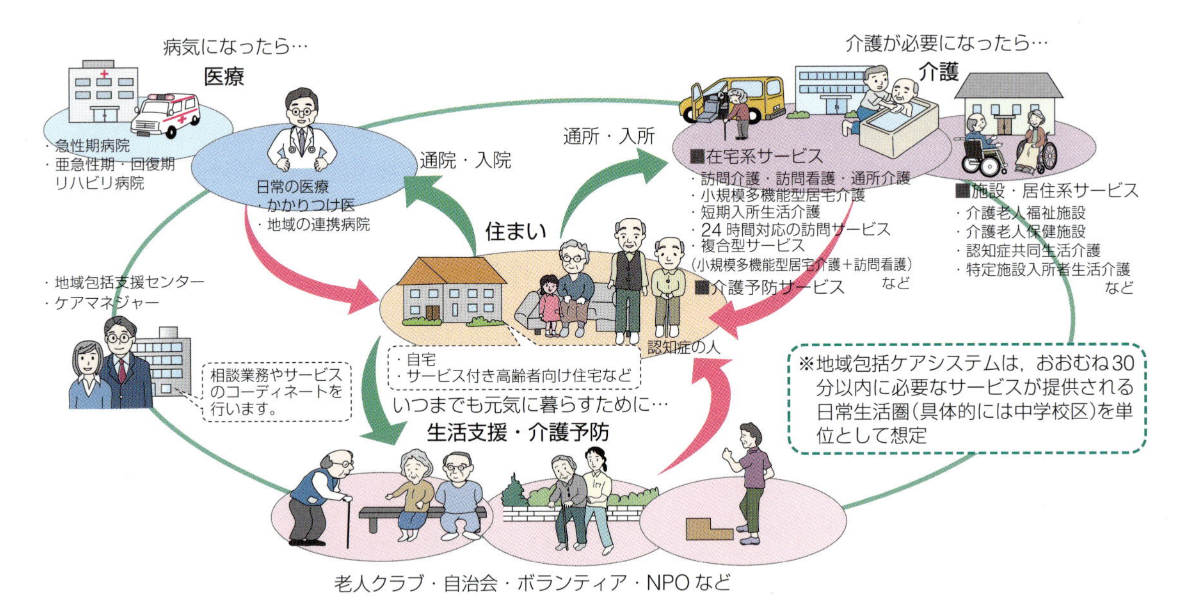

▶図1　地域包括ケアシステムの姿

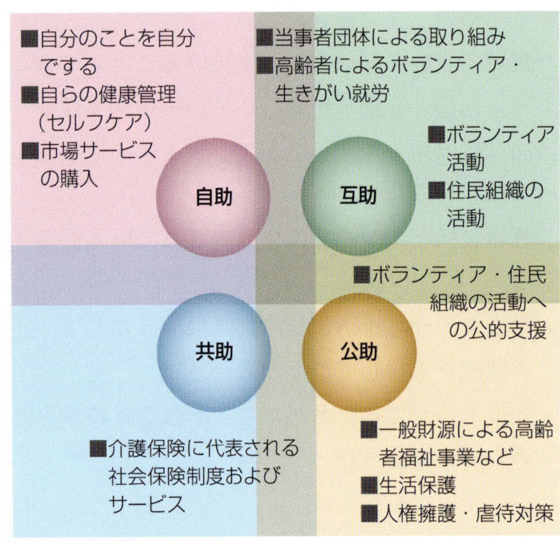

▶図2　地域包括ケアシステムと「自助・互助・共助・公助」

を果たす「互助」も強調されている(▶図2).

介護予防の具体的アプローチにおいては，リハ職種に対して

- ケアカンファレンスの参加
- 通所と訪問の双方に一貫して集中的にかかわり，生活環境をふまえたADL・IADL訓練により「活動」を高めること
- 老人クラブなどの住民運営の場において，安全な動き方など，適切な助言を行うこと

などが求められており，生活機能を重視する作業療法士にとって，これからの介護予防に果たす役割は大きいといえる(▶図3).

(2) 障害者総合支援法

介護保険は65歳以上の高齢者と40〜64歳までの**16特定疾患**に該当する者が対象である.

Keyword

16特定疾患　以下の16疾患が指定されている．①がん末期(医師が一般に認められている医学的知見に基づき回復の見込みがない状態に至ったと判断したものに限る)，②筋萎縮性側索硬化症，③後縦靱帯骨化症，④骨折を伴う骨粗鬆症，⑤多系統萎縮症，⑥初老期における認知症〔アルツハイマー(Alzheimer)病，脳血管性認知症など〕，⑦脊髄小脳変性症，⑧脊柱管狭窄症，⑨早老症〔ウェルナー(Werner)症候群など〕，⑩糖尿病性神経障害，糖尿病性腎症および糖尿病性網膜症，⑪脳血管疾患(脳出血，脳梗塞など)，⑫進行性核上性麻痺，大脳皮質基底核変性症およびパーキンソン(Parkinson)病，⑬閉塞性動脈硬化症，⑭関節リウマチ，⑮慢性閉塞性肺疾患(肺気腫，慢性気管支炎など)，⑯両側の膝関節または股関節に著しい変形を伴う変形性関節症.

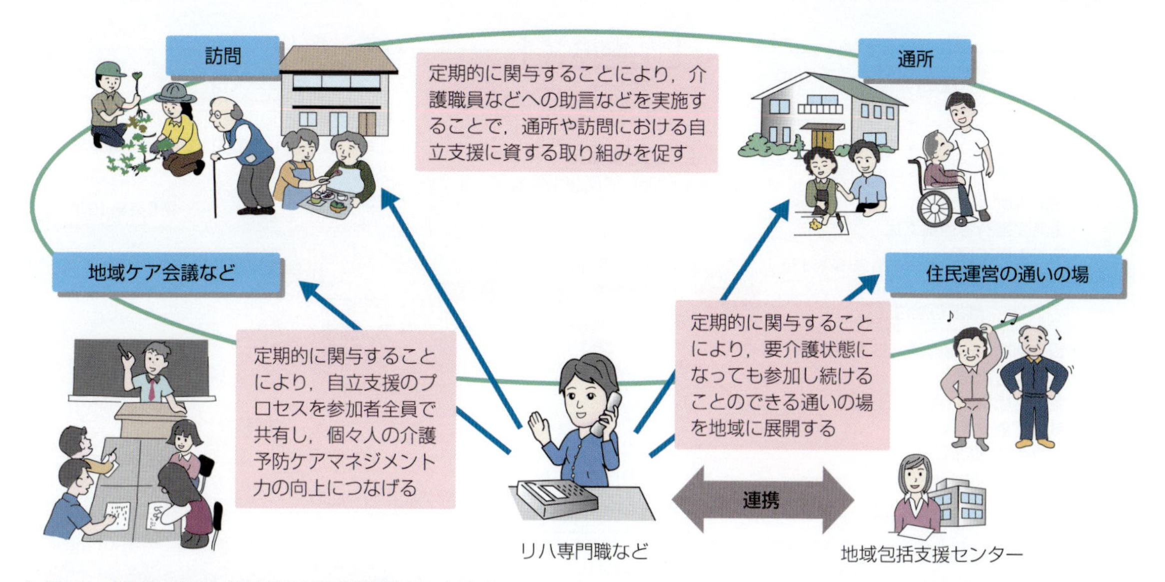

▶**図 3　地域リハにおけるリハ専門職のかかわり**
リハ専門職らは，通所，訪問，地域ケア会議，サービス担当者会議，住民運営の通いの場などの介護予防の取り組みを地域包括支援センターと連携しながら総合的に支援する.

これ以外の障害をもつ人に対して，身体障害者と知的障害者を対象とした「支援費制度」(2003 年度)，精神障害者を含めた全障害者を対象とした「障害者自立支援法」(2006 年度)があったが，2013 年度に「障害者総合支援法(障害者の日常生活及び社会生活を総合的に支援するための法律)」に改正された(▶図 4).

障害者総合支援法では，身体・知的・精神の 3 障害を一元化し，障害の種類にかかわらず自立支援を目的とした共通の福祉サービスを提供することとなっている．福祉サービスの実施主体は市町村で，国と都道府県はそれをサポートする.

障害者総合支援法の利用手続きは，介護保険とほぼ同様である．介護保険領域と同じように，作業療法士は障害者総合支援法の自立訓練や就労支援などの給付・支援事業において果たせる役割は大きい.

3 職業領域の作業療法

『作業療法白書 2015』[5] において，職業関連領域に回答した施設数は 27 施設であり，この領域で働く作業療法士は少ないといえる.

対象疾患として最も多いのは，統合失調症(対象者数 13 名，65.0%)，自閉症・アスペルガー症候群などの学習障害と広汎性発達障害(同 8 名，40.0%)，脳血管性障害(同 8 名，40.0%)，精神遅滞・知的障害(同 7 名，35.0%)，感情障害(同 6 名，30.0%)，高次脳機能障害(注意・遂行機能・記憶の障害)(同 6 名，30.0%)などとなっている(有効回答施設数 $n = 20$ 施設).

作業療法の目的としては，就労就学の指導・訓練(対象者数 12 名，63.2%)，就労就学前訓練(同 10 名，52.6%)，日常生活活動の改善(同 9 名，47.4%)，コミュニケーション・対人技能の改善(同 9 名，47.4%)，社会資源活用や各種サービス・制度の利用援助(同 7 名，36.8%)，余暇活動の指導・援助(同 6 名，31.6%)と人的環境の調整・利用(同 6 名，31.6%)などとなっている(有効回答施設数 $n = 19$ 施設).

わが国では 2002 年に「職場適応援助者(ジョブコーチ)事業」が発足し，職業前訓練と就労後の支援を行っている．作業療法士は，就労のための対象者の作業能力や心身耐性の評価，職場環境の調

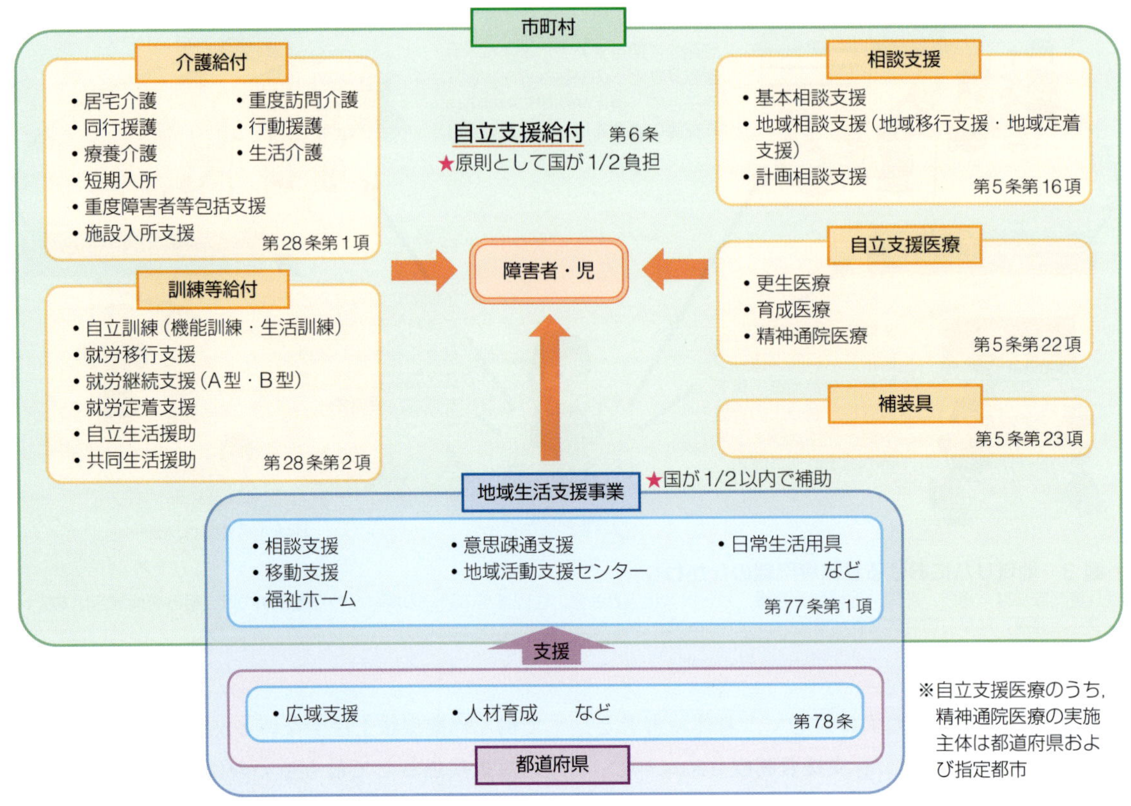

▶図4 障害者総合支援法における給付・事業

整，作業内容の変更や作業方法の工夫など，多くの側面で役割が果たせると考えられるが，就労支援や福祉就労に携わる作業療法士は少ない．

それは，就労関係施設（授産所や就労継続支援施設など）における作業療法士の配置が明記されていないこと，それら一部職域での待遇の問題，作業療法士養成教育の問題（過去においては「職業前評価と訓練」の教育内容が明示されていたが，現在は明示されていない）など，多くの要因が関係しているものと考えられる．

●引用文献

1) 日本作業療法士協会（編）：作業療法ガイドライン（2018年度版）．pp20–21，日本作業療法士協会，2019
2) 山口 昇：第3章 連携・教育における常識非常識—作業療法士の立場から．安保雅博，他（編著）：知っているつもりのリハビリテーションの常識・非常識．pp156–158，三輪書店，2009
3) 日本作業療法士協会：2019年度 日本作業療法士協会会員統計資料．日作療士協会誌 102:5–18，2020
4) 日本作業療法士協会：2018年度 日本作業療法士協会会員統計資料．日作療士協会誌 90:12–25，2019
5) 日本作業療法士協会：作業療法白書 2015．https://www.jaot.or.jp/files/page/wp-content/uploads/2010/08/OTwhitepepar2015.pdf

身体機能作業療法の治療原理

1. 身体機能作業療法を実施できるようになるために治療原理を理解し修得する.

SBO 行動目標

1-1）ボディメカニクスについて説明できる.
- □ ①ボディメカニクスに含まれる要素の説明ができる.
- □ ②物の把持，移乗介助，前屈み動作を力学的に説明できる.
- □ ③身体運動に関する基本的要素について説明できる.
- □ ④クラスメイト間で起居移乗動作の介助法を実施できる.

1-2）運動制御と運動学習について説明できる.
- □ ⑤5 つの運動制御理論を説明できる.
- □ ⑥運動学習の段階を説明できる.
- □ ⑦運動学習の際の課題提示法，フィードバック，練習方法，環境設定を説明できる.

1-3）関節可動域（ROM）訓練の知識と手技を説明できる.
- □ ⑧ ROM 制限の原因と機序を説明できる.
- □ ⑨ ROM 訓練に使用する 4 つの運動の目的と適応について説明することができる.
- □ ⑩ ROM 訓練の運動の選択基準を説明できる.
- □ ⑪ ROM 訓練実施上の注意事項を述べることができる.
- □ ⑫関節の形状特性・運動学的特性・関節包内運動に注意しながら，クラスメイト間で上肢各関節の他動運動を行うことができる.

1-4）筋力・筋持久力訓練の知識と手技を説明できる.
- □ ⑬筋力・筋持久力低下の要因と原理を説明できる.
- □ ⑭筋力訓練を行うときに考慮すべき要素を 4 つあげることができる.
- □ ⑮筋力が増強するときの機序を 2 つあげ，説明できる.
- □ ⑯筋力・筋持久力訓練の種類を 5 つあげ，その方法と対象者を説明できる.
- □ ⑰3 種類の筋収縮による訓練の方法・対象者・注意事項を説明できる.
- □ ⑱筋持久力訓練の方法・対象者・注意事項を説明できる.
- □ ⑲各種疾患における筋力・筋持久力訓練の注意点を説明できる.

1-5）筋緊張異常の治療に必要な知識と手技を説明できる.
- □ ⑳筋緊張に関する神経生理学的基礎を説明できる.
- □ ㉑痙縮・固縮・痙性固縮とはどのような状態であるかを説明できる.
- □ ㉒筋緊張低下・亢進をおこす疾患を列挙できる.
- □ ㉓筋緊張異常の神経生理学的発生機序を説明できる.
- □ ㉔筋緊張異常に対する治療方法を説明できる.

1-6）不随意運動の治療に必要な知識と手技を説明できる.
- □ ㉕不随意運動の定義を述べることができる.
- □ ㉖不随意運動の種類を 9 つあげ，それぞれの症状を説明できる.
- □ ㉗不随意運動をおこす疾患を列挙できる.
- □ ㉘不随意運動の発生機序の概要を説明できる.
- □ ㉙不随意運動に対して行われる治療について説明できる.

1-7）協調運動障害の治療に必要な知識と手技を説明できる.
- □ ㉚神経系の調節によって決定される筋収縮の要素を 3 つあげることができる.
- □ ㉛運動コントロールの方法を 2 つあげることができる.
- □ ㉜失調症の臨床症状を列挙し，説明できる.
- □ ㉝神経系の障害部位に基づいて失調症を 5 つに分類し，それぞれの特徴を説明できる.
- □ ㉞小脳機能とその障害によっておこる症状の特徴を説明できる.
- □ ㉟感覚入力の障害によっておこる症状の特徴を説明できる.
- □ ㊱失調症状の治療の原則を説明できる.

1-8） 知覚再教育の原理と方法について説明できる．
- □ ㊲知覚再教育の意義を説明できる．
- □ ㊳感覚と知覚の違いを説明できる．
- □ ㊴手の機能と知覚の役割を説明できる．
- □ ㊵感覚受容器の種類と特性を説明できる．
- □ ㊶知覚の回復過程を説明できる．
- □ ㊷知覚評価の種類と注意点を列挙できる．
- □ ㊸末梢神経損傷における知覚再教育プログラムを 3 段階に分け，それぞれを説明できる．
- □ ㊹中枢神経系疾患に対する知覚再教育プログラムを説明できる．
- □ ㊺知覚再教育プログラム実施上の注意点を説明できる．

1-9） 廃用症候群への対応に必要な知識について説明できる．
- □ ㊻廃用症候群が各種の症状を総称した概念であることを説明できる．
- □ ㊼廃用症候群をおこす原因や諸症状を説明できる．
- □ ㊽廃用症候群への対応の原則を 3 つあげ，説明できる．
- □ ㊾作業療法士の廃用症候群への対応について説明できる．

1-10） 摂食・嚥下障害に対する援助について説明できる．
- □ ㊿次の用語を説明できる．
  嚥下障害・誤飲，誤嚥，顕性誤嚥，不顕性誤嚥，球麻痺，仮性球麻痺
- □ 51摂食・嚥下に関与する器官を図示できる．
- □ 52摂食・嚥下の過程を説明できる．
- □ 53摂食・嚥下の評価に用いられる検査とそのポイントを説明できる．
- □ 54摂食・嚥下能力のグレードとレベルを説明できる．
- □ 55摂食・嚥下訓練への作業療法のかかわりを説明できる．
- □ 56摂食・嚥下の基礎訓練（間接訓練）と摂食訓練（直接訓練）の概要を説明できる．
- □ 57摂食・嚥下が困難な対象者への対応を説明できる．

1-11） 喀痰吸引に関する基礎知識と手技について説明できる．
- □ 58呼吸器内の分泌物の流れを説明できる．
- □ 59喀痰吸引が必要となる 3 つの病態・疾患を説明できる．
- □ 60喀痰の性状を説明できる．
- □ 61喀痰吸引が必要となる 2 つの状況を説明できる．
- □ 62喀痰を吸引する 3 つの方法を列挙できる．
- □ 63喀痰吸引に必要な機材を列挙できる．
- □ 64喀痰吸引の実施手順および注意事項を説明できる．
- □ 65喀痰吸引による合併症を説明できる．
- □ 66吸引以外の排痰法を説明できる．
- □ 67クラスメイトに鼻腔内吸引を実施できる．

1-12） 物理療法の概要を説明できる．
- □ 68物理療法の定義・分類を述べることができる．
- □ 69各種温熱療法の適応・禁忌・使用方法・注意事項を説明できる．
- □ 70各種寒冷療法の適応・禁忌・使用方法・注意事項を説明できる．
- □ 71電気刺激の条件と電気療法の適応・禁忌・治療法について説明できる．
- □ 72浮腫の原因と分類法を説明できる．
- □ 73浮腫を軽減する方法をあげることができる．

■はじめに

作業療法の独自性は，治療において目的活動(purposeful activity)を使うところにある．目的活動とは，最終産物のある，あるいは遂行目的のある目標指向型の行動または課題である．そして，目的活動には活動自体がもつ本来的な目標と治療目標とがある．たとえば，木を切る(鋸挽き)という作業には，最終的な作品(例：本棚)の部品をつくるという本来的な目標があり，治療目標としては上肢の筋力増強があげられる．

目的活動の価値は，対象者が心身同時に活動に参加するところにある．目的活動を行うとき，対象者は意図的努力を最終目標(例：部品となる木を切る)に向け，運動そのもの(例：肩や肘の屈伸)に注目することはない．そのほかにも，

- 患部をより自然に，かつ疲労しないで使う
- 興味やモチベーションが高まる
- 長い時間，活動を行う

といった特徴がみられる．

しかし，目的動作を遂行するには利用可能な運動構成要素があることも必要である．たとえば，関節可動域(ROM)および関節を動かすための十分な筋力がなければ目的動作を遂行することはできない．したがって，目的活動を可能とするために，その準備として作業療法士が運動療法を基礎とした手段を使用しなければならない場合もある．事実，身体機能障害を対象とする臨床の場では，運動療法の知識や技術を抜きに作業療法を実施することはできない．

また，臨床現場にはすべての対象者のニーズに合うように十分な活動が準備されているとは限らない．このような場合，対象者のニーズに合わせ，興味を高めるために，環境を適合させたり，工夫した活動を準備する必要がある．これらの活動が類似活動(simulated activity)または準備活動(enabling activity)であり[1]〔第Ⅰ章3の「機能(回復)訓練」の項(➡ 17ページ)参照〕，サンディングやコーン(円錐)の積み重ね，ペグのつまみ・放しなどである．類似活動・準備活動を行う目的は，

- 特定の運動パターンの練習
- 感覚および認知技能の練習
- 生活するために必要な感覚運動技能の練習

である．

類似活動や準備活動は，活動の本来的な目的がないため目的活動とはいえないが，繰り返し行えるという利点があり，治療の観点からは価値のあるものである．また，対象者の本来的な作業ニーズや興味を考慮することで，獲得した技能が対象者の目的や治療的価値と結びつきやすくなる．

さらに，目的活動に先立って使うものに補助的治療法(adjunctive modality)[1]があり，運動療法や装具，感覚刺激，物理療法などを指す．これらの治療法は，対象者が作業や活動を行えるようになるための準備として用いられる．運動療法や物理療法は理学療法士が使用する治療手段である．作業療法士がこれらの治療法を使うときは，感覚運動障害の回復や目的活動の拡大，遂行領域の活動を行うための準備を目的としている．運動療法や物理療法のみを行うのは作業療法とはいえない．また，臨床でこれらの治療法を使用するためには，十分な知識・技術の習得が必要である．

以下，本章では目的活動や作業遂行を可能にするために，遂行構成要素(➡ 13ページ)である心身機能・構造の障害に焦点を当て，それらの回復・改善をはかるために必要な基礎知識・評価・治療手技と作業療法との関連などについて解説する．

1 対象者とセラピストのためのボディメカニクス

身体機能障害にアプローチするとき，対象者の身体に直接触れて介助しなければならない場面は多い．本項では対象者の安全性を確保し，治療者が自身の身体を効率的に使うために必要とされる知識と技法について述べる．

動作時の骨格・筋などの力学的相互関係を考えるときに使う言葉に**ボディメカニクス**(body mechanics；身体力学)がある．ボディメカニクスを学ぶことによって以下のことが可能になる．

- 対象者とセラピスト両者の安全性を確保する．つまり，対象者の転倒を防止したり，セラピストの肩の痛みや腰痛の発生を防止する．
- 対象者の効率的で円滑な動作を促す．
- セラピストのエネルギーロスを防ぐ．

ボディメカニクスを習得するには物理学的知識(特に力学)と正常な身体運動について知る必要がある．

A 物理学的基礎知識

身体運動に関連した物理学的知識には，運動の速度や形，運動の法則，仕事とエネルギーなど種々のものがある[2]が，ここではボディメカニクスに関連する“てこの原理”と“ベクトル”について概説する．

1 てこの原理

てこの原理を考えるときは，“てこの腕”と支点，力点(力が加わる点)，作用点(力が作用する点；荷重点)の関係に注目する必要がある．作用点に加わる力の大きさは，支点からのてこの腕の長さと加えた力によって決まる．

てこの原理には3種ある(▶図1)．

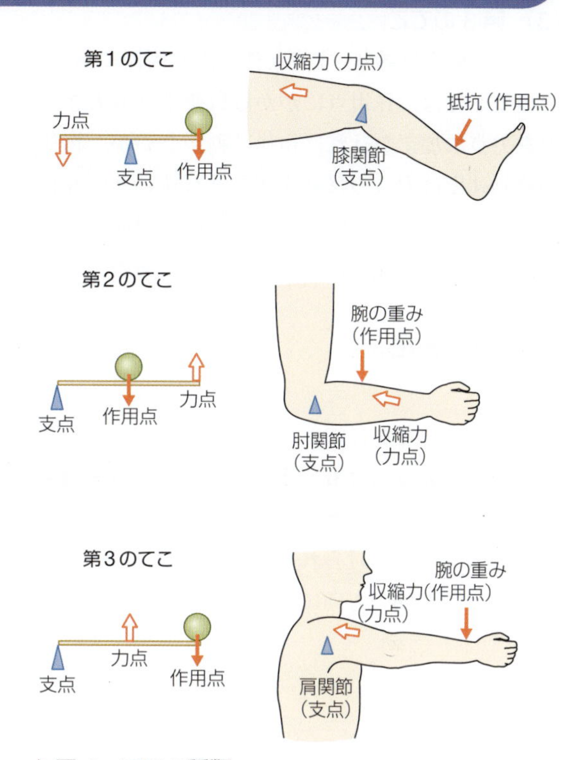

▶図1　てこの種類

(1) 第1のてこ

力点と作用点の間に支点がある．てこの腕の長さが等しく，作用点にかかる負荷と加える力が同じであれば物体は静止する．作用点の負荷よりも少しでも大きい力を加えれば物体を動かすことができる．人体では徒手筋力検査(MMT)で肘や膝の伸展に抵抗を加えるときが，このてこに相当する．

(2) 第2のてこ

作用点が支点と力点の間にある．このてこの特徴は，力点で加えた力よりも大きい力を作用点に

Keyword

ボディメカニクス　身体力学ともいわれ，骨格や筋の力学的相互関係から効率的かつ効果的な身体の動きを研究する分野．これと類似した言葉に生体力学(biomechanics)がある．生体力学では身体の運動を力学的手法を用いて解析する．

加えることができることである．人体では，肘関節に対する腕橈骨筋の作用がその例である．

(3) 第 3 のてこ

力点が中心にあり，支点と作用点が両側にある．このてこでは，作用点にかかる負荷よりも大きい力を力点に加えなければ物体は動かないが，物体の移動速度は力点の移動速度よりも速いという特徴がある．人体での例としては，肩の屈曲および上腕筋や上腕二頭筋による肘の屈曲がある．

2 ベクトル

力は複数の力が合成されて 1 つの力を発揮する(合力)と考えることもできるし，1 つの力を複数の力に分けて(分解)考えることもできる．典型的には次の 3 つに分けられる(▶図 2)．

①2 つの力が別の方向に向いており，その合力が新しい方向の力となる場合

②力が相反する方向に働く場合

③2 つの力が同じ方向に働く場合

対象者と介助者が一緒になって動く場合，対象者の力や体重と介助者のそれとの合力によって必要な力を軽減したり，新しい一方向の動きを生み出すことができる．

Keyword

ベクトル　力や速度など，大きさと速度を有する量をいう．平面または空間上に矢印を用いて表し，力や速度を合成したり，分解して，力や速度の解析を行う．

3 具体例にみるてこの原理とベクトル

a 物を持つ場合

肘を伸展して対象者の身体を支えたり，物を持つ場合(▶図 3-a)と肘を屈曲した場合(▶図 3-b)

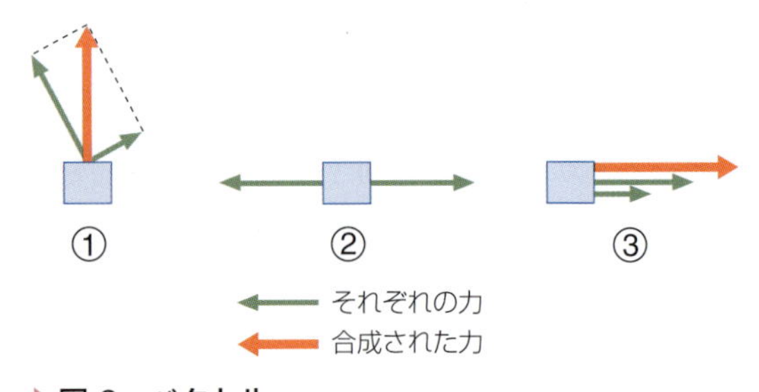

▶図 2　ベクトル

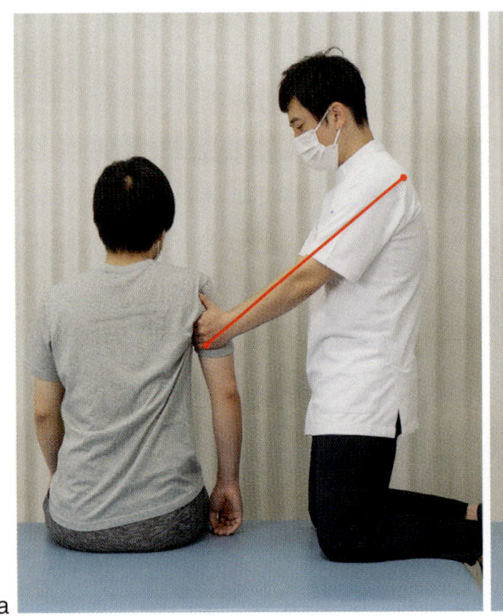

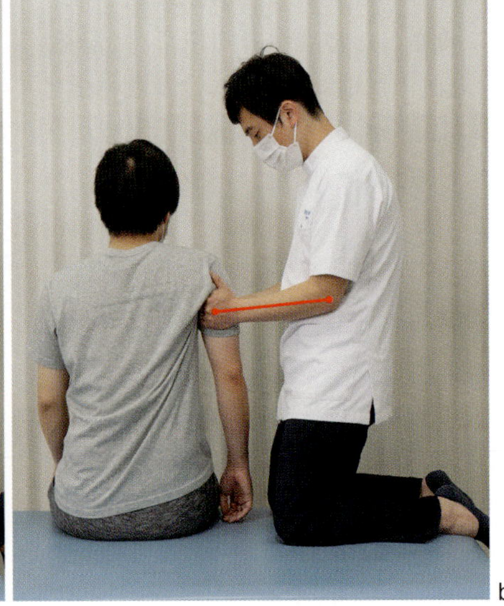

▶図 3　物を持つ場合

a：肘を伸ばして支えると，てこの腕が長くなり，肩にかかる負担が大きくなる．

b：肘を屈曲して支えると，てこの腕は短くなり，さらに肘の屈筋を使うことができる．

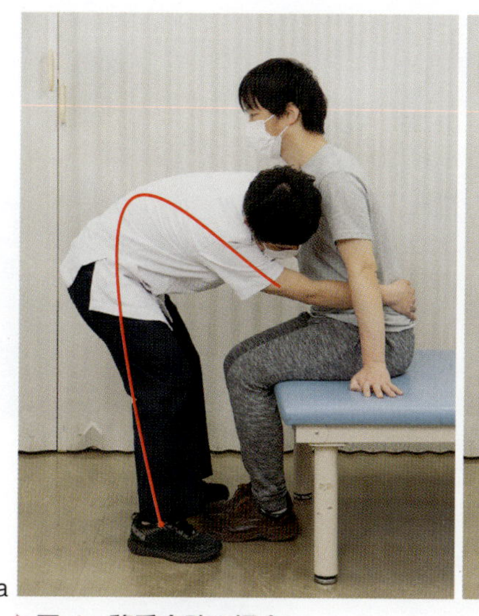
a

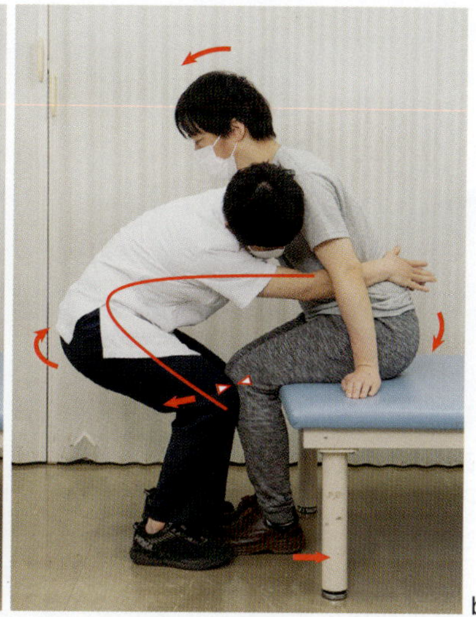
b

▶図 4 移乗介助の場合
a：対象者の膝の間に介助者の下肢を入れる方法．てこの腕が長いことや対象者を抱え上げなければならず，腰背部にかかる負荷が大きくなる．
b：両者の膝を支点にする方法．てこの腕が短くなり，腰背部への負荷が軽減される．また，膝を中心とした回転力が加えやすくなる．

を比較すると，前者では上肢の近位部の筋が力源となり，上肢の近位部の筋の付着部が力点，肩関節が支点，手部が作用点となる(第３のてこ)．この場合，てこの腕が長いので力点(上肢の近位部の筋)が発揮しなければならない力は大きくなり，上肢の近位部の筋にかかる負荷は大きくなる．肘を屈曲した場合は，同じく第３のてこではあるがてこの腕は短くなり，さらに上腕二頭筋や上腕筋という大きな筋を使うことができるので，力学的には有利となる．

したがって，対象者を支持するときなどはなるべく対象者に接近し，肘を屈曲して上腕は体側につけたほうがよい(いわゆる“脇をしめた”状態)．

b 移乗介助の場合

立ち上がり能力が低い対象者を介助する場合，介助者が対象者の両下肢の間に自分の下肢を入れる(▶図 4-a)，あるいは対象者が介助者にぶら下がるように介助する方法と，対象者と自分の膝を合わせて支点とする方法(▶図 4-b)とがある．どちらの場合も力は介助者の上肢と背部の筋，大腿の伸筋などから供給される．

前者(▶図 4-a)の場合，介助者が対象者の全体重を引き上げなければならず，介助者の大腿伸筋や腰背部筋にかかる負荷は大きくなる．また，移乗の際に対象者を抱えたまま介助者が体幹をひねる動作をすると，介助者の腰背部を損傷する可能性がある．

後者(▶図 4-b)の場合，膝が支点となって対象者の後方に残った重心と介助者の重心とが打ち消されるか，もしくは軽減されることになる(▶図 2 の②)．また，両者の重心の高さを同じにすれば膝を支点に回転力を加えやすくなり[3]，介助者が体幹をひねって方向を変える必要がなくなる．さらに，膝を支点としているためにてこの腕は短くなり，対象者を持ち上げるときの腰背部にかかる負荷は軽減される．このとき，対象者の足部を膝よりも後方に引き，頭部を前傾させるようにすると，さらに立ち上がりが容易になる．

c 前屈み動作の場合

ベッド上で寝返りや起き上がりを介助する場合，介助者は前屈みになる．このとき，ベッドの端に介助者の膝を付けて支えるようにするか否か

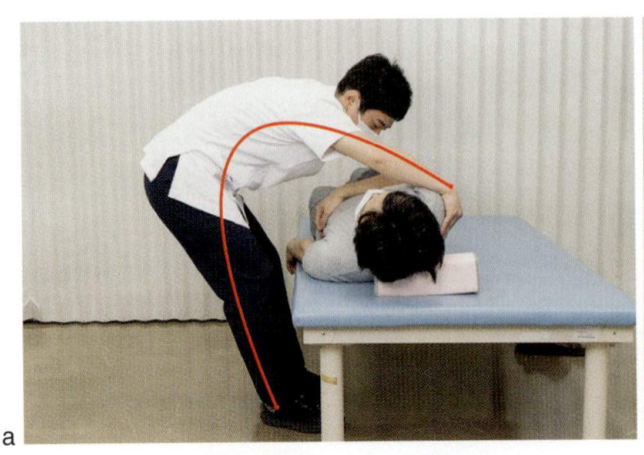

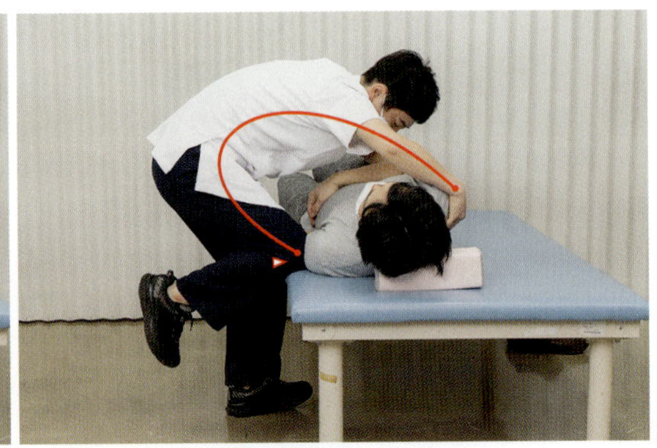

▶図 5　前屈み動作の場合
a：膝で支点をつくっていない．てこの腕は長くなる．b：ベッドの端に膝を付け支点としている．

で，介助者の腰背部筋にかかる負荷が変わる．膝で支えないと(▶図 5-a)，足部が支点となり，作用点である手部までの距離が長くなるため，腰背部筋には大きな負荷がかかることになる．膝をベッドの端に付いて支えるようにすると(▶図 5-b)，支点の場所が変わり，手部までの距離が短くなって腰背部筋にかかる負荷は軽減される．ベッド上に介助者が片手をついたり，膝をつくことも同様の効果がある．

B 身体運動の基礎知識

正常な身体運動を理解するには，支持基底面，重心移動，抗重力活動，立ち直り反応，体軸内回旋，平衡反応などの用語を理解する必要がある．

1 支持基底面と重心の位置

支持基底面は身体を支える面である．背臥位では後頭部から踵部までの背部全体であり，椅子座位では坐骨から膝窩部までの両大腿後面および両足部がつくる面である．立位では両足部を結んだ面積が支持基底面となる(▶図 6)．

背臥位は身体を支える面積が広く，重心の位置も低いので最も安定した肢位である．立位は支持基底面が狭く，重心の位置も高いため，バランスを保つための反射・反応が必要となる．

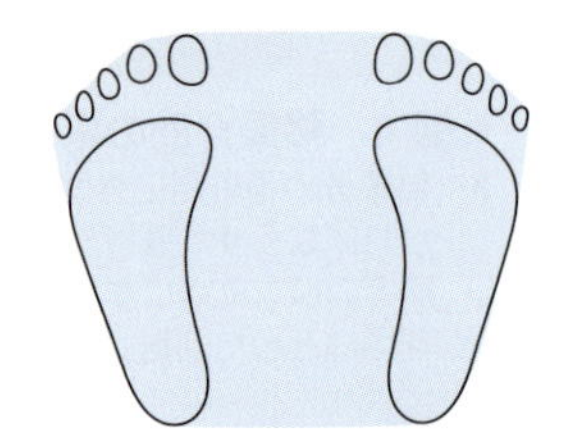

▶図 6　立位での支持基底面
両足部を結んだ色の部分が支持基底面となる．

2 重心移動

姿勢を変えるとき，重心は次の姿勢の支持基底面に向かって移動する[4]．たとえば，座位から立位になる場合，足部を手前に引くとともに体幹を前屈させる．つまり，次の姿勢の支持基底面である足部に向かって重心を移動させる．重心が後方に残ったまま立ち上がると，次の支持基底面に重心を収めることができず後方に倒れてしまう(▶図 7・動画 1)．

3 抗重力活動，立ち直り反応，体軸内回旋

臥位から座位，立位へと向かう活動は重力に抗する活動，つまり抗重力活動である．

この活動を可能にしているのは立ち直り反応で

ある．背臥位から左に寝返る場合，頭部を挙上して(前屈)左を向き，右肩甲帯は軽く前方に突出する．それに伴って体幹前部の筋緊張が高まって体幹は屈曲し，次に**体軸内回旋**がおこって寝返りを容易にする(▶図 8-a)．これらの一連の活動の基礎となるのが**立ち直り反応**である．

右片麻痺者の典型的な寝返りをみると，頭部前屈ではなく伸展し，右肩甲帯は後方に引かれ，頭部の伸展に伴って体幹も伸展する．このとき，健側である左手でベッドの端などをつかむと，さらに体幹の伸展は大きくなる．このため，寝返りや起き上がりに非常な努力を要することになる(▶図 8-b)．

4 平衡反応

座位や立位などの肢位を保持するために必要な反応が**平衡反応**である．平衡反応によって重心

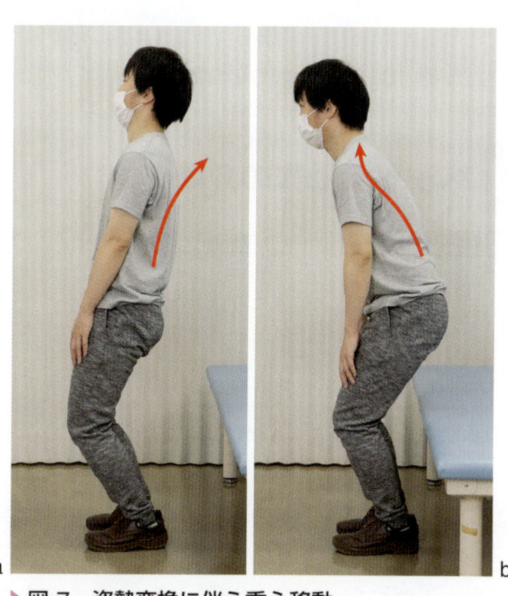

a　b

▶図 7　姿勢変換に伴う重心移動
a：後方重心(悪い例)．重心を足部方向に移動しないで立つと後方に倒れてしまう．
b：正常(よい例)．

Keyword

体軸内回旋　寝返りなどの動作のときに，上部体幹(肩や胸部)の動きを追うように下部体幹(骨盤)の滑らかな回旋の動きがおこることをいう．

立ち直り反応　空間内での正しい姿勢，特に頭部を垂直に保った姿勢を維持・回復しようとする反応．頭部に働くものに，迷路性立ち直り反応，体幹の立ち直り反応，視性立ち直り反応があり，体幹に働くものに，頸部の立ち直り反応，体幹の立ち直り反応がある．立ち直り反応が働くことによって全身の筋緊張が変化し，姿勢変換を容易にしている．

平衡反応　全身の平衡が崩れようとしたときに，姿勢の安定性を維持・回復しようとする反応．バランス反応ともいう．身体に加わる力の速度と量によって反応の形態が変わる．重心の変動が支持基底面内にある場合や，ゆっくりとした力が加わる場合，その姿勢を維持しようとして全身の筋が働く(例：立った姿勢を保持する)．重心が支持基底面を外れたり，すばやい大きな力が加わった場合，上肢や下肢を伸展して姿勢を維持しようとしたり，身体を保護しようとする(例：電車に乗っていて急ブレーキがかかったときに，下肢を踏み出して支え，立位を維持しようとする．転倒しそうになったときに上肢を伸展して身体を保護しようとする)．

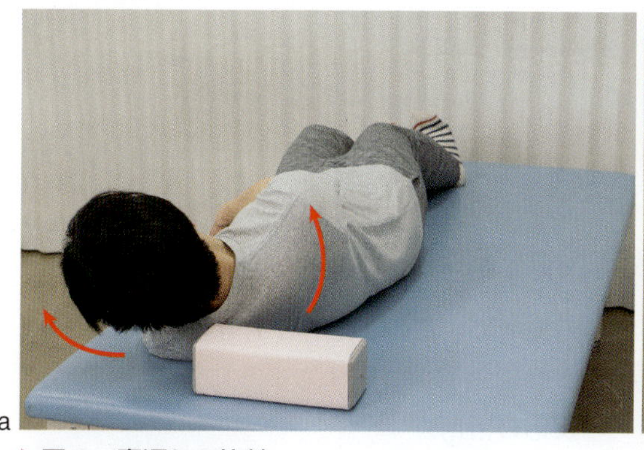

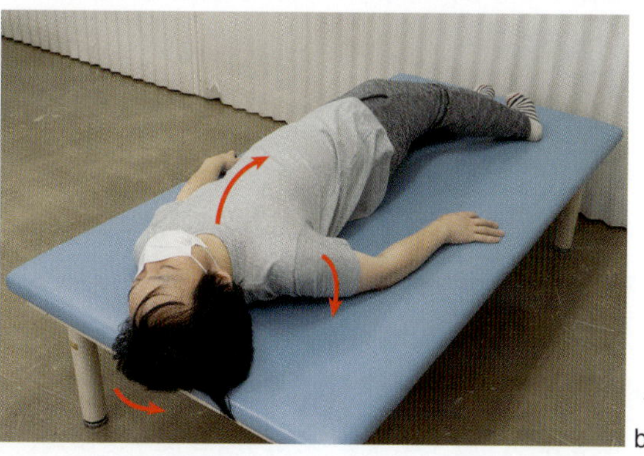

a　b

▶図 8　寝返りの比較
a：正常な寝返り．頭部挙上，肩甲帯の前方突出，体幹屈曲，体軸内回旋などの動きがみられる．
b：片麻痺者の寝返り．頭部・体幹は伸展し，肩甲帯は後方に引かれ，体軸内回旋はみられない．

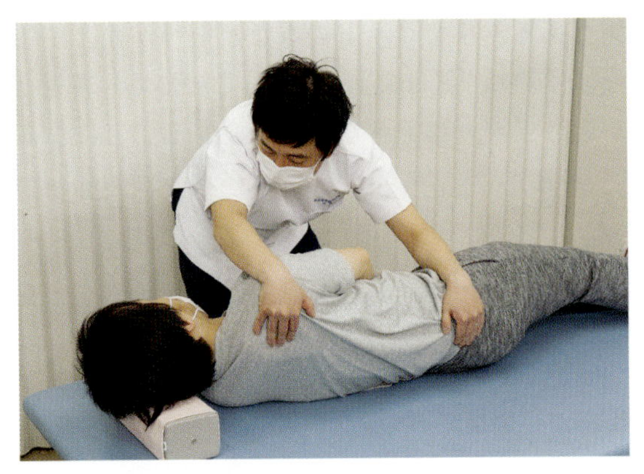

▶図 9　寝返りの介助法

の細かな揺れに対応し，一定の肢位が保持されることになる．

C 動作介助の具体例

これらのことを念頭におきながら，各動作介助法の一例を紹介する．例であるため，実際には対象者の能力に合わせて変更する必要がある．また，介助にあたっては以下の注意点に留意する．

- 介助量は最小限にし，対象者が可能な動作は対象者に協力を求めるようにする．
- 明確かつ具体的な口頭指示を与える．必要に応じて細かいステップに分けて指示を与える，あるいは対象者に各ステップを口頭で述べさせて確認するなど，対象者が動作を意識化できるよう工夫する．
- 対象者と介助者の動作のタイミングを合わせる．そのために，言語指示や合図を適切に与える．
- 車椅子とベッド間の配置や距離を対象者の能力に合わせて適切なものにしたり，介助のためのスペースを確保するなど，物理的環境を整える．
- 介助者は可能なかぎり脊柱をまっすぐにした肢位を保ち，肘や膝などの大関節を使う．また，負荷のかかった状態で体幹を回旋することは避ける．

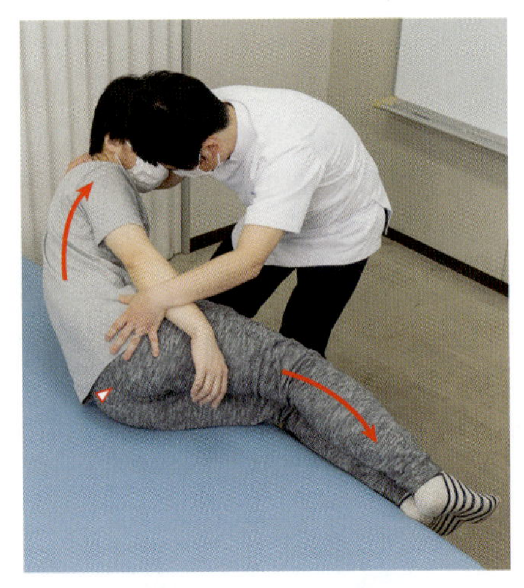

▶図 10　起き上がりの介助法

1 ベッド上動作の介助

a 寝返り（▶図 9・動画 2）

①介助者は寝返る側のベッドの端に可能なかぎり近づく．

②ベッドの端で介助者自身の両膝を支えるか，片膝をつくようにする（←てこの腕を短くし，腰背部にかかる負荷を軽減する）．

③寝返りする側と反対の肩甲帯と骨盤に手を添える．可能ならば，対象者に頭部を挙上し，寝返りする側に向くように指示する（←立ち直り反応の活用）．

④まず肩甲帯を手前に引き，次に骨盤を手前に引きながら寝返りさせる（←体軸内回旋の活用）．

b 起き上がり（▶図 10・動画 3）

①介助者は寝返りのときと同じように位置する．

②寝返った肢位から対象者の両下肢をベッドの端に垂らす（←第 1 のてこを活用し，骨盤を支点として下肢の重みで上半身の重みを軽減する）．

③対象者の頭部の下から介助者の手を入れ，頭部が軽度側屈・前屈するようにする（←立ち直り反応の活用）．

④体幹が軽度前屈するようにしながら（←次の支持基底面である両大腿部への重心の移動）徐々

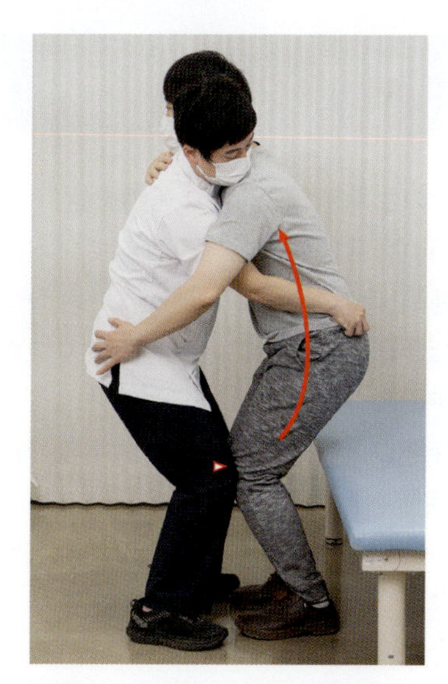

▶図 11　立ち上がりの介助法

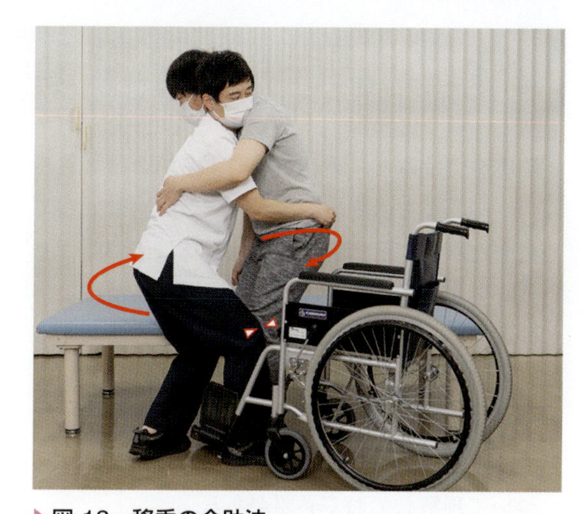

▶図 12　移乗の介助法
両膝を支点に回転させて対象者の殿部を車椅子上にもってくる.

に起こし，座位にする．このとき，可能ならば対象者に肘を伸展してもらうようにする(←最小限の介助と対象者の協力を求める).

⑤介助者は，対象者が起き上がるにつれて自分の位置を変え，最終的には座位をとった対象者の前にくるようにする.

2 立ち上がり動作の介助
(▶図 11・動画 4)

①対象者は膝・股関節が 90° となり，足部がしっかり床に着いた肢位をとる.

②介助者は対象者の前に位置する.

③対象者の両足部をやや後方に位置させる.

④介助者は両手で対象者の腋窩または腰部を支え，対象者は可能ならば介助者の腰または頸部に手を当てる.

⑤対象者の両膝を介助者の両膝で挟むようにして支点とする(←てこの腕を短くする，力の合成・打ち消し).

⑥体幹が前傾するよう誘導する(←次の支持基底面である両足部への重心移動).

⑦頭部をやや前傾させ，脊柱は伸展位にして(←立ち直り反応の活用)下肢の力を使って立ち上がるよう対象者に協力を求める(←最小限の介助と対象者の協力を求める).

⑧介助者は対象者の動きに合わせ(←タイミングを合わせる)，両下肢を使って上前方に引き上げる(←脊柱をまっすぐに保ち，大関節を使う).

3 ベッドから車椅子への移乗動作の介助(▶図 12・動画 5)

①ベッドと車椅子を適切な配置にする(←物理的環境の整備．右片麻痺者であれば，一般に健側である左側に車椅子を配置する).

②介助者は座位になった対象者の前に位置する.

③立ち上がり介助の方法を使って半立位をとらせ，両膝を支点に回転して対象者の殿部を車椅子上にもってくる.

④ゆっくり殿部をおろし，座位にする．必要なら座位を安定させるために殿部が車椅子の後方にくるよう調整する.

ボディメカニクスを活用することで対象者ばかりでなく，介助者も安全で効率的に動くことができる．ボディメカニクスの学習は難しいものではなく，基礎知識を理解し，習熟すれば容易に行うことができるようになる.

2 運動制御理論と運動学習

障害を受けると，それが永続する場合はもちろん，一時的なものであっても，人は障害によって変化したあるいは影響を受けた身体機能で動作を行う必要がある．これは，障害を受ける前には当然のように行えていたことであっても，対象者は新たな身体機能で学習し直さなければならないことを意味している．対象者の運動再学習を援助するために，作業療法士は運動制御理論や運動学習について理解しておく必要がある．

A 運動制御理論

大脳から筋に至る運動発現にかかわる下行性および上行性神経経路がどのように相互に連絡し合い，どのような機序で機能して運動を制御しているかが運動制御(または運動コントロール)であるといえる．

随意運動は，高次運動野(運動前野や補足運動野など，運動野のうち一次運動野以外の領野．非一次運動野ともいう)が関与して運動のプランやプログラムを作成し，大脳皮質の中心前回の area 4にある運動野(一次運動野，古典的運動野)が最終指令を出すとされている．

しかし，関節運動は多くの組み合わせが可能である．たとえば，手を伸ばす(リーチ)動作を考えてみても，使用する関節，その運動の方向と程度(例：関節角度および筋力)も合わせると，無限の組み合わせが可能である．

人は常に同じ動作を行っているわけではなく，環境変化の状況に応じて無限ともいえる運動の組み合わせのなかから，適切な運動を選択・制御し，効率的かつ合目的的な動作を行っている．人の柔軟な運動制御については，解明はされつつあるもののまだ詳細はわかっておらず，いくつかの仮説や理論が提唱されている．

その詳細および運動制御・運動学習の前提となる神経機構やその相互連絡については，成書[5,6]を参照していただきたい．本項では，代表的な運動制御および運動学習の理論・モデルについて概略を紹介する．

> **Keyword**
> **運動単位**　1つの前角細胞とそれが支配する筋線維群を運動単位といい，繊細な動きをする部位ほど1つの前角細胞が支配する筋線維の数は少ない．

1 古典的運動制御モデル

古典的運動制御モデルは，脳が運動プログラムをすべて記憶しており，それぞれの運動プログラムの流れに従って1つずつ運動要素(どの筋をどの程度の強さで使うかなど)を決定して運動指令を出し，運動が遂行されると考える．このモデルは，運動プログラムを楽譜に，運動野と**運動単位**を鍵盤と弦に例えて，「鍵盤支配型モデル」とも呼ばれる．

しかし，このモデルは次のような限界があると考えられている．たとえば，箸で食物を挟み口に運ぶという簡単な動作であっても，食物の種類や形状，硬さによって関節運動の組み合わせは膨大な数にのぼり，脳が個々の運動プログラムをすべて記憶しているとすれば，脳の記憶容量がいくらあっても足りない．また，環境変化に応じて瞬時になされる運動では，時間的にも運動を制御できないと考えられ，現実に行われている運動を説明できない．

2 反射・反応理論

反射・反応理論では，感覚入力によって運動反射がおこり，総体的な運動は多くの反射が組み合わされた結果であると考える．つまり，運動をおこすのは中枢神経系（CNS）ではなく感覚刺激であり，CNS は感覚刺激を受け入れる器官であると考えられている．

反射・反応理論についても次のような限界があると考えられている．感覚を伝える上行性神経線維が切断されても自発運動がみられることがある．また，人は感覚入力がなくても予測した，あるいは意識的な運動が行え，反射・反応理論ではこのような現象を説明できない．

3 階層理論

階層理論では，運動制御は下位（脊髄レベル），中位（脳幹レベル），上位（皮質レベル）のレベル順に階層化され，上位中枢が下位中枢を抑制することによって正常な運動が行われると考える．また，脳卒中などで CNS が損傷されたときに出現する共同運動などの“解放現象”は階層理論で説明できる．

階層理論は CNS 損傷時の臨床症状の説明には有利であるが，日常的には歩行などの自動的運動や無意識的な姿勢調整など，必ずしも上位中枢が関与しないでも行われる運動があり，これらの運動は階層理論では説明ができない．

階層理論に基づけば，治療は下位中枢の異常運動パターンを抑制し，上位中枢の正常運動を促通することになる．しかし，CNS 損傷の大きさや部位によっては，必ずしも正常運動パターンが再獲得できるとは限らず，階層理論だけに基づく治療には限界があると考えられる．

4 システム理論

システム理論では，運動は末梢あるいは中枢から一方的に引き起こされるのでもなく，またあるシステム（神経系や筋骨格系，感覚・知覚系，認知系）が他のシステムを支配することで運動を発現させるとは考えない．

システム理論では，課題や環境（物的環境だけでなく，作業療法士などの人的環境も含む）も意味をもって人に働きかけており，人が運動を引き起こすきっかけとなると考える．そして，人–課題–環境の 3 者が相互に作用し，その時々に何をするかに応じて多くのシステムが並列的・自律的に組織化されて機能し，その相互作用の結果として運動が遂行されると考える．

システム理論に基づく治療アプローチの 1 つとして，課題指向型アプローチがある．課題指向型アプローチでは，運動学習のためには障害のあるシステムに対する治療だけでなく，多くのシステムや環境が関与する日常的な場面の設定も重要であると考える．上肢運動麻痺改善を目的にした机上課題であれば，単純な把持動作を繰り返すよりも，さまざまな形状と材質の物品を使用したり，立位で課題を行ったりするなど，いくつかの条件を組み合わせることで運動学習が高まると考える．同様に物的環境（例：作業療法室やベッドサイド，屋外など）や人的環境（例：課題遂行中の作業療法士の態度や言動），対象者自身における運動以外のシステム（例：意欲や経験）なども運動学習に影響を及ぼすと考える．

したがって，対象者の日常生活の遂行状況，そのときの動作のやり方，麻痺や筋力低下などの機能障害を含めた評価を行い，さまざまな環境下で目的とする課題の練習を行うことで学習効果を高め，適切で永続性のある運動動作を獲得させようとする．

5 スキーマ理論

スキーマ（schema；図式）理論では，一般化された運動プログラム（generalized motor program; GMP）とスキーマという 2 つの概念を提唱し，関節運動の組み合わせがいかに膨大であっても，それによって人の脳は運動を制御できると考える．

GMP とは，「書字動作」や「歩行」といった動作を総括する“枠組み”もしくは概念をいう．脳が記憶しているのはこの GMP だけであり，運動のパラメータ(使用する筋や収縮力・タイミングなど)はその運動が実行される過程で付け加えると想定することで，脳の負担が軽減できると仮定する．つまり，「字を書く」と想起すれば，どのような用具を使おうとも，またどのような対象に書こうとも，その状況に応じた適切な**協調構造**が組み立てられ，運動が引き起こされる．

スキーマとは，ある運動(例：字を書くことそのもの)を行ったことによって生じた結果(例：その字の形)と，その運動を行う際に使用した運動のパラメータ(例：鉛筆を保持する力や指先の動きなど)の関係をいう．スキーマには，過去の経験や遂行結果に基づいてどの運動プログラムを選択するかを決める再生スキーマと，そのときの運動遂行を調整・修正するために参照する再認スキーマの 2 種がある．

スキーマ理論では，運動学習とは GMP とスキーマを新しくすることであり，運動学習の結果として最新の GMP とスキーマが脳に貯蔵されると考える．

B 運動学習

運動学習とは，「練習や経験に基づく一連の過程であり，結果として技能行動を行いうる能力の比較的永続的な変化をもたらすものである」と定義される．つまり，運動の練習や経験を通して，その運動を行う能力が学習・保持され，長期にわたって再現されるものであるといえる．

Keyword

協調構造　いくつかの筋群が 1 つの指令に対して協調的にまとまって機能するように設計されたシステム．手を伸ばして物を取るとき，意識することなく体幹が動き自動的に座位を保つことなどがその例である．シナジー(synergy)ともいわれるが，この場合は脳卒中後の解放現象としてみられる病的な共同運動とは異なり，運動制御を助ける機能的な運動要素のグループを指す．

1 運動学習の段階

運動学習の段階を理解するのに有効な考え方として，三相説がある．三相説では運動が学習される過程を次の 3 つの段階に分ける．

①初期相または認知段階(cognitive stage)
②中間相または連合段階(associative stage)
③最終相または自動化段階(autonomous stage)

初期相は「何を行うか」を理解する段階である．課題を言葉で理解し，課題全体のイメージをつくる段階である．初期相は言語的要素が主であるため，“宣言的知識の段階” ともいわれる．

中間相は「運動をどのように行うか」を学習する段階である．初期相で理解した運動プログラムを修正し，より一貫したものに仕上げるための練習をする．中間相は宣言的知識を身体的運動によって実行する段階であり，手続き的知識に変換される段階ともいわれる．

最終相は「運動をいかにうまくやるか」を学習する段階である．環境に影響を受けることなく，一貫した運動が自動的に行えるように練習する段階である．

2 運動学習の方法

運動もしくは行動をパフォーマンスともいい，それはフォーム，正確性，速さ，適応性などの要素に分けて考えることができる．運動学習はこれらの要素を改善し，総体としてパフォーマンスを改善することであるといえる．

以下に，運動学習の際の課題の提示，フィードバック，練習方法，課題を遂行する環境について述べる(▶図 13)[7]．(以下では，運動学習という観点から，対象者を学習者，作業療法士または治療者を指導者と表現することにする．)

a 課題の提示

特に初期においては，学習者はこれから何をす

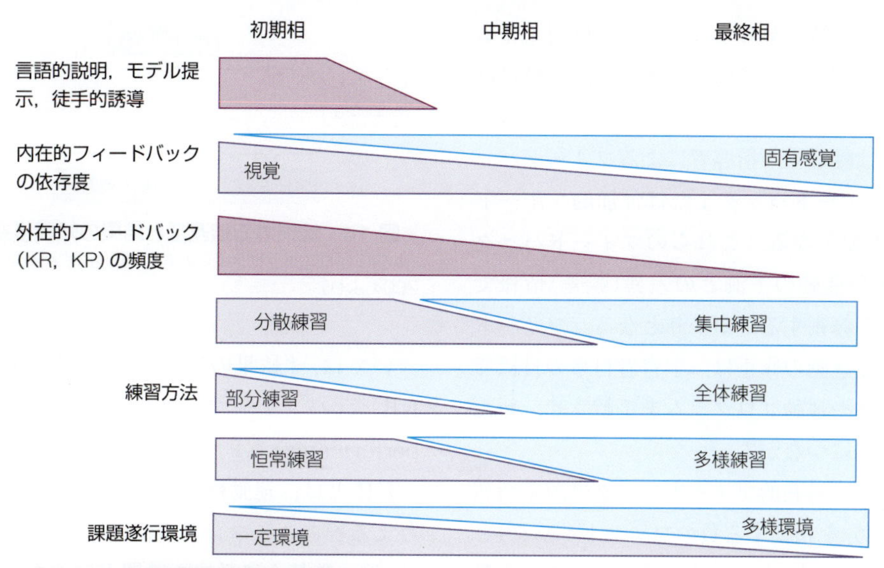

▶**図 13　学習段階と学習の諸要素**
〔谷　浩明：運動学習理論の臨床応用．理学療法 24:299–304, 2007 より改変〕

るか(しなければならないか)を理解することが重要である．

課題の提示方法としては，言語的説明，指導者などによるモデル提示，徒手的誘導などが考えられる．どの方法を用いる場合でも，学習者が最も理解しやすい方法で提示する必要がある．

(1)　言語的説明

言語的説明は，筋収縮の強さなどの身体運動そのものに注意を向けさせる(内的焦点)方法と，身体運動の環境への影響(外的焦点)，つまりは目的動作や形(姿勢など)に注意を向けさせる方法とが考えられる．対象者の理解状況にもよるが，一般には内的焦点(例：指にしっかり力を入れる)より外的焦点(例：お手玉を強く握る)を意識したほうが自然な動作が行えるとされている．

(2)　モデル提示

モデルを提示し，目標となる運動をイメージする学習〔メンタルプラクティス(mental practice)〕は，実際に身体を使った練習と類似の学習効果を得ようとするものである．

モデル提示(練習者にとっては観察学習となる)は，課題を開始する前，または学習の初期には口頭説明とともに提示するほうが効果的である．提示するモデルは，必ずしも理想的なパフォーマンスである必要はなく，他の練習者の練習場面を観察することも有効であるとされている．

モデル提示は，ある程度運動技能を習得した段階では効果が少ないといわれる．また，観察学習だけでは学習効果がみられない場合もあり，観察した運動イメージが鮮明でない場合にはメンタルプラクティスの効果が低いとされている．

(3)　徒手的誘導

練習者が行うべき運動を徒手的に誘導することも課題提示の 1 つの方法である．

徒手的誘導の 1 つである他動運動は，運動の結果として生じる運動感覚を先に感じ取ってもらうことで，その後の学習を促進すると考えられる．

しかし，過剰な誘導は，練習者がその介助をも含めて自分自身の身体の使い方として学習してしまう可能性があり，徒手的誘導は練習者の能力に合わせてその量を調節し，なるべく早く減少させる必要がある．

b フィードバック

運動練習の結果は，運動を行っているときの視覚や体性感覚，固有感覚からの情報によって，また運動を行った結果から学習者自らが確認できる(内在的フィードバック)場合もあるが，一般には運動パターンなどのパフォーマンスを学習者自らが知ることは難しく，指導者によるフィードバック(外在的フィードバックまたは付加的フィードバック)が重要となる．これらのフィードバックは内的基準や運動の予測との差異(誤差)情報であり，運動を修正する手がかりとなる．フィードバックによる運動の修正は，学習者自らの目標である内的基準や運動プログラムを更新させ，新たな運動の定着につながる．

このように，外在的フィードバックは誤差情報(足りない部分を指摘する負のフィードバック)としての性格が強調される．しかし，「正確な運動が行えただろうか」という学習者の不安を解消したり，また学習者の動機づけを高めたりするためにも，「それでよい(正しかった，うまかった)」といった正のフィードバックも当然のことながら重要であり，忘れてはならない．

(1) 内在的フィードバック

運動練習の初期には，たとえば手の位置や運動を目で確認するなど，主として視覚情報によるフィードバック(視覚座標)を使用して運動を修正する．そして，学習が進んでくると，目で確認しなくても目的とする運動が行えるようになる．これは，固有感覚情報(身体座標)によるものであり，これは視覚座標から身体座標への座標系の変換がおこったと解釈される．さらに学習が進み，運動が自動的に行える段階になると，運動制御はフィードバックからフィードフォワード制御(運動を実行する前に結果を予測し，その予測と異なる場合にのみ関与して修正する)になる．

これらのことから，運動学習の初期には視覚で自分の身体運動を確認してもよいが，学習が進むにつれて徐々に身体に注意を向けないように，身体運動から注意をそらせるようにしたほうがよいといえる．

(2) 結果の知識とパフォーマンスの知識

運動学習を行う際の外在的フィードバックについては，「結果の知識」(knowledge of result; KR)と「パフォーマンスの知識」(knowledge of performance; KP)という用語が用いられる．

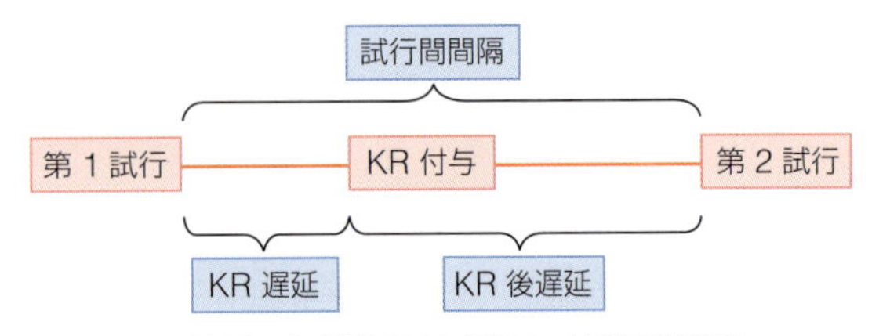

▶図 14 結果の知識遅延と結果の知識後遅延
〔大橋ゆかり：セラピストのための運動学習 ABC. p30, 文光堂, 2004 より〕

KR とは，運動終了後に指導者などの第三者が与えるパフォーマンスの結果についての情報であり(例：着替えに必要な時間が短くなった)，通常は言語的な情報である(狭義の KR)．このほかにも KR としては VTR，鏡映像，トルク曲線によるものなどが考えられ，これらを広義の KR とする考え方もある．

KP とは，運動終了後に指導者から与えられる運動を行っているときの運動パターンなど(例：着替え中の異常運動パターンが減少した)，運動の特徴に関する情報をいう．

(3) 「KR 遅延」と「KR 後遅延」

1 回目の練習(第 1 試行)が終了してから 2 回目の練習(第 2 試行)が開始されるまでの間を試行間間隔という．第 1 試行から KR を与えるまでの時間間隔を KR 遅延，KR を与えてから第 2 試行を開始するまでを KR 後遅延という(▶図 14)[8]．

KR 遅延の間に，練習者は直前の練習を振り返り，得られた運動感覚に意識を向け，その運動感覚のイメージを保持していると考えられる．

KR 後遅延の間には，練習者は指導者からの KR と直前の練習の運動感覚とを照らし合わせ，内的基準を修正し，次の練習のための運動プログラミングを行っていると考えられる．

(4) KR の与え方

KR の与え方やその条件については，一般に以下のようなことがいわれている．

• **KRを与える時期**

KR遅延の時間間隔が長すぎれば，練習者は前に行った練習の運動感覚を忘れるかもしれない．したがって，この運動イメージが弱まらないうちにKRを与えるべきであると考えられる．

KR後遅延の時間間隔が短ければ，練習者は与えられた情報を処理し，次の練習のためのプログラムを立てることができないかもしれない．したがって，KRを与えたのち，次の練習を開始するまでに，少し時間を空けたほうがよいと考えられる．

• **KRの頻度**

学習の初期には高い頻度でKRを与える必要があろう．しかし，KRは練習者の内的基準や予測した運動プログラムとの違いを指摘すること(誤差情報)が主であるため，KRを与えすぎると運動の過剰修正がおこる．また，毎回KRを与えたり，指導者が過保護な態度で指導したりすると，学習者はKRに依存的になってしまい，自ら考えて運動を修正しない．

したがって，学習が進むにつれて徐々にKR頻度を減らす(削減的KR)，あるいは目標とする運動にある程度の許容範囲を設け，その範囲外の運動をしたときのみに違いを知らせる〔帯域幅(バンド幅)KR〕，何回かの練習の結果をまとめて与える(要約KR)，などの方法がよいとされる．また，練習者が必要と感じたときにKRを与えたほうが学習効果は高いとされる．

• **KRの詳細度**

KRをどの程度細かく与えるかについては，次のようなことがいわれている．

たとえば，「関節角度が10°(または20°)違う」といった細かすぎる指示は，その指示を練習者が処理するのに時間を要する．また，「もう少し大きく(小さく)」といった大まかな指示は，どの程度修正すればよいかが十分にわからない可能性がある．

したがって，KRの帯域幅をふまえながら細かすぎず，大まかすぎない程度に設定する．

(5) 練習中のフィードバック

臨床場面では，運動終了後だけでなく練習者が運動を行っているときにも，声かけや運動誘導によって頻繁にフィードバックを与えている．練習中のフィードバックの方法や効果を特に取り上げて研究したものは少ないと思われるが，先に述べたことを応用して考えればよいだろう．

ここでは，徒手的誘導に関連して述べる．筋力が弱かったり，異常運動パターンがみられる場合，指導者が徒手的に誘導して正常な運動を導く場面がある．これによって視覚情報によるフィードバックが得られるとともに，固有感覚を通してのフィードバックも得られる．このときの徒手的介助の量や方向については，先の課題の提示の徒手的誘導に述べた「過剰な誘導は，練習者がその介助をも含めて自分自身の身体の使い方として学習してしまう可能性」があるということを念頭に，練習者の能力に合わせて，注意しながらその量や方向を調整すべきであろう．

C 練習方法

運動課題の練習方法については以下のようなことがいわれている．

(1) 分散練習と集中練習

ある一定時間連続して練習を行う集中練習と休憩時間をはさむ分散練習では，後者のほうが学習効率がよいとされる．それは，休憩によって疲労の蓄積を防ぐこと，休憩時間中に学習者が学習内容を見直し，考える時間として使えるという理由による．

(2) 部分練習と全体練習

運動課題を最初から最後まで通して反復練習する方法を全体練習という．これに対し，課題をいくつかの部分に分けて，段階的に練習を進めていく方法を部分練習という．

運動練習の一般的原則として，基本的な運動機能を部分練習により向上させることは必要であるが，実用的な機能を獲得するには，できるだけ早く，運動機能のレベルに応じた全体練習に移行したほうがよい．

(3) 恒常練習と多様練習

恒常練習とは，運動課題もパラメータ(使用筋や収縮力・タイミングなど)も同一のものを反復練習する方法である．多様練習とは，同じ運動課題で，パラメータをランダムに変えて練習する方法(パラメータ学習)である．

初心者にまず運動のイメージを明確に獲得してもらうには恒常練習が適している．学習が進んだ段階では，同じ課題のバリエーションを練習する多様練習が適切である．

Keyword

アフォーダンス　J.J. Gibson(米国の心理学者)が 1950 年代後半に，"afford"(与える，提供する)という言葉からつくった造語(affordance)．情報は環境そのものの中に存在しており，物体のもつ属性(形・色・材質など)が，物体自身をどう取り扱ったらよいかについてのメッセージを人に対して発していると考える．情報を受け取った人は，物体・環境の中からその状況に応じた自分にとって価値のある情報を発見し，取捨選択して適応的に行動する．たとえば，ドアが半分開いている(情報)と，それに応じて人は身体をひねり，通り抜けることができる(適応的行動)．

d 課題を遂行する環境

運動学習の初期には，学習に集中できるような静かな環境を提供する必要がある．しかし，日常の生活は常時変化するさまざまな環境で行われている．また，人は経験や身体知覚に基づいて環境に合わせた行為を無意識的に予見できる(**アフォーダンス**)．このようなことから，学習が進んだ段階では，さまざまな環境あるいは対象者の生活環境に合わせた学習環境を提供するようにすべきであろう．

当然ながら，運動学習においては課題そのものの適切性，つまりは練習者の能力に合わせた課題を設定する必要がある．運動学習が進まない場合，課題が適切であるか，練習方法が適切であるかの両側面から検討する必要がある．

作業療法で行われることが多い協調性訓練や巧緻性訓練も運動学習に含まれると考えられる．「協調性」と「巧緻性」については，119 ページの用語解説を参照のこと．

3 関節可動域の維持・拡大

人が正常な運動を遂行するには，神経系や運動系，感覚系の各構成要素を必要とする(▶図 15)．また，これらに栄養を補給する脈管系も必要である．

感覚系は身体内外の状況の変化を感受する．これらには，外界からの刺激(身体と物との接触，身体に加えられた外力など)および身体内部の変化(筋の収縮，関節位置や姿勢の変化など)，さらには疼痛の発生がある．求心性の感覚神経系はこれらの情報を CNS に伝える．CNS は感覚情報を処理・統合し，遠心性の運動神経系を介して運動指令を筋に伝える．そして，筋が収縮することによって運動が遂行され，その結果が求心性神経系によって再び中枢に伝えられ，運動の結果が検証される．

神経，運動，感覚，脈管の各要素系のいずれかになんらかの障害を受けると，この一連のサイクルが障害され，正常な運動を遂行することができなくなる．

運動系のなかでも ROM と筋力は基本となる 2 つの要素であるが，特に ROM は運動可能な範囲を確保するために必要である．作業療法においても ROM の維持，拡大のためのかかわりは重要な領域の 1 つである．

ROM 制限の 1 つである拘縮の最大の原因は，関節を動かさないこと(不動)である〔「関節可動域制

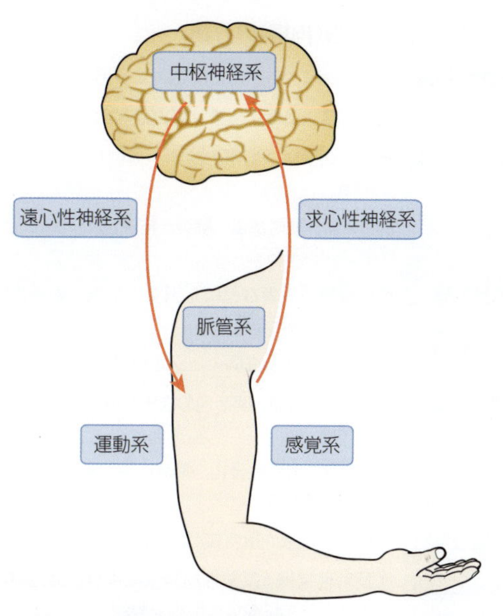

▶図 15　運動遂行の各要素

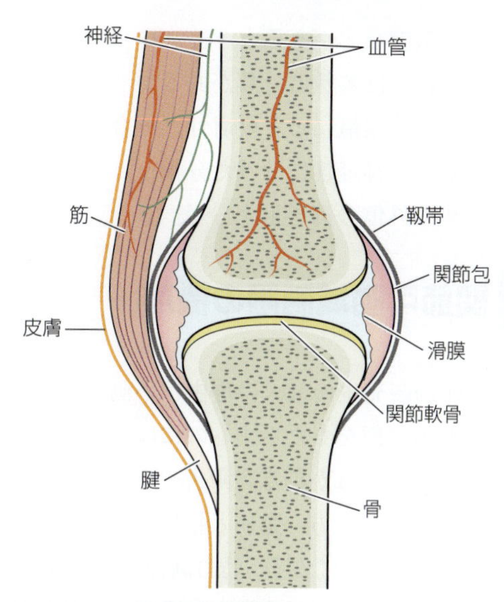

▶図 16　関節の構成要素

限の機序」の項(➡ 78 ページ)参照〕．一度，拘縮が発生すると，その回復には不動であった期間の 2 乗の日数を要するともいわれている．骨折治療の一環としての固定，つまり不動が必要とされることもあるが，拘縮は予防が第一であり，そのためには日々の関節運動が必要である．

■用語

［関節可動域(ROM)］　関節が動きうる範囲(可動可能な角度)を ROM という[9]．

［関節可動域(ROM)制限］　正常な ROM がなんらかの原因によって制限されたものをいう．

［拘縮と強直］　関節拘縮は皮膚，骨格筋，靱帯，関節包など関節周囲の軟部組織が原因で ROM が制限された状態をいう．これに対して，関節包内の構成体である関節軟骨や骨，骨膜の病変によって生じる ROM 制限を関節強直という．相対する関節面が骨性に癒合した場合，これを骨性強直といい，ROM は完全に失われる(完全強直)．滑膜炎により滑膜や関節軟骨が癒合する強直は線維性強直といい，わずかな可動性があることがある(不完全強直)[10]．通常，ROM 拡大の治療対象となるのは拘縮であるが，臨床上，拘縮と強直の厳密な区別は難しいことが多い．

屈曲拘縮とは屈曲方向の可動域は残存するが，伸展方向の動きが制限されたものをいう．逆に，伸展拘縮とは伸展方向の可動域は残存し，屈曲方向の動きが制限されたものをいう．

A　関節可動域制限の分類と機序

1　関節可動域制限の原因

a　関節の構成要素(▶図 16)

関節は骨と関節軟骨，滑膜，それらを包む関節包，およびその周囲の筋，腱，靱帯，血管，神経，皮膚から構成される．これらの構成要素のどれが障害されても ROM 制限がおこる．

b　関節可動域制限の分類

ROM 制限はその発生時期により，先天性拘縮と後天性拘縮に分類される．先天性拘縮は，先天性の疾患や奇形によるもので，先天性内反足，先天性筋性斜頸などがある．

後天性拘縮は各種の分類があるが，ここでは病変が発生する組織により皮膚性，結合組織性，筋性，関節性，神経性に分けた分類と，その原因となる疾患や外傷の例を示す(▶**表 1**)[11]．

2 関節可動域制限の機序

ROM 制限発生の最大の理由は不動(固定)である．不動の状態をもたらすものには，**表 1** に示した疾患や障害のほかに意識障害や意欲の低下，疼痛などがある．一方，動筋と拮抗筋間に筋力の不均衡があり，適切な処置(筋力訓練やスプリント)がなされないまま経過すると，その不均衡に応じた肢位に固定され，ROM 制限が発生することもある．

不動による ROM 制限発生の機序は以下のとおりである．不動によって局所の循環が阻害され，軟部組織に体液が浸潤する．そして，**線維素**が滲出して**結合組織**が形成される．この結合組織は可動性がある場合に形成される“疎な”結合組織(loose connective tissue)ではなく，瘢痕などで形成される“密な”結合組織(dense connective tissue)である．密な結合組織は弾性がなく，関節包や周辺靱帯，筋組織に形成されると，柔軟性や伸縮性が低下する．そのまま放置すると，徐々に関節腔内の線維性癒着を生じ，強直へと進展する(▶**図 17**)[12]．

動物実験では，不動により 1 週間で拘縮が発生し，不動期間が長くなると拘縮も進行することが示されている．関節周囲軟部組織のなかで，不動後 2〜4 週までは骨格筋が拘縮の原因となり，それ以上の不動期間では関節包が拘縮の原因の中心となると考えられている．筋については，筋短縮よりも筋の伸張性低下によるものが大きいとされている[13]．

Keyword

線維素　フィブリンともいう．フィブリノゲン(血液凝固因子)にトロンビンが作用することによって生じる蛋白質の一種．

結合組織　細胞間や組織間を埋め，それらをつなぎ止める役割をする支持組織．

▶**表 1　ROM 制限(拘縮)の分類**

皮膚性拘縮	皮膚の疾患や外傷などに起因する拘縮
	例：外傷，熱傷，感染，強皮症など
結合組織性拘縮	軟部組織，腱，靱帯の疾患や外傷などに起因する拘縮
	例：外傷，靱帯損傷，腱炎，粘液包炎，デュピュイトラン拘縮など
筋性拘縮	筋の疾患や外傷などに起因する拘縮．術後の固定による拘縮も含む
	例：外傷，多発性筋炎，フォルクマン拘縮など
関節性拘縮	骨，軟骨，滑膜，関節包の疾患や外傷などに起因する拘縮
	例：外傷，異所性骨化，骨棘形成，滑膜炎，変性性関節疾患など
神経性拘縮	神経系の疾患や損傷などに起因する拘縮
	①反射性拘縮：反射性筋緊張により疼痛回避肢位をとり続けることによるもの
	②痙性拘縮：中枢神経系の疾患や損傷に起因するもの 例：脳卒中，脳性麻痺，脊髄損傷・疾患など
	③麻痺性(弛緩性)拘縮：二次運動ニューロンの疾患や損傷に起因するもの 例：末梢神経損傷，末梢神経炎，ポリオなど

〔三浦裕正：関節拘縮．関節強直および病的脱臼．岩本幸英(編)：神中整形外科学(上) 総論/全身性疾患．改訂 23 版，pp465–468，南山堂，2013 をもとに作成〕

B 評価・治療のための基礎知識

次に，ROM の評価および治療を行うために必要な基礎知識について以下に述べる．

1 筋緊張と最終域感

ROM を測定しているとき，検者が受ける感じによって，ある程度その原因を推測することができるので，検者は自分の手に受ける感覚に敏感でなければならない．

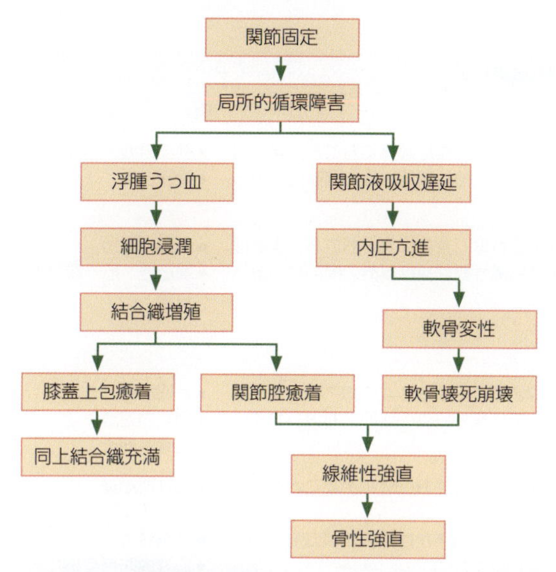

▶**図 17　関節拘縮の進展**
〔安藤徳彦：関節拘縮の機序．上田　敏，他(編)：リハビリテーション基礎医学．第 2 版，pp213–222，医学書院，1994 より〕

他動的に動かしているときに筋緊張を感じ取ることができる．何の抵抗も感じない場合(弛緩状態)，協力的な動きを感じる場合(正常)，動かしている途中で抵抗を感じるが最終的には抵抗感が消失する場合(**痙縮**)，動かしている間中ずっと抵抗を感じる場合(**固縮**)などがある．

ROM の最終域では，それ以上の動きを妨げる感じがある．それを最終域感(end feel)という[9]．最終域感には生理的なもの(正常)と病的(異常)最終域感があり，それぞれ軟部組織性(soft)，結合組織性(firm)，骨性(hard)がある．病的最終域感には疼痛によって最終域まで至ることのない虚性(empty)の最終域感もある(▶**表 2**)[9]．

これらを感じ取ることによって，ROM 制限が何に起因するかを推察できることがある．

2 関節包内運動

屈曲・伸展など，関節を構成する骨と骨の相対的動き(骨運動)がおこるときに，関節内では関節面に特有な動きがおこっている．これを関節包内運動という．

関節包内運動には，通常の随意運動ではおこりえない関節面の動きである**副運動**と，骨運動に伴って生じる**構成運動**がある．構成運動には，滑り(sliding)，軸回旋(spin)，転がり(rolling)がある．

また，関節面の運動は一定の法則，すなわち**凹凸の法則**に従っている(▶**図 18**)．

関節包内運動は痛みのない滑らかな動きを保証するために必要であり，他動 ROM 運動を行う際

Keyword

痙縮　中枢性疾患(脳卒中など)においてみられる筋緊張の異常．腱反射は亢進した状態となる．他動的にすばやく四肢を動かすと，最初は抵抗が感じられるが，途中から抵抗感が消失する折りたたみナイフ現象がある．相動性伸張反射の亢進と考えられる．

固縮　痙縮と同じく，中枢性疾患でみられる筋緊張の異常．固縮を呈する代表的な疾患にパーキンソン病(あるいはパーキンソン症候群)がある．腱反射は正常か，わずかに亢進した状態である．他動的に四肢を動かすと，はじめからおわりまで鉛管を曲げるような連続した抵抗を感じる鉛管現象や，歯車のようにリズミカルな抵抗を感じる歯車様現象がある．

副運動　副運動は通常の随意運動ではおこらない関節面の動きで，2 種類ある．1 つは，随意運動に抵抗が加わったときにおこる関節の構造的な許容範囲までの動きである．たとえば，ボールを強く握ると，手指はボールに合わせた形になる．このとき，手指尖端はボールによって固定されているため動かず，基節骨が回旋して手指の形をつくる．この基節骨の動きは，手指尖端が物体に接していない状態では，随意的におこすことはできない．もう 1 つは，安静時に関節を他動的に動かしたときにおこる関節面の動きである．安静状態で関節を他動的に動かすと，関節面を構造的な許容範囲まで引き離したり(離開)，滑らせたりすることができる．このような関節の離開や滑りを関節のあそび(joint play)ということもある．

構成運動　骨運動(例：屈曲や伸展)に伴って関節面の接触点も常に移動しており，その関節面の運動を構成運動という．構成運動には滑り(例：椎間関節)，転がり(例：膝関節)，軸回旋(例：回内・回外時の腕橈関節)がある．

凹凸の法則　固定した凸面の骨頭に対し，凹面の関節窩が動くとき，関節面は骨の動きと同じ方向に滑る．これを凹の法則という(例：MP 関節)．凹面の関節窩に対し，凸面を有する骨頭が動くとき，関節面は骨の動きとは逆方向に動く．これを凸の法則という(例：肩甲上腕関節の外転運動)．

▶表 2　生理的最終域感と病的最終域感

最終域感	生理的な最終域感		病的最終域感	
	構造	例	特徴	例
軟部組織性	●軟部組織の近接	●膝関節屈曲	通常より早くまたは遅くおこる，または軟部組織性最終域感以外の関節にもみられる	●軟部組織の浮腫 ●滑膜炎
結合組織性	●筋の伸張 ●関節包の伸張 ●靱帯の伸張	●膝関節を伸展しての股関節屈曲 ●手指の MP 関節伸展 ●前腕回外	通常より早くまたは遅くおこる，または結合組織性最終域感以外の関節にもみられる	●筋緊張増加 ●関節包，筋，靱帯の短縮
骨性	●骨と骨の接触	●肘関節伸展	通常より早くまたは遅くおこる，または骨性最終域感以外の関節にもみられる	●骨関節炎 ●関節内遊離体 ●化骨性筋炎
虚性			疼痛により最終 ROM に至ることができない， 防御性筋収縮または筋スパズムを除いては抵抗感はない	●急性関節炎 ●滑液包炎 ●膿瘍骨折 ●心理的防御反応

〔Norkin CC, 他(著)，木村哲彦(監訳)，山口　昇，他(訳)：関節可動域測定法―可動域測定の手引き. 改訂第 2 版，pp9–10，協同医書出版社，2002 より改変〕

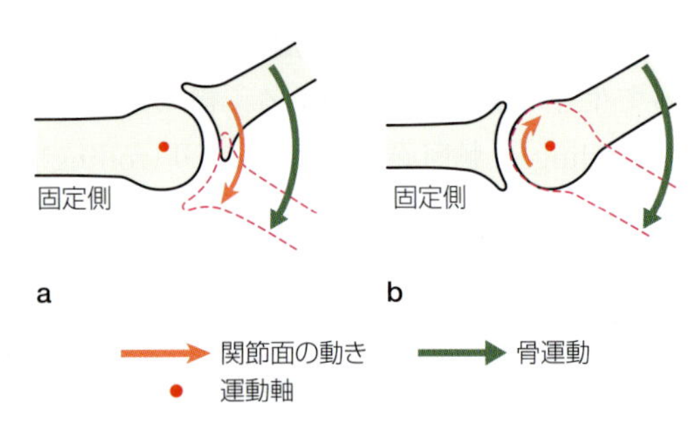

▶図 18　凹凸の法則
凹の法則：骨運動と関節面の動きは同方向になる(a).
凸の法則：骨運動と関節面の動きは逆方向になる(b).

に特に考慮する必要がある.

上記の詳細および各関節の関節包内運動については，成書[14]を参照されたい.

3 関節可動域訓練に使用する運動

ROM 訓練は，大きく分けて ROM 維持を目標とする場合と，ROM 拡大を目標とする場合がある．一般に，前者では他動運動，自動運動，自己他動運動によって現 ROM 範囲内で関節を動かす．後者では，ROM の最終位でさらに伸張力を加える伸張運動が使用される.

鎮痛や可動性を高め，ROM 訓練を容易にするために，必要に応じてホットパックなどの物理療法を併用することも有効である[15]が，事前に使用法や禁忌について学習しておかなければならない〔「物理療法の基礎」の項(➡ 157 ページ)参照〕.

> **Keyword**
> **CPM**　持続的他動運動(器)．機械制御によって他動運動を持続的に行うこと，またはそれを行うための機器をいう．機器は膝関節用 CPM が多用されているが，他関節用の CPM もある.

a 他動運動

他動運動は，外力によって治療対象となる関節を動かす方法であり，最も一般的に用いられる運動である．他動運動は著しい意識障害があり，自発運動がみられない場合，神経障害や筋力低下などのために対象者自身が全 ROM にわたる運動ができない場合などに，ROM を維持するために用いる．また，ROM が維持されているか確認するために治療者が関節を動かすことも一種の他動運動である.

外力には治療者の徒手的力や CPM (continuous passive motion)などの器機による力がある.

意識障害や感覚障害(特に**深部感覚**障害)がある場合は対象者の痛みに対する反応がわかりにくいため，解剖学や運動学の知識に基づいて過剰な動きにならないように注意すべきである．

ROM維持のためには最低限，各関節を1日に2セット，1セットにつき3回ずつ全可動域にわたって動かす．

b 自動運動

自動運動は，対象者自身が治療対象となる関節に関与する筋の力で随意的に全ROMを動かす方法である．自動運動は疼痛などにより他動運動が適していない場合，術後に他動運動が禁忌となっている場合などに，ROMを維持するために用いる．また，自動運動によって筋力維持，運動感覚の感受性維持，筋のポンプ作用による循環の維持・改善も期待できる．

自動運動を行うには，対象者にその関節運動を行うための筋力があり，運動方法を理解できることが必要である．ラジオ体操などの健康体操や肩関節周囲炎に対するコッドマン(Codman)体操(➡242ページ)などの治療体操[16]も自動運動の一種とみなすことができる．

回数などは他動運動に準じるが，自動運動の場合も治療者は全ROMにわたる運動がなされているか確認する必要がある．

c 自己他動運動

自己他動運動(もしくは**自動介助運動**)とは，対象者自身が健側の力や機器によって治療対象となる関節を他動的に動かす方法である(▶図19)．自己他動運動は片麻痺や局所的な筋力低下によって，あるいは自動運動時の疼痛により筋力が発揮できず，その関節の全ROMにわたる運動が行えない場合に，ROMを維持するために用いる．

自己他動運動は全ROMにわたって対象者自身が他動的に動かす場合と，一部のROMを自動的に動かし，残りのROMを他動的に動かす場合がある．この場合，弱化した筋の筋力維持・増強も期待できる．そのほかに，他動運動にはプーリーなど器機を介する方法もある[17]．

自己他動運動を行うには，少なくとも一側上肢に治療対象となる関節を動かせるだけの筋力があることと，対象者が運動方法を理解できることが前提となる．

回数などは他動運動に準ずるが，治療者は目的とする関節で全ROMにわたる運動がなされているかを確認する必要がある．特に，最終域での運動が困難な場合，治療者が補助する必要がある．

d 伸張運動

伸張運動はROMの最終位で伸張力を加える方法である．伸張運動は他動運動の一種である．他動運動もしくは自己他動運動がROMの維持を目的としたものであるのに対し，伸張運動はROM拡大を目的として行われる．伸張運動は，なんらかの原因により全ROMにわたる動きができず，筋や結合組織の短縮によるROM制限がみられる場合に用いられる．

一般に，伸張力としては他動的力(治療者の徒手的力やスプリント，矯正装具など)が用いられるが，条件が合えば対象者自身の力(自己他動運動または自動運動による)を使える場合もある．どの力源を使うにしても，伸張はROMの最終位で穏やかにゆっくりと数秒間，持続的に加え，疼痛閾値をわずかに超えるようにする[17]．

伸張運動を行うには，対象者がその意義を理解

Keyword

深部感覚　固有感覚ともいう．身体運動の方向や程度，位置，抵抗感などを認知する感覚．筋にある筋紡錘，腱にある腱紡錘などがその受容器である．深部感覚によって，目を閉じていても関節がどの方向に，どの程度動いているかを知覚することができる．

自動介助運動　筋力低下によって全可動域にわたる運動が困難な場合，低下した筋力をなんらかの方法(治療者の徒手的介助や機器による介助)によって補い，筋力の維持・増強訓練を行う場合に用いる．類語に自己他動運動がある．これは，自動運動が困難な関節を対象者自身の手で動かし，ROMの維持・改善を行う場合に用いることが多い．

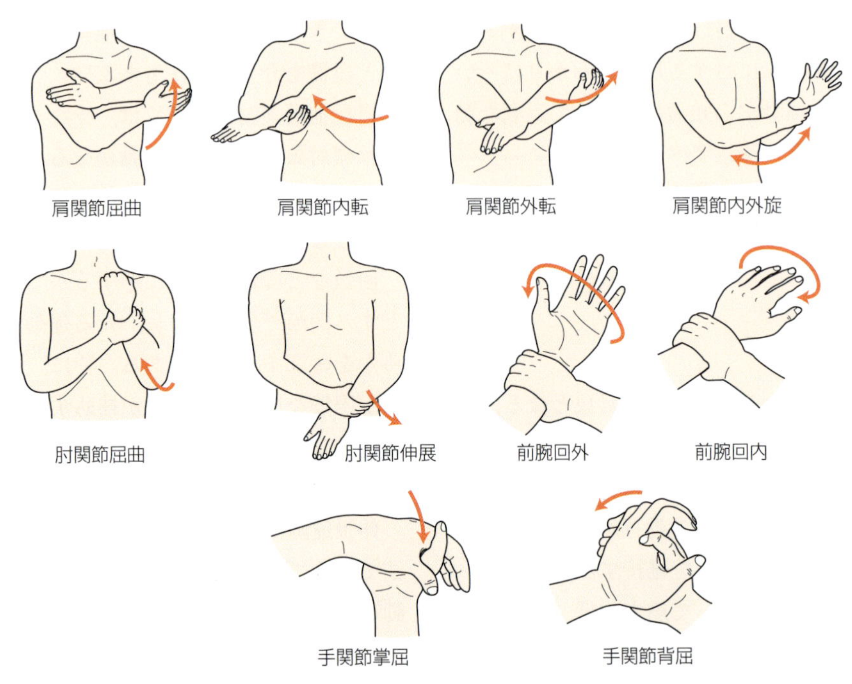

▶**図 19　上肢の自己他動運動**
図の方法のほかに両手を組んで行うこともできる.

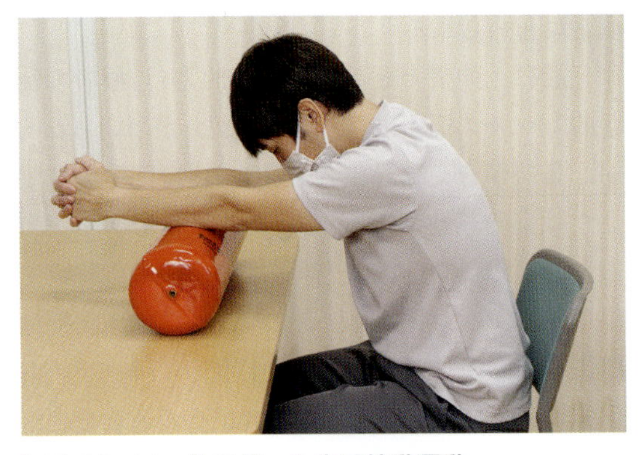

▶**図 20　ロールを使った自己他動運動**

し，痛みに対するある程度の耐性をもっている必要がある．また，伸張運動は現 ROM を超える力を加えるため，ROM 制限の原因となっている構造を特定することはもちろん，感覚障害がある場合には治療者は特に注意し，関節構造を理解したうえで実施する必要がある．

各種のストレッチ体操や棒体操，ロールを使った自己他動運動も伸張運動として使える（▶図 20）．

C 評価

1 関節可動域

ROM は角度計（ゴニオメータ）を使って測定する．

他動可動域（他動 ROM；被検者の力によらず検者が関節を動かす）と自動可動域（自動 ROM；被検者が介助されることなく関節の自動運動を行う）があるが，原則として他動 ROM を測定する．痛みなどによって他動的に動かすことが望ましくない場合，自動 ROM を測定することもある．

ROM は目安として参考値や標準値が定められている[9, 18]が，年齢や性別，疾患，生活習慣などによって個人差が大きく[9]，測定の際に左右を比較したり，生活状況を十分聴取する必要がある．

2 その他

ROMを測定するほかに，ROM訓練に際して評価しておくべき項目には次のようなものがある．

(1) 痛み

部位や強さだけでなく痛みがおこる状況（運動時・安静時，夜間時痛など）や運動方向などをみる．これらから，痛みの原因がある程度推測可能である．

痛みがROMの制限因子であると考えられる場合，ROM訓練を行う前に痛みに対処する必要がある．

(2) 感覚障害

特に深部感覚の障害は関節運動に関するフィードバックが得られず，自動・他動運動ともに過剰な動きによって関節を損傷する可能性がある．

感覚障害がある場合は，解剖学や運動学の知識に基づいて過剰な動きとならないよう注意すべきである．

(3) 浮腫

手部に浮腫があると，手指の動きを妨げる．著しい浮腫がある場合は，ROM訓練を行う前に浮腫を軽減させる必要がある．

(4) 皮膚のゆとり（可動性）

浮腫があったり，それが長期間持続していると，特に手部の場合，手指背側のしわが消失し，皮膚の可動性が失われる．これも関節の可動性を妨げる．

(5) 熱感・発赤

浮腫と熱感・発赤は炎症症状の存在を示すものであり，**肩手症候群**（➡ 48ページ）の症状の1つでもある[19]．このような場合，ROM訓練は愛護的に行う必要がある．

(6) 変形および関節の動揺性

変形がある場合，あるいは他動的に関節を動かしたときに過剰な可動性を感じる場合，関節の周囲組織が過剰に伸張されている可能性がある．このような場合，ROM訓練は慎重に行う必要がある．

(7) 他動運動中に受ける感覚

他動運動中に治療者が受ける感覚，たとえば抵抗感は中枢性の障害（痙縮，固縮）や筋の伸展性の制限を示すものである．これらが強いと自己他動運動は困難なことがある．

(8) 最終域感

最終域感が骨性のものである場合，ROMの拡大は難しいので代償的方法を考えなければならないときがある．また，虚性のものである場合，痛みの存在が考えられ，ROM訓練に先立って疼痛への対処が必要な場合がある．

D 治療手技

一度ROM制限がおこると，その回復には長期間を要する．したがって，ROM制限をおこさないようにすることが第1の目標となる．また，ROMの維持には毎日の管理が必要なため，対象者自身が管理できるように指導していくことも重要である．

1 運動の選択

ROM訓練に使用する運動は，意識や運動の理解，意欲の障害の有無，ROM訓練目標，自動運動および自己他動運動の可否によって選択する（▶図21）．

病態やROM制限の持続期間などからROM拡大ができないと判断される場合，代償法を考慮・指導する．その場合，現状のROM維持については別に考慮する必要がある．

2 関節可動域訓練の実際（他動運動）

他動的にROM訓練を行うときは，対象者がリラックスできる安定した肢位を選択するようにする．また，治療者は対象者が不快とならないよう

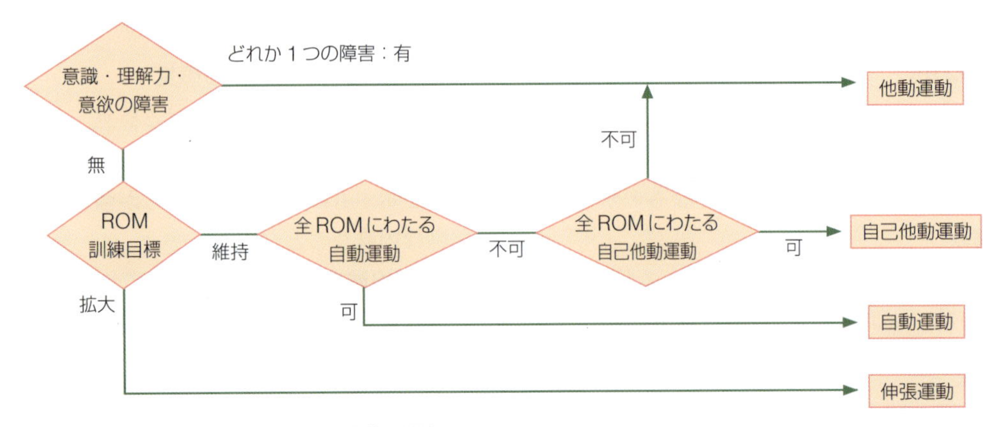

▶図 21　ROM 訓練に使用する運動の選択

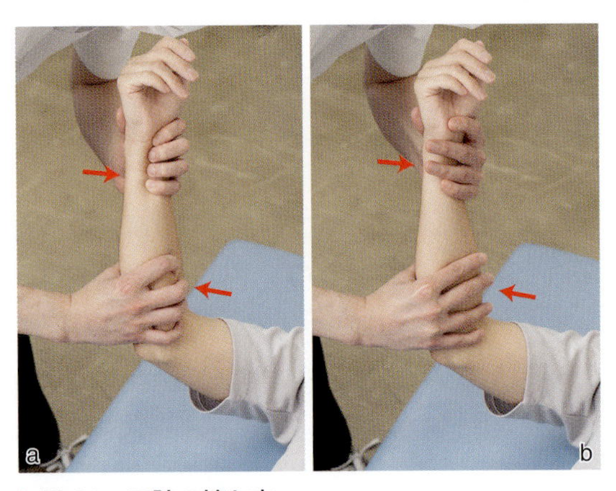

▶図 22　四肢の持ち方
指先を曲げて握り込む(a)のではなく，圧が分散されるよう手指全体で包み込むように持つ(b)ほうが不快感は少ない．

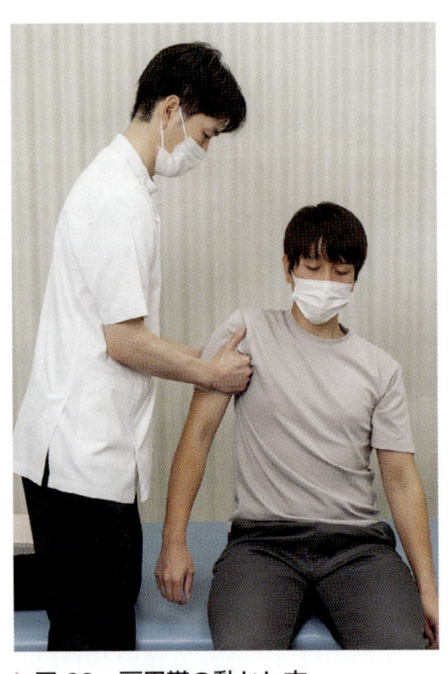

▶図 23　肩甲帯の動かし方
両手で腋窩を支え動かす．

な四肢の持ち方を工夫し(▶図 22)，表情や反射性の筋収縮などの反応に常に注意しなければならない．

a 肩甲帯と肩関節

肩甲帯は肩甲骨と鎖骨および僧帽筋や肩甲挙筋などの支持組織からなる．体幹と肩甲帯を結びつける唯一の関節は胸鎖関節である．肩甲帯は胸鎖関節を中心として挙上と下制，前突(前方突出)と後退が可能である．座位で肩甲帯を他動的に動かすには，治療者が両手で腋窩を支え，挙上および下制，前突および後退させる(▶図 23・動画 6)．

肩関節(肩甲上腕関節)は関節窩が浅いため，筋の支持性が低下すると**亜脱臼**(➡ 48 ページ)をおこしやすい．また，上腕を動かす筋のほとんどは上腕骨頭の回転軸より末梢に付着している．亜脱臼や長期間の固定によってこれらの筋が短縮していると，上腕の挙上に従って骨頭は関節窩から外れて下方に移動し，痛みを引き起こすことがある(▶図 24)．

上肢と肩甲骨は一定の割合で動いている．たとえば，肩関節の屈曲では上腕の屈曲が 60° 以上に

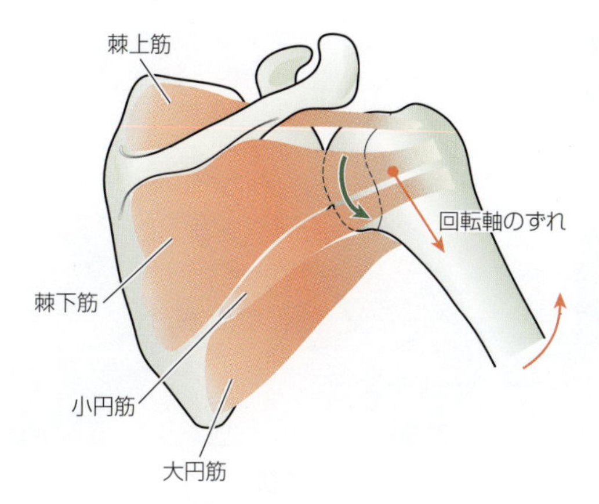

▶図 24　上腕骨頭の転位
大胸筋や広背筋などの上腕骨頭より遠位に付着する筋が短縮すると，結果的に上腕骨頭の回転軸が遠位に移動することになり，上腕の挙上によって骨頭は下方にずれることになる.

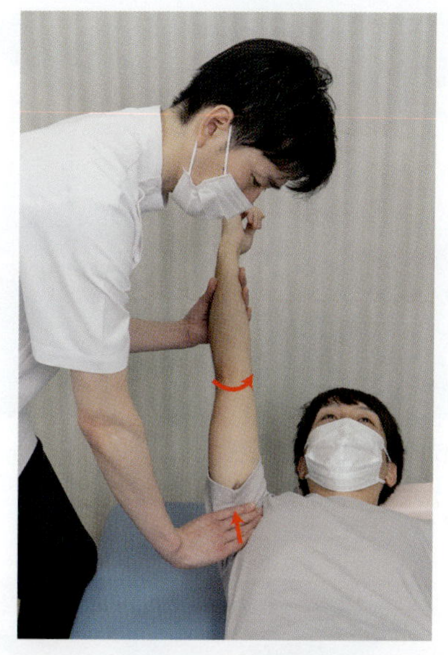

▶図 25　肩屈曲の他動運動
上腕骨頭が転位しないよう左手で固定している.

なると，上腕が 2° 屈曲するごとに肩甲骨は 1° ずつ上方回旋する[2]．ROM 訓練の際はこの肩甲骨の可動性も考慮し，肩甲骨周囲筋の長さや柔軟性も確保しなければならない．また，外転 90° 以上になると上腕骨は外旋する[2]．上腕骨を内旋したまま上腕を挙上すると大結節と肩峰が当たり，疼痛の原因になる．

肩関節の他動運動は以上を念頭において行う．肢位は体幹の固定や代償運動を考慮すると背臥位が行いやすい．座位で行う場合は背もたれで体幹を固定し，代償運動を防ぐようにする．肩甲骨の動きを確認しながら，一方の手で上肢を保持し，90° くらいから徐々に外旋を加える．もう一方の手は腋窩部より上腕骨頭の位置を保つようにして骨頭の位置が転位しないようにする(▶図 25・動画 7)．

脳卒中片麻痺による亜脱臼や感覚障害がある場合，プーリーを使った自己他動運動は，肩関節を損傷する可能性があるので，あまり推薦できない．プーリーを用いる場合，滑車の位置を対象者の頭上にすると，上肢を外転しながら挙上することになり，しばしば大結節部に痛みを生じるので，滑車の位置は対象者の前上方およそ 60° にすることが望ましい[17]．

b 肘関節

上腕骨滑車は尺側が橈側よりも周径が大きく，関節面は水平面より橈側へ約 10° 傾斜している．これにより肘関節伸展時の肘角(上腕骨に対する尺骨の外転)を形成する．屈曲時には上腕骨に対して尺骨は内転する．関節包内運動は凹の法則に従う[14]．

肘関節の ROM 拡大のために他動的に伸張運動を行う場合は，上腕の安定が得られるよう背臥位が適している．上腕はベッド上に置き，前腕の近位部を保持する．屈曲時には尺骨が滑車上を前方に滑るように，伸展時には後方に滑るように動かす．より強い伸張力を加えるには，その肢位で前腕の遠位端を穏やかに押すようにする(▶図 26・動画 8)．

c 手関節

手関節は大きくみれば橈骨遠位端と手根骨群からなる．その形状から手根骨群は橈骨の関節面に対して凸の法則に従って動く．つまり，背屈時には手根骨群は下方(掌側)に滑り，掌屈時には上方

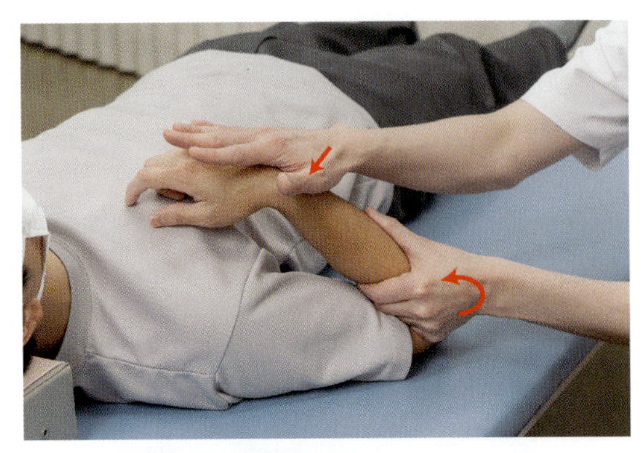

▶図 26　肘屈曲の他動運動
前腕近位を持ち屈曲させる．伸張力を加えるときは遠位を穏やかに押す．

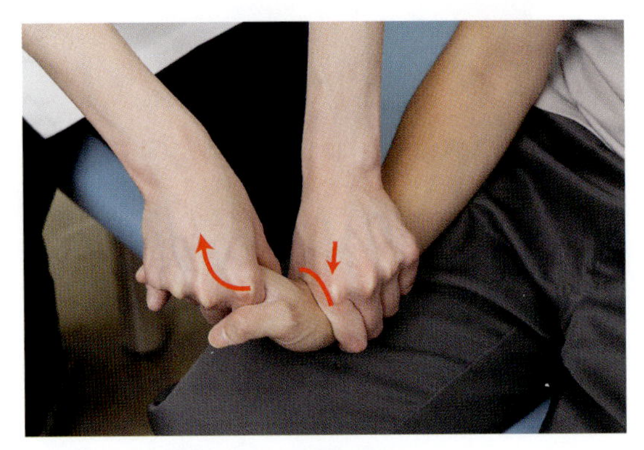

▶図 27　手関節背屈の他動運動
手根骨を掌側に滑らせ，中手骨を引き上げるように動かす．

(背側)に滑る[14]．

他動運動を行うには前腕を固定し，もう一方の手で中手骨を持って軽く牽引して離開する．背屈時には母指と示指の間で手根骨群を掌側に滑らせるようにする．掌屈のときは逆方向に動かす(▶図 27・動画 9)．

d 中手骨間関節

第 2・3 中手骨にはほとんど可動性がないが，第 4・5 中手骨はわずかな可動性がある．強く拳を握ったり，対立運動を行うと回旋もみられる．母指の中手骨も同様の動きがみられるが第 4・5 中手骨より動きが大きく，橈側外転-内転，掌側外転-内転が可能である．これらの動きによって母指と小指の対立運動が可能となる．中手骨頭は手の横方向のアーチを形づくっている[2]．

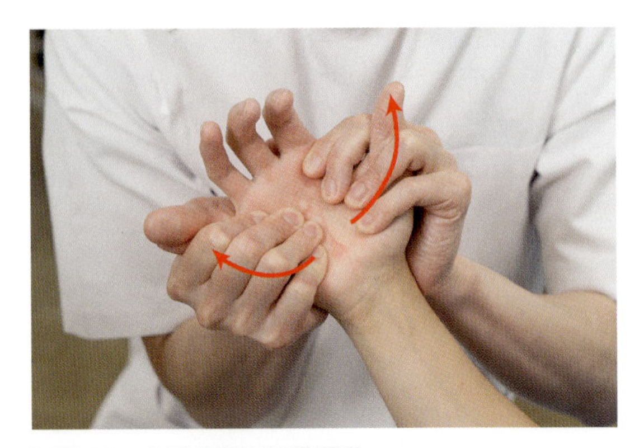

▶図 28　中手骨間の他動運動
中手骨間を広げ，横方向のアーチをつくる．

浮腫などで手が固定されると手部の内圧が高まり，中手骨間が圧迫され，浮腫が引いたのちに手の幅(第 2～5 中手骨頭間を結んだ長さ)が狭くなることがある．また，横方向のアーチが平板になる．すると物の形に合わせて手を形づくることができなくなる．

中手骨の他動運動では，第 3 中手骨を中心に中手骨間を広げ，回旋させるようにする(▶図 28・動画 10)．

e 中手指節関節および指節間関節

中手指節関節(MP 関節)は形状としては球関節であるが，伸筋腱や側副靱帯などによって補強され，機能的には蝶番関節に近く，屈曲・伸展の動きが主となる[2]．他動的には回旋も可能である．中手骨頭は半球状であるが，掌側に軽度傾いている[14]．その形状から側副靱帯は MP 関節伸展位ではゆるみ，屈曲位では緊張する(▶図 29)．そのため，伸展位では指の内外転が可能であるが，屈曲位では内外転の可動性はほとんどない．手部が腫脹すると，一般に伸展位で固定され，側副靱帯が短縮し，MP 関節の屈曲が困難になる．

指節間関節(IP 関節)は蝶番関節であり，屈曲・伸展の動きがある．IP 関節の側副靱帯は MP 関節に比べ運動軸に近いため，伸展時にも緊張しており，側方への動き(内転・外転)はほとんどみら

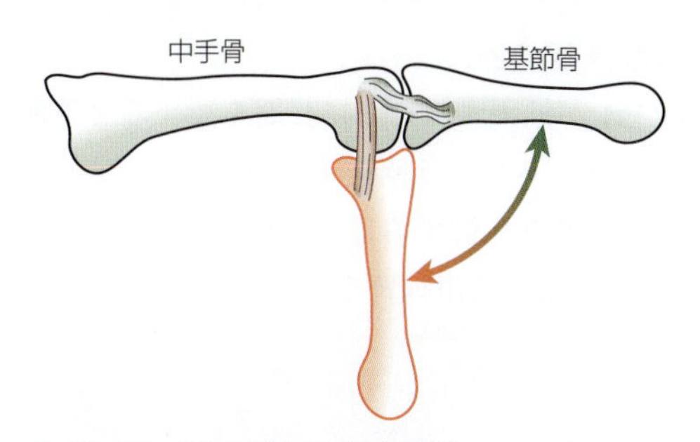

▶図 29 MP 関節の側副靱帯
伸展時にはゆるみ，屈曲時には緊張する．

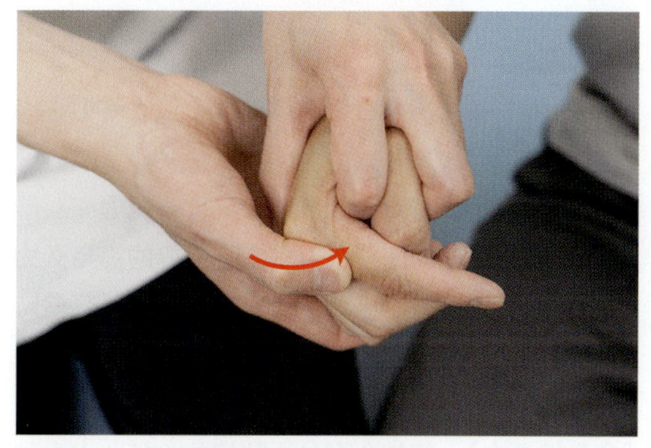

▶図 30 MP 関節屈曲の他動運動
中手骨を固定し，基節骨の近位部を屈曲方向に押す．

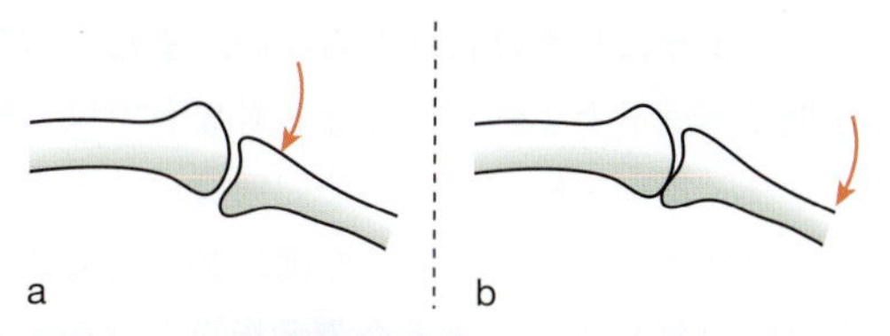

▶図 31 MP 関節の屈曲
基節骨の近位部を押した場合(a)と遠位部を押した場合(b)．b では関節面の滑りがおこらず，骨と骨が当たる可能性がある．

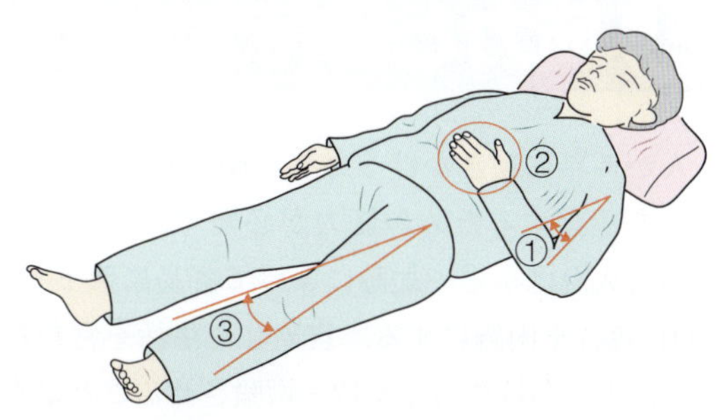

▶図 32 保清や介護のための最低限の ROM(試案)
保清や皮膚疾患におかされやすい，更衣動作に支障が出る，爪が切りにくくなるなどの理由により，①肩外転約 30°，②手指伸展・外転，③股関節外転約 30° は最低限確保する．座位をとる場合は，股・膝屈曲 90°，足関節背屈 0° の ROM も必要となる．

れない[14]．MP 関節と IP 関節は凹の法則に従って動く．

MP 関節を他動的に屈曲方向に動かすには，中手骨を固定し，基節骨の近位部を凹の法則に従って掌側方向に滑らせるようにする．伸張を加える場合は，その状態で基節骨全体および遠位部に力を加えるようにする(▶**図 30**・**動画 11**)．基節骨の遠位端を屈曲方向に押すと，特に側副靱帯が短縮している場合には骨の掌側が当たることになり(▶**図 31**)，十分な可動域が得られないばかりか，痛みをおこすことがある．伸展の場合も基節骨の近位部を背側方向に滑らせるようにする．IP 関節も同様の手技によって動かす．

頸髄損傷者，特に**腱固定作用**(tenodesis action)を使う残存機能レベル C6，C7 の対象者では，筋の短縮を意図的につくり，関節の固定性を高めている．したがって，手指の ROM 訓練は伸展のときは手関節を掌屈位にして行い，屈曲のときは背屈位にして行う．

E 作業療法との関連

ROM は自己管理で維持できるようにすることが大切である．したがって，作業療法開始直後から自己管理法を導入し，習慣化できるようにすべきである．

作業療法では，ただ単に ROM を維持・拡大するのではなく，活動的な対象者では日常生活活動(ADL)や職業などを考慮して，必要な ROM を確

Keyword
腱固定作用　テノデーシスアクションともいう．手指の力を抜いた状態で手関節を背屈すると手指が屈曲し，手関節を掌屈すると手指が伸展する現象を指す．腱固定作用を利用して頸髄損傷四肢麻痺残存機能レベル C6，C7 の対象者が把持を行うことができる．

保できるようにしなければならない．また，活動性が低くベッド上生活が主となる対象者では，腋窩や手指・指間・殿部・股関節周囲は皮膚疾患におかされやすいので，保清や介護に必要な最低限のROMは維持できるよう介護者指導を行うべきである（▶図32）．

ROMが拡大するまでに長期を要すると予測される場合，あるいは回復が期待できない場合は，ROM制限を代償する方法（リーチャーなどの自助具）の考案，使用練習を行うべきである．

4 筋力と筋持久力の維持・増強

人が外界に働きかけるとき，ROMとともに，関節を駆動するための筋力が必要である．筋力や筋持久力は疾患や加齢によって容易に低下し，ADL遂行を困難にする．自立した生活を営むために筋力や筋持久力を維持・増強させることは重要であり，これらに対するかかわりも作業療法の1つの領域である．

筋活動には筋そのものの能力のほかに心肺機能の能力も必要とするが，本項では筋力・筋持久力の維持・改善に限定して概説する．また，筋力と筋持久力は明確に分けることができないので，1つの項のなかで扱うことにする．

■用語

［筋力］ **骨格筋**の随意的な収縮によって生じる筋張力をいう．臨床的には，随意的に最大収縮させたときの瞬間的な力（瞬発力）を指し，これを最大筋力ともいう．

Keyword

骨格筋 身体運動に関係する筋で，1つ以上の関節を越え，骨と骨または骨と皮膚に付くものをいう．このほかに，心臓の壁をつくるものを心筋，内臓をつくる筋を平滑筋という．

中枢性疲労と末梢性疲労 筋収縮は大脳からの指令に始まり，脊髄，運動神経線維を経て筋線維に伝わることで行われる．そして，感覚器により中枢にフィードバックが行われる．この一連の流れのなかで，大脳および脊髄に起因する疲労を中枢性疲労という．具体的には，意志や意欲が低下することによる疲労である．これに対して，運動神経線維以下における疲労を末梢性疲労といい，特に筋線維による筋収縮が疲労の主な原因となる．

［絶対筋力］ 最大筋力と筋断面積との比，つまり筋断面積1 cm^2 あたりが発揮できる最大筋力をいう（**単位あたりの筋力**）．

［筋持久力］ 筋がある仕事をし続ける能力で，静的筋持久力と動的筋持久力がある．**静的筋持久力**は筋が仕事をし続けることができる時間（収縮時間）を指し，**動的筋持久力**は仕事を反復できる回数を指す．

［全身持久力］ 筋持久力に心肺機能の持久力も加味した運動持続能力をいう．

［筋疲労］ 筋持久力と対をなす概念であり，随意収縮の際の筋張力の低下をいい，筋収縮時間の低下あるいは反復回数の低下として表れる．筋疲労は**中枢性疲労**と**末梢性疲労**に分けられる．

［筋パワー］ 筋力と筋収縮速度の積であり，一定の重量物を速やかに移動できる能力をいう．例としては，垂直跳びやハンドボール投げがある．

［運動単位］ 骨格系が収縮するときの最小単位である．前角細胞から伸びる1本の α 運動ニューロンとそれに支配される筋線維群から構成される．

［筋萎縮］ 筋力が低下したときにみられる筋の量的な減少（筋容積の減少）をいう．

［ロコモティブシンドローム］ 運動器の障害のため移動機能が低下した状態をいう．

［サルコペニア］ 加齢に伴う骨格筋量の減少と筋力もしくは身体機能の低下を指す（➡139ページ）．

［フレイル］ 加齢に伴い筋力などさまざまな機能が低下し，心身の脆弱性が増加した状態をいう（➡138ページ）．

▶表 3　筋力低下をおこす要因

	疾患例	発生メカニズムなど
随意運動のプロセス		
一次運動野	脳血管疾患	運動指令の消失
上位運動ニューロン	脊髄損傷	情報伝達路の遮断
脊髄前角	筋萎縮性側索硬化症	前角の萎縮
下位運動ニューロン	ギランーバレー症候群	末梢神経の脱髄と炎症
神経筋接合部	重症筋無力症	自己抗体による神経筋伝達の障害
▼筋	筋ジストロフィー	筋の変性と壊死
その他		
関節	腫脹により反射性抑制が生じ，その結果筋活動が低下	
疼痛	痛みによる学習された不使用	
廃用	不使用による筋の萎縮	
加齢	老化に伴う筋の萎縮	
心因性	心因によって生じる筋力低下	

A 筋力・筋持久力低下の要因と原理

1 筋力低下をおこす原因

筋力・筋持久力の低下をおこす要因は，大きく神経・筋の障害に起因するものとそれ以外の要因に分けることができる(▶表 3)．また，臨床上経験するものには，安静臥床や固定による廃用性の筋力低下が多いが，これらは回復可能な筋力低下である．

2 筋力低下の原理と背景

筋力低下については多くの研究があるが，ここでは，加齢および安静臥床もしくは固定による影響についてまとめる．

a 加齢による影響

加齢による筋力への影響は，おおむね以下のように要約される．

- 筋力は 20〜30 歳代で最高となり，次第に低下し始める．
- 筋力の低下率は 60 歳代から高くなり，80 歳では 20 歳代の 1/2 以下となる．
- 上肢に比べて下肢の低下率が高い傾向がある．
- 遅い動作を行う**タイプ I の筋線維**よりも速い動作を行う**タイプ II の筋線維**の萎縮が大きい．したがって，高齢者は俊敏な動作能力は低下するが，歩行などの筋持久力は比較的保たれると考えられる．

b 安静・固定による影響

安静臥床やギプス固定による筋力への影響については，筋力や筋重量，筋断面積の観点から検討した研究が多い．それらの要点は以下のとおりである．

- 臥床や固定によって筋がまったく収縮しなければ，筋力は 1 日に 3% ほど低下する．
- 最大筋力の 20〜30% の収縮を行っていれば，筋力は少なくとも維持されるが，増強はされない．また，20% 以下の筋活動になると筋力は維持できなくなる．

Keyword

タイプ I およびタイプ II の筋線維　骨格筋はその色調によって赤筋と白筋に分けられる．赤筋をタイプ I の筋線維と呼び，筋収縮は遅いが持続力に富み，持続的緊張の維持，つまり姿勢の維持に適しているという特徴がある．白筋がタイプ II の筋線維であり，筋収縮が速く疲労しやすいが，短時間の強い収縮，つまり，すばやい運動に適するという特徴がある．タイプ I の筋線維は身体の深部の筋にあり，タイプ II の筋線維は表在の筋にあるとされる．しかし，人体の筋はタイプ I および II の筋線維に明確に分けられることなく両者を含み，その含有比率によってどちらかに分けられている．

B 評価・治療のための基礎知識

1 筋の収縮様式

a 等尺性筋収縮

等尺性筋収縮(isometric contraction)とは，関節を動かさず，つまり筋の長さを変えることなく行う筋収縮を指す．実際には，関節が動かなくても筋収縮に伴い，筋の長さは変化しており，一定ではない．

b 等張性筋収縮

等張性筋収縮(isotonic contraction)は，一般には関節運動中に筋張力が変化せずに収縮する状態を指す．筋力訓練では負荷量が一定である訓練を指すが，この場合，関節角度によって筋張力は変化しており，実際には等張性収縮ではない．

c 等速性筋収縮

等速性筋収縮(isokinetic contraction)は，等運動性筋収縮ともいい，一定の角速度で運動がおこる筋収縮を指す．この筋収縮は自然な日常生活のなかではみられず，専用の機器〔トルクマシーン(Cybex や KINCOM など)〕を必要とするが，全可動域にわたって常に最大筋力が発揮できるという特徴がある．

d 求心性筋収縮

求心性筋収縮(concentric contraction)とは，等張性もしくは等速性筋収縮において，筋の短縮がおこる状態を指す．この場合，筋の収縮方向と関節運動の方向は同じになる．座位や立位で重錘を持って肘を屈曲するときの上腕二頭筋の収縮がその例である．この場合の負荷量は，最大筋力と同等かそれよりも弱い．

e 遠心性筋収縮

遠心性筋収縮(eccentric contraction)は，同様に，筋収縮中に筋の伸張がおこる状態を指す．この場合，筋収縮の方向と関節運動の方向は逆になる．遠心性筋収縮がおきるときの負荷量は必ずしも最大筋力より強いわけではなく，最大筋力より弱くても，ゆっくりとコントロールした関節運動のときにはこの状態がみられる．たとえば，座位や立位で重錘を持ってゆっくり肘を伸展する場合，上腕二頭筋は収縮しながら，筋の長さは長くなる．

2 開放運動連鎖と閉鎖運動連鎖

開放運動連鎖(OKC)とは，運動系が開いている運動形態，つまり手掌や足底が壁や床に接触せずになされる運動をいう(➡ 100 ページ)．臨床でよく目にするのは，座位で膝関節を伸展する大腿四頭筋の筋力訓練である．これに対し，**閉鎖運動連鎖**(CKC)とは，運動系が閉じている運動形態，つまり手掌や足底が壁や床に接触した状態でなされる運動をいう(➡ 100 ページ)．立位での膝関節の屈伸がこれにあたる．

上肢のほとんどの運動は OKC であるが，立ち上がりや階段昇降など下肢の運動の多くは CKC である．歩行は OKC(遊脚相)と CKC(立脚相)の組み合わせで行われる．

3 筋力訓練の原則

a 過負荷の原則

筋力を増強するためには普段よりも強い負荷をかける必要がある．その負荷によって筋力が増強したら，さらに強い負荷をかけなければ，それ以上筋力は増強しない．筋持久力についても同様のことがいえる．

b 特異性の原則

筋力訓練の効果波及は，訓練に用いた筋収縮の様式や運動の種類・速度に左右される．つまり，等尺性筋収縮で増強した筋力は等張性筋収縮では発揮させられず，ある一定の角度で行われた訓練の効果はその角度付近でしか発揮されない．運動速度についても同様のことがいえる．

以上のことから，筋力訓練の効果が日常生活で生かされるには，いろいろな要素を組み合わせた多様なプログラムを実施しなければならない．

c 可逆性の原則

筋力訓練を中止すればその効果は消失していく．負荷量が小さいほど，そして実施期間が短いほど効果の消失が速い．

4 筋力・筋持久力訓練の構成要素と考慮点

筋力・筋持久力訓練を計画するには以下の要素を考慮しなければならない．

- 筋の収縮様式：等尺性・等張性・等速性，そして求心性か遠心性か．
- 負荷量：最大筋力の何％を負荷量とするか．
- 収縮時間：その筋収縮と負荷量で行う1回あたりの収縮時間．
- 運動の頻度：1セットあたりの運動回数，および1日そして1週あたりのセット数．

そのほかに考慮すべき要因として，以下のものがあげられる．

- 医学的状況（基礎疾患，合併症，栄養状態など）
- 筋力低下の原因（廃用性か，筋原性か，神経原性か）
- 年齢，性別
- 関節拘縮，変形，疼痛など
- 心理的要因（訓練意欲など）

これらの点を考慮したうえで，上記の構成要素を対象者に合わせて計画しなければならない．

5 筋力・筋持久力増強の機序

筋力が増強される機序は大きく2つに分けられる．1つは神経性要因によるものであり，もう1つは筋自体の変化によるものである．筋力訓練開始後数週～数か月以内の筋力増強は神経性要因によるものであり，筋自体の変化は遅れて認められる．

a 神経性要因による改善

筋収縮の強さは，その筋収縮活動に参加している運動単位の総数と，それらを支配する運動ニューロンのインパルス発射頻度によって調節される．これらの神経活動を神経性要因という．

発揮筋力が弱いところでは運動単位の参加数が優位であり，強いところではインパルス発射頻度により調節されると考えられている．訓練初期に認められる筋力増強は，これらの要因が活性化されるためと考えられる．高齢者では筋力増強の大部分が，この神経性要因の改善によると考えられている．

b 筋自体の変化

一般に，筋線維数は生下時に決まっていて生涯変化しないので，筋力の増強は筋線維の肥大によるものと考えられているが，筋線維数も増加するとの報告もあり，一致した見解は得られていない．いずれにしても筋力が増強すれば筋は肥大するが，それは訓練開始後，早くても3～5週後からである．したがって，周径（筋断面積）の変化も訓練開始後，一定期間を経過したのちに認められることになる．

負荷が弱いところではタイプⅡの筋線維が参加するため，筋持久力に関与するタイプⅠ線維を増強させるには，より強い運動負荷をかけ，筋収縮を行わせる必要がある．

筋力増強に要する期間については，その研究のほとんどが健常者を対象にしたものである．障害のある対象者や高齢者では種々の要因が影響するため，別に考える必要がある．一例として，前十字靱帯の手術例を長期にわたって追跡した研究では，1 年後の健側比で 80% であったことが報告されており[20]，筋力・筋持久力の回復には長期を要すると考えられる．

C 評価

筋力を測定する方法としては MMT が一般的であるが，そのほかに機器を使用する方法や四肢の周径を測定する方法などがある．

1 筋力測定における注意

筋力・筋持久力の測定および訓練では対象者の随意的な最大努力を必要とするため，意識が清明で理解力・集中力があり，動機づけがなされていることが前提となる．また，リスク管理や評価を効率的に行ったり，評価の信頼性を高めるために，事前に次のようなことを確認しておく．

- 疾患・外傷の特性・時期により，負荷をかけることが禁忌となっていないか．
- 全身状態やバイタルサインに問題がないか．
- ADL や上下肢の粗大な動きに筋力低下をうかがわせる点がないか．
- 痛みのある関節や動きがないか．
- 筋の大きさに萎縮や左右差がないか．
- ROM 制限や関節の動揺性がないか．

Keyword

筋力段階　MMT では筋力を 6 段階に分けている．筋力段階 3（F: fair；良）は，重力に抗して四肢を全可動域にわたって動かすことができる状態である．筋力段階 5（N: normal；正常）・4（G: good；優）は，重力に加えて抵抗に抗して動かすことができる状態で，抵抗量によって 5 か 4 に分けられる．筋力段階 2（P: poor；可）は，重力の影響を最小限にすれば全可動域にわたって動かすことができる状態である．筋力段階 1（T: trace；不可）は，関節運動をすることはできないが，触診や視診で筋収縮が確認できる状態である．筋力段階 0（0: zero；0）は，筋収縮も認められない状態である．

- 筋や腱は健全であるか．
- 感覚，特に深部感覚に障害がないか．

2 筋力の測定方法

a 徒手筋力検査

測定方法は成書[21]を参照し，定められた方法によって実施する．ここでは筋力訓練に関連した事項について述べる．

抵抗の加え方にブレイク法（break test；抑止テスト）とアクティブレジスタンス法（active resistance test；抗抵抗自動運動テスト）がある．

ブレイク法は，抗重力肢位で**筋力段階**3〔良（fair）〕の最終肢位が保持可能になったのちに抵抗をかける方法である．一般的にはこの方法が多く使用されている．これで測定されるものは等尺性筋収縮による筋力である．

これに対して，アクティブレジスタンス法は運動の開始肢位から最終肢位まで抵抗をかけ続ける方法であり，等張性筋収縮による筋力を測定していることになる．成書[21]では，この方法は熟練と経験を要し，信頼性に問題があるため，すすめていない．

特異性の原則によれば，筋力訓練に使用した方法によって効果が異なるので，等張性筋収縮による訓練前後の効果を評価するにはアクティブレジスタンス法が適しているといえる．しかし，等尺性筋収縮（ブレイク法）と他の筋収縮との間に高い相関が認められるため，等尺性筋収縮による筋力を測定すれば，おおよそ他の筋収縮様式の見当をつけることは可能である．

b RM 法

ある負荷量で全可動域にわたる最大随意運動を行える回数（repetition maximum; RM）を決める方法である．1 RM とは最大随意運動を 1 回しか行えない負荷量であり，10 RM とは 10 回繰り返すことができる負荷量である．

この方法は，少ない負荷量での反復回数から

1RM を測定し，その筋群が抗することのできる負荷量を数値で表すことができる．たとえば，10 kg の重錘を持って肘関節屈曲伸展運動を 10 回行えたが 11 回は行えなかったとする．10 回(10 RM)が 1 RM の 80% であると推定した場合，肘関節屈筋群の 1 RM は 12.5 kg となる．

c 機器による筋力測定

機器を使用した方法には握力計やピンチ力計，背筋力計，ハンドヘルドダイナモメータ(徒手筋力測定器)などがある．これらはいずれも等尺性筋収縮の筋力を測定している．

等速性運動機器(トルクマシーン)を使用すれば最大筋トルク値をはじめとする各種の指標を測定できる．MMT は簡便に行える検査であるが，測定値を数値化することはできない．これに対して，等速性運動機器は信頼性の高い測定値を得ることができるが，機器そのものが高価であるため臨床現場での利用は比較的少ない[22]．

d 周径の測定

四肢の周径は筋力を直接的に表すものではない．しかし，単位断面積あたりの絶対筋力は 4～8 kg/cm^2 であることが知られている．筋断面積が大きければ最大筋力も大きいとされているので，筋力を示す 1 つの指標として用いることができる．筋力訓練の効果を判定するものとして周径を継続的に測定するときは，**骨指標**を目印に，常に一定の部位を測定するようにしなければならない(例：上腕骨外側上顆より 5 cm の部位を上腕周径とする)．

周径測定では，筋そのものだけでなく皮下組織すべて(筋，骨，脂肪など)を測定しており，脂肪組織が厚かったり浮腫がある場合には，測定値に誤差を生じるので注意しなければならない．

3 筋持久力の評価

筋力がある一定以上(筋力段階でおおむね 3+以上)になれば筋持久力を評価することができる．

筋持久力は最大収縮を維持できる時間(静的持久力)と一定の動作の繰り返し回数(動的持久力)を測定する方法がある．

MMT は原則として等尺性筋収縮による最大筋力を測定しているが，足関節底屈(腓腹筋とヒラメ筋)の筋力段階 3 以上の検査ではつま先立ちの回数を基準としており，これは一種の動的筋持久力を評価していると考えられる．

4 高齢者の評価

高齢者の場合，全身体力が低下していたり，リスクをかかえていることが多いため，筋力・筋持久力の評価は注意しながら実施しなければならない．また，検査そのものが被検者の最大努力を必要とし，高齢者では検査方法を理解しにくかったり，検査に対する動機づけが乏しかったりすることなどにより，過小評価される可能性がある．

このようなことから，高齢者の評価にあたっては筋力・筋持久力そのものの要素的評価に加えて，ADL の観察を行い，ADL 遂行能力から筋力・筋持久力を推察したり，要素的能力と実際場面の能力との間に差がないかを検討する必要もある．

D 治療手技

1 筋力・筋持久力訓練を実施する前に

筋力・筋持久力訓練を実施する前にバイタルサインをチェックする．「リハビリテーションの中止基準」〔第 VII 章 2 の表 7(➡ 437 ページ)参照〕に準じ，

Keyword
骨指標　体表から触れることができる骨の部位．身体計測(ROM 測定や周径測定)で身体部位を特定する目印となる．

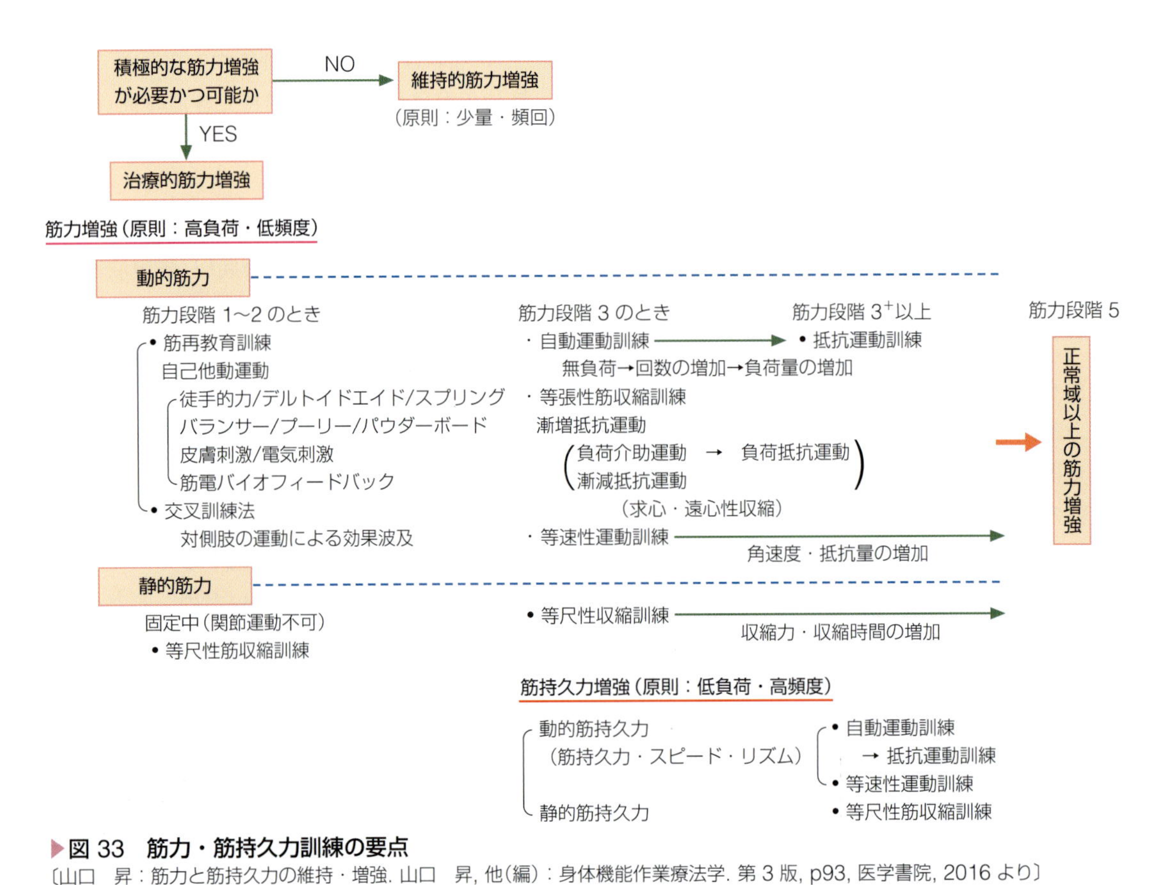

▶図 33　筋力・筋持久力訓練の要点
〔山口　昇：筋力と筋持久力の維持・増強．山口　昇，他（編）：身体機能作業療法学．第 3 版，p93，医学書院，2016 より〕

訓練を行わないほうがよい基準項目に該当したら安静にして様子観察するか，訓練を見合わせる．

また，次の状況がみられた場合は十分注意して実施するか，中止する．

- 心疾患後，運動療法の中止基準に該当する場合
  〔第 VII 章 1 の表 8（➡ 414 ページ）参照〕
- 神経筋疾患や関節疾患の急性期
- 疲労感や筋肉痛が残存している場合
- 強い骨萎縮がある場合
- 感覚障害，特に深部感覚の障害がある場合
- 重度の代謝性疾患（糖尿病など）がある場合

訓練中も血圧，心拍数，不整脈の出現，自覚症状（息切れや疲労感）などに注意しながら実施する．

2 筋力・筋持久力訓練の種類（▶図 33）[23]

a 維持的筋力増強

疾患・外傷の状態や時期によっては，積極的な筋力訓練を行うのではなく，現状の筋力の維持あるいはわずかな増強をはかり，筋持久力を高めて全身の調節機能を維持・改善することを目的としなければならない場合がある．このような観点の訓練を維持的筋力増強という[24]．

対象疾患としては，筋萎縮性側索硬化症，多発性筋炎，皮膚筋炎，多発性硬化症，進行性筋ジストロフィーなどのほかに末期がんの対象者，重度の呼吸不全，超高齢者などが考えられる．

これらの対象者に対しては，バイタルサインや疲労度に十分注意し，過負荷とならないよう 1 回の訓練内容を少なくし，頻回に行うなどの工夫を

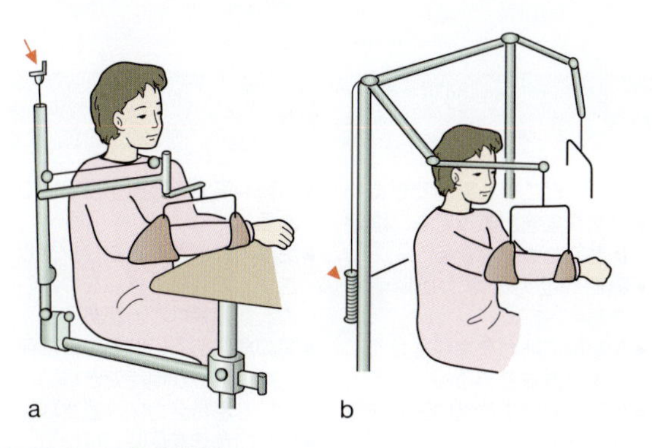

▶図 34 介助器具
ポータブルスプリングバランサー(a)は装置内部のバネ(↓)によって，デルトイドエイド(ヘルプアーム)(b)は重り(▼)によって介助量を調整する．
〔山口 昇：筋力と筋持久力の維持・増強．山口 昇，他(編)：身体機能作業療法学．第 3 版，p93，医学書院，2016 より改変〕

する必要がある．

上記に対して，積極的に行われる最も一般的な筋力訓練を「治療的筋力増強」といい，スポーツ選手の現役復帰を目的とするような高い能力の回復を目指す場合の訓練を「正常域以上の筋力増強」とする考え方がある[24]．

b 筋再教育訓練

筋力段階 1～2 (不可～可；trace～poor)のときや疼痛などがあって関節運動を行えないときは，不使用による廃用性萎縮を防ぎ，筋収縮を促すため，等尺性筋収縮もしくは自己他動運動による訓練を行う．この段階では積極的な筋力訓練というよりも筋再教育の意味合いが強い．

介助は治療者の徒手的力のほかに，デルトイドエイドやスプリングバランサー(▶図 34)[23]，プーリー，パウダーボードなどを使い，上肢の重さを軽減する．筋再教育では次のような点に注意する．

- 各関節の運動を正しく，すべての方向に行わせる．
- 種々の筋収縮の方法を習得させる．
- 拮抗筋の過剰な収縮を防ぎ，主動筋と拮抗筋の協調性を習得させる．
- 代償運動を防止する．
- 筋力の改善に合わせて介助量を調節する．

筋収縮を促し，意識させる方法として皮膚をこするなどの刺激を与えたり，電気刺激を与える，筋電バイオフィードバックを与える方法があるが，実施する前にその使用方法を熟知しておかなければならない．

c 交叉訓練法

一側肢に筋力訓練を行うと対側肢にも筋力増強がみられることがある．これは遠心性のインパルスが対側肢に波及した結果であると推察されている．この現象を利用した訓練は，交叉訓練法と呼ばれる．この効果は運動時間よりも運動強度に影響され，さらに等尺性筋収縮よりも等張性筋収縮で大きいとされている．この方法は一側上肢に筋萎縮がみられ，対象者が筋収縮の方法を体得できないときに有効であると考えられる．

d 無負荷の自動運動訓練

筋力段階 3 に達したら筋力および筋持久力を増強するために，抵抗を負荷しない自動運動による筋力訓練を行う．

この場合，次のような点に注意する．

- 適切な肢位をとらせ，目的筋の**抗重力運動**を行わせる．
- 最終肢位での保持を徹底する．
- 疲労を目安に運動回数を徐々に増やす．

筋力段階 3^+ になれば抵抗運動に移行するが，ある程度の筋持久力が得られてからにする．下肢伸展挙上(straight leg raising; SLR)を例にとると，1 セット 80 回程度を続けて楽に行えるようになってから抵抗運動に移行する．

Keyword
抗重力運動　四肢を重力に抗する方向，つまり床面に対して垂直方向に動かす運動をいう．この場合，四肢の重みそのものが負荷となる．

▶表 4　筋力訓練のまとめ

筋の収縮様式	方法		利点	欠点
	負荷量	頻度		
等尺性収縮	●最大収縮力の少なくとも 30% 以上．一般には 2/3 以上 ●収縮力が大きく，収縮時間が長ければ，短期間で筋力増強が期待できる ●20% 以下では筋力増強は期待できない	●1 日に最低 1 回．一般には 2～3 分の休憩を入れながら，5～10 回の収縮を 1 セットとして，1 日に 1～2 セット ●週 5～6 回 ●2 週に 1 回では筋力は増強しない	●いつ・どこでも実施できる ●炎症や疼痛があっても，固定状態でも実施できる ●瞬間的筋力の増大が期待できる ●短期間に筋力を増強させるにはよい方法である ●等張性収縮より高い張力を発揮できる	●負荷や筋力の定量化が困難である ●関節の動きをモニタリングできず，筋収縮の感じをつかむことが困難なことがある ●関節角度あるいは筋長に依存した効果しか期待できない ●動的な筋持久力には適さない ●日常の動作を反映しない ●血圧上昇あるいは不整脈出現の可能性がある ●訓練が単純で興味を失いやすい
等張性収縮	●漸増抵抗運動 ・筋力が強い場合：負荷抵抗運動 ・筋力・筋持久力が弱い場合：負荷介助運動 ●漸減抵抗運動	●30 反復を 1 セットとして，1 日 1 セット ●週 4～5 回	●運動が行いやすい ●負荷量や筋力の定量化が可能である	●最大負荷量の決定が困難である ●筋力の変化によって随時負荷量を変える必要がある ●関節角度によって筋張力が変化し，全可動域にわたって最適な負荷を与えられない
等速性収縮	●一般には，低速，中速，高速の角速度を組み合わせて行う	●等張性収縮訓練に準じる	●筋力の定量化が容易である ●結果の記録をフィードバックに使える ●全角度で最大張力を発揮できる ●自らの筋力が抵抗になるので安全である ●訓練後の疼痛が少ない ●パソコンによりデータの二次処理が可能である	●機器が高価である ●機器設定が煩雑である ●筋張力の発揮は精神的努力に依存する ●生活場面では等速性収縮はみられない ●一部の筋は訓練困難である ●血圧上昇がみられることがある

〔山口　昇：筋力と筋持久力の維持・増強．山口　昇，他(編)：身体機能作業療法学．第 3 版，p95，医学書院，2016 より〕

e 筋収縮による筋力訓練

積極的な筋力増強をはかるには，等尺性筋収縮や等張性筋収縮，等速性筋収縮による訓練を実施する．各訓練の方法，利点，欠点を**表 4**[23] にまとめて示した．

(1) 等尺性筋収縮

等尺性筋収縮による筋力訓練は，ヘッティンガー(Hettinger)とミューラー(Müller)による方法に基づいており，炎症や疼痛があっても，また関節固定中でも実施できるという利点がある．

最大筋力の少なくとも 30% 以上，一般には 2/3 以上の筋収縮を 5～6 秒間程度維持する．これを 5～10 回を 1 セットとして，1 日に 1～2 セット，週に 5～6 日行う．

呼吸を止めて筋収縮を行うと胸腔内圧の上昇により血圧上昇や不整脈出現の可能性があるため，呼気相で収縮させるようにする．また，長時間の等尺性筋収縮は筋への血流を減少させ，無酸素性筋収縮を強いることになり，これも循環器疾患のある対象者にはリスクとなるので，筋収縮時間は 5～6 秒程度にとどめておく．

(2) 等張性筋収縮

等張性筋収縮による筋力訓練は，一般にデローム(DeLorme)らによる漸増抵抗運動法(progressive resistive exercise; PRE)に基づいて行われる．

PRE では最初に 10 RM(➡ 92 ページ)を決め，こ

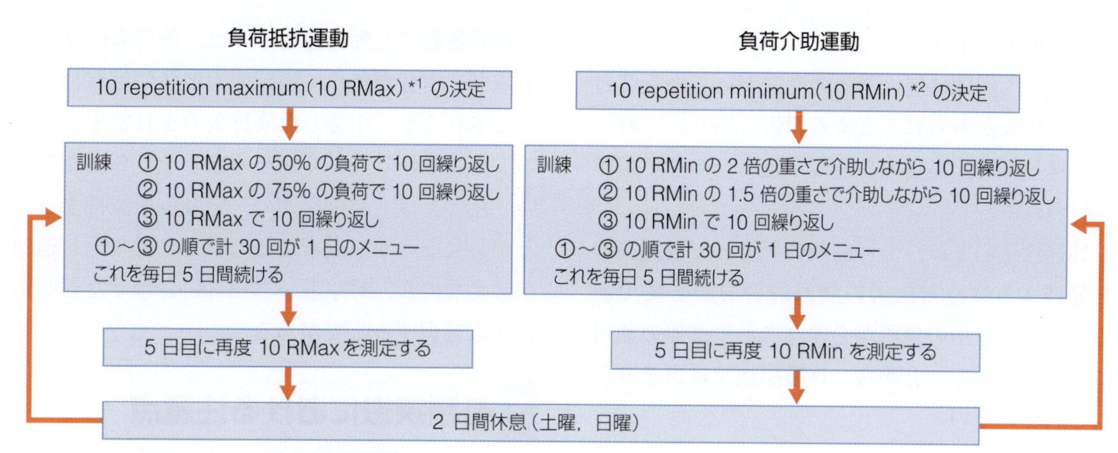

▶**図 35　デロームらの等張性収縮訓練**

*1（その負荷の重さに抗して 10 回の関節運動が反復できる負荷の大きさのこと．負荷抵抗運動は，基本的には徒手筋力検査で 3 以上の筋力を有する筋に対して行う．自らの四肢の重さに，さらに抵抗負荷をかけて訓練を行う．

*2（その負荷の重さに介助されて）10 回の関節運動が反復できる負荷の大きさのこと．筋力が 3 に満たない場合，四肢の重さそのものを減らす意味で用いる．筋力が増強されるにつれて，10 RMin は小さくなる．

〔豊倉　穣：筋力増強訓練とその最近の知見. *J Clin Rehabil* 6:339–347, 1997 より〕

れをもとに負荷量を調節する．10RM は 1 週間ごとに見直す．PRE では 10RM の決定が鍵となるが，これは特に訓練初期では困難なことが多い．この場合，一定の負荷を用いて試行錯誤的に増減しながら負荷量を決めていく．

筋力段階 3 以上ならば，負荷を外的に増やす load-resisting exercise（負荷抵抗運動）を行う．筋力段階 3 に達していなければ，四肢の重さそのものを負荷とし，四肢の介助量を調節しながら，load-assisting exercise（負荷介助運動）を行う（▶**図 35**）[25]．また，筋力・筋持久力が低下している場合は，負荷量を 100% から 75%，50% と減らしていく漸減抵抗運動（Oxford 法）が有効であることもある．

等張性筋収縮を行う場合，遠心性筋収縮と求心性筋収縮が利用可能である．この 2 つについては，以下のような比較がなされている．

- 筋に生じる張力は，一般に遠心性筋収縮が最も大きく，次いで等尺性筋収縮，求心性筋収縮の順となる．
- 遠心性筋収縮の場合は速度が速いほど，求心性収縮の場合は速度が遅いほど，大きな力が生じる．
- 遠心性筋収縮は，より少ない酸素消費量でより大きい筋トルクを出すことができ，心肺疾患，筋疾患の対象者にも適している．
- 健常者を対象として遠心性筋収縮訓練の効果が大きいという報告が多いが，一致した見解はみられていない．

このように遠心性筋収縮の効果は大きいと思われるが，筋線維あたりの負荷が大きくなり，筋が伸張されることによる損傷や痛みをおこす危険性が大きいため，特に筋力が低下しているときは十分注意して用いる必要がある．

(3)　等速性筋収縮

等速性筋収縮による筋力訓練は，専用の機器を用いて関節を一定の角速度で動かしながら行う訓練である．これは，等尺性および等張性筋収縮の短所を補うために考案された方法である．

等速性筋収縮による運動には，次のような特性があるとされている．

- 遅い速度での負荷の大きい訓練は，遅い速度においてのみ筋力を増大する．
- 速い速度で負荷の小さい訓練は，すべての収縮速度で筋力を増大する．
- 後者は前者に比して，速い速度において筋持久力の増大を示す．

しかし，訓練に用いた角速度においてのみ筋力増強の効果がみられるとする報告もあり，一般には低速，中速，高速の角速度を組み合わせて訓練が行われる．

等速性運動では，全可動域にわたって最大筋力を発揮するよう対象者の随意的努力が必要である．また，専用の機器が必要なことや機器の使用に熟練が必要なことから，作業療法ではあまり使用されていない．

f 筋持久力訓練

筋持久力の向上が望める段階，少なくとも筋力段階 3^{+} 以上になれば筋持久力訓練を考慮する．一般に，負荷を少なくし，繰り返し回数を多くした運動は筋持久力を増強させ，負荷を強くし，反復回数を少なくした運動は筋力増強に効果がある．また，**動的筋力**と動的持久力，および**静的筋力**と静的筋持久力との間には関連があるとされている．

これらのことから，筋持久力を増強させるには各筋収縮の様式で，負荷を少なくし，反復回数を多くする必要がある．筋持久力向上のための負荷量や頻度については，次のようにまとめられる．

- 負荷量は最大筋力の 20～30%，多くても 50%，RM でいえば 12～20 RM
- 1 セット 20 回を目安に疲労しきるまで
- 1 日に 3～5 セット
- 1 週に 5～6 回

負荷量や回数のほかに，運動のスピードやリズムも考慮し，徐々に運動のペースを高めるよう段階づけていく必要がある．

静的運動と**動的運動**では，後者のほうがエネルギー消費が多く，筋持久力増強には有利であるとされるが，増強した筋持久力を日常生活でどのように生かしていくかを考慮しなければならない．たとえば，立位などの一定肢位を維持することが必要なのか，食事などのように繰り返し運動が必要なのか，対象者のニーズに合わせた筋収縮様式を選択する必要がある．

3 各種疾患における注意点

運動器疾患や神経筋疾患では，軽症例で病状が安定していれば筋力増強訓練の対象となるが，重症例や疾病の活動期には，過負荷によって筋力低下や過用による筋の破壊がおこることがある．このような場合，積極的な筋力訓練というよりも，1 回の負荷量を少なくして頻回に行う維持的筋力増強訓練や ADL を介しての筋力維持が適している．

訓練内容は筋力低下をおこす要因(▶表 3)によっても異なる．筋収縮を制御する CNS の障害なのか，筋そのものの障害なのか，それともギプス固定による筋の萎縮なのかなど，原因疾患と筋力低下の関係を理解したうえで実施する必要がある．以下に代表的な疾患における筋力増強訓練の注意点について説明する．

a 脳血管疾患

脳血管疾患(➡ 176 ページ)では，中枢性麻痺の影響を考慮しながら訓練を実施する．過度な努力を必要とする運動は痙縮や共同運動など上位運動ニューロン陽性徴候を助長するため，最大筋力の向上を目的にした筋力訓練よりは筋持久力訓練を主体とした内容が望ましい．

また，過緊張は個々の筋の選択的分離運動を難しくする．動作を行う前に力を抜き，リラクセーションをはかったうえで，必要最小限の力で動作や物品操作を行うよう指導する．筋は感覚受容器でもある．筋収縮の強さが動作や物品操作によっ

Keyword

動的筋力と静的筋力，動的運動と静的運動　関節運動を伴わない筋収縮，つまり等尺性筋収縮による運動を静的運動といい，これに要する筋力を静的筋力という．これに対し，関節運動を伴う筋収縮(等尺性筋収縮以外の収縮様式)による運動を動的運動といい，これに要する筋力を動的筋力という．

てどのように変化していくのかに注意を向けさせることも過緊張の軽減につながる．

b パーキンソン病

パーキンソン病(➡ 380 ページ)とは，運動の微調整を行い，滑らかな運動を可能にする錐体外路が障害される疾患である．筋力訓練が姿勢反射障害や固縮の軽減につながるような工夫をするとよい．たとえば，パーキンソン体操には「うつぶせで上体を起こす」，「壁を背にして立ち，背中を壁につける」などの動作が含まれることが多いが，これは抗重力筋活動の活性化を通して前傾姿勢の改善をはかるものである．

固縮は筋緊張が亢進し，筋の収縮と弛緩のバランスがくずれた状態をいう．これにより主動作筋と拮抗筋が同時収縮の状態になり，歯磨きのような反復拮抗運動を主とする動作が困難になる．握ったものをすばやく離すなど，筋力訓練に筋協調性の要素を取り入れる．

c 筋ジストロフィー

筋ジストロフィーは骨格筋の変性・壊死を主病変とする疾患である．注意すべき点は筋力低下が過用性なのか，廃用性なのかを判断することである．CK 値の上昇と筋痛があれば骨格筋の過用を疑い，負荷量を減らすが，実際は過用と廃用が混在するといわれる[26]．

訓練は低負荷・高頻度の筋持久力訓練を主体に実施する．筋収縮の様式としては求心性の等張性収縮が望ましい．前述のように，遠心性収縮は筋が伸張されることによる損傷の危険性が大きいためである．重錘を用いた肘関節屈曲伸展運動であれば，屈曲運動時のみ重錘を持ち，伸展時は無負荷にするなどの工夫を取り入れる．

4 筋力・筋持久力訓練指導上の注意点

筋力・筋持久力は対象者の随意的努力を必要とする．また，単調な運動の繰り返しになることが多いため，対象者の理解を深め，動機づけを高めて“飽き”をまねかないよう工夫する必要がある．

そのための注意点として，次のような点があげられる．

a 意識・目的の説明

対象者に訓練の意義・目的を説明する．これには，現在の状態(ADL の困難さ)と原因(筋力低下)との関連や，筋力低下が進行することによって予想される障害の説明が含まれる．

そして，筋力訓練を行うことによって可能になると予想される具体的な活動(目標)も合わせて提示する．

b 具体的方法の提示

個々の訓練方法〔筋収縮や運動方法(負荷量，収縮時間，頻度，運動肢位，運動方向，回数，注意点)〕を，具体的に図示するなどして説明する．また，正しい運動が行えているかどうかを確認できる方法(対側肢での運動や筋の触知など)を指導する．そして，予測される訓練期間を提示する．

訓練に伴う問題，たとえば，苦痛や疲労感，筋肉痛(遅発性筋痛)についても説明する．

c 効果の提示

定期的な評価を行い，訓練効果を提示する．目標となる数値(kg や単位時間あたりの反復回数，動作に要する時間など)や主観的な疲労度を点数化し，グラフ化するなどして視覚的に改善がわかるよう工夫する．

d 心理的側面の考慮

筋力訓練が継続されるよう心理的側面にも配慮する必要がある．訓練効果が他者(家族，介護者，治療者)から認められ，賞賛や励ましが得られるよう，実際の活動で介助量の軽減を介護者に体得してもらう，可能になった動作を行ってもらうなどの場面設定をするのも 1 つの方法である．

E 作業療法との関連

作業療法を実施するうえで，筋力・筋持久力の改善が期待できるところでは積極的な訓練を行う必要がある．しかし，作業療法の最終的目標は目的動作や生活動作の改善であり，実際の生活動作を念頭においてアプローチしなければならない．

目的動作には，筋収縮→運動→動作→行為という階層性がある．上肢の例を考えると，上腕の屈筋収縮→肘の屈曲→口元へのリーチ→食事という階層性が考えられる．筋力増強によってADLを自立させていくという働きかけは，この階層を順に追うものである．一方，具体的な行為(ADL)を介して筋力増強をはかる方法は逆の視点に立つものである．この階層性のどちらからアプローチするかは種々の要因を検討して決める必要がある．

筋力が非常に弱く，回復までにかなりの期間を要すると考えられる場合，要素的な筋力訓練とともに目的動作への働きかけも同時に行う必要がある．たとえば，筋力段階3以下の場合，デルトイドエイドや万能カフなどの補助具を使用して食事動作を可能にし，同時並行的に筋力・筋持久力訓練を行うことも考えられる．

ADLを介して筋力・筋持久力の増強をはかる，つまり上述の階層性を逆に進める方法も考えられるが，必ずしもこの方法がよいとはいえない場合がある．食事を例にとると，食事には栄養摂取とともに"楽しみ"としての側面もある．筋力・筋持久力が十分でなく食事動作を繰り返すことが苦痛であり，疲労しきってしまうような場合，楽しみの側面が損なわれ，その行為そのものを拒否することにもつながりかねない．同様に，病室から食堂への歩行も，歩くだけで疲労し，食事することができなければ，食事という本来の目的を達成することはできない．ADLを介して筋力・筋持久力の増強をはかるためには，ある程度の余力が必要であるかもしれない．

ADLでは必ずしも最大筋力を必要とせず，歩行や走行でも発揮筋力の20%程度で行われている[27]．つまり，必ずしも年齢相応の最大筋力の獲得を目標とする必要はなく，生活レベルとの関連で目標を設定すべきであろう．

たとえば，大腿四頭筋の筋力増強には，単関節の運動として行うOKCと，立位で膝の屈伸を介して行うCKCがある(➡90ページ)．OKCは量的トレーニング，つまり目標とする筋群の随意的な最大収縮を行う訓練である．これに対してCKCは質的トレーニング，つまり身体バランスを保ちながら下肢各関節を同時に屈伸させる協調運動である．CKCは生活場面を想定した総仕上げの感があり，パフォーマンスの観点から理にかなった方法であると考えられるが，これもある程度の余力が必要であるかもしれない．

つまり，ADLは筋力のみによるものではなく，ROMや感覚機能，協調性，平衡機能などの総合的な能力で遂行されており，いわゆる筋パワーやパフォーマンスからの観点も必要である．

このように，筋力・筋持久力の状態だけでなく，回復に要すると考えられる期間，体力，その他の身体条件，対象者自身のニーズや価値観，必要性など種々の要因を総合してアプローチの方向性を決める必要があろう．

5 筋緊張異常とその治療

脳血管疾患に伴う筋緊張異常，特に痙縮や固縮と呼ばれる筋緊張が亢進した状態は自由な運動を妨げる．そして，代償動作による過度の努力がさらに筋緊張を亢進させることがあり，慢性化すると，関節拘縮や変形，時には痛みを引き起こし，ADL の遂行を困難にする．

筋緊張を正常化し，これらの連鎖を断ち切ることは運動機能回復だけでなく，副次的な障害を防ぐうえでも重要である．

本項では，主に脳血管疾患に伴う筋緊張異常とその治療について述べる．

■用語[28–32)]

［筋緊張］ 神経支配を有する筋は安静状態でも持続的に収縮しており，この安静時の筋の緊張状態(tension)を筋緊張(muscle tone)または筋トーヌスという．

正常な筋緊張は姿勢保持や運動の準備段階として役立っている．姿勢保持のためには抗重力活動が必要であり，筋緊張は十分高くなければならない．また，滑らかな運動を行うには，筋緊張は運動を妨げない程度の低さでなければならない．

このような単一筋(群)の筋緊張だけでなく，全身的観点からの筋緊張の分布状態を姿勢筋緊張(postural tone；姿勢トーン)ということもある．

［筋緊張異常］ 筋緊張の異常には，低下と亢進がある(▶図 36)．筋緊張が低下した状態を筋緊張低下(hypotone)もしくは弛緩(flaccid)，低緊張(low tone)という．

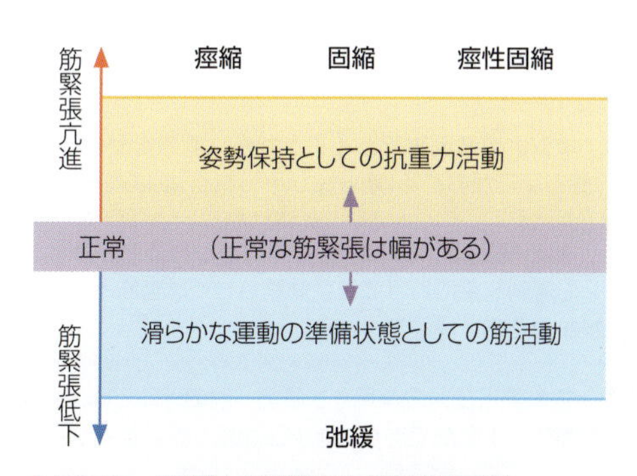

▶図 36　正常な筋緊張と筋緊張異常

亢進した状態は筋緊張亢進(hypertone)といい，代表的なものに①痙縮(spasticity)，②固縮(rigidity)，両者の混合した③痙性固縮(rigidospasticity)の状態がある(または用語の邦訳の違いから，それぞれ①痙性，②強剛，③痙固縮・強剛痙性・固痙縮ともいわれる)．

このほかに，**除脳硬直**，**除皮質硬直**，**パラトニー**(脱力困難)などの状態がある．

A 評価・治療のための基礎知識[28–35)]

1 筋緊張に関する神経生理学の基礎

(1) 筋紡錘(muscle spindle)

筋紡錘は骨格筋(**錘外筋**，α 運動神経支配)と並列に付着している．筋紡錘は筋の感覚受容器の1つであり，筋の伸張状態を中枢に伝える．感覚を伝える求心性線維としては，筋がすばやく伸張

Keyword

除脳硬直　脳幹部，特に中脳の障害でおこる四肢の一定筋群の緊張が異常に高まる状態．上肢は，伸展・内転・内旋，下肢は，股関節内転・膝伸展・足関節底屈の特徴的姿勢をとる．

除皮質硬直　大脳半球の広範な障害によりみられるもので，四肢の筋緊張が高まって特有の姿勢をとる状態．上肢は肩が内転し，肘・手・手指関節は屈曲，下肢は伸展・内転する．

パラトニー　注意が向いていないときには他動的に動かしても筋の抵抗が感じられないが，力を抜くように指示(つまり，注意が向く状態)して関節を他動的に動かすと無意識に力が入る現象．また，関節を他動的にすばやく動かすと抵抗は増加し，ゆっくり動かすと抵抗は少ない．

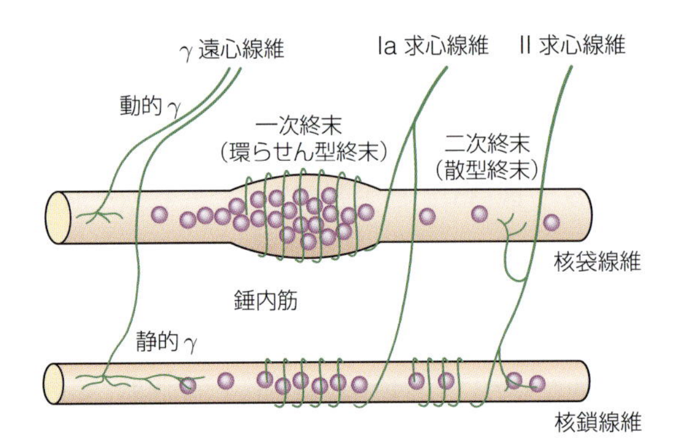

▶**図 37　筋紡錘の伸張受容器**
〔岡島康友：痙縮への対応. *J Clin Rehabil* 9:693–699, 2000 より〕

されたことを中枢に伝える Ia 線維と，筋が持続的に伸張されていることを伝える II 線維とがある．

筋紡錘の中にある**錘内筋**🔑は γ 運動神経の支配を受けている．γ 運動神経には動的 γ と静的 γ があり，前者は筋の伸張される速度，後者は筋の長さの変化に対して反応する(▶**図 37**)[29]．

筋が収縮すれば筋紡錘はたるむため，筋収縮状態に合わせて筋紡錘の長さを調節し，感受性を調整する必要がある．錘内筋がこの役割を果たしている．このような骨格筋と錘内筋の関係の調整は上位中枢からの運動指令によってなされ，これを α–γ 連関という．

α 運動神経には末梢からの求心性入力と上位中枢からの入力がある．上位中枢からの入力の一部は γ 運動神経–筋紡錘–求心性神経の回路を経て α 運動神経の興奮性を高める．この γ 運動神経と求心性神経からなる回路を γ 環(γ ループ)という．

(2)　腱紡錘(tendon spindle)

これも筋の伸張受容器の 1 つである．ゴルジ腱器官(Golgi tendon organ)ともいう．筋紡錘が骨格筋と並列にあるのに対して，腱紡錘は直列の関係にある．したがって，筋が他動的に伸張されたときばかりでなく自身の筋が収縮したときもインパルスを発射し，中枢に情報を伝える．感覚神経は Ib 線維である．

(3)　伸張反射(stretch reflex)

筋がすばやく伸張されたときに，その伸張された筋が収縮する反射(相動性伸張反射)である．**単シナプス反射**🔑であり，筋紡錘の Ia 神経線維からのインパルスが脊髄に伝えられ，α 運動神経を興奮させて筋収縮がおこる(▶**図 38**)[33]．**腱反射**🔑とは，この伸張反射をみる検査である．

(4)　自己抑制(autogenetic inhibition)

筋が強く伸張されたとき(他動的でも，その筋自身の収縮によっても)，腱紡錘が興奮し，腱紡錘の Ib 線維が脊髄内で多シナプス性にその伸張された筋を抑制するように働く．この抑制を自己抑制もしくは Ib 抑制という．これは強い伸張や筋収縮による筋線維の断裂を防ぐ意味がある．

(5)　相反神経支配(reciprocal innervation)

主動筋🔑が収縮(興奮)するときに**拮抗筋**🔑は弛緩(抑制)する．このような関係を相反神経支配という．正常な状態での相反神経支配は主動筋の収縮と拮抗筋の弛緩が 10：0 のような極端な状態ではなく，相対的な収縮・弛緩状態であり，これにより滑らかな運動がなされる．

Keyword

錘外筋と錘内筋　錘外筋とはいわゆる骨格筋のことである．これに対し，筋の感覚受容器である筋紡錘の中にあり，筋紡錘の感受性を調整している筋を錘内筋という．

単シナプス反射　受容器から出る神経線維と効果器(筋)に向かう神経線維とでシナプス(神経結合)をつくる形態の反射．受容器と効果器は 1 対 1 の対応がある．腱反射はこの形態の反射の 1 つである．

腱反射　深部腱反射ともいわれる．腱を叩くことによっておこる反射．単シナプス反射であることから，刺激を受ける(叩打される)腱と反応がおこる(筋収縮がみられる)筋は同一である．

主動筋　ある関節の 1 つの運動方向にかかわる筋が多数ある場合，その運動を主に行う筋を主動筋もしくは動筋といい，補助的にかかわる筋を補助筋という．

拮抗筋　主動筋と反対の作用をする筋．肘の屈曲では，上腕二頭筋や上腕筋が主動筋であり，上腕三頭筋が拮抗筋となる．

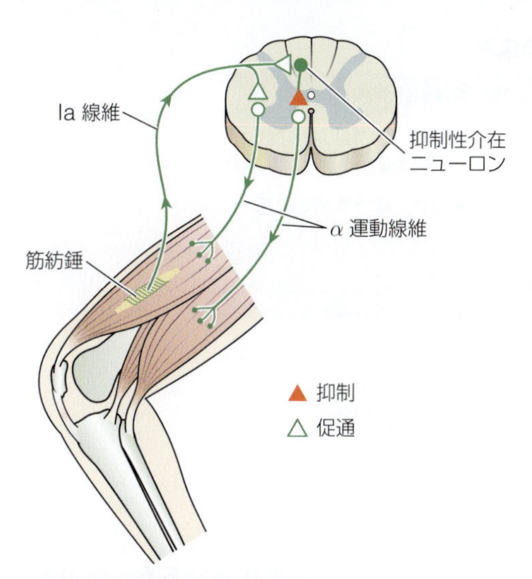

▶図 38　腱反射(相反支配)

膝蓋腱をハンマーで叩くと，筋紡錘からのインパルスはIa 線維を上行して脊髄内で単シナプス性に α 運動線維に伝わり伸筋を興奮させ，同時に屈筋には抑制性介在ニューロンを介して抑制に働き，膝が伸展する.

〔鴨下　博：痙縮の新しい理解. *J Clin Rehabil* 11:893–899, 2002 より〕

(6)　解放現象(release phenomenon)

CNS の上位中枢は下位中枢に対して促通と抑制の機能を有するが，上位中枢の障害により抑制系の機能が除かれ，下位中枢の機能が強く出現する現象である．脳血管疾患でみられる伸張反射の亢進も γ 系の亢進状態(解放現象)であると考えられていた．

(7)　折りたたみナイフ現象
(clasp knife phenomenon)

筋を他動的にすばやく伸張すると最初は抵抗が感じられるが，さらに伸張を加えると抵抗が消失する現象を，折りたたみナイフ(ジャックナイフ)現象もしくは伸び反応という．γ 系の亢進による伸張反射の亢進に自己抑制が組み合わさった現象であると考えられる．

(8)　クローヌス(clonus；**間代**(かんだい))

筋を急速に伸張し，その肢位を保持するとその筋がリズミカルに収縮と弛緩を繰り返す現象である．膝蓋骨を下方に押したときに大腿四頭筋にみられる膝クローヌスや，足関節を背屈させたときの下腿筋にみられる足クローヌスが知られている．γ 系の亢進による伸張反射の繰り返しであると考えられる．

(9)　鉛管様抵抗(lead pipe phenomenon)

他動運動において全可動域にわたって同じ程度の強さで，鉛管を曲げるような抵抗を示す現象をいう．これは一般に γ 系の機能亢進によるⅡ線維を介した緊張性伸張反射の亢進状態であると考えられる．

(10)　歯車現象(cog wheel phenomenon)

他動運動において運動のはじめから終わりまでガクガクとした律動的な抵抗が感じられる現象をいう．これは，鉛管様抵抗と振戦が組み合わさったものと考えられる．

(11)　錐体路障害と錐体外路障害

錐体路系は大脳運動野から延髄の錐体を通り下降する皮質脊髄路を含む系であり，錐体外路系はそれ以外の大脳基底核を中心とした運動に関する神経路である．

実際の運動では，これらの 2 系が独立して働くことはなく，障害も明確に分けられないが，従来より便宜的に錐体路障害と錐体外路障害に分けられており，痙縮は錐体路障害に，固縮は錐体外路障害に分類されている(▶**表 5**)[36]．

(12)　陰性徴候と陽性徴候

上位運動ニューロンの病変によって，正常ではみられない徴候が出現する．これらを陽性徴候という．また，それまでの正常な運動が障害されることを陰性徴候という(▶**表 6**)．痙縮や固縮は，陽性徴候の 1 つである．

Keyword

錐体外路障害　大脳皮質から脊髄に向かって下向する運動系路のうち，延髄錐体を通る経路を錐体路というのに対し，それ以外の経路を錐体外路という．大脳皮質から基底核，網様体，前庭神経核などを通過する多様な経路がある．錐体外路は運動の微調整を行い，滑らかな運動を可能にしている．これらの経路が障害された場合の症状を錐体外路障害もしくは錐体外路徴候といい，不随意運動(➡ 113 ページ)や筋固縮などが出現する．

▶表 5　錐体路障害と錐体外路障害の鑑別

		錐体路障害	錐体外路障害
筋トーヌス亢進	特徴	●痙性 ●折りたたみナイフ現象	●固縮 ●鉛管現象
	分布	●上肢では屈筋 ●下肢では伸筋	●四肢，体幹すべての筋
不随意運動		(－)	(＋)
腱反射		亢進	正常または軽度亢進
バビンスキー徴候		(＋)	(－)
運動麻痺		(＋)	(－)または軽度(＋)

〔田崎義昭，他：ベッドサイドの神経の診かた．改訂 18 版，p181，南山堂，2016 より改変〕

▶表 6　上位運動ニューロン病変における陽性徴候と陰性徴候

陽性徴候	陰性徴候
●痙縮(筋緊張の亢進) 腱反射の亢進 折りたたみナイフ現象 クローヌス ●脊髄自動反射の出現 共同運動 連合反応 病的同時収縮 ●病的反射の出現 バビンスキー反射など	●巧緻動作の障害 ●筋力低下 筋出力の低下 スピードの低下 ●個々の筋の選択的分離運動の障害

2 痙縮

痙縮は感覚運動系の障害であり，一般には腱反射の亢進，クローヌス，折りたたみナイフ現象などを伴う筋緊張の亢進状態であるとされる．これらの現象の背景にあるのは，速さに依存した相動性伸張反射，つまり筋をすばやく伸張したときの筋反射の亢進状態が考えられる．この反射亢進は，上肢では屈筋に，下肢では伸筋に強く認められる．

3 固縮

固縮は筋の伸張速度には関係なく，他動運動のはじめから終わりまで，筋の長さが変化するときに抵抗感を示す状態をいう．これは長さに依存した緊張性伸張反射の亢進状態である．筋が伸張され，緊張が一定に保たれている間，持続的に筋放電が認められる．抵抗は鉛管様抵抗，もしくは歯車現象が認められる．固縮は屈筋・伸筋で大きな差はない．また，一般に固縮では腱反射は亢進しないか，わずかに亢進するだけである．

4 痙性固縮

痙性固縮は，他動的伸張の初期に強い抵抗を示し，その後，筋伸張を続けている間，全可動域にわたって弱い抵抗が感じられるものをいう．

5 筋の粘弾性

弾性とは物体が外力に応じて変形し，外力がなくなればもとの形に戻る性質をいう．粘性とは液体の粘りの性質をいう．筋は筋線維自体と筋膜(コラーゲン線維)による粘弾性を有している(▶図 39)．ギプス固定や運動麻痺による不動に伴い，拘縮や筋の線維化，萎縮などの器質的変化がおこることで筋の粘弾性が変化し，筋の柔軟性が低下して伸張に対する抵抗性が増加する．そして，筋紡錘に加わる力の伝達性や伸張度を増大させ，筋緊張を高める一因となる[37]．筋緊張に影響する要因である筋の粘弾性を非神経性要因ともいう．

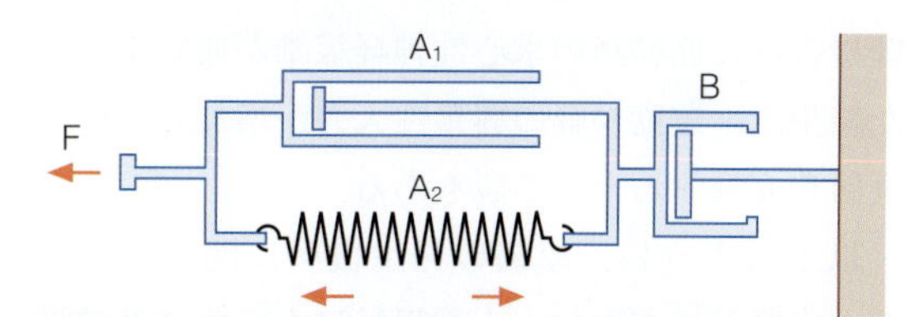

▶図 39 コラーゲン線維の弾力性構造の模式図
粘性(A_1)と弾性(A_2)は再生力のある弾力性構造であり，B はほとんど再生力のない要素である．
〔千野直一：コラーゲン線維の形態と代謝．上田　敏，他(編)：リハビリテーション基礎医学．第 2 版，pp5–12，医学書院，1994 より〕

B 筋緊張異常をおこす疾患[29-35]

1 筋緊張低下をおこす疾患

筋緊張低下は，脊髄から筋に至る伸張**反射弓**を構成する末梢神経・筋の障害や，**脊髄後索**をおかす疾患によりおこる．疾患としては，ポリオ，脊髄性進行性筋萎縮症，多発性筋炎，筋ジストロフィー症などがある．小脳障害ではγ系の機能低下のために筋緊張が低下する．また，脳血管疾患の発症初期にも筋緊張が低下し，慢性期では一般に，筋緊張低下の部位と亢進の部位が混在している．

2 筋緊張亢進をおこす疾患

一般に痙縮は錐体路の障害で，固縮は錐体外路の障害でおこるといわれている．痙縮をおこす疾患としては，脳腫瘍，脳血管疾患，頭部外傷，多発性硬化症などの変性疾患，頸髄損傷や脊椎症，脊椎管狭窄症などの脊髄疾患がある．

固縮をおこす疾患としては，**大脳基底核**を障害するパーキンソン病やパーキンソン症候群，進行性核上性麻痺，多系統変性疾患，オリーブ橋小脳萎縮症などがある．

脳血管疾患の慢性期では痙縮と固縮の両者の特徴を併せもつ痙性固縮の状態があることもある．

C 筋緊張異常の発生機序[29-35]

1 筋緊張低下の発生機序

脳血管疾患において**内包**などの皮質脊髄路が障害された直後，弛緩性の運動麻痺を呈する．これは時間が経過するにつれて痙縮へと移行する．前皮質脊髄路や内側脳幹経路が障害されると身体の中枢部(股関節や肩関節，体幹など)の運動麻痺と筋緊張低下がおこる．

2 筋緊張亢進の発生機序

a 痙縮

従来，痙縮は解放現象によるγ系の機能亢進であると考えられていた．すなわち，γ運動神経系

Keyword

反射弓　特定の反射に関与する神経の全経路．受容器→求心性神経線維→反射中枢→遠心性神経線維→効果器という経路からなる．

脊髄後索　脊髄の後中央部を占める部分で，筋や関節からの深部感覚，振動覚，触覚の一部を伝達する神経線維が通る．

大脳基底核　大脳の底部にある一連の神経核をいい，尾状核，レンズ核(被殻，淡蒼球)，前障，視床下核，黒質，赤核，扁桃体などを指す．大脳基底核は錐体外路系の一部をなしている〔キーワード「錐体外路障害」(➡ 103 ページ)参照〕．

内包　大脳皮質から末梢に至る神経線維が通る重要な部位で，レンズ核と尾状核および視床との間にあり，神経線維が集まって大きな束をなしている．脳を水平に切ってみると外側に開いたＶ字形をしている．前方を前脚，曲がっている部位を膝，後方を後脚と呼ぶ．前脚は前視床脚と前頭橋路が，膝部は皮質核線維と皮質網様体線維が，後脚は皮質延髄路・皮質脊髄路・上視床脚などが通る．特に膝部から後脚にかけては運動神経線維が規則正しく密集している．内包では出血がおこりやすく，損傷部位に応じた麻痺が出現する．

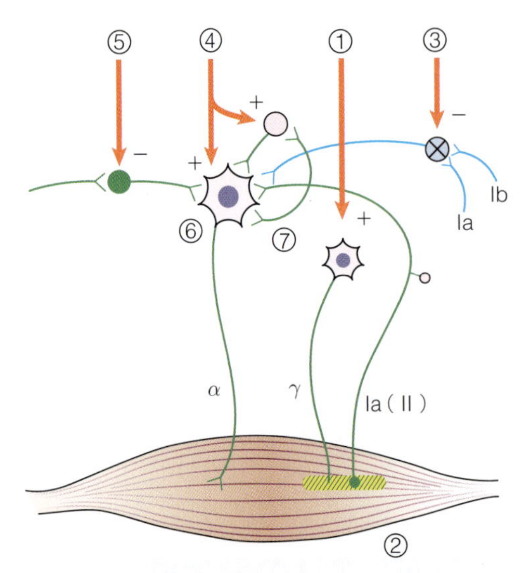

▶図 40　伸張反射の亢進をもたらす要因のダイアグラム

介在ニューロンは多シナプス性反射回路を示し，必ずしも 1 個とは限らない．矢印の＋，－は促通，抑制の効果を示す．
(1) 入力側：① γ 運動ニューロン活動の亢進，②筋の形態学的変化による筋紡錘感受性の上昇，③ Ia 線維のシナプス前抑制の低下
(2) 出力側（Ia 入力を除く）：④ α 運動ニューロンへの興奮性入力増大，⑤ α 運動ニューロンへの抑制性入力減少，⑥シナプス後膜感受性過敏化，⑦発芽現象
〔鴨下　博：痙縮の新しい理解．*J Clin Rehabil* 11:893–899, 2002 より〕

が亢進して筋紡錘の感受性が高まり，わずかな刺激でも Ia 線維を介して α 運動神経を興奮させ，筋収縮をおこすというものである．これは現在，否定的に考えられている．

このほかに，障害された錐体路線維の α 運動神経接合部に筋紡錘の求心性神経線維が側芽を出した結果，α 運動神経の興奮性入力が増加して伸張反射が亢進するとする説もある．

以上のように，痙縮の発生機序に関する確定的な定説はまだない．上記以外にも**シナプス前抑制**の低下や**反回抑制**の制御異常など，いくつかの仮説があるが，錐体路だけでなく大脳基底核・脳幹など筋緊張に関与するいわゆる錐体外路などの神経機構が複雑にからみ合って生じるものと考えられる（▶図 40）[33]．

Keyword

シナプス前抑制　神経間の伝達はシナプスを介して行われるが，そのシナプスの手前の神経線維に第 3 の神経線維がシナプスをつくり，神経間の伝達を抑制するように働くことをいう．

反回抑制　逆行抑制ともいう．脊髄の運動神経細胞は脊髄内で側枝を出し，抑制性の神経細胞〔レンショウ（Renshaw）細胞〕とシナプスをつくっている．このレンショウ細胞から伸びる軸索の 1 つがその運動神経とシナプス結合し，閉回路をつくっている．脊髄前角の運動神経がインパルスを発射すると，レンショウ細胞を経て，自身に対して抑制として働くことになる．運動神経細胞の過剰活動を制限する働きがあると考えられている．

b 固縮

痙縮と同様に固縮の発生機序についても定説はない．γ 系のなかの緊張性 γ 運動神経の機能亢進により，筋が伸張されている間，II 線維を介して筋収縮を持続させるとする説がある．そのほかには，Ib 抑制性介在ニューロンの機能異常や補足運動野–基底核–網様体脊髄路の異常による脊髄反射回路の調節障害などが考えられている．

D 筋緊張の評価[29–31, 33, 35)]

筋緊張は，気温や室温，姿勢，精神的緊張や感情，身体的努力，痛み，覚醒状態などによって影響を受ける．したがって，筋緊張の評価にあたっては，同じ対象者に対しては可能なかぎり同一条件下で行うようにしなければならない．また，発症からの期間によっては筋の器質的変化（粘弾性の変化）により影響を受けることも念頭においておかなければならない．

筋緊張の評価には，主観的な方法と客観的な方法とがある（▶表 7）．筋緊張は安静状態だけでなく，動作時における変化についても観察するが，他動的な評価は安静状態で，心身ともにリラックスできる肢位，一般には背臥位で行う．

▶表 7　筋緊張の評価

主観的評価	視診および触診	筋・腱の輪郭
		筋の硬さ
	他動運動	伸展性
		被動性
客観的評価	筋電図	針筋電図
		誘発筋電図
	生体力学的評価	
動作時の評価	連合反応	
	自動・他動可動域	
ADL の評価	関節拘縮による影響	
	ADL 遂行時の影響	

▶表 8　MAS(Modified Ashworth Scale)

0	筋緊張の増加なし
1	軽度の筋緊張の増加あり．患部の屈曲または伸展運動をさせると，引っかかりとその消失，あるいは可動域の最終肢位に若干の抵抗がある
1＋	軽度の筋緊張増加あり．引っかかりが明らかで，可動域の 1/2 以下の範囲で若干の抵抗がある
2	さらにはっきりとした筋緊張の増加がほぼ全可動域を通して認められるが，患部は容易に動かすことができる
3	かなりの筋緊張の増加があり，他動運動は困難である
4	患部は固まっていて，屈曲あるいは伸展できない

〔Bohannon RW, et al: Interrater reliability of a modified Ashworth scale of muscle spasticity. *Phys Ther* 67:206–207, 1987 より〕

1 主観的評価

a 視診および触診

安静時における筋や腱の輪郭(レリーフ)の明確さを視診によって，筋の硬さを触診によって評価する．筋緊張が低下している場合，筋や腱の輪郭がはっきりせず，筋腹は平べったく見える．筋腹を持って左右に動かすと大きく動き，軟らかい感じがする．下肢は外旋位をとることが多い．筋緊張が亢進しているときは腱が浮き出して見えたり，触診すると硬い感じがする．

b 他動運動による評価

他動運動では伸展性(extensibility)および被動性(passivity)をみる．

伸展性とは筋を他動的にゆっくりと伸展し，関節の可動範囲をみるものである．筋緊張低下では正常よりも可動範囲が広くなる過伸展性(hyper-extensibility)の状態が認められる．筋緊張が亢進していると，正常よりも可動範囲は狭くなることがある．

被動性とは関節を他動的にすばやく動かしたときの抵抗感や末梢関節の動きの度合いである．関節を他動的にある程度急速に動かし，抵抗感(折りたたみナイフ様，鉛管様，歯車様)とその強さをみる．抵抗の段階づけとしては MAS(Modified Ashworth Scale)がある(▶表 8)[38]．

検査時の他動運動速度で筋緊張が変化することがあり，可能なかぎり一定の速度で検査する必要がある．また，高齢者では脱力することが難しいことがあり，運動速度を変える，注意をそらす，精神的な緊張を取り除くなどの工夫が必要である．

立位もしくは座位で両肩を持って前後に揺すったときの上肢の動き(shoulder shaking test)や，座位で床に足がつかないようにして下腿を振り動かしたときの振幅の大きさや持続時間をみる振り子運動検査(pendulum test)がある．筋緊張が低下していると動きが大きく，持続時間も長くなる．筋緊張が亢進していると振幅が小さく，動きもすぐに停止する(▶図 41)．

2 客観的評価

客観的評価としては，筋電図による方法や生体力学的評価法などがある．

a 筋電図

筋電図による評価には針筋電図による方法のほかに，誘発筋電図による H 波，F 波，T 波の測定がある[39]．これらはいずれも脊髄神経機能の興奮性を示す指標となる．

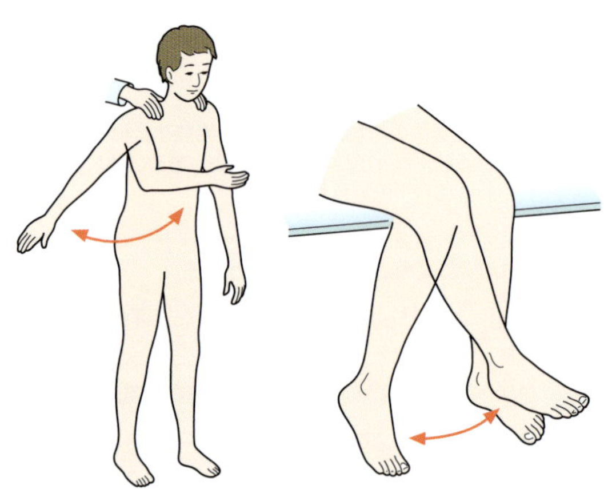

▶図 41 shoulder shaking test（左）と pendulum test（右）

H 波は末梢神経を弱刺激で電気刺激し，伸張反射である単シナプス反射を誘発記録したものである．一般には脛骨神経を膝下部で刺激し，ヒラメ筋より導出する．

F 波は末梢神経に最大の電気刺激を与え，運動神経の逆行性インパルスにより前角細胞が自己興奮し，同一神経線維を通って筋に応答したものである．F 波はほとんどの骨格筋より導出可能である．

T 波は腱反射による反応を導出したものである．

波形の出現頻度，振幅などから筋緊張の程度を判定する．筋緊張が亢進していれば，これらは増大する．

b 生体力学的評価法

生体力学的評価法のうち，機械的他動運動による方法は，トルクマシーンを用いて他動運動を行わせ，抵抗トルクを測定する方法がある．

また，座位での下腿の振り子運動検査に電気角度計を付けて，関節角度を時間経過に従って測定する方法もある．

これらはいずれも機器を必要とするため，臨床では主に，簡便な主観的評価が用いられている．

3 動作時の評価

筋緊張の定義は，“安静時” の筋の緊張状態である．この定義に従えば，安静時に行う評価が筋緊張を表すものといえる．筋緊張異常と各動作の異常は別のものであるが，筋緊張異常が各動作に種々の影響を与えることがあり，動作時の異常の背景についても評価しておく必要がある．

a 連合反応の出現

基本動作(寝返りから立位まで)や，すばやい歩行，不安定路の歩行など，過剰な身体的努力，精神的緊張を要する動作時に肘の屈曲や膝の伸展がみられることがある．これは**連合反応**と呼ばれ，障害された脳機能の能力を超えた課題に対する脊髄レベルでのオーバーフローであると考えられている．連合反応は，筋緊張の亢進を背景として出現する．

b 自動・他動可動域の差

CNS が障害されれば中枢性麻痺が出現するが，これとは別に相反神経支配の障害により異常な筋抑制がみられることがある．これによって，自動 ROM と他動 ROM に差異が認められることになる．たとえば，上腕二頭筋の筋緊張が亢進していれば，上腕三頭筋が過剰に抑制され，肘を自動的かつ完全に伸展することが困難である．これは，筋緊張の亢進と相反神経支配の障害によって，拮

Keyword

連合反応　脳血管疾患などに伴う中枢性麻痺の際に出現する異常運動．原始的な運動反応であり，身体の一部で筋を強く収縮させたり，精神的緊張が高まったりすると，他の部位に運動が誘発されること．対側性連合反応と同側性連合反応がある．対側性連合反応は身体の反対側に誘発されるもので，上肢では対称的(屈曲・伸展→反対側の屈曲・伸展)，下肢では内外転・内外旋は対称的に，屈曲・伸展は相反性(屈曲→反対側の伸展，伸展→反対側の屈曲)に出現する．同側性連合反応は同側の上下肢間で誘発されるもので，上肢が屈曲すれば下肢も屈曲するなど，同じ種類の運動が出現することが多い．

抗筋である上腕二頭筋の抑制が十分になされていない状態であると考えられる．このような場合であっても，他動的にゆっくりと伸張すれば，完全に肘を伸展できることがある．

4 日常生活活動の評価

筋緊張異常，特に筋緊張亢進状態は日常生活に有利に働くこともある．たとえば，大腿四頭筋の痙縮は移乗や歩行の補助となることもある．しかし，そのほとんどは日常生活へ不利な影響を及ぼす．以下は，痙縮による日常生活への影響の一例である．

a 関節拘縮による影響

痙縮状態が慢性化すると上下肢は一定の肢位をとりやすくなる．これを**ウェルニッケ-マン(Wernicke-Mann)の肢位**という(▶図 42)．そして，筋の器質的変化がおこり，拘縮がおこる．

上肢では肩関節の内転・内旋，肘や手指の屈曲がおこりやすい．これによって更衣動作が困難になったり，腋窩や手指が不潔になり皮膚疾患に罹患したり，悪臭を放ったりすることもある．手指を強く握り込んでいると爪を切ることが難しくなり，伸びた爪が手掌に食い込むこともある．

下肢内転筋の持続的筋緊張亢進によって内転拘縮がおこり，排泄後の処理や保清が困難になるときがある．

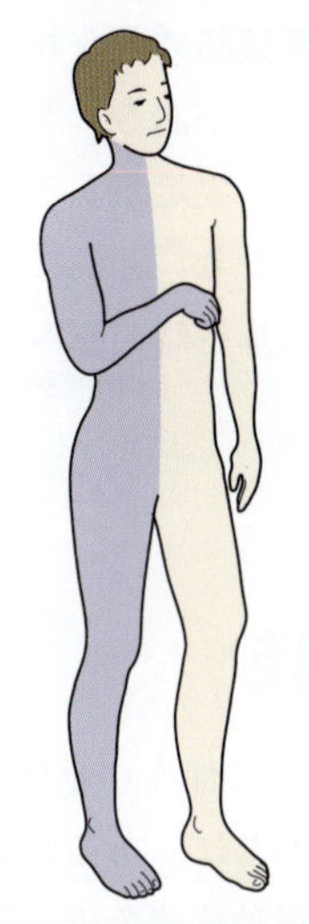

▶図 42　脳卒中(右)片麻痺者の典型的肢位(ウェルニッケ-マンの肢位)

b 日常生活活動遂行時の影響

過剰な筋緊張亢進で痛みを生じたり，肘が屈曲して胸部に押しつけられることで不眠を訴えたりすることもある．

下肢では，**陽性支持反応**様の下肢伸展，もしくは**屈曲逃避反射**様の下肢全体の屈曲，足関節の内反尖足，足指の屈曲〔**鷲爪趾**(わしつめし)(claw toe)〕がみられる．これらはいずれも移乗・歩行能力に影響を及ぼす．

立位をとろうとすると膝関節が強く屈曲し，下肢全体が屈曲することがある．これは移乗や歩行そのものを困難にする．**内反尖足**を放置して

Keyword

ウェルニッケ-マンの肢位　肩は内転・内旋，肘・手・手指関節は屈曲，前腕は回内，股関節は伸展・内転・内旋し，内反尖足を呈する肢位．脳血管疾患などに伴う筋緊張異常が長期化して生じることが多い．

陽性支持反応　足底部を圧迫したり，体重をかけたりすると，下肢の伸筋群の筋緊張が高まる反応．足底部の皮膚への圧と指間の筋の伸張が引き金になっておこると考えられている．体位を保持し，姿勢緊張を保つ機構の1つといわれている．

屈曲逃避反射　屈曲反射，逃避反射，侵害(受容性)反射ともいわれ，脊髄レベルの反射．画びょうを踏んだときに下肢が屈曲するように，身体を傷つけるおそれがあるような刺激が加えられたときに，四肢が全体的に屈曲して刺激から遠ざかる動きをする．

鷲爪趾　足指の MTP 関節が過伸展し，IP 関節が強い屈曲を呈する状態．

内反尖足　足底が内下方を向く，つまり，足部が垂れ，かつ足底が内側方向を向いた(母趾側がもち上がり，小趾側が下がった)状態．

歩行を続けると**反張膝**となり，膝関節の不安定や痛みをおこすことがある．クローヌスも歩行を困難にする．また，尖足があるとわずかな段差にもつまずきやすくなり，転倒につながることもある．足指の屈曲は歩行時の痛みの原因となることがある．

E 治療手技[29, 32, 34, 40]

脳血管疾患などに伴う中枢性麻痺の訓練では，筋緊張を整えたのちに，あるいは筋緊張の正常化をはかりながら運動機能を再学習するという流れをとることが一般的である．運動機能の再学習についてはほかに譲り，ここでは痙縮筋に対する対応について述べる．

痙縮筋に対する治療には，運動療法，物理療法，装具療法，医学的治療法などがある．

1 運動療法[41]

筋緊張を低下させるために最も一般的に使われているのは筋の持続的伸張である（▶図 43）．ゆっくりとした伸張を加えることにより，相動性伸張反射をおこさず，腱紡錘を介した Ib 抑制（自己抑制）によって自己の筋を抑制する．また，伸張により筋の粘弾性が回復し，これも筋緊張を低下させるのに役立っているものと考えられる．

伸張に要する時間は筋緊張の強さに応じて数分から 20 分程度にする．また，対象者の能力や筋緊張に応じて自己で行えるよう指導していくことも重要である．

そのほかに，他動的な屈伸の繰り返しでも筋緊張は低下する．これは脊髄レベルでの伸張反射の順応，もしくは上位中枢を介した慣れ現象であると想定されている．

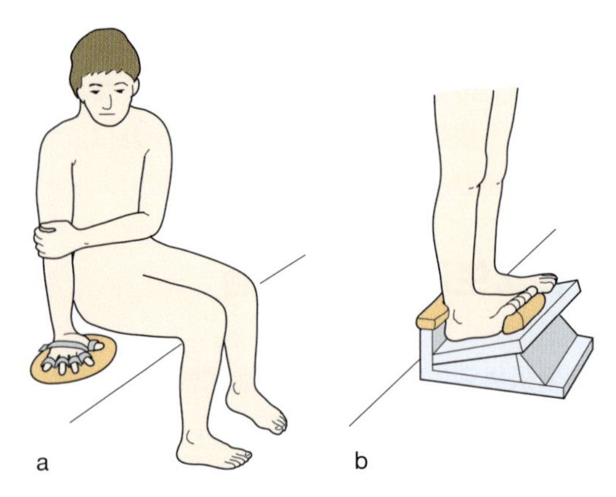

▶**図 43　上肢と下肢の持続的伸張**
a：手指伸展板を用いて手指の屈曲を防いでいる．
b：起立台を利用した下腿三頭筋の伸張．足指をさらに伸展させるようパッドを当てている．

自己他動運動で患側をコントロールしたり，良肢位をとらせ患側に体重負荷すること，日常生活で筋緊張を高めないような方法を指導することも重要である（▶表 9）[41]．

2 物理療法[42, 43]

筋緊張を低下させるための物理療法としては温熱療法，寒冷療法，振動刺激法，電気療法（刺激法）などがある〔詳しくは，「物理療法の基礎」の項（➡157 ページ）も参照のこと〕．

a 温熱療法

温熱は筋の粘弾性を低下させ，II 線維の発射頻度を低下させるとともに，Ib 線維の発射頻度を増加させて α 運動神経の興奮性を低下させる，疼痛を軽減させるなどの効果がある．

温熱の手段としては，ホットパック，パラフィン，渦流浴などがある．ホットパックの場合，15～20 分加温する．高齢者や感覚障害がある場合，熱傷をおこさないように注意する．

b 寒冷療法

寒冷によって神経の伝導速度が遅くなったり，

Keyword
反張膝　正常な膝関節の伸展角度（0°）を超えた膝の過伸展の状態．

▶表 9 脳卒中成人片麻痺への痙縮抑制の運動療法

1. 麻痺側への注意の拡大
他動的に麻痺側上肢・下肢を動かしながら，作用する筋を対象者自ら動かす(自動運動)ように促す．実際に動きが感じられない場合は，上肢では“重さ”を介助しながら，再び意図する運動方向を視覚的にも確認させ，自動運動中での筋収縮の存在を感じさせる
2. 効率的運動・姿勢保持の関連の学習
個別療法によって，容易にできる運動と姿勢保持を思いおこさせ，視覚と聴覚を動員した注意と運動の関連づけをする ①麻痺側を動員して両手合わせをし，肩関節の挙上運動と下降運動 ②足底を床につけた椅子または端座位で，両手合わせで足先に手をもっていく ③上肢のリーチ動作と同じ方向に体重の偏移を援助する ④座位での体幹の向き変更に伴う骨盤の回旋と股関節の回旋内転・外転運動
3. 日常生活活動(ADL)における運動と姿勢保持
無理なくできる運動と姿勢保持が対象者の個性に左右されることへの理解が重要．ADL のなかの意思伝達，トランスファー，更衣の自立を優先し，看護師，ヘルパー，家族などの対象者と直接かかわる介護者へ，可能なかぎり緊張を強めない動作援助方法を指導する
4. 運動療法における痛みと恐怖の除去
不慣れな姿勢保持や運動を強制しないように配慮．穏やかな運動刺激への対象者の応答(痛みと恐怖の有無)を見極めながら，さまざまな補助具を利用して，少しずつ不慣れな姿勢保持や運動に適応させる

〔鈴木恒彦, 他：痙縮制御における運動療法. *J Clin Rehabil* 11:907–912, 2002 より〕

筋紡錘の興奮性が低下したり，神経筋接合部の伝達低下がおこったりして，筋緊張が低下する．短時間の冷却では γ 神経線維からの放電が増加し，筋収縮が促されることから，長時間(約 30 分)冷やす必要がある．

寒冷の方法としては，冷水浴，氷，アイスパック，クリッカーなどがある．

冷却に時間を要すること，小児・高齢者は寒冷を好まない傾向があること，また血圧や心臓，腎臓への影響などから用いられることは少ない．寒冷療法を行うときは凍傷に注意しなければならない．

c 振動刺激法

振動刺激を筋腹や腱に与えると Ia 線維が刺激され，α 運動神経を興奮させる(**緊張性振動反射**)．そして，相反神経支配によって拮抗筋が抑制される(相反抑制)．

振動刺激は運動の再学習とともに用いることができる．たとえば，上腕二頭筋の痙縮が亢進している場合，上腕三頭筋にバイブレーターで振動刺激を与えながら肘を伸展させる．周波数 100 Hz 前後，振幅 1〜2 mm のバイブレーターを用いる．

高周波数(200 Hz 以上)で長時間(2 分以上)刺激すると，熱を発生するので熱傷のおそれがある．

d 電気刺激法

皮膚を介して低周波電気刺激を与え，筋や神経を刺激する．拮抗筋を刺激する方法と痙縮筋を刺激する方法がある．拮抗筋の刺激では，相反神経支配によって拮抗筋の Ia インパルスが痙縮筋の α 運動神経を抑制すると考えられる．拮抗筋の刺激には，抑制された拮抗筋が萎縮するのを防ぐ意味もある．痙縮筋を刺激したときの機序としては，自身の筋の Ib 抑制と拮抗筋の相反促通，Ia シナプス前抑制などいくつかのものが考えられる．

電気刺激の使用法にはいくつかのものがあるが，以下にその一例をあげる．刺激したい筋の運動点(モーターポイント；運動神経束が筋に入り込む点で，刺激閾値が低い)と神経走行の近位部に電極を貼る．拮抗筋を刺激する場合は，筋が強縮をおこす程度の強さで，5〜10 秒の収縮を 10〜40 秒の休止を入れながら 15 分程度行う．痙縮筋を刺激する場合は，弱めの刺激で 10〜15 分，筋を持続的に収縮させる．

電気刺激は心臓ペースメーカーを使用している者，重篤な心疾患がある者は禁忌である．また，電気刺激に敏感な者，疼痛耐性が低い者には注意して用いる．電気刺激によっても熱傷をおこす可能性がある．

Keyword
緊張性振動反射 筋や腱に振動刺激が加わっているときに，反射性にその筋に収縮がみられる現象．

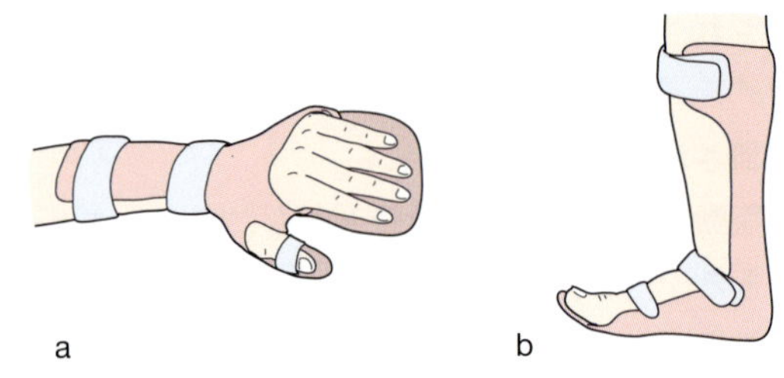

▶図 44　上肢・下肢の装具
a：背側スプリント.
b：プラスチック製短下肢装具．足関節および足指の背屈を強くしてある.

3 装具療法[44, 45)]

下肢では痙縮による内反尖足や足指の屈曲が強く，それが歩行を障害する場合にはプラスチック装具(shoe horn brace; SHB)や両側支柱付短下肢装具(short leg brace; SLB)を使用する．これは足関節を良肢位に保持し，歩行の安定性を確保するとともに，持続的伸張により痙縮を抑制する目的がある．痙縮を抑制するために，足関節や足指の背屈を強くしたり，筋緊張を亢進させる刺激をできるだけ少なくする方法がとられる．

上肢では持続的キャスト装着やスプリントを使用する場合があるが，採型の困難さや圧迫による創傷の可能性などから，あまり使用されていない(▶図 44).

4 医学的治療[46–48)]

医学的治療は，運動療法や物理療法，装具療法を試みても著効が認められず，生活や介護の困難さが強いときの最終選択肢である．最終決定は医師が行うが，作業療法士は参考資料となるよう痙縮によってもたらされている生活上の困難さを評価・治療し，その結果を報告すべきである．また，治療後はその効果を評価することや，治療後の状況に適応できるよう援助することも役割の 1 つである．

具体的には，薬物療法，神経ブロック療法，外科的治療などがある．以下に概要を述べるが，詳細については文献 46～48 を参照していただきたい．

(1) 薬物療法

痙縮に対する薬物療法としては末梢性筋弛緩薬と中枢性筋弛緩薬がある．服用によって脱力感や疲労感，ふらつき，眠気，消化器症状(下痢，嘔吐)，肝機能障害などの副作用がみられることがあり，服用後は治療中の訴えに十分注意する必要がある．

(2) 神経ブロック療法

神経ブロック療法には次のようなものがある．

- 運動点ブロック療法：神経破壊剤(フェノールやアルコール)を注射し，痙縮筋の運動点をブロックする(α 系ブロック).
- 化学的脱神経薬の注射：無毒化したボツリヌス毒素を筋注する(γ 系ブロック).

(3) 外科的治療

手術には神経および筋・腱に対するものがある．

神経手術には次のようなものがある．

- 末梢神経縮小術：痙縮筋の支配神経の太さを 20～40% 程度に縮小させる．
- 後根侵入部遮断術・選択的後根切断術：脊髄部で感覚神経を遮断もしくは切断する．

整形外科手術は慢性的な痙縮によって生じた拘縮や筋短縮，変形を軽減し，ADL 遂行を容易にすることを目的としている．主な筋・腱の手術には以下のようなものがある．

- 下肢に対して：アキレス腱延長術，長母指屈筋腱・長指屈筋腱切離術，前脛骨筋移行術，足指屈筋切離術，下肢内転筋切離術
- 上肢に対して：大胸筋・肩甲下筋切離術，上腕二頭筋腱膜切離術もしくは延長術，長指屈筋延長術，浅指・深指・長母指屈筋延長術

F 作業療法との関連

脳卒中など中枢神経障害による運動麻痺は回復不能であるため，麻痺肢に対するアプローチは意

味がなく，歩行などの実用的な能力のみを向上させればよいとする考えが一部にはある．他方，歩行は麻痺肢の筋緊張を亢進させるため，歩行や補装具の使用を制限するとする治療者もいるようである．

作業療法ではこのような両極端な観点に立つのではなく，対象者の ADL 全般を評価し，必要なアプローチをとる必要がある．

作業療法の役割としては，次のようなものが考えられる．

(1)　筋緊張の軽減および関節可動域の維持

筋緊張亢進が保清を困難にしていたり，痛みによって日常生活に影響を及ぼしていれば，筋緊張を軽減し，ROM を維持するよう働きかける必要がある．

最終的には自己他動運動や持続的伸張運動によって対象者自身や介護者が管理できるようにするのが理想ではあるが，痙縮や痛みが強かったり，理解力が低い場合は困難なことがある．このような場合，慢性期であっても治療者の援助が必要なときがある．

(2)　日常生活活動の指導

片手動作の指導においても，麻痺側を無視するのではなく，良肢位や筋緊張を亢進させないような方法，あるいは筋緊張が亢進したのちの対処法の指導も合わせて行うべきである．

片手動作は両手動作に比べてエネルギー消費が大きく，高齢者にとっては疲労をまねきやすい動作であると容易に想像されるが，これについては今後，科的学な方法で実証していく必要がある課題である．

(3)　医学的治療の日常生活における評価

医師が医学的治療法を選択する際に参考となる情報・資料となるように，対象者の評価を報告する役割を担う．

6 不随意運動とその治療

不随意運動とは，神経変性疾患や遺伝性疾患，薬物の副作用などによる運動障害を主体とし，時には精神障害を伴う障害の総称である．対象者ばかりでなく家族の生活をも困難にすることが多い．作業療法によって不随意運動の進行を直接的に止めることはできないが，運動機能の可能なかぎりの維持，疾患の進行に合わせた生活の質(QOL)の維持，介護指導などの領域でその役割を果たすことができる．

本項では，各不随意運動の概略と医学的治療を中心に述べる．

■用語

[不随意運動]　不随意運動(involuntary movement)は自己の意思とは無関係に身体が勝手に動いてしまう状態である[49]．

腱反射にみられる運動は不随意であるものの，腱叩打という人為的な要素が加わるため不随意運動には含めない．

A 評価・治療のための基礎知識

1 不随意運動の分類[50–57]

不随意運動は**表 10**[50] に示すような分類がなされている．以下に，その特徴について簡単に述べる．

(1)　線維束攣縮(fasciculation)

筋の細かい収縮運動であり，不規則かつ短時間で消失する．多くは筋萎縮を伴う．舌の線維束攣

▶表 10　不随意運動の分類と代表的疾患

不随意運動	動きの速さ	規則性	その他の性状	責任病巣	代表疾患例
線維束攣縮	最も速い	不規則	●筋線維の一部がすばやく収縮する ●収縮のタイミングはまったく不規則 ●通常関節運動を伴わない ●1 つの運動単位の不随意運動である	脊髄，延髄の運動細胞（末梢神経）	筋萎縮性側索硬化症
ミオクローヌス	最も速い	不規則（口蓋ミオクローヌス，脊髄ミオクローヌスでは比較的規則的）	●筋のすばやい収縮 ●1 回の収縮の持続時間は短い ●関節運動を伴うことが多い ●多くの筋で同期して収縮する	大脳皮質 脳幹 脊髄	●クロイツフェルト–ヤコブ（Creutzfeldt-Jakob）病 ●亜急性硬化性脳症・その他の脳炎 ●ミトコンドリア脳症 ●ウィルソン（Wilson）病 ●ランス–アダムス（Lance-Adams）症候群 ●薬物の副作用 ほか
チック	速い	不規則	●顔面に多くみられる ●動きは比較的すばやい ●健常者が真似ることができる動きが特徴	高次の中枢または不明	●単純性チック ●慢性単純性チック ●全身性チック
舞踏病	速い	不規則	●四肢の遠位部優位に出現（ひどくなると体幹まで） ●動きは比較的すばやい ●動きの出現は不規則 ●各筋間での出現するタイミングは非同期	大脳基底核（特に尾状核）	●ハンチントン（Huntington）舞踏病 ●歯状核赤核淡蒼球ルイ体萎縮症 ●シデナム舞踏病 ●薬物の副作用
振戦	速い～中等度	規則的	●規則的な繰り返し運動 ●原因によって動きの頻度が異なる ●安静時振戦，姿勢時振戦，運動時振戦に分けられる	大脳基底核 小脳 末梢神経	●パーキンソン病 ●小脳疾患
バリスム	速い～中等度	比較的規則的	●比較的規則的な運動 ●1 秒間に 0.7～1 回の頻度 ●四肢を投げ出すような，振り回すような激しい動き ●四肢の長軸に沿った回旋運動が特徴的	大脳基底核（視床下核）	
ジスキネジー	中等度	不規則から規則的	●主に口の周囲，舌に出現するのが特徴的 ●舌のうねるような動き，口をもぐもぐ，口をすぼめるなど ●時に規則的な動き	大脳基底核	
ミオキミア	遅い		●筋表面が波打つように比較的ゆっくりした運動	運動細胞 末梢神経	
アテトーゼ	かなり遅い	不規則	●収縮の時間が長く，不規則なゆっくりした運動	大脳基底核	脳性麻痺
ジストニー	非常に遅い	不規則	●全体に力が入っている感じ ●ゆっくりした不規則な動き	大脳基底核 大脳皮質	●特発性捻転ジストニー ●局所的なジストニー（眼瞼痙攣，メージュ症候群，痙性斜頸，書痙） ●遺伝性進行性ジストニー（瀬川病）

〔進藤政臣：不随意運動の分類と診断．総合リハ 25:203–207, 1997 より改変〕

縮は延髄障害の重要な徴候である.

(2) ミオクローヌス(myoclonus)

ミオクローヌスは急速で瞬間的な筋収縮で，反復性に繰り返される不随意運動である．持続的で睡眠中にも消失しない．通常は自覚症状に乏しく，嚥下や発語に影響しないが，眼球ミオクローヌスは**動揺視**を伴うため，日常生活が著しく障害される.

(3) チック(tics)

チックは，不規則かつ不随意に現れる短い筋収縮で，口唇，舌，顔面，頸部，体幹に常同的，定型的に出現する．小児期にみられる単純性チックは一過性で，成長するに従ってみられなくなる．そのほかに，慢性単純性チック，全身性チックなどがある.

(4) 舞踏病(chorea)

舞踏病は全身性の不随意運動であり，遠位部の踊るような手つき，顔面のしかめ面，舌の出し入れ，頸部・体幹のひねるような動きなど，不規則なリズムがない運動で，落ち着きのない癖のようにも見える．発症初期は比較的すばやく，持続時間の短い突発的な運動であるが，進行によりゆっくりとした動きになる.

安静臥床で軽減し，座位や立位，上下肢の随意運動，精神的緊張で著明となる.

(5) 振戦(tremor)

振戦は手指や頸部に出現する比較的リズミカルな振動運動(ふるえ)であり，臨床で最も対象とすることが多い．振戦は，安静時振戦，姿勢時振戦，運動時振戦などの分類がなされている．振戦については，後述する.

(6) バリスム(ballism)

バリスムは四肢を投げ出すような，蹴飛ばすような，速い，激しい異常運動を呈し，四肢の近位筋により強く生じる．運動の常同性がある点で舞踏病と区別される.

(7) ジスキネジー(dyskinesia)

ジスキネジーは，口角，舌，顔面，頸部に限局した反復性律動性の不随意運動である.

(8) アテトーゼ(athetosis)

ある姿勢を保持しようとしたり，運動を持続しようとしたときに出現する．顔のしかめ，頭部の後屈，前傾，斜頸がみられ，体幹や四肢の不規則かつ比較的緩慢な捻転するような，休みない異常運動である.

(9) ジストニー(distonia)

ジストニーは姿勢維持の際にみられる筋緊張異常であり，本来の意味での異常運動ではない．随意運動を行っている筋以外の筋にも不随意に緊張が亢進するため，アテトーゼに類似した異常姿勢や異常運動がみられることがある．ジストニーは体幹筋に著しく，独特な異常姿勢が持続して，通常の運動が困難になる．アテトーゼと厳密な区別が困難な場合も多い．ジストニーは安静臥床でほとんど消失する.

ジストニーは大きく2つに分類される.

①特発性捻転ジストニー

全身性の不随意運動であり，起立・歩行時などに斜頸や体幹の捻転などを伴う．四肢の筋緊張亢進が目立ち，頸部や体幹の筋にリズミカルな筋収縮を認める.

②局所的なジストニー

局所的なジストニーには以下のものがある.

- **眼瞼痙攣**：両側眼輪筋に同時に異常収縮がおこり，開眼が困難になる．軽症では瞬目(まばたき)が増加した程度であるが，重症では持続性の収縮がおこり視力が奪われる．異常収縮は強直性あるいは間欠性である．精神的・肉体的ストレス，日光で増悪し，何かに集中すると軽快することが多い.
- **メージュ(Meige)症候群**：瞬目増加，反復性閉眼を主体とし，両側性の眼輪筋および顔面筋・頸部筋の不随意筋収縮(唇をすぼませる，口角を後ろに引くなど)，痙攣を伴う．咬筋に異常収縮がおこると開口障害がおこり，歯ぎしりも

Keyword

動揺視　外界の物が揺れ動くように見えること.

みられることがある．

- **痙性斜頸**：頸部の不随意運動により異常姿勢(左右への捻転・側屈，前屈または後屈)を示す総称である．頬や顎に自分自身で触れると，固有感覚入力により斜頸が軽減する．マフラーなどでも同様の現象がみられることがある．
- **書痙**：書字に際して，関連する上肢筋の緊張が高まり，異常収縮がおこって手指が硬く動かなくなる．主に前腕の筋群が同時に異常収縮をおこす．疼痛を伴ったり，疲労のため脱力がおこることもある．書字以外の手指の動作(箸の使用，ボタンのはめ外しなど)では異常収縮は出現しない．書字障害には，緊張型，振戦型，麻痺型，疼痛型があり，前2者が多い．

音楽家や理容師，タイピストなど手を使う職業の人にも同様の症状がみられることがある．

2 振戦[51, 52, 57]

a 出現状況による分類

振戦は出現する状況によって，次のように分類される．

(1) 安静時振戦(resting tremor)または静止時振戦(static tremor)

リラックスした，随意収縮がない状態で出現し，運動や姿勢保持などで筋収縮をさせると消失する．代表的疾患としてはパーキンソン病がある．

(2) 姿勢時振戦(postural tremor)

ある筋群を等尺性収縮させたときに出現する．一定の肢位で観察されることが多い．代表的疾患に本態性振戦や甲状腺機能症に伴う振戦がある．

(3) 運動時振戦(movement tremor または kinetic tremor)

随意運動中に出現する振戦をいう．動作が目標に近づくと振戦が増強する場合，**企図振戦**(intension tremor)という．企図振戦は姿勢時振戦と運動時振戦にまたがり，あいまいに使用されることがあるが，運動時振戦とは区別されることが多い．企図振戦は小脳障害や脳幹障害によるものである．

動作時振戦(action tremor)という用語で，姿勢時振戦と運動時振戦の総称とする見方もある．

b 原因別の分類

(1) 生理的振戦

精神的な緊張や筋疲労，寒冷時にほとんどすべての人にみられる振戦である．比較的速い周波数(8～12 Hz)の振戦を示す．

(2) パーキンソン振戦

安静時振戦が特徴であり，典型例では**丸薬まるめ運動**(pill rolling)を呈する．頸部には頭部を前後に振る振戦がみられる．4～8 Hz 程度の振戦であり，主動筋と拮抗筋が相反的に収縮する．

この振戦は意識的に止めることが可能であり，動作時に一時的に減弱することがあり，睡眠時には消失する．精神的緊張や暗算などの知的負荷によって増強する．

(3) 本態性振戦

初期には姿勢時振戦の形をとり，その後，動作時(たとえば箸の使用や書字)にも振戦を認めるようになる．頸部に振戦がみられる場合，頭部を左右に振るような振戦となる．四肢では 7～12 Hz，頸部は 3～5 Hz 程度の固有の周波数をもつ．主動筋と拮抗筋は通常，相反性であるが，同期性のこともある．

飲酒により一時的に軽減する．精神的緊張や知的負荷によって増強する．

本態性振戦自体は原因が認められないが，家族性発症を示す家族性振戦あるいは遺伝性本態性振戦と称されるものもある．老年期になって出現するものは老年性振戦と呼ばれる．

(4) 起立性振戦

起立時に下肢および体幹に出現する振戦を特徴

> **Keyword**
> **丸薬まるめ運動**　パーキンソン病やパーキンソン症候群で特徴的にみられる不随意運動．手指がまるで丸薬をまるめているような動きをすることからこのように呼ばれる．

とする．起立して数分で徐々に振戦が増強し，起立保持が困難となることもある．臥位や座位，歩行時には消失する．筋放電は 14～18 Hz で，時に上肢にも振戦を認めることがある．

起立性振戦を家族性あるいは本態性振戦の亜型とする見方があるようである．

(5)　末梢神経性振戦

遺伝性運動性感覚性ニューロパシーや慢性炎症性脱髄性多発神経炎，ギラン–バレー(Guillain-Barré)症候群の回復期などにみられる本態性振戦様の姿勢時振戦やパーキンソン病様の安静時振戦をいう．

3 分類上の問題点[50)]

不随意運動は前述したような分類がなされているものの，臨床での診断は困難なことが多い．その理由として，次のようなものがあげられている．

- 不随意運動の特徴を正確には記述しにくい．
- 各不随意運動の神経機序が十分解明されていない．
- 異なった部位の障害でも似たような不随意運動がおこる可能性がある．
- 逆に，同じ部位の障害や疾患によって異なる種類の不随意運動がおこることがある．
- 観察所見だけでなく，筋緊張や画像所見，薬物による効果などの所見を総合して診断しなければならない．

B 不随意運動をおこす疾患と機序[50–56)]

1 不随意運動をおこす疾患

不随意運動とその不随意運動をおこす代表的な疾患については**表 10** にまとめた．脳卒中の経過中あるいは後遺症として不随意運動がみられることは比較的稀である[53)]．

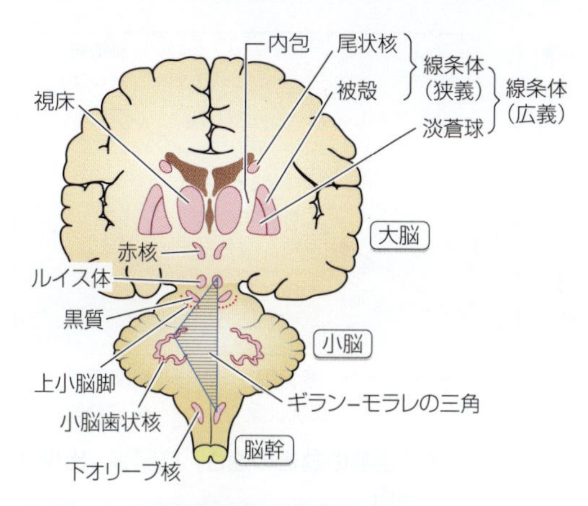

▶図 45　不随意運動と障害部位

シナジー(線条体と内包)，舞踏病(線条体)，アテトーゼ(基底核：被殻，尾状核，視床)，舞踏病–アテトーゼ様異常運動(視床…成人，線条体…小児)，ジストニー(淡蒼球)，バリスム(ルイス体)，振戦(黒質)，動作性ミオクローヌス(上小脳脚)，口蓋ミオクローヌス(ギラン–モラレの三角)，ランス–アダムス症候群(びまん性脳損傷)（症状と対側が障害部位）

〔北村純一：リハビリテーション患者にみられやすい不随意運動の診断とその鑑別．*J Clin Rehabil* 5:60–63, 1996 より〕

2 不随意運動の発生機序

運動における神経系の働きは，脊髄，脳幹，小脳，大脳基底核，大脳皮質間の密接なつながりによってなされている．不随意運動はこの系のなかでも，大脳基底核の障害を含む**錐体外路障害**(➡ 103 ページ)で出現しやすい．不随意運動と障害部位との関係については，**図 45**[51)] を参照のこと．

C 評価[50, 51, 57, 58)]

不随意運動は運動そのものの観察のほかに，筋電図や画像診断などにより診断・評価を行う．運動の観察は肉眼的に行うほか，ビデオなどを使用して行う．運動の観察および筋電図[51)] では，次のような点に注目する．

- 出現部位：不随意運動が出現する部位と左右の

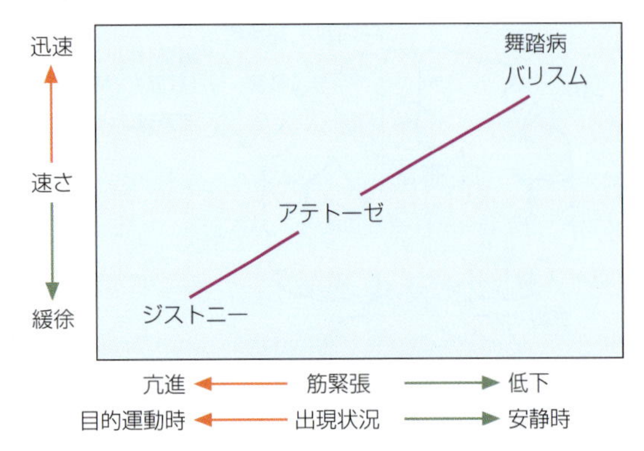

▶図 46　**不随意運動の動きの速さ，筋緊張，出現状況の関係**

〔柳澤信夫：不随意運動の分類，病態，鑑別診断．神経精神薬理 17:453–468, 1995 より改変〕

対称性(四肢近位部・遠位部，体幹，頭部)

- 出現状況：出現する姿勢や時間(安静時，姿勢保持時，動作開始時，動作遂行中)
- 振幅：運動の振幅の大きさ(粗大，微小)
- 規則性：運動の規則性(規則的，不規則的)
- 速さ：運動の周波数(何 Hz)
- 拮抗筋との関係(相反性，同時収縮性)
- 筋収縮のタイミング：複数の筋における収縮の時間的なタイミング
- 誘発・抑制条件：意思，精神的緊張，知的負荷，睡眠，飲酒，薬物などによる影響
- 筋緊張(▶図 46)[59](亢進，低下)
- 筋収縮の持続時間
- 筋収縮量(筋放電量)

D 治療

理学療法や作業療法で不随意運動そのものを軽減することは困難である[54]．したがって，不随意運動の治療では薬物療法が主となり，重篤例に対しては**ブロック療法**や**定位脳手術**が行われる．これらの詳細については文献 51–55, 58, 60–62 を参照のこと．

E 作業療法との関連

不随意運動そのものの治療の第一選択は薬物療法であるが，不随意運動を呈する進行性疾患，たとえば，パーキンソン病などの場合，症状の進行に合わせた次のような対応が必要となる[55, 60]．

(1) 身体機能の維持

ROM や筋力，バランス能力などを極力維持するようにする．また，ベッド上臥床の時間が増えれば低活動による廃用が進行するため，可能なかぎり，これを予防するようにする．

(2) 進行度に合わせた日常生活活動能力の維持

残存能力の活用や代償法などによって具体的な ADL 遂行の方法を工夫する．さらに，自助具の活用や環境整備を行って動作遂行を容易にするとともに，不随意的な動きによる危険性を防止する．介助が必要な状況になれば介助法の指導を行う．

(3) 心理的側面へのアプローチ

不随意運動そのものによる，あるいは症状の進行に伴う抑うつや心理的な引きこもりを防止するために，集団やレクリエーション活動などを随時活用していく．精神的な緊張によって不随意運動が増強する場合，リラクセーション法を指導することも有効である．

(4) 薬物療法効果のモニタリング

薬物療法が著効を示すことがあるので，その効果を ADL のなかでモニタリングすることも，作業療法士の役割の 1 つとなる．

Keyword

ブロック療法　神経線維や神経叢，神経節などに局所麻酔薬や神経破壊薬(アルコール，フェノールなど)を注射し，神経の伝達を遮断する治療法．

定位脳手術　大脳の特定部位を X 線を利用して 3 次元的に確定し，頭蓋骨に開けた小さな孔から細い針(穿刺針)を挿入して，大脳の目標部位を限局的に手術する方法．不随意運動の治療のほか，脳内血腫の除去や脳腫瘍の検査にも用いられる．

7 協調運動障害とその治療

人が合目的的かつ効率的に外界に働きかけるには，運動を適切にコントロールする必要がある．運動のコントロール(調整)は感覚系および運動系の複雑な相互作用によって成立する．広い意味では，脳卒中に伴う片麻痺や前項の不随意運動も運動コントロールの障害であるといえるが，本項では失調症と呼ばれる病態と巧緻性を中心に述べる．

■用語

[協調性] 合目的的な運動が成立するにはROMや筋力といった運動系だけでなく，身体状況や環境からの情報に基づいて運動系を調整する神経系の働きが必要である．この神経系の調節能を協調性(coordination)といい，協調性が保たれた運動を**協調運動**という．

神経系の調節によって，筋収縮の以下の3要素が決定される[63]．

- 空間的要素(筋の選択と組み合わせ，運動方向と距離の調整)
- 時間的要素(筋活動のタイミング，動作開始と動作中の時間的調整)
- 強度的要素(筋出力の程度)

[巧緻性(こうち)] 巧緻性は臨床でよく使われる言葉であるが，明確な定義はなされておらず，協調性と同じ意味で用いていることもある．

一方，巧緻性が巧(たく)みさと緻密さからなる言葉であることから，単なる手指の運動能力のことではなく，対象物(物品)の細かな操作の能力とする意見もある[64]．つまり，協調的な筋の働きを基礎として巧みに対象物を操作する能力が巧緻性であると考えられる．

本項では後者の考え方を巧緻性として扱うことにする．

[失調症] 失調症(ataxia)とは，運動麻痺(筋力低下)はない，もしくは軽症であるが，動作や姿勢保持などの協調運動におきる障害と定義される[65]．しかし，長期経過をたどった場合には，廃用による筋力低下が認められることがある．

失調症とは，上記の筋収縮の3要素が障害された状態であり，協調運動障害の一種であるといえる．

A 評価・治療のための基礎知識

1 運動コントロールの方法

運動コントロールの方法として，フィードバックとフィードフォワードの2つが考えられている[63]．

a フィードバック

フィードバック(feedback)もしくは閉ループ制御は，運動に関する意図(予想)と結果(運動)を比較対照しながら意図した運動となるよう修正するものである．結果としての運動をモニタリングしながら修正するため，運動の調整に遅れやギャップが生じると考えられる．

フィードバック機構として働くものには，深部感覚(固有感覚)や表在感覚，前庭覚，視覚などがある．作業療法で使われることの多い「手と目の協調性」という用語は，フィードバック機構の1つである視覚情報を介した手指運動のコントロールであるといえる．

フィードバックは運動学習の初期や運動学習が不十分なときのコントロール方法である．運動が学習され，成熟するにつれてフィードフォワードによるコントロールに移行するものと考えられる(➡ 73ページ)．

b フィードフォワード

フィードフォワード(feedforward)もしくは開ループ制御では，結果を予測し，誤りがなければあらかじめ計画された運動プログラムに基づいて修正が行われることなく運動を遂行する．そのため，滑らかな運動が可能である．

フィードフォワードの運動プログラムには大脳皮質から基底核，小脳といったCNSすべてが関与するが，特に小脳系の働きが重要である．

2 失調症の分類と機序

a 失調症の分類

失調症は大別して小脳性失調症，感覚性失調，前庭性失調の3つに分けられる[65, 66)]（▶図 47）．そのほかに，大脳性失調症がある．

(1) 小脳性失調症

小脳は発生学的，形態学的に小脳半球，上部虫部，下部虫部，片葉小節に分けられる．それぞれの部位の障害によって**表 11**[65)]に示すような症状が出現する．小脳性失調症では，筋力低下や深部感覚には異常がなく，起立時の不安定性はあるが，ロンベルク(Romberg)徴候は陰性であり，内耳障害(耳鳴り，難聴など)はない．

小脳性失調症をおこす疾患には小脳血管疾患(出血および梗塞)，小脳腫瘍，小脳変性症(脊髄小脳変性症)，小脳炎，多発性硬化症，アルコール性代謝性疾患などがある．一般に，小脳血管疾患は他の小脳疾患に比べて機能予後はよいとされる．

(2) 感覚性失調症

末梢神経から脊髄後索にかけての障害により，固有感覚のフィードバックがなされないために失調症状を呈する．小脳性失調症と違い，ロンベルク徴候は陽性となる．歩行は，膝を高く上げ，踵を強く接地させる踵打歩行がみられる．これは，障害された深部感覚をできるだけ利用しようとする要素と，深部感覚障害により関節運動を制御できないことが要因だと思われる．上肢では，一定

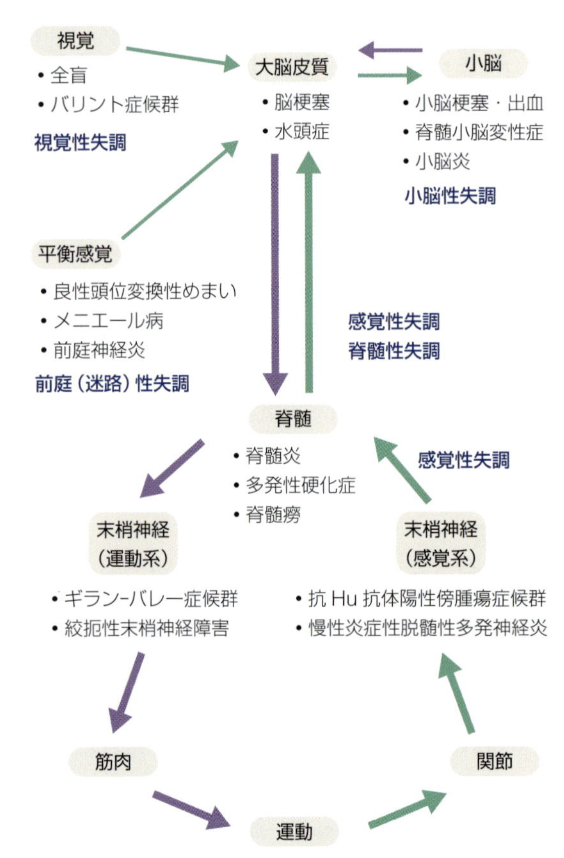

▶図 47　運動失調を生じる病変部位
それぞれの末梢感覚器(位置覚，視覚，平衡覚)から情報は上行し，大脳・小脳で処理して，運動をつかさどる．この経路のいずれの障害によっても運動失調を生じる．
〔望月仁志，他：神経メカニズムから捉える失調症状．*Jpn J Rehabil Med* 56:88–93, 2019 より改変〕

の肢位が保持できず物を落とすことがある．手指伸展し閉眼すると，手指の位置が認識できずにアテトーゼ様の動きになる(piano-playing finger)．

末梢神経障害と脊髄障害は，感覚障害の分布，腱反射によって鑑別する．

感覚性失調症をおこす疾患としては，末梢神経障害である多発性神経根炎やギラン-バレー症候群，糖尿病性ニューロパシー，アルコール性ニューロパシーなどがある．これらでは末梢神経性の感覚障害(手袋，靴下型の感覚障害)，腱反射の低下・消失が認められ，各失調症状は閉眼で増強される．脊髄性疾患としては脊髄癆が有名であるが，脊髄をおかす疾患(脊椎症性脊髄症や後脊

▶表 11 小脳の各部位の障害で出現する症状

小脳半球	上部虫部	下部虫部	片葉小節
●測定障害 ●企図振戦 ●反復拮抗運動の拙劣 ●筋トーヌスの低下 ●全般的な協調運動障害 ●患側方向への偏倚歩行 ●跳ね返り現象 ●小脳性言語(**爆発性**, **断綴性**)	●wide based 歩行 ●継ぎ足歩行困難	●立位での前後上下への身体の揺れ ●酩酊様歩行	●前庭性眼振 ●滑動性眼球運動障害 ●衝動性眼球運動

〔望月仁志, 他：神経メカニズムから捉える失調症状. *Jpn J Rehabil Med* 56:88–93, 2019 をもとに作成〕

髄動脈症候群，脊髄腫瘍など)でも失調症を呈することがある．

(3) 前庭性(迷路性)失調症

前庭器官である三半規管からの求心情報は，前庭神経核を介して小脳片葉小節に入力される．この経路が障害されると失調症状に加え，回転性めまいや姿勢性眼振，回旋性眼振を伴うことが多い．前庭性失調症では四肢の運動失調はなく，起立・歩行時の平衡障害が特徴である．起立すると両足を開いて立ち，不安定であり，閉眼によってゆっくりと動揺が増す(**前庭迷路**性ロンベルク徴候)．歩行時に患側に片寄る偏倚歩行がみられる．閉眼足踏みテスト(50〜100 歩)では，身体が徐々に回転していく．

前庭迷路性失調症を呈する疾患としてはメニエール(Ménière)病や前庭神経炎などがある．

(4) 大脳性失調症

前頭葉，側頭葉，頭頂葉の障害でも失調がおこるとされている．特に前頭葉の腫瘍で小脳性失調症に類似した症状が病巣とは反対側に出現する．その他の随伴する症状により小脳性失調症との鑑別を行う．

橋や内包を中心とした**ラクナ梗塞**あるいは腫瘍，脱髄疾患により，片麻痺と同側の小脳性失調症様の症状を伴った失調性不全片麻痺(ataxic hemiparesis)もある．

b 失調症の機序

(1) 小脳機能の障害[67)]

小脳は大脳小脳連関(大脳前頭葉連合野–脳幹–小脳–視床–大脳皮質運動野)を介して運動指令に関与する．また，固有感覚や皮膚感覚，前庭感覚，視覚，聴覚などの感覚入力を受ける．成熟した運動遂行においては，まずフィードフォワード系が働く．遂行中の運動は脊髄小脳路を経て小脳に入力され，運動指令と末梢からの感覚情報が照合・修正される．

さらに，小脳は赤核脊髄路や網様体脊髄路を介して脊髄運動神経を支配し，筋緊張を調整して協調運動の遂行に関与している．

小脳障害ではフィードフォワード機能が有効に働かず，フィードバック情報により運動を遂行し

Keyword

爆発性言語 小脳性疾患にみられる発語障害の 1 つ．発音の途中で急に強い音を発する話し方となる．

断綴(だんてつ)性言語 小脳性疾患にみられる発語障害の 1 つ．発音の強弱の変化が著しく，音声が途切れて刻まれたような話し方となる．

前庭迷路 内耳の中にある迷路の三半規管および前庭器からなる感覚受容器．身体の直進運動や回転運動のときに速度変化を感知する．視覚とともに姿勢反射に深くかかわり，身体の平衡調節を行う．

ラクナ梗塞 脳の細い動脈が閉塞して生じる虚血性の脳梗塞(直径 0.5〜15 mm)．病巣部位や梗塞の大きさによって，無症状のものから閉塞部位に応じた症状を呈するものまでさまざまなものがある．

なければならないため，運動の開始が遅れたり（時間測定異常），測定障害がおこる．また，フィードバック情報の処理に混乱がおこるため，各筋群の活動性に統一性がなくなり，運動の円滑性が失われてしまう（協働収縮異常）．小脳は筋緊張を調整する γ 運動神経を制御しており，小脳障害でこの働きが低下し，筋緊張が低下する．

(2) 感覚入力の障害[68)]

上述したように，小脳は運動遂行の結果をモニタリングしている．運動遂行の結果は筋紡錘や腱紡錘の固有感覚によって入力され，末梢神経や脊髄後索がこれを伝達している．これらの経路が障害されても失調症状が出現する．小脳障害と異なり，視覚によって比較的容易に運動遂行を代償することができる．

3 失調症の主な臨床症状

協調運動障害の一種である失調症の主な臨床症状には，次のようなものがある．

- **測定障害**：目標に四肢を到達しようとするとき，四肢が目標より手前で止まったり（測定過小），行きすぎてしまう（測定過大）ことをいう〔**図 53**（➡ 125 ページ）参照〕．
- **企図振戦**：同様に，目標に近づくにつれて振戦が激しくなり，四肢の描く軌跡が大きくなることをいう．測定障害の一種であると考えられる．
- **反復拮抗運動障害**：拮抗する運動（たとえば，回内・回外など）の切り替えがスムーズに行えないことをいう．
- **時間測定障害**：運動の開始や停止が正常よりも，あるいは健側よりも時間的に遅れてしまうことをいう．
- **運動分解**：複合的な関節運動が同時に行えず，個々の関節運動に分解してしまうことをいう．たとえば，上肢を前方挙上し，肘を伸展した肢位から耳を触れるように指示すると，肩と肘の動きが複合した耳への直線的な動きとならず，肘の屈曲がおこり，次いで肩の屈曲がおこるという 2 つの運動に分解される（▶**図 48**）[36)]．

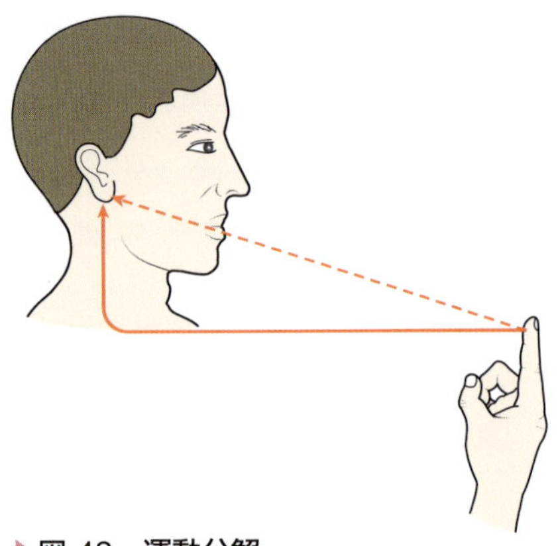

▶**図 48　運動分解**
正常では破線のような軌跡をとるが，失調症患者は実線のような軌跡を描く．
〔田崎義昭，他：ベッドサイドの神経の診かた．改訂 18 版，p149，南山堂，2016 より〕

- **協働収縮異常**：一連の動作（たとえば，起き上がり動作）で運動の順序や滑らかさが障害されることをいう．運動分解や測定障害などのいくつかの障害が複合しておこると考えられている．
- **失調性歩行**：小脳疾患や前庭神経障害では両足を開き，体幹の動揺に対してバランスをとりながらゆっくり歩行する（酩酊歩行）．一側の小脳障害では同側に片寄る歩行となる（偏倚歩行）．深部感覚障害では，両足を開き，下肢の動きは急速で大きく，踵を叩きつけるように歩く（踵打歩行）．
- **ロンベルク徴候**：両足をそろえ，つま先を閉じて立位をとる．開眼時と閉眼時の立位保持状態を比較する．閉眼時に大きくバランスを崩してしまう場合，ロンベルク徴候が陽性であるとする．健常者においても閉眼立位を長時間続けることは困難な場合があるので，他の症状と併せた鑑別が必要である．

B 評価

失調症の評価には，失調症状を明らかにする運

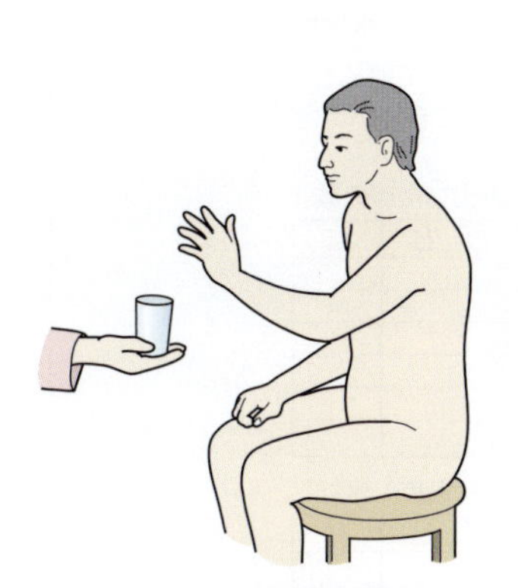

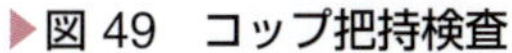

▶図 49　コップ把持検査

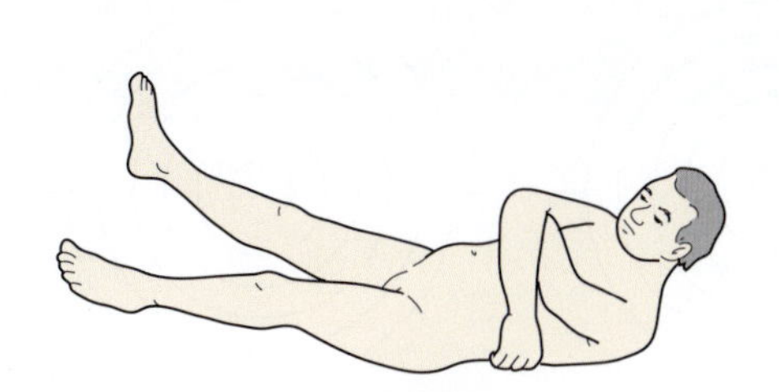

▶図 50　起き上がり検査

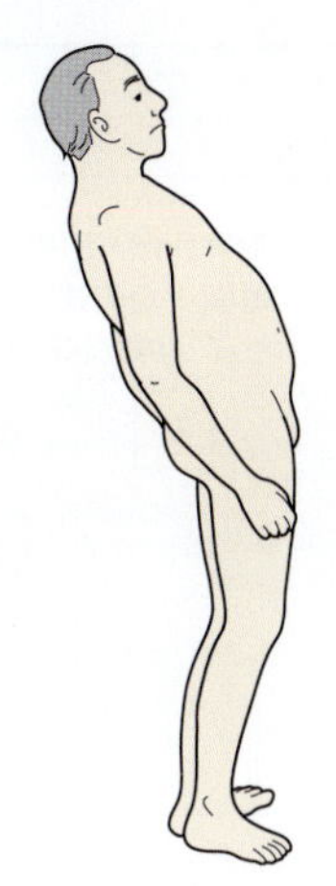

▶図 51　立位バランス検査

動検査，机上検査，失調症全般の評価スケール，機器による検査などがある．その主なものを以下に述べる．

失調症状を呈する対象者では，このほかに筋力や筋緊張，感覚，眼球運動，発声・発話の状態，ADL なども併せて評価しておく必要がある．また，小脳は認知機能や情動の制御にもかかわっているとされ（小脳性認知情動症候群），MMSE や前頭葉機能検査（Frontal Assessment Battery; FAB）による認知機能の評価が必要となることもある[69]．

1 運動検査

運動検査の詳細については，本シリーズ『作業療法評価学』および成書[70] を参照のこと．以下には運動検査の項目名のみをあげる．

a 上肢の検査

- 指鼻試験（測定障害，協働収縮異常，企図振戦）
- 鼻指鼻試験（測定障害，協働収縮異常，企図振戦）
- 指耳試験（運動分解）（▶図 48）
- 膝打ち試験（反復拮抗運動障害）
- コップ把持検査（測定障害，協働収縮異常，企図振戦）（▶図 49）
- 跳ね返り現象（時間測定異常）

b 下肢の検査

- 足指-手指試験（測定障害，企図振戦）
- 踵膝試験（測定障害，協働収縮異常）
- 脛叩打試験（測定障害，協働収縮異常，企図振戦）
- 床叩打試験（反復拮抗運動障害）

c 体幹の検査

- 端座位体幹バランス検査（体幹失調，平衡機能障害）

d 基本動作の検査

- 起き上がり検査（協働収縮異常）（▶図 50）

e 立位・歩行の検査

- 立位バランス検査（協働収縮異常）（▶図 51）
- 継ぎ足（タンデム）歩行

2 机上検査

- **協調性テスト**：図 52 にテスト用紙の一例[71] を示す．
- **線引き検査**：10 cm 離れた平行線間を結ぶように線を引かせる（▶図 53）．失調症があると線の手前で止まったり，行きすぎてしまう（測定障害），あるいは線のふるえがみられる．

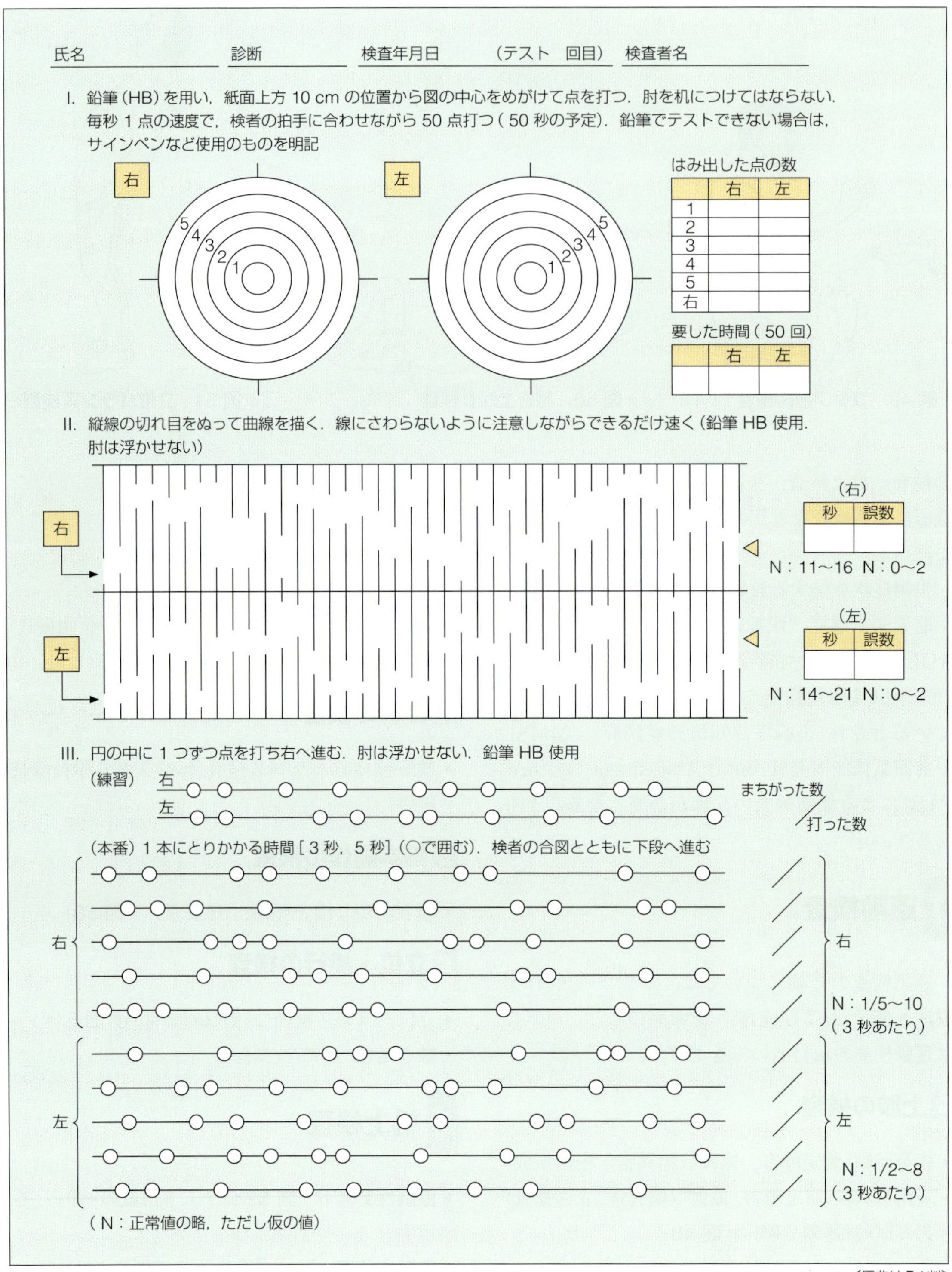

氏名　　診断　　検査年月日　　（テスト　回目）　検査者名

I. 鉛筆（HB）を用い，紙面上方 10 cm の位置から図の中心をめがけて点を打つ．肘を机につけてはならない．毎秒 1 点の速度で，検者の拍手に合わせながら 50 点打つ（50 秒の予定）．鉛筆でテストできない場合は，サインペンなど使用のものを明記

はみ出した点の数

	右	左
1		
2		
3		
4		
5		
右		

要した時間（50 回）

	右	左

II. 縦線の切れ目をぬって曲線を描く．線にさわらないように注意しながらできるだけ速く（鉛筆 HB 使用．肘は浮かせない）

（右）

秒	誤数

N：11〜16　N：0〜2

（左）

秒	誤数

N：14〜21　N：0〜2

III. 円の中に 1 つずつ点を打ち右へ進む．肘は浮かせない．鉛筆 HB 使用

（本番）1 本にとりかかる時間［3 秒，5 秒］（○で囲む）．検者の合図とともに下段へ進む

（N：正常値の略，ただし仮の値）

〔原典は B4 判〕

▶図 52　**協調性テスト（上肢）**〔上田　敏：目でみるリハビリテーション医学．p32，東京大学出版会，1971 より〕

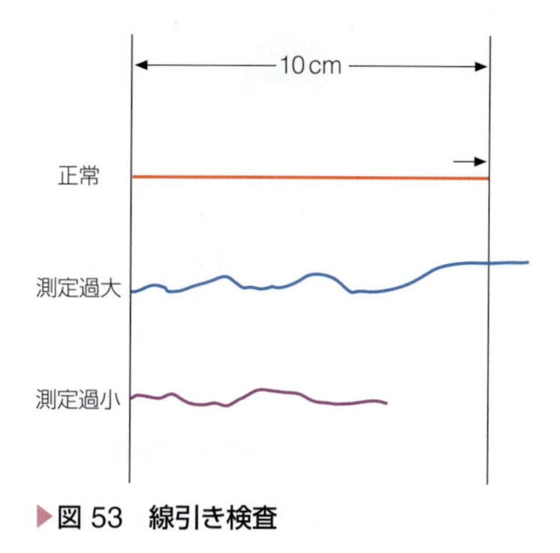

▶図 53 線引き検査

- **書字**：住所や氏名を書かせる．失調症があると徐々に字が大きくなる（大字症）．

3 失調症全般の評価スケール

- **SARA**（Scale for the Assessment and Rating of Ataxia）：脊髄小脳変性症による失調症の定量的な評価法である．8 項目（歩行，立位，座位，言語障害，指追い試験，指鼻試験，手の回内外運動，膝脛試験）からなり，無症状は 0 点，最重症は 40 点で評価される．
- **UMSARS**（Unified Multiple System Atrophy Rating Scale）：多系統萎縮症に限定した評価スケールである．4 つのパートからなり，part I は病歴（12 項目：最高 48 点），part II は運動機能評価（14 項目：最高 56 点），part III は自律神経機能評価（4 項目），part IV は全体的な機能障害スケールである．点数が高いほど障害の程度は強い．

この 2 つについては，本シリーズ『作業療法評価学』を参照のこと．

4 機器による検査

機器を使用した検査には，次のようなものがある．

- **連続写真・ビデオ撮影**：運動検査を連続写真やビデオに撮影し，四肢が描く軌跡をみる．これらは簡便ではあるが，画像上でしか記録を残せないという欠点があった．近年では，コンピュータを使用して撮影画像をデータ処理することもできる．また，タブレットやモーションキャプチャーを用いて，定量的に測定しようとする試みもなされている[72, 73]．
- **重心動揺計**：重心動揺計を用いて立位重心動揺を測定する．開脚幅，開眼・閉眼など，条件を変えて比較検討する．

C 治療手技

1 治療の原則

失調症状そのものの治療の原則は，視覚や固有感覚を利用し，正しい運動を繰り返し学習することで，運動制御の方法をフィードバックからフィードフォワードへと移行させることである．

対象者は次のような条件を満たす必要がある．

- 意識が清明であること
- 治療に対する意欲があること
- 学習できる知的能力があること
- 治療に集中できること

2 視覚を利用した方法

視覚を利用した方法としてはフレンケル（Frenkel）の体操がある[74]．これは 19 世紀末にフレンケルにより脊髄癆の失調症に対する訓練法として考案されたものである．固有感覚の障害を視覚を主とした残存感覚で代償してフィードバックし，運動のコントロールを学習させようとするものである．したがって，固有感覚障害のある感覚性失調症（脊髄性失調症や末梢神経性失調症）が適応となるが，軽度の小脳性失調症にも利用できる．

基本原則は次のとおりである．

- 注意の集中：運動する部位に視覚的に集中する．
- 正確性：正確な運動を行う．
- 段階づけ：運動の難易度やスピードを段階づけて行う．次の段階への移行は前の段階の運動が確実に行えるようになってからにする．
- 反復学習：繰り返し運動する．

3 固有感覚を利用した方法

固有感覚を利用した方法は次のような前提に立っている．まず四肢になんらかの方法で抵抗を負荷する．その負荷に抗しようとして運動に参加する筋群が増える．そして筋群の活動結果(固有感覚)を中枢に伝える筋紡錘からの信号が増大する．運動結果に対する通常より多い情報を受け取ることで，中枢は運動の修正やコントロールが容易になると考えられる．

a 重錘負荷

四肢遠位部や腰部に重錘を負荷し，失調症状を制御しようとするものである．重錘負荷によって，上記の信号増大の要因のほかに，対象者の四肢への集中力増加や過剰な運動出力を抑制する効果もあると考えられる．使用する重錘は，重錘バンドや鉛板を用い，負荷する重量は上肢で 200～400 g，下肢では 300～600 g，腰部では 1 kg が目安である[63]．歩行器や杖，靴などに重錘を負荷することもある[75]．負荷量は筋力や体格，失調症状によって異なるため，具体的な運動や動作を行わせて調整する必要がある．

b 弾性包帯装着法

重錘の代わりに四肢近位部や腰部に弾性包帯を巻き，失調症状を制御しようとするものである．弾性包帯法は筋出力を増大するというよりは，近位部の関節の安定性を高め，末梢部の失調症状を軽減するという効果もあると考えられる．弾性包帯を巻く部位は，肩や肘関節，腰部，股および膝関節である(▶図 54)．失調症状の起源となっている部位を見極めて装着する必要がある．長時間使用する場合は，弾性包帯によって循環障害がおきていないかにも注意する必要がある．

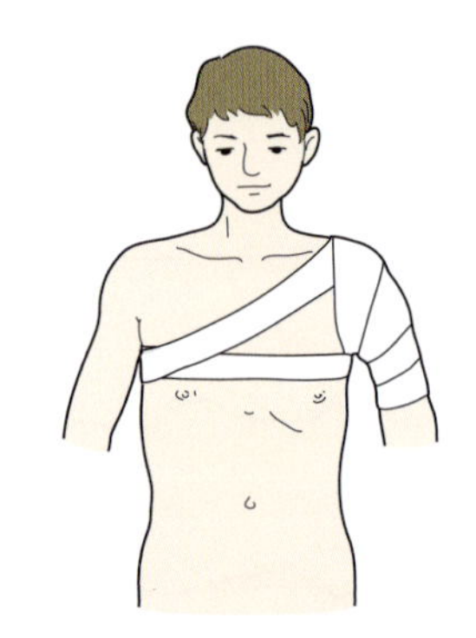

▶図 54　肩への弾性包帯装着

弾性包帯は対象者自身が巻くことができず，他者の介助が必要である．また，巻く強さを一定にできないという欠点もある．このため，弾性包帯の代わりにサポーターを使用する方法もある[76]．

c 固有受容性神経筋促通法

固有受容性神経筋促通法(proprioceptive neuromuscular facilitation; PNF)[77] の手技であるリズミック・スタビリゼーション(rhythmic stabilization; RS)やジョイント・アプロキシメーション(joint approximation; JA)は，徒手的な抵抗により感覚入力を高めることで失調症状を制御しようとするものである．

RS は関節固定筋群の同時収縮を促すのに有効な手技である．その方法はリズミカルで細かい抵抗を交互に与え，それに抗して上下肢を一定の肢位に保持させるものである．

JA は立位では両側の腸骨稜を上から保持し，ゆっくりとリズミカルに下方に圧を加える．これによって立位の安定性が得られる．四つ這い位で肩甲帯から骨の長軸方向に圧を加えると，中枢部の安定性が得られることもある．

PNF の手技を習得するには専門的な教育を受け，練習する必要がある．

4 巧緻性訓練

はじめに述べたように，巧緻性を運動のコントロールを基礎として巧みに対象物(物品)を操作する能力であるとすれば，単なる運動訓練ではなく，対象物を介した訓練が必要である[64].

巧緻性訓練を行うには，治療の原則で述べた条件のほかに，次のような前提条件を満たすことが必要である.

- 姿勢の保持が可能であること
- 上肢・手関節のある程度以上の運動性があること
- 手指の分離的動きがある程度みられること

これらの条件が満たされていない場合，木片やペグなどを用いた要素的・基礎的訓練を通して準備訓練を行う．失調症状がみられる場合も，まずこれを軽減する処置をとってから巧緻性の訓練を行う必要がある.

巧緻性訓練は次のような順を追って行う.

①全身および上肢・手指の正しいフォームを習得する.
②正確な動作を獲得する.
③速度や持久力を徐々に高めていく.

巧緻性向上の評価は，これらの要素が達成されているかの確認と，課題遂行に要する時間，作品のできばえなどによって行われる.

D 作業療法との関連

作業療法では，機能訓練として姿勢を含めた失調症状そのものの軽減をはかる．具体的には，前述した重錘負荷や弾性包帯を装着して，ペグのつまみ動作などの要素的・基礎的訓練を行う．重錘や弾性包帯は，外したあとに失調症状が強くなるリバウンド(跳ね返り)がみられることがあり，治療後の様子にも十分注意する必要がある.

また，長期経過した症例では筋力や持久力の低下がみられることもあり，これらに対する治療も必要となることがある．失調症状が進行し，移動に介助を要する中等度障害の時期には，背臥位から立位歩行までの運動発達順序に従った姿勢や移動動作の訓練，四つ這いや立位，片脚バランスの維持，改善などの訓練を行う[78].

失調症状の改善には時間を要することから，基礎的な機能訓練と並行してADLへの配慮も行う．特に，失調症状が進んだ重度障害の時期は，座位保持や下肢の支持力の増強を行い，介護者の介助量軽減をはかるとともに，以下のような危険性への対応が必要となる.

- 体幹失調が強いときには肢位の保持のために体幹を固定する.
- 下肢・体幹に失調症状がみられる場合，移乗・移動時の転倒を防止するために動きやすい家具や敷物を取り除くといった環境整備や，しっかりした手すりの設置を行う.
- 上肢に失調症状がみられる場合，刃物や食事用具，整容用具の使用に注意する.

失調症状を呈する疾患には進行性の疾患もあり，症状の進行に合わせた対応が必要となることがある．その他，前項の不随意運動とその治療も参照されたい.

8 感覚・知覚再教育

人の手は緻密な物品操作や力強く握ること，押すこと，感情の表現などさまざまな場面で片時も休まず使用されている．運動能と知覚能が脳内統合され，さらに過去の体験や学習によって記憶された内容と照合する認知の過程を経て，精緻な運動発現に寄与し，さまざまな場面での使用に対応する．

手の知覚障害は，脳血管疾患や脊髄損傷などの中枢神経の疾病や外傷，末梢神経損傷などの外傷に起因するもののみならず，糖尿病による多発神経炎など疾病に付随するもの，がんの化学療法後の誘発性末梢神経障害(chemotherapy-induced peripheral neuropathy; CIPN)などがある．

本項では感覚機能に焦点を当て，具体的な感覚・知覚再教育の進め方を中心に述べる．

A 感覚と知覚とは

感覚(sensation)とは，光・音・機械的刺激などを感覚受容器が受けたときに発せられる情報のことをいう．知覚(perception)とは，感覚受容器を通じて伝えられた情報から外界の対象の性質・形態・関係や体内の諸臓器・器官の状態を感知分別し認知する働きをいう[79, 80]．

1 手の機能と知覚の役割[81, 82]

手は物品を保持したり，操作する運動器としての役割と，物品の識別などの感覚器としての役割をもつ．特に知覚は，物品の探索や識別，手のフォームの決定，把持力のコントロール，物体の操作，危険回避に重要である．

a 物品の探索・識別

物品に触れたときに硬さや柔らかさ，温かさや冷たさなど，その物品の性質を識別することである．物体を操作するにはその性質を識別し，手と物体との対応関係を学習しなければならない．

b 手のフォームの決定

物品を正確に把持・把握するため，あらかじめ物品の形状に合わせて手の形をつくることである．

c 把持力のコントロール

物品を把持する際に，物品を潰すことや，落とすことのないよう必要最小限の力で把持することは重要である．把持力の維持および調整は物体を操作する前提となる．

d 物体の操作

物体の操作には運動機能のみならず運動を制御する知覚機能も重要で，知覚障害を生じると物品操作が著しく困難となる．筋緊張を維持するためには皮膚からの知覚情報が必要である．

e 危険回避

痛覚や温度覚などの防御知覚の障害により，熱傷や擦過傷などの外傷の危険性が高まる．損傷を受けても気がつかずに感染し，炎症を引き起こす場合や，痛みを感じないことによる安静保持の困難から遷延治癒をまねくなど，二次的合併症を引き起こすこともある．防御知覚の障害がある場合，多くはそれを自覚できていない．

2 感覚受容器(▶図 55)

静的触覚に最も関係の深い感覚受容器は，メルケル(Merkel)触盤とルフィニ(Ruffini)小体である．メルケル触盤は，皮膚に接触した物体の材質や形を検出するのに適している．ルフィニ小体は

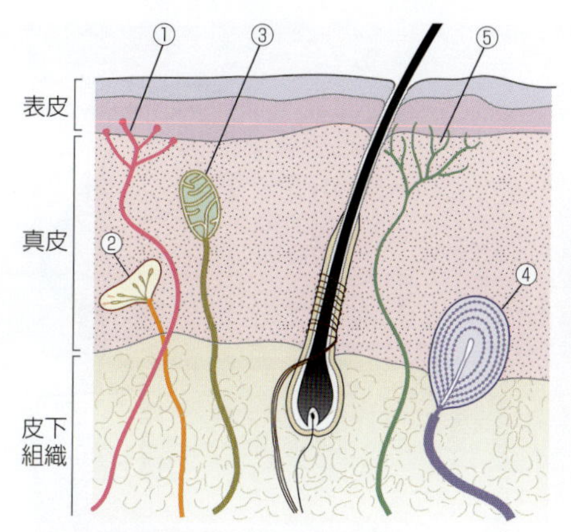

末梢受容器	受容器の特性	知覚検査	
		受容器閾値の検査	受容器密度の検査
①メルケル触盤	遅順応性	SWT*	静的 2 点識別覚
②ルフィニ小体	遅順応性		
③マイスナー小体	速順応性	30 Hz 振動覚	動的 2 点識別覚
④パチニ小体	速順応性	256 Hz 振動覚	

* SWT：セメス–ワインスタイン・モノフィラメントテスト

▶図 55　感覚受容器と知覚検査
①メルケル触盤，②ルフィニ小体，③マイスナー小体，④パチニ小体，⑤自由神経終末

局所的な圧迫を検出する働きがある．これらの感覚受容器は，特に物体を持ち続けるために必要である．

動的触覚に最も関係の深い感覚受容器は，マイスナー(Meissner)小体とパチニ(Pacini)小体である．マイスナー小体は 2〜9 本の神経に支配されている．これは接触した物体の鋭さなどの検出に優れており，約 30 Hz の振動に最も反応する．パチニ小体は手の広い範囲の刺激にも反応し，256 Hz の振動に最もよく反応する．これらの感覚受容器は，特に物体の質感を感じるために必要である．

3 知覚の回復過程

Dellon らによると，知覚の回復は神経線維と感覚受容器の数や神経線維の太さ(ニューロポンプ説)により決定されると報告されている[83]．

一般的に知覚は，痛覚(温冷覚)→ 30 Hz の振動覚→動的触覚→静的触覚(強)→ 256 Hz の振動覚→(精緻な)静的触覚の順序で回復する．

B 感覚・知覚評価(▶表 12)

1 一般的な感覚・知覚評価

一般的な末梢神経損傷後の評価項目には，防御知覚である痛覚，温冷覚と静的・動的な触覚，固有感覚として位置覚，運動覚，力の感覚がある．また，識別知覚の検査として，Moberg pick-up test, Dellon's object recognition test などがある．

知覚検査は，通常，**セメス–ワインスタイン・モノフィラメントテスト**(SWT)や振動覚などの閾値検査から開始し，次いで局在の検査，2 点識別覚などの感覚受容器の密度検査へと進めていく．

近年はニューロメーター装置(Neurometer®)(▶図 56)を用いた検査も実施されている．3 種類の異なる周波数による経皮的電気刺激により Aβ

Keyword

セメス–ワインスタイン・モノフィラメントテスト　触覚閾値を検査する器具．フルセットは 20 本のフィラメントからなる．各フィラメントには数値と色が付記されている．表示されている数値は対数表示した値であり，実際に加わる圧ではない(最低閾値のフィラメント No1.65 では 0.008 g，最高閾値の No6.65 では 300 g の圧)．触覚正常は緑，触覚低下は青，防御知覚低下は紫，防御知覚脱失は赤，測定不能は赤に黒斜線で表す．

▶表 12　感覚・知覚機能と検査項目

感覚機能	感覚機能と受容器	検査項目
防御知覚	痛覚(自由神経終末)	痛覚検査
	温冷覚(自由神経終末)	温冷覚検査
触覚	静的触覚(メルケル触盤，ルフィニ小体)	静的触覚 ●閾値：SWT ●局在：4.31 番のフィラメント使用 ●密度：s2PD
	動的触覚(マイスナー小体，パチニ小体)	動的触覚 ●閾値：30 Hz，256 Hz ●局在：タッチペンなど使用 ●密度：m2PD
固有感覚	位置覚 運動覚 力の感覚	位置覚検査 運動覚検査 重量の弁別
識別知覚		上記の知覚が運動に結びついた検査 Moberg pick-up test Dellon's object recognition test など

線維(触覚，振動覚)，Aδ 線維(最初に感じる鋭い痛覚，温冷覚)，C 線維(少し遅れて感じる鈍い痛覚，温冷覚)が活性化され，それぞれの感知可能な最小強度の各電流値〔電流知覚閾値(current perception threshold; CPT：1 CPT ＝ 10μA)〕を評価することができる．過敏や疼痛などにより対象者，検者ともに客観的な評価が困難な場合などには特に有用である．

各感覚・知覚評価方法の詳細については，本シリーズの『作業療法評価学』を参照すること．

2 評価における注意事項

一般的な注意事項としては，感覚・知覚評価の目的や意義についての十分なオリエンテーションと，回復に応じた計画的な実施，疲労に対する注意，さらに評価結果をわかりやすく対象者に説明することが重要である[80]．

Keyword

s2PD，m2PD　s2PD は静的 2 点識別，m2PD は動的 2 点識別という．s2PD では静的な 2 点刺激を，m2PD では動的な 2 点刺激を同時に体表面に与え，その刺激が 2 点と識別できる最短距離を計測する．

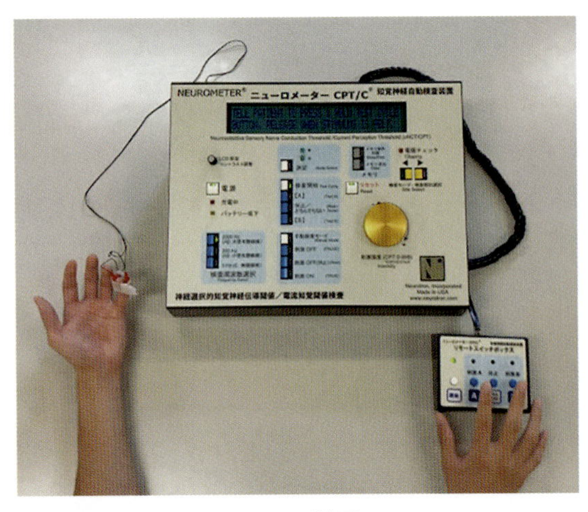

▶図 56　ニューロメーター装置

C 作業療法の目標

残存している知覚や回復してきた知覚を利用して，知覚と運動を統合し，知覚中枢の再学習によって可塑性のある脳の再編成を促すことであり[84]，単に識別知覚を改善させることではない．感覚の不足や過誤を大脳レベルで修正し，円滑な運動機能を獲得することが目的である．すなわち，日常生活や仕事上で能動的な手の使用を行うことで，安全かつ円滑に必要な動作が行えるようにすることが目標である．

D 感覚・知覚のリハビリテーションプログラム

知覚障害のある手を有効に使用するためには，防御知覚障害と疼痛に対するアプローチ，感覚・知覚再教育プログラム，手の動作学習プログラムの 3 ステップが必要である．図 57[82] に実際の進め方について示す．

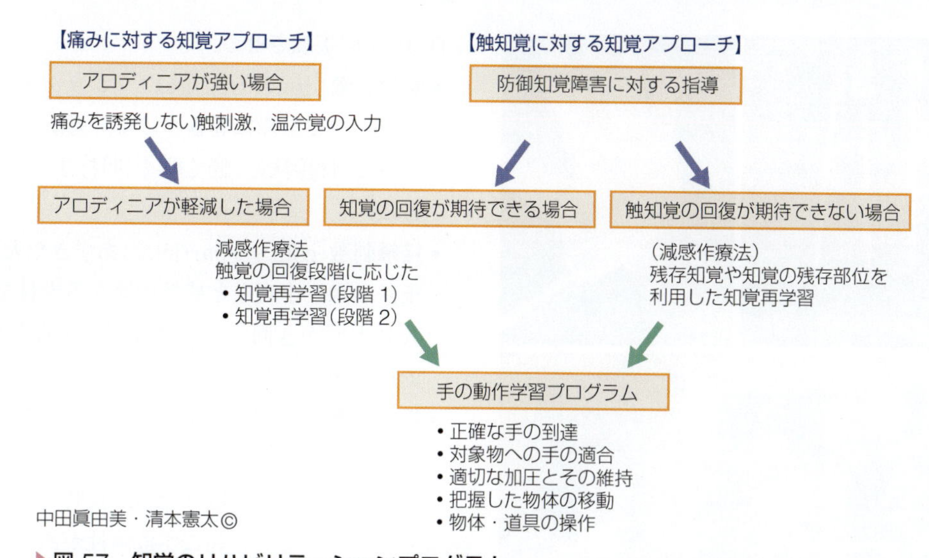

▶図 57　知覚のリハビリテーションプログラム
〔中田眞由美（編著）：新知覚をみる・いかす―手の動きの滑らかさと巧みさを取り戻すために．pp324–377，協同医書出版社，2019 より〕

1 防御知覚障害と疼痛に対するアプローチ

a 知覚脱失期：防御知覚障害のプログラム

痛覚・温冷覚の防御知覚が消失している場合に実施する．防御知覚は生体を外傷や熱傷から守るために重要な機能である．これらの予防のための対象者教育は必須である．障害の部位や程度の把握，日常生活や趣味活動，職業上での手の使用方法のチェックならびに考えられる危険の確認，それらを回避する方法を指導する．必要があれば家事動作の際の危険回避の方法など具体的な訓練を実施する．その際，自助具の作製や手袋や指サックの使用などもすすめる．

知覚障害のある部位は自律神経も障害を受けており，発汗停止，皮膚・爪の萎縮などによる皮膚障害を生じる危険がある．乾燥による皮膚障害は感染を引き起こす危険性もあり，自己管理を徹底するよう教育する必要がある．ぬるま湯に 1 日 2 回以上 20 分間浸すソーキング（soaking；浸漬）[82] を実施し，その後ハンドクリームなどを塗布し乾燥を防ぐ．対象者自身で手の様子を常に確認し，乾燥した状態のままで放置させないことが重要である．

b 減感作療法（脱過敏法，脱感作）

神経の回復に伴う知覚の過敏状態（hypersensitivity）では，訓練のみならず日常生活に支障をきたす場合が多い．この場合はまず減感作療法（desensitization）を実施する．対象者が耐えられる程度の刺激から開始し，徐々に刺激を強めていく．通常，1 回 10 分程度から始めて，1 日 3～4 回行う．なお，これらの方法は中枢神経疾患にも適応できる．

末梢神経損傷後に**複合性局所疼痛症候群**（complex regional pain syndrome; CRPS）Type II を合併することがある．症状は，皮膚・

> **Keyword**
> **複合性局所疼痛症候群**　骨折，捻挫，打撲などの外傷をきっかけとして，慢性的な痛みと浮腫，皮膚温の異常，発汗異常などの症状を伴う難治性の慢性疼痛症候群．軽微な外傷によっても生じる Type I（肩手症候群を含む反射性交感神経性ジストロフィー）と，比較的太い末梢神経の損傷によって皮膚の発熱や発汗異常を伴い，激痛（カウザルギー）を生じる Type II とがある．

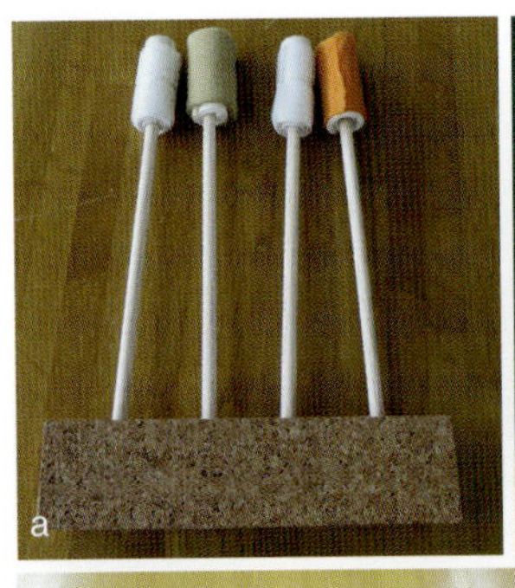
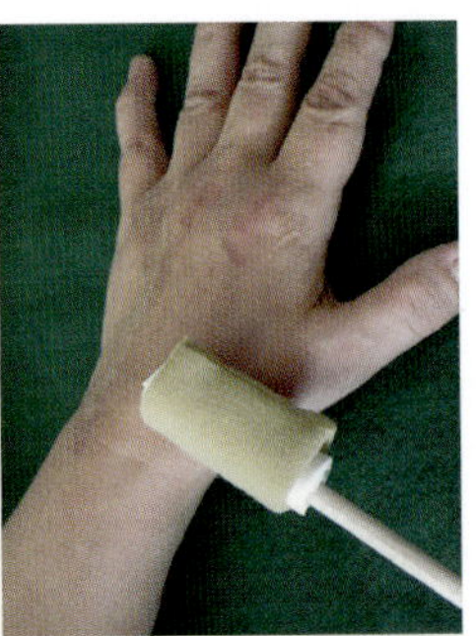

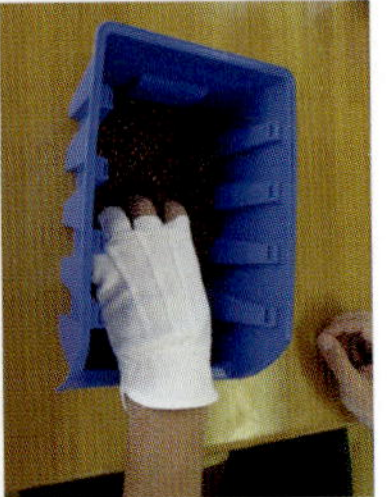
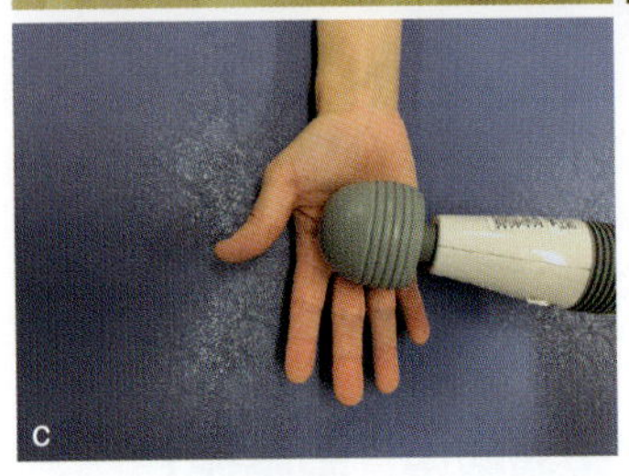

▶図 58　Three-Phase Desensitization Kit による減感作療法

a：素材刺激(dowel texture)：先端に素材の異なるものを貼り付け，過敏部分を擦る，叩くなどを行う．

b：接触刺激(contact particle)：あずき・小石・大豆などの素材．手を入れてかき回す．

c：家庭用マッサージ器を使用しての振動刺激．

爪・毛の萎縮性変化，ROM 制限，触刺激あるいは温刺激による**アロディニア**〔allodynia(異痛症)〕，発汗異常，浮腫などがある．CRPS を合併している場合に減感作療法を実施する際は，刺激の強さの調整などは特に慎重に行うべきである．

■ Three-Phase Desensitization Kit による減感作療法(▶図 58)[82]

以下の 3 種類の刺激を 1 回につき 10 分程度，1 日 3～4 回接触させる．

- **素材刺激**(dowel texture)：マジックテープやフエルトなどを棒に巻きつけて，過敏な部位を軽く擦る(軽擦法)，軽く叩く(叩打法)などを行う方法．
- **接触刺激**(contact particle)：あずきや大豆，ビー玉，お米，小石など感触の異なる素材を容器に入れ手でかき回す，過敏な部分を押し付ける，素材を把握したりする方法．
- **振動刺激**：23 Hz と 53 Hz の振動数を出せる家庭用マッサージ器などを用いて，過敏な部分に近づけるまたは接触させる．長時間の接触により皮膚障害を引き起こす危険性があるため注意が必要である．

Keyword
アロディニア(異痛症)　通常では痛みをおこさない刺激によっておこされる痛みである．

■弾性包帯による持続圧迫法

知覚過敏部分に対し，弾性包帯などを使用し軽い持続圧迫を加える．

2 感覚・知覚再学習プログラム[81, 85]

従来は SW モノフィラメントの 4.31 番を感知ができてから開始するのが一般的とされてきたが，知覚の良好な回復のためには，脳の知覚領域を賦活し，維持することで隣接領域への置き換わりを最小限にすることが重要であり，神経修復術後翌日からの実施が望ましい．

a 知覚の回復が期待できる場合

(1)　段階 1：神経修復後・触覚回復前

できるかぎり早期から実施する．異なる素材が皮膚に触れる摩擦音の違いを使用した模造知覚を用いる方法や，健常側上肢の動きを鏡に映し誘発される体性感覚(運動錯覚)を利用するミラーセラピー(▶図 59)などがある．

(2)　段階 2：再神経支配後・触覚回復後

SW モノフィラメントの 4.56 番を感知可能になれば開始する．回復してきた触覚を使い識別知覚を改善させることを目的に実施する．方法は前

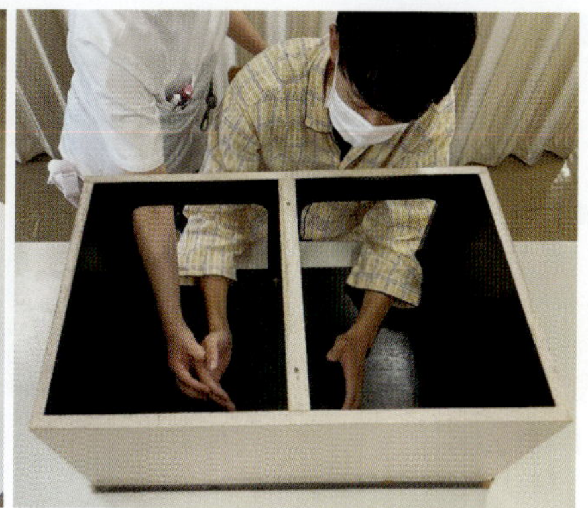

▶図 59 ミラーセラピー

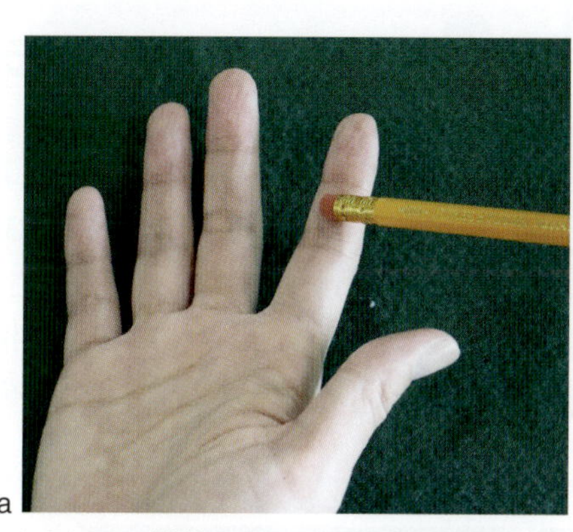
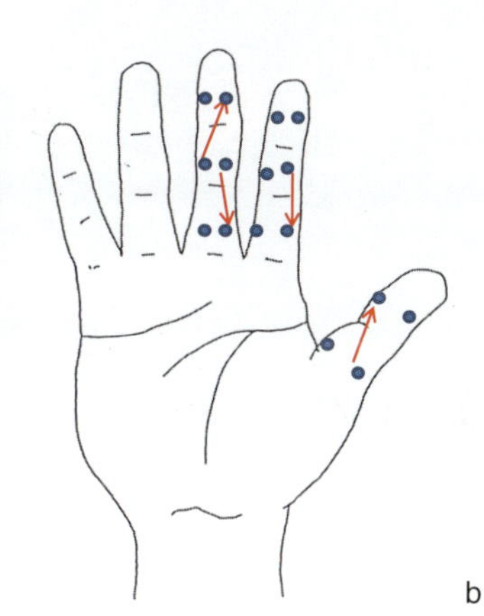

▶図 60 鉛筆を用いた局在修正訓練とマッピング
a：局在修正訓練，b：知覚のマッピング

述した減感作療法のほかに，局在の修正，さまざまな形態・素材の物品を使用しての識別知覚の再学習，多様な環境での手の使用である．

[局在の修正] SW モノフィラメントの 4.31 番，30・256 Hz の振動覚を感知できるようになれば開始する．鉛筆の先についた消しゴムなどを用いて，閉眼で動的触覚あるいは静的触覚の刺激を加える（▶図 60）．どのように知覚したか，どこに感じたかを尋ね，刺激を加えた部位と感じた場所が異なる場合には，開眼で同じ部位に刺激を加えて確認させ，閉眼と開眼を繰り返して行うことにより正しい局在を学習させる．閾値の回復を認めたら 4.31 番モノフィラメントを用いて 1 回の刺激で行う．指腹では刺激部位から 9 mm 以内の誤差で，さらには 5 mm 以内の誤差で定位できることを目標とする．1 日 10〜15 分を数回，静かな集中できる環境下で実施する．

[識別知覚の再学習] 局在の修正がなされたら，物体の把握や触れたときの対応関係を学習し，物品操作を行いやすくするために紙やすりやフェルトなど材質や形状の異なるものを利用して識別知覚の再学習を行う（▶図 61）．物体の特徴が識別できるようになれば，日常物品の識別学習を行う．形状の差の大きいものから開始し，同じ性状で形態の異なるもの（▶図 62），形態の似ているものに段階づける．さらには知覚刺激を複数組み合わせての物品の識別へと進めていく．

▶図 61　素材の識別

紙やすりやフェルトなどの素材の異なるものを貼り付けている．

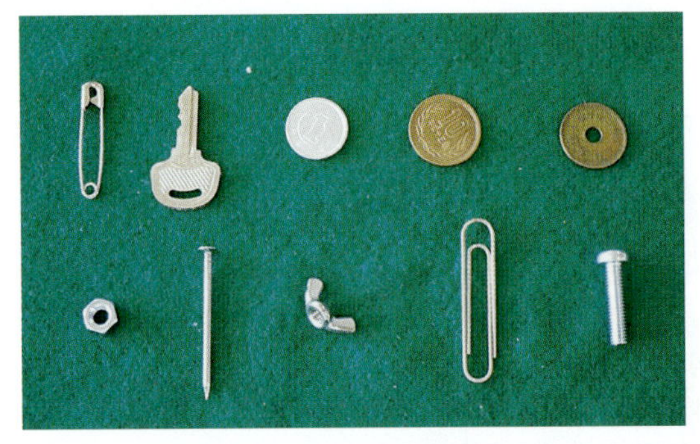

▶図 62　性状が同じ(すべて金属性)で形の違う物品の例

b 触覚の回復が得られない場合や回復途上で触覚まで回復が得られていない場合

触覚の残存している部位や固有感覚などの残存している知覚を利用して，探索や識別知覚の獲得をはかる．物を握った状態と何もない状態での指屈筋群の抵抗感覚の違いや，肘や肩の固有感覚の利用などが方法としてあげられる．この場合は振動や抵抗感の強いものから開始し，次第に弱いものへと段階づけする．

3 手の動作学習プログラム

識別知覚の再獲得後は，知覚と運動学習を組み合わせた動作訓練を行う(▶図 63)．まず対象物の識別を行い，物品に手を適合させる．次いで，物品の性質に合わせて把持力や接触力をコントロールし，把握した物品を移動させて操作させる．

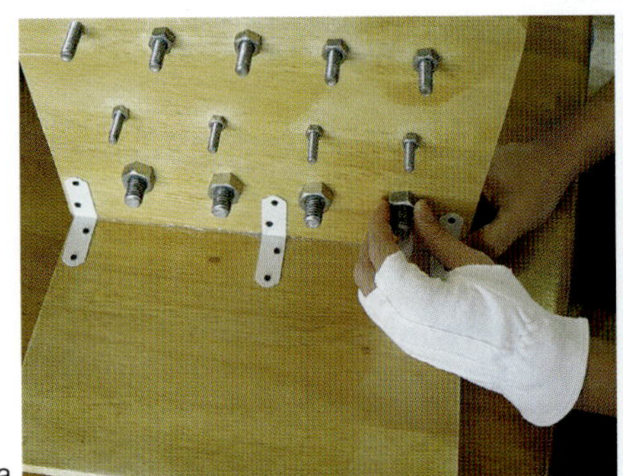

a

b

c

d

▶図 63　手の動作学習の例

a：ワトソンボード，b：ドライバーの操作，c：スマートフォンの操作，d：キーボード操作これにより日常生活や職業上で必要な動作が円滑に行えることを目指す．

4 中枢神経疾患に対する感覚・知覚再教育訓練プログラム

中枢神経疾患による知覚障害でも，末梢神経損傷と同様に，動作障害として探索・識別困難，手のフォームや把持力の調整，物体移動の円滑性の欠如などがみられる．中枢神経疾患の場合には，運動麻痺のみならず，高次脳機能障害も合併することもあるため，感覚・知覚機能，運動機能，高次脳機能を総合的に訓練していく必要がある．

中枢神経疾患例に対する感覚・知覚再教育訓練は，運動麻痺が重篤で，運動がまったくできない状態から開始する．つまり，両側動作(手を組ませて両手を同時に使う)で，アクリルコーンやペグなどの物品を用いて，運動方向や位置を意識づけさせる．次いで，患側手の管理方法の指導や異常知覚に対する減感作療法と運動麻痺の改善に合わせて，麻痺側手の動作学習へと進めていく(▶図 64)．

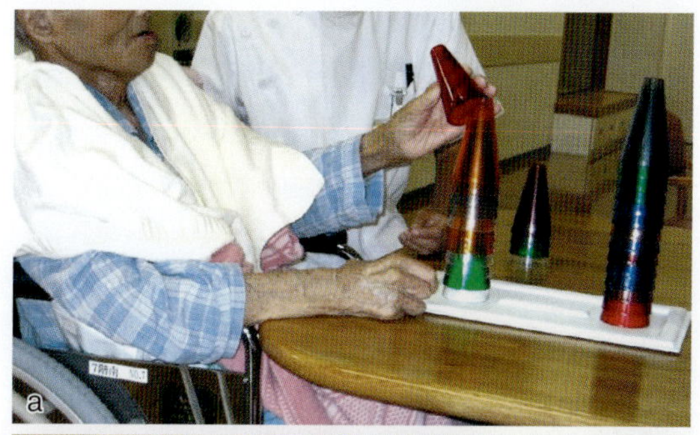

▶図 64　中枢神経疾患に対する感覚・知覚再教育
a：アクリルコーンを用いた動作学習，b：接触刺激(contact particle)による減感作療法

5 注意事項

感覚・知覚再教育訓練は高い集中力が必要であるため，1 回 10〜15 分程度の短時間で 1 日数回実施する．家庭でも短時間で頻回に実施するよう指導する．知覚刺激入力の際には刺激の種類や部位，強度や刺激時間，回数を設定し，その適切性を確認する．また，先に述べたように，知覚障害のある手は外傷を受ける危険性が非常に高いため，訓練実施場面では十分な注意が必要である．

9 廃用症候群とその対応

A 廃用症候群とは

廃用症候群とは，日常生活の低活動や長期臥床により心身の活動性が低下したことによって二次的に生じる体力の低下や身体的，精神的諸症状を総称した概念である[86]．低活動には外的要因(医学的治療のために求められる安静など)と内的要因(疾病の結果としての運動麻痺や筋力低下，精神活動の低下など)に分けられる．また，臥床はヒトの長軸方向に対する重力負荷がなくなった状態であり，結果として循環調整系が適応し，体液量の減少や起立性低血圧を生じる．臨床現場では，外的要因により低活動となり，臥床を強いられる

▶表 13　廃用症候群

諸症状	原因
骨格筋の萎縮	運動不足
関節の拘縮	関節運動の欠如
代謝障害 ●オステオポローシス ●尿路結石	 体重と負荷筋収縮の欠如 骨の脱灰，尿路感染
循環障害 ●起立性低血圧 ●静脈血栓症 ●沈下性肺炎 ●褥瘡	 臥床の継続 静脈血流のうっ滞 胸郭拡張の欠如，体位不良 長時間の圧迫
括約筋障害 ●尿失禁 ●便秘	 排尿機会の欠如 不適当な食事，運動不足，排便機会の欠如
心理的荒廃	不活発，孤独，馴れた環境からの隔離，施設の日常的単調さ

〔江藤文夫：廃用症候群の発生機序と改善のための運動療法．理療ジャーナル 25:160–164, 1991 より〕

ことが多い．これにより身体的，精神的機能低下がおこる[87]．いったん廃用症候群になると，それが内的要因となり，さらなる廃用を引き起こすという悪循環に陥る．廃用症候群の諸症状や原因は表 13[86] に示すとおりであり，骨や筋の運動器だけでなく全身の機能に及ぶ．

骨折治療のためのギプス固定による関節拘縮や筋力低下は，廃用症候群の代表的なものとして“局所的問題”に分類される．一方，長期臥床中に他動的にでも運動がなされなければ，“全身性”に拘縮が認められることになり，局所的問題とはいえなくなる．また，高齢者では，安静臥床により精神的混乱が促進されることもあり，単なる身体的問題であるともいえない．

このように廃用症候群は，全身的かつ心身両面にわたって考慮する必要がある．

B 廃用症候群をおこす状況

上述したように，廃用症候群には内的要因と外的要因があるが，その共通した具体的状況としては，次のようなものがあげられる．

- 治療目的：疾患治療のための絶対安静や骨折後のギプス固定など
- 精神症状：一部の精神症状として不動や不活発を生じるものなど
- 運動麻痺：各種神経疾患により運動麻痺が生じ，運動が行えないなど
- 疾患の特性：関節炎や痛みなどにより関節運動が行えないなど
- 知覚障害：知覚障害により巧緻性の低下を伴うと，その動作の頻度が低下するなど
- 生活習慣：日常生活の活動性が乏しいことによるものなど
- 心理的な原因：運動や転倒に対する恐怖心から活動性が低下するなど

C 廃用による影響

1 廃用による悪循環

低活動や安静臥床によって心身機能が低下する．それによって，日常生活における危険性(転倒など)や疲れやすさが増す．これが恐怖心や意欲の低下につながり，活動性の低下を促進し，さらに心身機能が低下するという悪循環が形成される(▶図 65)[88]．

2 身体機能への影響

廃用による関節や筋への影響は前述したので(➡ 76，88 ページ)，ここではその他の主な影響について述べる．

a 骨の萎縮

廃用または加齢に伴って骨のもろさが進行し，軽度な衝撃によっても骨折をきたすことがある．

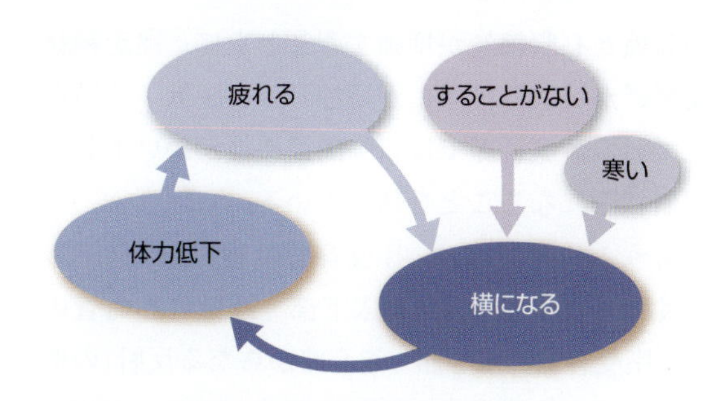

▶図 65 体力低下の悪循環のメカニズム
〔上田 敏：目でみるリハビリテーション医学．第 2 版，p14，東京大学出版会，1994 より〕

これは骨吸収と形成の不均衡によるものである．

骨は吸収と形成が絶えず行われ，新生している．吸収を行うのは**破骨細胞**であり，形成は**骨芽細胞**が行っている．廃用性骨萎縮は局所的なものと全身的なものがある．前者はギプス固定などによるものであり，後者は長期臥床などによるものである．どちらにせよ，骨に負荷がかかっている状態では骨吸収と形成のバランスがとれているが，固定や臥床などで骨への負荷がなくなると骨吸収が亢進し，骨形成が低下して早期に骨萎縮が進行する．骨量の減少は，骨代謝回転の速い海綿骨から生じやすく，椎体などの海綿骨は皮質骨に比較して廃用の影響を受けやすい[89]．

長期臥床によって 1 週間に 1～2%，数か月で 10～20% の骨量が消失する．脊髄損傷者では受傷後，約 37 週目までは骨萎縮が進行する[90]．

廃用性骨萎縮に対しては，食事や日光，薬物，運動が有効である．特に骨の長軸方向に大きな負荷をかける運動によって局所的・全身的に骨を強くすることができる．たとえば，上肢では壁押しや腕立て，脊柱や下肢では歩行や種々の立位での運動などである．

b 体力の低下

長期臥床後，疲れやすさを訴えることが多い．臨床的には息切れや心拍数の増加などがみられるが，これらは体力が低下した状態であるとされる．

体力はいろいろな定義や分類がなされているが，ここでは「日常生活を疲労することなく行える能力」とする．このためには筋力や筋持久力，俊敏性などを必要とするが，これらの能力を発揮するには心肺機能の裏づけが重要となる．

日常生活では有酸素的作業能力が主体となることから，体力の指標としては最大酸素摂取量($\dot{V}O_2max$)が使われることが多い．

$\dot{V}O_2max$ とは，人が 1 分間に摂取可能な最大酸素量である．運動に必要な酸素が $\dot{V}O_2max$ 以下ならば運動を続けることができるが，$\dot{V}O_2max$ 以上を必要とする運動であれば，酸素負荷が大きくなり，その運動を続けることができなくなる．

体力は加齢とともに低下するが，ADL に要する 2 倍の $\dot{V}O_2max$ を有していれば，日常生活を疲労なく行えると考えられる[91]．日常的な階段昇降で疲労が残らないためには，60 歳代男性で 28.56，女性で 23.93，70 歳代男性で 25.71，女性で 22.41 の $\dot{V}O_2max$ が必要である(単位 mL/kg/分)．これらの数値は，日常生活の活動レベルによって変化しうる(各種動作，各年齢別の数値については文献 91 を参照のこと)．

$\dot{V}O_2max$ の測定には呼気分析装置やトレッドミル，自転車エルゴメータなどを必要とし，運動遂行能力の限界までの負荷をかけることから危険性も伴う[92]．したがって，臨床場面で行うには困難がある．

$\dot{V}O_2max$ の低下，心拍数の増加，運動耐容能の低下，つまり易疲労性の亢進，起立性低血圧などは，長期臥床によって 1 回心拍出量が低下するために生じることがある．その要因としては次の 3 つが考えられている．

①循環血液量，特に血漿量の減少

Keyword

破骨細胞　骨が新生されるとき，あるいは骨折などで骨が破壊されたときに，骨を吸収するために骨髄中に出現する多核で大型の細胞．

骨芽細胞　骨の発生過程や成長中，または再生中に骨の形成部にみられる細胞で，骨の形成や骨化に関与する．

②静脈系の適応能力の低下（末梢部に貯留した血液を送り返せない）
③心筋機能の低下

成人の血液量は約 5 L（体重約 65 kg）であり，そのうち血漿量は約 2.8 L である．健常者を対象としたいくつかの研究によれば，安静臥床直後から循環血液量は減少し始め，その大部分は血漿量の減少であった．安静臥床後 6 時間で 4.3%，24 時間で 5.3～9.7%，20 日で 15%，175 日後には 30% の血漿量が減少するとされている．

静脈系の適応能力の低下と心筋機能の低下では，まず前者が先行して酸素運搬系に影響を及ぼし，臥床期間が長期化するにつれて心筋機能が低下するものと考えられている[93]．

c 起立性低血圧

起立後 3 分以内に収縮期血圧が 20 mmHg 以上，拡張期血圧が 10 mmHg 以上低下する場合を起立性低血圧という．長期臥床後では，起立時のみならず姿勢変換時にも血圧が著しく低下し，臨床症状として立ちくらみや失神，頭重感，悪心・嘔吐，顔面蒼白などの症状を呈することがある．

長期臥床や加齢による起立性低血圧の原因の 1 つは循環血液量の低下である．起立することにより，循環している血液が両下肢および腹腔内臓器の静脈系に貯留する結果，心臓への静脈還流が減少し，心拍出量が低下して血圧が低下する[87, 94]．

健常者では**交感神経反射**により動・静脈血管の収縮と心収縮量が増強するとともに，**迷走神経反射**が減弱して脈拍が増加し，血圧低下を防止している．脳循環では自動調節機構が働いて脳が虚血状態になることを防いでいる．

もう 1 つの原因は，圧受容器の感受性の低下もしくは圧受容器反射（視床下部・延髄の心血管中枢，圧受容器，求心路・遠心路からなる反射）の機能低下であると考えられている．

起立性低血圧は長期臥床以外の原因でもおこることがあり，鑑別が重要である．中枢神経疾患（脳血管疾患，パーキンソン病，脊髄小脳変性症）や脊髄損傷（特に残存機能レベル第 5 胸髄以上），末梢神経障害（糖尿病，アルコール性末梢神経障害など）も起立性低血圧をおこす可能性がある．薬物（降圧薬，三環系抗うつ薬，抗不安薬など）の副作用として起立性低血圧がみられることもある．

自律神経障害や交感神経遮断薬を服用している場合，食後に血圧が低下し起立性低血圧が増悪する場合もある（食後性低血圧）．

d 老化と廃用症候群

加齢とはヒトが生まれてから死ぬまでの時間経過（暦年齢）を指し，老化とは成長期（性成熟期）以降，すべてのヒトにおこる加齢に伴う生理的機能の低下とされている．老化が即，廃用症候群に直結するわけではない．しかし，高齢者は廃用症候群につながりやすい心身状況にある．高齢者にみられることがある虚弱・低栄養，摂食・嚥下障害，尿失禁，認知症，抑うつ，睡眠時無呼吸，意識障害，転倒，寝たきりなどを老年期症候群といい，ADL 自立の阻害要因となる[95]．

老年期症候群の 1 つである虚弱〔フレイル（frailty）〕は，高齢期のさまざまな要因によって身体的・精神的・社会的機能が徐々に失われ，健康障害を引き起こす前の状態（自立と要介護状態の中間的状態である虚弱高齢者）とされる[96]．身体的フレイルは，体重減少，易疲労感，筋力低下，歩行速度低下，身体活動性低下の 5 項目のうち 3 項目以上が該当した場合を指す（▶表 14）[97]．精神

Keyword

交感神経反射　外界の変化に対応して，生体内部の状態を一定に保つための調節機構のうち，神経系でなされるものをいう．ほとんどが自律神経系（交感神経系と副交感神経系）を介して行われる．自律神経系は内臓の運動や分泌，内臓の知覚をつかさどっている．

迷走神経反射　副交感神経系の中心的存在である迷走神経を介して行われる反射．迷走神経反射によって不整脈や徐脈，血圧降下，心停止などをおこす．

自律神経障害　自律神経系の機能が障害された状態．「交感神経反射」，「迷走神経反射」も参照のこと．

▶表 14 改訂日本版フレイル診断基準(改訂 J-CHS 基準)

項目	評価基準
体重減少	6 か月で，2 kg 以上の(意図しない)体重減少
筋力低下	握力：男性 < 28 kg，女性 < 18 kg
疲労感	(ここ 2 週間)訳もなく疲れたような感じがする
歩行速度	通常歩行速度 < 1.0 m/秒
身体活動	①軽い運動・体操をしていますか？ ②定期的な運動・スポーツをしていますか？ 上記の 2 つのいずれも「週に 1 回もしていない」と回答

3 項目以上に該当：フレイル，1〜2 項目に該当：プレフレイル，該当なし：ロバスト(健常)

〔Satake S, et al: The revised Japanese version of the Cardiovascular Health Study criteria (revised J-CHS criteria). *Geriatr Gerontol Int* 20:992–993, 2020
https://www.ncgg.go.jp/ri/lab/cgss/department/frailty/documents/J-CHS2020.pdf より〕

的フレイルとしては認知機能低下や抑うつ気分，社会的フレイルとしては独居や貧困，社会的つながりの減少などがある．フレイルは適切な対応によって再び健康な状態に戻るという可逆性があるが，対処されなければ廃用症候群につながり，寝たきりの状態に移行しうる危険性がある．

身体的フレイルの項目である筋力低下，歩行速度と関連のあるものとしてサルコペニア(sarcopenia)がある．加齢により筋量および筋力は低下する．四肢骨格筋指数の低下，筋力(握力)低下，身体機能(通常歩行速度)の低下があるとサルコペニアと診断される[98]．サルコペニアがあると，ADL や QOL の低下，転倒などの危険性，そして究極的には死のリスクを伴う．サルコペニアと診断された高齢者はフレイルである確率が高い[99]．サルコペニアも適切に対処されなければ廃用症候群につながる．

D 廃用症候群への対応

1 廃用症候群の対応の原則

廃用症候群はそれを引き起こさないための予防が第一である．しかし，治療上の必要性からやむなく安静が必要とされることもあり，回復への対応が必要となる．廃用は全身の機能に影響を及ぼすため，表面化している問題だけでなく，環境を含めた分析により，潜在的な問題にも目を向け，総合的な対応をとり，廃用による悪循環を断ち切る必要がある．

廃用症候群の諸症状に対応するには，次のような段階をとるようにする．

a 原因の明確化

身体の不使用や低活動，安静臥床が原因で廃用症候群は引き起こされるが，症状として表に現れているものが必ずしも廃用によるものではないことがある．たとえば，起立性低血圧は廃用以外に薬物や損傷によってもたらされる場合もある．このような例では，その原因に対する対応が優先してなされるべきである．したがって，その原因を明らかにする必要がある．

b 優先問題への対応

廃用症候群は心身両面にわたる問題ではあるが，そのなかでも中心となっているもの，あるいは悪循環の源となっているものに焦点を絞り，対応する．たとえば，ROM への対応が重要であるのか，筋持久力を高めることが必要なのか，全身的な体力を向上させるのか，物理的な環境を変えることが優先されるのか，精神的な刺激が必要なのかなどである．

c 段階的な訓練

リハの場面で廃用症候群を呈する対象者は，なんらかの基礎疾患を有していたり，高齢であることが多い．廃用症候群に対して訓練や活動を導入する場合，リスク管理を遵守し，対象者の反応をみながら段階的に負荷を高めていく必要がある．

性急な対応は，時には生命に危険を及ぼす可能性がある．また，過剰使用の症状，たとえば**遅発性筋肉痛**を生じさせる可能性がある．辛ければ辛いほど訓練効果があるといった信条の人や，競争心の強い人などは過剰使用に陥りやすいので注意が必要である．

2 体力低下への対応

a 運動強度の決定

体力の裏づけとなる心肺機能を高めるには，ある一定以上の負荷をかけた運動を行う必要がある．負荷量は，厳密には $\dot{V}O_2max$ を測定し決定するが，臨床場面での測定は容易ではない．また，基礎疾患のある対象者や高齢者では危険性も伴う．

b 目標心拍数の算出

臨床場面では心拍数を指標とするほうが簡易である．最大心拍数は年齢によって規定され，

$$220 - 年齢$$

で算出する(例：70 歳なら，220 − 70 = 150)．これをもとに目標心拍数を決定する．

1 つの算出方法としては，最大心拍数から目標となる心拍数を設定する(例：70 歳で最大心拍数の 60% の運動強度とするには 150 × 0.6 = 90 で，心拍数 90 拍/分となる運動が目標となる)．

もう 1 つの方法は，最大心拍数と安静時心拍数の差に運動強度をかけ(運動負荷心拍数)，目標心拍数とする方法である〔カルボーネン(Karvonen)法〕．

$$目標心拍数 = \{(220 - 年齢) - 安静時心拍数\} \times 運動強度 + 安静時心拍数$$

(例：70 歳，安静時心拍数が 65，運動強度を 60% とすると，{(220 − 70) − 65} × 0.6 (60%) + 65 = 116 となり，目標心拍数は 116 拍/分となる．)

▶表 15　自覚的運動強度尺度(RPE)の英語・日本語表示

RPE	ボルグの英語表示	小野寺らによる日本語表示
20		
19	Very very hard	非常にきつい
18		
17	Very hard	かなりきつい
16		
15	Hard	きつい
14		
13	Somewhat hard	ややきつい
12		
11	Fairly light	楽である
10		
9	Very light	かなり楽である
8		
7	Very very light	非常に楽である
6		

〔望月彬也：老人の体力維持のための運動療法．理療ジャーナル 25:194–198, 1991 より〕

c 自覚的運動強度尺度

このほかに簡便に使えるものとしてボルグ(Borg)の自覚的運動強度尺度(RPE)がある(▶表 15)．これは，運動強度を主観的にとらえるものである．目安として，1 段階が心拍数 10 拍/分に相当し，11 では 110 拍/分となる[100)]．

d 運動量の設定と評価

運動量は，$\dot{V}O_2max$ の 50% では過負荷とはならないため，これ以上の負荷となるように設定する．高齢者では，$\dot{V}O_2max$ 60%，RPE 11，心拍数で 120〜130 拍/分程度が目安となると考えられる(▶表 16)[101)]．ただし，高齢者では個人差が

Keyword
遅発性筋肉痛　普段あまり使わない部位を使って運動したり，いつもより強い量の運動をしたあとにおこる筋肉痛をいう．疲労物質である乳酸の蓄積や，筋の微細損傷を原因とする炎症などが，その原因として考えられている．

▶表 16　自覚的運動強度のとらえ方と目安

RPE 点数	強度の割合 %$\dot{V}o_2$max	強度の感じ方	1 分間あたりの脈拍数					その他の感覚
			60 歳代	50 歳代	40 歳代	30 歳代	20 歳代	
19	100%	最高にきつい	155	165	175	185	190	からだ全体が苦しい
18								
17	90%	非常にきつい	145	155	165	170	175	無理，100% と差がないと感じる，若干言葉が出る，息がつまる
16								
15	80%	きつい	135	145	150	160	165	続かない，やめたい，のどが渇く，頑張るのみ
14								
13	70%	ややきつい	125	135	140	145	150	どこまで続くか不安，緊張，汗びっしょり
12								
11	60%	やや楽である	120	125	130	135	135	いつまでも続く，充実感，汗が出る
10								
9	50%	楽である	110	110	115	120	125	汗が出るか出ないか，フォームが気になる
8								
7	40%	非常に楽である	100	100	105	110	110	楽しく気持ちよいがもの足りない
6								
5	30%	最高に楽である	90	90	90	90	90	動いたほうが楽，まるでもの足りない
4								
3	20%		80	80	75	75	75	

〔伊藤　朗：運動処方の原則と実際．臨栄 65:531–547, 1984 より（体育科学センター資料および RPE より伊藤改変）〕

大きく，病前の活動状況や生活歴，病歴，リスクなどに十分注意する必要がある．そのうえで，運動を開始した直後は，心拍数 120～130 拍/分以上にならないようにし，週 3～4 回で 30 分間程度の頻度とする．連続の運動が困難な場合，数回に分けて実施するほうが負担は少なくなる[100]．

心拍数を運動負荷の指標とする場合，実際の負荷量は試行錯誤的に決定する．たとえば，サンディングの角度，負荷量，回数を一定量にして運動を行わせ，心拍数や RPE などの反応を評価する．反応によって負荷量を増減し，訓練量とする．初回の条件は，訓練経過中に体力が向上したかの基準として用いることができる．

運動実施中は，動作の拙劣化，ふるえ，表情，発汗，息切れ，脈拍や呼吸数の増加などの疲労の徴候に十分注意しなければならない．

3 起立性低血圧への対応

起立性低血圧の予防のためには，日中はベッド臥床せず，なるべく座位をとるようにする．長期臥床後，起立性低血圧がおこった場合，初期はギャッチベッドやリクライニング車椅子，傾斜起立台などを使用して徐々に座位や立位にもっていき，直立姿勢に順応できるようにしていく．このとき，血圧をチェックしながら角度を調節するようにし，症状が出現したら，すぐに頭位を低くするようにする．また，筋の収縮と弛緩を繰り返す等張性運動で有酸素運動を行うこともすすめられる[87]．

徐々に座位・立位にもっていくことに加えて，四肢末梢部の筋収縮を行って静脈還流を促したり，腹帯や下肢の弾性包帯・弾性ストッキングを併用することも有効である．腹帯や弾性包帯などの補助は就寝時には取り外し，末梢部にうっ血が生じないよう注意すべきである．

歩行中に症状が出現する可能性がある場合は，危険性を防止するため歩行器を使用したり，頭部保護具を使用したりすることもある．また，急な寝返りや起き上がり，立ち上がりを避け，ゆっくりと動作を行うような練習をする．食後性低血圧が認められる場合は，食後 2 時間は安静を保つようにする．ほかにも，暑さを避け，発汗後は水分補給をする，入浴もぬるめのお湯で短めにするなど，生活上の細かい配慮が必要である．

E 作業療法との関連

作業療法は，各種の手工芸や心理支持的アプローチ，ADL をその治療手段としている．それによって，座位時間の延長や ADL 自立への働きかけがなされ，結果として廃用症候群の改善に大きく貢献をしている．

しかし，ただ単に手工芸や ADL を行えばよいというものではない．対応時のリスク管理や，対象者の反応をみながら段階的に活動量を増やしていくことが基本である．各種の手工芸の選択においても，対象者の生活歴や興味を考慮して最も適切な活動を選択すべきであろう．

また，ADL が日常的に遂行されることは廃用症候群の予防・改善に重要であるが，ADL における“ケア”そのものが作業療法であるとするには疑問がある．免許職であり，専門家としての作業療法士が ADL にかかわる独自性は，対象者の ADL 全般を把握し，ADL 遂行を困難としている原因を見極め，身体機能回復や環境設定を含んだ対応策を考えて実施し，ADL が日常的に遂行され，生活リズムの一環として定着するよう援助していく点であると考える．

フレイルは可逆性があり，適切な対処を行えば健康な状態に戻すことができる可能性がある．身体的フレイルやサルコペニアに対しては，まず身体のストレス耐性を低下させることにつながる感染症を予防するともに，運動（レジスタンス運動と有酸素運動）や十分なカロリー摂取，蛋白質の適切な摂取が必要である．栄養摂取という観点からは口腔機能の維持も重要となる．精神的・社会的フレイルに対しては，社会的関係が希薄とならないようボランティア活動や町内会の行事，自主グループへの参加を促すような働きかけも重要であり[102]，地域社会における作業療法士の活躍が期待できる領域である．

⑩ 摂食・嚥下障害

食事は水分や栄養を補給し，生命維持のために必要な最も基本的な ADL であり，それは一生涯を通して行われる．また，食事は食事中の会話を楽しむといった楽しみの側面や社交的側面も持ち合わせている．

摂食・嚥下の過程が障害されれば，栄養不良や脱水症，さらには肺炎などのさまざまな疾患を引き起こすばかりでなく，QOL を低下させることにもなる．したがって，摂食・嚥下機能障害に対処することは，水分・栄養補給や随伴する疾病の予防だけでなく，QOL の向上のためにも重要である．

■用語

［摂食・嚥下］ 人が水分や食物を口に取り込み，胃まで送り込む全過程を摂食といい，摂食行為の後半である口に入れた食物を飲み込む過程を嚥下という〔「摂食・嚥下の過程」の項（➡ 144 ページ）参照〕．

［嚥下障害］ 嚥下過程のいずれかにおいて障害が生じることを嚥下障害（dysphagia）という．

嚥下障害は器質的嚥下障害（静的嚥下障害）と機能的嚥下障害（動的嚥下障害）に大別される．器質的嚥下障害は舌や顎，咽頭や食道などの解剖学的異常によるものであり，腫瘍や外傷，奇形などに起因しておこる．

▶表 17　摂食・嚥下障害の原因となる基礎疾患

1. **中枢神経障害**
   - 脳血管障害
     脳梗塞，脳出血，くも膜下出血
   - 変性疾患
     筋萎縮性側索硬化症，パーキンソン病
   - 炎症
     急性灰白髄炎，多発性硬化症，脳炎
   - 頭部外傷
2. **末梢神経障害**
   末梢神経麻痺，ニューロパシー
3. **神経筋接合部・筋疾患**
   重症筋無力症，筋ジストロフィー，ミオパシー，多発性筋炎
4. **解剖学的異常**
   口腔咽頭食道病変，奇形，頸椎骨棘

〔戸原　玄：スクリーニングテスト・診察. *MB Med Reha* (57):1–10, 2005 より〕

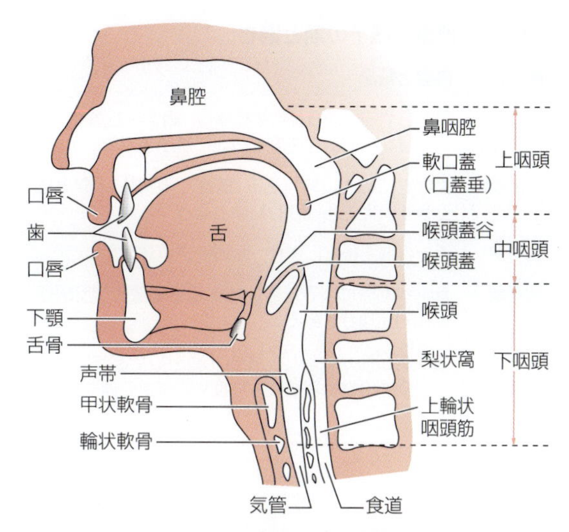

▶図 66　摂食・嚥下に関与する主な器官

機能的嚥下障害は，解剖学的異常はないが，嚥下に関する器官の働きが不良(生理学的異常)である状態をいう．機能的嚥下障害をおこす基礎疾患としては，脳血管疾患，パーキンソン病，筋萎縮性側索硬化症(amyotrophic lateral sclerosis; ALS)，末梢神経疾患(糖尿病性神経麻痺，反回神経麻痺)などがある(▶表 17)[103)].

[誤飲と誤嚥]　食物以外の異物を誤って摂取することを誤飲という．これに対して，食物が気道に入ってしまうことを誤嚥(aspiration)という．

誤嚥は食物の流れと嚥下反射とのタイミングがずれるためにおこる．嚥下反射が始まる前に(あるいは，嚥下反射がおこらずに)食物が気道に入る場合，嚥下反射時に喉頭閉鎖のタイミングがずれて液体などが気道に入り込む場合，嚥下後に咽頭に残留した食物などが気道に入る場合がある．食物が残留しやすい部位は咽頭蓋谷や梨状窩であり(▶図 66)，このときに湿性嗄声(ガラガラ声，かすれ声)がみられることがある．

[顕性誤嚥と不顕性誤嚥]　顕性誤嚥(audible aspiration)とは，誤嚥したときにむせや咳の反応を示す場合であり，不顕性誤嚥(silent aspiration)とはそれらの反応がみられないものをいう．また，夜間，横になっているときに唾液や胃食道逆流物を誤嚥する無症候性誤嚥(night aspiration)もある．

[球麻痺と仮性球麻痺]　脳幹延髄部の脳神経運動核の障害による運動麻痺(下位運動ニューロン性)を球麻痺(bulbar palsy)という．球麻痺では嚥下障害，構音障害，嚥下筋の萎縮がみられ，嚥下反射が残存しない場合が多い．

これに対し，上位運動ニューロンの両側性障害による嚥下障害を仮性球麻痺(pseudobulbar palsy)または偽性球麻痺という．嚥下に関係する筋は，左右両側の大脳からの神経支配を受けており，一般に急性期を除けば一側の大脳病変(脳血管障害など)で嚥下障害がみられることは少ない．しかし，左右両側の大脳病変があると，嚥下に関与する筋の筋力低下や協調性の低下などがおこることがある．このような仮性球麻痺では，嚥下反射は残存していることが多いが，遅れたり協調性に欠けたりすることが多い．

▶表 18　摂食・嚥下の期と働き

期	内容と働き
先行期（認知期）	見た目や匂いから食物を認識し，適切な方法で，適切な量を，適切な速度で口元に運ぶまでをいう
準備期	食物を口の中に取り込み（捕食），咀嚼し，飲み込みやすい大きさ（食塊）にまとめる
口腔期	舌で食塊を後方に送り，咽頭に送り込む
咽頭期	食物が咽頭に入るときに始まる不随意的な反射活動（嚥下反射）である
食道期	輪状咽頭筋が弛緩し，食物が通過したときに始まり，食道の蠕動運動により食物は胃まで運ばれる

A 評価・治療のための基礎知識

1 摂食・嚥下に関与する器官

摂食・嚥下に関与する主な器官を図 66 に示した．

2 摂食・嚥下の過程

摂食・嚥下の過程を説明するために，「相(phase)」と「期(stage)」の用語が用いられる．「相」は食物（液体および固体）がどこにあるかを示し，「期」は舌や咽頭などの運動の進行状況を示す．摂食・嚥下の「期」は先行期（または認知期），準備期，口腔期，咽頭期，食道期の 5 期に分類される（▶表 18）．一般に，健常者ではこの「相」と「期」は一致している．

この 5 つの期のうち，口腔期は随意的であり，正しく飲み込むためには覚醒している必要がある．また，咽頭期は脳幹の延髄網様体によって調整される．嚥下反射が誘発されると，食塊が鼻腔に入り込まないよう軟口蓋が挙上，後退し，鼻咽腔を閉鎖する（▶図 67-①）．同時に舌骨・喉頭が挙上して舌根が後方移動し，喉頭蓋が喉頭入口に覆いかぶさって気道に食塊が流入することを防ぐ

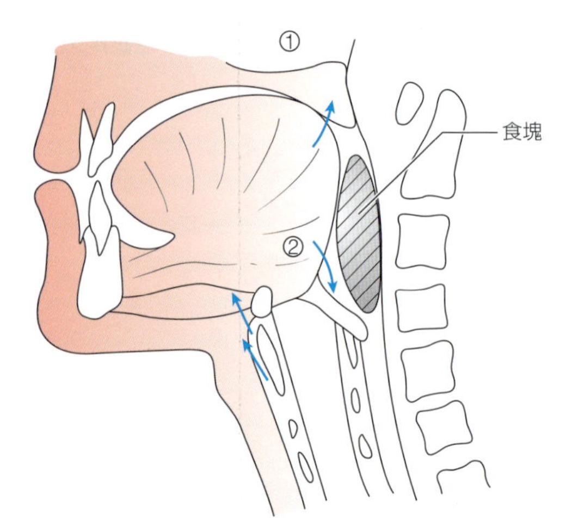

▶図 67　嚥下の咽頭期

（▶図 67-②）．そして，輪状咽頭筋が弛緩することによって食塊は食道に送られる．

B 評価

摂食・嚥下機能の検査について，問診，食事前の観察および検査，食事場面の観察，摂食・嚥下機能の専門的検査の順で以下に述べる．

1 問診

摂食・嚥下の困難さが示唆される場合，以下に示すような徴候や訴えがないかを確認する．

食事時のむせ，流涎の多さ，構音障害，嗄声（かすれ声），原因不明の発熱，呼吸器感染の反復，原因不明の体重減少，尿量減少，脱水症状，口腔内の汚れや食物残渣，咽頭の違和感や食物残留感など．

2 食事前の観察および検査

a 意識状態および高次脳機能の検査

摂食・嚥下を適切に行うには覚醒している必要があり，意識障害の有無や変動をジャパンコーマスケール（JCS）（➡ 40 ページ）またはグラスゴー

コーマスケール(GCS)(➡ 41 ページ)などを使用して確認しておく．

また，コミュニケーションが可能か，指示に従えるか，食事用具などの使用に困難を示さないか，理解力・集中力があるか，半側空間無視がないかなどを中心に高次脳機能障害も確認しておく．

b 食事前の観察

摂食・嚥下に関して食事前に観察する事項としては，以下のようなものがある．

[顔面の対称性] 特に，鼻唇溝や口唇の開閉時の左右差，流涎の左右差．これらがあると顔面神経(VII 脳神経)の麻痺が示唆される．

[摂食肢位] 誤嚥を防ぐためには，ある程度角度のついた座位姿勢(➡ 149 ページ)が保持できる必要がある．これはギャッチアップ座位や体幹側部を支持された座位でも構わない．食事時間を考えると 30 分程度の座位耐久性があることが望ましい．

また，頭頸部の肢位や動き(特に屈曲と回旋)も観察する．頭頸部が伸展したままであると咽頭と気道が直線となり，誤嚥しやすくなる．

[口腔内の状態] 口腔内の衛生状態が悪ければ肺炎などをおこしやすいため，口腔内の状態を確認しておく必要がある．

歯の欠損や齲(う)歯(虫歯)，歯のぐらつきがないかを確認する．これらは歯科治療の対象となるものであり，問題がある場合，適切な依頼がなされるべきである．

歯垢・歯石，食物残渣(食べかす)，舌苔(ぜったい)の状態を確認する．舌の動きが悪かったり，口腔内の感覚障害があると，歯や義歯・歯肉と頬の間に食物残渣が残ることが多い．常に口を開いている場合は口腔内が乾燥し，舌苔が生じやすい．これらは，口腔ケアを適切に行えば解決できることが多い．

c 運動検査

[頬の動き] 口唇を閉じ，頬を膨らませるよう指示する．左右どちらかの口唇が閉鎖しなかったり，口角から息もれがある場合，顔面神経(VII 脳神経)の麻痺が示唆される．

[顎の動き] 奥歯をしっかり噛み合わせるよう指示し，咬筋や側頭筋の収縮を触診する．また，口を大きく開けさせたり，下顎を左右に動かさせ，偏りや左右差がないかを確認する．これらは三叉神経(V 脳神経)の働きによるものである．

[舌の動き] 舌をまっすぐに出すよう指示する．舌下神経(XII 脳神経)に麻痺があれば，舌は障害側に偏る．

[口腔内の動き] 口を開けて発声させる(アーと言う)．このとき，舌咽神経(IX 脳神経)および迷走神経(X 脳神経)に麻痺があると，口蓋垂は健側に引かれ，咽頭の後壁も健側に引かれる動き(カーテン徴候)がみられる．

舌圧子で舌の奥や咽頭後壁に触れると嘔吐反射がみられる．この反射は，求心路が舌咽神経(IX 脳神経)，遠心路が迷走神経(X 脳神経)であり，どちらか一側に欠如がみられるときに病的意義がある．

[上肢の動き] これは一般的な上肢機能検査で確認するが，特に摂食肢位での机上から口元への上肢の動きが可能か，滑らかに行えるかを確認する．

d 味覚・感覚検査

[味覚] 味覚は舌の前 2/3 が顔面神経(VII 脳神経)，後ろ 1/3 では舌咽神経(IX 脳神経)が関与している．舌先では甘味，舌中央側部では塩味，舌後方側部では酸味，舌後方では苦みの感受性が高い．これらを代表する液体を綿棒などに浸して舌に与え，感知できるか，左右差がないかを確認する．舌後方の味覚の検査は困難なことが多い．

[口腔内の感覚] 口腔内のその他の感覚は，口腔内や舌，歯肉が三叉神経(V 脳神経)，咽頭部が舌咽神経(IX 脳神経)および迷走神経(X 脳神経)である．舌圧子などで触れ，感知できるか，左右差がないかを確認する．咽頭部の感覚検査は困難なことが多く，熟練が必要である．

これらの感覚は，食物残渣を感じ取ったり，嚥下の終了を感じ取るために必要である．

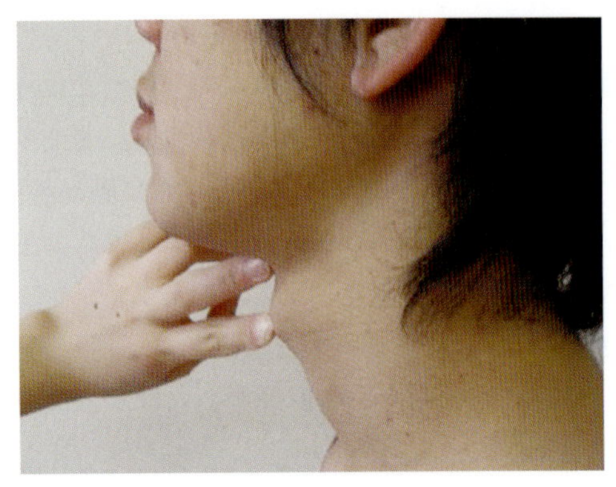

▶図 68　反復唾液嚥下テスト

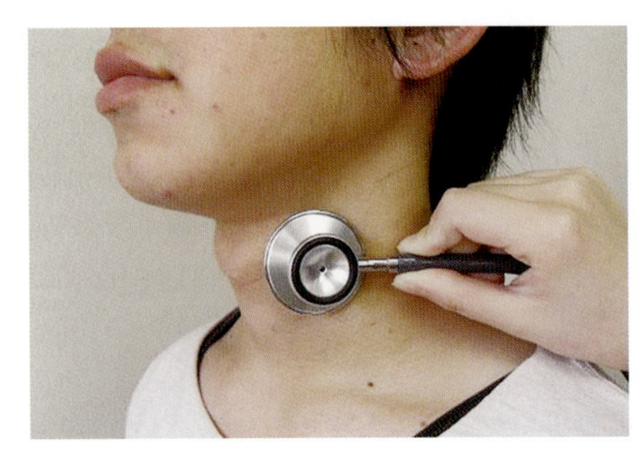

▶図 69　頸部音聴診法

これらのほかにも，目で見る(視神経，Ⅱ脳神経)，臭いをかぐ(嗅神経，Ⅰ脳神経)，音を聞く(聴神経，Ⅷ脳神経)，上肢の感覚(表在・深部覚)なども摂食・嚥下には重要である．

3 食事場面の観察

食事場面の観察から問題点を把握できることも多く，食事場面の観察は重要である．

次のような観点から観察を行う．

- 食物形態は何か〔普通食(常食)，軟菜食，ペースト(ミキサー)食，ムース食，ゼリー食，とろみ食など〕．
- 食物を認識しているか，あるいは特定の方向・部位の食物を食べ残していないか．
- 食事を行っている姿勢や食事用具の使用方法は適切か．
- 1 回に口に入れる量(一口量)は多くないか．
- 摂食のペース(捕食の時間間隔)は適切か．
- 食べこぼしはないか．
- 十分な咀嚼を行っているか．
- 食物を口にため込んだままにしていないか．
- 嚥下反射は適切におこるか．
- むせや咳はないか．
- 摂食後の声の変化はないか．
- 食事中・後の疲労の徴候はないか．

4 摂食・嚥下機能の専門的検査

摂食・嚥下の可否，誤嚥の有無を確認するには，摂食・嚥下に特化した専門的検査が必要である．これらの検査を行うには熟練が必要であり，事前に指導を受け，十分な練習を行う必要がある．

以下には，特別な機器を必要としない簡易検査と，機器を必要とする専門的検査に分けて述べる．

a 嚥下機能の簡易検査

嚥下機能の簡易検査として反復唾液嚥下テストや頸部音聴診法，水飲みテスト，食物テストなどがある．

(1) 反復唾液嚥下テスト

反復唾液嚥下テスト(repetitive salivation swallowing test; RSST)は誤嚥の簡易検査として最も簡単な方法である(▶図 68)．示指で舌骨を，中指で甲状軟骨を触診し，30 秒間に嚥下運動(空嚥下)を何回行えるかを観察する．甲状軟骨が触診している指を十分に越えた場合を 1 回とし，3 回/30 秒以上を正常と判断する．

(2) 頸部音聴診法

喉頭挙上運動を妨げないように喉頭側部に聴診器を当て，呼吸音および嚥下音を聴診する方法である(▶図 69)．

嚥下障害がない場合，清明な呼吸音に続き，嚥

▶**表 19 改訂水飲みテストおよび食物テストの評価基準**

冷水 3 mL を口腔底に注ぎ嚥下を命じる(改訂水飲みテスト). プリン茶さじ 1 杯(3～4 g)を舌背前部に置き嚥下を命じる(食物テスト) ● 嚥下後反復嚥下を 2 回行わせる ● 評価基準が 4 点以上なら最大 2 施行繰り返す ● 最も悪い場合を評点とする
評価基準 1. 嚥下なし，むせる and/or 呼吸切迫 2. 嚥下あり，呼吸切迫(silent aspiration の疑い) 3. 嚥下あり，呼吸良好，むせる and/or 湿性嗄声，口腔内残留中等度* 4. 嚥下あり，呼吸良好，むせない，口腔内残留ほぼなし* 5. 4 に加え，反復嚥下が 30 秒以内に 2 回可能 (＊食物テストに適用)

〔才藤栄一：平成 11 年度厚生科学研究補助金(長寿科学総合研究事業)「摂食・嚥下障害の治療・対応に関する統合的研究」総括研究報告書. pp1–18, 1999 より改変〕

下に伴う呼吸停止，嚥下後の清明な呼吸音が聞かれる．異常がある場合，嚥下反射前に咽頭に食物が流れ込む音，喘鳴(ゼイゼイとした，またはヒューヒューとした呼吸音)，咳や咳払い，湿性嗄声などが聴取される．

(3) 改訂水飲みテストおよび食物テスト

表 19[104] に示した要領で改訂水飲みテストおよび食物テストを行う．食物テストでは，主に口腔での食塊の形成能力，咽頭への送り込みを評価する．嚥下後に口腔内を観察し，検査に使用した食物が残っていないかを確認する．

(4) MASA および mMASA

脳卒中や神経筋疾患(パーキンソン病，ALS など)，認知症の対象者の嚥下障害と誤嚥を鑑別する臨床評価として，MASA(Mann Assessment of Swallowing Ability)およびその簡易版である modified MASA(mMASA；修正 MASA)がある[105]．MASA では意識状態や協力，構音・嚥下状態など 24 項目を，mMASA では 12 項目を評価することで嚥下障害と誤嚥の評価が行え，嚥下機能に対応する食形態がわかるようになっている．

(5) パルスオキシメータによる測定

食事中に**経皮的動脈血酸素飽和度**(SpO₂)をパルスオキシメータで測定する方法である．SpO_2 の低下が必ずしも誤嚥を示唆するものではないが，スクリーニングとして測定しておく．SpO_2 90% 以下または初期の値より 1 分間平均で 3% 低下した場合，摂食を中止して担当医に報告する．

b 専門的検査

専用の機器を使用する主な検査として，以下のような方法がある．これらの検査は資格と専用の機器を必要とし，作業療法士が実施することはできないが，その情報は摂食・嚥下訓練を進めていくうえで重要であり，医師や言語聴覚士からの情報を得ておく必要がある．

(1) 嚥下前・後 X 線撮影

4 mL の液状バリウムの嚥下前後に X 線撮影を行い，比較検討する方法である．

(2) 嚥下内視鏡検査

嚥下内視鏡検査(videoendoscopy; VE)は，鼻咽頭・喉頭ファイバースコープを用いて嚥下に関与する諸器官や食塊の動態などを観察する方法である．

(3) 嚥下造影検査

嚥下造影検査(videofluoroscopy; VF)は，最も信頼性の高い摂食・嚥下評価法であると考えられている．VF では造影剤を含んだ液体や食物を実際に摂食させ，口腔や咽頭，食道の運動機能，誤嚥がある場合はその時期や程度，咽頭部の残留の程度などを検査する．

c 摂食・嚥下能力のグレードとレベル

臨床観察や上記の簡易検査，専門的検査を総

Keyword

経皮的動脈血酸素飽和度(SpO_2) 血液を採取して動脈血の酸素飽和度を測定する代わりに，皮膚上から血液中にどの程度の酸素が含まれているかを測定する方法．この測定を行うための機器をパルスオキシメータという．SpO_2 の正常値は 96% 以上であり，95% 以下は呼吸不全の疑いがある．

▶表 20　摂食・嚥下能力のグレード

Ⅰ 重症 経口不可	1	嚥下困難または不能．嚥下訓練適応なし
	2	基礎的嚥下訓練のみの適応あり
	3	条件が整えば誤嚥は減り，摂食訓練が可能
Ⅱ 中等症 経口と補助栄養	4	楽しみとしての摂食は可能
	5	一部(1～2 食)経口摂取
	6	3 食経口摂取＋補助栄養
Ⅲ 軽症 経口のみ	7	嚥下食で，3 食とも経口摂取
	8	特別に嚥下しにくい食品を除き，3 食経口摂取
	9	常食の経口摂取可能．臨床的観察と指導を要する
Ⅳ 正常	10	正常の摂食嚥下能力

〔藤島一郎：嚥下障害リハビリテーション入門Ⅰ嚥下障害入門―原因，症状，評価(スクリーニング，臨床評価)とリハビリテーションの考え方．*Jpn J Rehabil Med* 50:202–211, 2013 より〕

合して摂食・嚥下のレベルとグレードを決定する(▶表 20，21)[106]．「グレード」は対象者の“できる状態”を示した基準であり，「レベル」は対象者が実際に行っている摂食状況を示す．

▶表 21　摂食状況のレベル

なんらかの問題あり	経口なし	1	摂食訓練を行っていない
		2	食物を用いない嚥下訓練を行っている
		3	ごく少量の食物を用いた嚥下訓練を行っている
	経口と補助栄養	4	1 食分未満の(楽しみレベルの)嚥下食を経口摂取しているが，代替栄養が主体
		5	1～2 食の嚥下食を経口摂取しているが，代替栄養も行っている
		6	3 食の嚥下食経口摂取が主体で，不足分の代替栄養を行っている
	経口のみ	7	3 食の嚥下食を経口摂取している．代替栄養は行っていない
		8	特別食べにくいものを除いて，3 食を経口摂取している
		9	食物の制限はなく，3 食を経口摂取している
正常		10	摂食・嚥下に関する問題なし

〔藤島一郎：嚥下障害リハビリテーション入門Ⅰ嚥下障害入門―原因，症状，評価(スクリーニング，臨床評価)とリハビリテーションの考え方．*Jpn J Rehabil Med* 50:202–211, 2013 より〕

C 治療手技

1 摂食・嚥下訓練への作業療法のかかわり

他の領域と同様，摂食・嚥下訓練もチームアプローチとして進められる．摂食・嚥下の直接的な訓練は言語聴覚士の役割であるが，チームの一員として作業療法士もかかわる必要がある．作業療法士が主たる役割が果たせる領域として，以下のようなものが考えられる．

a 摂食肢位，座位耐久性の向上

摂食・嚥下に適した座位姿勢を評価し，座位保持が困難な場合は，クッションなどを使用して座位が保持できるよう工夫する．ベッド上で食事を摂る場合は，膝を少し屈曲した肢位をとるなど，ずり落ちないような工夫が必要となる．また，座位バランスが不良であったり，座位耐久性が低い場合は，それらに対する訓練を行う．

b 上肢機能の改善

上肢・体幹の機能障害があり，食事動作(特に机上から口元への動き)を阻害している場合，それらの機能訓練や対応を行う．重度片麻痺などで機能回復が望めない場合でも，適切な患側上肢の管理(患側上肢を机上に置くなど)を行う．

c 高次脳機能の評価と対応

認知や高次脳機能の評価を通して，対象者が受け入れやすい指示やアプローチの方法，食事用具の適切な配置などを工夫する．

d 自助具の選択と使用

自力摂食を行う場合，適切な自助具を選択し，その使用訓練を行う．これらには，滑り止めマットやすくいやすい皿，飲みやすいカップやコップ，持ちやすく使用しやすく工夫したスプーンや箸などがある．

さらに，口腔衛生のための用具を工夫し，その使用練習をすることも重要である．

e 環境設定

注意散漫で食事に集中できない対象者の場合，集中できる環境設定を工夫する．また，適切な机や椅子の高さの設定，食器の配置なども環境設定に含まれる．

これらの評価結果や訓練の進行状況は，随時チームメンバーに報告し，情報を共有することが重要である．

2 摂食・嚥下訓練の概要[103, 107–110)]

作業療法士が摂食・嚥下の場面に直接かかわることもあるが，摂食・嚥下に困難を示す対象者では誤嚥の危険性があることを常に念頭におき，その徴候がないかを確認しながら進める必要がある．また，摂食・嚥下訓練を実施するには，事前の学習と練習が必須である．

摂食・嚥下訓練は基礎訓練（間接訓練）と摂食訓練（直接訓練）とに大別される．

a 基礎訓練（間接訓練）

基礎訓練は，食物を用いないで嚥下に関する諸器官の機能回復を目的とする訓練である．以下のような内容が提唱されている．

［嚥下器官の運動訓練］ 顎を開閉する，口唇を横や前方へ動かす，口唇を閉じたまま頬を膨らませる，舌を突出させたり上下左右に動かすなどの運動を行う．また，背臥位で頭部を挙上し，足部を見るようにする頭部挙上訓練も行われる．

［発声・構音訓練］ 嚥下器官と発声・構音器官は共通するものが多いため，発声・構音訓練を行うことで嚥下機能の改善も期待できる．**口すぼめ呼吸**の練習もこの目的のために使用される．

［嚥下反射誘発］ 嚥下反射を誘発する方法としてアイスマッサージ（凍らせた綿棒などで口蓋弓を軽くなぞる），メンデルソーン（Mendelsohn）手技（喉頭と舌骨を他動的に挙上位に保つ）などがある．

なお，流涎の多い対象者に皮膚上から唾液腺部や口唇にアイスマッサージを行うと，唾液が減少し，口唇を閉じる効果がある場合もある．

［嚥下パターン訓練］ 唾液や氷片をなめて少量の水分を嚥下し（空嚥下），嚥下パターンを訓練する．

b 摂食訓練（直接訓練）[111, 112)]

摂食訓練は，食物を用いて実際に食べることで摂食機能を高める訓練である．摂食訓練では以下のような点を考慮し，段階づける必要がある．

［摂食肢位］ 重度の嚥下障害がある場合，ギャッチアップ 30° にすると，重力により食物の移送が容易になる．ただし，頸部が伸展していると咽頭と気管が直線になり，気管が開いて誤嚥しやすくなるため，頸部が軽度前屈し，やや突出するよう枕などで肢位を整える．嚥下機能が向上するにつれてギャッチアップ角を上げていく．

脳卒中片麻痺の対象者では，健側を下にした側臥位をとり，顔を患側に向ける（一側嚥下）と誤嚥しにくくなることがある．

［食物形態］ 一般には，嚥下能力に合わせてゼリー食，ムース食，ペースト（ミキサー）食，軟菜食，普通食へと食物形態が進められる（▶図 70）[113)]．

Keyword

口すぼめ呼吸 鼻から息を吸い，口をすぼめてゆっくりと息を吐き出す呼吸法．肺機能，鼻咽腔の閉鎖機能の強化に役立つとともに口唇の訓練になる．ろうそくの火の吹き消しや，ストローを使用した呼吸訓練などが具体的で，対象者も理解しやすい．

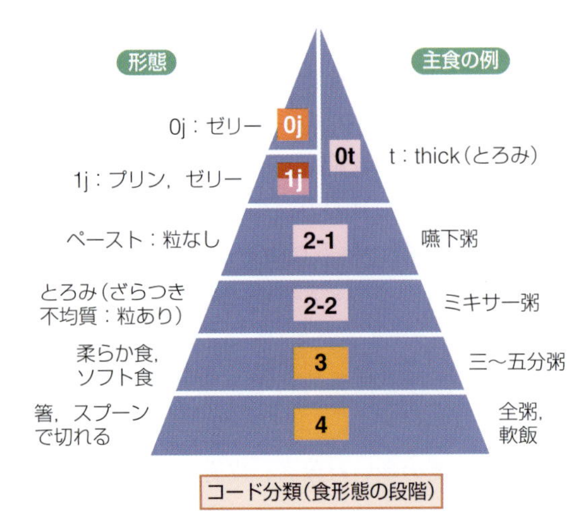

▶**図 70　摂食調整食のピラミッド**
食形態を 0～4 の 5 段階に分類し，難易度別に色分けしてある．
〔日本摂食嚥下リハビリテーション学会嚥下調整食委員会：日本摂食嚥下リハビリテーション学会嚥下調整食分類 2021．日摂食嚥下リハ会誌 25:135–149, 2021 より〕

さらっとした液体（水）は咽頭に流入する速度が速いため誤嚥しやすい．このため，**嚥下食用増粘剤**で粘度を調整する．

［一口量］　1 回に口に入れる量が多いと誤嚥しやすい．また，嚥下しないうちに次々と口に入れる場合も誤嚥しやすい．このため，スプーンの大きさや形状が重要となる．一般にはすくう部分が小さく，平たく，薄いものが適している．

［嚥下法］　誤嚥を防止し，咽頭の食物残留を除去する方法として，嚥下の意識化（嚥下に意識を集中する），複数回嚥下（次の食物を嚥下する前に，数回嚥下運動を行う），息こらえ嚥下（食物を口に入れ，鼻から大きく息を吸い，息を止め，飲み込んだあとに口から勢いよく息を吐く），交互嚥下（違う性状の食物を交互に嚥下する），うなずき嚥下（嚥下時に頸部を前屈する），横向き嚥下（嚥下時に頸部を回旋させたり，傾ける）などがあり，対象者に適した方法を選択する．

［介助法］　食物を嚥下するには舌上に食物が適切に置かれ，口唇が閉じている必要がある．介助で摂食する場合，嚥下しやすい位置（一般には舌中央から舌奥）に置き，口唇が閉じてから斜め上方に向かってスプーンを抜き取るようにする．

常に口を開けており，口唇を閉じることができない対象者には，顎や口唇の動きを援助することも必要である．また，認知症の対象者には，本人にスプーンを持たせ，介助者が口に運ぶことを援助すると嚥下が起こりやすいことがある．

食物を前歯にこすりつけたり，口を開けたまま落とし込むと，送り込みがうまくいかず，誤嚥する可能性がある．

［食事時間］　食事時間が長引くと疲労し，集中力も低下する．対象者の状況を確認しながら，全量摂取できなくても 30～45 分程度を目安に中断する．

3 摂食・嚥下が困難な対象者

諸検査により摂食・嚥下が困難あるいは不可能と判断された対象者，また誤嚥性肺炎を繰り返す対象には，経皮内視鏡的胃瘻造設術（percutaneous endoscopic gastrostomy; PEG）や経鼻経管栄養法（naso-gastric tube feeding; NG），中心静脈栄養法（intravenous hyperalimentation; IVH）などが選択されるか，摂食・嚥下訓練と併用される．

PEG や NG を使用している場合，消化のため注入後は 2 時間程度，ギャッチアップ 60° 以上の安静座位を保持しなければならず，作業療法の実施時間を考慮する必要がある．また，チューブ類の（自己）抜去や圧迫，挿入部の感染にも注意する必要がある．

水分や栄養の補給は生命維持のために必須であり，すべての治療の基本となるものである．このため，摂食・嚥下という枠にとらわれず，対象者の栄養管理という広い視野に立ったチームアプロー

Keyword
嚥下食用増粘剤　液体に粘度（とろみ）を加えるための食品添加物．でんぷん，加工でんぷん，デキストリンなどの食物繊維などでできており，市販されている．

チが必要である．このチームは栄養サポートチーム(NST)と呼ばれ，条件を満たせば医療保険では「摂食嚥下支援加算」，介護保険では「栄養マネジメント加算」が認められている．作業療法士もチームの一員として，情報提供および治療に参加する必要がある．

11 喀痰吸引

鼻汁や唾液などの分泌物，痰を自力で排出できない場合，あるいは食物の飲み込みが悪く咽頭部に貯留した場合，機器を使って介助的に排出を援助することを吸引という．気管内に貯まった痰や食物残渣は細菌の培地となって肺炎の原因となったり，呼吸困難や極端な場合，窒息を引き起こす．

喀痰吸引は医療行為として位置づけられているが，厚生労働省は 2010 年に「医療スタッフの協働・連携によるチーム医療の推進について(通知)」[114] のなかで，喀痰などの吸引について，「理学療法士が体位排痰法を実施する際，作業療法士が食事訓練を実施する際，言語聴覚士が嚥下訓練等を実施する際など，喀痰等の吸引が必要となる場合がある．この喀痰等の吸引については，それぞれの訓練等を安全かつ適切に実施する上で当然に必要となる行為であることを踏まえ，(中略)理学療法士，作業療法士及び言語聴覚士(以下「理学療法士等」という.)が実施することができる行為として取り扱う」とし，喀痰吸引を作業療法士が行える行為とした．また，付帯条件として「養成機関や医療機関等において必要な教育・研修等を受けた理学療法士等が実施することとするとともに，医師の指示の下，他職種との適切な連携を図るなど，理学療法士等が当該行為を安全に実施できるよう留意しなければならない．今後は，理学療法士等の養成機関や職能団体等においても，教育内容の見直しや研修の実施等の取組を進めることが望まれる」としている．

喀痰吸引は適切に行わなければ，粘膜を傷つける可能性，窒息などの危険性もあるため，医師の指示のもと，十分に注意し，他スタッフと連携し，対象者や家族への説明と同意を得たうえで実施する必要がある．

ここでは養成校内の教育で行える基本的知識の習得，人体モデルを用いたシミュレーションや学生間での実技練習を中心に述べる．実際に対象者に喀痰吸引を実施するには，勤務先や卒後研修[115, 116] での実践的な理論や実技などの修得が必要である．

A 喀痰吸引のための基礎知識

喀痰には，唾液，鼻汁，狭義の喀痰(肺や気管から排出される老廃物や外気の小さな塵を含んだ粘液)の 3 つが含まれる．喀痰は生体からの分泌物であり，感染の可能性があるものとして取り扱う．気道粘膜が正常に機能している場合，喀痰の産生量は 1 日あたり 50〜100 mL と少ないが，気道粘膜に炎症などがあり，気管支腺が腫脹すると分泌量は増える．

喀痰吸引は，上記 3 つの分泌物を総称した広い意味での喀痰を吸引する行為を指す．その他，食物残渣が咽頭に貯留している場合も吸引の対象となる．

1 分泌物の流れ(▶図 71)

呼吸器官の内部表面は，分泌物によって常に湿った状態になっている．これによって，呼吸器官が乾燥するのを防ぐとともに，吸い込んだ空気中に含まれる塵や微生物，異物をとらえて気管や

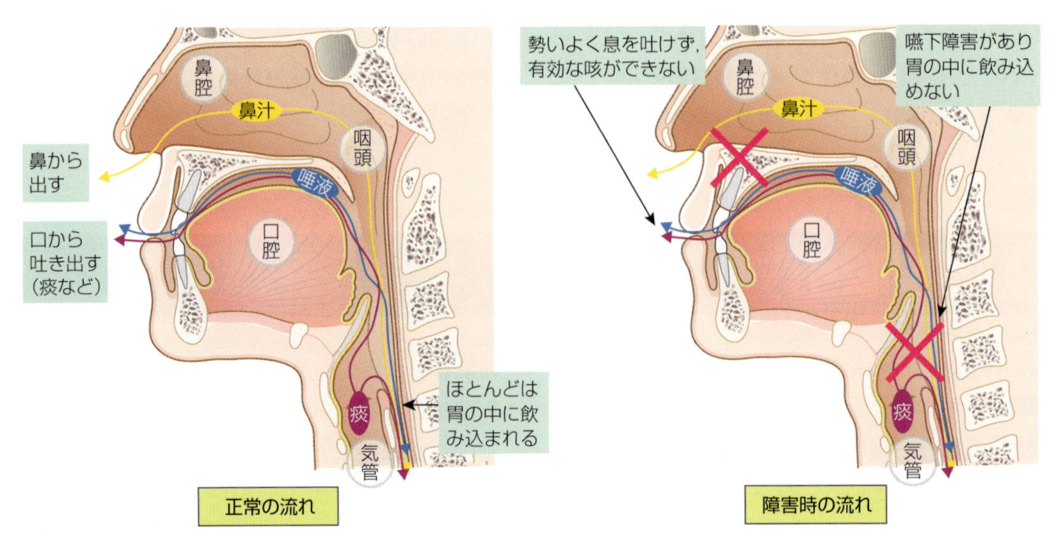

▶図 71　分泌物の流れ

肺に入らないようにする働きをしている．気管の表面は線毛に覆われ，器官の奥から喉のほうへ動く線毛運動によって，異物をとらえた分泌物を体外に排出しようとする．正常な場合，鼻をかんで鼻水を排出したり，口から唾液を吐いたり，くしゃみや咳などで痰を口から排出する．しかし，これらの分泌物のほとんどは無意識のうちに食道を介して胃の中に飲み込まれる．

なんらかの障害があり，勢いよく息を吐けず有効な咳ができない場合，あるいは嚥下障害があり飲み込みができない場合，分泌物や食物残渣は口腔や鼻腔，咽頭，気管内に貯留してしまう．また，気管切開により気管カニューレが挿管されている場合，喀痰は気管カニューレや気管支，肺胞内にとどまる．

2 喀痰吸引が必要となる病態・疾患

喀痰吸引が必要となる病態・疾患は大きく分けて，嚥下反射や咳込みが弱い場合，嚥下・呼吸機能が一次的に障害されている場合，全身の運動機能とともに嚥下・呼吸機能も二次的に低下している場合の 3 つがある（▶表 22）．

▶表 22　喀痰吸引が必要となる病態・疾患

喀痰吸引が必要となる状態	病態・疾患
嚥下反射や咳込みが弱い場合	事故による脳外傷，脳血管障害や低酸素脳症による重度の脳障害，遷延性の意識障害，重度の脳発達障害のある先天性疾患や脳性麻痺など
嚥下・呼吸機能が一次的に障害されている場合	脳梗塞，脳出血，筋ジストロフィーなどの筋疾患，進行期のパーキンソン病や筋萎縮性側索硬化症などの神経筋疾患
全身の運動機能とともに嚥下・呼吸機能も二次的に低下している場合	寝たきりの高齢者，高位脊髄損傷や神経筋疾患以外の疾患に伴う全身機能の低下

3 喀痰の性状（▶表 23）[117]

喀痰の性状は，吸い込んだほこりや最近の種類によって変化する．通常の喀痰は無色透明またはやや白色で，臭気はない．

細菌に感染している場合は，黄色や緑色で粘性があり，臭気の強い喀痰となる．アレルギーなどで分泌物が増えているときは，さらに喀痰の量が増える．

口腔内や鼻腔，気管などが損傷している場合は，赤色の喀痰になる．少量の場合は問題ないが，

▶表 23　喀痰の性状

喀痰の種類	性状・成り立ち	主な原因疾患
粘液性痰	無色透明から白色で粘りのある痰．気管支腺や杯細胞からの過分泌によって生じる	健常者の気道粘液．慢性閉塞性肺疾患(COPD)，感染を伴わない気管支炎・慢性気管支炎，気管支喘息発作後など
膿性痰	黄色や緑色で粘りのある痰．細菌感染による分泌物に好中球などが混じる	細菌性肺炎，肺化膿症，肺結核，気管支拡張症(血痰を伴う多量の膿性痰)など
漿液性痰	無色透明から白色で水様痰．肺および気管支の毛細血管透過性亢進によって生じる	気管支拡張症，肺水腫，肺うっ血，気管支喘息の発作時，細気管支肺胞上皮がんの一部
血液性	気道や肺の組織が破壊され，血液が気道に入り込み，喀痰に血液が混じる	肺・気管支の外傷，肺がん，肺結核，肺膿瘍，肺炎，気管支拡張症，肺ジストマ，血管壁の障害(肺うっ血，肺梗塞)など
泡沫性痰	血液が混じった泡沫性痰．鮮紅色を帯びる場合もある	肺循環のうっ血に起因する．肺水腫に特徴的

〔角川智之：痰の分類．内科 121:1099–1101, 2018 を参考に作成〕

真っ赤なさらさらな喀痰の場合は，緊急を要する出血をしている可能性がある．

喀痰が硬いときや粘性が強いときは，体内の水分が不足している可能性がある．

4 喀痰吸引が必要となる状況

喀痰が気道に存在し，自力で喀痰を排出できないときに吸引の対象となる．

(1) 喀痰や唾液などの分泌物が多くなるとき

食事や飲水により唾液量が増えた場合，感情変化，感染症に罹患している場合，体位変換による喀痰の移動，湿度変化(入浴後など)によって喀痰や分泌物が貯留する．このような場合は吸引を行う．

(2) 吸引すべきとき

以下の状況があるときは，対象者の意思を確認し(意思の確認が困難な場合も，声かけをしてから)吸引を行う．吸引は定期的に行うのではなく，必要なときにのみ行うようにする．

- ナースコールや対象者の表情により対象者が希望したとき
- 明らかに呼吸がしにくそうにしているとき(呼吸数増加，浅速呼吸，陥没呼吸，呼吸補助筋活動の増加など)
- 唾液が口腔内に貯留しているとき
- 聴診にて異音(ゴロゴロとした音)がするときや呼吸音の減弱があるとき
- SpO_2 の値が通常よりも低いとき
- 誤嚥し，喀出(吐き出す)ことが困難な場合

5 喀痰吸引の種類

吸引には，口から吸引カテーテル(以下，カテーテル)を入れる“口腔内吸引”，鼻孔からカテーテルを入れる“鼻腔内吸引”，気管切開をしている場合に気管カニューレ内にカテーテルを入れる“気管カニューレ内吸引”がある．

以下には，口腔内吸引および鼻腔内吸引について概略を述べる[118, 119]．

B 口腔内吸引および鼻腔内吸引の手順

1 吸引に必要な物品(▶図 72)

- 吸引装置

病院などでは中央配管システムのなかに吸引のためのアウトレットがある．中央配管システムがない施設や家庭ではポータブル吸引機を使用する．

- カテーテル

一般には，口腔内吸引では 16 Fr，鼻腔内吸引では 12～14 Fr のカテーテルを使用する．

また，先端にだけ穴の開いた単孔式カテーテ

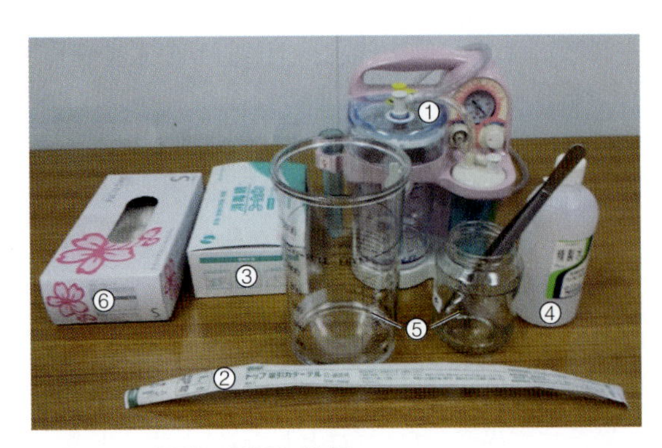

▶図 72　吸引に必要な物品
①吸引機，②吸引カテーテル，③アルコール綿，④カテーテル洗浄水，⑤カテーテル洗浄液を入れる容器，⑥ディスポーザブル手袋

ルと側面に複数の穴の開いた多孔式カテーテルがある．単孔式カテーテルは吸引圧が先端の孔にのみかかるため，吸引中にカテーテルを回転させる必要はない．多孔式カテーテルでは，分泌物が 1 孔でも接していないと吸引圧が下がることがあり，吸引中にカテーテルを回転させる場合がある．

- アルコール綿
- カテーテル洗浄水（水道水または煮沸水）とそれを入れる容器
- カテーテル保存容器
- ディスポーザブル手袋
- ビニールエプロン
- 必要に応じてゴーグル

2 吸引の手順

a 機器などの準備

①カテーテル洗浄容器に水道水または煮沸水を入れる．

②吸引機の接続（真空ポンプと吸引した喀痰などを入れるボトルとの接続管）を確認する．

③吸引機のスイッチを入れ，稼働するかを確認する（確認したあとは，吸引するまでスイッチは切っておく）．

b 実施手順（▶図 73）

①対象者に吸引の説明を行い，同意を得る（意識障害がある場合でも必ず“声かけ”をする．また，家族が側にいる場合，家族への説明・同意を得る）．

②手洗いののち，ディスポーザブル手袋を装着する．

③吸引チューブが入っている袋を開け，カテーテル取り出し，吸引機に接続する．

④スイッチを入れ，非利き手の母指でカテーテルの根元を折り曲げて押さえ（▶図 73-a），吸引調節ダイヤルで吸引圧を調整する．吸引圧は 20 kPa（150 mmHg）以下になるように調整する．

⑤カテーテル内での分泌物の滑走をよくするために，洗浄水にカテーテルの先端を入れ，押さえていた母指を放し，洗浄水を少量吸引する．

⑥再度，声かけしたのち，カテーテルを押さえたまま，利き手でカテーテルの先端から 15～20 cm のところを持ち（それより先は触れないように注意する），口または鼻孔に挿入する．

⑦口腔内吸引の場合，顔を横に向け 10～12 cm を目安に挿入するが，嘔吐反射の強い場合などは無理に挿入しないように注意する．対象者が意識清明なときは，口を開けてもらい，舌を前方に出してもらうと咽頭腔が広がりカテーテルが挿入しやすい．また，口腔内が乾燥していると痰が排出しにくいため，歯磨きやうがい，ガーゼなどで湿らすと排出しやすくなる．

⑧鼻腔内吸引の場合は 15～20 cm を目安に挿入するが，個人差もあるので十分注意する．頸部の下に小さな枕を入れ，頸部が伸展し顎を上げるようにすると挿入しやすい．また，2～3 cm までは顔面と並行に挿入する．このとき，鼻先

Keyword
Fr　French catheter scale（フレンチカテーテルスケール）．カテーテルの外径を示す単位．1 Fr＝1/3 mm，10 Fr＝3.3 mm，12 Fr＝4 mm．

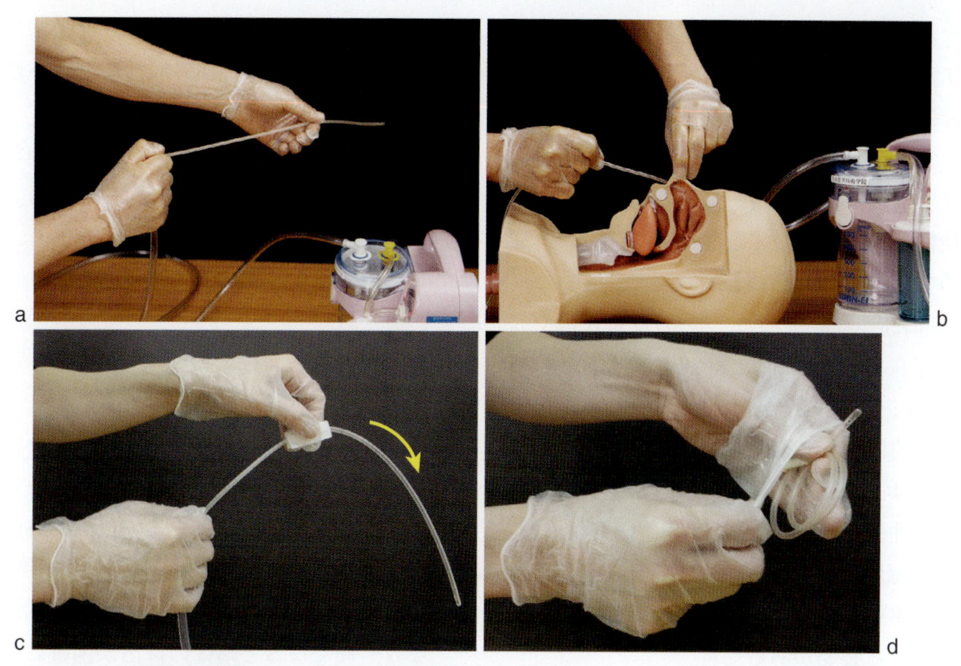

▶図 73　吸引の手順
a：カテーテルの根元を押さえ，吸引圧を調整する.
b：鼻先を少しつまみ上げ，カテーテルを顔面と平行に挿入する.
c：カテーテルに付着した分泌物をアルコール綿で拭き取る.
d：カテーテルを丸め，包み込むようにして手袋を外す.

を少しつまみ上げるようにすると挿入しやすい(▶図 73-b)．その後は顔面と垂直になるように挿入する.

⑨カテーテルが目的の部位に達したら，押さえていた母指を放し，吸引する．必要に応じて，カテーテルを回転させながら吸引する(多孔式の場合)．吸引時間は 10 秒，長くても 15 秒以内とし，気管内や肺胞内の酸素を吸引することによる低酸素状態の危険を回避する.

⑩カテーテルを抜き取り，付着した分泌物をアルコール綿でカテーテルの根元から先端に向かって拭き取り(▶図 73-c)，カテーテル内は水道水を吸引して洗い流す.

⑪1 回の吸引で不十分なときは，対象者の呼吸状態が整ってから再度実施する．この際，カテーテル外側のアルコール分を洗い落とすために，カテーテル全体を水道水の入った容器に浸す.

⑫吸引が終了したことを対象者に伝え，呼吸状態，バイタルサイン，分泌物の性状や量などを確認する.

⑬吸引機の圧をゼロに戻し，スイッチを切る.

⑭吸引機からカテーテルを外し，カテーテルを使い捨てする場合はカテーテルを包み込みながら手袋を外し(▶図 73-d)，手洗いを行う．カテーテルはそのつど交換したほうがよいが，カテーテルを再使用する場合は，分泌物をアルコール綿で十分に拭き取り，水道水または消毒液の入った容器に保管する(汚染の強いものは再使用しないで破棄する)．水は 1 日に 1 回は交換する.

⑮吸引瓶内の吸引物はトイレあるいは汚染物槽に捨て，洗剤で洗浄する.

C 注意事項

- 吸引の前後は必ず手洗いを行う.
- 吸引には苦痛や不快感を伴う．そのため，カテーテルの操作は適切かつ迅速に行う必要がある．また，対象者のこれらの反応や呼吸状態にも十分に注意する．

- カテーテルを深く挿入するなど，不適切な操作により，口腔内や鼻腔内，気道の粘膜を傷つける可能性がある．実施する前に，これらの構造を改めて確認しておくこと．
- 上気道(口腔，鼻腔，咽頭，喉頭)は常在菌や弱毒菌が存在する(ただし，下気道は原則として無菌状態)．口腔内・鼻腔内吸引の場合は必ずしも無菌的に行う必要はない．しかし，対象者のなかには上気道に各種抗生物質に抵抗性のある薬剤耐性菌(メチシリン耐性黄色ブドウ球菌，多剤耐性緑膿菌など)が存在している場合があり，院内感染を防ぐためにも，基本的な感染防御策を講じる必要がある．

3 吸引後の評価

吸引を行ったあとは，以下のような点を評価する．

- 痰の性状や量
- 自覚症状(息苦しさなど)の改善
- 呼吸数，心拍数，SpO_2 などの改善
- 呼吸音の改善

C 吸引による合併症

吸引による主な合併症には，次のようなものがある．

- 気道感染：不衛生な吸引手技によっておこる．
- 気管支攣縮：気管支が痙攣し，喘息様の症状が出現する．声帯が痙攣すれば気道が閉塞する．
- 不整脈：気道への刺激が交感神経に作用し，アドレナリンなどが分泌される．その結果，心拍数が増加し，心室性期外収縮などの不整脈を誘発することがある．
- 徐脈・低血圧：気道への刺激が交感神経系に作用し，迷走神経反射が引き起こされる．その結果，徐脈や血圧が低下することがある．

D 吸引以外の排痰法[120)]

環境整備や援助により，吸引によらないで喀痰を排出できることがある．吸引には少なからず苦痛を伴うため，吸引に先立って以下の方法を試みたほうがよい．

- 適度の湿性：室内が乾燥して喀痰の粘性が高くなり，硬くなると喀痰の排出が困難になる．また，体内の水分バランスが不足すると，気道粘膜が乾燥し，線毛運動が働きにくくなる．このため，室内の湿度と全身の水分バランス(in-out)の管理が重要となる．適度の湿性は以下の体位排痰法でも重要となる．
- 体位排痰法：聴診によって喀痰の貯留している気管を特定し，その部位がなるべく上になるように側臥位や腹臥位をとらせ，重力によって口腔から排出しやすいように援助する方法である．体位ドレナージとも呼ばれる．
- 呼吸法および咳嗽(がいそう)(せき)の介助：咳によって喀痰を排出するには十分な吸気と，その後の爆発的な呼気が必要である．腹筋や横隔膜が弱いと，喀痰排出のための呼吸量が確保できない．吸気後に咳をするように強く息を吐いてもらう“ハフィング”に合わせ，徒手的に胸郭を内外側に押し下げたり，腹部上部(季肋部)を圧迫することで，咳による喀痰の排出を援助する．

⑫ 物理療法の基礎

物理療法は理学療法手技の一分野であるが，消炎・鎮痛処置として優れた効果がある．作業療法においても，主に“ハンドセラピー”領域で治療方法の１つとして使われている．米国作業療法協会（AOTA）では物理療法の使用について「機能的結果を考慮することなく物理療法のみを用いることは作業療法とは考えられない」[121]としながらも，「作業遂行を高めるための目的活動の準備，あるいはそのための補助となる場合」に用いるとしている[122]．

物理療法に関する知識をもち，その使用法に習熟すれば，作業療法においても安全で効果的な治療法として使うことができるだろう．

本項では，物理療法の基本的手技を中心に述べるが，実際に使用する前には解説書[123–125]や取り扱い説明書などを熟読して，生理学的効果や適応・禁忌について知るとともに，使用法を習得しておかなければならない．

A 物理療法とは

物理療法とは，熱，水，光，電気，徒手などの物理的エネルギーを用いて行う治療法である．物理療法には，温熱療法，寒冷療法，電気療法，光線療法，その他（マッサージ，牽引療法，鍼・灸など）が含まれる（▶表 24）[126]．

本項では，臨床場面で比較的使用頻度が高いと思われる治療法について述べる．

▶表 24　物理療法の分類

分類			
I. 温熱療法	表在性温熱	伝導	ホットパック，パラフィン
		対流	水治療法（渦流浴など）
		輻射	赤外線
	深達性温熱	変（転）換	超短波，極超短波，超音波
II. 寒冷療法	通常低音		アイスパック
	極低温		極低温療法
III. その他	温水と冷水		交代浴
IV. 電気療法	低周波		低周波治療法，経皮的電気刺激（TENS），機能的電気刺激（FES），干渉波
	高周波		高周波刺激法
V. 光線療法			紫外線，レーザー光線
VI. 特殊物理療法			マッサージ，矯正・牽引療法，鍼・灸など

〔石田　暉：物理療法の基礎．上田　敏，他（編）：リハビリテーション基礎医学．第 2 版，pp377–381，医学書院，1994 より改変〕

B 温熱療法

1 温熱の生理学的効果

温熱により組織温度が上昇すると，次のような生理学的効果が得られる．

- 循環系への影響：末梢血管が拡張し，血流量が増加する．その結果，静脈圧が上昇し，血圧は低下する．また，静脈圧が上昇することによって浮腫が増大する．内臓血流量は減少する．温熱を加えた部位以外にも遠隔部位の血流量が増加する（反射性血管拡張）．
- 代謝の亢進：組織温の上昇により代謝や化学反応が亢進すると，エネルギー消費が増加する．それに伴って組織の酸素摂取量が増加し，細胞活動が活発化し，結果として組織の治癒を促進する．

- 軟部組織の粘弾性の変化：温熱を加えることによって結合組織の弾力性が増し，粘性が低下する．腱や関節組織は温熱によって伸張しやすくなる．
- 疼痛の緩和：温熱によって血行が改善すると発痛物質が除去される．また全身の神経の感受性は低下して疼痛の閾値が上昇し，鎮痛作用をもたらす．
- 筋への作用：温熱刺激が γ 神経線維の感受性を低下させ，痙縮が抑制される．**筋スパズム**(muscle spasm)ではII線維の発火頻度が低下し，Ib 線維の発火頻度が増加することによって，α 運動神経の興奮性が低下し，筋緊張が抑制されると考えられている．最大筋力や筋持久力は温熱によって一次的に低下する．

2 熱の伝わり

熱の伝わり方には，伝導，対流，輻射，変換がある．また，組織へ熱が伝わる深さ(深達性)により表在熱と深部熱に分けられる．

- 伝導：温度差がある物体が接触することによって，熱が高いところから低いところへ伝わることをいう．ホットパックやパラフィンはこの現象を利用している．
- 対流：組織周囲の液体や気体の移動により熱が伝わることを対流という．渦流浴や熱気浴，蒸気浴などが対流を利用したものである．
- 輻射：熱放射によって発散された熱線が他の物体に吸収されることによって熱エネルギーが伝わることを輻射(放射)という．輻射熱を利用した治療法の1つが赤外線療法である．

Keyword

筋スパズム　筋の痙攣(muscle spasm)．筋が不随意的に持続して激しく収縮すること．身体の防御反応の一種で，損傷や痛みによって生じる求心性反射作用の強化によっておこる．筋の伸縮作用が阻害されると筋の硬直をまねく．筋スパズムが痛みを引き起こし，痛みがさらに筋スパズムを強化させるという悪循環が生じることがある．

▶図 74　ホットパック加温装置
〔資料提供：オージー技研〕

- 変換：電気や磁気，光エネルギーを熱エネルギーに変えて治療する方法をいう．超短波や極超短波などの電磁波，超音波は機械的振動を組織に与え，分子の振動によって熱エネルギー(摩擦熱)に変換する．
- 表在熱：熱の伝わり方の浅い表在熱に分類されるのは，赤外線やホットパック，渦流浴，パラフィンなどである．
- 深部熱：超短波や極超短波，超音波は，深達度の深い深部熱に分類される．

3 温熱療法の種類

a ホットパック

ホットパックは温めた物質で身体を覆い，加温する方法である．ホットパックには湿熱法と乾熱法があり，前者のほうが熱伝導がよい．湿熱性ホットパックでは，一般にシリカゲル(珪酸塩)を木綿の袋に入れたものを加温装置(ハイドロコレーター)で温めて使用する(▶図 74)．乾熱性ホットパックには，高分子活性剤を応用したパックや電熱式ホットパックがある．

［適応］

- 疼痛，特に慢性痛の緩和：慢性的な筋疲労や腰痛，関節リウマチ，変形性関節症など
- 筋緊張亢進または筋スパズムの軽減：慢性的な疼痛や筋疲労による筋スパズム

- 血行の改善
- 軟部組織の柔軟性の改善：関節拘縮や瘢痕組織に対する治療の前処置

[禁忌]

- あらゆる疾患の急性期
- 急性炎症状態：組織の壊死や浮腫の増大の可能性がある．
- 循環障害：動脈硬化などでは末梢部の代謝増加に血流増加が追いつかず，組織の壊死や熱傷をおこす可能性がある．心不全，心肺機能低下の高齢者でも禁忌となることがある．
- 非炎症性浮腫，出血傾向，悪性腫瘍：これらは温熱により悪化する．
- 皮膚疾患：疾患そのものの悪化の可能性，およびタオルなどを介した感染の可能性がある．
- 乳幼児：体温調節機能が不十分なため体温上昇がおこる．
- 感覚障害：原則的には禁忌であるが，頻回なチェックを行えば実施可能である．

[使用方法]

①対象者にホットパック法の説明，治療時間，注意などを説明する．
②治療部位をできるだけ露出させ，安楽な姿勢をとらせる．
③加温装置で温められた(約 80℃)ホットパックを取り出し，水滴を十分に切る．
④そのままで使用する場合(湿熱法)は治療部位との間に四つ折りにしたバスタオル 2 枚を重ねて当てるようにし，さらにホットパックの上部をビニールと数枚のバスタオルで覆い放熱を防ぐ．湿熱法では衣類が濡れる可能性があるので，可能なかぎり治療部位に直接当てるほうがよい．

　乾熱法で使用する場合はホットパック全体をビニールで包み，治療部位との間は四つ折りにしたバスタオルを 1～2 枚を当てるようにする．
⑤治療時間は 15～20 分である．
⑥治療終了後は治療部位が冷えないように衣服やバスタオルで保温する．使用したホットパックは加温装置に戻し，濡れたバスタオルは乾燥させる．

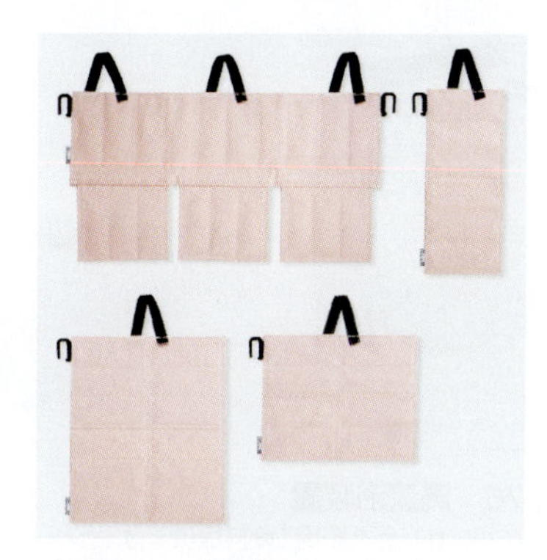

▶図 75　各種のホットパック
〔資料提供：オージー技研〕

[注意事項]

- 治療前に意識や全身状態(体温，疲労度など)，治療部位の状態(炎症・創傷・循環障害の有無)を確認する．特に感覚障害があるときは十分に注意する必要がある．
- パックには種々の大きさ，形のものがあるので治療部位に適したものを選択するようにする(▶図 75)．
- 治療中は対象者の訴えに注意し，熱すぎるとの訴えがあったり，皮膚に過剰な発赤がみられるときは適宜タオルなどを追加する．感覚障害がある場合は，自覚症状がないため熱傷の可能性があるので，特に注意が必要である．
- 身体の下に敷き込んだりすると，放熱が妨げられたり，また熱湯がにじみ出して熱傷の原因になることもあるので注意が必要である．

b 渦流浴

渦流浴は温熱(温水)と渦流による機械的刺激を与える方法である．渦流浴装置は上肢用と下肢用があり，治療目的に合わせた温度設定で使用する(▶図 76)．一般に，温水の温度は 37～40℃ で使用し，42℃ を超えないよう注意する．

[適応]　ホットパックと同様の適応がある．

[禁忌]　ホットパックと同様の禁忌がある．

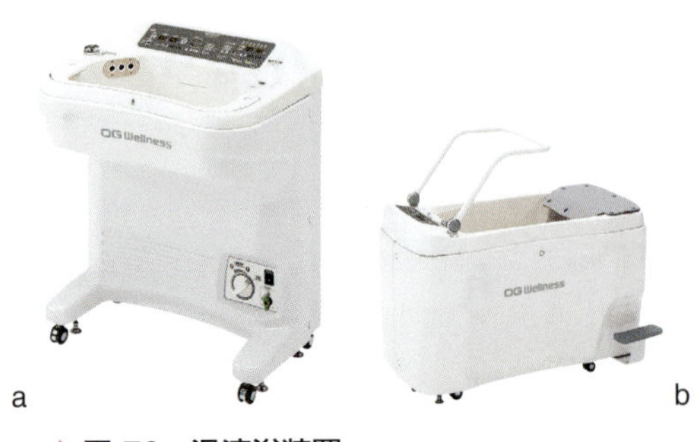

▶図 76　渦流浴装置
a：上肢用，b：上下肢用〔資料提供：オージー技研〕

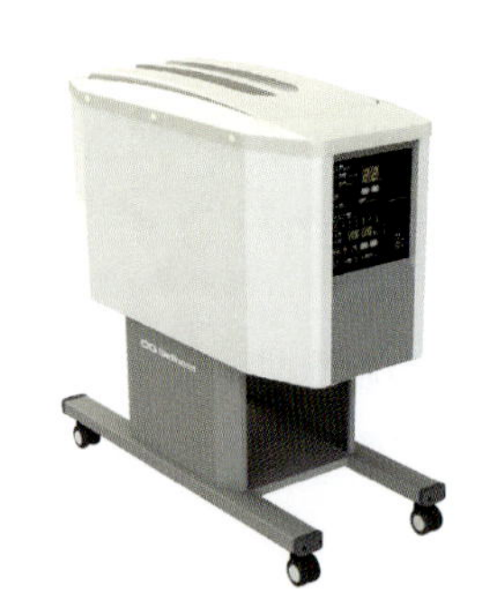

▶図 77　パラフィン加温装置
〔資料提供：オージー技研〕

[使用方法]

①対象者に治療方法の説明を行う．
②治療部位を露出させ，浴槽の中に入れる．
③治療時間(15〜20 分)をセットし，スイッチを入れる．
④噴流方向を調節し，水流が創部や過敏部位に直接当たらないようにする．
⑤自動運動が可能ならば浴槽の中で自動運動させる．
⑥治療終了後はタオルで水分を拭き取る．

[注意事項]

- 衣服を濡らさないよう十分注意する．
- 袖をまくる場合，衣服が腕を圧迫して循環を妨げ，温熱の効果と相まって浮腫が増強することがあるので注意を要する．必要があれば，衣服を脱いでもらう．
- 浴槽の中で患肢の支持が必要な場合，対側の手もしくは治療者が支持するようにする．
- 渦流浴は温熱効果のほかに，熱傷などによる脱落痂皮や壊死部の洗浄，創傷の洗浄・感染防止のために使用されることもあるが，この場合，主治医との十分な打ち合わせが必要である．
- 感染防止のため，使用後は浴槽を清掃・殺菌するようにする．

C パラフィン

パラフィンは熱伝導速度が遅く，ゆっくりと熱が伝えられる．そのため，温水では耐えられない 50〜55℃ での治療が可能である．保熱時間も長いため，熱源としての適用時間が長い．融点が低く，液体化しやすいため手指や足指などの凹凸のある部位でも適用できる．

パラフィンは固形パラフィンと流動パラフィンを 100：3 で混ぜ，加温槽で 50〜55℃ に加温して用いる(▶図 77)．パラフィンそのものは乾熱性であるが，固形化したパラフィンと皮膚の間に汗がたまり，湿熱様の効果が得られる．

パラフィンの適用方法には刷毛で何回も塗る塗布法と治療部位を浸す浴法がある．さらに浴法には間欠法と持続法があるが，ここでは前者について述べる．

[適応]　ホットパックと同様の適用がある．特に，関節疾患(関節リウマチや骨関節症)，腱鞘炎，骨折後，瘢痕性拘縮などに効果がある．

[禁忌]　ホットパックと同様の禁忌がある．治療部位を直接パラフィンに浸すため，特に皮膚の状態(開放創や皮膚疾患)には注意しなければならない．

[使用方法]

①対象者に治療方法の説明を行う．
②治療部位を清潔にしたのち，パラフィンの中にゆっくりと浸して引き出す．
③表層が固まったら，再びパラフィンの中に入れ引き出す．2 回目以降は前回に浸した高さより浅くする(▶図 78)．これを 4〜5 回繰り返す．
④治療部位をビニールなどで覆い，さらにバスタ

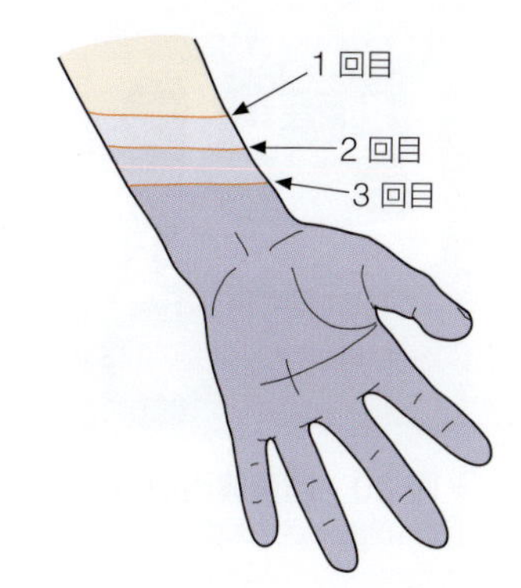

▶図 78 パラフィン浴の浸し方
2 回目以降は前回より浅く浸す.

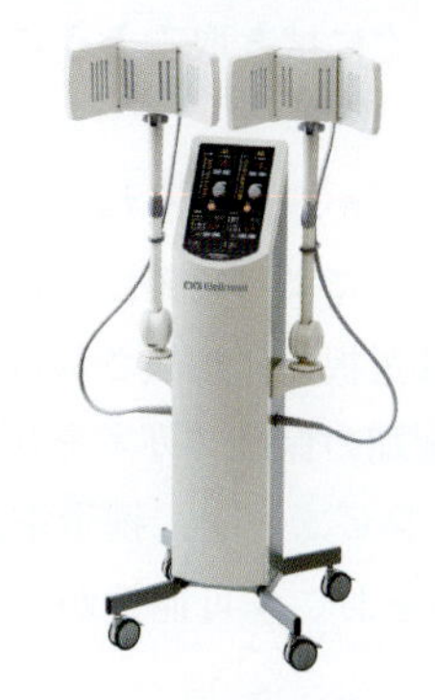

▶図 79 極超短波治療器
〔資料提供：オージー技研〕

オルで覆って保温する.

⑤治療時間は 15〜20 分である.

⑥使用したパラフィンを除去する. 使用したパラフィンには汗などが付着しているため廃棄する.

[注意事項]

- 加温槽内では上部と下部で温度差がある可能性があり, 事前に確認しておく.
- 前回に浸した高さより深く浸したり, 反復中に治療部位を動かして被膜が破れると, 間から熱いパラフィンが流入し, 熱傷をおこす可能性がある. 被膜が破れた場合は最初からやり直す.
- その他, ホットパックと同様, 感覚障害のある場合や対象者の訴えに十分注意する必要がある.
- 床にパラフィンが付着すると滑りやすくなるため, よく拭き取っておく.

d 極超短波

極超短波(マイクロウェーブ)は電磁波の一種である. 医療用として使用されている治療器(▶図 79)は周波数 2,450 MHz, 波長は 12.5 cm であり, 家庭用電子レンジと同じ周波数である.

極超短波では, 組織に吸収された電磁波が水のような極をもつ分子を振動させ, 衝突や擦れ合いをおこすことによって, 熱(摩擦熱)が生じる. 極超短波は乾熱法に分類される. また, エネルギーの深達度(組織に吸収されたエネルギーが半減する深さ)は皮膚表面から 3〜4 cm であることから, 深達性のある温熱療法である.

極超短波のエネルギーは金属に向かって集まり, 金属の表面で反射されることによって周囲の軟部組織を異常に加熱してしまうため, 生体内に金属物質が埋め込まれている場合は禁忌である.

[適応] ホットパックと同様の適応がある.

[禁忌] ホットパックと同様の禁忌がある.

極超短波特有の禁忌としては, ペースメーカーや人工骨頭などの金属物質が埋め込まれいている場合と, 眼球, 精巣, 妊婦の腹部, 子どもの骨端部への照射がある.

[使用方法]

①対象者に治療方法の説明を行う.

②体内に心臓ペースメーカーや人工骨頭などの金属物質が埋め込まれていないか確認する. ネックレスなどの金属装飾品, 金属を編み込んだ衣類も除去する.

③照射アンテナを治療部位から 5〜10 cm 離し, かつ可能なかぎり直角になるようにする.

④電源を入れ, タイマーを 15〜20 分にセットする.

⑤照射出力は 50 W 程度から徐々に上げ, 対象者の反応をみながら, 80〜120 W 程度まで上げていく.

⑥照射中は対象者の反応に注意し, 発汗などがみ

られたら，すぐに拭き取るようにする．

［注意事項］

- 体内に金属物質が埋め込まれていないかを本人および記録などによって確認すること
- 目のレンズは選択的に加熱されるため，顔面への照射では金網の保護メガネを使用させる．
- 電子機器(コンピュータ，携帯電話，腕時計など)は誤作動をおこす可能性があるので離しておくこと

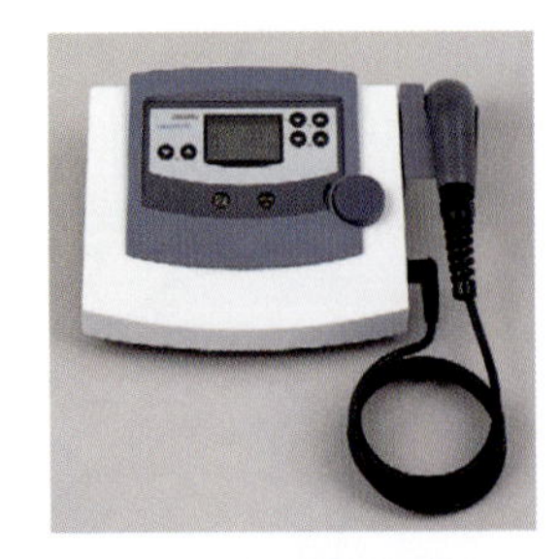

▶図 80　超音波治療器
〔資料提供：酒井医療〕

e 超音波

超音波は人間の可聴範囲を超えた高周波(20 kHz 以上)である．治療用としては 1 MHz と 3 MHz が使用され，波長は約 0.15 cm である．

- **超音波の効果**：超音波は乾熱性・深達性の温熱療法に分類され，温熱効果と非熱効果がある．
  超音波は電磁波よりも組織吸収率が低く，深部までエネルギーが到達する．組織に吸収された超音波は音波振動によって熱に転換されるが，蛋白質の含有量に比例するため，膠原線維を多く含む骨・関節包などでは温度上昇がおこりやすい．金属に対しては乱反射をおこして熱点をつくらないことから，人体に金属が挿入されていても使用できる．
  非熱効果としては機械的振動による炎症の治癒促進，浮腫の軽減，疼痛の緩和などがある．また，創傷治癒過程において組織の修復を促進するともいわれている．薬物(抗炎症薬や鎮痛薬)を皮下組織に浸透させるために用いられることもある(薬物浸透法)．
- **超音波発生のしくみ**：超音波は振動子(水晶)に電流をかけることによって発生し，導子を使って人体に適用する．超音波は空気中に伝達されないため，導子と人体の間にゲル状の伝播剤(カップリング剤)を使用する．導子には大・小があり，治療目的や部位によって使い分ける．
- **治療用周波数**：周波数が高いほど組織吸収率が高くなり，深達度は浅くなる．表在にある組織に対しては 3 MHz を，深部にある組織を治療対象とする場合は 1 MHz を使用する．超音波照射によって骨膜周辺や関節包，腱，瘢痕組織，末梢神経，筋膜表面，細胞膜などが選択的に加熱される．
- **モード(照射時間率)**：ほとんどの治療器では，超音波の照射(照射時間率)を連続モードかパルス(間欠)モードに選択できるようになっている(▶図 80)．連続モードは温熱効果を目的とし，パルスモードは非熱効果を目的とした様式であり，急性期や亜急性期に用いられることが多い．
- **照射強度**：照射強度は W/cm^2 で表され，臨床的には 0.5～2 W/cm^2 が用いられる．照射強度が高いほど温熱効果が高い．温熱効果を目的とするときは 1.1～2.0 W/cm^2 で，非熱効果を目的とする場合は 0.5～1.0 W/cm^2 の強度で行う．
- **治療時間**：治療時間は，温熱効果を目的とする場合は導子の有効照射面積の 2 倍以内を 5～10 分，非熱効果を目的とするときは 3～5 分かけて照射する．

［適応］　ホットパックと同様の適応がある．

温熱効果では固定による拘縮や術後の癒着・瘢痕に対する治療効果が期待できる．また，非熱効果として靱帯損傷や腱損傷，捻挫，打撲，局所の浮腫が適応となる．

［禁忌］　ホットパックと同様の禁忌のほかに，血栓性静脈炎，急性敗血症，心疾患，ペースメーカー使用者，妊婦の腹部，発育期の子どもの骨端への照射は禁忌である．目への照射も禁忌である．

[使用方法] 超音波治療にはゲルを使用する方法と水中で行う方法とがあるが，ここではゲルを使用する方法について述べる．

①対象者に治療方法の説明を行う．
②電源を入れ，導子，周波数，モード，照射強度，治療時間を選択・設定する．
③治療部位にゲルをつけ，導子を当てる．導子は円を描くように，あるいは前後左右方向にゆっくりと動かす．連続照射を選択した場合，導子を動かさないでいると痛みを生じることがあるので注意が必要である．治療中は対象者の反応に十分注意すること．
④終了したら，治療部位および導子のゲルを拭き取る．

[注意事項]

- 導子は治療部位に密着させるようにすること．
- 水中で超音波を使用すると気泡が発生する(空洞形成，キャビテーション)現象が人体でもみられる．安定したキャビテーションには細胞活性化を促進する効果があるが，不安定なキャビテーションは小さな気泡を破壊し，組織を損傷する危険性がある．したがって，導子は絶えず動かすようにすること．
- 温熱モードで治療する場合は，導子の表面が加熱していないか確認すること．
- 治療器にリセット機能がついていない場合は，各数値が0になっているかを確認してから各設定を行うこと．
- 導子は清潔に保つこと．

C 寒冷療法

1 寒冷の生理学的効果

組織温度が低下することによる生理学的効果には次のようなものがある．

- 循環系への影響：細動脈が収縮し，体温調節の目的で皮膚血管の収縮がおこる．その後，二次的に血管拡張がおこる．脈拍・呼吸数は増加し，血圧も上昇する．
- 代謝の低下：酵素反応が減少して代謝が低下し，代謝産物は減少する．膜透過性も減少し，浮腫は軽減する．
- 疼痛の緩和：感覚受容器の閾値低下，神経伝導速度の遅延，発痛物質産生の減少，筋緊張低下による血液循環の改善に伴う反応性充血などによって疼痛が緩和される．
- 筋への作用：寒冷によって結合組織の粘性は高まり，筋緊張は亢進する．また，冷却した直後は腱反射やクローヌスが増強する．しかし，長時間冷却すると γ 神経系の伝導速度が低下し，筋緊張は低下し，痙縮が抑制される．

2 寒冷療法の分類

寒冷療法は身体表面から冷却し，循環を利用して熱の対流がおこるために，深部の温度が変化するまでに時間を要する．また，寒冷は温熱よりも深達性のある効果をもたらす．

冷却する方法としては，氷や冷水を使う伝導冷却法，気化熱により熱を奪う蒸発冷却法，扇風機などにより熱を奪う対流冷却法がある．そのほかに液体酸素と液体窒素を混合し，−180℃ のガスを噴霧する極低温療法がある．

ここでは伝導冷却法について述べる．

3 寒冷療法の実際

寒冷療法は急性期の炎症や疼痛の緩和に有効である．たとえば，打撲，捻挫，靱帯や筋の(部分)断裂，腱損傷，骨折や術後などである．そのほかにも肩関節周囲炎，肩手症候群，関節リウマチ，腰痛症，熱傷，骨髄炎，脳卒中や脊髄損傷による筋緊張亢進，転移性がんの疼痛，褥瘡の予防などにも効果がある．

▶図 81　クリッカー
〔資料提供：酒井医療〕

[適応]
- 急性期炎症の緩和
- 局所の疼痛緩和
- 有痛性筋スパズムの緩和
- 中枢神経疾患の筋緊張軽減
- 褥瘡治癒促進

[禁忌]
- 心疾患および呼吸器疾患(広範囲の寒冷を行う場合)
- 心臓および胸部への寒冷
- 重度の高血圧症
- 末梢循環障害
- 寒冷過敏症〔レイノー(Raynaud)病および寒冷過敏症〕
- 寒冷に拒否的な場合
- 表在感覚が鈍麻・脱失している場合(使用する場合，全身・局所の状態に十分注意する)

[治療方法]　冷却する方法としては，氷塊，クリッカー，アイスパックが主流である．そのほか，冷却の部分浴，アイススプレーを使用する方法もある．

- 氷塊：製氷皿もしくは紙コップなどを利用してつくったものを使用する．氷塊をタオルなどで保持し，治療部位を露出して氷塊を当てる．水滴はすぐにタオルで拭き取るようにする．除痛目的のためには 5 分程度，筋緊張抑制の目的では 20〜30 分程度行う．
- クリッカー(▶図 81)：金属製の容器で，中に氷塊と塩を入れ，よく振ったのちに使用する．容器の表面温度は −10℃ 程度になる．治療部位に軽く当て，円を描くようにして凍傷をおこさないようにする．治療時間は 4〜5 分程度で，治療部位の感覚が鈍麻したら中止する．
- アイスパック：専用のパックも市販されているが，ビニール袋に氷を入れたものでも使用可能である．必要な量の氷を入れ，ホットパックのようにタオルを重ねて使用する．塩を混入した場合，氷点下になるため，凍傷を防止するよう，治療中に頻回なチェックが必要である．身体との間には 1〜2 枚のタオルを入れ，対象者の訴えや皮膚の状態に応じてタオルを増加する．筋緊張抑制のためには 20〜30 分の時間が必要である．

[注意事項]
- 特に高齢者や小児では寒冷を好まない傾向があるので，十分な説明を行うこと．
- 治療中は対象者の訴えに十分注意し，凍傷やしもやけをおこさないよう頻回にチェックすること．
- 治療部位以外は保温する．
- 寒冷療法によって感覚脱失や軟部組織の粘性の低下を引き起こすので，治療直後の強い等尺性筋収縮や他動伸張，激しい運動は避けるよう指導する．

D 電気療法

電気療法では，低周波治療器(▶図 82)を使って生体に電流を流すことで鎮痛や痙縮抑制，筋萎縮の予防，マッサージ効果などが得られる．

1 電気刺激の条件(▶図 83)

電気刺激を用いる際には，以下の要素を考慮する．

- 電流の強さ：神経・筋を興奮させるためには細胞膜に電位変化をおこさせるための一定以上の電流強度，電気エネルギーが必要である．電流が強ければ刺激効果が高いが，不快感や痛みも強くなる．通常，低い周波数(一般には 1,000 Hz

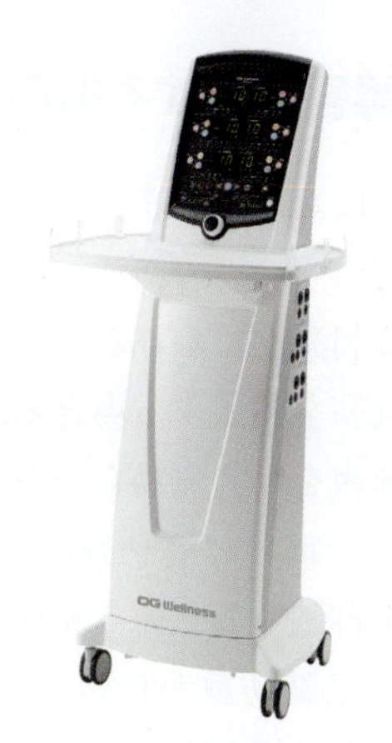

▶図 82 低周波治療器
〔資料提供：オージー技研〕

以下)の電流を用いる．

- パルス幅：電流の強さとともにパルス(波)の幅によってエネルギー量が決まる．一般にパルス幅が長くなると筋収縮は強くなるが，痛みも誘発される．通常 0.2〜0.3 msec 程度のパルス幅が用いられる．
- 周波数：周波数が大きいとパルス幅は短くなり，したがって，高い電流が必要となる．逆に周波数が小さいと低電流で筋収縮が得られる．また，周波数が大きければ収縮力は強くなるが，疲労も早くなる．正常では 15 Hz 程度以上で強い収縮が得られる．
- 電流の増加速度：刺激電流の増加速度(立ち上がり速度もしくは傾き)がゆっくりであれば順応がおこり，筋収縮はおこらない．急であれば感覚神経を刺激して不快感を生じる．矩形波の傾きは直角である．
- 休止時間：電気刺激が長すぎると容易に筋疲労してしまう．他の条件にもよるが，一般には 1：1 以上の休止時間が必要である．
- 電極と貼付部位：生体に電流を流すためには 2 つの電極が必要である．1 つは神経あるいは筋を刺激する刺激電極(一般的には陰極)，もう 1 つは電流を一定方向に流すための不関電極(一般的には陽極)である．

電気刺激を与えたときに最も筋収縮が得られ

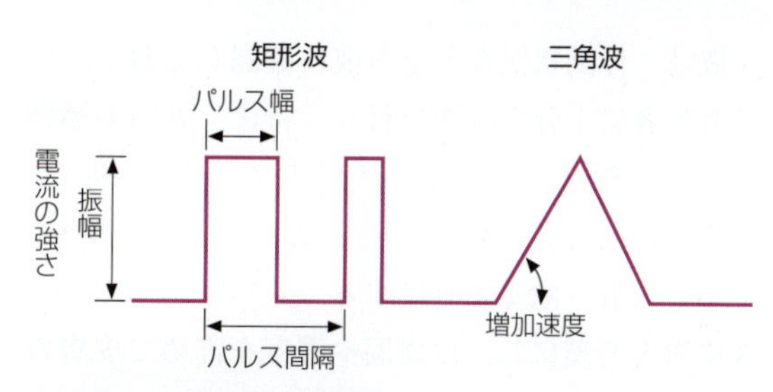

▶図 83 電気刺激の条件

る部位を運動点(motor point)という．これは神経束が筋に入り込む部位で，神経筋接合部付近と考えられる．小さな刺激電極を運動点上に置き，大きな不関電極を目的筋より離れた部位に置く方法を単極法という．比較的大きな同じ電極を運動点を挟むように置くか，陰極を運動点上に置く方法を双極法という．最近は後者のほうが多く使用されている．

2 電気療法の実際

以下に電気治療の適応や禁忌，注意事項について述べるが，これらは生体に電気を使用する治療法すべてにおいて考慮しなければならない．

[適応]

- 筋萎縮の防止
- 筋力の維持・増強
- 筋緊張の軽減
- 疼痛の緩和
- 筋機能の再教育
- 浮腫の軽減

[禁忌]

- 心臓ペースメーカー使用者，重篤な心疾患
- 血栓静脈炎や静脈性血栓症
- 創傷，皮膚疾患，瘢痕などがある場合
- 筋収縮が禁忌となっている疾患
- 心臓上もしくは心臓を横切るような刺激
- 頸部や咽頭部への刺激
- 悪性腫瘍，妊娠中，痙攣発作がある場合

[治療方法]

①目的に応じた刺激条件，機器の使用方法，安全

確認，作動状況などを事前に確認しておく．
②対象者に十分な説明を行う．特に，初回の場合は電気刺激による感覚(チクチクとした痛み)や意思に反した筋収縮があることを十分説明し，不安を取り除くようにする．
③皮膚を清潔にし，皮膚温や湿度を高めて皮膚の電気抵抗を高めないようにする．
④刺激強度は対象者の反応を見ながら徐々に強くしていく．
⑤電気刺激によっても熱傷をおこす可能性があるので，治療中の様子，対象者の訴えに十分注意する．
⑥治療終了後も皮膚の状態を確認する．

3 治療的電気刺激

治療的電気刺激(therapeutic electrical stimulation; TES)は運動機能改善のために行われる治療法であり，末梢神経障害による脱神経筋に対するものと，中枢神経障害に対するものに大別できる．

a 脱神経筋に対する低周波刺激

脱神経筋に対しては神経が回復するまでの間，**脱神経性筋萎縮**をできるだけ防止するために低周波刺激が行われる．低周波電気刺激によって脱神経後の筋萎縮や変性過程を遅らせることができるといわれている．しかし，神経再生そのものを促進することはなく，むしろ再生軸索からの発芽形成を抑制するとの報告もある．

脱神経筋に対しては 30 Hz 以下，刺激時間は 50～100 msec 程度にする．脱神経筋は疲労しやすいため十分に休息をとるようにすべきである．治療時間は 1 日 10～20 分程度が目安である．

Keyword
脱神経性筋萎縮　筋の神経支配が絶たれることによって生じる筋萎縮．筋収縮が行われないこと，筋の栄養機能が障害されることなどが原因として考えられている．

b 中枢神経障害に対する低周波刺激

中枢神経障害に対しては筋を収縮させることによる筋萎縮の防止，筋力の増強，痙縮の抑制を目的として低周波刺激が行われる．

痙縮筋の拮抗筋を刺激する場合と，痙縮筋そのものに低周波刺激を与える場合があり，一般には前者が行われる．前者は筋紡錘からの Ia 線維の興奮が拮抗筋を抑制するという相反抑制が考えられ，後者の場合は腱紡錘からの Ib 抑制，もしくは中枢の順応または慣れが考えられている．

痙縮筋の拮抗筋に最大収縮がおこる程度の強さで 80～100 Hz の刺激を 15～20 分程度与える．通電中に痙縮が亢進してきたら徒手的な伸張も併せて行う．痙縮が低下したら随意的な運動学習を組み合わせて行う．

c その他の低周波刺激

- 筋力の維持・増強：整形外科術後，ギプス固定中の廃用性筋力低下に対して，低周波刺激により予防・改善をはかることができる．筋力を増強するには 50 Hz までの矩形波を用いる．
- 浮腫の軽減：低周波刺激によって筋収縮をおこし，筋のポンプ作用によって浮腫を軽減することができる．50～60 Hz 程度の刺激を 20 分程度行う．患肢の挙上と弾性包帯を併用するとさらに効果的である．

4 経皮的電気神経刺激

経皮的電気神経刺激(transcutaneous electrical nerve stimulation; TENS)はゲートコントロール理論(gate control theory)（▶図 84）に基づく鎮痛目的の電気刺激療法である．

末梢からの感覚神経は太径線維と細径線維とがあり，痛覚は主に細径線維を介して脊髄後角に入る．電気刺激は太径線維を介する．太径線維からの情報は細径線維からの情報を脊髄後角の膠様質で抑制し，遮断すると考えられている．したがっ

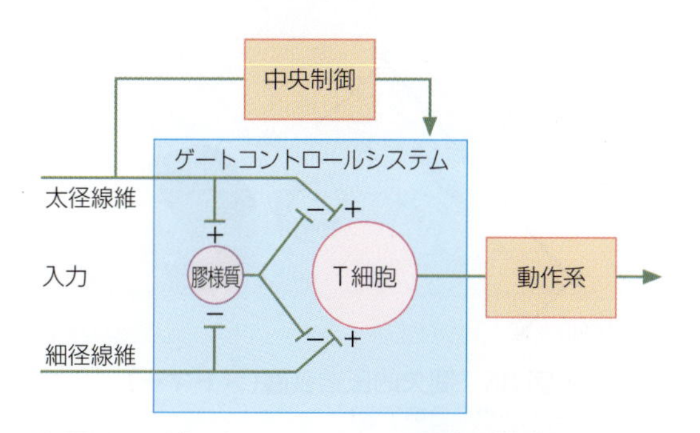

▶図 84 ゲートコントロール理論の模式図

て，電気刺激を与えれば，痛覚を中枢へ伝えるのを遮断することができる．

鎮痛を目的とした電気刺激では，パルス幅の短い波形，最大でも 200 μsec 以下の波形を用いる．周波数は 50〜100 Hz，刺激強度は筋収縮が誘発されない程度，刺激時間は約 20 分程度のことが多い．

一般的な急性・慢性疼痛のほかに，反射性交感神経性ジストロフィー(reflex sympathetic dystrophy; RSD)による疼痛の緩和にも有効である．

5 機能的電気刺激

機能的電気刺激(functional electrical stimulation; FES)は脳卒中片麻痺や脊髄損傷などにより中枢神経のコントロールができなくなった筋に対して電気刺激を与え，筋収縮を誘発して機能的に有効な活動を生じさせようとする治療法である．

代表的なものには，脳卒中片麻痺の足関節背屈に対する総腓骨神経刺激や，手指の把持動作を行わせるものもある．表面電極や埋め込み電極を用いるものなど各種のシステムが開発されている．FES の条件として刺激を受ける部位より遠位の運動単位が正常である必要がある．

E 浮腫への対応

1 浮腫とは

浮腫とは組織液またはリンパ液がなんらかの原因で細胞内・細胞間隙または体腔内に異常に増加・貯留した状態をいう．組織間隙内のものを水腫，体腔内のものを腔水症，皮下組織のものを浮腫ということもあるが，臨床的な判別は困難である．

浮腫は関節運動を妨げ，周辺組織との癒着や拘縮をおこし，皮膚の抵抗力を弱化させ，不快感の原因ともなるため，浮腫の管理は重要である．

a 原因

浮腫は表 25[127] に示すようなさまざまな原因でおこる．臨床的に浮腫のおこる部位は眼周囲，手指，下腿，足背である．浮腫を認めた場合，その部位や対称性を確認する．特に，下腿の浮腫は全身性浮腫の初期に認められ，腎疾患や心疾患を示唆することがある．

明らかに浮腫が認められるにもかかわらず，圧痕を生じないときは粘液水腫(甲状腺機能低下症)やリンパ性水腫が考えられる．

浮腫は表に示した原因のほかに生活様式も影響する．つまり，寝たきりや長時間座位をとる生活，あまり歩かない生活では筋のポンプ作用が利用できないために下腿の浮腫が生じる．また，立位を長時間続ける仕事でも浮腫が認められることがある．

b 分類

浮腫が対称的な場合は全身性浮腫が多く，非対称性のときは局所性浮腫が多い．臨床的に認められる局所性浮腫としては，脳卒中片麻痺の麻痺側の上下肢(血管運動障害性浮腫)，乳がん手術後の上肢(リンパ性浮腫)，手術や外傷後の痛みや熱感を伴う限局した炎症性浮腫などがある．

▶表 25　浮腫の分類

1. 全身性浮腫	
腎性浮腫	ネフローゼ症候群，腎不全
心性浮腫	右心不全，左心不全，収縮性心膜炎
肝性浮腫	肝硬変，バッド-キアリ症候群
内分泌性浮腫	甲状腺機能低下症，クッシング症候群，更年期性浮腫
栄養障害性浮腫	脚気(ビタミン B_1 不足)，吸収不良症候群，悪性腫瘍
薬剤性浮腫	非ステロイド性抗炎症薬，Ca 拮抗薬，漢方薬，ホルモン剤(ACTH，副腎皮質ステロイド剤，エストロゲンなど)
特発性浮腫	
2. 局所性浮腫	
静脈性浮腫	静脈血栓症，上大静脈症候群，静脈瘤
リンパ性浮腫	リンパ管炎，リンパ節郭清術後，悪性腫瘍転移
炎症性浮腫	皮下組織感染症，血管炎(膠原病)，アレルギー，蕁麻疹
血管神経性浮腫	クインケ浮腫，遺伝性血管神経性浮腫
内分泌性浮腫	甲状腺機能亢進症
体位性浮腫	長時間の立位，座位，長期臥床

〔石川雄一：浮腫．石川　齊，他(編)：図解理学療法技術ガイド―理学療法臨床の場で必ず役立つ実践のすべて．第 4 版，p75，文光堂，2014 より〕

2 浮腫の軽減法

浮腫はまずその原因を見極め，その原因への対処が優先される．以下に作業療法で対応可能な浮腫をあげる．

- 末梢循環障害
- 上下肢の術後や外傷後の浮腫
- 肩手症候群による浮腫
- 乳がんや子宮がん術後のリンパ性浮腫

浮腫を軽減する方法としては，先に述べた電気刺激がある．そのほかに，間欠的圧迫法，紐巻き法，交代浴などがある．

a 間欠的圧迫法

間欠的圧迫法は主にリンパ液や静脈のうっ滞に伴う浮腫に有効である．間欠的圧迫法は上下肢用のグローブに空気を入れ，空気圧によってリンパ液を移動させ，浮腫を拡散させる方法である．

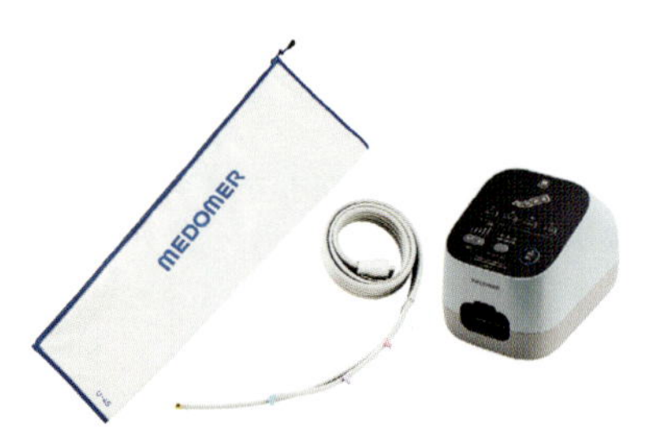

▶図 85　間欠的圧迫装置(メドマー)
〔資料提供：日東工器〕

加圧量やオン・オフ設定，治療時間を細かく設定できる機種もあるが，簡略化した機種もある(▶図 85)．グローブを装着し，挙上肢位をとったのち，15～20 分程度加圧と減圧を繰り返す．浮腫の軽減がみられない場合は，これを数回繰り返す．周径を測定することによって効果判定を行う．

b 紐巻き法

紐巻き法は間欠的圧迫法と同様，組織間液のうっ滞による浮腫に対して使用される．特に，“ハンドセラピー” 領域で使用されることが多い．

手指，四肢末梢部ともに使用できるが，手指には細い紐(マクラメ用の紐など)を，それより近位の四肢末梢には跳び縄程度の太さの紐を使用する．

方法は紐の先端部を少し折り返してループ状にする．そして，強い痛みを生じない程度に，しっかり圧迫しながら間隙のないように末梢部から徐々に巻き上げる(▶図 86)．巻き上げ終わったら，末梢部から中枢部に向かって数回，徒手的に圧迫する．一時的な阻血状態や感覚異常は数秒～数分程度であれば問題はない．次に，折り返した先端部を引いて末梢部から紐を解きほぐす．これを浮腫の状態によって 1 日に数回行う．慣れれば対象者自身で行うこともできる．紐を巻く強さや紐を巻いたあとの痕跡について十分な説明が必要である．

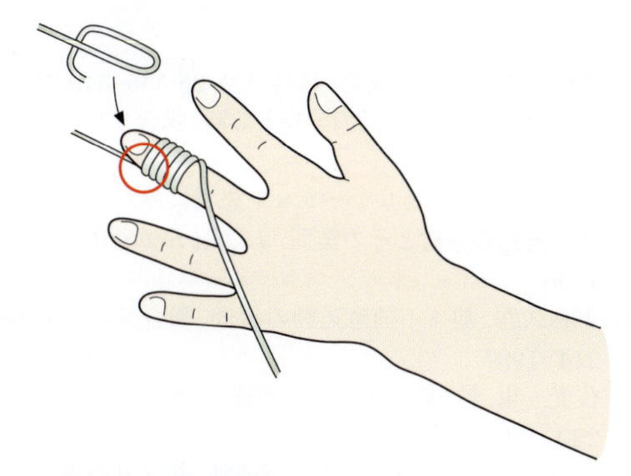

▶図 86 紐巻き法
巻き始めはループ状に折り返しておく.

c 交代浴

交代浴は温水と冷水に交互に治療部位を浸し，末梢循環の改善をはかる方法である．そのほかに，肩手症候群や RSD に伴う浮腫や疼痛の軽減にも効果が認められることがある．

交代浴によって末梢血管の収縮・拡張が促されて浮腫が軽減し，鎮痛作用も得られる．

水温は温水が 38〜40℃，冷水が 16〜18℃ 程度とする．温水から始めて温水で終わる方法と冷水から始めて冷水で終わる方法があるが，前者のほうが一般的である．温水に浸す時間は冷水に浸す時間より長くする．特に，冷水は個人によって耐性が異なるため，反応を見ながら時間を調整していく．治療時間は全体で 15〜20 分程度である．水温は治療中に適宜チェックし，一定となるようにする．また，治療中に末梢部から浮腫をもみ上げるようにしたり，自動運動が可能な場合は自動運動を行わせることも有効である．

d 生活指導

浮腫の軽減には物理療法だけでは十分でなく，日常的な生活指導も併せて行うことが重要である．つまり，患肢を高挙したり，時々姿勢を変えて一定の肢位をとり続けないようにする，筋収縮をさせてポンプ作用を促すなど，対象者の状態に合わせた指導を行う必要がある．

●引用文献

1) Pendleton HM, 他(編著), 山口 昇, 他(監訳)：身体障害の作業療法. 改訂第 6 版, pp800–801, 協同医書出版社, 2014
2) 中村隆一, 他：基礎運動学. 第 6 版, 医歯薬出版, 2003
3) 井口恭一：トランスファーに関する基礎知識. 理学療法 17:277–282, 2000
4) 山本泰三：基本動作の分析—正常動作とバランス. 理療ジャーナル 34:199–124, 2000
5) Shumway-Cook A, 他(著), 田中 繁, 他(監訳)：モーターコントロール. 原著第 4 版, pp3–160, 医歯薬出版, 2013
6) 森岡 周：運動学習. 樋口貴広, 他(著)：身体運動学—知覚・認知からのメッセージ. pp193–242, 三輪書店, 2008
7) 谷 浩明：運動学習理論の臨床応用. 理学療法 24:299–304, 2007
8) 大橋ゆかり：セラピストのための運動学習 ABC. p30, 文光堂, 2004
9) Norkin CC, 他(著), 木村哲彦(監訳), 山口 昇, 他(訳)：関節可動域測定法—可動域測定の手引き. 改訂第 2 版, pp9–10, 協同医書出版社, 2002
10) 井樋栄二, 他(編)：標準整形外科学. 第 14 版, p119, 医学書院, 2020
11) 三浦裕正：関節拘縮. 関節強直および病的脱臼. 岩本幸英(編)：神中整形外科学(上) 総論/全身性疾患. 改訂 23 版, pp465–468, 南山堂, 2013
12) 安藤徳彦：関節拘縮の機序. 上田 敏, 他(編)：リハビリテーション基礎医学. 第 2 版, pp213–222, 医学書院, 1994
13) 沖田 実：関節可動域制限の発生メカニズムとその治療戦略. 理学療法学 41:523–530, 2014
14) 博田節夫(編)：関節運動学的アプローチ—博田法. 第 2 版, 医歯薬出版, 2007
15) 冬木寛義：運動制限(関節可動域制限)への対応. *J Clin Rehabil* 9:685–692, 2000
16) 宮本重範：肩関節のモビライゼーション—特に五十肩に対する治療について. 理学療法学 13:187–190, 1986
17) 梅津祐一, 他：関節可動域運動. 総合リハ 19:511–515, 1991
18) 日本整形外科学会, 他：関節可動域表示ならびに測定法. リハ医 32:207–217, 1995
19) 木村浩彰：複合性局所疼痛症候群の診断と治療. *Jpn J Rehabil Med* 53:610–614, 2016
20) 長澤 弘：筋萎縮に対する理学療法. 理学療法 14:714–721, 1997
21) Avers D, 他(著), 津山直一, 他(訳)：新・徒手筋力検査法. 原著第 10 版, 協同医書出版社, 2020
22) 岡西哲夫：トレーニング総論—患者教育の視点に立った評価, 治療/介入の今日的課題. 総合リハ 46:415–422, 2018
23) 山口 昇：筋力と筋持久力の維持・増強. 山口 昇,

他(編)：身体機能作業療法学. 第 3 版, pp93, 95, 医学書院, 2016
24) 鶴見隆正：理学療法における筋力増強訓練の基本. 理療ジャーナル 27:37–43, 1993
25) 豊倉　穣：筋力増強訓練とその最近の知見. *J Clin Rehabil* 6:339–347, 1997
26) 佐伯　覚, 他：神経筋疾患における overwork weakness. *Jpn J Rehabil Med* 50:795–798, 2013
27) 沢井史穂, 他：日常生活動作における身体各部位の筋活動水準の評価—姿勢保持・姿勢変換・体重移動動作について. 体力科学 53:93–105, 2004
28) Bobath B(著), 紀伊亮昌(訳)：片麻痺の評価と治療. 原著 3 版／新訂, 医歯薬出版, 1997
29) 岡島康友：痙縮への対応. *J Clin Rehabil* 9:693–699, 2000
30) 進藤政臣：筋トーヌス. 総合リハ 29:831–835, 2001
31) 吉尾雅春：筋緊張. 理療ジャーナル 36:206–207, 2002
32) 福井圀彦, 他(編)：脳卒中最前線—急性期の診断からリハビリテーションまで. 第 4 版, 医歯薬出版, 2009
33) 鴨下　博：痙縮の新しい理解. *J Clin Rehabil* 11:893–899, 2002
34) 正門由久, 他：上位運動ニューロン症候群患者のマネージメント—痙縮などの治療をどうリハにいかしていくか. *J Clin Rehabil* 11:900–906, 2002
35) 関　勝, 他：痙性の評価. *J Clin Rehabil* 11:45–50, 2002
36) 田崎義昭, 他：ベッドサイドの神経の診かた. 改訂 18 版, pp149, 155, 181, 南山堂, 2016
37) 千野直一：コラーゲン線維の形態と代謝. 上田　敏, 他(編)：リハビリテーション基礎医学. 第 2 版, pp5–12, 医学書院, 1994
38) Bohannon RW, et al: Interrater reliability of a modified Ashworth scale of muscle spasticity. *Phys Ther* 67:206–207, 1987
39) 武富由雄：筋緊張の異常. 石川　齊, 他(編)：図解理学療法技術ガイド—理学療法臨床の場で必ず役立つ実践のすべて. 第 4 版, pp140–152, 文光堂, 2014
40) 頼住孝二, 他：痙縮の医学的管理. 理学療法 15:693–700, 1998
41) 鈴木恒彦, 他：痙縮制御における運動療法. *J Clin Rehabil* 11:907–912, 2002
42) 島田洋一：電気刺激療法. 総合リハ 29:319–325, 2001
43) 高橋憲一：痙縮に対する物理療法実践プログラム. 理学療法 18:980–984, 2001
44) 近藤和泉：痙縮予防の下肢装具. *J Clin Rehabil* 11:913–917, 2002
45) 秋谷典裕, 他：上肢装具による痙縮抑制. 総合リハ 30:1279–1282, 2002
46) 浅山　滉：足変形拘縮への手術方法. *J Clin Rehabil* 11:922–926, 2002
47) 松尾雄一郎, 他：ボツリヌス毒素によるブロック療法. 総合リハ 30:1265–1268, 2002
48) 師田信人：機能的脊髄後根切断術. 総合リハ 30:1274–1278, 2002
49) 森田　洋：不随意運動. 総合リハ 28:535–540, 2000
50) 進藤政臣：不随意運動の分類と診断. 総合リハ 25:203–207, 1997
51) 北村純一：リハビリテーション患者にみられやすい不随意運動の診断とその鑑別. *J Clin Rehabil* 5:60–63, 1996
52) 平林久吾, 他：不随意運動の治療. 総合リハ 25:208–214, 1997
53) 佐光一也, 他：脳卒中の不随意運動. 総合リハ 25:215–220, 1997
54) 北原　佶：脳性麻痺の不随意運動. 総合リハ 25:221–228, 1997
55) 渡部一郎, 他：変性疾患の不随意運動. 総合リハ 25:229–233, 1997
56) 生駒一憲：臨床でよくみるジストニア. *J Clin Rehabil* 10:109–113, 2001
57) 平島富美子, 他：振戦. 総合リハ 29:929–932, 2001
58) 目崎高広, 他：ジストニアの電気生理学的および運動学的解析. *J Clin Rehabil* 10:114–118, 2001
59) 柳澤信夫：不随意運動の分類, 病態, 鑑別診断. 神精薬理 17:453–468, 1995
60) 石井雅之, 他：パーキンソン症候群. 総合リハ 25:997–1016, 1997
61) 柳澤信夫, 他：ジストニア治療の展望. *J Clin Rehabil* 10:119–124, 2001
62) 中馬孝容, 他：ジストニア治療の実際. *J Clin Rehabil* 10:125–130, 2001
63) 沖田一彦：協調性運動. 吉尾雅春, 他(編)・奈良　勲(監)：運動療法学総論. 第 4 版, pp231–241, 医学書院, 2017
64) 鎌倉矩子：巧緻性向上—作業療法技法を中心に. 総合リハ 20:955–960, 1992
65) 望月仁志, 他：神経メカニズムから捉える失調症状. *Jpn J Rehabil Med* 56:88–93, 2019
66) 平松佑一, 他：運動失調の病態と臨床症状. 作療ジャーナル 54:1072–1077, 2020
67) 松本昭久, 他：病態と生理—脊髄小脳変性症を中心に. 総合リハ 27:905–910, 1999
68) 小國英一, 他：末梢神経障害による運動失調. 総合リハ 27:927–931, 1999
69) 宮口英樹：失調症の客観的評価と生活評価. 作療ジャーナル 54:1078–1083, 2020
70) 田崎義昭, 他：ベッドサイドの神経の診かた. 第 18 版, 南山堂, 2016
71) 上田　敏：目でみるリハビリテーション医学. p32, 東京大学出版会, 1971
72) 徳永　純, 他：iPad® を用いた小脳性運動失調の定量評価法. 新潟医会誌 129:10–20, 2015
73) 筧　慎治, 他：小脳失調のリハビリテーション医療—上肢について. *Jpn J Rehabil Med* 56:94–100, 2019
74) 星　文彦：フレンケル体操の再考. 理学療法 18:694–699, 2001

75) 安東範明：小脳性運動失調のリハビリテーション医療—体幹・下肢について. *Jpn J Rehabil Med* 56:101–104, 2019
76) 福本和仁：失調症患者に対する装具と理学療法. 理療ジャーナル 36:658–666, 2002
77) 柳澤　健, 他(編)：PNF マニュアル. 改定第 3 版, 南江堂, 2011
78) 紫藤泰二：SCD の grade とリハプログラム. *J Clin Rehabil* 3:106–111, 1994
79) 田崎義昭, 他：ベッドサイドの神経の診かた. 改訂 18 版, pp93–101, 南山堂, 2016
80) 鴨下　博：疼痛・感覚障害. 里宇明元(専門編集), 越智隆弘(総編集)：リハビリテーション. pp102–105, 中山書店, 2008
81) 櫛邊　勇：感覚検査. 能登真一, 他(編)：作業療法評価学. 第 3 版, pp114–129, 医学書院, 2017
82) 中田眞由美(編著)：新知覚をみる・いかす—手の動きの滑らかさと巧みさを取り戻すために. pp40–42, 324–377, 協同医書出版社, 2019
83) Dellon AL(著), 内西兼一郎(監訳), 岩崎テル子, 他(訳)：知覚のリハビリテーション—評価と再教育. pp184–234, 協同医書出版社, 1994
84) 阿部　薫：神経損傷(知覚再教育). 日ハンドセラピィ会誌 12:64–66, 2020
85) 中田眞由美, 他(著), 鎌倉矩子, 他(編)：作業療法士のためのハンドセラピー入門. 第 2 版, pp83–87, 三輪書店, 2006
86) 江藤文夫：廃用症候群の発生機序と改善のための運動療法. 理療ジャーナル 25:160–164, 1991
87) 小泉龍一, 他：体力低下と低活動. *J Clin Rehabil* 17:123–128, 2008
88) 上田　敏：目でみるリハビリテーション医学. 第 2 版, p14, 東京大学出版会, 1994
89) 美津島　隆：廃用症候群の定義と病態. 理療ジャーナル 46:620–625, 2012
90) 林　泰史：廃用性骨萎縮. 総合リハ 19:781–785, 1991
91) 鈴木洋児：体力—理学療法の立場で, ADL を基本においた体力標準とは？. 理療ジャーナル 32:863–871, 1998
92) 浅井友詞, 他：高齢者の心肺機能と理学療法. 理学療法 16:711–717, 1999
93) 間嶋　満：循環系の廃用症候群. 作療ジャーナル 25:830–833, 1991
94) 井上和宏, 他：起立性低血圧. 総合リハ 19:787–793, 1991
95) 小松泰喜：加齢に伴う体力低下と理学療法. 理学療法 33:484–490, 2016
96) 鳥羽研二：高齢者のフレイルとは. *MED REHABIL* (170):1–5, 2014
97) Satake S, et al: The revised Japanese version of the Cardiovascular Health Study criteria (revised J-CHS criteria). *Geriatr Gerontol Int* 20:992–993, 2020 https://www.ncgg.go.jp/ri/lab/cgss/department/frailty/documents/J-CHS2020.pdf
98) 日本サルコペニア・フレイル学会：サルコペニア診断基準 2019. http://jssf.umin.jp/pdf/revision_20191111.pdf
99) 葛谷雅文：高齢者医療におけるサルコペニア・フレイルの重要性. 日内会誌 106:557–561, 2017
100) 望月彬也：老人の体力維持のための運動療法. 理療ジャーナル 25:194–198, 1991
101) 伊藤　朗：運動処方の原則と実際. 臨栄 65:531–547, 1984
102) 荒井秀典：フレイル・サルコペニア. 日内会誌 107:2444–2450, 2018
103) 戸原　玄：スクリーニングテスト・診察. *MB Med Reha* (57):1–10, 2005
104) 才藤栄一：平成 11 年度厚生科学研究補助金(長寿科学総合研究事業)「摂食・嚥下障害の治療・対応に関する統合的研究」総括研究報告書. pp1–18, 1999
105) Mann G(原著), 藤島一郎(監訳・著)：MASA 日本語版 嚥下障害アセスメント. 医歯薬出版, 2014
106) 藤島一郎：嚥下障害リハビリテーション入門 I 嚥下障害入門—原因, 症状, 評価(スクリーニング, 臨床評価)とリハビリテーションの考え方. *Jpn J Rehabil Med* 50:202–211, 2013
107) 聖隷嚥下チーム：嚥下障害ポケットマニュアル. 第 4 版, 医歯薬出版, 2018
108) 宮野佐年, 他(編)：摂食・嚥下障害リハビリテーション実践マニュアル. *MED REHABIL* (57), 全日本病院出版会, 2005
109) 藤島一郎(編著)：よくわかる嚥下障害. 改訂第 3 版, 永井書店, 2012
110) 馬場　尊, 他(編著)：摂食・嚥下障害リハビリテーション. 新興医学出版社, 2008
111) 野﨑園子, 他：代償嚥下. *J Clin Rehabil* 27:502–507, 2018
112) 柴田斉子：嚥下造影検査. *J Clin Rehabil* 27:618–625, 2018
113) 日本摂食嚥下リハビリテーション学会嚥下調整食委員会：日本摂食嚥下リハビリテーション学会嚥下調整食分類 2021. 日摂食嚥下リハ会誌 25:135–149, 2021
114) 厚生労働省医政局長：医療スタッフの協働・連携によるチーム医療の推進について(通知)(医政発 0430 第 1 号). 平成 22 年 4 月 30 日付. https://www.mhlw.go.jp/topics/2013/02/dl/tp0215-01-09d.pdf
115) 厚生労働省：喀痰吸引等制度について. https://www.mhlw.go.jp/seisakunitsuite/bunya/hukushi_kaigo/seikatsuhogo/tannokyuuin/01_seido_01.html
116) 厚生労働省：喀痰吸引等研修. https://www.mhlw.go.jp/seisakunitsuite/bunya/hukushi_kaigo/seikatsuhogo/tannokyuuin/04_kensyuu_01.html
117) 角川智之：痰の分類. 内科 121:1099–1101, 2018
118) 厚生労働省：喀痰吸引等研修テキスト(第三号研修).

https://www.mhlw.go.jp/seisakunitsuite/bunya/hukushi_kaigo/shougaishahukushi/kaigosyokuin/text.html
119) 全国訪問看護事業協会(編)：介護職員等による喀痰吸引・経管栄養研修テキスト. 改訂, 中央法規出版, 2015
120) 道又元裕：正しく・うまく・安全に 気管吸引・排痰法. 南江堂, 2012
121) McGuire MJ: Position paper: physical agent modalities. *Am J Occup Ther* 46:1090–1091, 1992
122) American Occupational Therapy Association: Official: AOTA statement on physical agent modalities. *Am J Occup Ther* 45:1075, 1991
123) Pendleton HM, 他(編著), 山口 昇, 他(監訳)：身体障害の作業療法. 改訂第 6 版, pp810–814, 協同医書出版社, 2014
124) 越野八重美, 他：第 2 部 物理療法. 石川 齊, 他(編)：図解理学療法技術ガイド—理学療法臨床の場で必ず役立つ実践のすべて. 第 4 版, pp301–365, 文光堂, 2014
125) 細田多穂, 他(編)：理学療法ハンドブック第 2 巻. 改訂第 4 版, pp715–872, 協同医書出版社, 2010
126) 石田 暉：物理療法の基礎. 上田 敏, 他(編)：リハビリテーション基礎医学. 第 2 版, pp377–381, 医学書院, 1994
127) 石川雄一：浮腫. 石川 齊, 他(編)：図解理学療法技術ガイド—理学療法臨床の場で必ず役立つ実践のすべて. 第 4 版, p75, 文光堂, 2014

●参考文献

128) 岩崎 洋：椎麻痺患者におけるトランスファーテクニック—安全な方法について. 理学療法 17:300–305, 2000
129) 小笠原正：トランスファーテクニックの意義. 理学療法 17:283–286, 2000
130) 佐藤貴一, 他：四肢麻痺患者におけるトランスファーテクニック. 理学療法 17:306–311, 2000
131) 高岡達也：慢性関節リウマチ患者におけるトランスファーテクニックと指導の要点. 理学療法 17:312–316, 2000
132) 根立千秋, 他：神経筋疾患患者におけるトランスファーテクニックと指導の要点—Duchenne 型筋ジストロフィー患者を中心として. 理学療法 17:317–322, 2000
133) 橋崎仁司：脳卒中片麻痺患者の移乗動作の誘導. 理学療法 17:295–299, 2000
134) 芳澤昭仁, 他：片麻痺患者の動作分析. 理療ジャーナル 32:253–263, 1998
135) 岩崎テル子, 他(選)：生存と自己表現のための知覚. セラピストのための基礎研究論文集(2). 協同医書出版社, 2000
136) 大橋ゆかり, 他：特集 臨床に役立つ運動学習. 理学療法 24:298–358, 2007
137) 谷 浩明：運動学習の臨床応用. 理学療法 24:299–304, 2007
138) 道面和久, 他：特集 運動制御理論と運動学習理論の臨床応用. 理学療法 22:954–1016, 2005
139) 星 文彦：運動制御と運動学習. 吉尾雅春(編)：運動療法学総論. 第 2 版, pp80–97, 医学書院, 2006
140) 宮本省三, 他(選)：運動制御と運動学習. セラピストのための基礎研究論文集(1). 協同医書出版社, 1997
141) 宮本省三：随意運動のメカニズム. 吉尾雅春(編)：運動療法学総論. 第 2 版, pp52–79, 医学書院, 2006
142) 池田健二, 他：概念. 総合リハ 36:625–629, 2008
143) 石野真輔, 他：評価と治療予後予測. 総合リハ 37:301–306, 2008
144) 石橋敏郎：運動療法の基礎 2(病態生理・解剖など). 千住秀明(監), 河元岩男, 他(編)：運動療法 I. 第 2 版, pp33–47, 神陵文庫, 2005
145) 加藤 浩：筋力増強運動. 吉尾雅春, 他(編)：運動療法学総論. 第 4 版, pp195–217, 医学書院, 2017
146) 吉尾雅春, 他(編)：運動療法学各論. 第 4 版, 医学書院, 2017
147) 池添冬芽：成長・加齢と筋力・筋の働きの関係. 理療ジャーナル 54:880–888, 2020
148) 上田 敏：廃用症候群とリハビリテーション医学. 総合リハ 19:773–774, 1991
149) 大川弥生：廃用性筋萎縮. 総合リハ 19:775–780, 1991
150) 花田 実, 他：廃用と肩関節痛—特に脳卒中の非麻痺側の肩の痛みについて. 総合リハ 19:799–803, 1991
151) 林 泰史：筋・骨格系の廃用症候群. 作療ジャーナル 25:745–749, 1991
152) 上田 敏, 他：作業療法士と廃用症候群. 作療ジャーナル 25:912–919, 1991
153) 上田 敏, 他：リハビリテーション医学における廃用症候群および過用・誤用症候の位置づけ—その予防・治療を中心に. 理療ジャーナル 29:824–833, 1995
154) 木村 朗：糖代謝異常患者の局所・全身代謝からみた廃用症候群と理学療法. 理療ジャーナル 29:834–839, 1995
155) 岩月宏泰, 他：高齢患者の廃用症候群の側面と理学療法. 理療ジャーナル 29:840–845, 1995
156) 間瀬教史, 他：神経筋疾患患者の廃用症候群と運動療法. 理療ジャーナル 29:846–851, 1995
157) 福屋靖子：在宅障害者の廃用症候群と理学療法. 理療ジャーナル 29:852–857, 1995
158) 浅井友詞, 他：高齢者の心肺機能と理学療法. 理学療法 16:711–717, 1999

2

疾患別
身体機能作業療法

中枢神経疾患

1 脳血管疾患

GIO 一般教育目標 脳血管疾患の対象者に対する作業療法を実施できるようになるために，この疾患の病態を理解し，作業療法の評価技法と治療・指導・援助法を修得する．

SBO 行動目標

1）脳血管疾患の病態，障害像について説明できる．
- □ ①代表的な脳血管疾患の種類を 3 つあげることができる．
- □ ②脳血管疾患による障害を少なくとも 4 つ列挙できる．
- □ ③それぞれの脳血管疾患の画像所見（CT，MRI）の特徴を説明できる．

2）脳血管疾患の医学的治療と作業療法の関連について説明できる．
- □ ④それぞれの脳血管疾患の基本的な医学的治療法を説明できる．

3）脳血管疾患の対象者に対する作業療法評価を説明できる．
- □ ⑤脳血管疾患の対象者に対する一般的な評価を列挙できる．
- □ ⑥脳血管疾患の対象者に対する作業療法評価時の注意事項を説明できる．

4）脳血管疾患の対象者の各病期に応じた作業療法目標を設定できる．
- □ ⑦脳血管疾患の対象者の状況に応じた目標設定を説明できる．

5）脳血管疾患の対象者の病期に応じた作業療法プログラムを計画できる．
- □ ⑧急性期における作業療法プログラムとその注意事項を説明できる．
- □ ⑨回復期における作業療法プログラムとその注意事項を説明できる．

6）脳血管疾患の対象者の上肢機能回復に対する作業療法プログラムを計画できる．
- □ ⑩上肢の運動機能回復のための治療法を列挙できる．

7）脳血管疾患による高次脳機能障害に対する作業療法プログラムを計画できる．

8）脳血管疾患の対象者の ADL を指導・援助するための作業療法プログラムを計画できる．
- □ ⑪クラスメイトに片手動作による更衣方法を指導できる．
- □ ⑫調理動作実施上の注意点を説明できる．
- □ ⑬家屋評価の手順と必要物品を説明できる．

9）脳血管疾患の対象者の生活期における作業療法プログラムを計画できる．
- □ ⑭生活期で利用できるリハビリテーションサービスを説明できる．
- □ ⑮生活期におけるリハビリテーション実施上の注意事項を説明できる．

A 概要

1 脳血管疾患とは

脳血管疾患（cerebrovascular disease; CVD）は，作業療法において最も多い対象疾患である[1]．病型として，脳出血，くも膜下出血，脳梗塞に分類され，各病型により臨床症状が異なる（▶表 1）[2]．損傷部位や病巣の範囲によって複雑な症状を呈するため，医療情報（カルテや画像所見など）より病型および病巣を確認をすることが，作業療法評価と治療を適切に実施するために重要である．

▶表 1 病型と臨床症状

	病型				
	脳出血	くも膜下出血	脳梗塞		
			アテローム血栓性	心原性塞栓性	ラクナ
概念	●脳実質内への出血	●くも膜下腔への出血 ●外傷や脳出血による出血(続発性出血) ●脳動脈瘤や動静脈奇形による出血(原発性出血)	●主幹動脈の粥状硬化により動脈が閉塞されて生じる直径 15 mm 以上の脳組織の壊死	●心腔内に血栓を形成しうる疾患を基盤とした虚血による脳組織の壊死	●脳深部に生じる直径 15 mm 以下の脳組織の壊死
臨床症状	●病巣と反対側の運動麻痺, 痙縮, 感覚障害, 半側空間無視(被殻出血) ●病巣と反対側の運動麻痺, 痙縮, 感覚障害, 半側空間無視, 記憶障害, 失語症(視床出血) ●病巣側の企図振戦, めまい, 嘔吐, 頭痛(小脳出血) ●脳神経症候, 運動麻痺, 感覚障害, 企図振戦(橋出血)	●脳神経麻痺以外の症候は一過性 ●症候が持続する場合は脳実質内への出血や脳梗塞の合併 ●脳血管攣縮	●病巣と反対側の運動麻痺, 感覚障害, 構音障害 ●半側空間無視, 記憶障害, 失語症 ●意識障害が少ない ●大型病巣や脳幹梗塞では意識障害	●病巣と反対側の運動麻痺, 感覚障害, 構音障害, 眼球共同偏椅(内頸動脈) ●病巣と反対側の運動麻痺, 感覚障害, 構音障害, 半側空間無視, 記憶障害, 失語症(中大脳動脈) ●半盲, 記憶障害, 観念失行, 視覚性失認(後大脳動脈) ●病巣と反対側の運動麻痺, 発動性障害, 情動障害, 尿失禁(前大脳動脈) ●眼球運動障害, 瞳孔異常, 傾眠, せん妄, 幻覚, 半盲, 健忘, ワレンベルグ(Wallenberg)症候群(椎骨脳底動脈) ●半側空間無視, 記憶障害, 失語症 ●意識障害が多い	●意識障害が少ない ●しばしば無症候 ●多発性の場合, 血管性認知症や血管性パーキンソニズム

〔渡辺愛記, 他：脳血管障害. 山口　昇, 他(編)：身体機能作業療法学. 第 3 版, p163, 医学書院, 2016 より〕

厚生労働省の「平成 29 年(2017)患者調査の概況」[3] では, 全国の脳血管疾患の総患者数は約 111.5 万人で, 3 年前の同調査より約 6.4 万人減少している. そのうち約 84% が 65 歳以上の高齢者である. 79 歳までは男性がやや多いが, 80 歳以上になると女性が多くなっている(▶図 1)[3]. 発症年齢が若いのは脳動静脈奇形(cerebral arteriovenous malformation; AVM)からの出血, 次いで, くも膜下出血であり, 高血圧性脳出血や心原性脳塞栓症は高齢で発症する頻度が高い.

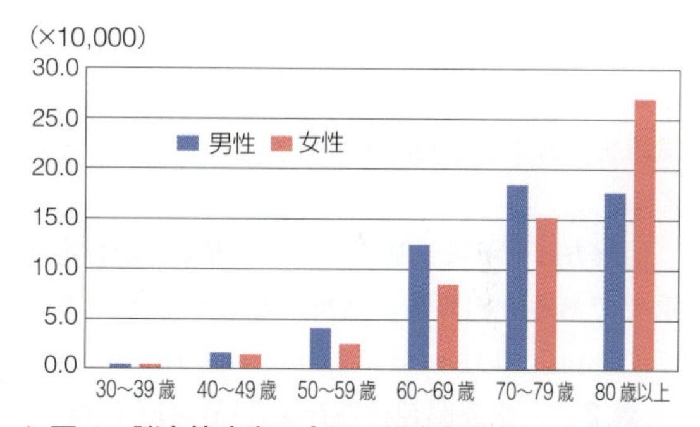

▶図 1 脳血管疾患の全国の総患者数(性・年齢別)
〔厚生労働省：平成 29 年(2017)患者調査の概況. https://www.mhlw.go.jp/toukei/saikin/hw/kanja/17/index.html を参考に作成〕

a 脳出血

脳(内)出血(intracerebral hemorrhage; ICH)とは, 脳内の血管が破れて脳実質内に出血をきたすものである.

原因としては, 血管病変によるものが大半であるが, そのなかでも高血圧性のものが最も多く, 約 80% を占める. AVM, 脳動脈瘤, アミロイド血管症などの血液凝固異常によるもの, 脳腫瘍によるものなどでもみられる.

Keyword

脳血管疾患　脳血管疾患は, 脳血管のなんらかの障害に起因する疾患の総称. 脳卒中(stroke)あるいは単に卒中(apoplexy)ともいう. 高齢者のなかには, 脳血管疾患の 1 つである脳出血を脳溢血(溢は “あふれる” の意), 脳梗塞を脳軟化症という人もいる. 脳血管疾患によってもたらされる障害を脳血管障害(CVA または CVD)という. 主要な障害の 1 つに片麻痺(hemiplegia)がある.

好発部位とその頻度は，被殻 35〜45%，視床 25〜33%，皮質下 10〜20%，小脳 5〜10%，脳幹 4〜9% といわれており，出血が視床から被殻にかけて存在するタイプを混合型という．

b くも膜下出血

くも膜下出血（subarachnoid hemorrhage; SAH）とは，くも膜下腔への出血をきたすものである．

原因として，その約 80% が脳動脈瘤の破裂によるものであるが，AVM やもやもや病，感染症などによっても発症する．脳動脈瘤は，前交通動脈や内頸動脈–後交通動脈分岐部，中大脳動脈分岐部などのウィリス（Willis）動脈輪が好発部位である．好発年齢は 40〜65 歳であり，1：2 の割合で女性に多い．

症状は，出血量にもよるが，一般に突然の激しい頭痛，嘔吐を伴い意識障害をきたすことが多い．発症直後から数日の間に再出血がおこりやすい．発症から 10 日間ほどは，発熱，持続性頭痛，錯乱がよくみられる．脳脊髄液の循環障害（**正常圧水頭症**）によって，何週間も持続する頭痛，意識障害，および運動障害が引き起こされることがある．

治療方針や予後予測には，その重症度の判定が重要である．国際的に活用されているものとして，Hunt and Hess 分類，Hunt and Kosnik 分類（▶表 2）[4]，世界脳神経外科連合（World Federation of Neurosurgical Societies; WFNS）による分類などがある．グレードが高いほど予後不良である．

Keyword

正常圧水頭症　normal pressure hydrocephalus（NPH）．くも膜下出血や髄膜炎などで髄液の吸収障害が生じ，髄液が貯留すること．髄液の交通は妨げられず，さほど頭蓋内圧が上がらない．NPH にはくも膜下出血などが原因で生じる二次的なものと，その原因がわからない「特発性正常圧水頭症」がある．「歩行障害」，「認知機能の低下」，「失禁」が NPH の 3 大徴候である．治療法としては，脳室–腹腔シャント（V-P シャント），腰椎–腹腔シャント（L-P シャント）がある．

▶表 2　Hunt and Kosnik 分類（1974）

Grade	
Grade I	無症状か，最小の頭痛または軽度の項部硬直がある
Grade II	中度から強度の頭痛，項部硬直があるが，脳神経麻痺以外の神経学的失調はない
Grade III	傾眠状態，錯乱状態，または軽度の巣症状を示す
Grade IV	昏迷状態で，中度から重篤な片麻痺があり，早期除脳硬直および稀に自律神経障害を伴う
Grade V	深昏睡状態で除脳硬直を示し，瀕死の様相を示す

〔Hunt WE, et al: Timing and perioperative care in intracranial aneurysm surgery. *Clin Neurosurg* 21:79–89, 1974 より改変〕

c 脳梗塞

脳梗塞（cerebral infarction; CI）とは，虚血によって生じる脳神経組織の壊死である．

アテローム血栓性脳梗塞，心原性脳塞栓症，ラクナ梗塞，その他（分類不能）に分類される．発症から 24 時間以内に症状が完全に消失する一過性脳虚血発作（transient ischemic attack; TIA）は脳梗塞とは分類しない．

アテローム血栓性脳梗塞は血管のアテローム硬化病変に起因しているため，糖尿病や脂質代謝異常などの危険因子を考慮し，急性期では血圧や症状の変化に注意しながら評価を進めていく必要がある．心原性脳塞栓症は比較的大きな血管が詰まりやすいため，病巣が大きく重症例が多い．ラクナ梗塞は一般に軽症であることが多く，予後は比較的良好である．

2 医学的治療と作業療法の関連

作業療法を実施するには，病型や臨床症状のみならず，病歴と合併症，画像所見，手術や投薬，検査データなどの医学的情報を理解し，リスク管理のもとで適切に進めていく必要がある．

(1) 脳血管疾患の主症状

症状は突然発生し，TIA 以外の原因では継続することが多い．病巣の部位や範囲によっても異な

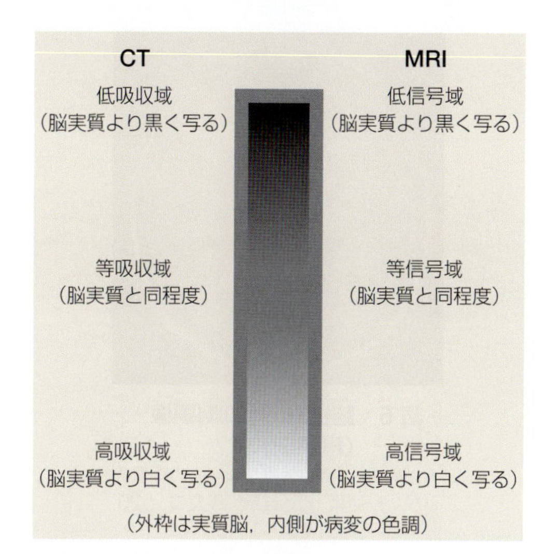

▶図 2 CT と MRI の写り方
〔市川博雄：脳卒中の画像のみかた—症状・経過観察に役立つ. p14, 医学書院, 2014 より〕

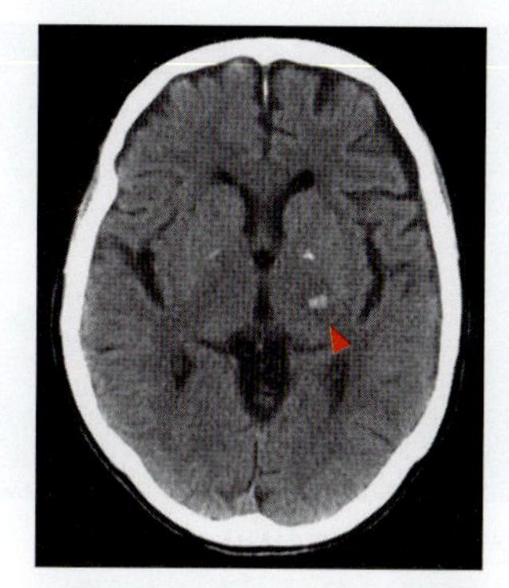

▶図 3 脳出血の単純 CT 画像
▲が病巣.〔市川博雄：脳卒中の画像のみかた—症状・経過観察に役立つ. p21, 医学書院, 2014 より〕

るが，基本的には片側の運動麻痺，感覚麻痺，運動失調，バランス障害と協調運動障害，視覚障害，高次脳機能障害などがみられるほか，突然重度の頭痛を生じるタイプのものもある．なお，高次脳機能障害には，遂行機能障害，注意障害，記憶障害，行動と感情の障害，失語症，失認症，半側空間無視，病識欠落といった症状があり，日常生活や社会生活において大きな阻害因子となる．

(2) 病歴と合併症

脳血管疾患は，生活習慣病といわれるような高血圧，心疾患，動脈硬化などを基盤にして発症することが多く，リスク管理や回復の可能性，再発の可能性についての病歴の情報を得ることは重要である．特に急性期では脳循環自動調節能が障害されるため，血圧を適切に管理する必要[5]がある．血圧や心拍などのバイタルサインについては，「リハビリテーションの中止基準」〔第 VII 章 2 の表 7(➡437 ページ)参照〕や主治医による安静度の指示に従い，作業療法実施の可否を判断する．

急性期には合併症の頻度が高いため，合併症の特徴と時期を知っておくことや，合併症の危険度の高い対象者を認識しておくことは有用である．脳卒中治療ガイドライン[6]では，脳卒中後 30～36 か月の観察期間では，脳卒中再発(9%)，痙攣(3%)，尿路感染症(16～24%)，呼吸器感染症(12～22%)，その他の感染症(19%)，転倒(22～25%)，褥瘡(18～21%)，深部静脈血栓症(2%)，肺塞栓症(1%)，肩の痛み(9%)，その他の痛み(34%)，うつ状態(16%)，不安(14%)，感情失禁(12%)，錯乱(56%)が報告され，すでに機能障害をもっていた重症脳卒中の高齢者に合併症が多いとしている．

(3) 画像所見

コンピュータ断層撮影(CT)や磁気共鳴撮影(MRI)などによって脳出血や梗塞に応じた損傷領域が確認できる．脳の損傷部位と出血量または梗塞巣の大きさに応じて臨床症状やその重症度が異なる．作業療法開始前に脳画像所見を確認し，臨床症状や経過を把握する必要がある(▶図 2)[7]．損傷部位を確認することで，多彩な臨床症状を呈している対象者の評価項目を選択する際の一助となる．

脳出血においては，CT 所見にて発症直後の血腫は高吸収に描出され(▶図 3)[7]，発症から 1 か月以降には低吸収に描出されることが多い．出血は被殻，視床，小脳，脳幹に好発することを念頭におき，血腫の位置や大きさなどを確認する．くも膜下出血はウィリス動脈輪に好発するため，血腫が脳幹周囲の脳槽や脳溝に沿った高吸収域として描出されることが多い．

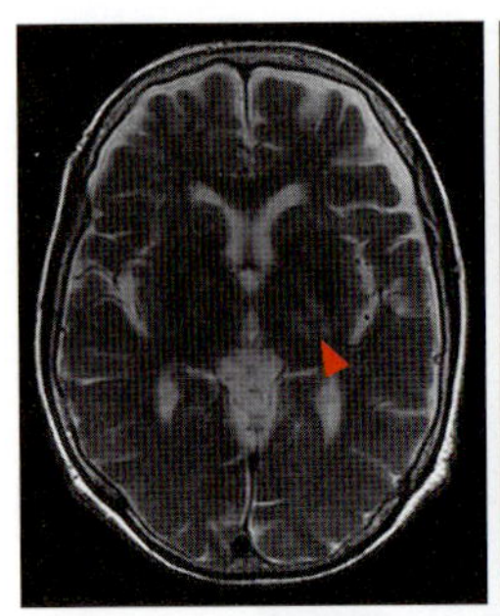
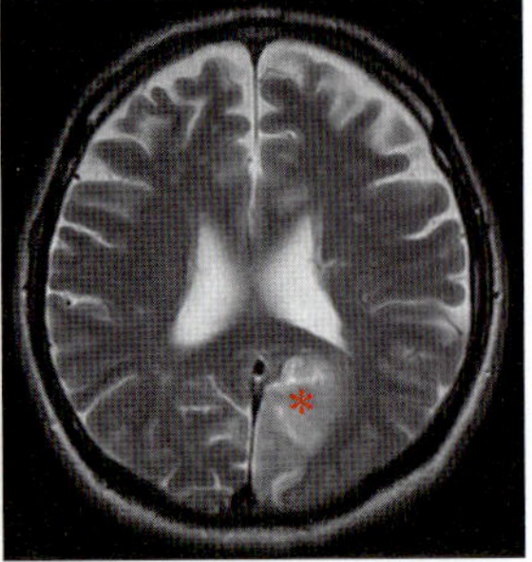

▶図 4　T2 強調画像(T2WI)
左：脳出血(▲が病巣)，**右**：脳梗塞(＊が病巣)
〔市川博雄：脳卒中の画像のみかた―症状・経過観察に役立つ. pp20–21, 医学書院, 2014 より〕

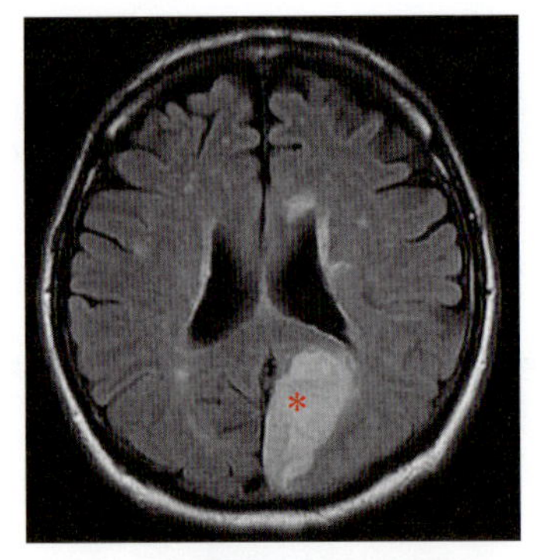

▶図 5　脳梗塞の水抑制画像(FLAIR)
＊が病巣. 〔市川博雄：脳卒中の画像のみかた―症状・経過観察に役立つ. p20, 医学書院, 2014 より〕

脳梗塞の場合，発症後 6 時間以内の CT では，病巣を明確にとらえることができない．発症後 6 時間～7 日目になると，梗塞巣が明瞭な低吸収域として抽出される．

MRI には，T2 強調画像，水抑制画像，拡散強調画像，拡散係数画像，T1 強調画像がある．脳梗塞発症 6 時間以内では，MRI の拡散強調画像で高信号を示すが，その他の画像では異常を示さない．発症後 6 時間～7 日目では，拡散強調画像だけでなく，T2 強調画像と水抑制画像で高信号，T1 強調画像で低信号を示す．発症後 1 か月以降では，T2 強調画像で高信号，T1 強調画像で低信号となる．

心原性脳塞栓症では，血管の支配領域に一致する境界明瞭な異常信号域を示す．これに対して，アテローム血栓性脳梗塞では白質に境界不明瞭な異常信号域を示す．

- **T2 強調画像**(T2WI)(▶図 4)[7]

  脳出血では発症後の時間経過によって，高信号から低信号に変化する．脳梗塞では，微小な梗塞巣を低信号として確認できるが，超急性期病変は検出されない．

- **水抑制画像**(FLAIR)(▶図 5)[7]

  脳脊髄液などの水を抑制した T2 強調画像で，出血性病変の検出に有用である．

- **拡散強調画像**(DWI)(▶図 6)[7]

  脳梗塞の急性期診断に有用．発症後数時間で，病変は高信号として抽出される．陳旧性脳梗塞は高信号を呈さないため，鑑別が可能である．

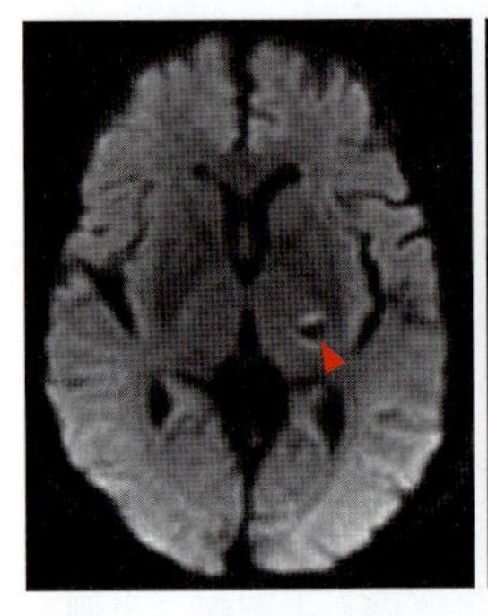
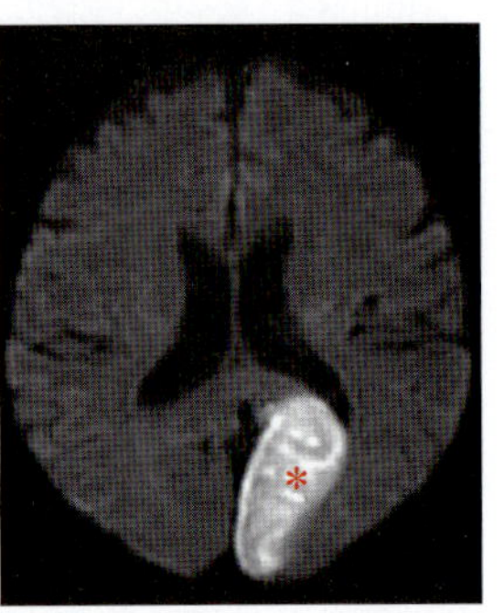

▶図 6　拡散強調画像(DWI)
左：脳出血(▲が病巣)，**右**：脳梗塞(＊が病巣)
〔市川博雄：脳卒中の画像のみかた―症状・経過観察に役立つ. pp20–21, 医学書院, 2014 より〕

- **拡散係数画像**(ADC)(▶図 7)[7]

  脳梗塞の急性期診断に有用．DWI と反対に低信号を呈し，周囲の浮腫は高信号を呈する．

- **T1 強調画像**(T1WI)(▶図 8)[7]

  形態的な変化をみる際に有用．CT とよく似た画像が描出される．

(4)　脳血管疾患に対する医学的治療[8]

[脳出血に対する手術と投薬]

①開頭血腫除去術

脳の圧迫を解除し，二次的な脳浮腫の軽減を

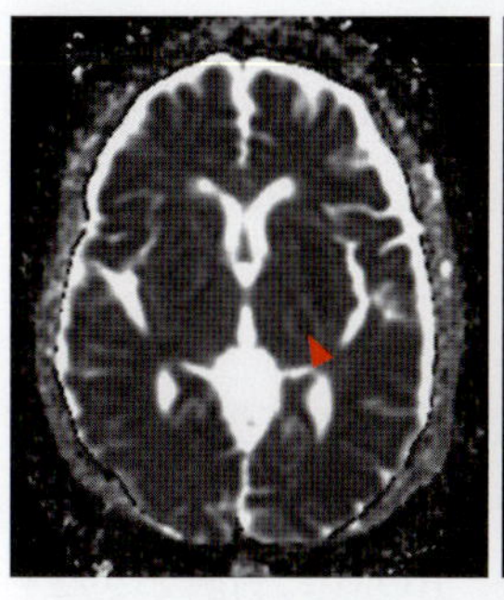
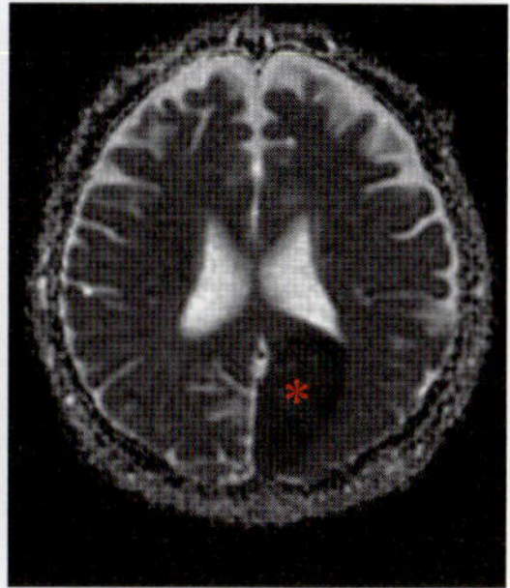

▶図 7　拡散係数画像(ADC)
左：脳出血(▲が病巣)，右：脳梗塞(＊が病巣)
〔市川博雄：脳卒中の画像のみかた—症状・経過観察に役立つ．pp20–21，医学書院，2014 より〕

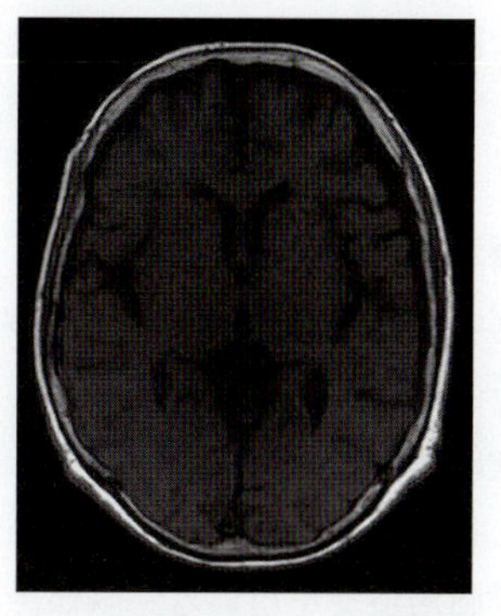

▶図 8　脳出血の T1 強調画像(T1WI)
明らかな信号変化はみられない．
〔市川博雄：脳卒中の画像のみかた—症状・経過観察に役立つ．p21，医学書院，2014 より〕

目的に頭蓋骨を大きく開け，血腫を除去する．血腫が厚くて狭い場合より，薄くて広い場合のほうが開頭範囲が広くなる．

② CT 定位的血腫吸引術

中等量以上の血腫に適応がある．CT にて位置を特定し頭蓋骨に孔を開け，穿刺針を挿入し，血腫を吸引除去する．局所麻酔でも可能で，手術による侵襲は少ないが，再出血時に止血が困難である．

③内視鏡下血腫除去術

中等量以上の皮殻，脳室内，視床，小脳出血に適応があり，内視鏡にて血腫を吸引除去する．手術による侵襲は少なく，再出血時に対して凝固止血可能である．

④脳室ドレナージ術

急性水頭症に対して行う．局所麻酔下で穿頭し，拡大した脳室にドレーンチューブを留置し，血腫の排出および頭蓋内圧をコントロールする．

⑤脳出血に対する投薬

多くの場合，高血圧を呈することが多く，降圧治療のために降圧薬(ニカルジピンなど)が必要である．加えて，止血薬である抗プラスミン薬が投与されることもある．頭蓋内圧亢進に対しては，浸透圧利尿薬の高張グリセリンやマンニトールの点滴が行われる．

[くも膜下出血に対する手術と投薬]

①開頭クリッピング術

開頭手術により脳動脈瘤およびその周辺を直接確認し，動脈瘤をチタン製のクリップで挟み，血流を完全に遮断することで，破裂を予防する．

②瘤内塞栓術(血管内手術，カテーテル治療)

開頭せずに動脈瘤を治療する方法で，血管内手術といわれる．マイクロカテーテルを脳動脈瘤まで進め，カテーテルを通してプラチナ製のコイルを瘤内に詰めることで破裂を予防する．

③くも膜下出血に対する投薬

基本的には脳出血時の対応と同様である．ただし，重症例では過度な降圧は脳虚血をまねくため，慎重な降圧治療が必要である．

[脳梗塞に対する手術と投薬]

①脳血管再潅流療法

特に急性期に，閉塞した血管を再開通するための方法で，回復の可能性のあるペナンブラ(不完全虚血部位)が急速に変化するのを防ぐ治療である．rt-PA(アルテプラーゼ)静注療法や血管内治療がある．rt-PA 静注療法は血栓を溶解し閉塞血管の再灌流を促進する治療で，発症から 4.5 時間以内で行われる必要がある．血管内治療は血管内にらせんループコイルやカテーテルまたはステントを利用して血栓を取り除く治療で，発症から 6 時間以内で行われる必要がある．

②**抗血栓療法**

脳梗塞の進展，再発の予防のために抗血小板薬と抗凝固薬が使用される．

③**脳の二次的損傷の予防**

発症し神経細胞が壊死すると浮腫がおこるため，脳浮腫治療薬を用いる．脳保護薬として発症 24 時間以内にエダラボンの投与が推奨されている．加えて，脳浮腫の圧迫が大きく脳幹を圧迫し，生命維持に危険が及ぶ場合は，頭蓋を外し開頭減圧術を行う．

B 作業療法評価

1 一般的な評価

a 意識レベルとバイタルサイン

脳血流量の変化，脳ヘルニアによる脳幹部への圧迫，髄膜刺激などにより，意識障害や頭痛，脳虚血症状を生じる．また，合併症や既往のある症例も少なくない．適切な評価を行っていくためにも，また対象者の安全のためにも，まず意識レベルの評価を行う．

ジャパンコーマスケール(JCS)(➡ 40 ページ)，グラスゴーコーマスケール(GCS)(➡ 41 ページ)を用いるのが一般的である．急性期では，日内変動があるためそのつど評価し，状況に応じた有効な刺激や指示のしかたをチーム内で共有していくことも大切である．血圧，心拍，呼吸状態や自覚症状は，「リハビリテーションの中止基準」(➡ 437 ページ)の項目となっている．しっかりと対応するためにも確実に評価を実施する．

b 心身機能

脳血管疾患は，病型，病巣により多彩な症状を呈する．人が生活していくために必要となる機能は運動機能だけではないことを念頭におき，脳画像を確認し適切に評価していかなければならない．

(1) 関節可動域

脳血管疾患により直接的に関節可動域(ROM)の制限はおこらないものの，筋緊張の異常や身体活動量の減少などにより，ROM に制限をきたすことがある．これらは日常生活活動(ADL)の妨げとなるため，ROM を測定し，その影響を分析する必要がある．

(2) 体性感覚

体性感覚の経路に損傷がある場合，触圧覚や深部覚，温度感覚などが障害される．また，体性感覚が正常であっても，運動麻痺を伴っているため複合感覚に障害をきたす場合も多い．これらは，ADL に大きな影響を与える原因となっている．したがって，体性感覚の検査を行っておく必要がある．

(3) 運動機能

一次運動野から始まる錐体路系が損傷されることで，病巣とは反対側に運動麻痺を生じる．脳血管疾患では中大脳動脈が原因となることが多い．錐体路系の多くがこの血管から血液供給されているため，運動麻痺が脳血管疾患の代表的な障害となっている．運動機能の検査として，ブルンストロームステージ(Brunnstrom Stage; BS)が長きにわたり使われてきているが，近年では，総合的身体機能評価として，脳卒中機能評価法(Stroke Impairment Assessment Set; SIAS)，フーゲル・マイヤー評価法(Fugl-Meyer Assessment; FMA)が，作業療法ガイドラインにより推奨されている．脳損傷の程度，回復過程における運動パターンの変化などが，ADL や活動状況にどのように影響を与えているのかを分析することが重要である．

(4) 筋緊張

健常者では，姿勢や運動により筋緊張が正常な範囲で変化する．脳血管疾患により錐体路系が障害されると痙縮，錐体外路系が障害されると固縮と呼ばれる筋緊張が亢進した状態となる．このような場合でも姿勢や運動により筋緊張の変化はおこるが，健常者とは異なるパターンを示す．したがって，動作の際におこる筋緊張の変化を観察・分析することは重要である．筋緊張の検査にはModified Ashworth Scale（MAS）（➡ 107 ページ）などがある．

(5) 姿勢・バランス

動作や活動をする際には，各種姿勢反応を駆使しバランス活動を行っている．したがってバランスの評価は重要となる．バランスの評価には，機能的上肢到達検査（Functional Reach Test; FRT），継ぎ足歩行テスト（タンデム歩行），片脚立位テスト，ベルグバランススケール（Berg Balance Scale; BBS）などがある．

(6) 上肢機能

日常生活における活動は上肢機能が大きな影響を及ぼすため，これらの評価・分析は重要である．上肢機能の検査としては，簡易上肢機能検査（STEF），Wolf Motor Function Test（WMFT），Motor Activity Log・Motor Activity Log-14（MAL・MAL-14），Manual Function Test（MFT），Action Research Arm Test（ARAT）などがある．これらの検査により，リーチ（reach），つかみ（grasp），離し（release），つまみ（pinch）や物品の操作などの機能を評価する．

(7) 脳神経

病変が中脳・橋・延髄に影響を及ぼしている場合には，脳神経系に障害が現れる．この場合，視野障害，眼球運動障害，顔面の感覚・運動障害，嚥下障害，構音障害などの原因となる．日常生活に大きな影響があるため，これらの障害の確認は必要になる．

(8) 高次脳機能

損傷部位により，全般的認知機能障害，注意障害，記憶障害，遂行機能障害，失語症，失行症，失認症の症状が現れる．運動機能とともに認知機能の評価は重要である．あらゆる活動は認知機能なしでは成立しないことを念頭におき，対象者の動作，活動，参加場面，環境面の観察から問題点を把握し，必要があれば各種障害に対する検査を行う．

各評価の詳細は本シリーズ『作業療法評価学』を参照のこと．

c 活動と参加[9, 10]

対象者の健康と幸福を促進する治療，援助，支援をするためには，心身機能の評価だけではなく，活動と参加レベルの評価をする必要がある．入院中は起居移乗・移動能力や基本的セルフケアの評価に偏りがちになるが，日常生活における応用的活動や社会生活における活動の評価も行っておく必要がある．

バーセルインデックス（BI），機能的自立度評価法（FIM），Frenchay Activities Index（FAI），The Assessment of Motor and Process Skills（AMPS）など，それぞれの特徴を理解し，対象者の状況に合わせた評価法を選択する必要がある．

ADLは遂行できるか否かを評価するだけでは不十分である．遂行できる場合はそのやり方を，遂行できない場合はそのADLのどの工程が遂行できないのか，その原因が身体機能的な要因そして/または高次脳機能障害の影響によるものかを見極めることが重要である．つまり，治療アプローチにつながる評価を行う必要がある．

なお，自宅退院が目標となる対象者では，早期から家屋状況や家庭環境，経済状況などの環境因子も把握しておく必要がある．

d 対象者の希望

対象者がどのような生活や行為を望むのか，あるいは重要視しているのかを聴取する．これらをもとにした目標設定は，対象者の動機づけが高まり，行為の改善や習得に好影響をもたらす．対象者の希望を聴取するときは誘導的にならないように気をつけなければならない．

対象者と協業して目標設定していくツールとしては，「作業聞き取りシート」，Aid for Decision-making in Occupation Choice（ADOC），カナダ作業遂行測定（COPM）などがある．

e 家族や介護者の希望

対象者とのコミュニケーションが困難で対象者本人の意思が聞き出せない場合，家族や介護者から発症前の様子や対象者本人が大切にしていた作業について聴取する．また，家族や介護者の希望を聴取して，将来できるようになってもらいたい作業を明らかにする．これらの情報は，目標設定の参考として役立つ．また，自宅復帰が考慮されている場合，現実的な治療・支援計画立案の一助となる．家族や介護者との面接の際にも，ADOC などのツールを使用することができる．

2 評価における注意事項

a バイタルサイン

脳血管疾患などに対する診療報酬体制からも，急性期からの早期リハビリテーションが強調されている．急性期では，血圧・心電図のモニター管理が望ましく，JCS 1 桁で，運動の禁忌となる心疾患や全身合併症がないことを確認したうえで開始する．姿勢の変換時や運動により，循環動態が大きく変化する[11] ことも想定し対応していかなければならない．

バイタルサイン（脈拍，血圧，呼吸，体温）はリスク管理で基本的な測定指標である．脳血管疾患の対象者は心疾患を合併または既往にもっている例が少なくないため，心拍数の変化には十分注意する必要がある．

b 心身機能

脳血管疾患によって生じる心身機能の障害には，日常生活や活動に強く影響を及ぼすレベルと，あまり影響を及ぼさないレベルとがある．心身機能が高いレベルにあれば日常生活や活動をより円滑に行えるのはいうまでもないが，心身機能が低いレベルにあっても必ずしも ADL や生活の質（QOL）のレベルが低いとはいえない[12]．よって，日常生活や活動の質的な分析，目標の設定が大切となる．

c 活動と参加

身体機能や高次脳機能の回復が困難で，今までできていた活動や参加ができなくなる，ここに支援できるのは作業療法の強みである．国際生活機能分類（ICF）では心身機能や身体構造ばかりではなく，活動や参加の相互関係，背景因子となる環境因子や個人因子を包括的にみる必要性を説いている．たとえば「麻痺のせいで歩行ができなくなり，復職ができなくなる」というできないことに注目するのではなく，「車椅子は自力駆動できて通勤ができる」や「片手でも PC の入力ができる」という評価を行うことが重要である．加えて，片手でも電話をかけながらメモをとれるように，ヘッドホン式の電話にするなど，通常はできないことも環境因子からのアプローチ（自助具などを活用した支援）を行えばできるようになることも重要である．

活動と参加とは ICF によって定義されており，活動とは課題や行為の個人による遂行であり，参加は生活や人生場面へのかかわりのことである[13]．「活動」は生活上の目的をもった具体的な行為のことである．歩くことや日常生活に必要な動作をはじめ，家事や仕事や余暇活動などをすべて含む．ICF で活動を分類するときは，「できる活動」と「している活動」の 2 つの面に分けてとらえている．「参加」は，家庭や社会へ関与し役割を果たすことであり，主婦としての役割や職場などの組織で役割を果たすこと，地域の会合や趣味の集まりに参加することなども含まれる．なお，「活動」と「参加」は密接な関係にあり，活動は参加の具体的な表れであるといえる．

C 作業療法の目標

1 目標設定

さまざまな評価を実施し，得られた結果から，対象者の生活を困難にしている要因を整理しつつ目標を設定する．このとき，対象者や家族・介護者の希望を考慮したうえで目標達成の時期と予後を検討するなど，対象者と協同しながら設定していく．

2 目標の達成時期と予後予測[14)]

個々の対象者の目標に応じて，リハビリテーションゴールや長期的および短期的な目標の達成時期を設定する．その際，医学的治療に関する情報収集や作業療法評価結果に基づき，機能障害やADLの予後を予測し，目標達成のための適切な作業療法計画を立案する必要がある．また，対象者や介護者に対し，適切な予後予測に基づく見通しを説明することで，作業療法に対する動機づけを高めることができる．

a リハビリテーションゴール

評価結果がまとまり，問題点と利点がリストアップされたら，次は治療目標を設定する段階に入る．治療目標には長期目標，短期目標に加えて，リハビリテーションゴールがある．長期目標と短期目標は作業療法独自の目標であるが，リハビリテーションゴールは主治医をはじめ，看護師や理学療法士，言語聴覚士，医療ソーシャルワーカーなどチームが連携して立てる．このリハビリテーションゴールはカンファレンスを通して決定される．

b 長期目標

長期目標は退院時や転院時に達する可能性のある安定した状態を想定して立案する．この目標は個々の心身機能の程度ではなく，活動のレベルあるいは生活のレベルで表現する．たとえば，移動はどの程度安定して行えるか，ADLは全体としてどこまで自立できているのか，などを想定する．

時期の設定は6か月程度を目安とし，予後予測を十分に考慮したうえでリハビリテーションゴールと整合させながら立案する．この時期は自宅復帰や社会復帰を考慮する時期でもあるため，対象者の社会的な地位や家庭内での役割などを十分に考慮して設定する必要がある．

c 短期目標

短期目標は対象者の入院あるいは入所・通所中に達成できると想定される短い期間の目標である．これは作業療法士が勤める病院や施設の役割によって異なるが，急性期の病院であれば1週間から2週間程度，回復期や生活期であれば1か月から2か月程度の期間設定となる．

一般的な目標の例として，急性期では，早期離床，廃用症候群の予防，意識障害の改善，早期ADL向上など，回復期では，機能改善，ADL・生活関連活動(IADL)向上，社会復帰に向けての意味のある作業の獲得など，生活期では，機能や能力の維持・向上，社会的役割の獲得，職業復帰などがあげられる．

d 難易度が低い順の目標設定

獲得されていないADLが多い急性期などでは，難易度の低い順に練習を行うことで，短期的に目標を達成しながらADL自立度を向上していくことができる．ただし，この方法を用いる際には，対象者に十分な説明を行い，理解を得ることが重要である．

D 作業療法プログラム

脳卒中のリハビリテーション(以下，リハ)で

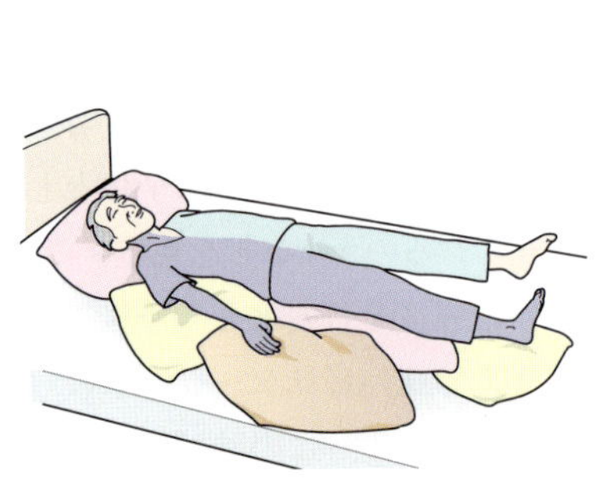

a. 背臥位でのポジショニング

b. 麻痺側を上にした側臥位での
ポジショニング

c. 麻痺側を下にした側臥位での
ポジショニング

▶図 9　ポジショニング例
麻痺側上下肢は筋緊張の亢進を促さないよう，上肢は伸展位，下肢は屈曲位とするのが好ましい．クッションやタオルなどとの接触面積を広くすることが対象者の心地よさにつながり，また，褥瘡の予防にも効果的である．
〔渡辺愛記，他：脳血管障害．山口　昇，他(編)：身体機能作業療法学．第 3 版，p174，医学書院，2016 より〕

は，急性期，回復期，生活期と大きく 3 つの時期に分けられる．その時期に特徴的な治療や援助がある．

1 急性期でのプログラム

身体状態により一定ではないが，一般的に発症より 3 週間程度が急性期とみなされる．この時期は医学的管理が主となり，リハでは廃用症候群など，二次障害の予防が主たる目的となることが多い．点滴治療に加え，酸素吸入・人工呼吸器，栄養管理の中心静脈栄養，排泄管理のバルーンカテーテルなどの多くのチューブが設置されている．意識障害に加え全身状態も不安定なため，評価・訓練の前後にはバイタルチェックをする必要性がある．十分なリスク管理のもとに，早期座位・立位などの離床訓練，セルフケア訓練などを含んだ積極的なリハを，発症後できるだけ早期から行うことが望ましい．

a ベッド上での適切なポジショニング

弛緩性麻痺や高次脳機能障害を有する左片麻痺の場合や，意識障害や運動麻痺が重度で随意運動が困難な対象者の場合，不動無動状態で長時間同一姿勢をとる可能性が高い．結果的に褥瘡やROM 制限などの合併症をおこしてしまう．これらの予防のため，看護師などと協力しながらポジショニングを行う必要性がある．ポジショニング肢位を図 9[2] に示す．タオル，枕，クッションなどを用いて接触面積を増やし，1 か所に荷重がかからないよう荷重を分散させる．病衣やシーツのしわ，チューブやコード類は圧迫の原因にもなるため，しっかりと確認する．また，中枢神経系(CNS)の障害であるため筋緊張が高まりやすい場合も多く，肩甲帯，腋窩，股関節，足部に対しては注意をはらう必要がある．

b 離床訓練

離床訓練は，意識，血圧，脈拍，呼吸，経皮的動脈血酸素飽和度(SpO_2)，体温などのバイタルサインに配慮して行う．また，この時期には点滴を留置していることがほとんどであり，酸素吸入や人工呼吸器，排尿管理のバルーンカテーテル，心電図モニターなど多くの機器が装着されている．チューブやコード類の取り回しに注意をはらい，抜去事故がおこらないように確認が必要である．

離床訓練を行う場合は，医師からの指示や「リハビリテーションの中止基準」(➡ 437 ページ)に従い，段階的に進めていく(▶図 10)[2]．安静臥床時は視覚の刺激入力が少なく，抗重力活動が減少し

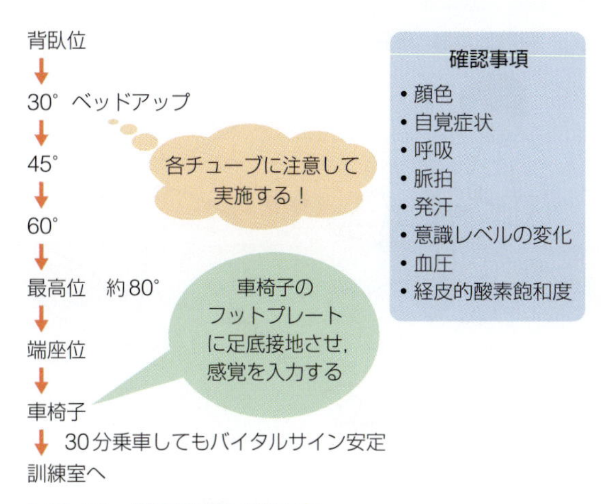

▶**図 10 離床訓練の進め方**
〔渡辺愛記, 他：脳血管障害. 山口 昇, 他(編)：身体機能作業療法学. 第 3 版, p172, 医学書院, 2016 より抜粋〕

ている．徐々に座位保持を促すとともに，離床することで見える景色やベッド周囲の環境などを利用して，視覚刺激の入力や時計やカレンダーを見ることで見当識を促す．特にベッド端座位では血圧変動や痛みに注意し，適度な会話や顔色や表情を観察する．さらに，転倒予防のために麻痺側から作業療法士の援助が必要となる．昇降機能つきのベッドや L 字ベッド柵の使用は，座位の安定をはかれるため推奨される．その後，車椅子に 30 分程度乗車してもバイタルが安定しているようになれば，作業療法室などでの訓練を開始する．

c 関節可動域訓練

ROM 訓練は関節拘縮を予防するために行う．

弛緩性麻痺の場合は，急激な他動運動は筋や腱の過度な伸張をまねくおそれがあるので，ゆっくりとていねいに動かすようにする．筋緊張が高い場合は，筋の走行を意識し，ゆっくりと伸張させるように行っていく．

肩関節は関節窩が浅いため，運動麻痺により筋の支持性が低下すると亜脱臼をおこしやすい．背臥位で肩関節を動かす場合は，肩甲骨がベッドに押し付けられ肩甲骨周囲筋が短縮している場合や，ローテータカフ筋の機能不全によって，正常な肩甲上腕リズムが失われていることが多い．上肢だけを持って ROM を実施すると，肩甲骨の上方回旋が不十分になり，骨頭と関節唇がぶつかりインピンジメント(➡ 315 ページ)をおこしてしまう．そのため，肩肋関節などの肩甲骨の動きを十分に引き出したうえで実施する．亜脱臼がある場合は，関節のアライメントを整えた状態でゆっくりと動かし，運動範囲は肩関節屈曲 90° 以内にとどめる．また，麻痺側手部には浮腫を伴っていることが多く，拘縮の原因になる[15]．手部を挙上位にし，可能なかぎり浮腫を軽減してから，ROM 訓練を実施する．手の機能を確保するためにも手指の関節も過度にならない程度に動かす必要がある(▶図 11)[16]．

言語による表出ができない対象者でも，表情や手を払いのける反応など，痛みの表出がある．最終域感(➡ 79 ページ)や対象者の表情や反応を確認しながら慎重に実施する必要がある．

d 病室での日常生活活動訓練

リスク管理を前提とし，ギャッチアップにてベッド上座位ができるようになったら ADL 訓練を開始する．運動麻痺に加え高次脳機能や覚醒レベルが低下している場合は複雑な過程がある活動は困難なことが多く，まずはリスク管理のためのナースコールの操作練習から始める．次に食事練習を開始する．この時，嚥下能力や意欲の問題に関しては事前に医師や看護師，言語聴覚士などから情報収集するか，または評価しておく必要がある．経口摂取により，視覚，味覚，嗅覚などの感覚刺激の入力のみならず，食べることの楽しみや咀嚼による脳の賦活など，精神機能や身体機能の改善につながることも多い．さらに，整容動作の濡れタオルによる洗顔や清拭，歯磨き，ひげ剃りを実施する．道具を使うことで，非麻痺側上肢の機能や高次脳機能の評価もできる．

ベッド上座位がある程度とれるようになり，全身状態が良好な場合は，寝返りや起き上がりの訓練を実施する．特に寝返りは褥瘡予防にもつながるため，早期獲得が望ましい．寝返り動作は，麻

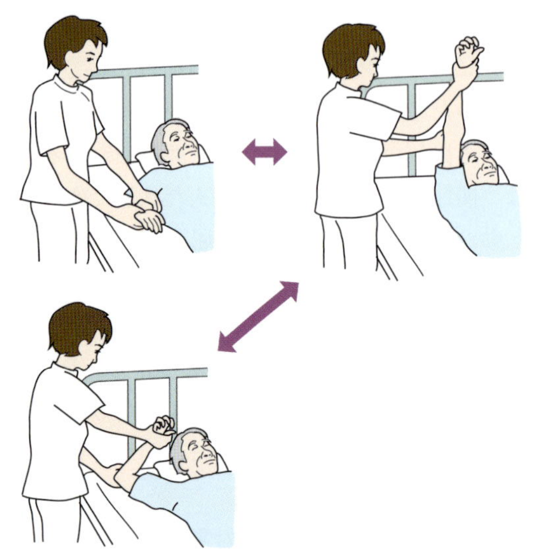

片手で患者の肘を上から，他方で患者の手首を下からつかみ，ゆっくりと上方へ上げていく（痛みのでない程度に）．頭上にきたときは肘を曲げてもよい（注：腕を引っぱりすぎないこと．意識障害が重度のときは肘が額の上程度までを目安とする）

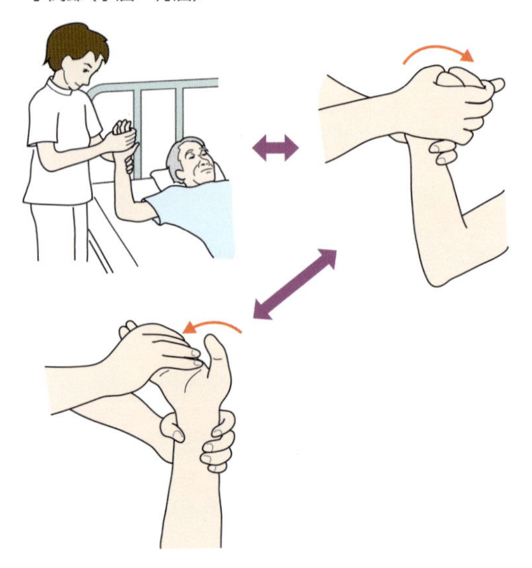

肘を立てた位置で，手首を片手で固定し，他方で指を曲げながら手首を前に曲げ，伸ばしながら手首をそらす．手指の運動と一緒に行う（注：手指のみを伸ばしすぎないこと）

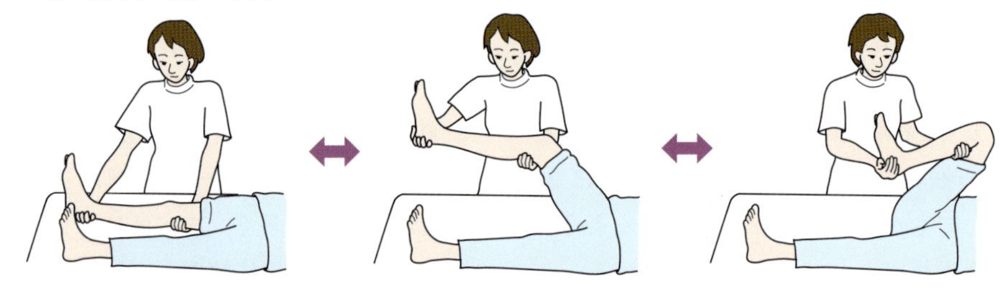

膝と踵を下から支え，下肢全体を持ち上げ，膝を胸のほうへ持っていく
（注：膝は重力を利用して自然に曲げ，上からは押さないこと）

▶図 11　関節可動域訓練例
〔山田雪雄：関節拘縮の予防と ROM 訓練．福井圀彦，他（編）：脳卒中最前線―急性期の診断からリハビリテーションまで．第 4 版，pp120–125，医歯薬出版，2009 より改変〕

痺側と非麻痺側のどちらに寝返ったほうがよいかと議論になることがある．非麻痺側に寝返る場合の問題は，麻痺側上肢を無視して残してしまい，力まかせに寝返り，肩関節を痛めてしまうことである．非麻痺側上肢にて麻痺側上肢を腹部上などに引きつけておくことが大事になる．麻痺側に寝返る場合の問題は，麻痺側が下になり，肩関節を痛めてしまう可能性があることである．そのため，はじめに肩関節外転（30° 程度）を意識して行うことが重要である．ただし，ベッド柵を回転力として使いやすいため寝返りしやすくなる（▶図 12）．

起き上がり動作は，抗重力活動になり転倒のリスクが伴うため，はじめは必ず作業療法士の支援が必要となる．ダイナミックな動作のなかで，視線の方向や肘，手のつき方などが混乱するため，動作誘導することが重要となる（▶図 13）．

立ち上がり動作では，作業療法士が麻痺側から支援し，腰背部と胸郭を支えながら，体幹側部を

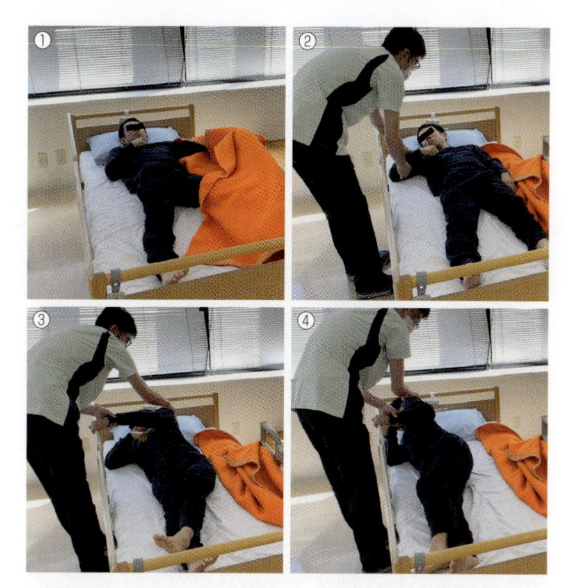

▶図 12　寝返り――麻痺側への寝返り(右片麻痺)
①非麻痺側にて布団を左側にもっていく．②麻痺側上肢を外転位に置く．③非麻痺側手でベッド柵をつかむ．④身体を麻痺側へ回し側臥位になる．その時，麻痺側が体幹の下敷きになっていないか確認する．

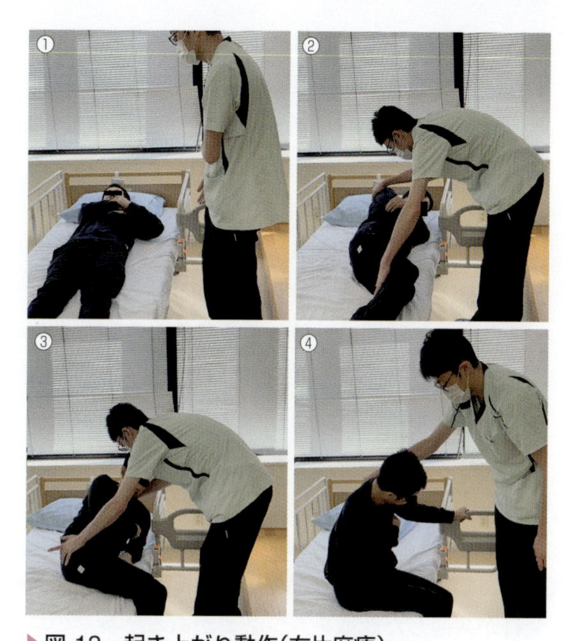

▶図 13　起き上がり動作(右片麻痺)
①下肢をベッド端へ動かす．②支持面の変化に合わせて回転するように側臥位になる．③非麻痺側肘部・前腕で体重を支えながら徐々に起き上がっていく．④座位になりベッド柵をつかむ．

密着させ誘導を行う．体幹前傾の誘導時は，膝折れの可能性があり，麻痺側下肢の支持性が低ければ非麻痺側に，高ければ正中付近に重心がくるようにする．手すりを使用する場合は，引っ張らずに，支えるように指示する必要がある(▶図 14)．

一般にはベッドサイドでの ADL の難易度は，身体機能や高次脳機能などにより多少変化する．食事や整容動作から始め，床上動作が可能になり，車椅子に乗車できるようになったら，更衣動作や排泄動作，入浴動作へと進めることができる．

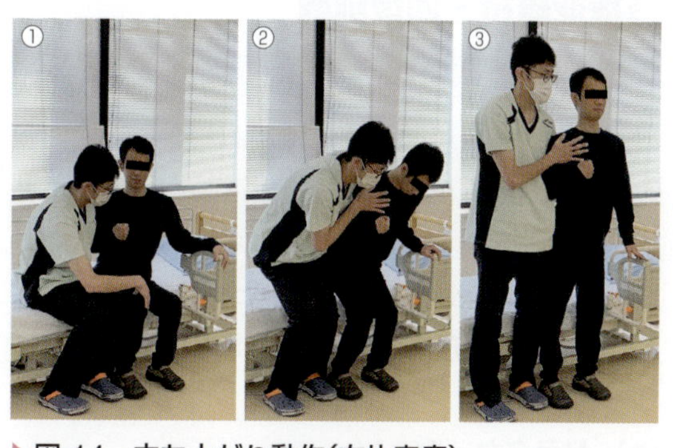

▶図 14　立ち上がり動作(右片麻痺)
①足部の位置を整え，非麻痺側下肢に向かって体幹前傾を誘導する．②ベッド柵にて支える方向に動作誘導する．③少しでも麻痺側下肢で加重できるようにアライメントを整える．

2 回復期でのプログラム

急性期から脱し，おおよそ 6 か月ほどまでを回復期という．具体的には回復期リハビリテーション病院(病棟)に転院・転棟してリハを継続する時期である．回復期では適切な予後予測のもとで将来を想定しながら，退院後の生活を見据えた訓練や支援を行う必要がある．自宅退院に際しては，福祉サービスなどの社会資源の活用や訪問リハなどとの連携が重要となる．

この時期は，身体機能の維持・回復アプローチと代償動作を利用した ADL アプローチ，対象者のニーズを基本にした課題指向型アプローチ(➡ 71 ページ)が混在する時期になる．

目標設定にあたって，対象者のニーズは重要であるが，実際のアプローチの方向性は，家族のニーズや経済力，介護力，医療・福祉制度や入院期間などさまざまな要因によって決定される．対象者によっては，家庭復帰や買い物，旅行や自動車運転，復職や趣味の活動などのニーズが高く，ADL 自立はニーズにあがらない場合がある．前者のニーズを実現するために，背景としての ADL の自立や介助量の軽減が重要であることを対象者と共有し，モチベーションを高める必要がある．

また，この時期は，対象者の移乗や移動，歩行に対するニーズが高く，過剰努力によって連合反応や共同運動，痙縮が強くなり，上肢機能の回復に悪影響をおこすこともある．プログラムの方針決定に際し，ADL パフォーマンス（代償機能を含む）強化プログラムを主体にするのか，機能回復を目指したプログラムを重点とするかを，関係者全員が共通した認識をもつ必要がある．多くの場合，両方のプログラムが混在するが，対象者や家族のニーズ，おかれた環境，施設の考え方などによって，その比率が変わるのが現状である．

a 機能維持・回復訓練

準備活動としてのリラクセーションや ROM 訓練，筋力訓練，姿勢保持訓練がある．加えて，促通を目的とした運動療法や治療活動を活用した基本動作訓練があげられる．これらの活用にあたっては，運動機能回復のみを目的とするのではなく，ADL 上困難な運動・動作の獲得を目的にすることが重要である．

(1) リラクセーション

活動性が高まると，連合反応や共同運動パターン，非麻痺側の過剰努力など，さまざまな要因で痙縮が強くなり，筋を弛緩させることが難しくなる．このような場合，ROM 訓練や機能訓練を行う前にリラクセーションを実施するとよい．臥位にて実施するのが**パーキングファンクション**[17]という姿勢保持である（▶図 15）．下肢や上肢を揺らしたときに，固まって揺れるのではなく，それぞれの身体分節が独立して揺れている状態を目指し，5 分程度実施する．安静肢位あるいは運動の開始肢位で，その肢位を維持するため必要とされる筋活動が非常に少なく経済的な状態とされている．運動開始の準備として重要である．バスタオルや膝下に枕や掛け布団を入れることで実施できる．

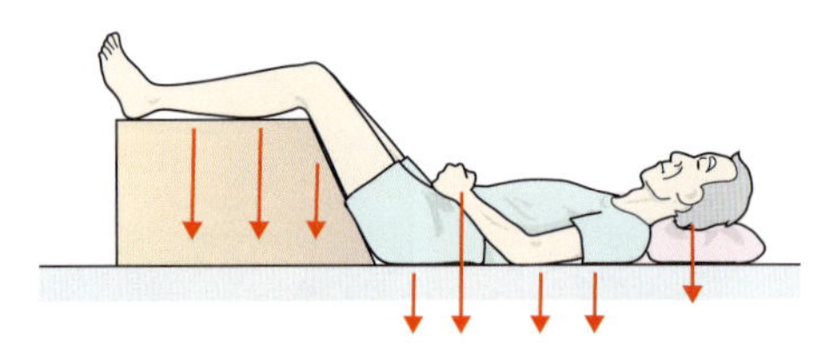

▶図 15　リラクセーションポジション（パーキングファンクション）

持続的伸張（➡ 110 ページ）や座位で体幹前屈し，上肢を下垂することでも痙縮を軽減することができる．

(2) 関節可動域訓練

基本的には，第 II 章 3「関節可動域の維持・拡大」（➡ 76 ページ），および本章の「急性期の関節可動域訓練」を参照のこと．特に肩関節に対しては，**スキャプラ（肩甲帯）セッティング**[18]を行い，肩甲帯周囲の可動性を向上させて実施する必要がある（▶図 16）．

(3) 筋力訓練

基本的には，第 II 章 4「筋力と筋持久力の維持・増強」（➡ 88 ページ）を参照のこと．片麻痺の対象者では，多くは非麻痺側の不使用による筋力低下が問題となるが，麻痺側にも麻痺の影響だけではなく不使用による筋力低下がある場合もある．そのため，麻痺側に筋力訓練を実施することがある．この場合，徒手や器具を使用するよりも，促通ア

> **Keyword**
>
> **パーキングファンクション**　クラインフォーゲルバッハ（Klein-Vogelbach）の機能的運動力学で使われる用語で，各身体分節が独立した支持基底面と重心を有して姿勢保持しているとき，力学的に安定するため，各身体分節間をつなぎ止める筋活動は最小限の状態におかれる．
>
> **スキャプラ（肩甲帯）セッティング**　肩甲上腕関節，肩鎖関節，胸鎖関節，肩甲胸郭関節などの肩甲帯の筋緊張やアライメントを整え，正常に近い肩甲上腕リズムの実現をするための準備．

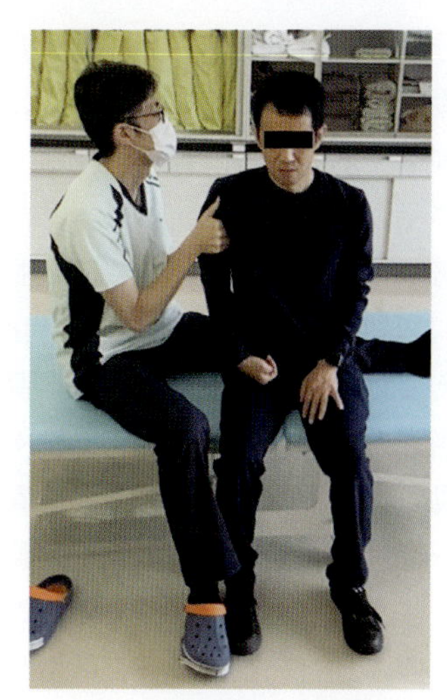

▶図 16 スキャプラ(肩甲帯)セッティング

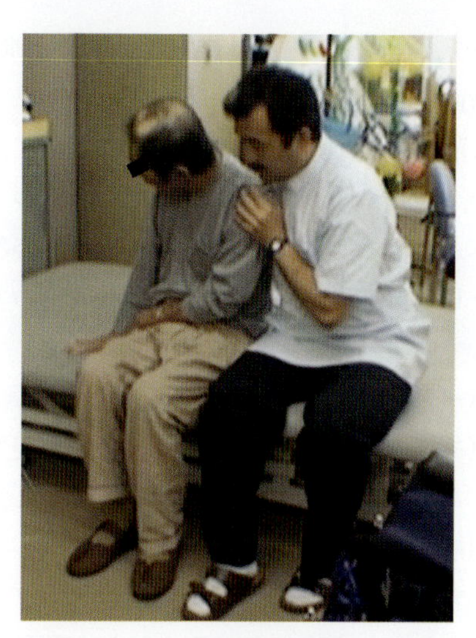

▶図 17 ベッド端座位訓練(プッシャー症候群ケース)

プローチと同時に筋力維持・向上を目指すほうがよい．麻痺側への筋力訓練は，痙縮の亢進につながるおそれがあるため慎重に実施すべきである．

(4) 姿勢保持訓練

覚醒レベルの低下や運動・感覚麻痺が重度の場合，**プッシャー症状**[19] が強い場合などは，椅子座位や車椅子座位が困難なことが多い．プッシャー症状は非麻痺側から麻痺側に身体を押す傾向があり，座位保持ができなくなるため，非麻痺側の殿部や体幹のコントロールの学習を誘導し，支持性を高める訓練を行う．治療台やベッドサイドで徒手的に実施する場合は，ベッド端座位訓練(▶図 17・動画 12)を行うとよい．

車椅子乗車時に，体幹や頸部の支持性が安定しない場合は，車椅子用テーブルやバスタオル，クッションなどを利用して車椅子シーティングを行う．肩関節亜脱臼の予防と体幹のアライメントの調整のため麻痺側上肢をテーブルやクッションに置き，両足を床に接地し，体幹と頸部の支持性が得られるよう座位のポジションをはかりながら，車椅子座位時間を徐々に延長する．

(5) 促通目的の運動療法

麻痺側上肢・手指の神経筋促通法(ファシリテーション)とは，中枢神経疾患に対する機能回復訓練の手技である．筋緊張(筋トーヌス)の異常から生じる運動機能障害に対し，筋緊張の促通や抑制を行いながら，正常な運動のコントロール方法を対象者に学習させ，身体機能の改善をはかる．対象者の臨床像や損傷部位によって，その方法は異なる．代表的なものとして以下のようなものがある．

• ブルンストローム(Brunnstrom)法

ブルンストロームは，脳血管疾患後の運動機能回復の評価(ブルンストロームステージ)の開発者として知られているが，評価法だけでなく訓練方法も提示している[20]．その大原則は，弛緩期(stage Ⅰ)には運動の誘発(共同運動の活用)→共同運動の完成(stage Ⅲ)後は共同運動から逸脱した運動(stage Ⅳ～Ⅵ)の学習へと進めることである．今の回復段階から 1 つ上の回復段階に進めることが目標となる．上肢でいえば，前下方へのリーチ(伸筋共同運動)から始め，徐々に前上方へ

Keyword

プッシャー症状 身体の正中軸が麻痺側へ偏位している状態のことである．特性として急性期の左片麻痺者に多く，半側空間無視を伴うといわれている．非麻痺側の上下肢で押して麻痺側に倒れてしまうような症状が出現し，端座位保持が困難であり，車椅子座位では麻痺側に傾斜してしまう．

のリーチ，回内位から回外位でのリーチと進める．臨床場面でみることがあるサンディングは，この考えに沿っている．手指では，集団屈曲・伸展から始め，側腹つまみ，指腹つまみ，指尖つまみの獲得へと進める．ブルンストロームは，姿勢反射やタッピング（筋を叩く）などの感覚入力の方法も提言している．

● ボバース（Bobath）アプローチ[21)]

中枢神経の損傷により，機能・運動・姿勢コントロールの障害をもつ個々の人々の評価と治療への問題解決アプローチと定義されている．治療では，異常パターンを抑制し，正常運動パターンに置き換えることを求めている．正しい運動パターンを遂行するときには，運動に関する感覚情報は運動コントロールの学習を可能にする．対象者の"潜在能力"を評価・分析し，それぞれに応じた治療が求められる．手段として徒手的接触をハンドリングと表現し，対象者の"動き"に同期し，その操作に対する相互作用によって，評価と治療を同時的に実施するとしている．

● 固有受容性神経筋促通法[22)]，促通反復療法（川平法）[23)]

固有受容性神経筋促通法（proprioceptive neuromuscular facilitation; PNF）は固有受容器の刺激を介して，神経・筋のメカニズムの反応を促通する方法が治療コンセプトである．頻繁な刺激と運動の反復は，学習された運動能力の保持力を上げる．治療の中心的特徴は，運動機能の回復のために，運動の対角線的パターンを用いることである．対角線的パターンは，正常発達にみられ，身体両側の統合が必要な自然な運動を含むために，治療に取り入れられた．対象者の積極的参加，集中的トレーニング，自主トレーニングの指導を行う．促通反復療法は PNF を基礎として，運動に必要な神経回路，特に運動性下行路を再建，強化することを目標としている．具体的には，対象者の動かそうとする随意運動時に，同時に意思や視覚刺激・聴覚刺激・徒手的な刺激や操作を加えることで，容易に実現させる．1 つの運動パターンにつき数分間で 100 回程度，集中的に反復する．

● 認知運動療法（心理学的アプローチによる）[24)]

認知心理学を基本とし，神経生理学・神経生物学を融合させた"認知的"な運動学習を主とした治療である．脳損傷後のさまざまな運動や行為の問題を，認知過程の障害（運動の特異的病理）としてとらえている．運動機能回復は学習過程であり，認知過程の特徴や意思の変化を徐々に複雑化させて行動を再組織化する治療法と位置づけている．治療を心身一元論的にとらえ，運動学習を知覚・記憶・注意などを同時に動員することが必要と考えている．独自の訓練器具を活用し，言語や運動イメージの適切な支援を行いながら，段階づけされた課題を学習することが脳の可塑性を高めるとしている．認知課題を通じて，知覚・注意・記憶・判断・言語という認知の情報処理機能を用いて回答する計画（予測）を立て，自ら結果と比較することで学習を促進する．

● CI 療法[25)]

CI 療法（constraint-induced movement therapy）は，脳卒中後遺症による手指の麻痺に対し，生活に参加できる機能獲得を目指して実施するアプローチである．国際的な研究や臨床データがあり，最もエビデンスが高いとされている．CI 療法には，歩行や ADL 自立，上肢や手指のある程度以上の随意運動などのいくつかの適応条件がある．基本的には，2 週間程度をワンクールとし，比較的軽度の手指機能麻痺者を対象に日常生活中も含めて非麻痺手を拘束して不使用状態とし，麻痺側手に対して課題指向型の反復練習を 1 日 6 時間実施する．3 つの重要な構成要素は次のとおりである．①対象者の能力により適切に段階づけされたシェービングなどの課題指向型の反復練習，②能動的な治療参加を促す行動戦略であるトランスファー・パッケージ，③非麻痺側上肢の拘束．CI 療法は，日常生活への参加と活動面からのアプローチであり，作業療法士が治療の中心的役割を担っている．

● **反復経頭蓋磁気刺激療法**[26)]

非侵襲の反復経頭蓋磁気刺激(repetitive transcranial magnetic stimulation; rTMS)を利用して，脳卒中後遺症である麻痺手指に対する治療を行う方法である．基本的にはrTMSと集中作業療法がセットで実施される．連続刺激であるTMS(以下，rTMS)として適用された場合，大脳皮質の局所興奮性に影響を与える．治療手段として用いるときには「障害された神経機能を代償する部位の賦活」が目的となる．脳卒中上肢麻痺の場合，「病側大脳の病巣周囲組織が機能代償するため，病側大脳の神経活動性を高める目的」にrTMSは用いられる．rTMS療法としては，約2週間の期間で，低頻度rTMSにて過活動状態の非病巣脳半球を抑制し，二次的に病側大脳の興奮性を高める間接的アプローチを実施する．適用後，対象者のニーズに合った手指機能の機能改善目的の集中的な作業療法を実施する．

● **HANDS療法**[27)]

HANDS(hybrid assistive neuromuscular dynamic stimulation)療法は，人間工学や生体力学などの領域と脳科学の融合した形態の治療法である．中程度から重度の運動麻痺のある対象者に対して，麻痺した上肢に随意運動介助型電気刺激装置(integrated volitional control electrical stimulator; IVES)と手関節固定装具を1日8時間，3週間装着し，訓練時に加え日常生活でも使用し，麻痺側上肢の使用頻度を上げることで上肢機能の改善を目指す治療法である．随意的な上肢操作時の脳の微弱な電気信号を抽出し，随意筋電量に比例した電気刺激にて麻痺筋を刺激し，随意収縮を繰り返し促すシステムである．時間的促通により，神経回路の回復を目指している．手関節装具は，手首を固定し手指の機能的肢位を保持する目的となり，併用することで有効なつまみ動作を実現している．実施には装置の購入と医師の許可が必要であり，病院レベルの対応が必要である．

● **上肢用ロボット型運動訓練装置**[28)] **(ReoGo®-J)**

現時点で注目すべき上肢リハ支援ロボットは，ReoGo®/ReoGo®-J，Bi-Manu-Track，InMotion® ARM，AMADEO®，Aremeo® の5種類である．いずれも十分な反復練習が可能であり練習量を飛躍的に増大することができること，強度・密度の高い訓練提供が可能であり負荷量や補助量，難易度の調整性に優れていること，一定の負荷が加えられるといった正確性，そしてフィードバックに優れていると報告されている．近年では，ゲームと組み合わせることやVR(virtual reality；仮想現実)のなかでさまざまな形の報酬を与えることによって，対象者のモチベーションの向上に寄与する可能性が示唆されている．作業療法士は達成目的や運動プログラムの設定を行う必要があり，上肢機能回復訓練の補助手段として用いられている．

その他，直接的にターゲットの筋活動に対して促通を行う手技として，タッピングやブラッシングなどがある．

これらはニューロリハビリテーションといわれており，これらの方法は，それぞれ対象者の選定や基準があり，実施するには施設全体の方針や理解，専用の機器が必要となるものもある．いずれも卒後教育レベルであり，成書を参照したり，研修会に参加して，その知識や手技を身につける必要がある．

(6) 治療活動を活用した基本動作訓練

分離運動の促通を目的として行う麻痺側の動作訓練として，「リーチ–つまみ–離し」を促す木片(▶図18・動画13)や，お手玉やペグ，ボールなどの移動，ワイピングやボール転がし(▶図19)などがあげられる．ワイピングでは，実際に濡れた雑巾を使い汚れ落としをすると，摩擦抵抗の反力が動作のための情報となり腹部筋や下肢の支持筋が促通される．ボール転がしは麻痺側の上肢と下肢の随意性の向上と運動協調を促すために用いる．下肢を正中位に保ち，転がりにくいゆるめに空気を入れたビーチボールを使用して上肢の重さを軽減し，肘の屈伸や肩の内外転を上肢が落ちないように実施する．

▶図 18　リーチ–つまみ–離し動作の誘導
片麻痺者は努力的に肘を曲げ体幹の前屈で箱に向かってリーチするので，肘の伸展を意識して誘導する．徐々に 1 人で実施できるよう段階づけを行う．

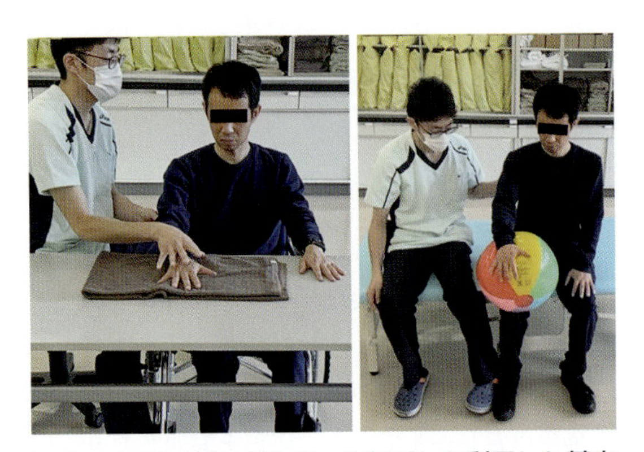

▶図 19　ワイピングやボール転がしを利用した基本動作訓練

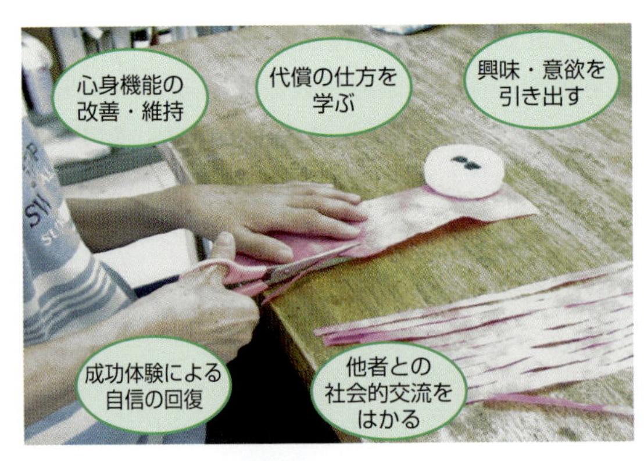

▶図 20　ハサミ使用時の押さえ手の訓練

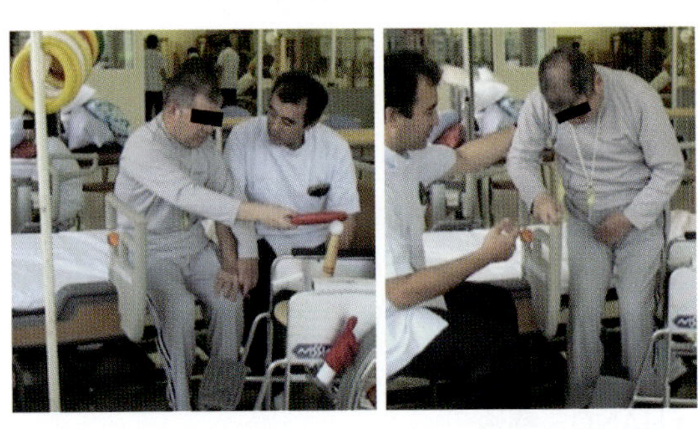

▶図 21　輪入れを通しての麻痺側下肢支持性の改善
在宅に向け麻痺側への車椅子移乗の自立もしくは軽介助が目的の左片麻痺の症例．重度の感覚障害があり，BS 上肢・手指・下肢 III，左半側空間無視や言語障害あり，急性期にはプッシャー症状があった．現状では男性 2 人での移乗介助が必要である．

両手動作訓練としては，麻痺側を補助的に使用させる訓練として，新聞紙を押さえて非麻痺側で破る，ハサミの使用(▶図 20)や書字の際の押さえ，箸使用時の茶碗の把持などがあげられる．これは利き手交換としても利用される．

麻痺側下肢の動作訓練としては，ベッドから車椅子に移乗するための，麻痺側下肢の支持性向上を目的とした輪入れを利用した訓練(▶図 21・動画 14)がある．輪を非麻痺側から麻痺側に移動することで，必然的に麻痺側下肢での支持が必要となる．

このように治療活動の利用は，単に達成感などの心理的なものだけではなく，身体機能の維持改善にも重要な手段である．

b 高次脳機能訓練

脳血管疾患は，さまざまな高次脳機能障害を引き起こし，日常生活場面やリハの妨げとなる．動作・行為をよく観察し，拙劣さや混乱などがみられたら，その誤りを見つけ出し，脳画像などと照らし合わせて症状を導き出す．その症状に対する訓練方法が開発されているものであれば，その治療実施を検討する．

半側空間無視に関する治療は多く検討されている．視覚的走査訓練[29]，後頸部筋振動刺激[30]，プリズム順応[31] などが比較的エビデンスが高いといわれているが，対象を限定していたり，日常生活への般化が難しいことが指摘されている[32]．

高次脳機能障害に対する治療の詳細は，本シリーズ『高次脳機能作業療法学』を参照のこと．

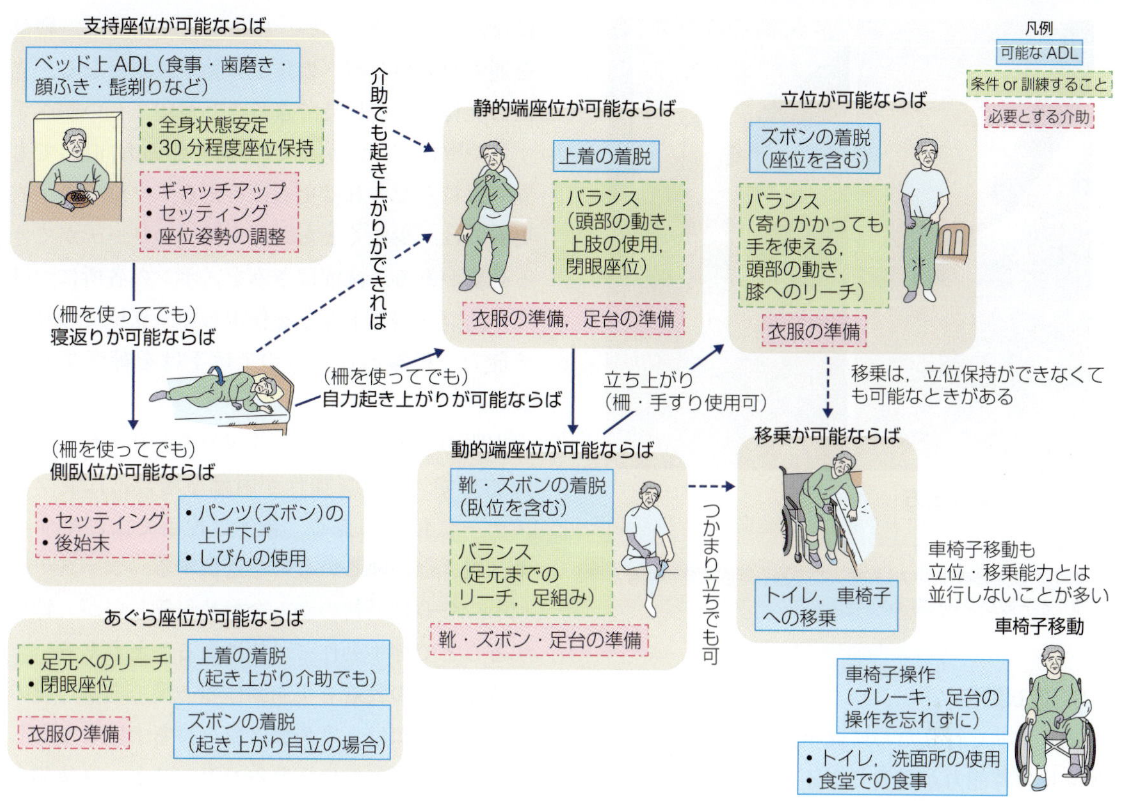

▶図 22　脳卒中片麻痺患者の ADL 訓練の考え方(基本動作とセルフケアとの関連)

C 日常生活活動訓練

脳血管疾患により運動麻痺や感覚障害を有したほとんどの対象者は，障害を受ける前とは異なる方法(主に片手動作)で ADL を遂行する方法を学習しなければならない．各セルフケア(食事，整容，更衣，排泄，入浴)は基本動作(寝返りから座位・立位，移乗，移動)と密接な関連がある(▶図 22)．作業療法士は，対象者の心身機能の改善に合わせた適切な動作方法を指導するとともに，自助具の適用や環境整備を支援する．

(1) 食事，整容動作

食事や整容動作は，ベッド上 ADL として最も早期に獲得できるものである．自力で座位保持ができることが望ましいが，全身状態が安定し，ベッドの背もたれに寄りかかり，枕などで支持してでも座位保持が可能となれば食事，整容動作を試みる．食事摂取を考えると，30 分ほどの座位保持ができることが望ましい．麻痺側上肢が使用できない場合でも，腕を机に乗せておくなど目に見える場所に配置するよう習慣づける．可能なら，茶碗に手を添えるなど，麻痺手の参加を促す．

食事用具は食形態に合わせて選択する．スプーンやフォークの使用は問題なく行えることが多いが，すくいやすい皿などの使用を併せて考慮する．嚥下障害があり，とろみ食などを摂取している場合は，一口量が多くならないようパフェスプーンなどが適している．利き手が麻痺していなくても，箸の使用がぎこちない場合，ピンセット状の箸の使用を検討する．食事は 1 日 3 回，必ず行う行為であり，意識しないでも利き手交換につながる．移乗，移動能力が向上すれば，ベッド上だけではなく，本来行うべき場所(食堂や洗面所)で食事や整容動作を行うようにする．

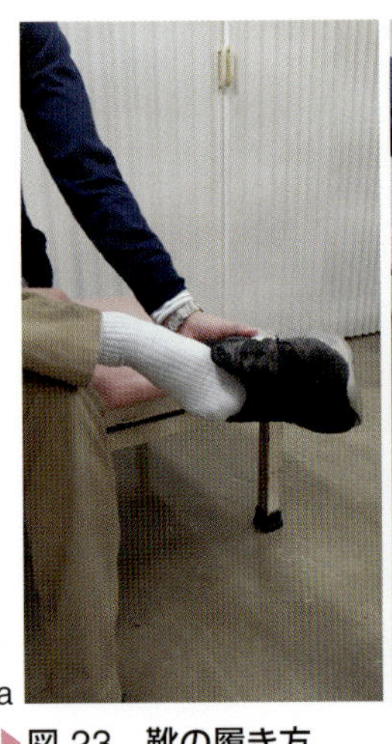
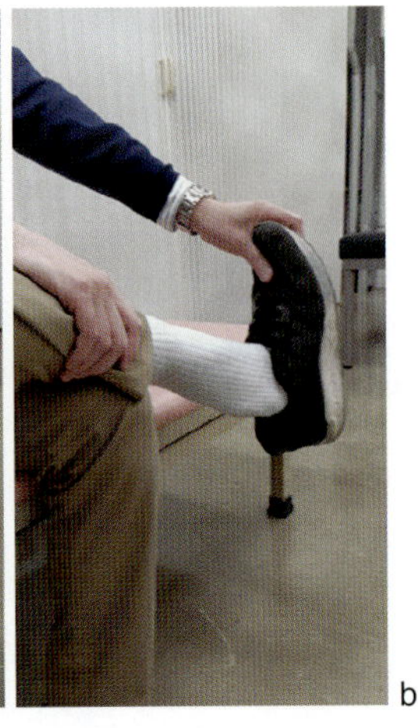

a　b

▶図 23　靴の履き方

a. 足底の向きに合わせて靴を履くと，小趾側が入っていないことに気づかないことがある．

b. 靴のつま先を持ち，つま先を入れてから足底に添わせるように履くと失敗が少なくなる．

(2) 更衣動作

更衣動作を行うためには座位(静的，動的)および立位保持能力が必要である．静的座位とは，上肢の身体各部位(頭頂や対側肩)へのリーチ，頭部の位置変化，閉眼しても座位を保持できる能力を指す．動的座位とは，足元へのリーチおよび座位への復元ができる能力を指す．これらの能力が低い場合は，更衣動作訓練の前に，あるいは並行して座位保持訓練を行う．

更衣は上下衣ともに，麻痺側から着衣し，非麻痺側から脱衣するのが原則である．上衣はかぶりシャツと前開きシャツがあり，それぞれに困難さが異なる．どちらの場合でも，一回り大きめのゆったりした服がよい．かぶりシャツは頭部を通すときに，一瞬ではあるが視覚情報が途切れるため，その状態でも座位保持ができる必要がある．開きシャツでは麻痺側の袖通し，麻痺側背から非麻痺側背への服の回しが困難なことが多い．そのため，一度にすべての動作を行うのではなく，袖通しなどの動作を部分練習することも必要である．

下衣更衣は動的座位が可能であれば行えるが，トイレ使用などを考えると，立位で行えるようになることが望ましい．座位で行う場合は，殿部を通すための左右への体重移動が課題となる．立位は支持なしで保持できることが望ましいが，手すりや壁に寄りかかって(非麻痺側の方向に)でも立位保持ができれば更衣は行える．立位での下衣更衣では，少なくとも殿部や膝へのリーチができる必要がある．洗濯ばさみをズボンの各所につけたり，ゴムベルトなどを使用して，立位でのリーチ能力や模擬的な下衣の上げ下げを練習するとよい．

衣服の工夫としては，前記のゆとりのある衣服に加えて，ボタン操作が困難な場合には面ファスナーに付け替える，靴下は片手で広げやすいよう履き口がゆるいものを選択する．ファスナー(ジッパー)は最初のかみ合わせが難しいが，練習することで片手動作で可能になることもある．

靴や装具の装着も更衣動作の一環である．靴の着脱のためには，麻痺側下肢を持ち上げようとしても座位を保っていられるバランスと，麻痺側を上にした足組みの姿勢をとれることが必要である．女性は，股関節の形状の違いもあって，足組みの姿勢をとることが難しいことが多い．その場合は，足台と長柄の靴べらの使用などを試みる．足組みの姿勢の場合，足底の向きに合わせて靴を履くと，特に感覚障害があると小趾側が入っていないことに気づかないことがある．靴のつま先を持ち，床に垂直になるようにして，つま先を入れてから足底に添わせるように履くと失敗が少なくなる(▶図 23)．装具の履き方の例を図 24 に示す．

(3) トイレ動作

トイレ動作は，在宅に向けて家族が最も自立を希望する ADL の 1 つである．トイレ動作は，前記の下衣の上げ下げだけでなく，尿便意の有無，トイレまでの移動，便器への移乗，後処理，夜間の排尿の問題など多くの課題がある．

尿意の訴えがない，あるいはあいまいな場合，時間誘導で排尿が可能かを看護師と検討する．トイレまでの移動が間に合わず失禁してしまうよう

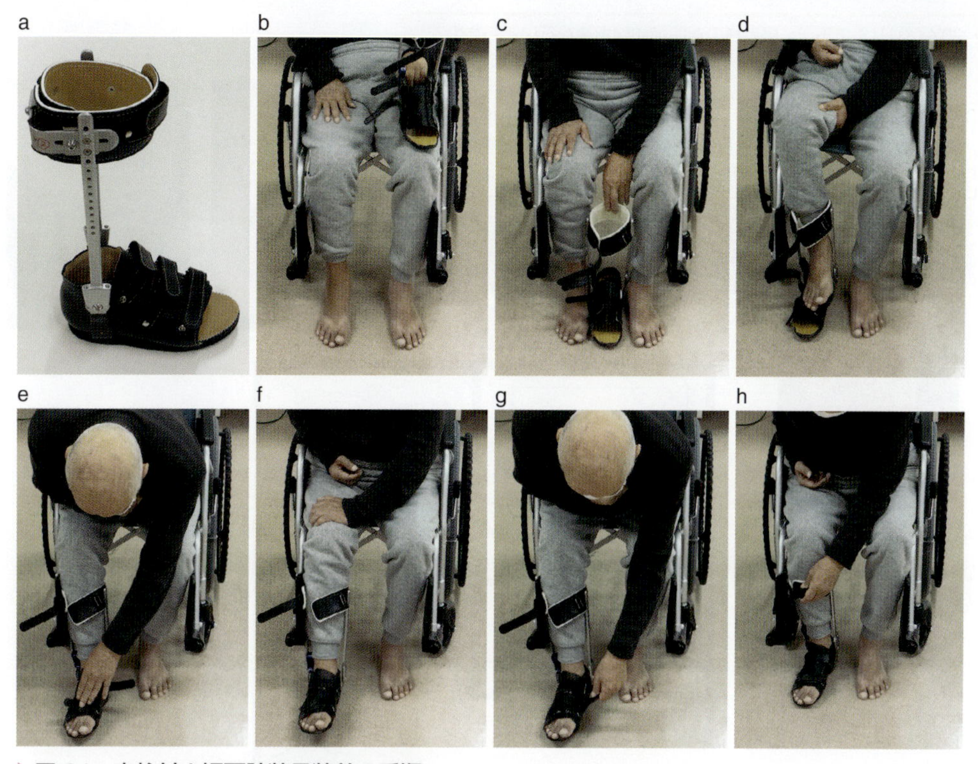

▶図 24 支柱付き短下肢装具装着の手順
a：支柱付き短下肢装具．b：装着準備．c：両下肢の間に置く．d：麻痺側大腿遠位部を把持しながら，足部を装具に入れていく．e：足部の留め具を仮止めする．f：膝を押し下げ，しっかり踵部を装具に密着させる．g：足部の留め具をしっかり締める．h：下腿部の留め具を締める．

な場合，また夜間の半覚醒状態では転倒の危険性が大きい場合は，ポータブルトイレや尿瓶の使用を検討する．排尿・排便の後処理は，温水洗浄便座と乾燥機能の使用が清潔でもあり，容易である．

(4) 入浴動作

入浴動作も衣服の着脱，浴室内の移動，浴槽の出入り，洗体など多くの課題があり，危険な動作である．介護者にとっては，最も困難で重労働である．介護者が高齢であったり，体力がない場合，あるいは対象者が重度の麻痺で移動が制限されている場合，対象者–家族による自己完結型の入浴より，介護保険を利用したヘルパーとの介助入浴，訪問入浴サービス，デイサービスでの入浴などを検討したほうが現実的かもしれない．

座位や移動動作が自立した対象者には，実際に入浴での指導・援助を行う．入浴動作では，浴室への出入り(段差があることが多い)，素足での洗い場の移動，浴槽の出入り・立ちしゃがみ，洗体・洗髪，濡れた身体の吹き上げなどが観察ならびに介助のポイントとなる．

入浴では裸体になり，装具が必要な対象者でも装具をはずすため，転倒の危険性を最小限にする必要がある．具体的には，浴室の入り口，浴室の壁，浴槽の前や横に手すりを設置する(▶図 25)[33]．浴室内の移動に対象者の恐怖心が強い場合や，下肢の内反尖足が顕著に出現する場合，シャワー椅子の利用を考える．浴槽の出入りは，浴槽板を使用し，いったん腰かけてから出入りすると，浴槽をまたぐときの転倒を防ぐことができる．浴槽に入るときは非麻痺側の下肢から，出るときは麻痺側の下肢からが原則である．

洗体では背部および非麻痺側上肢のケアが課題

▶図 25 退院前訪問指導報告書
〔深川明世：脳血管障害と脳外傷．岩崎テル子(編)：身体機能作業療法学．第 2 版，p187，医学書院，2011 より改変〕

となる．背部は長柄の洗体ブラシ，非麻痺側上肢は大腿部に巻きつけたタオルで洗体する．麻痺側の手にある程度の把持機能がある場合，ループ付きタオルが有効なことがある．非麻痺側の手のケアのためには，吸盤付きの爪洗いブラシが有効である．濡れた身体(特に背部)を拭くことは，背もたれつきの椅子にバスタオルを広げて置き，その上に座り身体を動かすことで代替できる．ドライヤーホルダーを使えば髪を乾かすために非麻痺側の手を使うことができる．

浴槽内の立ちしゃがみに困難がある場合，浴槽内椅子や滑り止めマットの導入を検討する．冬季は温度差による血圧の変動(ヒートショック)が心配されるため，脱衣所や浴室への暖房器具の導入を検討する．

▶図 26　調理動作訓練

d 生活関連活動

家事や外出などの IADL は，家庭内役割を担うことで自己効力感を高め，また行動範囲を拡大することにつながるため，対象者の必要性や能力に合わせて指導・援助を行う．

(1) 調理，買い物

調理は，一定の姿勢保持，危険物の取り扱い(刃物，火)，物の運搬といった身体的側面だけでなく，調理の手順を考えるなど認知的機能を必要とする課題である．

調理は立位で行うことが多いが，立位が不安定なときは，流し台に身体を預けて行うようにする(▶図 26)．立位が保てないときは，高めの椅子に腰かけて行うようにする．キャスター付き椅子は移動が容易であるという側面があるが，椅子ごと転倒してしまう危険性もあるため，使用する際には注意が必要である．

食品の加工は，ほとんどが両手動作である．一側上肢は主動作(例：包丁の使用)，他側の上肢は固定(例：食物を押さえる)の役割を担う．片麻痺の場合，この固定動作が行えなくなる．そのため，固定の役割を代替する自助具や方法(釘付きまな板や瓶を固定する方法など)の導入を検討する．運搬を考えると，両手鍋より片手鍋のほうが使いやすい．火の取り扱いに不安がある場合，安全装置のついた電磁調理器やポットに換え，火力の強いガスは使用できないような対処法を家族に指導する．物の運搬は，ワゴンを使用したほうがよい．

調理そのものは，あらかじめ必要物品と手順を書き出して確認する．調理時間も，以前行っていたときよりも時間を要する．入院中に調理訓練を実施し，調理過程のどこに問題があるか，どのくらいの時間を要するかなどを評価・確認しておく．

杖使用者にとって，杖をつきながら買った物を下げて歩くことは困難である．リュックサックや肩かけバッグ(麻痺側の肩からベルトをかけ，バッグは非麻痺側に位置させる)を使用する．重量物(米や水)だけでなく食材も，可能ならば宅配サービスや“ネットスーパー”の利用を提言する．

(2) 掃除，洗濯

通常の掃除機は重量もあり，立ちしゃがみ動作を必要とする．立位が不安定な対象者では転倒の危険性もあるため，スタンド式の掃除機や柄の長い紙の使い捨てモップを使用する．椅子に腰かけて少しずつ移動しながら手の届く範囲を掃除するのも 1 つの方法である．

洗濯は，洗濯機から水に濡れた重い洗濯物を取り出す，洗濯物を持って移動する，洗濯物を干すといった課題がある．経済的に余裕があれば，乾燥機付きの洗濯機を検討する．洗濯物の運搬にはワゴンを利用する．室内干しであれば座位でも可能である．膝上で洗濯物をピンチに挟んでから干すようにすると，片手でも干すことができる．

(3) 外出

通院や買い物，散歩など，外出には多くの意味合いがあり，可能な対象者には積極的に外出できる援助・指導を行う．検討すべき事項には，段差の昇降，道路や横断歩道の移動，公共交通機関の利用などがある．

平坦にみえても，道路は中央が凸となったかまぼこ型をしており，小さな凹凸や段差も多数あり，杖歩行者や車椅子・シルバーカー利用者は困難に直面することが多い．人ごみも移動を困難にする．横断歩道は一定の時間に渡りきらないと信号が変わってしまう．入院中に外出訓練を実施し，実際場面で段差昇降の方法を確認したり，人ごみでの歩行や公共交通機関利用の問題点や対処方法を評価，確認しておく．杖使用者では，手首が通るストラップをつけて，手すりを持ちやすくするなどの工夫が役立つ．

公共交通機関の利用では，乗り降り，運賃の支払い，エスカレーターやエレベーターの利用，駅構内の移動などを評価，指導する．公共交通機関の利用が困難な対象者には，自家用車や福祉タクシーなどの利用をすすめる．自家用車では，車への移乗動作の指導も必要となる．

e 自宅復帰に向けた支援

自宅復帰が想定される対象者に対しては，退院前訪問を行って入院中に行った動作が維持できるよう環境調整を行う．

退院前訪問のポイントは次のとおり．

- 事前に収集できる情報は収集しておく．対象者や家族からの聞き取り，見取り図を描いてもらう，写真を撮ってきてもらうなどの方法がある．その際，段差やドア・廊下の幅を計測してきてもらうと，その後の検討が容易となる．
- 当日の動線を考えておく．訪問の時間は限られているため，対象者の能力，対象者や家族の意向を考慮しながら，動線やチェックすべき点を洗い出しておく．
- 関係者が集まれる日程を調整する．関係者には，対象者や家族，担当スタッフだけでなく，ケアマネジャー（介護支援専門員）や改修業者，福祉機器販売業者などの院外スタッフがいる．
- 必要物品を準備しておく．最低限の物品としては，血圧計，金属メジャー，筆記用具，カメラ，携帯電話などがある．移動機器（歩行器）などを使用する場合，それらも持参する．
- チェックだけでなく，必要に応じてその場での指導を行う．予定していた環境のチェックだけでなく，対象者や家族の身体能力・知的能力に応じた介助方法を指導する．これにより，特別な改修が必要でなくなったり，家族が安心できたりすることもある．
- 報告書をまとめる．訪問が終わったら，その結果を報告書にまとめる（▶図 25）[33]．必要に応じて関係者に報告する．

自宅の準備が整い，退院が現実的となったら試験外泊を実施する．試験外泊は，これまでの積み重ねが実際に生かされるかを試す機会である．対象者，家族ともに，在宅生活が可能であるという自信をもつ経験となるとともに，問題や困った点があれば退院までにさらに改善を行い，スムースな在宅生活への移行を援助する．

3 生活期でのプログラム

生活期とは，一般に発症より 6 か月以降のことをいう．心身機能の状態は安定し，医療施設から離れた自宅もしくは施設が生活の場となる．生活期では，脳血管疾患の 40 歳以上の対象者は，原則として介護保険を利用したサービスを受けることになる．

a 生活期の目標

生活期では，回復期リハで獲得した心身機能，活動参加を含めた ADL，IADL 能力の維持，定着をはかりながら，生活圏を拡大するとともに対象者が希望する QOL の高い生活が送れることが目標となる．

b 生活期で利用できるリハサービス

前述したように，生活期では介護保険を利用したサービスを活用する．介護保険では，対象者（介護保険では「利用者」）・家族の希望，主治医（かかりつけ医）の意見，ケアマネジャーを含む関係者の意見をもとにサービス担当者会議（ケア・カンファレンス）を実施し，利用者，家族の同意を得たうえで，ケアマネジャーがケアプラン（在宅サービス計画書）を作成する．介護保険下でリハを実施するには，医師（かかりつけ医）の指示書が必要である．

介護保険で利用できるリハサービスは次のとおり．

- **訪問リハサービス**：訪問リハは，心身機能が重篤なため通所施設に通えない利用者のADLの拡大，介護者の介護量軽減，介護方法の指導援助のために利用されることが多い．訪問リハは生活全般の支援であり，実施にあたっては利用者の心身機能を把握するとともに，家族の介護力，家族関係，家族の精神状態などにも留意する．
- **デイケア・デイサービス**：デイケア（通所リハ）は，リハスタッフを配置し，ADLの維持・拡大を目的に実施される．デイサービス（通所介護）は，老人通所介護施設などに送迎して，心身機能の維持・向上と家族の介護負担軽減を目的に入浴や食事の提供，機能訓練やレクリエーション活動を行う．デイサービスでは，リハスタッフの配置が必須とはなっておらず，脳血管疾患に対応したリハサービスを提供する事業所は少ないのが現状である．
- **介護老人保健施設でのリハサービス**：介護老人保健施設は，要介護認定された原則65歳以上の利用者（脳血管疾患では40〜64歳までの介護認定を受けた第2号被保険者を含む）が，家庭復帰を目的に集中的にリハを実施する施設である．援助・指導内容は回復期リハと同様であるが，高齢者であるため回復期リハよりも長期のリハ期間を設定しているところが多い．

通所リハや介護老人保健施設は高齢者を対象としていることが多く，就労年齢（40〜60歳）の利用者に適した施設は少ない．この年代の利用者には，自立訓練事業として各行政機関が機能訓練を実施している．これらのサービスの利用には身体障害者手帳の取得が必須条件となる．高齢者のなかで孤立しないよう，同世代との交流を通して社会参加を促すことが重要であるため，利用者の近隣にこのような施設がある場合，その利用も視野に入れる．

C 生活期リハでの注意点

多くの脳血管疾患の対象者は，高血圧症や糖尿病などの内科的疾患に加え，変形性関節症などの整形外科的疾患を有することが多く，容易にADL能力が低下しやすい．また，気温や湿度などの外的環境や精神面の内的環境の影響を受けやすく，日によって心身機能の変動が著しい．そのため，生活期では，心身機能の低下が脳血管疾患の再発なのか，日々の変化であるのかを見極める医療的な評価，判断能力が必要である．生活期リハでは，かかわる医療スタッフの数も少なくなり，作業療法士の医学的知識や判断が重要である．そのため，主治医（かかりつけ医）や看護師とともに全身状態（バイタルサイン，顔色・表情，精神状態，食欲，水分や食事摂取量，排尿・排便，睡眠状態など）の情報を共有するシステムづくりが重要となる．

また，生活期リハでは，対象者の心身機能の把握に加え，対象者をとりまく個人因子（家屋状況，経済状況，家族との関係，家族の介護能力，介護負担感の増大の兆し）の把握がより重要である．

障害を受けると家庭内に閉じこもりがちになる．また，一人暮らしの高齢者も増加してきている．家庭内での役割を探索したり，前記の施設などの利用，患者会などの紹介を通して社会的フレイル（孤立）を防ぐことが重要である．

●引用文献

1) 日本作業療法士協会：作業療法白書 2015. 日本作業療法士協会, 2017
2) 渡辺愛記, 他：脳血管障害. 山口　昇, 他（編）：身体機能作業療法学. 第3版, p163, 医学書院, 2016
3) 厚生労働省：平成29年（2017）患者調査の概況. https://www.mhlw.go.jp/toukei/saikin/hw/kanja/17/index.html
4) Hunt WE, et al: Timing and perioperative care in intracranial aneurysm surgery. *Clin Neurosurg* 21: 79–89, 1974
5) 松村　潔, 他：脳血管障害を有する高血圧. 日内会誌 96:73–78, 2007
6) 日本脳卒中学会脳卒中ガイドライン委員会（編）：合併症対策. 脳卒中治療ガイドライン 2015. p11, 協和企

画, 2015
7) 市川博雄：脳卒中の画像のみかた―症状・経過観察に役立つ. p14, pp20–21, 医学書院, 2014
8) 正門由久, 他(編著)：脳卒中　基礎知識から最新リハビリテーションまで. pp136–159, 医歯薬出版, 2019
9) 長谷川光輝, 他：急性期脳卒中患者の自宅退院と回復期病院転院に影響する病前生活情報ならびに初回機能評価項目の検討―多施設間共同研究. 理学療法学 47:347–353, 2020
10) 八木麻衣子, 他：急性期病院の脳梗塞患者における退院先に関連する因子の検討. 理学療法学 39:7–13, 2012
11) 中馬孝容：脳卒中のリハビリテーション. 日内会誌 98:1299–1304, 2009
12) 堀　正二, 他：脳血管障害, 腎機能障害, 末梢血管障害を合併した心疾患の管理に関するガイドライン(循環器病の診断と治療に関するガイドライン(2006–2007年度合同研究班報告)). *Circ J* 72(Suppl):1465–1544, 2008
13) 障害者福祉研究会(編)：国際生活機能分類(ICF)―国際障害分類改定版. pp123–124, 中央法規, 2002
14) 能登真一：作業療法と評価. 能登真一, 他(編)：作業療法評価学. 第 3 版, p20, 医学書院, 2016
15) Gebruers N, et al: Incidence of upper limb oedema in patients with acute hemiparetic stroke. *Disabil Rehabil* 33:1791–1796, 2011
16) 山田雪雄：関節拘縮の予防と ROM 訓練. 福井圀彦, 他(編)：脳卒中最前線―急性期の診断からリハビリテーションまで. 第 4 版, pp120–125, 医歯薬出版, 2009
17) 冨田昌夫, 他(編)：臨床動作分析―PT・OT の実践に役立つ理論と技術. pp55–66, 三輪書店, 2018
18) 山本伸一(編)：臨床 OT　ROM 治療―運動・解剖学の基本的理解から介入ポイント・実技・症例への展開. pp39–44, 三輪書店, 2015
19) Davies PM(著), 冨田昌夫(監訳), 額谷一夫(訳)：ステップス・トゥ・フォロー. 改訂第 2 版, pp341–360, 丸善出版, 2015
20) Brunnstrom S(著), 佐久間穣爾, 他(訳)：片麻痺の運動療法. 医歯薬出版, 1974
21) 古澤正道(編著), 高橋幸治(著)：脳卒中後遺症者へのボバースアプローチ―基礎編. 運動と医学の出版社, 2015
22) Reichel HS(著), 市川繁之(監訳), タオデス江利子(訳)：PNF コンセプト―原理, 方法, テクニックの全てがわかる. ガイアブックス, 2013
23) 川平和美, 他：片麻痺回復のための運動療法[DVD 付]―促通反復療法「川平法」の理論と実際. 第 3 版, 医学書院, 2017
24) Perfetti C(原著), 沖田一彦(監訳), 小池美納(訳)：脳のリハビリテーション―認知運動療法の提言〈1〉中枢神経疾患. 協同医書出版社, 2005
25) 道免和久(監), 竹林　崇(編)：行動変容を導く！ 上肢機能回復アプローチ―脳卒中上肢麻痺に対する基本戦略. 医学書院, 2017
26) 安保雅博, 他(編著)：脳卒中後遺症に対する rTMS 治療とリハビリテーション. 金原出版, 2013
27) 藤原俊之：Hybrid Assistive Neuromuscular Dynamic Stimulation(HANDS) therapy. 総合リハ 41:341–346, 2013
28) 石垣賢和, 他：回復期の脳卒中患者における上肢用ロボット型運動訓練装置 ReoGo®-J の有用性の検討―傾向スコアマッチングを利用した探索的比較研究. 作業療法 38:575–584, 2019
29) Robertson IH, et al: Microcomputer-based rehabilitation for unilateral left visual neglect: a randomized controlled trial. *Arch Phys Med Rehabil* 71:663–668, 1990
30) Rossetti Y, et al: Prism adaptation to a rightward optical deviation rehabilitates left hemispatial neglect. *Nature* 395:166–169, 1998
31) Frassinetti F, et al: Long-lasting amelioration of visuospatial neglect by prism adaptation. *Brain* 125:608–623, 2002
32) 石合純夫：高次脳機能障害学. 第 2 版, pp170–174, 医歯薬出版, 2012
33) 深川明世：脳血管障害と脳外傷. 岩崎テル子(編)：身体機能作業療法学. 第 2 版, p187, 医学書院, 2011

●参考文献

34) 遠藤てる：片手で料理をつくる―片麻痺の人のための調理の手引き. 協同医書出版社, 1998
35) 臼田喜久江, 他：なんでもできる片まひの生活―くらしが変わる知恵袋. 青海社, 2003

2 頭部外傷

GIO 一般教育目標　頭部外傷の対象者に対する作業療法を実施できるようになるために，この疾患の病態を理解し，作業療法の評価技法と治療・指導・援助法を修得する．

SBO 行動目標

1）頭部外傷の疫学，病態と分類，障害像を説明できる．
- □ ①若年者と高齢者の頭部外傷の受傷原因の違いを説明できる．
- □ ②頭部外傷の一次脳損傷と二次脳損傷を説明できる．
- □ ③局所性脳損傷とびまん性脳損傷の受傷メカニズムおよび臨床像の違いを説明できる．
- □ ④頭部外傷によっておこる障害像を 4 つ説明できる．

2）頭部外傷の医学的治療と作業療法の関連について説明できる．
- □ ⑤頭部外傷の医学的治療を説明できる．
- □ ⑥頭部外傷後の合併症を説明できる．

3）頭部外傷の対象者に対する作業療法評価を説明できる．
- □ ⑦頭部外傷の対象者の病期に応じた作業療法評価を列挙できる．
- □ ⑧頭部外傷の対象者の作業療法評価時の注意事項を説明できる．

4）頭部外傷の対象者の作業療法目標を設定できる．

5）頭部外傷の対象者の病期に応じた作業療法プログラムを計画できる．
- □ ⑨急性期における作業療法プログラムを計画できる．
- □ ⑩回復期における作業療法プログラム上の工夫を説明できる．
- □ ⑪頭部外傷の対象者のグループ活動を実施するうえでの工夫を説明できる．

6）頭部外傷の対象者の生活期における作業療法プログラムを計画できる．
- □ ⑫生活期における作業療法プログラム実施上の注意事項を説明できる．

A 概要

1 頭部外傷とは

頭部外傷のなかで，脳の実質の障害を伴うものを脳外傷または外傷性脳損傷(traumatic brain injury; TBI)という．脳外傷の家族会の啓発活動がきっかけで，2001 年から 5 年間にわたり高次脳機能障害支援モデル事業が全国で実施され，高次脳機能障害の診断基準が作成された．この診断基準では主要症状として日常や社会生活に制約があり，主たる原因が記憶障害，注意障害，遂行機能障害，社会的行動障害であり，前頭前野の障害に起因する症状を多く含んでいる．したがって，行政的な高次脳機能障害とは脳外傷者の症状を示すことが多い．しかし，臨床像は多発外傷によりさまざまな身体障害を合併し，脳損傷の後遺症も遅延性意識障害を呈する重度四肢麻痺から，麻痺がなく高次脳機能障害のみの症例と多岐にわたる．

a 頭部外傷の原因・疫学

頭部外傷の受傷原因は，交通事故，転落・転倒・

▶表 1　頭部外傷の分類

荒木の分類
●わが国で CT 導入以前からの臨床的な分類 ●画像診断は考慮していない
GCS による分類
●意識障害による重症度分類 ●13～15 点は軽度，9～12 点が中等度，8 点以下を重度
TCDB の CT 分類
●CT 所見に基づく分類．GCS 8 以下の重症例を対象 ●5 mm の正中偏位，血腫量 25 mL を手術適応としている
Gennarelli の分類
●脳実質損傷を局所性脳挫傷とびまん性軸索損傷に分類 ●臨床的に理解しやすい

TCDB：Traumatic Coma Data Bank

〔川又達朗，他：頭部外傷の分類．太田富雄，他(編)：脳神経外科学 II．改訂第 10 版，pp1208–1213，金芳堂，2008 より〕

▶表 2　ジェナレリの分類

1. 頭蓋骨骨折
①円蓋部骨折：線状骨折，陥没骨折 ②頭蓋底骨折
2. 局所性脳損傷
①急性硬膜外血腫 ②急性硬膜下血腫 ③脳挫傷 ④外傷性脳内血腫
3. びまん性脳損傷
①軽症脳震盪：意識障害なし ②古典的脳震盪：6 時間以内の意識障害あり ③びまん性軸索損傷 ●軽度：昏睡 6～24 時間 ●中等度：昏睡 24 時間以上，脳幹機能障害なし ●重度：昏睡 24 時間以上，脳幹機能障害あり

〔渡邉　修，他：脳外傷・低酸素脳症・脳腫瘍・水頭症．安保雅博(監)，渡邉　修，他(編)：リハビリテーション医学．p202，羊土社，2018 より改変〕

墜落，スポーツ，自殺，虐待，暴行などさまざまである．頭部外傷データバンクによると，1998 年 1 月からの 3 年間では若年者層と高齢者層の 2 つのピークを認めたが，2015 年 4 月からの 2 年間では若年者層は減少し，高齢者層のピークで受傷者が高齢化している[1)]．

受傷機転では，転倒・転落・墜落が交通事故を上回っており，その多くは高齢者である．高齢者の交通事故の特徴は，歩行中の受傷が多い．一方若年者では，交通事故による受傷が多いが減少傾向にある．しかし，自転車での受傷は高齢者と二峰性を示し[2)]，特に 15 歳以下の小児では重症頭部外傷の原因として最も多い[3)]．

頭部外傷データバンクの対象は GCS 8 以下の重症者であり，中等症者，軽症者は含まれていない．最近は軽度外傷性脳損傷(mild traumatic brain injury; MTBI)による後遺症も注目されている[4)]．

b 病態と分類

頭部外傷の病態は，一次性脳損傷と二次性脳損傷に分かれる．

(1)　一次性脳損傷

外力による衝撃が頭部に加わった瞬間に，力学的機序によって生じる傷害．頭皮の断裂，頭蓋骨骨折，脳実質の損傷(後述)，血管や脳神経の損傷があげられる．

(2)　二次性脳損傷

受傷後の生体反応として，全身あるいは頭蓋内の要因で生じる傷害．全身性因子と頭蓋内因子があり，前者は低血圧，低酸素，低血糖など，後者は頭蓋内圧亢進，脳浮腫，脳腫脹などがあげられる．

急性期管理においては，この二次性脳損傷を最小限にとどめることが重要とされる．一次性脳損傷，二次性脳損傷のどちらも脳損傷が広範囲となりやすく，症状が複雑，多彩となりやすい．

頭部外傷の分類にはさまざまな分類がある(▶**表 1**)[5)]．ジェナレリ(Gennarelli)の分類は頭蓋骨骨折，局所性脳損傷，びまん性脳損傷に分けられており，臨床的に理解しやすい(▶**表 2**)[6)]．臨床ではこれらの疾患名が重複することが多い．その理由は，頭部へ外力が加わった部位への直撃損傷，外力と反対側も損傷を受ける反衝損傷，頭部への強力な回転力による脳実質への剪断力により生じた広範囲びまん性脳損傷といった病態メカニズムがあるからである(▶**図 1**)．

好発部位として，脳挫傷は頭蓋骨や脳の解剖学

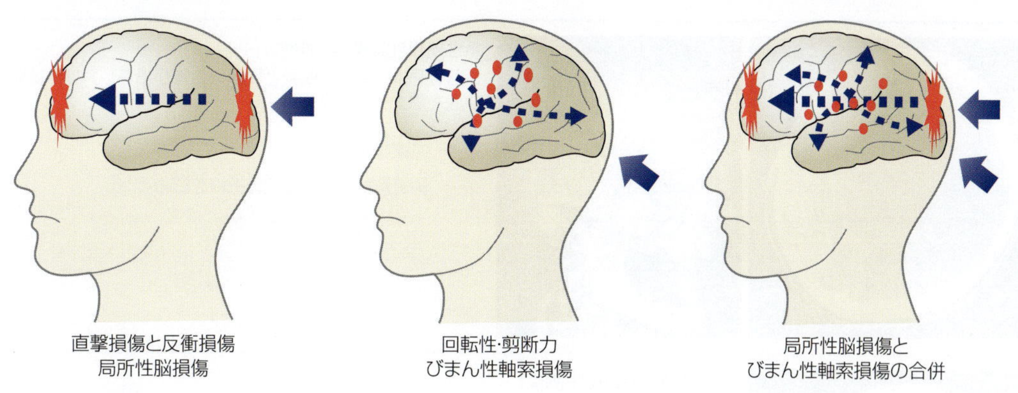

▶図 1　病態メカニズム

的特徴から前頭葉や側頭葉の先端や底面が，びまん性軸索損傷は傍矢状，中心白質，脳梁，上小脳脚で損傷を受けやすい．参考となる画像所見を図 2 に示す．

C 頭部外傷の臨床像

(1) 身体的な側面（中枢神経障害以外）

頭部の外傷は全身性外傷の一部であり，受傷状況により多発骨折や裂傷，多臓器損傷などの多発外傷を合併する．したがって，頭部外傷は単独の中枢神経障害というより重複障害を有していることが多く，長期安静による関節拘縮や異所性骨化などの廃用症候群も重大な後遺症となる．

(2) 身体的な側面（中枢神経障害）

脳挫傷や血腫などにより錐体路を損傷すると片麻痺に，脳幹の損傷では不全四肢麻痺に，びまん性軸索損傷で上小脳脚が損傷されると四肢や体幹の運動失調と，受傷部位によりさまざまな運動障害が生じる．

また，一見目立った運動麻痺がなくとも全身に筋緊張の低下や亢進が混在し，筋緊張の不均衡や筋力低下により，協調性や巧緻性といった運動コントロールに問題がある場合もある．

脳神経では嗅神経が障害されやすく，眼球周辺部の骨折や脳圧亢進，眼球運動を支配する神経の損傷などにより複視を伴うことがある．覚醒の向上とともに対象者自身が気づくことが多い．

(3) 高次脳機能障害

急性期では意識障害や通過症候群[7]による興奮，錯乱などが問題となる．脳挫傷や頭蓋内血腫による大脳半球局所の損傷や圧迫がある場合は，失語，半側空間無視などの巣症状がみられる．

頭部外傷で最も問題となるのは，前述した行政的な高次脳機能障害であり，退院後の家族関係や就労，就学などの社会生活で問題が顕在化する．特に好発部位である前頭葉機能の障害は，自分が認知障害をもっていることを認識する能力（障害の自己認識もしくは self-awareness）の低下があり，リハビリテーション（以下，リハ）への動機が得られにくい．Rusk 研究所が作成した「神経心理ピラミッド」（▶図 3）[8] は，頭部外傷による高次脳機能障害を階層構造に図式化している[9]．障害への気づきといった“高次レベル”の土台には，覚醒や発動性といった“基礎レベル”がある．高次脳機能を発揮させるうえでも，身体機能を整えることは重要である．

(4) 心理社会的な側面

退院後の社会生活のなかでおこる適応上の問題であり，受傷前の完全に自立した状態から依存状態になるため，フラストレーションを生じやすい．不適応となれば病理的な悪化がなくても，社会的行動障害となって表面化する．

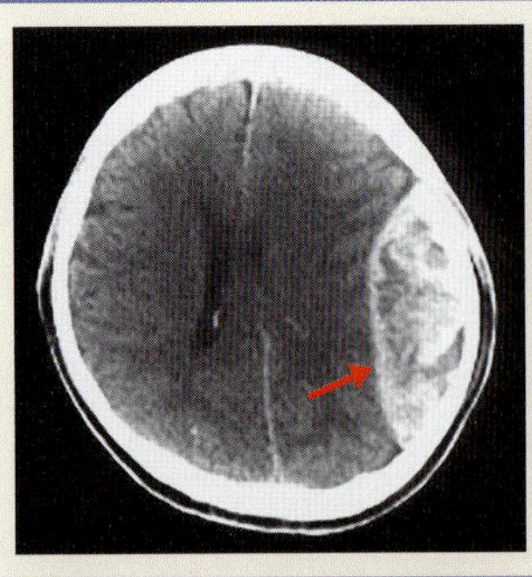

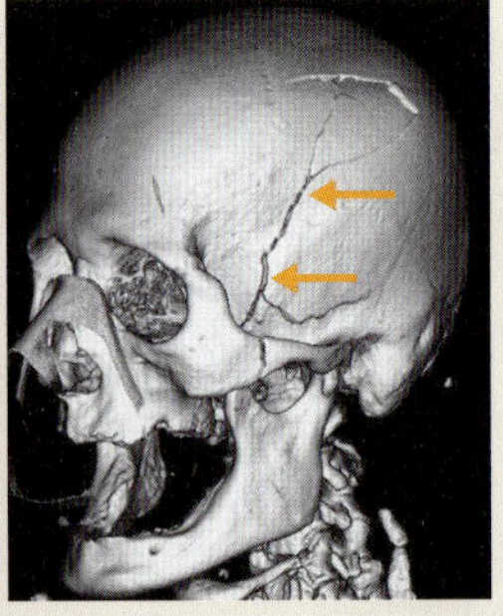

急性硬膜外血腫（CT 画像）
頭蓋骨骨折による頭蓋骨と硬膜の血管が損傷し，血腫が生じる
血腫を除去すれば予後はよい

→ 血腫が左脳を圧迫
→ 側頭骨から頭頂骨に骨折線を認める

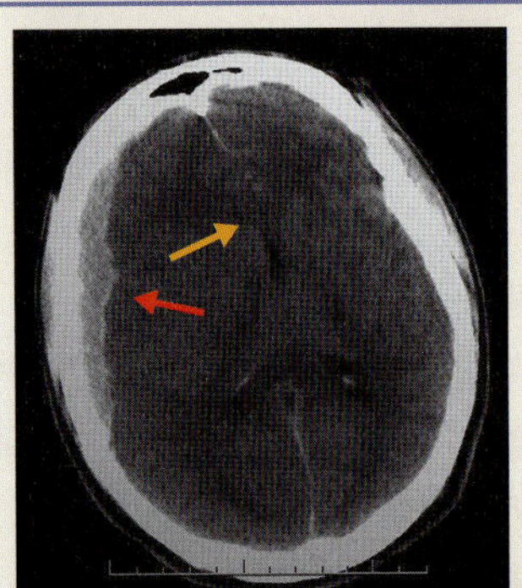

急性硬膜下血腫（CT 画像）
外力による脳と硬膜の間の静脈が切れて血腫が生じる
脳挫傷を伴うことが多く，重症例が多い

→ 右脳に血腫を認める
→ 右脳は腫脹し左脳を圧迫

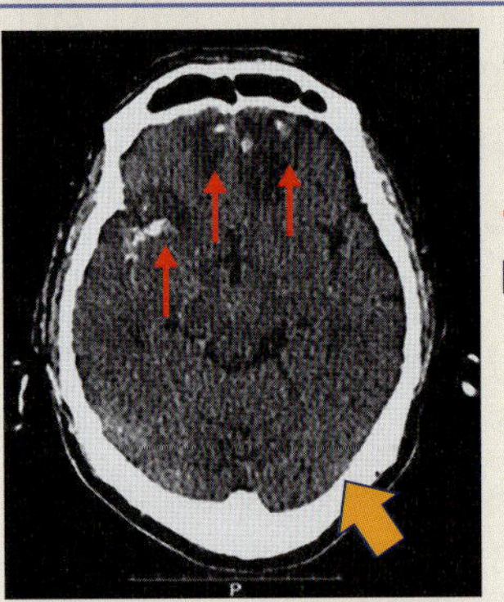

脳挫傷（CT 画像）
脳に圧力が集中して生じる
打撲部位の対角線上に生じやすい

→ 前頭葉と側頭葉の先端に脳挫傷
⇨ 外力

好発部位

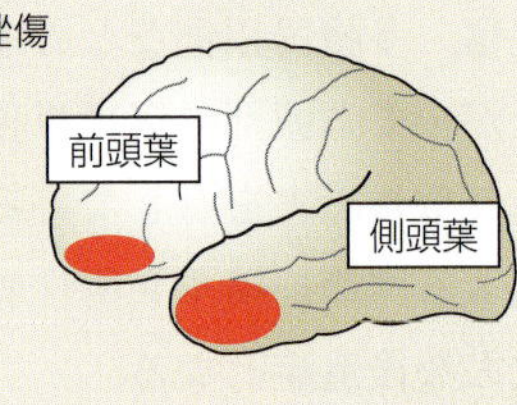

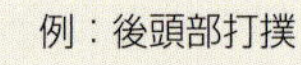

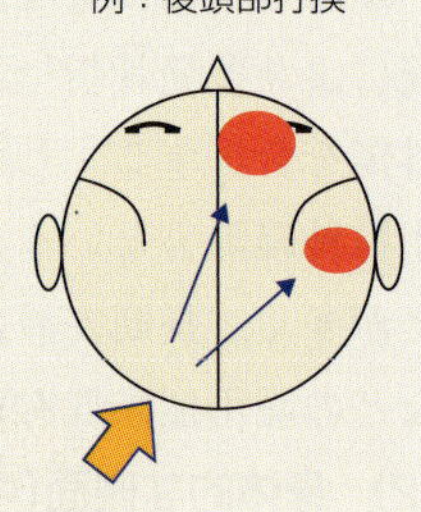

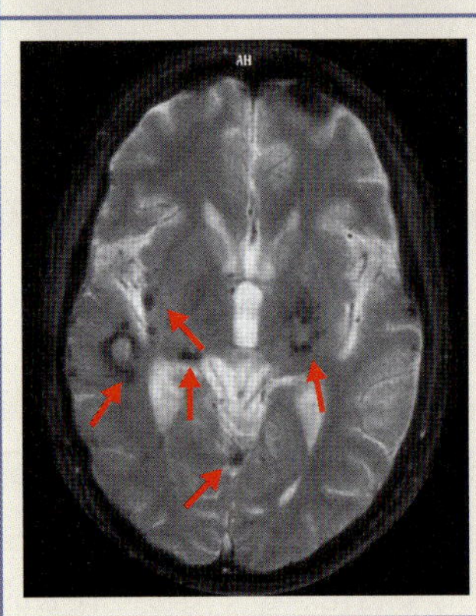

びまん性軸索損傷（T_2* 画像）
脳の回転加速度により神経線維や血管が点々と損傷を受ける
慢性期はヘモグロビンの経時的変化により T_2* 画像で抽出されやすい

→ 微小出血が点在している

▶図 2　脳画像

PT・OT学生の味方 でる・でたマン！
なーんか カフェに来るだけで 勉強した気になっちゃう んだよなあ～
そしゃげ～
悩める学生 こう見えても 国家試験の勉強中
ピタッ
うわっ
国試を なめるなあああ！
キャアアア
そんなスマホばかり いじくりおって 国試に受かるわけ なかろう・・
と、言いたいところだが 実はスマホばっかりいじって 合格に近づく方法が あるんだな！
オンライン問題集 『でるもん・でたもん』なら いつでもどこでも スマホで気軽にお勉強できる！
しかも今なら 1週間無料トライアル 実施中だ！
え？そんな 都合のいい話が？
スマホ依存症の僕に ぴったりの学習法じゃ ないですか！
でも申し込みが めんどくさいな～
貴様！スマホを寄越せ！ 電話番号入力！ピッピッピ！ トライアルの申し込み完了！
面倒な申し込みをしておいて やったぞ！感謝したまえ！
ぴっ ぴっ
電話番号入力した だけじゃん
まあ最初は無料なら とりあえずやってみっか！
頑張りなさい。 またソシャゲに課金 ばかりしていたら ノーアポで来るからな
次回！でる・でたマンさん、その打腱器で何をするつもりですか？

d 長期的な支援の必要性と多職種による包括的かつ全人的なリハビリテーション

頭部外傷者の支援には入院期間ですべての課題を解決することはできない．また，ライフステージに沿って頭部外傷者のニーズや生活環境も変化するため，各時期に応じたアプローチが必要となる（▶図 4）[10]．また，多職種による包括的かつ全人的なリハが効果的とされる[11,12]．これは急性期から回復期，退院後の社会参加までには一連の流れがあり，それぞれの時期に応じて各専門家が，身体面，認知面，心理面，経済面に対して，システムとしてかかわることで可能となる．各専門職が専門分野のアプローチを確実に行ったうえで，時には意見交換だけでなく，他の職種の役割を担う相互乗り入れチームモデル（transdisciplinary team model）も有用である[13]．作業療法士は，人の作業活動全般にかかわる職種であり，時には専門領域の枠にとらわれない対応が求められる．

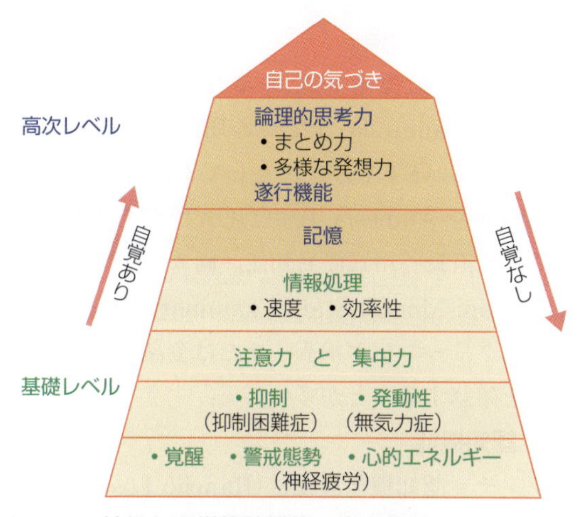

▶図 3 神経心理学的諸機能の階層構造

（New York 大学 Rusk 研究所の神経心理ピラミッド）
〔立神粧子：「脳損傷者通院プログラム」における前頭葉障害の定義（前編）．総合リハ 34:487–492, 2006 より〕

2 医学的治療と作業療法の関連

a 外科的治療

急性期は頭蓋内圧のコントロールが最も重要で，脳ヘルニアをまねく危険性がある場合は，開頭血腫除去術，減圧術，穿頭術が必要になる．術後に脳浮腫が重度であると予想されると，人工硬膜で余裕をもたせて縫合し，骨弁を外して脳の腫脹に備える．外した骨弁は冷凍保存し，急性期を脱したころに頭蓋形成術が行われる．

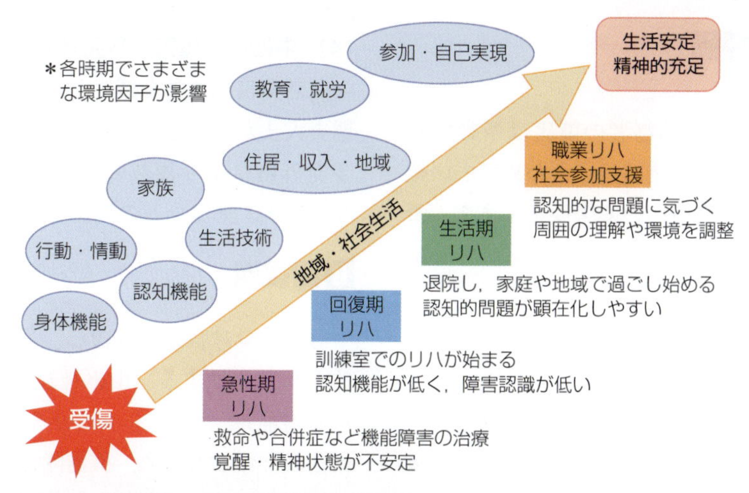

▶図 4 各時期における症状や環境の変化

〔青木重陽：病院からその先へ．土屋辰夫（編）・大橋正洋（監）：脳損傷のリハビリテーション 高次脳機能障害支援―病院から在宅へ，そしてその先へ．医歯薬出版，2011 より改変〕

b 受傷後の合併症

受傷後の脳にさらにダメージを与えるものであり，症状の悪化には細心の注意が必要である．

(1) 外傷後水頭症

受傷 2〜3 か月後に活動性の低下で発症し，脳室腹腔シャント(ventriculo peritoneal shunt; V-P シャント)で改善する．

(2) 慢性硬膜下血腫

受傷後 1〜2 か月後に頭痛や歩行障害で現れ，穿頭術で改善する．

(3) 外傷性てんかん

一般的に受傷後 1 週間以降におこる“晩期てんかん”にあたり，約 50% は受傷後 1 年以内，約 80% が 2 年以内に出現する．

(4) 低髄液圧症候群

脳脊髄液漏出症とも呼ばれ，髄液腔外へ髄液が漏出し，髄液圧の低下に伴う症状(起立時の頭痛，頸部痛，めまい，耳鳴り，倦怠感など)を呈する症候群である．約 20% が外傷に起因する．

B 作業療法評価

1 一般的な評価

前述したように頭部外傷者の障害は多彩であり，個人差もあるため評価項目はきわめて広い範囲に及ぶ．ここでは各時期の臨床像をふまえ，頭部外傷の特徴的な問題と評価のポイントを記載する．

a 急性期

術後は，頭蓋内圧，脳灌流圧，血圧，呼吸，体温など，全身管理された状況であり，医師や看護師からバイタルサインや注意点について確認しておく．この時期は生命の危機や不安定な全身状態であり，身体機能や高次脳機能の評価はスクリーニング程度にとどめておく．

(1) 意識レベル

意識障害は機能予後の指標となる．国際的な評価法として GCS がある(➡ 41 ページ)．わが国では JCS があり，3 桁が GCS の重度に相当する．

評価時は，覚醒するのに必要な刺激量(声の大きさ，身体接触の度合い)，意思疎通の程度，指示理解，アイコンタクト，日内変動なども確認しておく．

(2) 記憶・見当識

受傷後の記憶障害である外傷後健忘(post-traumatic amnesia; PTA)の期間は，重症度の指標になる．PTA の評価として Galveston Orientation & Amnesia Test(GOAT)があるが，臨床では改訂長谷川式簡易知能評価スケール(HDS-R)や Mini-Mental State Examination(MMSE)でのスクリーニング検査，または会話のなかで見当識を確認することが多い．

(3) 認知機能

ランチョ認知機能評価法(Rancho Los Amigos Levels of Cognitive Functional Scale; RCFS)は，頭部外傷者の認知機能の回復過程の評価法である[14]．対象者がどの段階にあるかスタッフが理解するとともに，家族へ今後の症状予測について説明する手段になる．

(4) 中枢神経障害，多発外傷

会話や自発運動を観察し，運動麻痺や失語の状態を大まかに確認する．また，交通事故の場合は多発外傷により複数箇所の骨折を伴うこともあり，ROM 測定などの機能評価を行う．

b 回復期

意識や全身状態が改善し，多くは転院して本格的なリハが始まる．中枢神経障害(身体機能，高次脳機能)とともに，合併症や臥床期間による廃用症候群なども含め，機能障害に応じた評価を実施する．

(1) 身体機能

損傷部位により片麻痺や四肢麻痺，稀ではあるが片側は痙性麻痺で対側は運動失調といったこともある．また，痙縮は特定の筋や筋群に軽度から重度まで幅広くみられる．したがって，四肢・体幹の筋緊張の状態を確認する．一方で，頭部外傷者の動作を理解するには，四肢の協調性や姿勢制御(動作時の姿勢コントロール)といった，全体的な動作様式をとらえていく必要がある．主観的な評価ではあるが，作業療法士が対象者の動作を観察し，直接触れ，誘導していくなかで反応を読み解く，臨床動作分析的アプローチが評価技法として有効である[15–17]．

独歩が可能で一見すると運動障害が存在しなくとも，バランス不良や手指巧緻性の低下など，運動コントロールに問題がある場合も多い．バランス能力では，片脚立位(開眼，閉眼)，しゃがみ動作，段差昇降などの応用的な立位バランスの能力を確認する．日常場面では，立位での靴の着脱，サッカーなど，余暇活動を含めたバランス能力を確認する．手指巧緻性は注意機能を要するため，上肢に運動障害がなくとも物品を落とす，動作が遅いといった問題がある．職業能力検査には巧緻性や両手動作を含むものが多く，訓練室にあるペグボードなどを用いてスピードや正確性を評価する．

(2) 高次脳機能(神経心理学的側面)

頭部外傷は多彩な症状を伴うため，複数の検査を用いる．検査の選択では，①適切性(対象者の症状理解やリハ計画として)，②実用性(実施が比較的簡単で，対象者に負担をかけない)，③有用性(診断の補助や治療計画につながる情報を抽出する)に考慮する[18]．頭部外傷者への神経心理学検査バッテリーとして，**表3**に具体例を示す．WAIS-Ⅳを基準とし，他の検査結果に客観性をもたせている．必要に応じて，失語，失行，失認といったモダリティ別の検査を加える．しかし，過剰な検査は対象者に精神的かつ身体的な負担になることに注意する．

(3) 日常生活活動

Functional Assessment Measure(FAM)[19–21]は頭部外傷患者を想定し，FIMの18項目に認知機能や社会生活を送るうえで必要となる12項目を追加したものである．実際にはFIMを利用していることが多い．

病棟ADLが自立している場合，留守番や単身生活といった退院後の社会生活能力の評価が必要になる．たとえば，「調理訓練の材料を買い出しに行く」といった課題のなかには，メニューの選択から食材の列挙，外出のスケジュールや公共交通機関の利用，金銭管理から食材の探索と，さまざまな能力が確認できる．計画，実行，振り返りといった過程を系列的に評価し，身体機能や高次脳機能の問題による“生活障害”は何か，といった視点で確認していく．

▶表3 頭部外傷者への神経心理学的検査バッテリー

全般評価	WAIS-Ⅳ
機能別評価	● 情報処理：TMT-J，PASAT，語の流暢性，S-PA ● 記憶：RBMT，WMS-R ● 遂行機能：BADS

WAIS-Ⅳ：Wechsler Adult Intelligence Scale-4th Edition(ウェクスラー成人知能尺度改訂第4版)
TMT-J：Trail Making Test 日本版
PASAT：Paced Auditory Serial Addition Test
S-PA：Standard Verbal Paired-associate Learning Test(標準言語性対連合学習検査)
RBMT：The Rivermead Behavioral Memory Test(リバーミード行動記憶検査)
WMS-R：Wecheler Memory Scale-Reviced(ウェクスラー記憶検査改訂版)
BADS：Behavioural Assessment of the Dysexecutive Syndrome(遂行機能障害症候群の行動評価)

〔下田正代：臨床心理士の取組み．土屋辰夫(編)・大橋正洋(監)：脳損傷のリハビリテーション 高次脳機能障害支援―病院から在宅へ，そしてその先へ．pp27–47，医歯薬出版，2011より改変〕

C 生活期

頭部外傷者は公共交通機関の利用，調理，金銭管理といった生活関連活動(IADL)で介助を要していることが多く[22]，社会生活能力や参加状況を確認しておく．障害の自己認識(self-awareness)の低下がある場合は，対象者から実生活での問題を伝えてくることは少ないため，家族や支援者から聞き取る．

(1) 社会参加状況

Community Integration Questionnaire（CIQ）は，脳外傷者の社会参加状況を把握するために開発され，家事，買い物，日常の用向き，レジャー活動，友人訪問，社会活動および生産活動の 15 項目を評価する[23, 24]．年代や性別，個人のおかれている社会的状況によって得点が変化するため[25]，受傷前の状況を尋ねて比較することが必要である．

FAI は，脳卒中者の地域生活の活動量を評価するもので，頭部外傷者にも活用できる．

(2) 障害の自己認識

障害の自己認識の評価は，対象者とその家族や支援者の両者に対して，症状や生活上での問題を質問し，回答の乖離の程度を確認する．評価表を使用する際は設問の内容を確認し，対象者の症状や問題に見合ったものを利用する．

遂行機能障害症候群の行動評価（Behavioural Assessment of the Dysexecutive Syndrome; BADS）の質問表（Dysexecutive Questionnaire; DEX）は本人用と家族・介護者用があり，障害の自己認識の評価として利用できる．

脳外傷者の認知–行動障害尺度（TBI-31）[26] は，生活場面での脳外傷者の不適応行動の程度を「健忘性」，「易疲労性・意欲」，「対人場面での状況判断」，「固執性」，「情動コントロール」，「現実検討力」，「課題遂行力」の 7 因子 31 項目から評価する．

European Brain Injury Questionnaire 日本語版（EBIQ-J）[27] は，EBIQ を日本語に翻訳したもので，7 つの下位項目（コミュニケーション，社会的コミュニケーション，疲労，認知，うつ，身体面，衝動性）と中核症状の 1 項目からなる．障害の自覚が多いほど点数が高くなる．

2 評価における注意事項

覚醒や情報処理の低下は，すべての機能評価に影響を与える．特に頭部外傷者は神経疲労をおこしやすい[8]．対象者の状態を観察し，評価内容，順序，時間，実施する場所に配慮する．あくびや眠気などの疲労が目立つ場合は，休憩を入れる，中断して後日行うなど，臨機応変に対応する．

また，画像診断や神経心理学的検査は，対象者の症状をとらえるうえで参考になるが，それぞれ限界がある[28, 29]．行動観察を主に「現状の生活障害は何か」といった視点でとらえる．特に社会生活では，人間関係や生活環境なども複雑に影響を受ける．対象者をとりまく支援者からの情報収集が重要である．

C 作業療法の目標

頭部外傷者は身体機能や認知機能の症状が多彩であり，機能面を重視する急性期から，代償手段や環境調整を含める生活期と，各時期によって症状への対応が変化する（▶図 4）．また，受傷後 1～3 年程度は脳機能の回復に伴う変化もあり，身体機能障害や高次脳機能障害の度合いによっても，リハの目標が変化する．藤縄らは頭部外傷者の障害像を大きく 3 つのグループに分け，理学療法の治療を理解しやすくしている（▶図 5）[17]．身体機能障害の作業療法においても，目標設定を行ううえで参考になる．

したがって，頭部外傷者の目標設定には長期的な支援を前提に，今どの段階にいるか，今後どのような経過をたどるか，支援するべき障害や問題は何かを，個々に応じてオーダーメイドに対応することが求められる．

D 作業療法プログラム

1 一般的なプログラム

各身体機能障害や高次脳機能障害へのプログラムは，「脳血管疾患」の項や本シリーズの『高次脳機

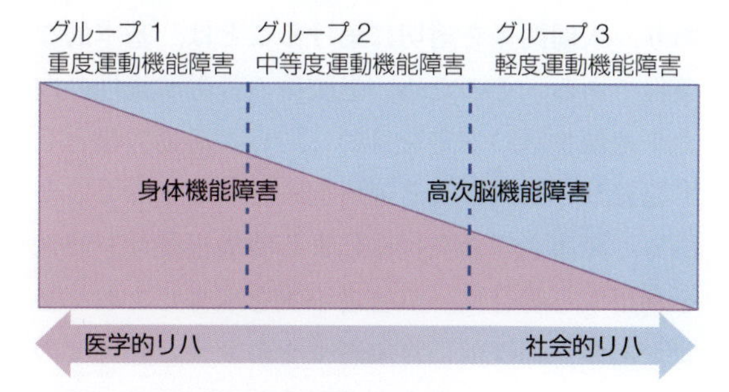

▶図 5　頭部外傷の障害像の分類

グループ 1

座位保持困難例：覚醒障害，ADL 全介助，長期臥床，身体機能へのアプローチが主体である．

グループ 2

座位保持可能，歩行困難例：高次脳機能障害が顕在化し，ADL の自立に身体・認知機能へのアプローチが必要となる．

グループ 3

歩行安定，走行可能例：生活全般で監視や指示が必要で，高次脳機能障害を主体にアプローチする．

身体機能障害が主体であれば医学的リハが，高次脳機能障害が主体であれば社会的リハが主体となる．

〔藤縄光留，他：脳外傷患者の理学療法概論．理療 43:19–24, 2013 より〕

能作業療法学』などを参照のこと．本項では，頭部外傷者のプログラムを実施するうえでのポイントを記載する．

a 急性期

重症例では，頭蓋内圧管理のため安静が長引くこともあり，医師の許可があればベッドサイドから実施する．この時期の治療目的は，機能的な耐久性の維持と廃用症候群の予防であり，覚醒度を上げながらアプローチする．頭蓋骨の切除部分がある場合は圧迫を避け，寝返り，起き上がりといった起居動作ではゆっくり誘導し，頭位変動に伴う血圧変動，ふらつきに注意する．座位，立ち上がり，立位など，段階的に姿勢保持能力を高めていく．骨折などの合併症がある場合は注意する．痙攣発作にも十分注意し，対象者の状態を観察しながら治療を進めていく．

急性期から回復期にかけて意識障害や通過症候群による精神症状が問題となるが，経過に伴って落ち着くことが多い．問題となる行動を制するのではなく，否定しない，落ち着く場を提供するなど，対象者を安心させるポジティブな対応が求められる．

b 回復期

身体機能や ADL へのアプローチは，基本的に脳血管疾患の対象者と変わらない．

しかし，覚醒状態の問題や前頭葉機能障害による障害の自己認識の低下がある場合，リハへの動機が得られにくく，アプローチにも工夫が必要となる．また，障害の自己認識の低下や社会生活に向けた対人技能へのアプローチにはグループ活動が効果的で，個別訓練では体験できない特性を生かすことができる．

■身体機能へアプローチする際の工夫

(1)　課題の工夫

頭部外傷者の身体機能や認知機能の問題を把握したうえで，覚醒度や意欲を高める課題の提供が求められる．たとえば，スポーツや遊びなどのゲーム性のある活動や趣味を取り入れるなど，対象者の興味や関心を引き出す課題を提供し，潜在的な活動性を発揮させる．

(2)　環境の工夫

頭部外傷者はさまざまな視聴覚刺激に反応しやすく，課題に集中できないことがある．その際は，個室，カーテン，壁側，他者の少ない場所など，環境を工夫する必要がある．また覚醒や発動性が低い場合は，あえて他者が多い環境を設定し，刺激量を増やすことも有効なことがある．

(3)　接し方の工夫

社会的行動障害がある場合，作業療法士自身のかかわり方で治療効果が異なってくる．アフォルター(Affolter)アプローチ[30]は，環境と人との相互作用には探索的な接触(触覚–運動感覚)が重要であるとし，対象者の手や身体を作業療法士自身が誘導しながら，活動を通して自己の気づきを促す治療技法である．特に覚醒，意欲，発動性の低下を伴った運動障害に対して有効である．一方，前頭葉や側頭葉の損傷による脱抑制や情動コントロールの低下は，易怒性や攻撃性といった社会的行動障害が問題となる．スタッフが説教したり，動転したりすると，かえって対象者の攻撃性が強くなる．怒りを生じさせる刺激や状況をスタッフ間で確認し合い，予兆を察知した場合は，静かな場所でゆっくり話す，気晴らしを入れる，興奮した場合は他者から隔離する(タイムアウト)などの対応をする[31]．

■グループ活動を実施するうえでの工夫

(1) 計画

頭部外傷者の症状はさまざまであり，グループ活動を用いる目的を明確にしたうえで，参加するメンバーを選出する．覚醒や自発性が低い対象者では，活動性の向上を目的に身体活動を含めた人とのかかわりがある課題を提供する．社会参加に向けて障害の自己認識や対人スキルの向上を目的とした対象者では，他者とのさまざまな認知活動を通して，自己の能力を振り返る機会を提供する．

(2) 実施時

車椅子や麻痺側など身体機能に配慮した環境を準備し，なるべくメンバーをよく知る担当者が参加し，必要に応じてフォローする．この時期のグループ活動は，退院後の社会生活に向けた，はじめの集団の場である．対象者が拒否せずに集団の場に適応することが大前提であり，できるだけ楽しい雰囲気づくりを心がける．

(3) 個別訓練での振り返り

グループ活動後の振り返りは，対象者自身が自らの行動を客観視する機会を提供し，障害の自己認識へのアプローチとなる．しかし，障害の自己認識が高すぎるとかえって心理的なストレスになることにも注意しておく．

C 生活期

医療機関では外来でのかかわりとなり，社会生活のなかでおこる適応上の問題を確認し，必要な支援を考えていく．就労の前段階(就労準備性)として，生活リズムが整い，通勤や仕事する体力があり，人間関係を適切に築けることは，基本的な条件である．そのため，退院後の就労準備性の向上や地域生活の安定を目的に，日課活動の場として福祉サービスによる通所施設を利用することがある．障害者総合支援法による障害福祉サービスを利用する場合は，障害者手帳を取得しておく必要があり，退院前に対象者やその家族と在宅での生活スケジュールを立てておくとよい．

通所先を選ぶ際は，リハスタッフが一緒に見学して対象者や家族と利用目的を確認する．また，通所先の支援者にも対象者の症状や予測される生活障害などを情報提供することで，スムースな支援につながる．しかし，障害者手帳の取得や福祉サービスを利用することに対象者が拒否感を示す場合や，自宅にいることで生活リズムの乱れや家族とのトラブルが生じることがある．その場合，当事者・家族会活動とのつながりをもち，先の見えない不安を相談したり体験談を聞いたりすることで，将来の予測ができるようになり，不安が和らぐことがある．また各自治体による取り組みもあるため，地域の支援拠点機関に所属する高次脳機能障害支援コーディネータへ相談し，社会資源を活用するのもよい．

2 注意事項

ここで紹介した作業療法プログラムの実施時期は，頭部外傷の重症度により変化する．また，医療機関を退院して在宅生活へ移行しても，社会生活で問題が顕在化し，必要に応じて医療機関に立ち戻り，再度生活を組み直すこともある．その際は，心理的なサポートを重視するか，問題解決に向けて支援を展開するか，社会的資源を再調整するかなど，リハチームで新たに目標設定を行い，家族や職場，地域への情報提供を行っていく．

●引用文献

1) 加藤侑哉，他：重症頭部外傷における年齢構成の推移—頭部外傷データバンク【プロジェクト 1998, 2004, 2009, 2015】の変遷．神経外傷 42:160–167, 2019

2) 小野 元, 他：頭部外傷データバンク【プロジェクト2015】における自転車事故に関連したデータの検討. 神経外傷 42:176–182, 2019
3) 本多ゆみえ, 他：小児の重症頭部外傷の検討—頭部外傷データバンクプロジェクト 2015 の分析から. 神経外傷 42:149–159, 2019
4) 先崎 章：軽度外傷性脳損傷(MTBI)後の症状・障害の回復. *Jpn J Rehabil Med* 53:298–304, 2016
5) 川又達朗, 他：頭部外傷の分類. 太田富雄, 他(編)：脳神経外科学 II. 改訂第 10 版, pp1208–1213, 金芳堂, 2008
6) 渡邉 修, 他：脳外傷・低酸素脳症・脳腫瘍・水頭症. 安保雅博(監), 渡邉 修, 他(編)：リハビリテーション医学. p202, 羊土社, 2018
7) 原田憲一：通過症候群. 精神医 53:503–505, 2011
8) 立神粧子：「脳損傷者通院プログラム」における前頭葉障害の定義(前編). 総合リハ 34:487–492, 2006
9) 立神粧子(著)・Ben-Yishay Y, 他(監)：前頭葉機能不全 その先の戦略—Rusk 通院プログラムと神経心理ピラミッド. pp54–73, 医学書院, 2010
10) 青木重陽：病院からその先へ. 土屋辰夫(編)・大橋正洋(監)：脳損傷のリハビリテーション 高次脳機能障害支援—病院から在宅へ, そしてその先へ. 医歯薬出版, 2011
11) Cicerone KD, et al: Evidence-based cognitive rehabilitation: systematic review of the literature from 2009 through 2014. *Arch Phys Med Rehabil* 100: 1515–1533, 2019
12) 渡邊 修：病院で行う高次脳機能障害のリハビリテーション. *J Clin Rehabil* 21:1060–1068, 2012
13) 橋本圭司, 他：重度認知・行動障害者に対する相互乗り入れチームアプローチ. リハ医 39:253–256, 2002
14) 大橋正洋：脳外傷とは. 藤田郁代, 他(編)：標準言語聴覚障害学 高次脳機能障害学. pp188–206, 医学書院, 2009
15) 對間泰雄：高次脳機能障害—脳外傷による発動性低下を伴った四肢麻痺者へのアプローチ. 冨田昌夫, 他(編)：臨床動作分析—PT・OT の実践に役立つ理論と技術. pp345–349, 三輪書店, 2018
16) 松本琢磨, 他：臨床動作分析とその適応—身体障害領域での実際. 作療ジャーナル 38:977–984, 2004
17) 藤縄光留, 他：脳外傷患者の理学療法概論. 理療 43:19–24, 2013
18) 下田正代：臨床心理士の取組み. 土屋辰夫(編)・大橋正洋(監)：脳損傷のリハビリテーション 高次脳機能障害支援—病院から在宅へ, そしてその先へ. pp27–47, 医歯薬出版, 2011
19) 園田 茂：—今, リハビリテーション医学の分野では—障害評価手段開発の背景と現状. 総合リハ 23:279–285, 1995
20) 藤原俊之, 他：FAM(Functional Assessment Measure)による外傷性脳損傷患者の ADL の検討—Short Behavior Scale, Mini-Mental State Examination, Disability Rating Scale との関係および脳血管障害患者との ADL 構造の比較. リハ医 38:253–258, 2001
21) 三田しず子, 他：Functional Assessment Measure (FAM)の使用経験—ADL および IADL 評価法としての有用性. 総合リハ 29:361–364, 2001
22) 日本脳外傷友の会：高次脳機能障害者生活実態調査報告書. 日本脳外傷友の会, 2009
23) Willer B, et al: Assessment of community integration following rehabilitation for traumatic brain injury. *J Head Trauma Rehabil* 8:75–87, 1993
24) 佐伯 覚, 他：脳外傷—帰結評価法と帰結の予測. 総合リハ 30:1195–1201, 2002
25) 鈴木めぐみ, 他：日本人における Community Integration Questionnaire(CIQ)の年代・性別得点傾向について. 総合リハ 37:865–876, 2009
26) 久保義郎, 他：脳外傷者の認知–行動障害尺度(TBI-31)の作成—生活場面の観察による評価. 総合リハ 35: 921–928, 2007
27) 青木重陽：日本で考える神経心理学的リハビリテーション. Wilson BA, 他(原著)・青木重陽, 他(監訳)：高次脳機能障害のための神経心理学的リハビリテーション—英国 the Oliver Zangwill Centre での取り組み. pp326–338, 医歯薬出版, 2020
28) 先崎 章, 他：神経心理学的検査の適応と限界. 総合リハ 31:113–120, 2003
29) 青木重陽：脳外傷の障害像. リハ医 43:585–589, 2006
30) Bonfils KB: Affolter 治療アプローチ—知覚–認知機能のみかた. Pedretti LW(編著)・宮前珠子, 他(監訳)：身体障害の作業療法. 改訂 4 版, pp497–508, 協同医書出版社, 1999
31) 種村 純：社会的行動障害に対するリハビリテーションの体系とわが国の現状. 高次脳機能研 29:34–39, 2009

●参考文献

32) Schlageter K, et al：頭部外傷. Pedretti LW(編著)・宮前珠子, 他(監訳)：身体障害の作業療法. 改訂 4 版, pp899–932, 協同医書出版社, 1999
33) 佐野恭子：頭部外傷. 菅原洋子(編)・日本作業療法士協会(監)：身体障害. 改訂第 3 版, pp78–95, 協同医書出版社, 2008
34) 土屋辰夫(編)・大橋正洋(監)：脳損傷のリハビリテーション 高次脳機能障害支援—病院から在宅へ, そしてその先へ. 医歯薬出版, 2011

3 脊髄損傷

GIO 一般教育目標 脊髄損傷の対象者に作業療法を実施できるようになるために，この疾患の病態を理解し，作業療法の評価技法と治療・指導・援助法を修得する．

SBO 行動目標

1）脊髄損傷の疫学を説明できる．
- □ ①頸髄損傷者の年齢別発生頻度の特徴を説明できる．
- □ ②若年者と高齢者とでは脊髄損傷の受傷原因が異なることを説明できる．

2）脊髄損傷の分類および型を説明できる．
- □ ③頸髄損傷の損傷高位および機能レベルを明らかにする評価法を 3 つ列挙できる．
- □ ④脊髄損傷の完全麻痺と不全麻痺の違いを説明できる．

3）脊髄損傷後の神経症状および合併症，医学的治療と作業療法の関連について説明できる．
- □ ⑤脊髄損傷後の神経症状を 5 つあげ，それぞれを説明できる．
- □ ⑥起立性低血圧および自律神経過反射の対処法について説明できる．
- □ ⑦頸髄損傷者の損傷レベルごとに予測される関節拘縮について説明できる．
- □ ⑧頸髄損傷者に発生しやすい褥瘡の好発部位およびその予防法について説明できる．
- □ ⑨異所性骨化の好発部位および予防法について説明できる．

4）脊髄損傷者に対する作業療法評価を説明できる．
- □ ⑩脊髄損傷者に使われる一般的な作業療法評価の手段を列挙できる．
- □ ⑪作業療法評価のうち，機能レベルを決定するための評価法を 2 つあげることができる．
- □ ⑫作業療法評価を実施する上での注意事項を説明できる．

5）脊髄損傷の各病期に応じた作業療法目標を設定し，作業療法プログラムを計画できる．
- □ ⑬急性期，回復期，社会復帰期での作業療法目標の違いを説明できる．
- □ ⑭急性期作業療法プログラムの内容および注意事項を説明できる．
- □ ⑮クラスメイトの手を使って他動的にテノデーシスアクションの動きを実演できる．
- □ ⑯機能レベルごとの運動機能および最良の環境で到達できる ADL を説明できる．
- □ ⑰C6 B2 レベルの完全損傷者が到達可能な ADL と必要な自助具を説明できる．

6）脊髄損傷者の地域生活・社会参加を支援する作業療法プログラムを計画できる．
- □ ⑱脊髄損傷者の家屋改造における一般的な注意事項を説明できる．
- □ ⑲脊髄損傷者が復学・復職するときに支援するうえでの注意事項を説明できる．
- □ ⑳脊髄損傷者の生活の質を高めるための支援内容の具体例を説明できる．

7）高齢不全麻痺の対象者の作業療法プログラムを計画できる．
- □ ㉑高齢不全麻痺の対象者の運動麻痺の特性を説明できる．
- □ ㉒高齢不全麻痺の対象者に対するアプローチ上の注意点を説明できる．

A 概要

1 脊髄損傷とは

外傷や疾病により脊髄神経が損傷されると，運動麻痺，感覚麻痺，自律神経障害などを主症状として呈する．年間約 5 千人以上が新規に脊髄を損傷し，対象者数はのべ 20 万人以上である．疫学的[1]には，過去には若年者に多い一峰性であったが，近年は 20 代と 50〜60 代に多い 2 峰性になっている．性別では男性が女性より多い．頸髄の損傷による四肢麻痺と胸髄以下の損傷による対麻痺とに分けられ，四肢麻痺が対麻痺より多い．また，不全麻痺が完全麻痺より多く，特に不全四肢麻痺が増加している．損傷高位(残存機能レベル)では，C(頸髄)4，C5 レベルが多く，全体の 40% を占めている．全年齢を通してみると，受傷原因としては交通事故と転落事故が 70%，次いで起立歩行時の転倒・スポーツとなっており，若年者では交通事故・転落・スポーツが多く，高齢者においては転落・起立歩行時の転倒が多い．

近年，脊髄損傷者の平均予後寿命は向上したが，損傷脊髄そのものを治療する方法はいまだ確立されていない．人工多能性幹細胞(induced pluripotent stem cells; iPS)を利用した脊髄再生の試み[2]が注目されているが，現時点では非可逆的な障害であり，基本的には**自律生活**を目的にした残存機能と代償運動を強化するリハビリテーション(以下，リハ)が主流である．

2 医学的治療と作業療法の関連

脊髄損傷の障害像は残存機能レベルと損傷程度によって判断される．加えて，年齢や性別も決定因子としてかかわってくる．残存機能レベルは機能が残存する最下位の脊髄分節で表現する．損傷程度は完全麻痺と不全麻痺とに大きく分かれ，不全麻痺はさらに細かく分類される．

a 脊髄損傷の分類

(1) 米国脊髄損傷協会の分類

国際的には米国脊髄損傷協会(American Spinal Injury Association; ASIA)による脊髄損傷の神経学的・機能的国際評価法に従って評価する．この評価は運動機能スコアと感覚機能スコアの得点結果から，残存機能レベルや損傷程度と臨床症状分類を判断できるよう構成されているため，広く利用されている(本シリーズ『作業療法評価学』を参照)．

(2) 残存機能レベル・損傷程度の分類

残存機能レベルはザンコリー(Zancolli)の分類[3]，損傷程度の分類はフランケル(Frankel)の分類が用いられる(本シリーズ『作業療法評価学』を参照)．ザンコリーの分類に対応した ADL 達成表が検討されているため，利用頻度は高い．

(3) 臨床症候の分類

①脊髄中心損傷型：頸髄損傷にみられ，上肢機能障害が下肢機能障害よりも重度である．

②ブラウン-セカール(Brown-Séquard)損傷型(脊髄半側損傷型)：脊髄半側の損傷によるもので，損傷同側の深部感覚と運動の麻痺，反対側の温痛覚が麻痺する．

③脊髄前索損傷型：深部感覚が残存し，運動機能と温痛と温痛覚が麻痺する．

④円錐損傷型：脊柱管内の円錐と神経根の障害で，弛緩性の膀胱直腸障害と下肢麻痺を呈するものと，球海綿体反射と排尿反射が保たれているものとがある．

⑤馬尾損傷型：腰・仙髄神経根の損傷により，膀胱，直腸，下肢の弛緩性麻痺になる．

Keyword

自律生活　自律は動作が自立することに加え，他者を活用し脊髄損傷者自身の生活支援のマネジメントができることを意図する．

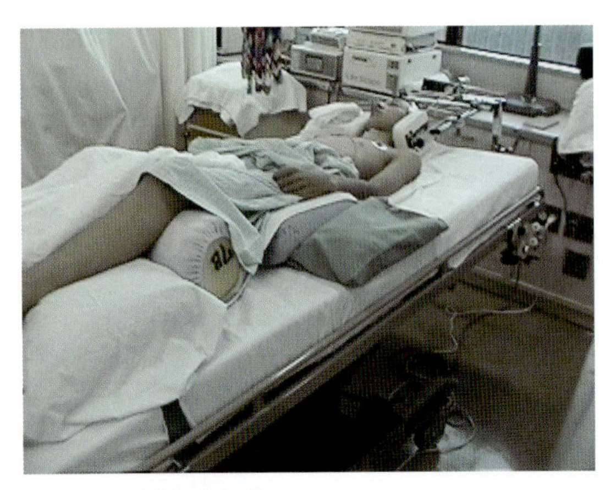

▶図 1　頭蓋直達牽引

b 骨折・脱臼

受傷原因が外傷で骨折・脱臼を伴う場合は，保存療法と固定を目的にした手術療法が施術される．保存療法には，牽引療法(▶図 1)や装具療法がある．

手術療法に関しては，早期離床の目的で固定術がなされ，それに加えて頸胸椎装具療法(ハローベストなど)により，急性期から座位での積極的な作業療法が実施可能となる．胸腰椎での固定術では，長い固定用プレートが用いられるため，体幹の ROM に支障をきたし，痛みや制限因子になることもある．

牽引療法では，2～5 週の固定期間が必要で，集中治療室(ICU)での早期のベッドサイドアプローチが必要となる．

c 神経症状

脊髄損傷受傷直後に脊髄ショック期と呼ばれる時期があり，残存機能レベル以下の反射の消失，弛緩性麻痺，尿閉，自律神経障害をおこす．脊髄ショック期では神経線維が完全に障害されていなくても，浮腫や出血などの循環障害によって完全麻痺を示すので診断が容易ではない．この症状は数日から 3～4 週ほど続き，この時期を過ぎると痙縮が出現しやすくなり，残存機能レベルの診断も確定する．

(1) 運動麻痺

残存機能レベル以下の支配領域の筋群が麻痺する．はじめは弛緩性の麻痺で，脊髄反射の亢進により徐々に痙縮が出現する．急性期の筋力の回復程度は，残存機能レベルと損傷程度を知る重要な手がかりとなり，画像診断以外での診断基準ともなる．

(2) 感覚麻痺

残存機能レベル以下の支配領域の体性感覚が麻痺する．筋力と同様に感覚テストが残存機能レベルと損傷程度の重要な手がかりとなる．

(3) 自律神経障害[4)]

Th(胸髄)5，6 レベル以上の損傷の場合，損傷部位以下の交感神経の麻痺がおこるが，副交感神経は内臓迷走神経が健在なため，副交感神経優位の状態となり，以下のような症状を呈する．

①起立性低血圧

血圧の低下により，座位へと移行する段階で問題となる．座位時に冷や汗をかき，顔面蒼白になり，目がうつろになり，意識障害をおこすこともある．低血圧による脳への血流障害であるため，頭部を心臓と同じ高さにするとよい．徐々に座位時間を長くして，活動性が増していくと改善することが多い．

②体温調節障害

交感神経系支配の血管運動や発汗機能の障害により，外界の温度の適応できない状態になる．うつ熱，低体温になるため，冷暖房を利用して室温を保ち[5)]，水分補給，衣服の調節などに注意する．

③自律神経過反射

膀胱や直腸の充満などの麻痺域の刺激を引き金に，強制的に交感神経優位となる．血圧の上昇とそれに伴う頭痛や発汗，悪寒，鳥肌，顔面の紅潮などがある．高血圧状態が長く続くと脳出血などの可能性があるため，排尿・排便などにより刺激を除去する必要がある．

(4) 膀胱・直腸障害

脊髄損傷による膀胱障害は，神経因性膀胱で尿閉状態となる排尿障害である．排尿中枢〔S(仙髄)2～4 レベル〕より上の核上型では排尿反射が生じる自動膀胱，それより下の核型や核下型は排尿反射がない自律膀胱となる．

治療は薬物療法や清潔間欠導尿(自己導尿)[6]や膀胱瘻である．直腸障害[7]は，便排出障害である．核上性麻痺の場合でも便移動に関してはかなり保たれている．治療としては，薬物療法や座薬，浣腸，注水排便[8]が行われている．

(5) 性機能障害[9]

男女の性機能を比較すると，男性は脊髄神経由来の性機能，女性はホルモン由来の性機能である．射精機能障害に対して，物理的刺激や勃起支援薬による勃起は可能となる．女性脊損者の性機能は，受傷後 6～12 か月程度無月経の時期はあるが回復可能である．

d 合併症・併発症

脊髄損傷には，合併症や併発症といった二次的な症状がある．原則として合併症は発生を予防できるものであり，脊髄空洞症などの併発症は発生自体の予防は困難である．運動器合併症，呼吸器合併症，循環器合併症，消化器合併症などがある．以下に，特に作業療法と関係性の高い合併症を記述する．

(1) 関節拘縮[10]

脊髄損傷の拘縮は，拮抗筋群の麻痺による影響，痙縮や廃用性の筋萎縮・短縮，ADL での過剰使用が原因となることが多い．急性期拘縮パターンでは頸部や肩周囲は過剰努力による過緊張を呈し，肩甲骨が内転・挙上位で固定的になりやすい．肘の屈曲拘縮は，上腕三頭筋が麻痺し拮抗動作が困難な C5 レベル以上や高齢者でおこしやすい．

(2) 褥瘡

持続的な圧迫や剪断力によって，組織の血流が減少・消失し，虚血状態，低酸素状態になり，組織の壊死がおこった状態である．好発部位は骨が突出している部分など，圧迫を受ける部分に現れる．高位損傷や固定期間中などで不動状態が長く続き，運動・感覚麻痺があると発生しやすい．ベッド上での骨盤後傾位での食事，就労などでの長時間の座位保持や車椅子乗車時にも坐骨・仙骨部位の褥瘡が発生しやすい．褥瘡に対する教育や，除圧動作の獲得，ベッドマットの適切な選択，車椅子やクッションの工夫が必要である．

(3) 痙縮

痙縮は脳からの制御が断たれ，脊髄前角細胞の γ 運動系の影響で筋緊張が亢進している状況とされている．痙縮の発生頻度や強さを調整するには，座位や移乗，その他の動作時に痙縮を引き起こすトリガーを刺激しないように気をつける．治療としては，薬物療法や**髄腔内バクロフェン療法**，ボトックスなどの神経・筋ブロックが主流である．痙縮筋への持続的なストレッチや安定しやすい車椅子の調整などが必要である．

(4) 骨萎縮

骨萎縮の原因として，特に頸髄損傷では脱神経，不動，栄養低下，内分泌の低下が多い．受傷後の経過が長い高齢脊髄損傷では，大腿骨などの萎縮が問題となりやすく，定期的な X 線検査や骨塩量検査が必要である．治療としては薬物療法や食事療法が重要である．不動に対しては，日常的に適度な量で運動と座位・起立などの抗重力活動を実施することが必要である．

(5) 疼痛

脊髄損傷の対象者がかかえる痛みには，外傷性の原因による疼痛，痙縮の影響で増幅する疼痛，残存機能レベル以下の領域の異常疼痛がある[11]．治療としては，温湿布，冷湿布，アイシング，鍼，温灸，マッサージなど，あるいは精神安定薬服用，カプサイシン軟膏塗布などが疼痛緩和に有効な場合もある．薬物療法や神経・筋ブロック，電気刺激，手術療法も試みられているが，根治は困難で

Keyword

髄腔内バクロフェン療法　中枢性筋弛緩薬であるバクロフェンを埋め込み型ポンプを使用し，持続的に髄腔内に投与することによって痙縮の症状を軽減する．

ある．

(6) 異所性骨化

異所性骨化とは，残存機能レベルより下位の軟部組織に骨が形成される現象である．異所性骨化の発生には，神経損傷，手術，熱傷などの因子が関連する[12]．原因は特定できていないが，暴力的な ROM 訓練が原因の 1 つとされている．その発生頻度，発生部位，合併症は多様である．股関節，膝関節および肘関節が障害される場合が最も多い．脊髄損傷では，特に麻痺域への ROM は運動学・解剖学に基づき愛護的に行う必要がある．

B 作業療法評価

脊髄損傷の評価は，治療のための短・中・長期的な目標を設定するうえで重要である．対象者や家族の主訴や希望を中心にとらえながら，科学的根拠に基づいた評価を行うべきである．特に身体機能評価は残存機能レベルや損傷程度の診断にも影響するため，精度の高い評価が必要である（本シリーズ『作業療法評価学』を参照）．

1 一般的な評価

a 医学的情報およびその他の情報収集

情報収集する場合，カルテや画像情報，リハチームから，現状の身体状態や精神状態および損傷に伴う経過の情報や家庭の背景を収集する．

特に急性期では全身状態の管理が最優先されるため，呼吸機能，血圧，褥瘡の有無の確認は重要である．また，医療ソーシャルワーカーより家族構成，職業，学歴，経済状態，住居環境などの情報を得る必要がある．

b 面接

作業療法について評価内容や結果の使われ方，治療・支援の内容を説明する．高位損傷者で会話ができない場合は，文字盤などのコミュニケーションツールを準備する必要がある．急性期には，受傷による精神的ショックや痛み，身体状況を含めた将来への不安のため，スムースに会話できない場合もある．短時間に聞き出そうとせず，信頼関係を築いてから少しずつ聴取するような対応をするほうが望ましい．

c 観察

観察は対象者と相対するときには常に行われる．顔色を含めた表情や口調，動作や頸の傾き，体幹の曲がり具合などの身体的特徴など，さまざまな情報を取得できる．顔色を見ると顔面蒼白時は血圧の低下や低血糖，低体温状態が疑われ，顔面紅潮のときは自律神経過反射やうつ熱などが疑われる．本人も気づかない場合があるので，体調のよいときの顔色を記憶し，注意して観察しておくべきである．動作や身体的特徴，車椅子駆動などの身体の使い方によって残存機能の予測にもつながる．また，頸部や体幹の非対称性などから，座位バランスの予測がつき，車椅子姿勢の修正などを先んじて行うこともできる．

d 身体機能評価

脊髄損傷の診断を行ううえでは，経過や画像所見とともに，身体的機能評価により残存筋力や感覚麻痺の範囲などを評価することが，残存機能レベルと損傷程度を臨床的に診断する一助となる．

(1) 関節可動域

脊髄損傷の場合，計測は対象者の負担にならないような肢位で実施する[13]．特に，急性期の固定期間中の実施は，安静固定が優先されるため，全可動域を計測する必要はない．痙縮が出現している状況の場合は，ゆっくりストレッチしながら実施するとよい．

(2) 筋力

急性期に行う筋力評価[14]は，椎体の安静固定が優先されるため，詳細に実施する必要はない．徒手筋力検査（MMT）の意義としては残存機能レベル診断と予後予測であり，最大筋力の計測よりも，筋力段階 2，3 および残存筋の可能性をもつ 1 の触診が重要となる．

臥位での計測は，徒手的に胸郭の安定を補償しながら実施する必要がある．座位での計測は，座位バランスが安定していないため，作業療法士が上半身を保持するか，車椅子のハンドグリップなどを利用して対側上肢を使って対象者自身が把持するなどの方法をとる．上肢の計測の場合，頸髄損傷者は代償運動(トリックモーション)を行うことが多い．

(3) 感覚

損傷高位と損傷程度を見極めるため重要な評価である．触覚，痛覚，温度覚，深部覚が主となる．障害領域の判定のため，表在感覚の脊髄分節性支配(本シリーズ『作業療法評価学』を参照)を指標にするとよい．温痛覚や深部覚の検査は，不全麻痺の臨床症状の分類に有効である．なお，触覚痛覚検査は促通効果により混乱するため，対象者の顔面で正常感覚を提示したのちに，損傷域より健常部位に向かって検査するほうが望ましい．

(4) 上肢機能

手指機能や代償運動にて把持機能が残存している場合は，簡易上肢機能テスト(STEF)を実施する．

(5) 座位バランス

四肢麻痺および対麻痺は，対象者にとっては自分を支えてくれる支持面の知覚障害であり，座位保持のための姿勢筋活動の麻痺でもある．そのため，脊髄損傷者にとって座位バランスは重要な能力であり，座位バランスと ADL との相関も高い[15] ことから，的確に評価する必要がある(本シリーズ『作業療法評価学』を参照)．

e 日常生活活動

脊髄損傷者の場合，残存機能レベルと ADL (▶表 1)[16] との相関が高く，ADL 達成の指標となる．もちろん，損傷程度や年齢，性別，運動経験，合併症の有無，自助具・装具の利用などの多くの因子があるため，限界を決めずに挑戦する必要がある．ADL の客観評価として多く用いられているのは，FIM[17] もしくは BI[18] である．

f 社会参加

基本的な評価としては，ICF[19] による参加と活動がある．ICF でも示唆されているように，必ずしも身体機能レベルと社会参加の相関が高いとはいえない．通勤に自動車を利用し，就労可能となった脊髄損傷者も多くいるが，ネットワークの多様化・高速化やパーソナルコンピュータ(PC)の高度化などの環境の変化により，在宅就労の手段や実績も増えてきている．

2 評価における注意事項

急性期においては，全身的な運動・感覚障害が突然発生し，安静固定により無動・不動状態になるので，パニックになることが多くみられる．しばしば幻聴，幻覚や手が 4 本あるなどの一過性の幻肢がみられることがある．

機能的予後などの重要な事柄は，独断的に判断せず，医師を中心としたリハチームの一員として情報交換をはかりながら対応する必要がある．

貧血や褥瘡などの合併症の可能性を常に注意しておかなければならない．また，姿勢制御が障害されているため，評価時の姿勢変換や移乗介助での転倒防止に配慮が必要である．

C 作業療法の目標

脊髄損傷は経過として，急性期，回復期，社会復帰期を経て地域生活または施設入所へと移行する．個人差はあるが，長い経過を必要とし，中・長期的な視点をもった目標設定が必要となる．

1 急性期での目標

機能的予後を含めた長期的目標は，対象者に不

▶表 1　残存機能レベル（ザンコリーの分類）別 ADL 到達表

	C4	C5 A	C5 B	C6 A	C6 B1	C6 B2	C6 B3	C7 A	C7 B	C8 A	C8 B
起居・床上移動											
寝返り											
起き上がり											
床上移動											
移乗動作											
車椅子ーベッド											
車椅子ー洋式便器											
車椅子ー自動車											
車椅子上動作											
プッシュアップ											
上体前屈位からの起座											
足上げ											
車椅子駆動											
食事動作											
飲水											
摂食											
整容動作											
つめ切り											
整髪，ひげ剃り，洗顔											
歯磨き											
更衣動作											
電動ギャッチベッド上着脱											
車椅子上着脱											
便器上着脱											
排尿動作											
自己導尿											
尿収器使用											
排便動作											
ベッド上排便											
排便用車椅子使用											
便器上排便											
入浴動作											
シャワー用車椅子使用							（このレベルには適用しないことが多い）				
洗い場と浴槽使用											

（薄赤）動作条件を整備するとほとんどの場合が可能
（薄青）器具や自助具などを使用しなくてもほとんどが可能

〔細谷　実，他：脊髄損傷．石川　齊，他（編）：図解作業療法技術ガイド―根拠と臨床経験にもとづいた効果的な実践のすべて．第 4 版，pp663–685，表 3–5，文光堂，2011 より改変〕

安や焦燥感をつのらせるため，まずは自宅復帰などでよい．そのうえで具体的で短期的目標の設定が必要である．たとえば，精神的不穏の改善，ROM や残存筋などの機能の維持・改善，痛みや褥瘡などの合併症の予防，自助具などを利用した可能と考えられる ADL の自立などである．

2 回復期での目標

中・長期的な目標をふまえたうえで，短期目標を設定する．具体的には，自宅復帰や就労などの社会参加を見据えたうえで，精神的な支援を含めた社会参加への動機づけ，残存機能レベルごとに可能なADL，IADLの自立，残存機能の維持・改善，PCの操作など社会参加に必要な技能の習得，家屋環境の調整などである．

3 社会復帰期での目標

家庭での役割や復職・復学・新規就労などQOLの向上がはかられる時期である．そのために必要な自動車免許の取得や就労に必要な体力および技術の習得など具体的方略の達成が目標となる．外来・通院での合併症の予防，可能なADLの自立なども並行して目標となりうる．

D 作業療法プログラム

脊髄損傷の作業療法を実施していくうえで重要なことは，対象者が突然の障害により身体的，精神的，社会的変化に対応できずに混乱していることを理解することである．基本的には，できない動作に対して，それに必要な筋力を強化し，ROMを確保し，代償的手段としての自助具を作製する．さらに，次に獲得していく可能性のある活動を見据えたうえで，系統的で段階的なアプローチを行う必要がある．たとえば，寝返り動作や起き上がり動作のなかで支持面との相互関係を知覚できることで，ズボンの更衣動作につながっていく．除圧動作や足上げ動作がベッドや自動車への移乗動作などの応用動作の基礎となる．

1 一般的なプログラム

a 急性期でのプログラム

集中治療室での作業療法は，精神的支持はもとより，残存筋の筋力訓練とROMの確保などであり，スプリントの適用も必要である．加えて，ナースコールなどのスイッチ操作に関しては自助具などを活用し，早期に自立可能になるようにアプローチをする必要がある．スプリントは代償把持を考慮し，やや手指屈曲位で母指の対立を意識した機能的ポジションで保持する．

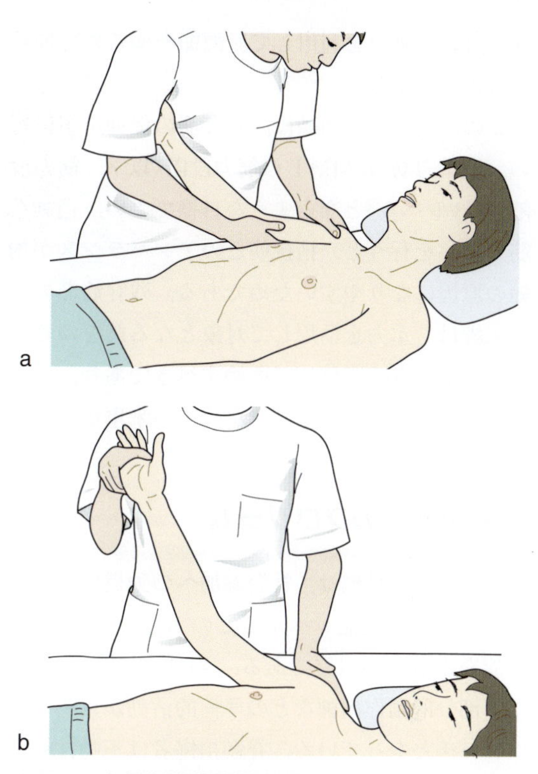

▶図2 急性期準備的動作訓練

固定期間中は，身体知覚が損なわれるため，上肢や下肢のROM訓練は，動かしている四肢を目で見るよう誘導し，他動運動実施時も一緒に動かしているような気持ちになるように促し，身体知覚を再構築するよう考慮する．ただし，固定中の脊椎が動かないよう慎重に実施すべきである．肩関節を動かす場合は，作業療法士の脇などを利用して可能なかぎり接触面を増やし，上肢の重さをしっかり保持する必要がある（▶図2-a・動画15）．このとき，肩甲上腕関節は両手で保持したまま，肩甲骨をさまざまな運動方向にゆっくりと動かすとよい．肩甲上腕リズムが正常に機能しているかを確認する．肩甲帯の上方回旋を支援しながら実施する（▶図2-b・動画15）．肘屈筋群に関しては，臥床期では上腕二頭筋などの筋力増強訓練は避けたほうがよい．肩関節を外旋・外転し重力を利用して肘関節をゆるめて伸展するようにする．

この時期の筋力訓練は，残存筋の促通を主に行い，抗重力筋力〔MMT の筋力段階(以下，筋力段階)で 3 レベル〕となるような目標でよい．過剰な筋力強化を行うと，拮抗筋とのアンバランスが拘縮の原因になりやすいためである．残存筋群の筋力訓練は，重力を活用して対象となる筋をゆるめることができる座位にて開始すべきであり，そのため早期に座位での訓練や車椅子の乗車が重要となってくる．

b 回復期でのプログラム

回復期での目標は，社会参加への動機づけをふまえた，残存機能レベルごとの ADL，IADL の可能なかぎりの自立である．ADL 訓練に先立って，部分的動作訓練などの準備的活動が重要なアプローチとなっている．脊髄損傷者は不動性もしくは麻痺による筋力低下や痙縮，関節拘縮などの合併症を併発していることが多いため，基本的な残存筋の筋力増強訓練や ROM 訓練は，ADL 訓練を実施していくうえで重要である．

■準備的活動

(1) 関節可動域訓練

関節制限の原因が筋や靱帯および軟部組織の短縮や硬結によるものであるか，または筋緊張の亢進や過緊張などによるものであるかを見極めるために，リラックスできるポジショニングをすることが望ましい[20]．臥位においては，頭頸部や肩甲帯周囲の下にタオルや枕をさし込むなど損傷部位に危害や痛みを与えないとともに，回転モーメントを除去して支持面を感じやすくするような配慮を行う(▶図 3)．緊張が強く痛みを伴いやすい場合は，ROM 訓練はできるだけ痛みのない範囲で愛護的に実施すべきである．

座位ではより支持面が狭くなり，支持面からの知覚情報は少なく，残存部位が麻痺した体幹・下半身に乗っているため，転倒の危険性がより強くなり，不安定感(恐怖心の場合が多い)が強まる．座位で ROM 訓練を実施する場合は，上肢だけでなく，全身的にとらえる必要がある．そのため，関節運動と同時にバランスを崩さないような支援をしながら ROM 訓練を行う．

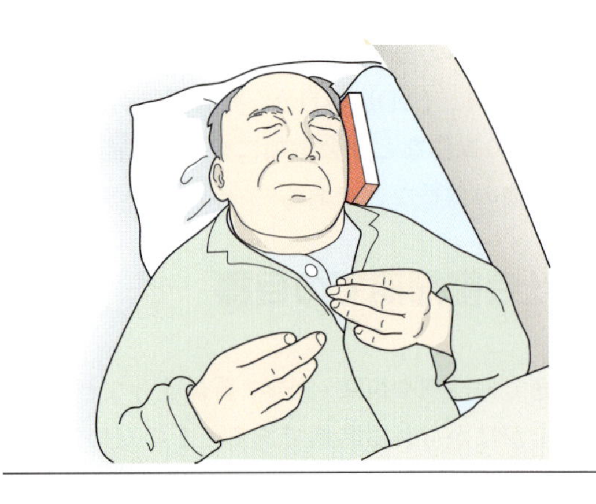

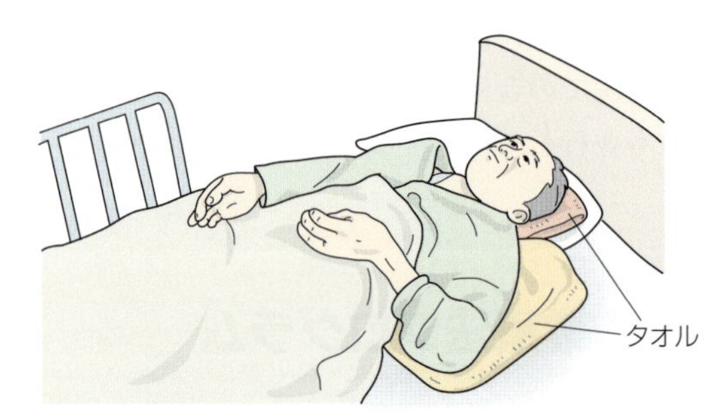

▶図 3　緊張臥位への対応

手指に関しては，特に手内筋が麻痺している場合，基本軸になっている手関節や中手指節(MP)関節を安定的に保持し，移動軸を動かす必要がある．安定して実施するため，テーブルなどで無理のない態勢を工夫して実施する(▶図 4)．

(2) 筋力訓練

動作を自立するための最低限の筋力は強化する必要がある．ただやみくもに強化するのではなく，目的としている ADL を分析し，生体力学や運動学の分析に基づいた，効果的で根拠のある治療計画が必要である．代償運動は，脊髄損傷の ADL 獲得を考慮するうえで重要な動作であるため，以下に述べる．

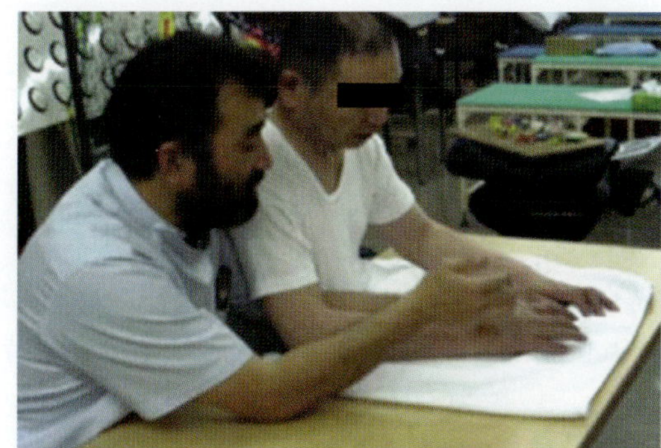
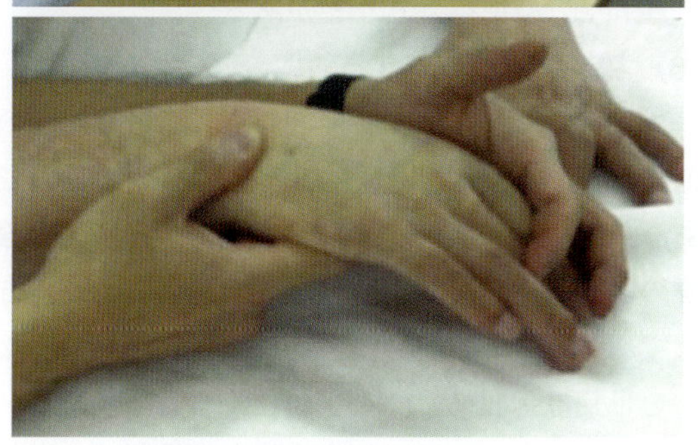

▶図 4　手関節・手指へのアプローチ

①テノデーシスアクション

手関節の背屈筋である長短橈側手根伸筋を主動作筋とし，手指屈筋群の生理的な筋腱作用にて手指の屈曲作用を代償し，つまみ動作(▶図 5)を実現する動作である．

②回内の代償動作

回内運動は C6 B2 レベルであるかどうかの判定において重要である．回内運動ができなければ，肩の外転内旋，肘の屈曲などで代償することが可能である．この動きを食事や書字での動作の切り返し時に利用している．

③閉鎖運動連鎖(➡ 90，100 ページ)

C5，C6 レベルの頸髄損傷では残存部位を使用して麻痺部位を動かしている．**リンクモデル**に基づくと，末梢部分の固定時は，より中枢部位での運動で遠位の関節に動きが生じる．これを閉鎖運動連鎖(CKC)という．

④開放運動連鎖(➡ 90，100 ページ)

C5，C6 レベルの頸髄損傷では，エレベーターのボタンを押したり，万歳ができるようになる．

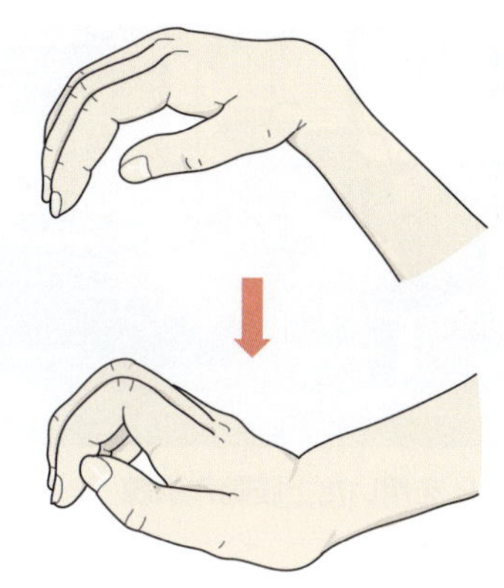

▶図 5　テノデーシスアクション

この動作は重力や反作用動作などを利用して行う開放運動連鎖(OKC)で説明できる．

(3)　座位バランス訓練(本シリーズ『作業療法評価学』を参照)

座位バランス訓練は，支持面の広い長座位で手をついた位置で開始する．徐々に手を離していき，支持面の狭い端座位で行い，同様に上肢の支持を少なくしていくとよい．このとき，転倒のリスクがあるため，作業療法士は転倒を防止できる距離を保つか，クッションやテーブルを利用して行うとよい．

(4)　上肢動作訓練

基本的な上肢動作訓練を行うために，徒手的な支援も行うが，自発的な運動を促通するために補助具を利用することも考慮する．

① C4，C5 レベルの上肢，特に肩の運動を促すために，上肢の重さを軽減するポータブルスプリングバランサー(portable spring balancer; PSB)やサスペンション・アームスリングを利用する(▶図 6・動画 16)．

②把持訓練：ペグやコーンなどの道具や，テノデーシスアクションや残存手指機能を用いて

Keyword

リンクモデル　運動力学の用語で，身体をいくつかの節に分割して，これらの節が連結したモデルを設定する．身体の各体節は剛体節(リンク)に近似できると仮定し，このようなモデルを剛体リンクモデルと呼ぶ．

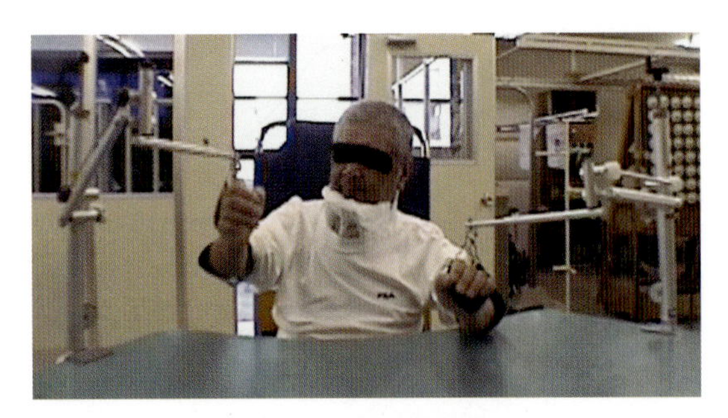

▶図 6　PSB を用いた上肢動作訓練

把持やつまみ動作のアプローチを行う．残存機能によって，ペグの大小や形により段階づけを行う．

(5) 上肢装具

脊髄損傷者の上肢装具は，急性期・回復期における変形・拘縮予防のための装具と，慢性期で残存機能を最大限に活用するための装具に大別される．

①変形，拘縮予防を目的とした装具

良肢位を保持するための装具には，コックアップスプリント，ハンドロールなどがある．肘屈曲傾向が強く，拘縮が予想される場合は肘関節伸展位保持装具が必要となる．

②機能的使用を目的とした装具

PSB または BFO(ball-bearing feeder orthosis)などの装具によって，肩関節のわずかな筋力を動力源とし，上腕と前腕の動きをコントロールすることができる．

③長対立装具

手関節背屈が困難な C4，C5 レベルの対象者に用いる．使用目的は，前腕から手部までを固定し，手関節を軽度背屈位，母指を対立位に保持することである．万能カフと自助具を取り付けることにより食事，歯磨き，書字，ワープロ操作が可能になる．

④短対立装具

C6，C7 レベルで，母指対立が困難で細かいつまみ動作ができない場合，手部に装着し，ADL 自立をはかる目的で使用する．

⑤把持装具

手関節背屈力が実用的な C6 レベルの対象者に用いる．目的は手関節の背屈時のテノデーシスアクションによる把持動作をより効果的に行うことである．手関節の伸展筋力を利用するタイプには，熱可塑性プラスチックを用いた RIC (Rehabilitation Institute of Chicago)型把持装具，ランチョ(Rancho)型把持装具，エンゲン(Engen)型把持装具などがある．

(6) 機能再建術に対する対応

再建される機能は C5，C6 レベルでは肘関節の伸展機能であり，C6，C7 レベルではつまみ力である．肘関節伸展機能の再建術は，三角筋後部線維の働きを用いて肘関節伸展筋力を獲得させる方法である．つまみ力の再建術は長橈側手根伸筋などを母長母指屈筋につなぎ再建する方法がある．

機能再建術における作業療法士の役割は，術前評価を行い，機能再建による具体的な ADL や職業的活動・余暇活動上の自立への効果について説明することである．術後は運動機能の改善と獲得された機能を利用して ADL 訓練などを行う．

■日常生活活動訓練

ADL 訓練の到達目標は残存機能レベルにより異なる．残存機能レベル別の自立可能な ADL は，わが国ではザンコリーの分類に従っていることが多い(▶表 1)．ADL は基本動作から応用動作へと階層性があり，段階づけが必要である．バランス障害の影響の少ない床上動作から始め，並行しながら座位動作へ，そしてよりダイナミックな移乗・移動動作へと難易度を増していく．難易度が高いのは，移乗・移動や更衣動作が含まれたトイレ動作や入浴動作である．

〈床上活動〉

(1) 寝返り動作

実用的な動作として獲得できるのは C6 A レベルからである[21]．上肢を左右に振り出すことで，上肢の回転モーメントや重さを利用し，寝返る

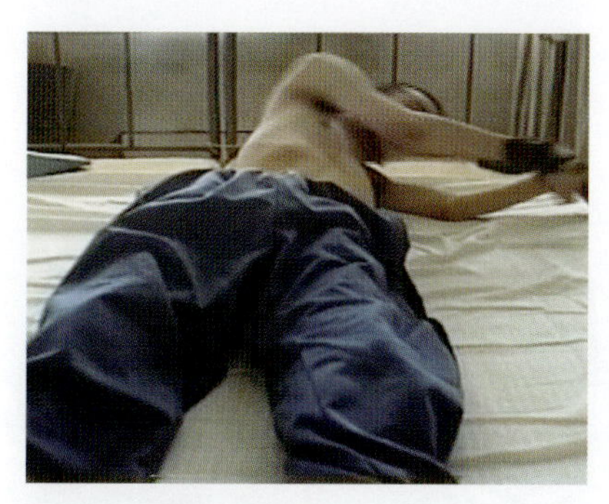

▶図 7　寝返り動作

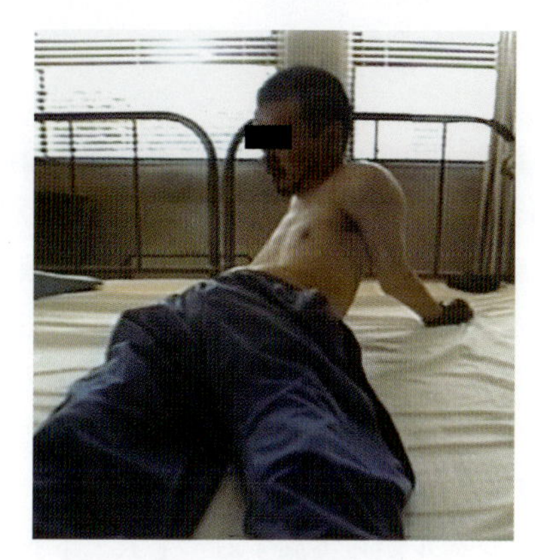

▶図 8　起き上がり動作

(▶図 7・動画 17)．ベッド柵の利用も可能である．この動作が可能になれば，夜間体位交換の介助量が軽減され，麻痺域の身体感覚も保持される．また，ベッド上の，ズボンの更衣動作の基本動作となる．

(2)　起き上がり動作

電動ベッドのコントローラの操作が可能ならば，C5B レベルでも可能となる．動作訓練は C6A レベルから実施する．寝返り動作から両肘を後方につき，左右に重心移動をしながら手を伸ばしていく(▶図 8・動画 18)．このとき，上肢の振り出しで OKC が，両手をついて正中座位になるときに CKC が利用される．ベッド上の更衣動作や排泄動作の基礎となる．

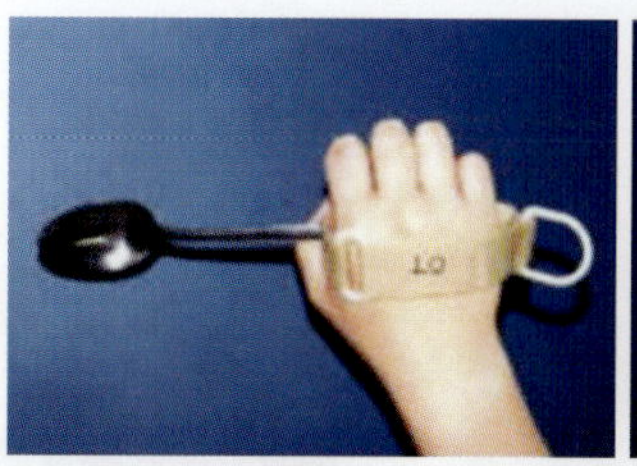

万能カフ　　ユニバーサルニューカフ

▶図 9　食事用自助具を使った設定

▶図 10　マウススティックを利用した PC 入力

〈座位活動〉

(1)　食事動作

C4 レベルでは，ロボットアーム(マイスプーン)を利用した介助ロボットは利用可能である．C5 レベルでは PSB(▶図 6)と長対立副子を基本にした自助具にて可能となる．C6 レベル以上になると，ユニバーサルカフやニューカフなどの自助具(▶図 9)やテノデーシスアクションを利用した把持による食事が可能となる．食事動作は 1 日 3 回行うものであり，その自立は本人や家族のニーズが高い．食事は動作や姿勢による影響が大きいため，自助具の選定やテーブルなどの環境設定[22]は非常に重要である．

(2)　書字(キーボード入力)動作

この動作の自立は，復学や復職，就労への一助となる．食事動作と同様な環境設定で自立が可能となる．C4 レベルではマウススティックを利用した絵画や PC 入力が可能となる(▶図 10)．C6 レベル以上ではニューカフなどの自助具にペンを

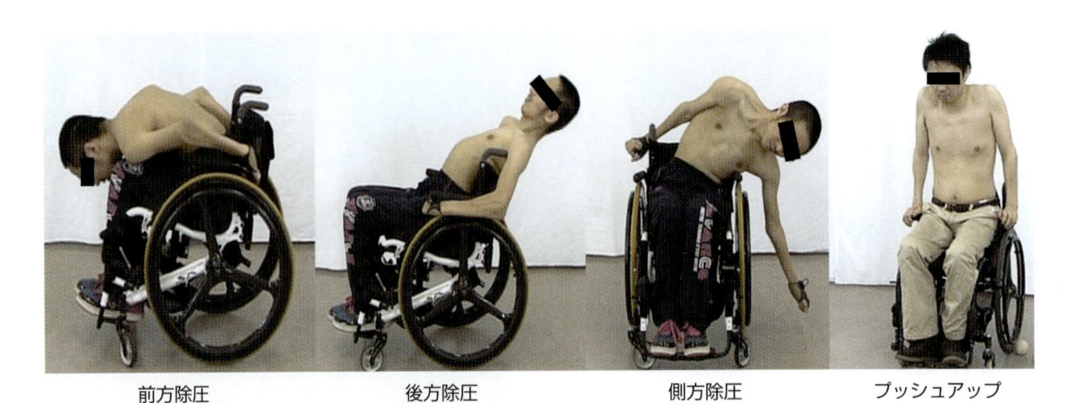

▶図 11　除圧動作

挟むことで可能となる．食事は上下方向の空間動作が必要であるが，書字や PC 入力動作は水平移動で可能なため，食事より先に自立する．

(3)　整容動作

整容動作は C5 B レベルでも早期にアプローチが可能な動作である．洗顔は温かい濡れタオルで実施する．整髪，歯磨き，ひげ剃りなどは，カフを作製し把持できるように改造をする．電動歯ブラシや電動ひげ剃りは機種によって対応が異なるが，実際「している ADL」になるので工夫が必要である．整容動作により早期から顔，頭上への上肢活動が促される．

(4)　除圧動作

除圧動作は褥瘡の予防に重要な動作であるが，車椅子上で行う ADL の基本動作ともなっている（▶図 11・動画 19）．前方除圧は，車椅子上での殿部の後方移動になり座り直しに役立つし，落ちた物を拾う動作につながる．後方除圧はテコの利用で車椅子上での殿部の前方移動に役立ち，移乗動作の基礎となる．側方除圧は，移乗時の足上げ動作やズボンの更衣動作や落ちた物を拾う動作につながる．加えて，プッシュアップ動作は移動，移乗の重要な基礎動作となる．

(5)　車椅子駆動

車椅子駆動は，C4，C5 A レベルでは電動車椅子のチン（顎）コントロールやヘッド（頭）コントロール，上肢にて操作が可能となる．C5 B レベルより電動・手動車椅子の操作が可能となる．手動の場合はハンドルグリップ力（摩擦力）の大きい手袋を装着し，ハンドリムにも種々の摩擦力の高い加工をして駆動する．車椅子駆動が可能となると一気に生活圏が拡大し他の ADL の活性化につながる．

(6)　更衣動作

C6 A レベルから実施する．上衣・下衣・靴下に加え靴の脱着が課題となる．ここでは頻回な姿勢変換が必要となり，除圧動作が基本となる．上衣は，ベッド上もしくは車椅子上での実施となる（▶図 12[12]・動画 20）．つまみ能力がない場合は，歯などを利用して袖通しを行う．下衣は，頸髄損傷の場合臥位が中心で（▶図 13[12]・動画 21），運動能力の高い C6 B2 レベル以下の頸髄損傷者や対麻痺者は車椅子上でも可能となる．ズボンの裾に麻痺した下肢を通し，殿部を通す動作を行う．自立するためには，寝返り動作や床上移動や後方・前方からの起き上がり動作が必要となる．

靴下や靴の脱着は，ベッド上もしくは車椅子上での実施となる（▶図 14）[12]．足を上げて組み，靴下を広げて足部を差し入れるなどの動作が必要である．ボタンなどの留め具はボタンエイドやリング状の紐，面ファスナー（ベルクロなど）などの利用が有効である．

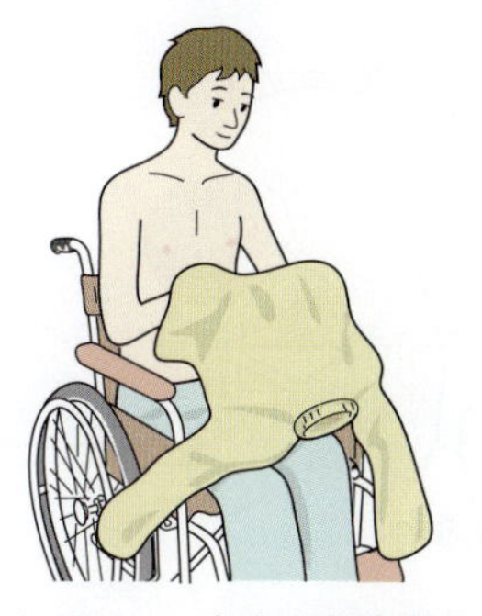
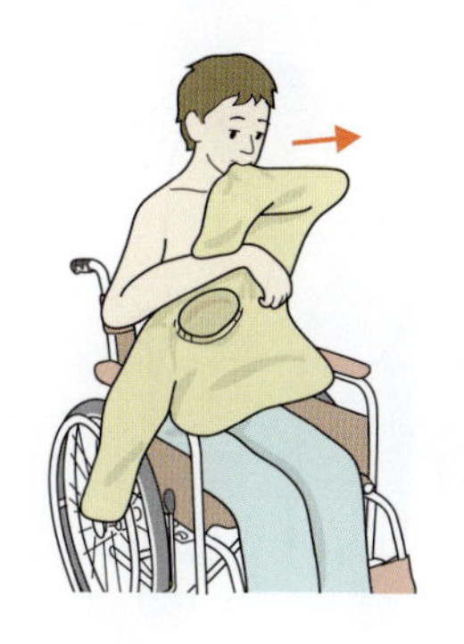
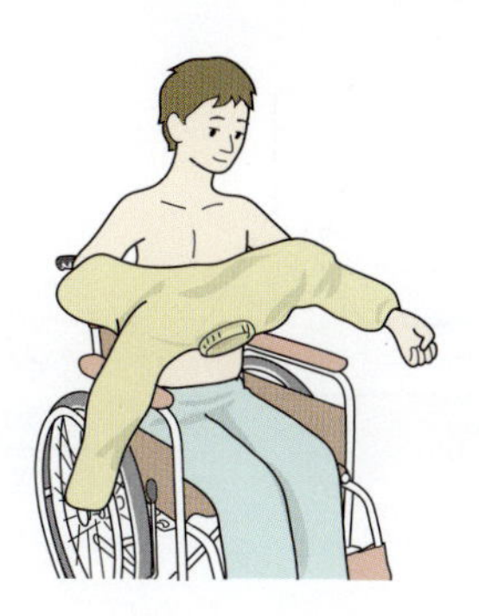

▶**図 12 上衣の着衣動作**
〔神奈川リハビリテーション病院脊髄損傷マニュアル編集委員会(編)：脊髄損傷マニュアル―リハビリテーション・マネージメント. 第 2 版, p149, 医学書院, 1996 より〕

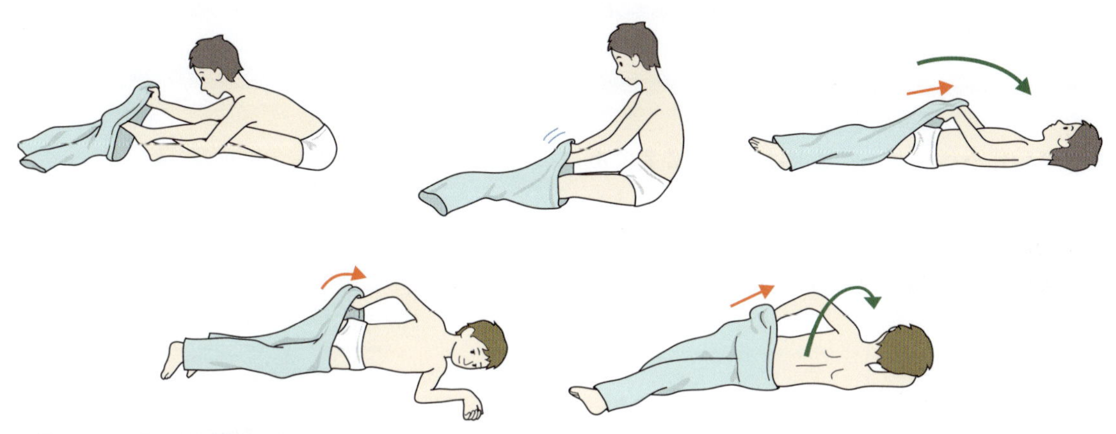

▶**図 13 下衣の着衣動作**
〔神奈川リハビリテーション病院脊髄損傷マニュアル編集委員会(編)：脊髄損傷マニュアル―リハビリテーション・マネージメント. 第 2 版, p149, 医学書院, 1996 より〕

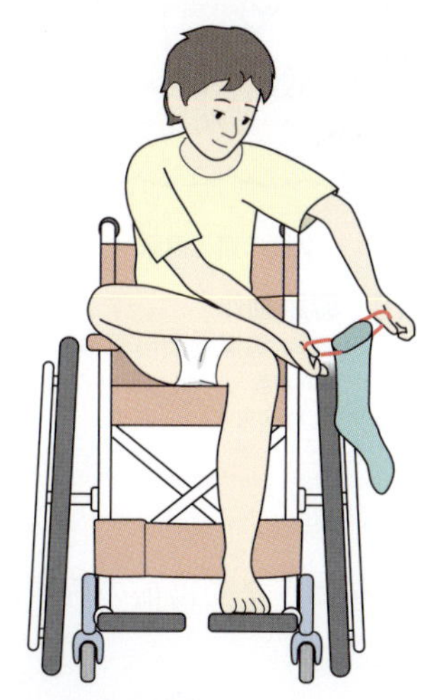

▶**図 14 靴下の着衣動作**
〔神奈川リハビリテーション病院脊髄損傷マニュアル編集委員会(編)：脊髄損傷マニュアル―リハビリテーション・マネージメント. 第 2 版, p150, 医学書院, 1996 より〕

(7) 移動・移乗動作

ベッド上の移動や車椅子 ⇆ ベッド，車椅子 ⇆ 便座，車椅子 ⇆ 浴槽，車椅子 ⇆ 自動車など，日常のさまざまな場面での基本動作(▶**図 15**[12]・**動画 22**)となる．C6 レベルより，CKC を利用したプッシュアップ動作などが可能となるため，三角筋(前部)や大胸筋，前鋸筋の強化が重要である．頸髄損傷では前方移乗や肘をロックしたプッシュアップ動作での横移乗が可能となる．対麻痺では肘伸展筋や体幹筋が効いているためプッシュアップ動作による横移乗が可能となり，床からの移乗も可能となる．

前方移乗では，ベッドへの足上げ動作→前方移乗→方向転換が必要である．横移乗ではプッシュ

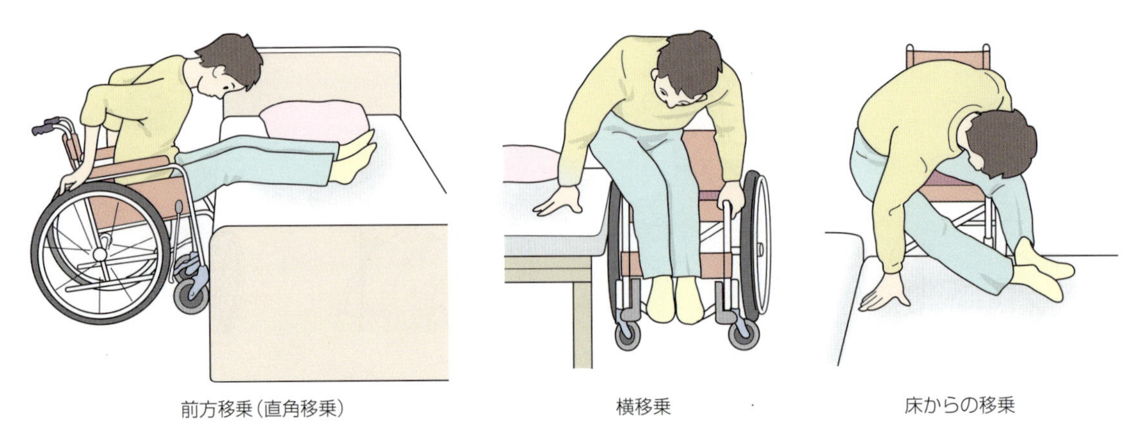

▶**図 15　移乗動作**
〔神奈川リハビリテーション病院脊髄損傷マニュアル編集委員会（編）：脊髄損傷マニュアル―リハビリテーション・マネージメント．第 2 版，pp128, 129, 131, 医学書院，1996 より〕

アップ動作→ベッドへの足上げ動作が必要である．移乗動作は筋力だけではなく，バランスやタイミングなどの空間動作能力が要求されるため，年齢や運動経験の差により達成度が異なってくる．

(8)　排泄動作

脊髄損傷者の排尿方法は，以前は集尿器であったが，現在は導尿が主流となっている．排尿動作の訓練は更衣動作に加え，カテーテルを把持して尿道口に挿入する自己導尿[23]への支援が重要である．テノデーシスアクションや上肢装具・自助具を利用した巧緻動作が要求される．特に，女性の場合，陰唇開大や凹形状の尿道口へのカテーテル挿入は難易度が高い（▶図 16）．

排便では，ベッド上もしくはトイレにて行われる．移乗動作や更衣動作を含め，損傷レベルにより異なるが，座薬挿入器（▶図 17）の操作や清拭の訓練を実施する．

(9)　入浴動作

入浴動作は，支持面が滑りやすいことと，対象者が裸であることが特徴で，褥瘡などの合併症や転倒・転落のリスク・マネージメントが必要となる．排泄と同様に移乗動作や更衣動作を含んでいる．浴槽への出入りや洗体動作に関しては，家屋環境や経済状況，運動能力に加えて，シャワーのみでよいというような受傷前の習慣にも影響される．

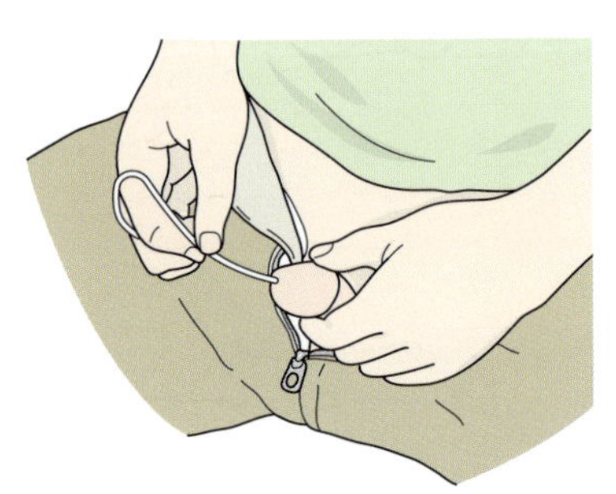

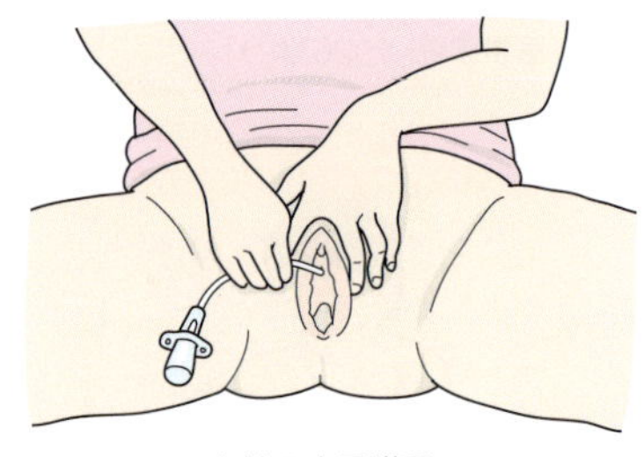

▶**図 16　導尿動作**
〔中村隆一（編）：清潔間欠自己導尿．pp9, 18, 国立身体障害者リハビリテーションセンター，2001 より改変〕

C 社会復帰期でのプログラム

脊髄損傷者が社会復帰をするためには，生活の

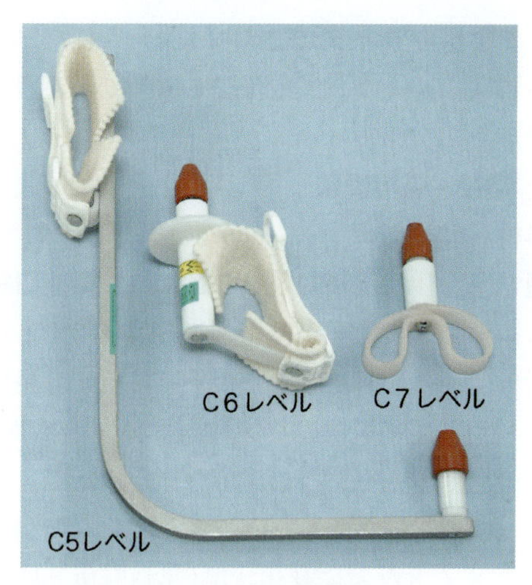

▶図 17 レベルごとの座薬挿入器

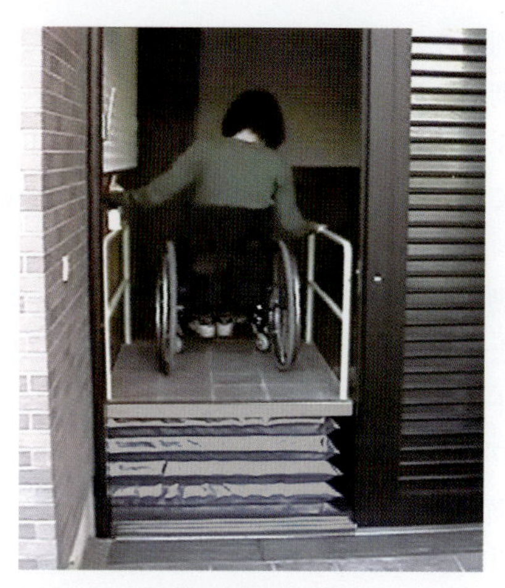
▶図 18 段差解消機の利用

基盤となる衣・食・住の安定が重要である．さらに，地域生活への活動と参加を拡大するために就学(復学)・就労(復職)への支援も必要となる．本人らしい豊かな生活を再び獲得していく第一歩となるため慎重に援助を進める．入院中の自宅への外泊や家庭訪問，院内の家族指導室を使った体験実習もその援助の1つである．また本人の活動増加や家族状況が変化した場合には，本人や家族が臨機応変に対応できる“ゆとり”や“パワー”を育てることが大事になる．

(1) 環境調整(住宅の整備)

ADLが自立できる場合でも，介助を受ける場合でも，自宅を想定して動作訓練あるいは介助指導を行う．その場合，建築図面や写真を借りて自宅情報を収集しておく．主な整備箇所は，玄関までのアプローチ，玄関，廊下，トイレ，浴室，居室などである．整備プランを本人や家族に提出する際には，大がかりな改造だけでなく，現状で行える最小限の整備やリハ関連機器の紹介も併せて行う．

たとえば，玄関の段差には，車椅子のためのスロープの利用，段差昇降機(出入り口用昇降リフター)(▶図 18)の設置など，いくつか整備案を提案する．整備する箇所の使用頻度や家族との併用状況，自立度，機能変化の予測，介助者状況，経済状況など多要素が関係するので多くの検討時間を要する．ADLの獲得動作に応じて段階的に整備していく場合や加齢，体調不良も考慮して介助を考慮したプランを考えていく必要もある．

(2) 環境制御装置，呼び出しコール

上肢機能が全廃し頸部や頭部しか動かせないC4レベル以上の損傷高位の場合は，環境制御装置(environmental control system; ECS)が用いられる．呼気やタッチセンサー，筋電センサー，視線センサーなど多種多様のセンサーに互換性をもち，最近では赤外線のリモコンスイッチの学習機能をもっているためTVやPCなどへも対応しやすくなってきている．単機能でよいならば家庭用ナースコールの利用が低価格で実用的である．また，呼吸障害が重度の場合などで，気管切開し人工呼吸器を使用している場合，発語機能を代替するコミュニケーションエイドや文字盤などの利用も有効である．近年では，音声認識(スマートスピーカー)と赤外線学習機能(AIアシスタント)を備えた商品が安価に購入できるようになっているので，活用している頸髄損傷者は多い．

(3) 移動手段

移動手段の獲得は飛躍的に活動範囲を広げる．移動距離や目的に応じて移動手段を選択することが理想である．バリアフリー法整備後，電車やバス(ノンステップ・リフト付き)などの公共交通機

関の利用の可能性は拡大している．なかでも乗用車を利用するニーズは退院直後から高い．移送を介助するためのリフト，助手席回転シート，車外へ出てくる昇降座席などが付いた乗用車の利用も多い．乗用車の運転を希望する方も多い．

自動車の運転はC6レベルから可能となるが，移乗と車椅子の車載（▶図19・動画23–25），ハンドル回旋（▶図20）や上肢駆動装置へのアクセルブレーキ操作などが課題となる．車椅子⇆運転席の移乗動作と車椅子の積み込み，運転操作が可能となった者は，自動車免許証センターの適性検査に合格すれば自動車に乗れるようになる．最近では電動車椅子に乗ったままでジョイスティック操作できる改造車両も開発された．可能であれば，メーカーに依頼して試乗できる機会を設けることが望ましい．

▶図19 C6レベルの車載動作

(4) 学校・職場調整

①学校（復学）

通常，身体状況が安定したところで機能訓練よりも同学年への復学が優先される．留年する場合は新年度4月を目標とした復学を目指す．長期休暇を利用して訓練目的の入院をする場合もある．復学の際，本人や家族の許可を得たうえで，リハスタッフが学校訪問を行い，学校教諭，医務教諭，クラスメイトなどに身体状況（運動麻痺，感覚障害，バランス障害や，貧血，痙縮，褥瘡，排泄障害など）の説明をする．学校内の段差や階段の移動介助を教諭，生徒ができるように体験実習も行う．その他，食事や排泄方法，授業や試験を受ける方法など細かく打ち合わせをして決めていく．進学する場合には，受験方法や進学後の授業の参加方法などの打ち合わせも必要となる．

②復職・就職

復職は本人の能力を会社側が判断して可否が決定される．復職時に身体作業より事務作業や知的作業に配置転換されることが多い．新規の就労の際にも事務作業に就く傾向が多い．どちらの場合でも自分の能力を最大限に伸ばしておく必要がある．障害者職業訓練校などで職業能力や作業耐久

C6レベル

C7レベル

C8レベル〜対麻痺

▶図20 レベル別ハンドル回旋装置

C6レベルは固定力が弱いため，2本のベルクロで固定し回旋装置から手が抜けないようにする．
C7レベルでは手指の屈筋群が有効になるため，固定力が増し固定ベルトがいらなくなる．
C8レベル以上では手指の把持機能が強くなるため，ノブ型で可能となる．

頸髄損傷者のチェアスキー

車椅子ラグビー

▶図 21　障害者スポーツ

性を高めておくことは大事である．加えて，単独で自宅から通勤したり，ADL を遂行したり，健康管理や体調を安定させて通勤できることは，就職に絶対に必要な条件になる．

(5) 娯楽・スポーツ

趣味活動や娯楽は生きがいを感じるすばらしい活動である．口での絵画，動く指を最大限に使っての陶芸，カメラで風景を撮ったりする対象者もいる．対象者の希望する趣味活動ができるよう，柔軟な発想や工夫する支援技術をもつようにする．

加えて，体力の維持・増進や肥満防止にスポーツ活動を希望する対象者は多い．しかし，参加できる環境が少ないのが現状である．リハビリテーションセンターや地域の身体障害者スポーツセンターのような施設を利用するのもよい．

スポーツ活動は体力向上や気分転換や仲間づくりなどの効果がある．対象者は水泳，バスケットボール，陸上，ラグビー，スキーなど多種多様なスポーツ(▶図 21)を行っている．近年では障害者スポーツは，レクリエーションから競技を追求した選手まで参加層が広がった．パラリンピックや世界選手権を目指す脊髄損傷者のアスリートも増えている．仕事を終えた平日も夜に練習に集まってくる姿は，健常者の社会人スポーツとなんら違いは感じられない．

d 高齢不全麻痺への対応[24)]

(1) 高齢不全麻痺の理解

高齢者の脊髄損傷の特徴は，後縦靱帯骨化症や脊柱管狭窄症などの潜在的な症状の影響があることである．多くの不全麻痺者にしびれや痛み，高緊張や強い痙縮がみられる．加えて，年齢や合併症によるもともとの可動性低下や意欲低下，精神的側面などの要因が複合し，結果として不動となる廃用症候群が作業療法の大きな阻害因子となっている．

最も多い中心性麻痺では，ロボット様のぎこちない動き方をする．多くの場合，脊柱起立筋群や肩周囲の筋緊張が高く，中枢部から運動が始まるような場合が多い．また，課題遂行の際に，過剰に**予測的姿勢制御**が働いてしまう．リーチ動作などでは，上肢を前方に動かすと重心が前方に変動し倒れてしまう．そのため，過剰に背部筋で止める作用を先行して行うのである．拮抗筋を強く収縮しながら主動作筋がそれ以上のパワーを出して動いている．つまり，ブレーキをかけながらアクセルをふかしている状況なのである．回復はどちらかというと長筋(多関節筋)のほうが先行す

Keyword

予測的姿勢制御(先行随伴性姿勢調節)　身体に対して加わる外乱や運動に際して生じる姿勢の外乱に対して，事前に制御しようとする機構．この外乱に対応する機構が備わっているからこそ，われわれは安全に動作を遂行できる．

る．大きくて使いやすい筋肉は，意識的に運動しやすくフィードバックが得やすいため使用しやすい．自覚的に力を入れやすい長筋を運動と安定の両者に同時利用しようとする．日常生活を遂行するなかで長筋はより強化され，短筋(単関節筋)はより使われなくなり，回復の可能性があっても使用しないため廃用性の萎縮によりますます使いづらくなり，定型化し同じような動き方になる．その**固定的姿勢制御**の方略は，時間的加重により肩や頸部周囲，手指(▶図 22)，腰背部の痛みや拘縮につながっていく．

(2) 高齢不全麻痺へのアプローチ

作業を実施する際に，姿勢制御の方略を固定から安定へ変える，つまりリラックスして動けるような環境調整を行うことである．まずは，薬物療法やリラクセーションを実施したうえで，緊張や痙縮を軽減し，四肢・体幹に対し ROM 訓練などを実施し，動きやすくなるように準備を行う．動作訓練や作業を行うときは，車椅子やテーブルなどの物理的環境を整え，作業療法士が後方から倒れないように支援的に対応し，転倒などのリスクがないように保証を十分提供したうえで実施する(▶図 23)．

課題の難易度は，過剰な努力性の動作にならないように設定し，足りない部分や代償パターンに陥ったときは，できない部分を作業療法士が支援し，できるだけ成功体験を得られるようにするとよい．作業をしても倒れない，安心して動くことができる環境下では，固定的に働いていた過剰な筋収縮をゆるめ，本来の働きを発揮しやすくなる．

Keyword

固定的姿勢制御　本来の姿勢制御には安定筋といわれる単関節筋や深層筋が外乱に対して適切な収縮を行っている．固定的な姿勢制御は，外乱の程度は関係なく，本来は推進筋といわれる関節を動かすための大きくて長い筋や多関節筋が，筋の起始–停止を縮めて止めることで行われる．

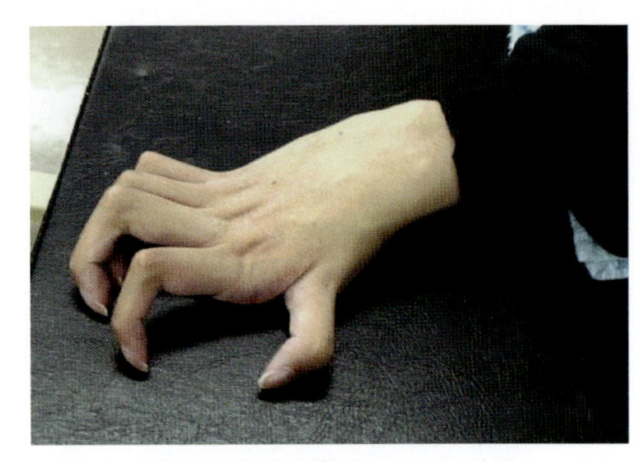

▶図 22　高齢不全頸髄損傷者の手指の拘縮

骨盤コントロール

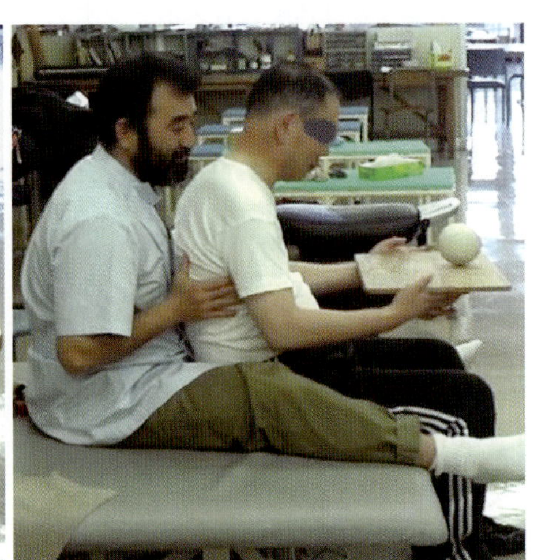

アクティビティ「ボール転がし」

▶図 23　座位での治療場面

(3) 症例

以下に，典型的な高齢頸髄損傷不全麻痺の症例を紹介する．

対象者は発症から3日後の中心性不全頸髄損傷の男性で，下肢はおおむね筋力段階3レベル，上肢はC5レベル以下の筋力が筋力段階ゼロ，感覚脱失がみられた．

①急性期(3日～2週)：ICUにて，ECS(呼気スイッチ)を設定し，ナースコールに対応した．加えて，上肢のROM訓練と麻痺筋の促通訓練を実施した．可動域はもともと保たれていたが，筋はC5，6レベルの三角筋や上腕二頭筋，手指屈筋郡などが徐々に筋力段階1～2レベルの反応となってきた．

②回復期(2～20週)：肩の挙上や手指に筋力段階2レベルの回復がみられた．体幹背部筋は常に緊張が強く，体幹屈曲するのは困難であった．初期ではADL全介助であったため，過剰な反応が出ない程度に，食事からアプローチを行った(▶図24・動画26)．はじめは両上肢にPSBおよび長対立スプリントを装着し，重力除去にて操作訓練を実施した．中期では，脊髄ショック期から脱してきたため，本来の機能である肩関節・手関節・手指筋力の回復(筋力段階3)がみられ，自助具を使用した箸の利用まで実施した．また，下肢の回復も大きく，理学療法にて歩行訓練が開始され，手指の痙縮や肩関節挙上，腰背部の過緊張がみられるようになった．三角筋前部の促通と筋力強化を行い，食事動作中に肩の挙上の代償がみられなくなったため，病棟での実動作としての食事訓練を開始した．同時に手指機能訓練や更衣動作，整容動作へのアプローチを行った．後期では，実用歩行を獲得し，ADLでは排泄と入浴を除いて自立に至った．

③社会復帰期：対象者本来の希望である自宅復帰が可能となり，並行して外来にて復職(農業)へのアプローチを実施した．具体的には農機具やトラクター，耕運機などの操作であった．筋力増強や手指機能の改善などの上肢機能へのアプローチを行い達成したため終了とした．3か月後，両手にスイカをぶら下げて作業療法室を尋ねてきた．

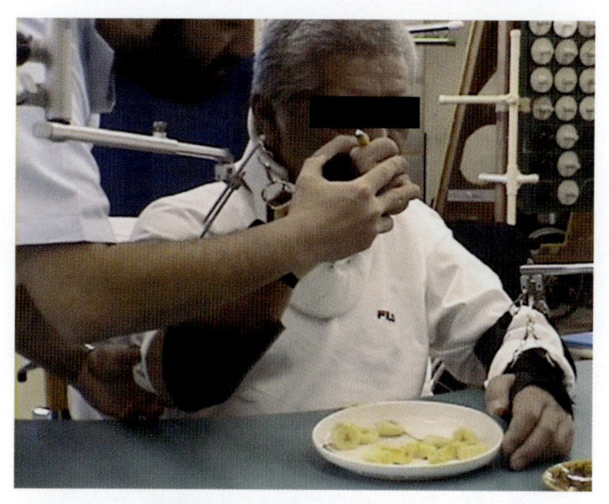

▶図24 食事動作へのアプローチ

神経や筋の回復には時間がかかる．達成主義になりすぎず，自然回復に合った段階づけをすることで，過度の代償運動や痛みを引き起こすことのないアプローチを行う必要がある．

2 注意事項

脊髄損傷は身体機能の障害が主症状となり，知的能力は比較的保たれている．そのため，「車椅子生活」という自己の将来に悲観的になり，精神的に大きなダメージをもちリハへの動機づけが難しくなることが多い．身体機能の治療とともに精神面の支援も重要な作業療法士の役割である．

●引用文献

1) 労働者健康福祉機構全国脊髄損傷データベース研究会(編)：脊髄損傷の治療から社会復帰まで―全国脊髄損傷データベースの分析から．pp9–22，保健文化社，2010
2) 田代祥一，他：慢性期脊髄損傷への再生医療応用を目指して―併用療法に関する最近の知見を中心に．総合リハ 43:295–306, 2014
3) 池田篤志，他：脊髄損傷．安保雅博，他(編)・江藤文夫，他(監)：最新リハビリテーション医学．第3版，p257,

医歯薬出版, 2016
4) 二瓶隆一, 他(編著)：頸髄損傷のリハビリテーション. 改訂第 3 版, 協同医書出版社, 2016
5) 三上功生, 他：頸髄損傷者の温熱刺激に対する生理反応の特徴—中間期安定時の適温. 人間–生活環境系学会誌 14:47–57, 2007
6) 日本排尿機能学会, 他(編)：脊髄損傷における排尿障害の診療ガイドライン. リッチヒルメディカル, 2011
7) 玉垣　努：生活動作における排泄リハビリテーション. *MED REHABIL* (94):51–58, 2008
8) 玉垣　努：頸髄損傷者の排便リハビリテーション—動作と機器. 総合リハ 33:135–143, 2005
9) 玉垣　努, 他(編著)：身体障害者の性活動. pp23–29, 三輪書店, 2012
10) 玉垣　努：頸髄損傷者における拘縮予防. 作療ジャーナル 40:317–323, 2006
11) 日本せきずい基金脊損痛研究会：脊髄損傷に伴う異常疼痛に関する実態調査報告書. 日本せきずい基金, 2004
12) 神奈川リハビリテーション病院脊髄損傷マニュアル編集委員会(編)：脊髄損傷マニュアル—リハビリテーション・マネージメント. 第 2 版, pp76–79, 医学書院, 1996
13) 山本伸一(編)：臨床 OT ROM 治療—運動・解剖学の基本的理解から介入ポイント・実技・症例への展開. 三輪書店, 2015
14) 玉垣　努(編著)：頸髄損傷者の実践的な徒手筋力検査—動画で学ぶ臨床で使える評価法. 三輪書店, 2014
15) 玉垣　努, 他：頸髄損傷の坐位保持能力. 作療ジャーナル 25:88–93, 1991
16) 細谷　実, 他：脊髄損傷. 石川　齊, 他(編)：図解作業療法技術ガイド—根拠と臨床経験にもとづいた効果的な実践のすべて. 第 4 版, pp663–685, 表 3–5, 文光堂, 2011
17) 慶應義塾大学医学部リハビリテーション科(訳)：FIM—医学的リハビリテーションのための統一データセット利用の手引き. 原書第 3 版, 慶應義塾大学医学部リハビリテーション科, 1991
18) Mahoney FI, et al: Functional evaluation: the Barthel index. *Md State Med J* 14:61–65, 1965
19) 障害者福祉研究会(編)：ICF 国際生活機能分類—国際障害分類改定版. 中央法規出版, 2002
20) 玉垣　努：脊髄損傷における上肢機能へのアプローチ. 山本伸一(編)：疾患別作業療法における上肢機能アプローチ. pp83–89, 三輪書店, 2012
21) 玉垣　努：C6A 頸髄損傷者の ADL 自立度. 作療ジャーナル 30:719–724, 1996
22) 玉垣　努, 他(編)：福祉用具・住環境整備の作業療法. pp104–108, 中央法規出版, 2013
23) 中村隆一(編)：清潔間欠自己導尿. pp9, 18, 国立身体障害者リハビリテーションセンター, 2001
24) 玉垣　努：高齢不全頸髄損傷に対するアプローチ. 作療ジャーナル 43:1092–1096, 2009

●参考文献

25) 増田公香, 他：CIQ 日本語版ガイドブック. KM 研究所, 2006

運動器疾患

1 骨折

GIO 一般教育目標 骨折の対象者に作業療法を実施できるようになるために，この疾患の病態を理解し，作業療法の評価技法と治療・指導・援助法を修得する．

SBO 行動目標

1）骨折の定義，特徴，分類，合併症を説明できる．
- □ ①骨折を定義できる．
- □ ②開放骨折と閉鎖骨折の違いを説明できる．
- □ ③骨折に伴う症状を 4 つあげ，それぞれを説明できる．
- □ ④骨折に伴う合併症を 5 つあげ，それぞれを説明できる．

2）骨折の医学的治療と作業療法の関連について説明できる．
- □ ⑤骨折治癒の 3 過程を説明できる．
- □ ⑥骨折の医学的治療法を 2 つあげることができる．
- □ ⑦骨折の医学的治療における作業療法の注意事項を説明できる．
- □ ⑧骨折全般に対する作業療法の評価・目標・プログラムの概要を説明できる．

3）上腕骨骨折の評価および作業療法プログラムを計画できる．
- □ ⑨上腕骨骨折の種類とそれぞれの合併症，医学的治療を説明できる．
- □ ⑩上腕骨骨折の種類に応じた作業療法プログラムを説明できる．
- □ ⑪クラスメイトに振り子運動を指導できる．

4）前腕骨骨折の評価および作業療法プログラムを計画できる．
- □ ⑫前腕骨骨折の種類とそれぞれの合併症，医学的治療を説明できる．
- □ ⑬コーレス骨折とスミス骨折の違いを説明できる．
- □ ⑭上腕骨骨折の種類に応じた作業療法プログラムを説明できる．

5）手部骨折の評価および作業療法プログラムを計画できる．
- □ ⑮手部骨折の種類とそれぞれの合併症，医学的治療を説明できる．
- □ ⑯手部骨折の種類に応じた作業療法プログラムを説明できる．

6）大腿骨頸部骨折の評価および作業療法プログラムを計画できる．
- □ ⑰大腿骨骨折の種類とそれぞれの合併症，医学的治療を説明できる．
- □ ⑱大腿骨骨折の対象者が日常生活上を遂行するうえでの注意事項を実演できる．
- □ ⑲地域連携クリティカルパスの構成および使用法について説明できる．

7）脊椎骨骨折の評価および作業療法プログラムを計画できる．
- □ ⑳脊椎骨骨折の原因を説明できる．
- □ ㉑脊椎骨折の対象者が日常生活上を遂行するうえでの注意事項を説明できる．

8）脱臼および亜脱臼の評価および作業療法プログラムを計画できる．
- □ ㉒脱臼および亜脱臼の違いを説明できる．
- □ ㉓外傷性肩関節亜脱臼がおこる方向と肩関節に脱臼が生じる理由を説明できる．
- □ ㉔脳卒中片麻痺者の亜脱臼に対する対処法を説明できる．

A 概要

1 骨折とは

骨折(fracture; Fx/Fr)とは，外力により骨組織の一部あるいは全部の構造上の連続性が断たれた状態をいう．血管や神経，筋の損傷を伴うことが多く，骨癒合のために一定期間の関節固定や活動制限が必要になる．

a 骨折の分類

(1) 骨折部と外界との交通による分類

①開放骨折(open fracture)

骨折部が体外に開放されている骨折で，感染や癒合不全が生じやすい．複雑骨折(compound fracture)ともいう．

②閉鎖骨折(closed fracture)

骨折部が体外に開放されていない骨折で，骨折治癒に有利であり，機能障害を残すことも少ない．単純骨折(simple fracture)や皮下骨折(subcutaneous fracture)ともいう．

(2) 原因による分類

①外傷性骨折(traumatic fracture)

正常骨にその抵抗力以上の外力が加わることで生じる連続性の部分的あるいは完全な破綻をいう．

②病的骨折(pathological fracture)

骨の脆弱化を引き起こす疾患によって生じるものをいい，腫瘍，代謝性骨疾患(骨粗鬆症など)，骨系統疾患，栄養障害，神経性疾患などが原因である．特発性骨折(spontaneous fracture)ともいう．

③疲労骨折(stress fracture)

長時間の歩行，疾走，跳躍など反復する外力によって生じる骨折である．

(3) 外力の作用方向による分類(▶図 1)

屈曲，圧迫，剪断，捻転骨折などがある．

(4) その他

骨折線による分類(横骨折，縦骨折，斜骨折)や程度(完全，不全)による分類などがある．

b 骨折の症状

①疼痛：骨折部位に疼痛と圧痛が生じる．また，長軸方向に圧や衝撃を加えたときに誘発される痛みを**軸圧痛**といい，骨折確認の補助的手段となる．大腿骨頸部骨折の場合，膝関節を大腿骨の長軸方向に叩打することで股関節に疼痛が生じる(▶図 2)．

②腫脹：皮下出血，骨髄性の出血により腫脹がみられる．一般的に骨折後 24～72 時間ころに最

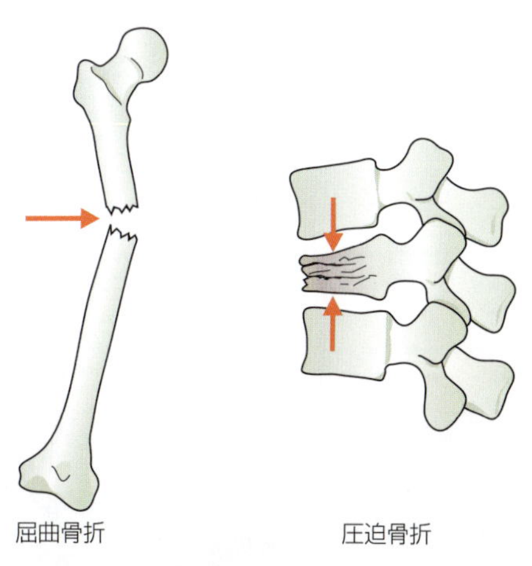

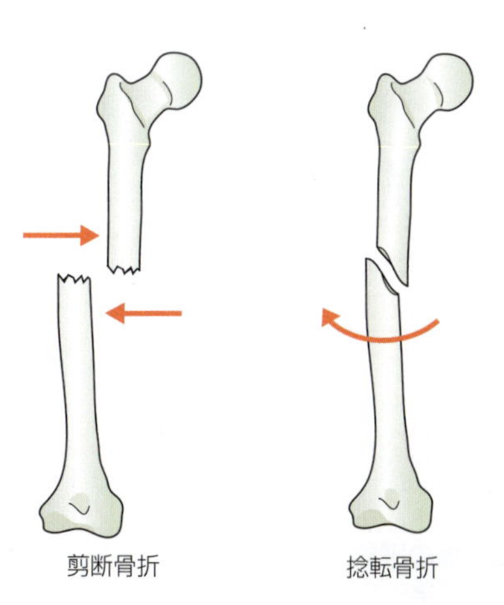

▶図 1 外力の作用方向による骨折の分類

も著しい.

③その他，支持機能の消失などの機能障害，異常可動性，**轢音**などがある．また，開放骨折では，皮膚の欠損や軟部組織の挫滅が高度であることが多く，感染の危険が大きい.

④全身症状：出血や疼痛によるショック症状をおこすことがある.

c 骨折の治癒過程(▶図 3)

①炎症期：骨折部を中心に血腫が形成される.

②修復期：血腫の中に毛細血管が入り込む．骨膜部分では肉芽細胞による骨形成が始まり，これを骨膜性仮骨という．骨折部では軟骨細胞による軟骨形成が始まり，これを軟骨性仮骨という.

③再造形期：仮骨が本来の骨に改変され，もとの形と強度を回復する.

d 骨折治療

(1) 整復

徒手整復・牽引整復・観血的手法を用いて，可能なかぎり解剖学的位置にしておく.

(2) 固定

外固定・創外固定・内固定手法を用いて，一定期間固定を行う．手術による整復と内固定を観血的整復固定術(ORIF)という.

Keyword

轢音　骨折部の骨片どうしが接触することによって生じるコツコツ音.

e 骨癒合期間

仮骨が形成され，骨癒合が完成するまでの期間をいう．グルト(Gurlt)による標準治癒日数が用いられるが(▶表 1)，実際の骨癒合期間より短いとされる.

f 骨折の合併症と異常経過

(1) 脂肪塞栓症候群

下肢長管骨や骨盤の骨折では，骨髄から流れ出した脂肪が静脈内に入り，肺塞栓や脳塞栓をおこすことがある．主症状には呼吸困難，意識障害，皮膚の点状出血がある.

▶表 1　グルトによる標準治癒日数

骨折部	治癒日数
中手骨	2 週
肋骨	3 週
鎖骨	4 週
前腕骨	5 週
上腕骨骨幹部	6 週
脛骨，上腕骨頸部	7 週
下腿両骨	8 週
大腿骨骨幹部	8 週
大腿骨頸部	12 週

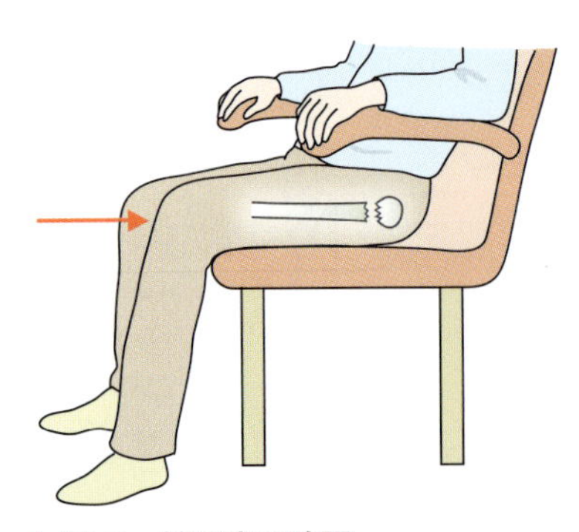

▶図 2　軸圧痛の確認
長軸方向に圧や衝撃を加えることで骨折部に痛みが生じる.

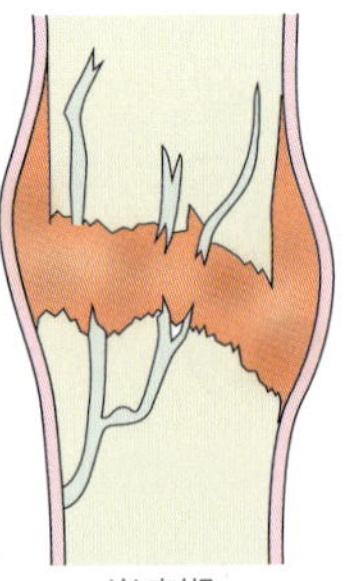

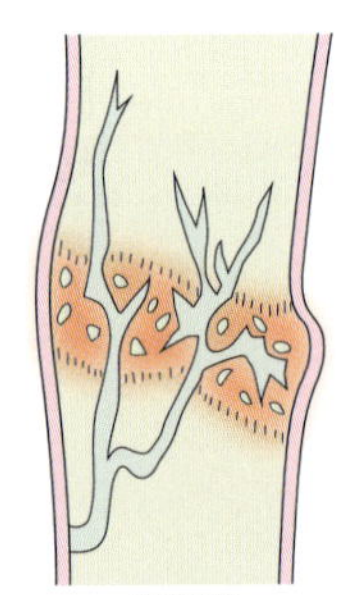

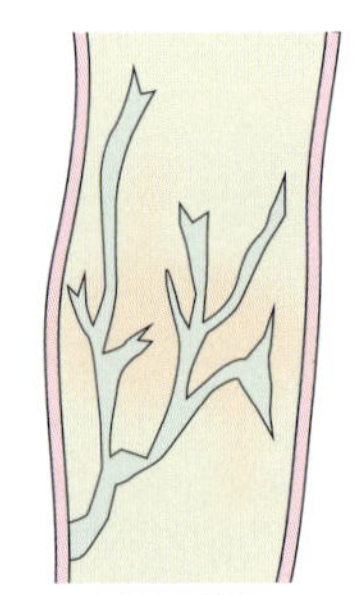

▶図 3　骨折の治癒過程

(2) 外傷性異所性骨化

骨折後の血腫によって局所的骨化が生じることがある．疼痛，局所の腫脹，熱感，関節可動域（ROM）制限がみられる．

(3) 複合性局所疼痛症候群

骨折などの外傷，神経損傷後に出現する慢性の疼痛症候群である．時代と分野によって，カウザルギー（灼熱感），ズーデック（Sudeck）骨萎縮，肩手症候群，反射性交感神経性ジストロフィーなど，いろいろな名称で呼ばれてきたが，現在は国際疼痛学会が 1994 年に提唱した複合性局所疼痛症候群（complex regional pain syndrome; CRPS）が広く用いられている．

診断基準としては，2005 年に同学会が，①感覚異常，②血管運動異常，③発汗異常・浮腫，④運動・栄養異常の症状を中心にして作成した基準が使用されている．

(4) 遷延治癒

骨癒合の期間が過ぎても骨癒合がみられないが，まだ骨折の治癒過程は継続している状態をいう．荷重時に疼痛がみられ，不十分な固定など原因が除去されれば骨癒合は再び進行する．

(5) 偽関節

遷延治癒がさらに続き，骨癒合過程が停止した状態をいう．骨折端が関節様構造をもつことで異常可動性がみられ，不十分な固定，感染，骨欠損などが原因である．遷延治癒との鑑別には**骨シンチグラフィー**が有用とされ，骨折端に骨代謝が認められなければ偽関節と判断する．

2 医学的治療と作業療法の関連

ORIF の術後療法は，骨癒合の過程に従い，安静固定，ROM 訓練開始，筋力増強訓練開始へと続く．作業療法では術後プロトコールに従い各時期に合わせて評価とプログラムを選択していく．

また，対象者の年齢や骨折部位によっては術後療法だけでなく，生活全般にかかわる必要がある．たとえば，高齢者の大腿骨頸部骨折の場合，長期にわたる術後安静によって精神機能の低下など二次的問題が生じやすい．その場合は，日常生活活動（ADL）や生活の質（QOL）の維持に向けた包括的アプローチが必要になる．また，骨折の理由が転倒であり，既往に同様な受傷歴があったとすれば，受傷時の状況を詳細に確認し，再発予防に必要な心身機能の改善や環境整備が求められる．

B 作業療法評価

ORIF の術後療法を中心に述べる．保存的治療の場合も基本的には同じ考えに基づく．

1 一般的な評価

a 患部状態の観察

浮腫，腫脹，軟部組織の状態を観察し，皮膚や皮下組織の癒着を確認する．周径を記録することで浮腫の経時的変化を定量的に追うことが可能になる．

b 術後固定の確認

固定関節の肢位，範囲，方法を確認する．これにより出現しうる関節拘縮の種類や程度が予測できる．

c 痛み

痛みの部位，強度，種類，運動との関連，増悪・軽快因子を確認する．視覚的アナログスケール（VAS）や数値的評価スケール（NRS）を用いて経時的に評価していく．痛みが長期に持続する場

Keyword

骨シンチグラフィー 放射性同位元素（ラジオアイソトープ）を使った検査法の 1 つであり，骨折や骨の炎症，骨腫瘍を調べるために行われる．薬物および放射性物質を静脈注射し，ガンマカメラで撮影すると，骨代謝（骨の破壊と再生）が盛んなところに集積し，黒く描出される．この黒い描出がみられないことで遷延治癒と判断される．

合，医師に骨癒合の過程を確認する．

痛みは主観的感覚であり，患部の状態だけでなく，心理・社会的要因を反映することも多い．傾聴の態度を示すことで信頼関係構築に努める．

d ラボデータ

特に，電解質のバランスの崩れ(Na，K の異常値)，炎症(CRP 値上昇)や筋破壊(CK 値上昇)の検査値の結果に注意し，リスク管理や負荷量調整の目安とする．

e 関節可動域

2 関節筋の影響も考え，骨折部の中枢・末梢部における ROM を測定する．必要に応じて全身の柔軟性も合わせて評価する．

f 筋力

早すぎる筋力検査は骨癒合を妨げる要因となる．術後プロトコールを確認し，骨折部周囲の筋力検査が実施可能な時期を確認しておく．高齢者の下肢骨折では健側・体幹の筋力も大まかに確認する．

g 上肢機能，バランス

骨折の部位や年齢により重要度は異なるが，リーチや把持，道具操作能力など最低限の上肢機能を確認する．床から物を拾うなどバランス課題と組み合わせることで転倒の予測も可能になる．簡易上肢機能検査(STEF)や機能的バランス指標(functional balance scale; FBS)を実施するとよい．

h 健側機能

健側の ROM，筋力，上肢機能を大まかに評価する．これらは患側の目標設定に役立つ．

i 術後せん妄

高齢者の外科手術では，日本語版 NEECHAM 混乱・錯乱状態スケールや ICU のためのせん妄評価法(confusion assessment method for the ICU; CAM-ICU)などを用いて術後せん妄を評価することが多い[1]．作業療法士が評価過程に直接かかわることは少ないが，採点法や解釈など基本的な使い方は理解しておく．病棟スタッフと協力し，睡眠覚醒リズムの改善に努力する．

j 日常生活活動

骨折の部位や年齢を参考に ADL および生活関連活動(IADL)を評価する．高齢者の下肢骨折の場合は実際の生活場面を確認し，転倒のリスクなど問題点を具体的に把握する．

k 高齢者の骨折の場合

上記項目に加え，心疾患や排泄障害，抑うつ，認知症など，いわゆる老年期障害の特徴をふまえた視点をもってかかわる．また，多職種が連携し住環境や生活環境の調整，社会資源の導入を行う．

2 評価における注意事項

a 手術記録・術後プロトコールの確認

術後療法としての作業療法の内容は処方内容に従う必要がある．カルテや医師に確認し，手術記録と術後プロトコールを理解しておく．

b X 線読影

骨折部の骨癒合の経過，偽関節の有無を確認する．ROM 訓練，筋力増強訓練における運動方向や強度を判断する材料となる．X 線読影はあくまで医師の業務であり，自己判断せず，主治医に画像所見を問い合わせるべきである．

c 対象者の理解度

医師の指示内容や禁忌動作を対象者が正しく理解しているか確認する．開かれた質問法(open question)（例：「今後について主治医の先生はどのように話していますか」)を用いることで，対象者の理解が把握しやすくなる．入院加療中であれば，病棟生活や自主トレの様子を直接確認する.

d 安静度の変更時

床上安静から離床可能になるなど安静度の変更があるときにはバイタルサインや転倒リスクを確認し，リスク管理を行う.

C 作業療法の目標

術後初期には痛みからの解放，その後は ROM 改善と筋力増強に基づいた機能改善が目標となる．高齢者の場合，精神機能の低下など二次的問題の予防，ADL や QOL の維持・改善が重要になる.

D 作業療法プログラム

1 一般的なプログラム

a リラクセーション

術後の痛みや心理的緊張によって生じる持続的筋緊張は筋の短縮や血液循環不全の原因となる．良肢位と正しい装具装着法の指導，物理療法を用いることで患肢の静脈還流を助け，痛みや心理的緊張状態の緩和に努める．術前に作業療法室を見学するなど，なんらかのかかわりをもつことも緊張状態の緩和に役立つ.

術後初期に運動による疼痛の増悪を持続的に経験すると，以降のプログラムを順調に進めることが難しくなる．接触面積を広くして患肢を支えたり，運動内容を口頭で説明しながらゆっくり動かしたりすることも疼痛緩和に役立つ.

b 浮腫予防

受傷や ORIF によって生じる炎症は，①毛細血管の透過性亢進，②細胞外液の増加，③周辺組織の線維化，④関節拘縮へと続く．患肢の挙上保持，筋ポンプ作用の促進，固定関節より遠位関節の自動運動を通して，浮腫の予防をはかる.

c 物理療法

物理療法は ROM 訓練の前に行われる．ホットパックや渦流浴などの温熱療法(➡ 158 ページ)が用いられることが多く，原理や使用法などを理解しておく必要がある.

d 創部癒着軽減

癒着軽減を目的に創部周辺のマッサージを行う．マッサージにより発生する摩擦熱や，加圧により生じる痛みに注意する.

e 関節可動域訓練

骨癒合過程に合わせて，①自動運動，②自己他動運動，③他動運動の順に拡大していく．一部の術後療法において他動運動が自動運動より先行する場合もあるが，これはリラクセーションや拘縮予防を主体とした ROM 訓練であり，上記③他動運動とは目的が異なる.

ROM 訓練では，凹凸の法則や関節の遊び運動，最終域感などを理解する必要がある.

f 筋力増強訓練

抵抗運動を行う場合は，骨折部への影響を考慮しながら抵抗を加える場所を選ぶ.

g その他

必要に応じて，基本動作練習，ADL 練習，手工芸，環境調整を導入する.

E 各部位における骨折の概要

1 上腕骨近位部骨折

a 原因

上腕骨近位部骨折は高齢女性に多く，転倒による受傷がほとんどである．活動性との関連が示唆され，外出の多い生活をしている高齢者では骨折のリスクが低いとされる[2]．転倒時には頭部・体幹を保護するため上肢の保護伸展反応が出現する．地面との衝突時に手や肘に加わった力が上腕骨に伝わり(介達外力)，骨折となることが多い(▶図 4)．

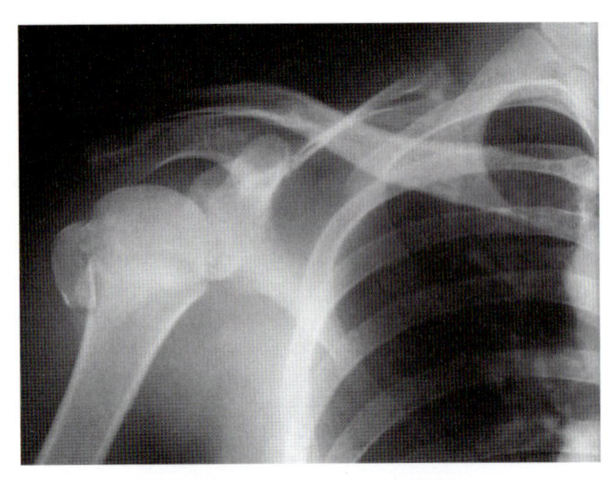

▶図 4　上腕骨近位部骨折単純 X 線写真

b 医学的治療

治療方針の決定には，骨折の部位と骨片の数を基準にした，ニアー(Neer)分類が用いられる．転位が少なく骨性接触が保たれている場合は保存療法の対象となる．転位が大きい場合は ORIF，骨片の数が多く骨頭壊死の可能性がある場合は人工骨頭置換術の適応にもなる．

c 後遺症

肩関節拘縮が残りやすい．

d 日本整形外科学会肩関節疾患治療成績判定基準(▶表 2)[3]

日本整形外科学会(Japan Orthopaedic Association; JOA)が，疼痛(30 点)，自動関節可動域(30 点)，日常生活動作群(10 点)などを基準に定めたものである．日常生活動作群には，結髪，結帯動作など肩関節内外旋を伴う動作が多くあげられている．近年は患者立脚肩関節評価法 Shoulder 36 V.1.3 を用いることも多い．日本肩関節学会の Web サイトから入手でき，非営利目的の使用であれば許可を受ける必要はない．

e 作業療法評価

術後プロトコールに合わせて必要な評価項目を選択する．前述した評価項目に加え，胸鎖関節の可動域，肩甲上腕リズムを評価する．

f 作業療法プログラム

保存療法では，1 週間ほどの三角巾安静，振り子運動開始，他動運動，自動運動の順で進められる．手術療法でもプログラム開始順序は保存療法に準じる．以下に代表的なプログラムを紹介する．

(1) リラクセーション

術後初期には痛みや心理的緊張による持続的筋緊張がよくみられる．患側上肢を枕の上に乗せ，深呼吸をすることでリラクセーションをはかる(▶図 5)．手指の屈伸運動は視覚的に確認しながらゆっくり反復する．

就寝時には肘関節の下に枕を置き，手は腹部の上に置くよう指導する(▶図 6)．肩関節に加わる上肢の重みが軽減し，疼痛が緩和することで睡眠の質が向上する．浮腫予防も期待できる．

(2) 振り子運動(▶図 7)

前かがみ体操〔Codman の stooping exercise (コッドマン体操)〕から始める．患側上肢の力を抜き，体幹を前傾させることで肩関節の屈曲が自動的に得られる(▶図 7-a)．この状態から体幹

▶表 2 日本整形外科学会肩関節疾患治療成績判定基準(JOA スコア)

番 号:	患者名:	♂・♀	才
記載日: 年 月 日	疾患名:		
左右別:	術 名:		
手術日: 年 月 日	署 名:		

I. 疼痛(30 点)

なし……30
スポーツ, 重労働時の僅かな痛み……25
作業時の軽い痛み……20
日常生活時の軽い痛み……15
中程度の耐えられる痛み(鎮痛剤使用, 時々夜間痛)……10
強度な痛み(夜間痛頻回)……5
痛みのためにまったく活動できない……0

II. 機能(20 点)

総合機能(10 点)

外転筋力の強さ(5 点)
※ 90° 外転位にて測定
同肢位のとれないときは
可能な外転位にて測定
(可能外転位角度)

正常……5
優……4
良……3
可……2
不可……1
ゼロ……0

耐久力(5 点)
※ 1 kg の鉄アレイを
水平保持できる時間
肘伸展位・回内位にて測定
(成人 2 kg)

10 秒以上……5
3 秒以上……3
2 秒以下……1
不 可……0

日常生活動作群(患側の動作)(10 点)

結髪動作……(1, 0.5, 0)
結帯動作……(1, 0.5, 0)
口に手が届く……(1, 0.5, 0)
患側を下に寝る……(1, 0.5, 0)
上着のサイドポケットのものを取る……(1, 0.5, 0)
反対側の腋窩に手が届く……(1, 0.5, 0)
引戸の開閉ができる……(1, 0.5, 0)
頭上の棚の物に手が届く……(1, 0.5, 0)
用便の始末ができる……(1, 0.5, 0)
上着を着る……(1, 0.5, 0)

他に不能の動作あれば各 1 点減点する
1. 2. 3.

III. 可動域(自動運動)(30 点) 座位にて施行

a. 挙上(15 点)
150 度以上……15
120 度以上……12
90 度以上……9
60 度以上……6
30 度以上……3
0 度……0

b. 外旋(9 点)
60 度以上……9
30 度以上……6
0 度以上……3
−20 度以上……1
−20 度以下……0

c. 内旋(6 点)
Th12以上……6
L5 以上……4
殿部……2
それ以下……0

IV. X 線所見評価(5 点)

正常……5
中程度の変化または亜脱臼……3
高度の変化または脱臼……1

V. 関節安定性(15 点)

正常……15
軽度のinstabilityまたは脱臼不安感……10
重度のinstabilityまたは亜脱臼の既往, 状態……5
脱臼の既往または状態……0

備考:肘関節, 手に障害がある場合は, 可動域, 痛みについて記載する

総合評価:計( )点
疼痛( ) 機能( ) 可動域( )
X 線所見( ) 関節安定性( )

治療後評価
医師 +, 0, − 患者 +, 0, −

〔日本整形外科学会肩関節疾患治療成績判定基準委員会:肩関節疾患治療成績判定基準. 日整会誌 61:623–629, 1987 より〕

を前後・左右に動かすことを振り子運動といい（▶図 7-b・c），関節拘縮予防により有用である．

(3) 棒体操・滑車運動

肩関節屈曲のための自動介助運動として最もよく用いられる（▶図 8）．上肢を外旋・回外して棒を握ることで，体操時の肩関節内旋固定を防ぐことができる．

滑車運動の場合，患側上肢の重みが軽減され，肩関節支点の安定性が得られやすい背臥位で行うのがよい．

g 生活指導

正しい装具の装着法，更衣の手順を指導する．自動運動が許可される前から生活で患肢を使用したり肩関節挙上を試みたりする対象者もおり，実際の生活場面を確認する必要もある．

2 上腕骨骨幹部骨折

a 原因

強い衝撃による直達外力のほか，投球や腕相撲

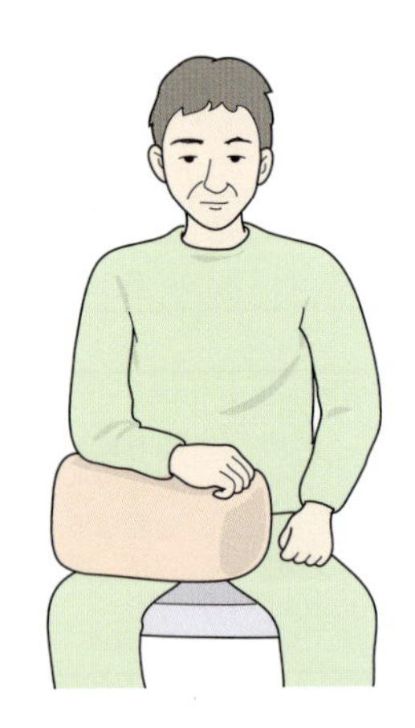

▶**図 5 座位でのリラクセーション**
患側上肢を枕の上に乗せ，深呼吸をすることでリラクセーションをはかる．

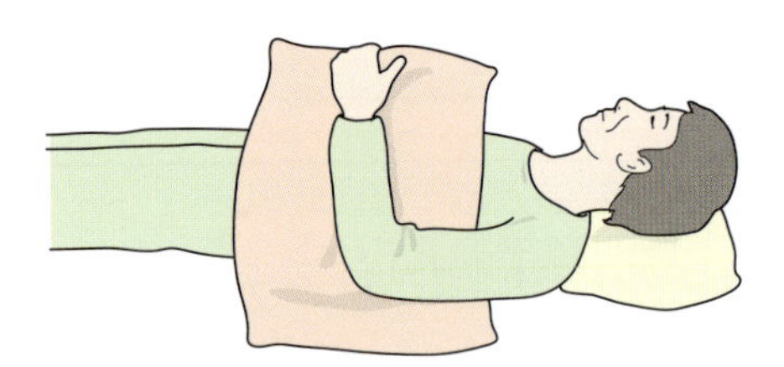

▶**図 6 就寝時ポジショニング**
肩関節に加わる上肢の重みが軽減し，疼痛が緩和することで睡眠の質が向上する．

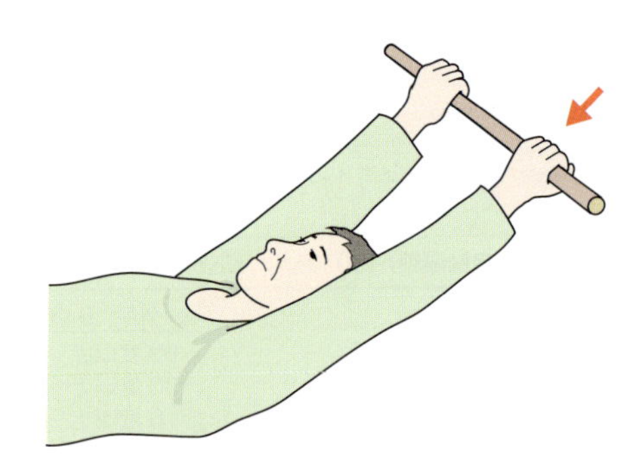

▶**図 8 棒体操**
上肢を外旋・回外して棒を握ることで，体操時の肩関節内旋固定を防ぐことができる．

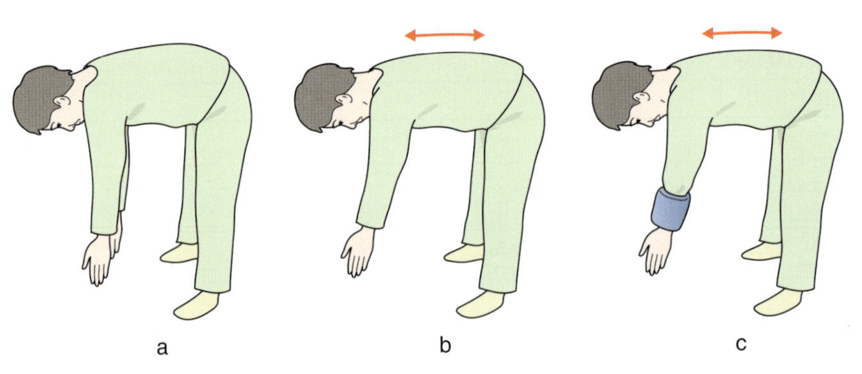

▶**図 7 振り子運動**
a：コッドマン体操．患側上肢の力を抜き，体幹を前傾させる．
b：振り子運動．その状態から体幹を前後・左右に動かす．
c：重錘を用いた振り子運動．手関節に巻くことで患側全体の筋緊張緩和が得られやすい．

による骨折もみられる．後者では上腕骨の近位と遠位に相反する捻転力が生じるため，らせん骨折となる．

b 医学的治療

骨癒合が得られやすく，保存療法になることが多い．横骨折など骨癒合が得られにくい場合は髄内釘やプレートを用いた手術療法の適応となる．

c 合併症

上腕骨下部で骨と接して走行する橈骨神経が損傷を受けやすい．橈骨神経が後骨間神経と橈骨神経浅枝に分岐する前であるため，傷害されると下垂手を呈する．

d 作業療法評価

前述した評価項目や上腕骨近位部骨折に準じる．

e 作業療法プログラム

上腕骨近位部骨折に準じる．肩関節の内外旋は骨折部の安定性を低下させる可能性が大きいため，十分な骨癒合が得られてから行う．筋力増強訓練の開始時期には注意が必要である．

3 上腕骨顆上骨折

a 原因

小児が肘関節を伸展したまま転倒したときに生じやすい．これを伸展型骨折といい，顆上骨折のほとんどを占める．

b 医学的治療

転位が少ない場合は保存療法，整復が難しく神経や血管の合併損傷が疑われる場合は手術療法の適応となる．

c 合併症

神経や血管の損傷，**内反肘**が生じやすい．

d フォルクマン拘縮

筋膜によって囲まれた閉鎖区域をコンパートメントといい，骨折による血管損傷など，なんらかの原因でそのコンパートメントの内圧が上昇し血管の還流障害が生じた状態をコンパートメント症候群という．コンパートメントの内圧が上昇すると血流が減少し，筋組織が阻血性壊死となり神経も阻血性麻痺に陥る．

阻血性拘縮はそのコンパートメント症候群の後遺症である．特に骨折などにより前腕屈筋群に生じた阻血性拘縮を**フォルクマン(Volkmann)拘縮**という．症状として疼痛，脈拍消失，麻痺，蒼白，異常感覚が出現する．

e 作業療法プログラム

小児骨折の場合，他動運動による組織の破壊や出血の可能性があり，自動運動のみを行う．

4 前腕骨骨幹部骨折

a 原因

橈骨の単独骨折は肘関節伸展位で手をついて転倒したときの介達外力で生じる．尺骨単独骨折は打撃の衝撃などによる直達外力や転倒による介達外力により生じ，同様の理由で両骨が同時に骨折する場合もある．また，橈骨頭脱臼を伴う尺骨骨折はモンテジア(Monteggia)骨折，尺骨頭脱臼を伴う橈骨骨折をガレアッツィ(Galeazzi)骨折という．

Keyword

内反肘　肘関節を伸展し，前腕を回外すると，前腕は上腕に対して少し(約 10～15°)橈側に外反する．これを生理的外反肘(肘角)という．前腕が尺側に変位して肘角が少ない状態を内反肘という．

フォルクマン拘縮　Volkmann's ischemic contracture．虚血による不可逆的な筋組織壊死を伴う拘縮．前腕屈筋の壊死で生じる拘縮が多い．上腕骨骨折，前腕部外傷などにより動脈性血行障害が生じることで引き起こされる．正中神経麻痺ならびに尺骨神経麻痺を伴いやすい．

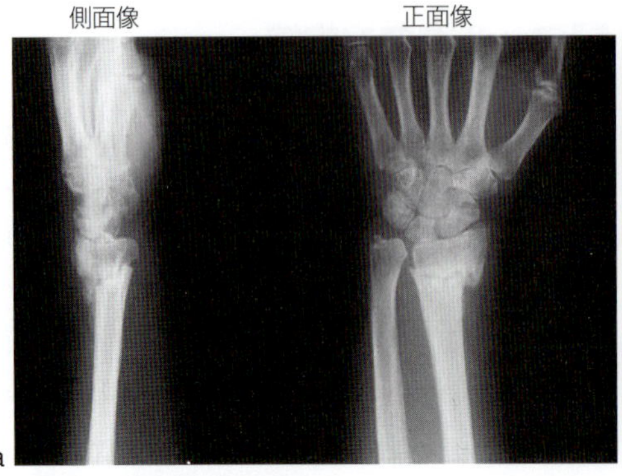

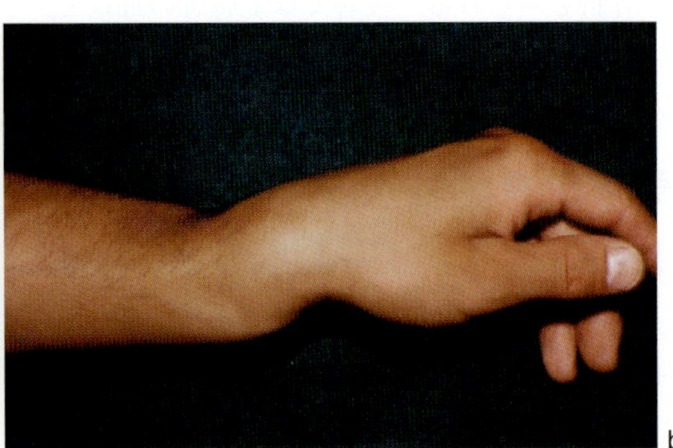

▶図 9　橈骨遠位端骨折
a：単純 X 線写真，b：フォーク状変形.

b 医学的治療

保存療法では外固定が適応されるが，整復位の安定が得られない場合が多く，手術療法の適応になることも多い．プレート固定が一般的であり，強固な内固定が得られれば早期の自動運動開始となる．

c 合併症

モンテジア骨折では橈骨神経麻痺が生じることがある．橈骨神経が後骨間神経と橈骨神経浅枝に分岐したあとであるため，傷害されると下垂指を呈する．

d 作業療法プログラム

前腕の回内回外の重要性，手関節の ROM 訓練における凹凸の法則を理解し，痛みのない範囲で進めていく．

5 橈骨遠位部骨折

a 原因

橈骨遠位部骨折は女性に多く，転倒による受傷がほとんどである．加齢とともに増加し，70 歳以上では若年者に比べ男性で 2 倍，女性では 17 倍になるとされる[4)]．手関節を背屈した状態で転倒したときに生じるコーレス(Colles)骨折，手関節を掌屈した状態で転倒したときに生じるスミス(Smith)骨折がある．いずれも(手)関節外骨折に分類され，前者を背屈転位型，後者を掌屈転位型という．発生頻度が高いのはコーレス骨折であり，フォーク状変形をきたす(▶図 9)．また，骨折が橈骨手根関節内に及んだものをバートン(Barton)骨折という．

b 医学的治療

徒手整復とギプス固定を行う．整復が困難な場合や関節内骨折の場合は手術療法の適応となり，プレートによる内固定が用いられる．最近ではロッキングプレートによる内固定が普及し，術後早期からの手関節運動が可能である．

c 合併症

多くの合併症の可能性がある．①骨折部の近くを神経が走行するため生じる正中神経の低位損傷，②橈骨のリスター(Lister)結節を支点に走行を変える長母指伸筋に，骨折による摩擦力が加わることで生じる長母指伸筋腱断裂，③橈骨の短縮により尺骨が相対的に長くなることで生じる尺骨突き上げ症候群，その他，④ CRPS，⑤手根管症候群などがある．

d 作業療法評価

上記合併症，および浮腫の出現に注意する．ギプス固定時から処方され，早期に取り外しが可能な装具になることも多い．装着法を確認し，骨癒合過程に適した負荷を手関節にかけているかを評価する．

e 作業療法プログラム

外固定中は肩関節や手指など固定されていない関節の自動・他動可動域訓練を早期から始める．手関節の固定除去後は前腕の回内・回外や手関節の可動域訓練を開始する．また，上記関節運動を多く含むリーチ，把持動作を行うことで上肢機能の回復をはかる．ホームエクササイズでは内容の伝達だけでなく，実施を促すような工夫も加える．

6 舟状骨骨折

a 原因，症状

橈骨遠位端骨折と同じく，手関節背屈位での転倒により生じやすい．手根骨骨折のなかで最も多く，見逃されやすい．

b 医学的治療

ギプス固定を用いた保存療法が行われるが，長期間の外固定を必要としない手術療法の適応となるものも多い．

c 合併症

舟状骨への血液供給は遠位端から行われるため，近位端に骨壊死や偽関節が生じやすい．

d 作業療法評価

手関節の運動時痛と ROM 制限，握力の低下が長期に持続する場合，偽関節の可能性もあるため医師に報告する．

e 作業療法プログラム

偽関節になりやすく，過度の負荷を避ける．日常生活や仕事における負荷量を把握し，適切にアドバイスする．

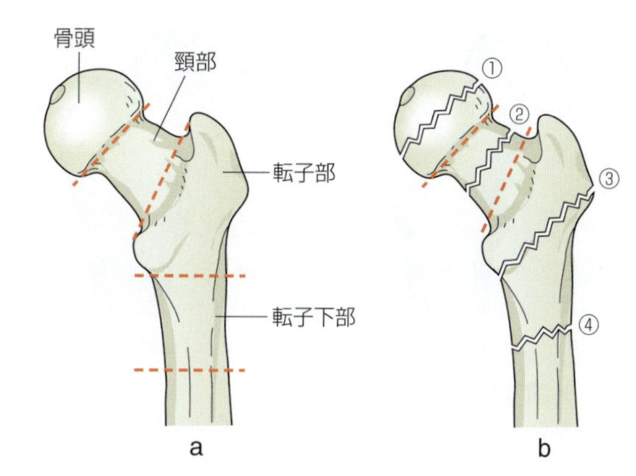

▶図 10 大腿骨近位部の構造(a)と骨折の分類(b)
b：①骨頭骨折，②頸部骨折，③転子部骨折，④転子下部骨折．

7 中手骨骨折・指骨骨折

手部では，骨折よりも刃物やガラスなどによる開放性損傷の術後療法にかかわることが多い．開放性損傷に伴う末梢神経や腱，血管損傷の損傷は把持や物品操作など，上肢の微細運動を困難にし，ADL や仕事への影響も大きい．詳細は，本章の 4「上肢の末梢神経損傷」(➡ 278 ページ)を参照していただきたい．

8 大腿骨頸部骨折

a 原因

大腿骨近位部骨折は 40 歳から年齢とともに増加し，70 歳を過ぎると急激に増加する．若年者では男女差がみられないものの，高齢者では女性の発生率が高いとされる[5]．発生部位によって，近位側から①骨頭骨折，②頸部骨折，③転子部骨折，④転子下部骨折に分類される(▶図 10)．頸部骨折と転子部骨折は高齢者の転倒に多く，骨脆弱性を背景にした骨折であるため，強い外力でなくても骨折が生じる．

頸部骨折は関節内で骨折が生じたことから内側骨折と呼ばれ，治療が困難で予後不良とされる．その理由として，①内側骨折であるため，骨折部に骨膜がなく，骨膜性仮骨が形成されない，②大

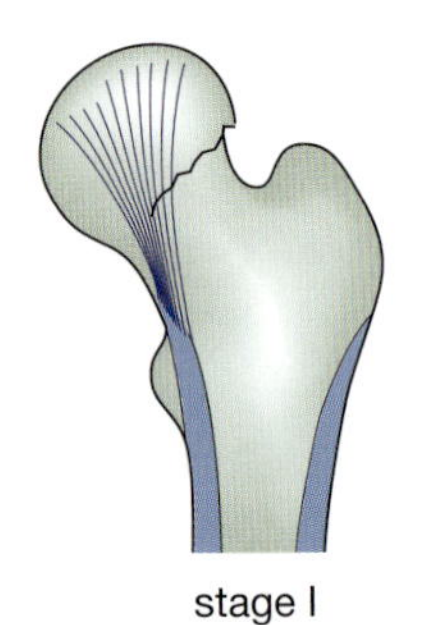

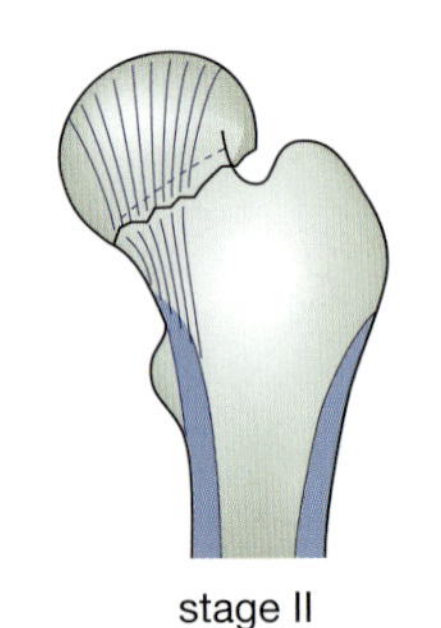

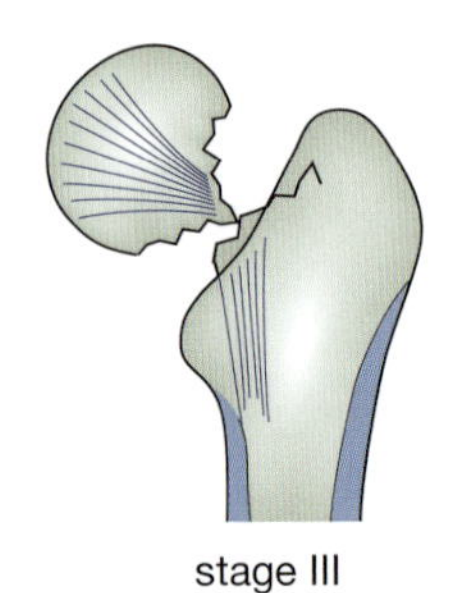

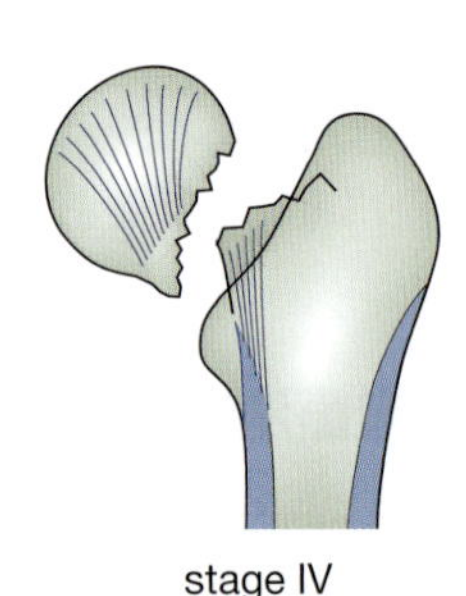

▶図 11　ガーデン分類
転位の程度を基準にした大腿骨頸部骨折の分類.

腿骨骨頭部への血液供給は頸部から行われるため，骨頭壊死が生じやすい，③骨折線が垂直方向に走りやすく，剪断力が加わりやすい，④骨脆弱性が背景にある点があげられる.

b 医学的治療

頸部骨折の分類には転位の程度を基準にしたガーデン(Garden)分類が用いられ(▶図 11)，① stage I：不完全骨折，② stage II：転位のわずかな完全骨折，③ stage III：骨頭が転位した完全骨折だが，骨頭への血液供給は一部保たれている状態，④ stage IV：すべての連続性が断たれた完全骨折と分類される.

多くの場合，早期離床，早期日常生活復帰という観点から手術療法の適応となる．骨癒合が期待できる場合は cannulated cancellous screw，hook pin，sliding hip screw などを用いた骨接合術，期待できない場合は人工骨頭置換術の適応となるが，人工股関節全置換術(THA)を選択する場合もある.

転子部骨折の分類にはエヴァンス(Evans)分類が用いられる(▶図 12)．内側骨皮質の損傷の程度，整復位保持の難易度より分類したものである．早期離床，早期日常生活復帰という観点，保存的治療における脚長不等の可能性から，手術療法が選択される．sliding hip screw，short femoral nail を用いた骨接合術が一般的である.

受傷時　整復時
タイプ1
グループ1　転位なし
グループ2　転位あるも整復可能
グループ3　転位あり整復不能
グループ4　粉砕骨折
タイプ2　逆斜骨折
安定
不安定

▶図 12　エヴァンス分類
骨折線の向きを基準に，小転子から上方・下方へ向かう骨折をタイプ 1，下方・外方へ向かう骨折をタイプ 2 に分類し，タイプ 1 をさらに整復位保持の難易度を基準に 4 つのグループに分ける.

c 最小侵襲手術

従来 THA は 15～20 cm ほどの皮切で行われていたが，最近は 8 cm ほどでも可能になる．最小侵襲手術(minimally invasive surgery; MIS)は，痛みの軽減や早期の機能回復などのメリットがあ

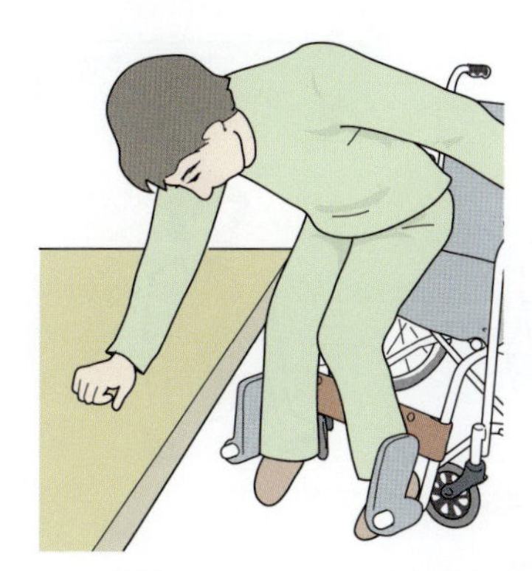

▶図 13　脱臼が生じやすい車椅子移乗法
患肢(右下肢)を軸足にし，車椅子に深く座った状態で立ち上がる.

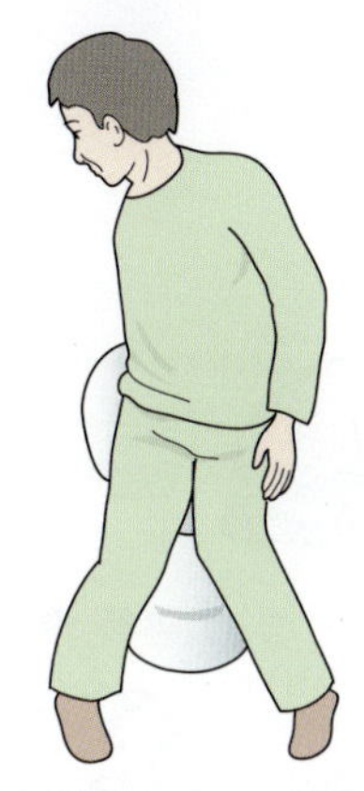

▶図 14　脱臼が生じやすい排便後の後始末
内股のまま体幹を患側に回旋し，後ろから手を入れる(右下肢が患肢である).

る一方で，術中の視野が狭くなることで生じる重大な問題もあり，慎重な選択が求められる.

d 合併症

人工骨頭置換術では，2〜7%の脱臼発生が報告されている．脱臼肢位は術式によって若干異なる．関節包の前方を切開する前方アプローチの場合，股関節伸展・外旋を伴う動作で脱臼しやすい．後方を切開する後方アプローチの場合は，股関節屈曲・内転・内旋を伴う動作で脱臼しやすい．関節運動に伴う骨頭の動きを考えると理解しやすい．ただし，いずれの術式においても過度の屈曲は禁忌となる.

e 急性期作業療法評価

骨折の術後療法は理学療法士が担当することが多い．作業療法士は基本動作，移乗・トイレ動作を評価し，適切な指導を行う．以下にいくつかの注意点を紹介する.

①ベッドポジショニング：股関節軽度屈曲・外転位の保持が重要である．腓骨頭付近の持続的圧迫によって生じる腓骨神経麻痺に注意する.

②車椅子移乗：患肢を軸足にし，車椅子に深く座った状態で立ち上がると脱臼肢位になりやすい．閉鎖運動連鎖(CKC)により股関節屈曲・内転・内旋が生じるためである(▶図 13)．同様の理由で立位での体幹回旋もリスクが高い.

③排便後の後始末：内股のまま体幹を患側に回旋し，後ろから手を入れると脱臼肢位になりやすい(▶図 14).

ADL 上の注意を口頭説明だけでなく，パンフレットや動画，動作練習などを用いながら具体的に伝えると理解されやすい(▶図 15).

f 回復期作業療法

歩行能力が歩行器から，杖，独歩，階段昇降へと改善し，脱臼のリスクも減少していく時期である．転倒リスクや実用性を確認しながら生活活動範囲を広げていく．買い物や外泊練習など早期自宅復帰に向けたアプローチを行う.

g 介護保険下での生活期作業療法

地域連携クリティカルパスの普及により急性期から回復期までの施設間連携は拡大しつつあるが，通所や訪問リハビリテーションなど生活期との連携はいまだ不十分である．受傷機転を含めた現病歴，術後療法の内容などが不明な場合は前院に情報提供を依頼する必要がある.

作業療法士の役割は，再転倒・再骨折の防止を目的に転倒リスクを検討すること，福祉用具の使用状況を確認すること，住環境を定期的に評価して，適切に指導することである．また，QOL の向上に向けて家庭内役割，社会参加を支援していく.

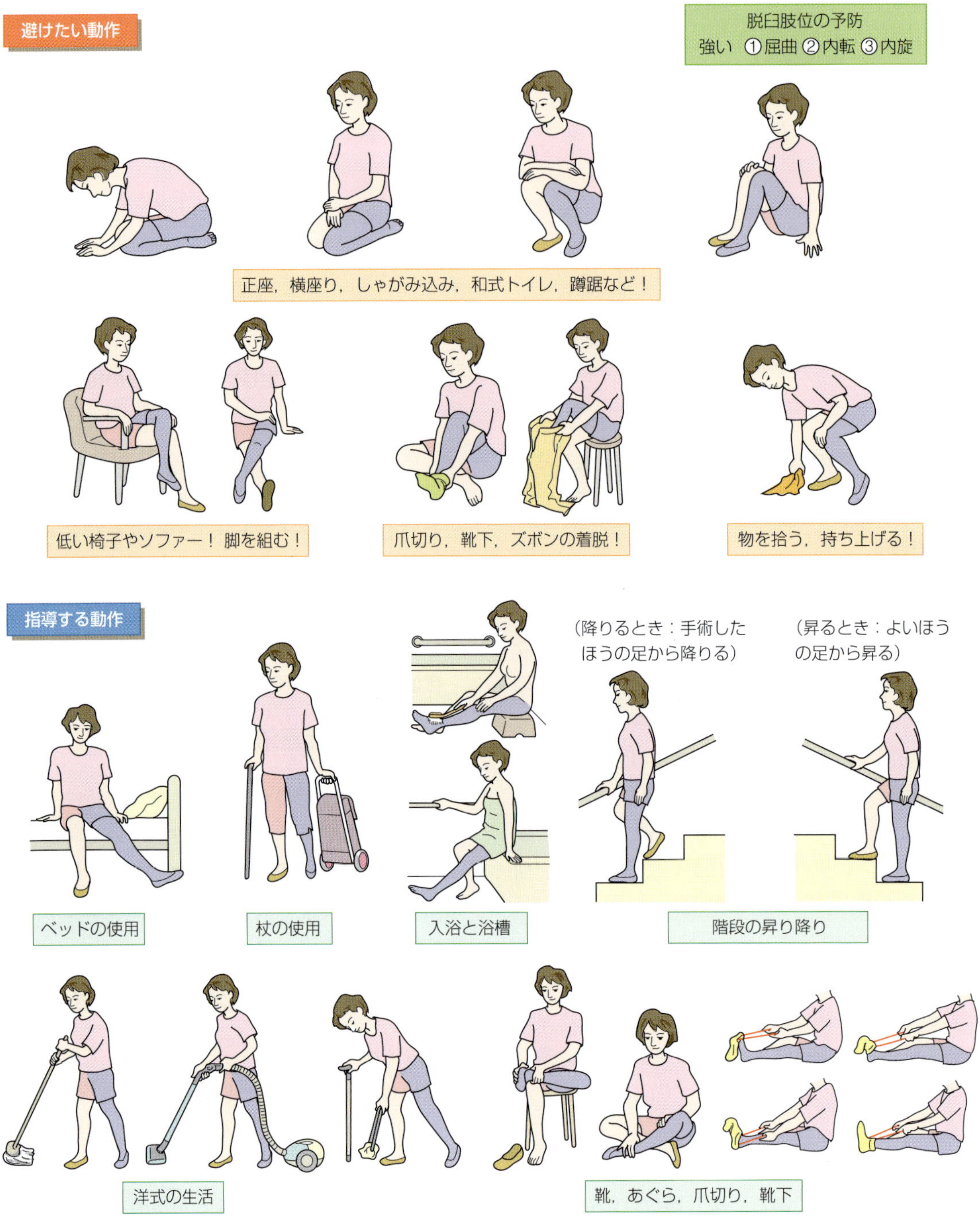

▶図 15　ADL での注意（図中，左下肢が患肢である）

h 自助具の導入

端座位で床に落ちている物を拾う動作は，強い股関節屈曲のため脱臼肢位になりやすい．リーチ機能を補うリーチャーを用いることで股関節屈曲を回避できる．同様の理由でソックスエイドも有用である．座高の低いポータブルトイレには高さを補う補高便座を用いる．自助具は導入理由を理

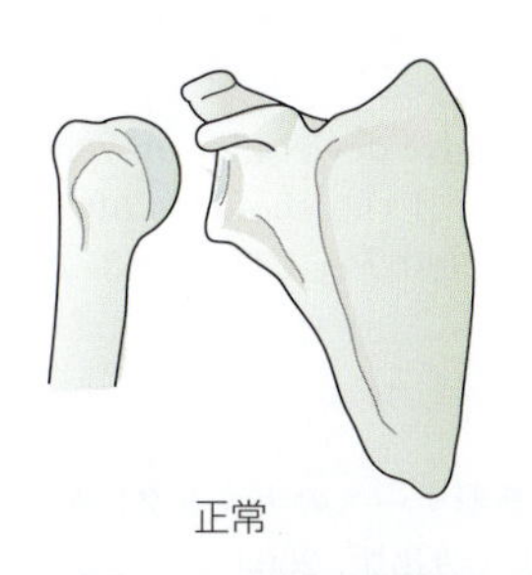

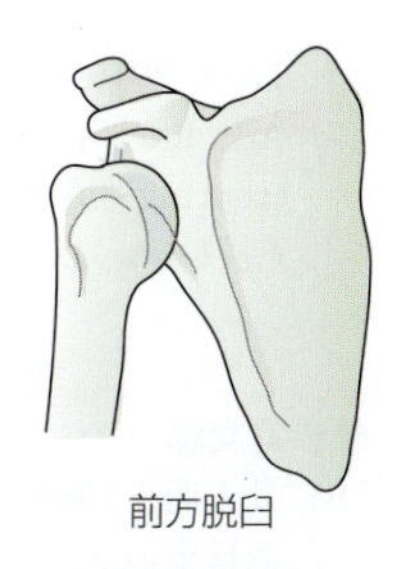

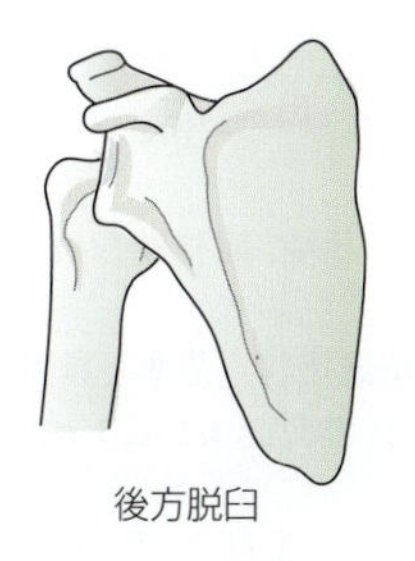

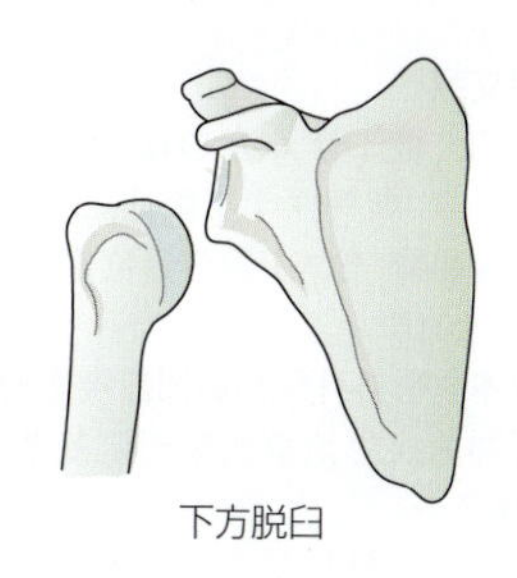

▶図 16 骨頭の移動方向により脱臼の分類
外傷性肩関節脱臼では前方脱臼が生じやすく，片麻痺者における亜脱臼では下方脱臼が生じる．

解しないと生活で生かされないことも多く，十分な説明が必要になる．

i 地域連携クリティカルパス

クリティカルパスとは，良質な医療を効率的，かつ安全，適正に提供するための手段として開発された診療計画書である．診療の標準化，根拠に基づく医療(EBM)の実施，業務の改善，チーム医療の向上などに用いられる．

地域連携クリティカルパスとは，早期の自宅復帰に向け，急性期や回復期病院など複数の医療機関で共有して用いられる診療計画のことである．

9 脊椎骨圧迫骨折

脊椎骨圧迫骨折は，骨粗鬆症を基盤とする脆弱性骨折(そのほかには橈骨遠位部骨折，大腿骨頸部骨折などがある)のうち最も発生数が多い[6]．胸腰椎移行部を中心に広く分散し，複数の椎体に生じることもある．転倒などの強い外力がなくても，中腰でのリーチや尻もち，トランスファー時の急な着座など軽微な外力でも生じる．骨折部の痛みを訴えるが，椎弓や椎間関節は損傷を受けないため，神経症状の可能性は低い．しかしながら，術後療法の過程で持続的に強い痛みを訴える場合は破裂骨折の可能性もあるため医師に報告する．

コルセットなどの外固定のうえ，一定期間の安静を行う．骨折した椎骨への加圧を避けるため，洗顔動作や背もたれなしの座位保持など体幹前屈を要する姿勢には注意が必要である．

10 脱臼・亜脱臼

脱臼は関節包の損傷や弛緩のために関節面の相互の位置関係が失われた状態をいう．完全に適合性を失われた脱臼(dislocation)と，関節面が一部接触している亜脱臼(subluxation)に分けられる．肩関節では，骨頭の移動方向により，前方脱臼，後方脱臼，下方脱臼に分類される(▶図 16)．

外傷性肩関節脱臼の場合，肩関節外転・外旋位で転倒し，長軸方向に外力が加わったときに生じやすい．骨頭が烏口突起下に外れる前方脱臼がほとんどである．肩関節に脱臼が生じやすい理由としては，①骨頭に比べて受け皿である関節窩が小さく，②靱帯や関節包による安定性が比較的弱い，③運動範囲が大きいため外傷を受けやすいなどがあげられる．

脱臼によりゆるんだ関節包や靱帯が完全に修復する前に再脱臼をおこし，脱臼を繰り返す状態を反復性肩関節脱臼という．肩関節外転・外旋位になると脱臼への不安感が増強する．保存的治療としては肩関節周囲筋の筋力増強，手術療法では関節唇の修復や関節包の縫縮が行われる．

脳卒中片麻痺者におけるいわゆる亜脱臼とは，下方脱臼のことである．麻痺により筋活動が低下すると骨頭は重力により下方に引き下げられる．それにより関節包が持続的に伸張され，亜脱臼が生じる．三角巾など片麻痺者用スリングは整復の効果はないものの，疼痛の緩和には有用とされる[7]．

●引用文献

1) 和田　健：せん妄の臨床—リアルワールド・プラクティス. 新興医学出版社, 2012
2) 玉井和哉, 他：上腕骨近位端骨折の治療. 臨整外 50:21–27, 2015
3) 日本整形外科学会肩関節疾患治療成績判定基準委員会：肩関節疾患治療成績判定基準. 日整会誌 61:623–629, 1987
4) 日本整形外科学会診療ガイドライン委員会, 他(編)：橈骨遠位端骨折診療ガイドライン 2017. 改訂第 2 版, 南江堂, 2017
5) 日本整形外科学会診療ガイドライン委員会, 他(編)：大腿骨頚部/転子部骨折診療ガイドライン. 改訂第 3 版, 南江堂, 2021
6) 津田隆之：骨折の疫学と転倒予防. 臨整外 50:1201–1208, 2015
7) Ada L, et al: Supportive devices for preventing and treating subluxation of the shoulder after stroke. *Cochrane Database Syst Rev* CD003863, 2005

●参考文献

8) 井上明生(編著)：整形ナースのナットク! 人工股関節置換術のケア. メディカ出版, 2004
9) 土屋弘行, 他(編)：今日の整形外科治療指針. 第 7 版, 医学書院, 2016
10) 信原克哉：肩—その機能と臨床. 第 4 版, 医学書院, 2012
11) 金子和夫, 他：整形外科外傷学. 井樋栄二, 他(編)：標準整形外科学. 第 14 版, pp720–840, 医学書院, 2020

2 加齢性関節疾患

加齢性関節疾患の対象者に作業療法を実施できるようになるために，この疾患の病態を理解し，作業療法の評価技法と治療・指導・援助法を修得する．

SBO 行動目標

1）加齢性関節疾患の定義，分類を説明できる．
- □ ①加齢による関節疾患の2つの分類を説明できる．
- □ ②加齢性関節疾患の4つの分類を説明できる．

2）肩関節周囲炎の評価および作業療法プログラムを計画できる．
- □ ③肩関節周囲炎の症状および経過を説明できる．
- □ ④肩関節周囲炎の医学的治療と作業療法の関連について説明できる．
- □ ⑤肩関節周囲炎のそれぞれの保存療法を実演できる．

3）手指の変形性関節症の評価および作業療法プログラムを計画できる．
- □ ⑥手指にみられる変形性関節症を2つあげ，その特徴を説明できる．
- □ ⑦手指の変形性関節症の保存療法を説明できる．

4）変形性股関節症の評価および作業療法プログラムを計画できる．
- □ ⑧変形性股関節症の病期および症状を説明できる．
- □ ⑨変形性股関節症の医学的治療法と作業療法の関連を説明できる．
- □ ⑩変形性股関節症の対象者に対する生活指導の内容を実演できる．
- □ ⑪変形性股関節症の対象者に使用する自助具を列挙できる．

5）変形性膝関節症の評価および作業療法プログラムを計画できる．
- □ ⑫変形性膝関節症の病期および症状を説明できる．
- □ ⑬変形性膝関節症の医学的治療法と作業療法の関連を説明できる．
- □ ⑭変形性膝関節症の対象者に対する生活指導の内容を実演できる．

年齢を経ることにより生じる加齢性関節疾患には，骨や筋，関節など運動器の老化自体が原因となるものと，運動器の老化に伴って増加する疾患がある．前者には，①骨量の減少により骨の脆弱性(もろさ)が増大する骨粗鬆症，②関節包や関節周囲の軟部組織の老化により炎症が生じやすくなる関節周囲炎，③関節軟骨の退行性変化が原因となる変形性関節症，④靱帯が骨化する靱帯骨化症などがある．後者には骨折などの外傷があげられる．

本項では，代表的な加齢性関節疾患として，肩関節周囲炎と変形性関節症(osteoarthritis; OA)について述べる．

A 肩関節周囲炎

1 肩関節周囲炎とは

肩関節周囲炎とは，肩関節の痛みと運動制限を主症状とする症候群である．50～60代に多く，40

▶表 1　肩関節周囲炎の症状の経過

炎症期 (freezing phase)	動作時痛や安静時痛，夜間痛による睡眠障害がみられる．関節拘縮は明らかではないが，痛みのある上肢を使用しようとしない
拘縮期 (frozen phase)	疼痛が緩和し，関節拘縮が著明になる．特に，結髪，結帯動作など肩関節内外旋を伴う動作が困難になる
回復期 (thawing phase)	疼痛が消失し，関節拘縮が改善する

歳以前に発症することはまれである[1]．肩関節周囲炎を発症した対象者のうち 1 割程度は 5 年以内にもう一側の発症を示す．ADL では結髪(後頭部に触れる)，結帯(腰背部に触れる)動作など肩関節内外旋を伴う動作が制限されやすい．肩に痛みがあり，腱板断裂，石灰性腱炎など明確な診断をつけることができない場合に肩関節周囲炎と診断される．一般には，四十肩あるいは五十肩とも呼ばれる．拘縮により動きが高度に制限されたものは凍結肩(frozen shoulder)ともいう．

a 肩関節周囲炎の病期(▶表 1)

肩関節周囲の症状の経過は，①炎症期(freezing phase)，②拘縮期(frozen phase)，③回復期(thawing phase)の 3 病期に分類される．

b 医学的治療

肩関節周囲炎に対しては，原則として以下に述べるような保存療法が行われる．炎症期には疼痛を誘発する動作を避け，三角巾などを用いて局所の安静をはかる．疼痛緩和には経口非ステロイド系消炎鎮痛薬が用いられるが，痛みが強い場合はステロイド薬を関節内に注入することもある．拘縮期には疼痛緩和と ROM 改善を目的とする温熱療法と運動療法が中心となる．

症状が強い難治例では全身麻酔下での関節授動術や関節鏡視下での関節包切離術が行われることもある．

2 医学的治療と作業療法の関連

作業療法は疼痛緩和と ROM 改善を目的とする治療体操にかかわる．疼痛の強い時期には安静時痛や夜間痛緩和を目的とする①リラクセーションの指導，②全身ストレッチング，③穏やかなマッサージを行う．この時期の積極的 ROM 訓練は疼痛増悪の原因となるおそれがある．

3 保存療法における治療体操，生活指導

(1) リラクセーション

疼痛のある上肢を枕の上に乗せ，深呼吸をすることでリラクセーションをはかる〔本章 1 の図 5(➡ 244 ページ)参照〕．就寝時には肘関節の下に枕を置き，手は腹部の上に置くよう指導する〔本章 1 の図 6(➡ 244 ページ)参照〕．これによって，肩関節に加わる上肢の重みが軽減し，疼痛が緩和することで睡眠の質が向上する．肩が冷えないようバスタオルや毛布で肩を覆うなど寝具の工夫を指導する．

(2) 振り子運動

前かがみ体操(コッドマン体操)から始める．疼痛のある上肢の力を抜き，体幹を前傾させることで肩関節の屈曲が自動的に得られる〔本章 1 の図 7-a(➡ 244 ページ)参照〕．この状態から体幹を前後・左右に動かすことを振り子運動といい〔本章 1 の図 7-b(➡ 244 ページ)参照〕，関節拘縮防止に有用である．振り子運動に重錘を用いる場合は，手で持つより手関節に巻くことで疼痛のある上肢全体の筋緊張緩和が得られやすい〔本章 1 の図 7-c(➡ 244 ページ)参照〕．いわゆるコッドマン体操は，上述した①前かがみ体操，②振り子運動，③重錘を用いた振り子運動のいずれかを意味することがあり，指示内容が不明な場合は医師に確認するほうがよい．

(3) 棒体操・滑車運動

棒体操は肩関節屈曲のための自動介助運動として最もよく用いられる〔本章 1 の図 8(➡ 244 ページ)

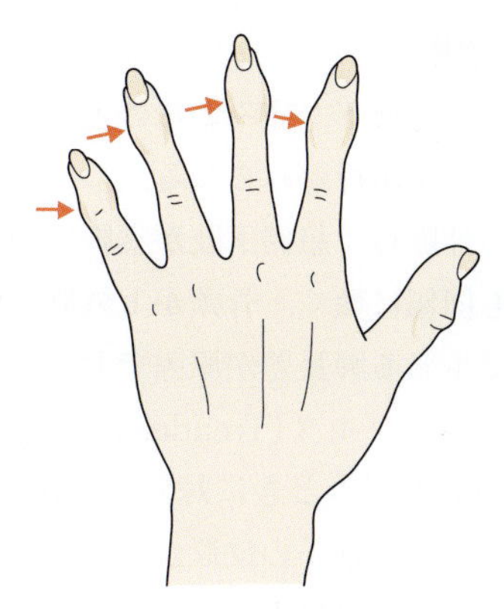

▶図 1　ヘバーデン結節
DIP 関節の骨性隆起や屈曲変形がみられる.

参照〕. 上肢を外旋・回外して棒を握ることで，体操時の肩関節内旋固定を防ぐことができる.

滑車運動の場合，背臥位で行うと疼痛のある上肢の重みが軽減され，肩関節支点の安定性が得られやすい.

(4)　関節可動域訓練

痛みのない範囲で ROM 訓練を進めていく. 肩関節拘縮では骨頭の回旋運動が制限され，インピンジメント症候群(➡ 315 ページ)が生じやすい. 最終域で生じる肩峰周辺の痛みに注意する.

(5)　筋力増強訓練

関節拘縮，疼痛に伴い筋力が低下する場合がある. 必要に応じて筋力増強訓練を行う.

(6)　生活指導

忙しい中高年者にとって自主トレーニングを継続することは容易ではない. 入浴後，全身が温まり，軟部組織が軟化したのちにストレッチングを行うなど，継続可能性を考慮した簡単なプログラムを指導するのがよい.

B　手指の変形性関節症

1　手指の変形性関節症とは

手指の変形性関節症には，原因となる疾患が

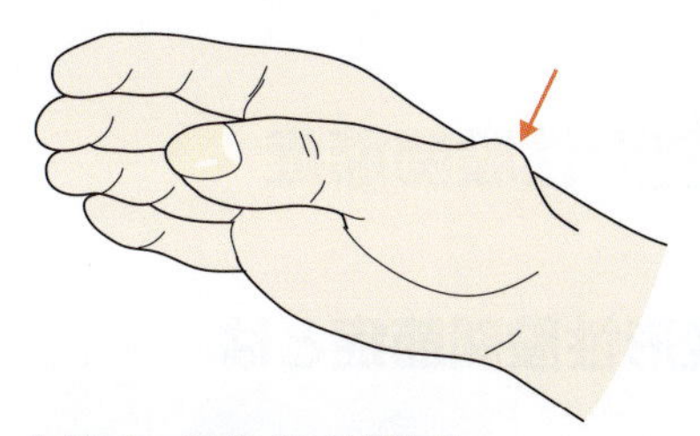

▶図 2　母指 CM 関節症
母指基部の疼痛と変形がみられる.

見いだせない一次性(特発性)変形性関節症として，ヘバーデン(Heberden)結節や母指手根中手(CM)関節症と，骨折や靱帯損傷後に続発する二次性(続発性)変形性関節症がある.

(1)　ヘバーデン結節(▶図 1)

遠位指節間(DIP)関節の骨性隆起や屈曲拘縮がみられ，X 線上では関節裂隙の狭小化，骨棘形成がみられる. 40 歳以上の女性に多く，示指と中指にみられることが多い.

初期に炎症症状がみられ，次第に変形が進み，炎症が治まったのちには無痛性の関節症となる. DIP 関節のテーピング固定など保存療法の適応となることが多く，手術療法の適応になることは稀である. 手洗い洗濯や草むしりなど手指への負担が大きい動作は避ける.

(2)　母指手根中手関節症(▶図 2)

CM 関節部の疼痛と腫脹，X 線上では CM 関節裂隙の狭小化と骨棘，不適合がみられ，亜脱臼が生じ，CM 関節部が突出して見えることもある. 握りやつまみ動作で CM 関節部の痛みが生じ，母指を長軸方向に圧を加えながら回旋させると疼痛が誘発される.

軽症例ではテーピングや母指の固定装具を用いた保存療法の適応となるが，重症例では手術療法の適応となり，関節固定術，関節形成術が行われる.

C 変形性股関節症

1 変形性股関節症とは

変形性股関節症とは，股関節の関節軟骨の変性・摩耗，それに続く関節周囲や軟骨下骨の骨硬化，増殖性変化が生じる非炎症性退行性疾患である．原因となる疾患が見いだせない一次性股関節症と，先天性股関節脱臼や臼蓋形成不全症などを基に発症する二次性(続発性)股関節症があり，日本では二次性が多い[2)]．発症年齢は 40〜50 歳で，女性に多い．

a 変形性股関節症の病期

日本整形外科学会変形性股関節症病期分類がよく用いられる．X 線を用いて評価し，以下の 4 つの病期に分類される．

①前期：臼蓋形成不全など骨形態異常はあっても関節裂隙の狭小化はない時期
②初期：関節軟骨の摩耗による関節裂隙の部分的狭小化，骨棘の形成がみられる時期
③進行期：高度な関節裂隙の狭小化と部分的な軟骨下骨の接触がみられる時期
④末期：関節裂隙の広範な消失がみられる時期

b 症状

(1) 疼痛

初期には立ち上がりや歩き始めの痛みがあり，病期の進行に伴い持続痛，安静時痛，夜間痛が加わる．疼痛が生じるのは滑膜，関節包，軟骨下骨など神経支配を有する関節構成体であり，神経支配のない関節軟骨ではない．

(2) 関節可動域制限

骨棘の形成，骨頭の変形，疼痛による不動から ROM 制限が生じる．足の爪切りや靴下着脱など股関節屈曲を伴うリーチ動作，階段昇降などが困難となる．

(3) 歩行異常

脚長差や筋力低下，痛みからの逃避から生じるいくつかの異常歩行がみられる．

①硬性墜落性跛行：患側下肢が立脚期のときに体幹全体も同側に傾く．骨頭が上外側へ亜脱臼することで生じる脚長差が原因でおこる．
②トレンデレンブルク(Trendelenburg)歩行：患側下肢が立脚期のときに対側骨盤が下降する．亜脱臼により大転子の位置が相対的に高くなること(大転子高位)により生じる中殿筋の張力減少，廃用性萎縮から生じる筋力低下が原因で生じる．
③逃避性歩行：患側下肢の立脚相が短くなる．荷重による痛みが原因で生じる．

c 医学的治療

前期・初期には保存療法の対象となる．疼痛緩和には非ステロイド系消炎鎮痛薬の内服やステロイド薬の関節内注入が行われるが，いずれも短期的な疼痛の緩和に有用である．臼蓋形成不全に伴う二次性股関節症の場合は骨を切り，関節の適合性を改善する骨切り術も適応になる．

進行期には骨切り術の適応となるが，高齢者では THA を選択することもある．末期には主として THA の適応となる．

2 医学的治療と作業療法の関連

手術療法の場合，術後療法は理学療法士が担当することが多い．作業療法士は基本動作，移乗・トイレ動作などを評価し適切な指導を行う．具体的な評価やプログラムについては，本章 1 の「大腿骨頸部骨折」の項(➡ 247 ページ)を参照していただきたい．

保存療法の場合，作業療法士がかかわることはほとんどなく，むしろ他の疾患を併せもつ対象者の治療過程のなかで変形性股関節症にかかわることが多い．以下にいくつかのプログラムを紹介する．

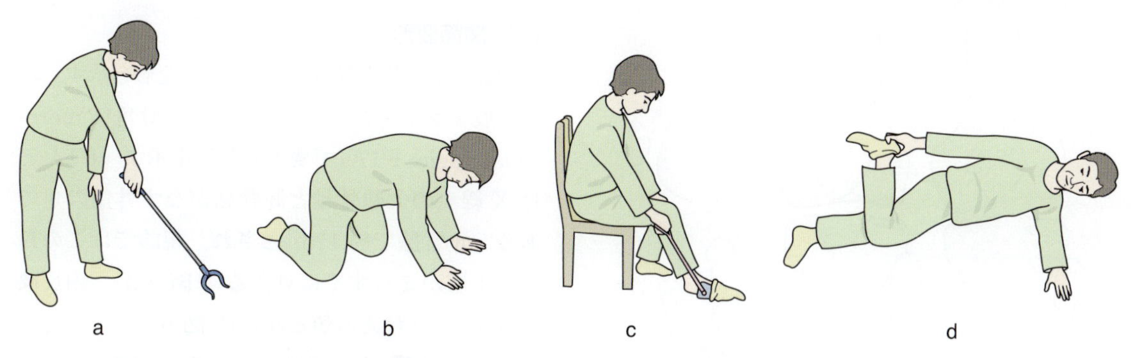

▶図 3　自助具の導入と生活動作の指導

自助具の導入(a，c)よりも動作指導(b，d)が習慣化されやすい．a：リーチャーを使用して物を拾う．b：股関節可動域制限があっても行える拾い方．c：ソックスエイドを使用して靴下を着用．d：側臥位で行うなど股関節可動域制限があっても行える着用法．

3 保存療法における生活指導

関節構成体の退行性疾患であり，疾患が進むとともに身体機能も低下する．生活指導では，関節への負荷軽減による疼痛緩和および身体機能の維持，ADL 自立度維持を目的とする治療体操，生活動作指導，自助具の紹介などを行う．

(1) 関節への負荷軽減

関節にかかる負荷を軽減することで，疼痛緩和や関節保護をはかる．具体的には，減量に取り組み，杖や衝撃吸収性の高い靴を使用し，長時間の立位姿勢での仕事は避ける．

(2) 関節可動域維持

痛みによる不動は筋の柔軟性や伸張性を低下させる．痛みを生じない範囲でのストレッチング，リラクセーションを行うことで ROM 維持をはかる．

関節が強直に至ることは稀であるとされるが，他動運動時には最終域感と痛みに注意しながら穏やかに行う．

(3) 筋力維持

中殿筋を中心とする股関節周囲筋の筋力維持を指導する．高負荷・低頻度より低負荷・高頻度のプログラムを指導することで，日常生活における運動機能の向上をはかる．浮力により関節への負担が軽減できる水中運動も推薦される．

(4) 生活動作

長時間の立位姿勢を必要とする食事の準備，重心の上下移動が多い収納動作などは股関節への負担が大きい．シンクにもたれて食材を洗う，収納棚を支えにしながら立ち上がるなど動作を工夫し，環境を整え，単位時間あたりの仕事量を減らすことで関節への負担を軽減する．

(5) 自助具

リーチャーやソックスエイドなど ROM 制限を補う自助具が適応となる．ただし，一般的に自助具の導入よりは動作指導のほうが生活で活用されやすい(▶図 3)．

D 変形性膝関節症

1 変形性膝関節症とは

変形性膝関節症とは，膝関節軟骨の変性・摩耗，それに続く膝関節周囲や軟骨下骨の骨硬化，骨増殖性変化が膝関節に生じる非炎症性退行性疾患である．日本では原因となる疾患が見いだせない一次性(特発性)変形性膝関節症が多い．60 歳以上の女性に多く，加齢とともに増加する[3]．外傷や他の疾患による関節炎ののちに生じる場合などは二次性変形性膝関節症である．

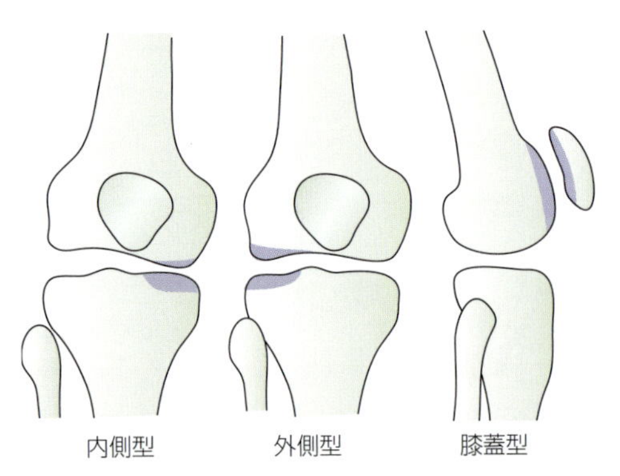

▶図 4　障害部位を基準にした変形性膝関節症の分類

変形部位を基準に，内側型，外側型，膝蓋型とその組み合わせで分類する．わが国では，内側型と内側・膝蓋型が多い(▶図 4)．

a 変形性膝関節症の病期

ケルグレン–ローレンス(Kellgren-Lawrence)の X 線分類(KL 分類)がよく用いられる．Grade 0(所見なし)，Grade 1(疑い)，Grade 2(軽度)，Grade 3(中等度)，Grade 4(重度)の 5 段階分類である．KL 分類は骨棘・関節裂隙の狭小化などを基準にした OA 全般の分類であり，Grade 2 以上を OA と診断する[4)]．

b 症状

(1) 疼痛

初期には膝関節のこわばり程度であるが，進行するに従い，立ち上がりや歩き始めなど動作開始時の疼痛を訴える．さらに進行すると平地歩行も困難になる．安静時痛，夜間痛を訴えることもある．

内側型では内側関節裂隙を中心に圧痛を認めることが多い．

(2) 腫脹

関節液が多量に貯留する場合，膝蓋骨が浮いたような感じを受ける膝蓋跳動という現象を認める．

(3) 関節変形

内側型変形性膝関節症では O 脚変形を示す．この下肢アライメントの異常は大腿脛骨角(femoro-tibial angle; FTA)で変形の程度を示す．FTA とは X 線上の大腿骨軸と脛骨軸がなす外側の角である．正常膝で約 176° とされ，視診ではこの角度で下肢がまっすぐに見える(▶図 5-a)．内反膝では 180° を超える値となる(▶図 5-b)．

(4) 異常歩行

内側型変形性膝関節症では，踵着地時に膝が急に外側にぶれる外側動揺(lateral thrust)がみられる(▶図 6)．

c 医学的治療

保存療法が第一選択となる．症状進行を遅らせることと疼痛緩和を目的に運動療法と物理療法，薬物療法，日常生活指導などが行われる．装具療法では，膝関節の保護を目的にした膝装具，下肢アライメント補正のための足底板が用いられる．内側型変形性膝関節症の場合，外側が高い外側ウェッジ足底板を用いることで下腿軸を直立方向に移動させるようにする．

関節破壊が進んだ場合は手術療法の適応となる．具体的には，①関節鏡視下で損傷した関節構成体を除去する関節鏡視下手術，②脛骨の骨切りを行うことで内反変形を矯正する脛骨高位骨切り術，③末期の変形性膝関節症を対象にした人工膝関節全置換術(TKA)があげられる．

2 医学的治療と作業療法の関連

手術後の術後療法は理学療法士が担当することが多い．作業療法士は基本動作，移乗・トイレ動作を評価し，関節への負荷軽減による疼痛緩和および身体機能の維持，ADL 自立度維持を目的とする治療体操，生活動作指導を行う．以下にいくつかのプログラムを紹介する．

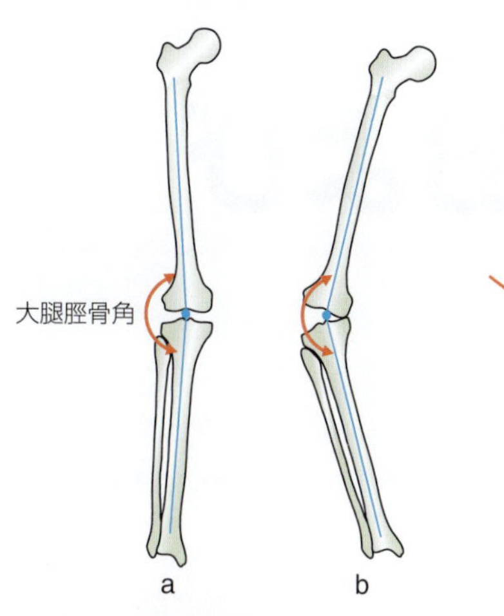

▶**図 5　大腿脛骨角(FTA)**
大腿骨軸と脛骨軸がなす外側の角.
a：正常，b：内反膝.

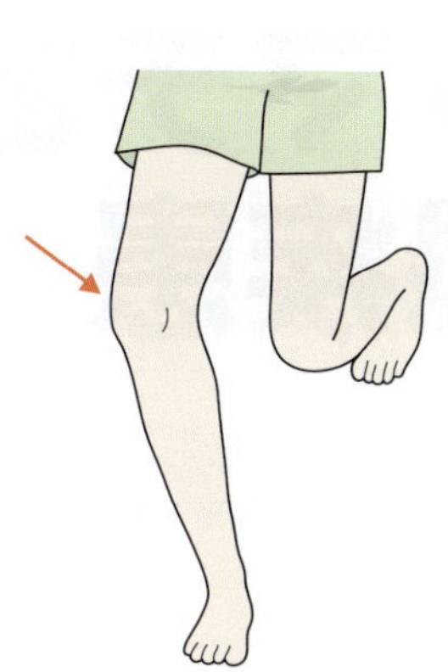

▶**図 6　外側動揺**
内側型変形性膝関節症では踵着地時に膝が急に外側にぶれる.

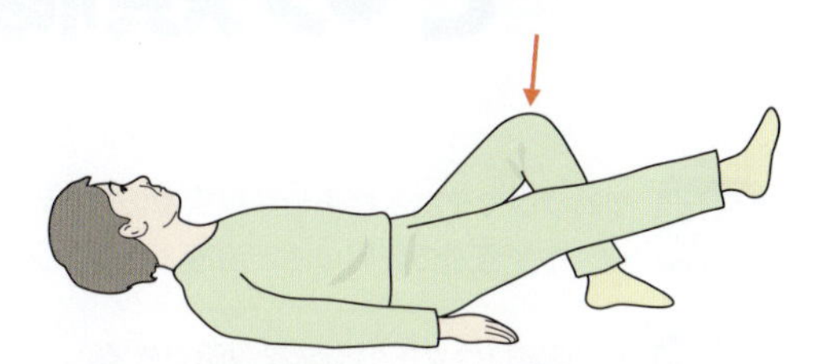

▶**図 7　下肢伸展挙上(SLR)運動**
背臥位での SLR．腰痛防止のため対側膝関節を屈曲させる.

3 保存療法における生活指導

(1) 関節への負荷軽減

関節にかかる負荷を軽減することで，疼痛緩和や関節保護をはかる．具体的には，減量に取り組み，杖や衝撃吸収性の高い靴を使用し，長時間の立位姿勢での仕事は避ける．

(2) 関節可動域維持

膝関節屈曲拘縮が生じやすい．入浴後の下肢ストレッチングなど継続可能なプログラムを中心に指導する．

(3) 筋力維持

大腿四頭筋を中心とした下肢の筋力維持を指導する．下肢伸展挙上(straight leg raising; SLR)は，座位もしくは背臥位で行う．背臥位で行うときは，腰痛防止のため対側膝関節を屈曲させた状態で行う(▶図 7).

高負荷・低頻度よりも低負荷・高頻度のプログラムを指導することで，日常生活における運動機能の向上をはかる．浮力により関節への負担が軽減できる水中運動も推薦される．

(4) 生活動作

立ち上がりや歩行は膝関節への負担が大きい．椅子やテーブルを支えにしながらゆっくり立ち上がるなど動作を工夫し，環境を整える．また，重い物を運搬するときは小分けして運ぶなど，膝への負担を減らす工夫を指導する．

●引用文献

1) Prestgaard TA: Frozen shoulder (adhesive capsulitis). Post TW, ed. UpToDate. Waltham, MA: UpToDate Inc. https://www.uptodate.com(2020 年 4 月 20 日アクセス)
2) 日本整形外科学会, 他(監), 日本整形外科学会診療ガイドライン委員会 変形性股関節症診療ガイドライン策定委員会(編)：変形性股関節症診療ガイドライン 2016. 改訂第 2 版, 南江堂, 2016
3) March LM, et al: Epidemiology and risk factors for osteoarthritis. Post TW, ed. UpToDate. Waltham, MA: UpToDate Inc. https://www.uptodate.com (2020 年 4 月 20 日アクセス)
4) Kellgren JH, et al: Radiological assessment of osteoarthrosis. *Ann Rheum Dis* 16:494–502, 1957

●参考文献

5) 今日の診療プレミアム WEB. 医学書院, 2020

3 関節リウマチおよびその類縁疾患

GIO 一般教育目標 関節リウマチおよびその類縁疾患の対象者に作業療法を実施できるようになるために，この疾患の病態を理解し，作業療法の評価技法と治療・指導・援助法を修得する．

SBO 行動目標
1）関節リウマチの疫学を説明できる．
- □ ①関節リウマチの種類，疫学について説明できる．

2）関節リウマチの疾患経過を説明できる．（以下，類縁疾患についても同様）
3）関節リウマチの症状，医学的治療と作業療法の関連について説明できる．
- □ ②関節リウマチの関節変形の種類と機序を説明できる．
- □ ③関節リウマチの関節障害および機能障害の進行度を評価する方法を説明できる．
- □ ④作業療法実施上のリスク管理の観点から，関節リウマチの医学的治療を説明できる．

4）関節リウマチの対象者に対する作業療法評価を説明できる．
- □ ⑤関節リウマチの対象者に対する一般的な作業療法評価と注意事項を列挙できる．

5）関節リウマチの各病期に応じた作業療法目標を設定し，作業療法プログラムを計画できる．
- □ ⑥関節リウマチの対象者の教育プログラムのポイントを説明できる．
- □ ⑦関節リウマチの対象者の病期に応じた運動機能訓練を計画できる．
- □ ⑧手の変形を予防または矯正するためのスプリントを列挙できる．
- □ ⑨関節リウマチの対象者が ADL を遂行する際の注意点および自助具を説明できる．
- □ ⑩関節リウマチの対象者の住環境整備のポイントを説明できる．
- □ ⑪関節リウマチの対象者の精神・心理面のサポートの要点を説明できる．
- □ ⑫関節リウマチの対象者の地域生活・社会参加を支援するために利用できる社会資源について説明できる．

1 関節リウマチ

A 概要

1 関節リウマチとは

関節リウマチ(rheumatoid arthritis; RA)は，原因不明の多発性関節炎で，進行性炎症性疾患である．関節滑膜に病変があり，滑膜の増殖から次第に周囲の軟骨や骨が侵され，多関節の腫脹と疼痛，関節の破壊と変形が進行する．ほかに臓器障害や血管炎を有する．特に関節炎以外に臓器障害や血管炎などの症状が重篤な場合を悪性関節リウマチ(malignant RA; MRA)，16 歳以下の年齢で発症する場合を若年性特発性関節炎(juvenile idiopathic arthritis; JIA)と呼ぶ[1]．

a 疫学[1–3]

発症年齢は女性が35～55歳，男性は40～60歳にピークがある．有病率は欧米およびわが国のデータではほぼ同等で0.6～1.0%，男女比はおおよそ1：2.5～4で女性に多い．

b 関節リウマチの臨床症状[2]

(1) 初期症状

全身倦怠感，四肢の疼痛，こわばりから始まり，のちに関節腫脹や疼痛が出現する．罹患関節は左右対称性に全身の関節に及ぶが，単関節や少数関節に限局することもある．

(2) 関節症状

関節痛は末梢の小関節(手・手指・足趾関節)に初発し，次いで肩や肘，膝や足関節など大関節にみられる．関節痛の原因には関節炎と関節破壊の2つがある．関節炎では安静時/運動時痛が，関節破壊では主に運動時痛がみられる．

関節変形はRAの特徴を表す症状である．罹患した関節では滑膜増殖，関節液貯留により関節腫脹がおこり，場合によって熱感を伴う．関節軟骨が破壊され，関節包や関節周囲の軟部組織に損傷が広がると，変形や亜脱臼をきたす．**表1**[2–5]および**図1**にRAの対象者でよくみられる変形について，**表2**[2,3,5]にネイルバフ(Nalebuff)らのRA指変形の分類について示す．

(3) 関節外症状[2]

RAは関節以外の臓器にさまざまな病態を示す．臓器病変(心，肺，腎臓)，リウマトイド血管炎，アミロイドーシス，リウマトイド結節，その他呼吸器感染，薬剤性肺障害，悪性腫瘍，骨粗鬆症や骨折，抑うつがみられる．

表1 RAの関節変形

変形	説明
頸椎環軸椎亜脱臼	RAの対象者の約50%に認められる．歯突起を固定する環椎横靱帯のゆるみから亜脱臼が生じる
手関節掌側亜脱臼	舟状骨周囲の滑膜炎により橈骨手根靱帯が弛緩し，橈骨手根関節の破壊が進行した結果，関節の不安定性が増強し，結果的に手関節が掌側へ滑る
MP関節尺側偏位および掌側亜脱臼	MP関節が滑膜炎により腫大し，背側関節包および指背腱膜が弛緩して伸筋腱が尺側に脱臼する．尺側に脱臼した伸筋腱はMP関節の伸展力として作用せず，尺屈力として徐々に尺側偏位を増悪する方向に作用する
ボタン穴変形(▶表2)	PIP関節が屈曲し，MP関節とDIP関節が過伸展する変形である．PIP関節の滑膜炎により伸筋腱機構の一部である中央索(central slip)が引き伸ばされ断裂することが誘因となる
スワンネック変形(▶表2)	PIP関節が過伸展し，MP関節とDIP関節が屈曲となる変形である．MP関節の滑膜炎により関節包が伸張され，その際おきる疼痛刺激が骨間筋に対して防御的な緊張，拘縮を引き起こすことが誘因となっている
母指変形	母指関節を構成するIP・MP・CM関節のうち，単独もしくは複数関節が滑膜炎に罹患し，罹患関節の弛緩，亜脱臼あるいは破壊をきたしさまざまな変形に進行する．さらに長母指伸筋，短母指伸筋，内在筋の力および第1中手骨の内転拘縮が加わって変形が増強する．ネイルバフによって6型(▶**表2**)に分類される
ムチランス変形	関節の接触面が破壊され，靱帯や関節包などの支持機構がほとんどなく，ぐらぐらと不安定な状態を指す．オペラグラスハンドともいう
足趾の変形	足趾ではMTP関節に変形をきたしやすい．MTP関節が過伸展する〔鷲趾(claw toe)〕とその下方の皮膚に胼胝(べんち)が形成され，疼痛を生じ歩行障害をおこす．第1趾は外反変形し，変形が強くなると第2趾の下方へ偏位，第2～4趾先端が上方へ偏位し，足趾が重なる(重複趾)．PIP関節が屈曲する〔槌趾(hammer toe)〕と靴が履きにくくなる

MP関節：中手指節関節，PIP関節：近位指節間関節，DIP関節：遠位指節間関節，IP関節：指節間関節，CM関節：手根中手関節，MTP関節：中足趾節関節．

〔東京女子医科大学病院膠原病リウマチ痛風センター(編)：Evidence based medicineを活かす膠原病・リウマチ診療．第4版，メジカルビュー社，2020/秋田鐘弼：II. 上肢疾患 リウマチ手指変形の診断．*MB Orthop* 30:113–119, 2017/水関隆也：リウマチによる母指の変形．*MB Orthop* 24:45–52, 2011/岩本卓士：関節リウマチによる手指変形に対する軟部組織再建．日関病誌 38:91–97, 2019を参考に作成〕

2 医学的治療と作業療法の関連

a 関節リウマチの診断分類

診断には米国リウマチ学会(American College of Rheumatology; ACR)と欧州リウマチ

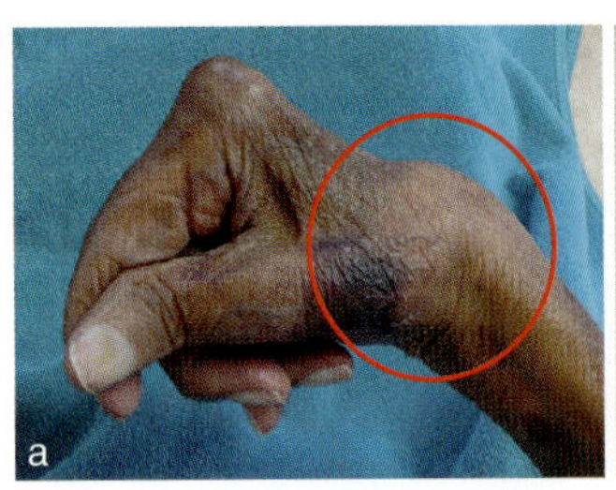

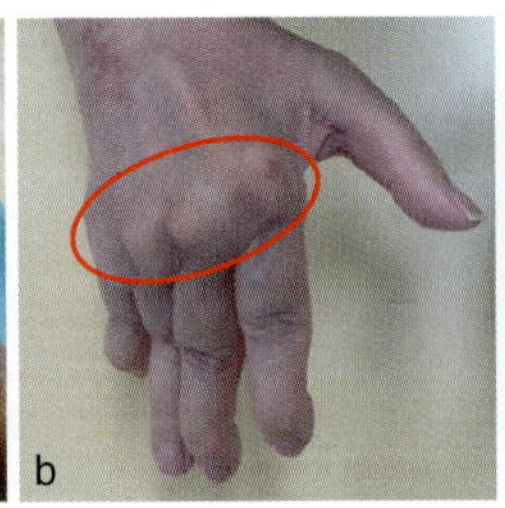

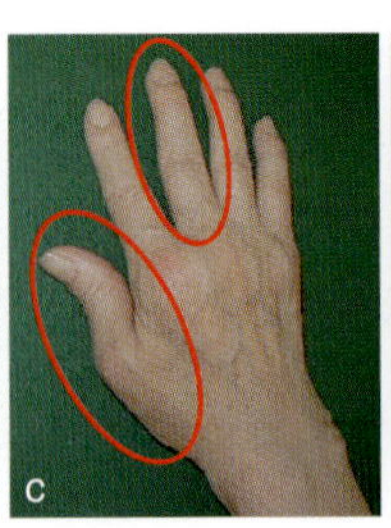

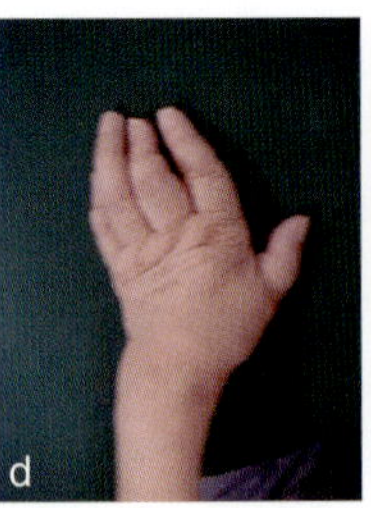

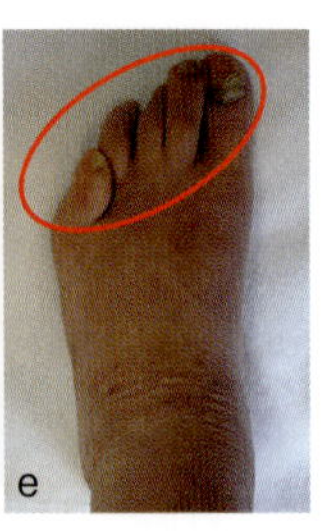

▶図 1　RA の関節変形の例

a：手関節掌側亜脱臼，b：手指 MP 尺側偏位/掌側亜脱臼，c：母指変形（Type II）と中指スワンネック変形，d：手のムチランス変形（オペラグラスハンド），e：足趾変形（重複趾など）.

▶表 2　ネイルバフらによる RA 指変形の分類

ボタン穴変形		PIP 関節		DIP 関節
		伸展制限の程度	他動的伸展の可否	過伸展の程度
Stage	I	(±)	可	軽度
	II	30〜40°程度	ほぼ可	中等度
	III	90° 程度	不可	高度
スワンネック変形		手内筋拘縮	PIP 屈曲制限	関節破壊
Type	I	(−)	(−)	(−)
	II	(+)	(−)	(−)
	III	(+)	(+)	(−)
	IV	(+)	(+)	(+)
母指変形				
Type	I	ボタン穴変形（MP 屈曲・IP 過伸展）		
			MP 関節他動矯正	IP 関節他動矯正
		早期	可	可
		中等度	不可	可
		重度	不可	不可
	II	ボタン穴変形（CM 亜脱臼が原因：CM 内転・MP 屈曲・IP 過伸展）		
	III	スワンネック変形（CM 亜脱臼が原因：CM 内転・MP 過伸展・IP 屈曲）		
			CM 関節変形	MP 関節他動矯正
		早期	軽度	可
		中等度	亜脱臼	可
		重度	脱臼	不可
	IV	ゲームキーパー母指（MP 撓屈）		
	V	スワンネック変形（MP 過伸展・IP 屈曲）		
	VI	ムチランス変形		

〔東京女子医科大学病院膠原病リウマチ痛風センター（編）：Evidence based medicine を活かす膠原病・リウマチ診療．第 4 版，メジカルビュー社，2020/秋田鐘弼：II．上肢疾患 リウマチ手指変形の診断．*MB Orthop* 30:113–119, 2017/岩本卓士：関節リウマチによる手指変形に対する軟部組織再建．日関病誌 38:91–97, 2019 を参考に作表〕

学会（European League Against Rheumatism; EULAR）の 2010 年分類基準が使用されている．分類基準の感度・特異度は成書に諸家の報告がある．

b 関節障害進行度の評価

(1) スタインブロッカー（Steinbrocker）の Stage 分類（▶表 3）

臨床所見と X 線所見から RA の病期を分類するもので，最も進行した関節の Stage を全体の Stage として分類する．国際的には現在あまり用いられていない[2]．

(2) ラーセン（Larsen）の grade 分類

単純 X 線像を参照し，grade 0〜V までの 6 段階に分け，各関節局所の進行度を判定する評価法である[2]．手術適応の目安となる．

(3) その他

MRI は関節周囲を構成する組織の三次元的評価が可能である．また超音波検査は RA の早期診断で有用な評価手段として認識されている[2]．

c 機能障害進行度の評価

スタインブロッカーの Class 分類が有名であるが，分類のあいまいさもあり，現在は ACR の分類（▶表 4）[6] が使われている．

d 疾患活動性の評価

表 5[2] に疾患活動性の主な評価法を示す．対象者の状態把握に役立つ指標である．

▶**表 3 スタインブロッカーの Stage 分類**

Stage Ⅰ(early：初期)
1. X 線像に骨破壊像はない* 2. X 線像上骨粗鬆症はあってもよい
Stage Ⅱ(moderate：中等期)
1. X 線像上に骨粗鬆症がある．軽度の軟骨下骨の破壊や軽度の軟骨破壊はあってもよい* 2. 関節運動は制限されてもよいが，関節変形はない* 3. 関節周囲の筋萎縮がある 4. 結節および腱鞘炎のような関節外軟部組織の病変はあってもよい
Stage Ⅲ(severe：高度進行期)
1. 骨粗鬆症に加え X 線学的に軟骨および骨の破壊がある* 2. 亜脱臼，尺側偏位，あるいは過伸展のような関節変形はあるが，線維性または骨性強直を伴わない* 3. 強度の筋萎縮がある 4. 結節および腱鞘炎のような関節外軟部組織の病変は伴ってもよい
Stage Ⅳ(terminal：末期)
1. 線維性または骨性の強直がある* 2. それ以外は Stage Ⅲ の基準を満たす

* その Stage あるいは進行度に対象者を分類するためには，必ずなければならない項目を指す．

〔東京女子医科大学病院膠原病リウマチ痛風センター(編)：Evidence based medicine を活かす膠原病・リウマチ診療．第 4 版，メジカルビュー社，2020 を参考に作成〕

e 薬物療法

RA に対する薬物療法は疾患活動性を寛解もしくは低活動性に抑制することである．これを達成するために shared decision making(SDM；**共有意思決定**)を念頭に対象者とコミュニケーションをとりながら治療法を決定する **Treat to Target (T2T)ストラテジー**と呼ばれる戦略が重要視されている[1,2)]．

以下，現在 RA の薬物治療に使われている薬物の概略を示す．

▶**表 4 RA の機能障害の分類**

ACR の分類基準

class Ⅰ	通常の日常生活活動(身のまわり，職業的活動および非職業的活動)は完全に可能である
class Ⅱ	通常の身のまわりと職業的活動は可能であるが，非職業的活動には制限がある
class Ⅲ	通常の身のまわりは可能であるが，職業的活動と非職業的活動には制限がある
class Ⅳ	身のまわり，職業的活動および非職業的活動には制限がある

〔厚生労働省ホームページ：https://www.mhlw.go.jp/new-info/kobetu/kenkou/ryumachi/dl/jouhou01-11-0003.pdf より〕

▶**表 5 代表的な RA 疾患活動性の評価法**

評価法	特徴	寛解	低疾患活動性	中等度疾患活動性	高疾患活動性
DAS28	28 関節の圧痛関節数と腫脹関節数，ESR，患者による全般評価(VAS)をもとに計算	< 2.6	≦ 3.2	> 3.2，≦ 5.1	> 5.1
SDAI	28 関節の圧痛関節数と腫脹関節数，患者および医師の VAS，CRP の合計点数	≦ 3.3	≦ 11	≦ 26	> 26
CDAI	28 関節の圧痛関節数と腫脹関節数，患者および医師の VAS の合計点数	≦ 2.8	≦ 10	≦ 22	> 22

DAS(Disease Activity Score)：1995 年に EULAR で推奨された RA 疾患活動性の総合的指標．血液検査でわかる CRP もしくは ESR を用いる．
SDAI(Simplified Disease Activity Index)：血液検査は CRP を用いる．
CDAI(Clinical Disease Activity Index)：血液検査なしに算出できる．
VAS(visual analogue scale；視覚的アナログスケール)．
CRP(C–反応性蛋白)：体内の炎症反応を反映する．
ESR(赤血球沈降速度)：炎症により上昇する．

〔東京女子医科大学病院膠原病リウマチ痛風センター(編)：Evidence based medicine を活かす膠原病・リウマチ診療．第 4 版，p68，表 4，メジカルビュー社，2020 より〕

(1) 非ステロイド性抗炎症薬

非ステロイド性抗炎症薬(non-steroidal anti-inflammatory drugs; NSAIDs)は鎮痛，抗炎症効果を示す薬物で，疾患の進行防止はできない．副作用に消化性障害，腎障害がある．

(2) 副腎皮質ステロイド

抗リウマチ薬の補助的な薬物である．疾患に限らず炎症の抑制効果は高い．

(3) 疾患修飾性抗リウマチ薬

疾患修飾性抗リウマチ薬(disease modifying anti-rheumatic drugs; DMARDs)は速効性はないものの，抗炎症作用や免疫調整効果だけでなく，関節破壊進行防止効果を期待して使用される．通常，メトトレキサート(methotrexate; MTX)が第一選択薬といわれており，多くの対象者に使用されている．

(4) 生物学的製剤

RA の病態形成には，サイトカインの一種で**炎症性サイトカイン**である**腫瘍壊死因子**(tumor necrosis factor; TNF)や**インターロイキン**-6(interleukin-6; IL-6)などが関与していることが明らかになり，生物学的製剤(biological DMARDs; bioDMARDs)はこれらのサイトカインを標的とする薬物で，現在 RA の薬物治療の主流である[2)]．

問題点としては薬剤費が高額のため，継続的治療が必要な場合は経済的負担が大きいことである．また，結核や重症感染症など重篤な副作用も問題といわれている[2)]．

f 手術療法

薬物治療の進歩により外科的治療の適応は減少しているが，関節破壊のため疼痛が著しく ADL の困難度が高い場合や薬物治療が奏効しない場合は適応となる．さらに RA の対象者の社会参加の機会も増え，外見への意識が高まっており[2)]，手指変形の機能的・整容的要望のための手術も行われている．**表 6** に RA の対象者に対する手術の概要についてまとめた．

RA の外科的手術では，術後のリハビリテーションが重要である．各術式で決められているプロトコルについて主治医と連携し，手術内容，創部の状態，関節運動の禁忌や他動・自動運動の開始時期，スプリント作製のタイミングについて情報交換しておく．下肢の手術では THA 後の股関節脱臼肢位の回避方法や ADL 指導が必要である．頸椎の術後では寝返りや起き上がりなどの起居動作における関節保護動作指導が必要である．

B 作業療法評価

1 一般的な評価

RA の対象者に必要な評価は大まかに分ける

Keyword

共有意思決定　shared decision making(SDM)．対象者と療法士が協働して治療法を決めるコミュニケーション技法のモデルの 1 つである．医療者は対象者の治療法に関する意思決定に必要な情報を可能なかぎり提供し，対象者と医療者が互いに希望する選択肢について共有し，2 者間で意見の一致を目指す．

Treat to Target(T2T)ストラテジー　「目標達成に向けた治療」と呼ばれ，RA 診療を実際にどのような基本理念で進めるのかという世界的なコンセンサスの形成を目的とした指針を指す．RA 診療の原理と原則がまとめられ，治療目標が臨床的寛解と明確に記されている．この臨床的寛解の達成のために治療者は最低 3 か月ごとに治療内容を見直し，さらに T2T は対象者にも周知徹底することを目標としている．

サイトカイン，腫瘍壊死因子，インターロイキン　サイトカインとは，ホルモン様の低分子蛋白質．細胞どうしの情報伝達作用をもち，免疫反応の増強，抑制，細胞増殖，分化の調節などを行う．炎症性サイトカインとは，炎症反応を促進する働きをもつサイトカインのことであり，腫瘍壊死細胞(白血球からつくられ，不要な細胞を排除するほか，感染防御・抗腫瘍作用をもつ)，インターロイキン(NK 細胞やマクロファージを活性化させ，ウイルス感染の制御や抗腫瘍免疫に作用する)などをはじめ 6 種類がある．

▶表 6　RA の対象者に行われる主な上肢の手術

部位	術式	適応・特徴・問題点
肩・肘関節		
軽度の関節破壊	滑膜切除術(ラーセン grade II まで)	低侵襲で除痛効果はあるが，ROM 改善は少ない
高度の関節破壊	人工関節置換術(ラーセン grade III 以上)	術後の感染，人工関節のゆるみや破損
早期	滑膜切除術(ラーセン grade III 程度まで)	他の術式と併用/滑膜炎の再燃，手関節掌屈 ROM 低下
手関節		
高度の関節破壊	Darrach 法による手関節形成術	背側脱臼した尺骨遠位端を切除する
	Sauvé-Kapandji 法による手関節形成術	骨切りした尺骨遠位端部を橈骨遠位端部に固定し，手根骨に対する尺側の土台とする．Darrach 法よりも整容的に優れる
伸筋腱皮下断裂	伸筋腱再建術	背側に脱臼した尺骨頭や伸筋腱滑膜炎により断裂する．断裂が判明した段階で可及的早期の手術が必要である
手指関節		
ボタン穴変形	滑膜切除術＋伸筋腱機構再建術(軽度の関節破壊)	
	関節固定術(高度の関節破壊)	安定したつまみ動作に必要なため示・中指に適応
	人工関節置換術(高度の関節破壊)	握り動作が要求される環・小指に適応
スワンネック変形	終始腱の再建/関節固定術	DIP 関節の屈曲変形に適応
	斜支靱帯再建術/腱固定術	PIP 関節の過伸展変形に適応
MP 尺側偏位	軟部組織再建＋腱の中央化	自動修復可能な尺側偏位・掌側脱臼に適応
	シリコンインプラントを用いた人工関節置換術	関節破壊がラーセン grade III 以上，または III 以下で他動的に変形が矯正可能な場合に適応

と，診療録などから得られる基本情報，RA 症状，RA による機能障害，ADL や家事作業，仕事などを含む活動制限や参加制約に関する評価である．**表 7** に概略を示す．

2 評価における注意事項

ROM 測定は痛みが強い時期や関節破壊が進行している場合は，自動 ROM やリーチ範囲の確認にとどめる．

筋力評価でも種々の変法が推奨されている[7]．RA の対象者が腹臥位をとることは頸部への負担を強いるため，肩内外旋筋や肘伸展筋などは背臥位で測定する方法がある[8]．

ADL 評価では患者立脚型評価も活用できる．HAQ(Health Assessment Questionnaire)や mHAQ(modified HAQ)，さらには ADL に関連する上肢機能に特化した Disability of the Arm, Shoulder and Hand(DASH)[9] や Quick-DASH[10]，HAND20[11] が使用できる．同様に QOL 評価では RA の対象者に特化した評価法として AIMS2(Arthritis Impact Measurement Scales 2)，慢性疾患の QOL 評価に使用されている SF-36®(Medical Outcomes Study Short-Form 36-Item)が使われている．近年では経済効率も重視した日本語版 EQ-5D-3L(EuroQol 5 dimensions 3-level)や EQ-5D-5L なども使われるようになった．これらの詳細については本シリーズ『作業療法評価学』を参照のこと．

▶表 7　RA の対象者に必要な評価項目の例

評価の流れ	評価項目	評価時のポイント
基本情報 ↓	検査所見 （主に診療録）	●炎症所見*（CRP，ESR，RA 因子，抗 CCP 抗体，MMP-3 など） ●関節破壊の進行（X 線画像），薬物の副作用（肝機能，代謝機能など）
	現病/手術歴 （診療録・問診）	●発症時から現在までの経過（リウマチ症状，機能低下，ADL など）について確認する ●急性に悪化した/徐々に進行した関節の有無と，それに伴いできなくなった ADL，IADL，仕事などについて聴取する
	Class 分類	●機能障害度の分類〔I（まったく障害なく，普通に仕事が可能）～IV（ほぼ全介助）〕
	Stage 分類	●病期分類〔I（X 線上に骨破壊像なし）～IV（強直あり，変形あり）〕
リウマチ症状 ↓	痛み （問診・触診）	●痛みの状態（安静時痛/運動時痛），出現する動作や作業，痛みの程度，持続時間，服薬による寛解の程度は？ 視覚的アナログスケール（VAS）の利用
	朝のこわばり （問診）	●こわばりの持続時間の確認（たとえば起床後，こわばりがある場合，こわばりが消失するまでの時間を記録しておく）
	疲労 （問診）	●時間帯，出現する動作や作業，そのときの疲労の程度，持続時間，服薬による寛解の程度 ●VAS の利用
	関節変形 （視診・触診）	腫脹や変形の有無，その程度について評価する．手の写真撮影やスケッチもよい方法である 手指 MP 尺側偏位の評価の例 （静的評価：机上に手を自然の状態で置いてもらう） 視覚的分析：尺側偏位なし/視覚的に確認できる尺側偏位/明らかな尺側偏位 （動的評価：他動および自動運動の実施） 修正能力：自力で修正可能/他動的に修正可能/他動的に修正可能（部分的）/修正不可 重症度判定：拘縮の程度により 3 つの Stage に分類[5] ●Stage 1：対象者自身で変形の矯正が可能な状態（voluntarily correctable） ●Stage 2：他動的に矯正が可能な状態（passively correctable） ●Stage 3：矯正不能な拘縮が強い状態（fixed deformity）
機能障害 ↓	ROM	●直接的に ADL 能力の指標となる自動 ROM の評価を実施する ●急性に発生した痛みや拘縮の場合は愛護的に，十分リラクセーションさせて他動 ROM を測定する
	筋力	●MMT：炎症のある場合は注意する，痛みのある場合は痛みがおこらない角度で関節を保持させ，ブレイクテストを行う．本来の筋力低下か，痛みにより低値なのかを判定する ●握力：各種握力計の利用（スメドレー式，Jamar 式），現在，水銀柱血圧計は使用しない ●ピンチ力：ピンチゲージの利用など
	リーチ範囲	●身体内の手または手先によるリーチ部位：頭頂・前髪・額・目・鼻・口・両耳・顎・喉・両肩（肩峰）・胸（胸骨）・両側腰部・陰部（会陰/肛門）・膝・下腿・足部・足趾先端など ●身体外のリーチ範囲：三次元的な空間での範囲を確認する
	巧緻性	把持やつまみ時の手指の形態，物品の把持やつまみに用いる手掌，指腹の接触部位の確認
活動制限 ↓	ADL	●セルフケア，起居，移動についての動作の可否 ●患者立脚型評価の活用（HAQ，mHAQ，DASH，HAND20 もしくは 10）
	QOL	●AIMS2，SF-36®，日本語版 EQ-5D-3L，日本語版 EQ-5D-5L など
	心理面	●HADS，STAI，QOL 評価の心理尺度など
	作業機能障害	●CAOD など
	家事作業	●炊事，洗濯，掃除（屋内外），買い物
	家庭の雑事	●整理・後片づけなど，育児，介護など
	仕事	●職務内容，通勤手段
参加制約	社会参加	●地域の行事・会合への参加，冠婚葬祭，奉仕活動，PTA 活動など
	スポーツ	●体操，運動，各種スポーツ
	趣味，娯楽など	●趣味，稽古事，観戦，鑑賞など

* CRP（C–反応性蛋白）：体内の炎症反応を反映する，ESR（赤血球沈降速度）：炎症により上昇する，抗 CCP 抗体：RA の進行度，骨破壊の予測因子に使われる，MMP-3（matrix metalloproteinase-3）：関節破壊の診断に使われる．

C 作業療法の目標

1 急性期(早期)

関節の炎症(腫脹, 疼痛)がある時期である. 疲労など全身性の症状も強い. 診断が確定するまでは薬物療法は消炎鎮痛薬など対症療法にとどまることが多い. 心理的にも不安定である. この時期は休息や安静を優先し, 現有の身体機能や ADL の維持が主目標である.

2 回復期

薬物療法により疾患活動性が抑制され, 身体機能や ADL, 仕事や社会生活へ向けた目標設定ができる. また手術療法により関節機能の改善が見込めるときは, 手術直前の機能・ADL の状態よりも少し高めの目標設定も可能である.

3 維持期

機能障害が進行した場合や RA 以外の加齢による影響も考慮した目標設定が必要である. 対象者の状態に合わせ, より具体的かつ個別的な目標設定が必要である.

▶表 8 関節保護の原則

原則	配慮点
痛みへの配慮	●活動や作業終了後 1 時間以上にわたって痛みが続く場合は, 作業に費やす時間や努力を軽減する
休息と活動のバランス	●活動や作業中に適度な休息を入れる, 1〜2 時間の午睡をとる ●無理であれば短時間でもよいので横になる時間をつくる
筋力と ROM の維持	●リウマチ体操などの自主訓練 ●各種筋力維持訓練の励行
努力量の軽減	●急激な動作や作業を避ける ●よい姿勢とボディメカニクスを使う など
変形を生じる肢位の回避	●手指 MP 関節滑膜炎では手の強い握りを避ける ●頸部の罹患では強い屈曲, 回旋を避けるなど
強い・大きな関節の使用	●物を持つ, 押すときは指よりも手掌で行う ●低い引き出しは足で閉める など
最も安定した解剖学的・機能的面でのおのおのの関節の使用	●立ち上がりでは手掌面を使って身体を押し上げる ●鍋を持つときは片手ではなく, 両手で持つ
同一肢位保持の回避	●長時間静的肢位を保持するときは, 20 分ごとに肢位を変える ●事務作業(座位), 台所作業(立位)では適宜休息, 筋の伸張を行う
即座に中止できない活動の回避	●ただちに中止できない活動・作業を避ける ●長距離にわたり荷物を持って歩かない(家族へ依頼するなど)
自助具と装具の使用	●適宜, 自助具や装具を装着した状況で活動・作業を実施する ●福祉用具の活用など

〔Melvin JL(編著), 木村信子(監訳):リウマチ性疾患—小児と成人のためのリハビリテーション. 改訂第 3 版, 協同医書出版社, 1993 より抜粋〕

D 作業療法プログラム

1 一般的なプログラム

a 対象者教育プログラム

RA 自体はいまだ完治は困難であり, 多くの慢性疾患と同様に生涯を通し, 病気と付き合いながら生活や仕事を遂行することが求められる. よって, 対象者自身の自己管理についての知識や技能の教育が重要である. 対象者教育の中心となるのは, 関節保護/エネルギー節約に関する教育である. 関節保護やエネルギー節約に関する教育とは, 炎症もしくは障害された関節に, なるべく負担をかけずにすむような動作や作業の工夫, もしくは環境(人, 物)の調整を行うこと全般を指す.

関節保護の原則として, メルヴィン(Melvin)[7]は表 8 にあるような項目をあげている. わが国では椎野[12]が多施設共同研究の結果から, RA の対象者の日常生活指導において「してはいけない 10

書見台の使用
（頸部関節の保護）

へらの使用
（手指・手関節の保護）

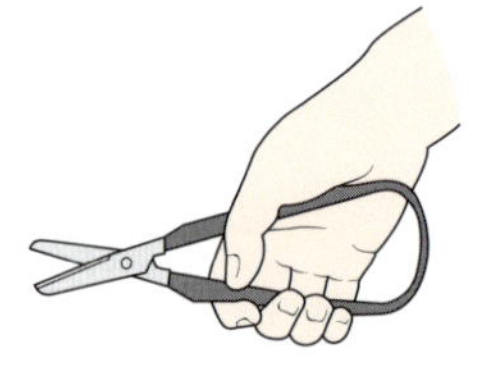

握りやすいはさみの使用
（手指・手関節の保護）

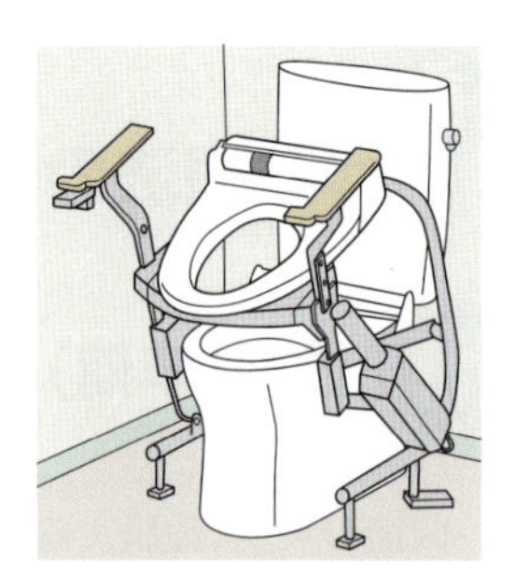

昇降式便座の使用
（膝・股関節の保護）

▶**図 2　関節保護動作の例**

▶**表 9　RA の対象者の ADL における「してはいけない 10 項目」**

①頸に合わない高い枕の使用
②膝を曲げた睡眠
③正座
④和式トイレの使用
⑤床からの立ち座り
⑥長距離歩行
⑦踵の高い先細りの靴の使用
⑧買い物袋をたくさん持つこと
⑨手拭や雑巾を絞ること
⑩蛇口の使用

〔椎野泰明：慢性関節リウマチと ADL. 臨床リハ 1:318–322, 1992 より〕

項目」(▶**表 9**)として注意点を紹介している．対象者の状態に応じて適宜伝えるべき内容である．

指導は関節保護の原則を説明し，関節保護に基づいた実際の動作や作業を体験させる[13]．さらに対象者の機能状態，役割，価値観，援助者の状況により，個別的かつ具体的に指導する．**図 2** に関節保護動作の例を示す．

b 関節可動域の維持・改善

RA では疼痛回避肢位をとるため，特定の筋群が過緊張状態となる．対象者自身が関節運動を制限すると筋・腱の萎縮や関節包の収縮を引き起こし，ROM 制限がおきる．上肢では肩甲骨および肩関節，肘や手関節で早期から制限をきたし，関節変形へとつながる．

疼痛が強い場合は安静が必要だが，現在は薬物療法によりある程度痛みはコントロールできるため，自動運動を中心としたリウマチ体操[14]や，関節の炎症がない場合は徒手による他動運動も可能である．肩関節の ROM 訓練では肩甲骨の可動性を十分に確保しておくとよい[15]．

c 筋力の維持・改善

関節障害がある場合，関節保護を優先し疼痛を誘発しにくい等尺性運動を用いるが，現在は薬物療法により疾患活動性が軽減している例が多く，セラバンド® や各種器具を利用した筋力訓練が推奨されている[2]．

また筋力訓練を含む運動療法についても，中等度負荷以上の有酸素運動や筋力増強運動を 1 日 30〜60 分，週 3 回程度で実施することを推奨している[16,17]．

d SARAH プログラム

近年，Strengthening and Stretching for Rheumatoid Arthritis of the Hand（SARAH）プログラムがランダム化比較試験（randomized controlled trial; RCT）により，RA の対象者の ADL に関連する手指機能や上肢機能への訓練効果があると認められ，わが国でも浸透しつつある．上肢と手の機能評価と訓練種目があり，2 週間の自宅でのエクササイズと期間中最大 6 回の外来セッション（評価とカウンセリング）から構成される．このプログラムは単なる機能訓練の実施ではなく，RA リハビリテーションの治療に対するアド

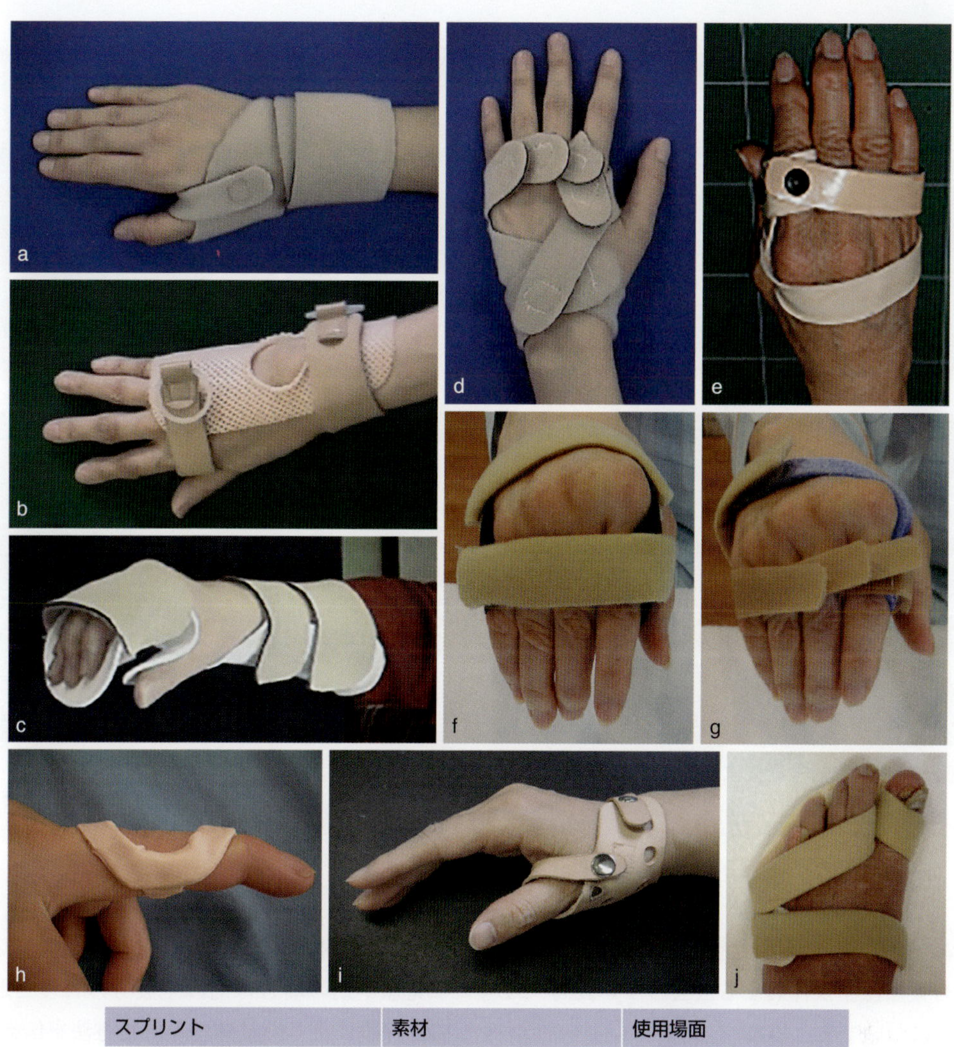

スプリント	素材	使用場面	
a：手関節安静固定	ネオプレン	作業時	日中
b：手関節安静固定	熱可塑性プラスチック	作業/非作業	日中/夜間
c：ナイトスプリント	熱可塑性プラスチック	非作業	日中/夜間
d：MP 尺側偏位修正	ネオプレン	作業	日中
e：MP 尺側偏位修正	皮革	作業	日中
f：MP 尺側偏位修正	熱可塑性ギプス素材	作業/非作業	日中/夜間
g：MP 尺側偏位修正	熱可塑性ギプス素材	非作業	夜間
h：スワンネック 3 点固定	熱可塑性プラスチック	作業/非作業	日中/夜間
i：母指 MP 固定	皮革	作業/非作業	日中/夜間
j：足趾変形修正	熱可塑性プラスチック	非作業	主に夜間

▶図 3　RA の対象者に作製する手および手指スプリントの例

ヒアランス(➡ 442 ページ)の向上に主眼がおかれている[2, 18]．

e スプリントの適用

RA の対象者の装具・スプリント療法の目的は，①炎症(疼痛)関節の保護と安静，②変形の予防と修正，③機能の補助，などである．炎症期ではスプリントによる関節固定は同部位の筋固定作用を軽減し，筋の長さを維持できる．非炎症期では関節のアライメントを保持することで筋・腱や靱帯

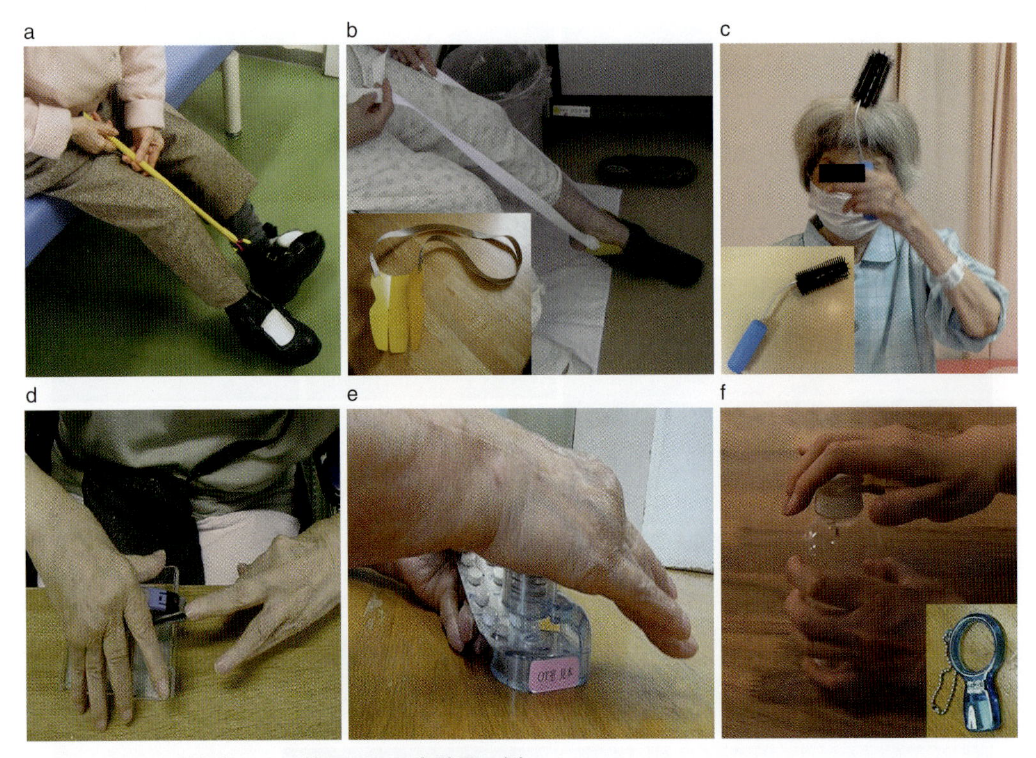

▶図 4　RA の対象者によく使用される自助具の例
a：リーチャー．靴のベルトをつけ外す，b：ソックスエイド．靴下を履く，c：長柄付き整髪ブラシ．柄はアルミ板で自由に角度調整可能，d：台付き爪切り．手掌面で柄を押し，爪を切る，e：錠剤開け(市販)，f：オープナー(市販)．

のバランスを保ち，変形の進行予防が可能となる．**図 3** に作業療法士が作製する機会の多い装具・スプリントについてまとめた．

現在 RA のスプリントで使用される素材は豊富である．硬性素材では通常の熱可塑性プラスチックのほかに，ギプス素材に似た低温で採型可能な熱可塑性ニット素材がある．軟性素材ではネオプレン，ウェットスーツ素材，革などが使用できる．

作製後の装着指導や装着管理は重要である．作製したスプリントの目的を伝え，具体的な使用時間(日中/夜間)，使用場面(作業時/休息時)，装着方法，トラブル時の対処(痛みや皮膚の問題などへの対応)などを書面で渡しておくとよい．

f 日常生活活動や生活関連活動の維持・改善

ADL や IADL への対応では関節保護の原則を基本とし，対象者の状態に応じて個別に対応する．

発症早期の場合は痛みや疲労の管理とともに，関節保護に準じた具体的な対処方法を伝える．この場合は動作的には可能であっても痛みの程度により一時的に自助具の利用をすすめたり，家族がいる場合は家族の介助に頼るという選択肢もある．

関節機能の障害が進行している場合は自助具や福祉用具の活用をすすめる．自助具の適用はリーチ機能(身体各部位および身体外空間)，手指の操作機能および把持力・ピンチ力などの機能面だけでなく，本人の役割や価値観，周囲のサポートの状況を総合的に勘案する．

RA の対象者によく使われる自助具(▶図 4)には，更衣動作に使われるリーチャーやソックスエイド，整容動作では長柄付き整髪ブラシや台付き爪切りがある．そのほかに錠剤開け自助具

▶図 5　RA の対象者に紹介している 100 円ショップで購入可能な商品の一部
a：書見台，b：滑り止めシート，c：ミニトング，d：長柄靴べら，e：瓶の蓋開け，f：ループ付きタオル，g：レバー式蛇口開閉器．

や缶オープナーなど市販の便利商品も自助具として利用できる．自助具は市販品で対応できる器具がかなり増えてきてはいるが，個々の事例により作業療法士が自作する場合も多い．また最近は“100 円ショップ”で RA の対象者に使える商品(▶図 5)も販売されている．

自助具の導入では必ず試用する機会をつくり，対象者自身の使用場面を確認したほうがよい．誤った使用は関節への負担を増やすことになる．自助具によって目的動作が達成できるだけでなく，関節保護の観点から安全であるかの判断は重要である．スプリント同様，機能変化に伴う自助具の修正や再指導ができるフォローアップ体制を整えることが大切である．

g 住環境の整備

日本の和式生活は RA の対象者にとって関節機能への負担を強いる環境条件(段差/畳部屋/和式の生活習慣など)がそろっている．そのため，障害の進行に合わせ家屋改修や改造，福祉用具の導入が必要である．上肢の障害では蛇口のハンドルや照明のスイッチ類などの操作が問題となる．また下肢の障害では屋内外の出入り，玄関上り框の昇降，屋内の段差乗り越え，床上での立ち座り動作，屋内移動，階段昇降，浴槽への出入りが問題となる．

これらの住環境の評価とともに，状況に合わせ環境整備の提案を本人，家族，ケアマネジャーや整備担当業者に伝える．RA の対象者の住環境整備のポイントは成書[19]に詳しい．

住環境整備は状況によっては高額になるため，導入の際には本人のみでなく家族の希望なども考慮し検討したほうがよい．大規模な整備以外では，たとえば蛇口のハンドルは“100 円ショップ”(▶図 5)などで脱着式のレバーが購入可能であるし，照明スイッチは現在ではスマート家電などで対応可能な環境も整備できる．補高便座はバスマットを利用した簡易な便座でも対応できる．

h 精神・心理面へのサポート

RA の対象者の精神・心理的問題は，以前はいわゆる「リウマチ気質」という言葉で語られていた．しかし現在では，慢性疼痛の多くの研究のなかで，RA の対象者の痛みについて心理社会的モデルによる解釈が進んでいる[20]．

RA の対象者の理解を深めるためには心理検査は必要かもしれないが，RA の対象者に特異的な心理尺度はない．現在では Hospital Anxiety and Depression Scale（HADS；病院不安と抑うつ尺度）や State-Trait Anxiety Inventory（STAI；状態・特性不安検査．40 項目から構成される不安状態の評価尺度），QOL 評価における心理面などに関する尺度が使われている．

作業療法では基本的には観察，傾聴と対話（対象者との単なる会話ではなく，価値観の違いを尊重し，互いに納得のいく結論を導き出すコミュニケーション）を繰り返しながら，精神心理的問題を探ることが必要である．作業療法独自の評価では，作業機能障害の評価である Classification and Assessment of Occupational Dysfunction（CAOD；作業機能障害の種類と評価）が有用である[21]．対応については認知行動療法を背景にもつ作業療法カウンセリングの手法が実践的な方法である[22]．

i 社会的資源の活用

多くの RA の対象者は病気と障害をかかえての生活となる．身近に患者会などの組織がある場合は活用をすすめるのもよい．

RA の対象者に有益な情報源としては公益社団法人リウマチ友の会がある．リウマチの対象者とその家族，医療専門職などから構成される全国組織の団体である．機関誌発行による最新の情報公開や自助具の購入先など，有益な情報がある．また公益財団法人日本リウマチ財団では「リウマチ情報センター」の運営を行っている．疾患の解説のほか，専門医療機関の情報では日本リウマチ財団の登録医や看護師，薬剤師，理学療法士，作業療法士の所属する医療機関を掲載している．

2 注意事項

現在の RA 治療においては病因に対するアプローチは十分ではなく，RA そのものの予防は不可能である[2]．リハビリテーションも対症療法の 1 つにすぎないが，他の療法との併用により臨床症状の改善のみならず，関節破壊の抑制による長期予後改善，特に身体機能障害の防止と生命予後の改善が期待できる．

よって作業療法ではリスク管理として，対象者の疾患活動性を適宜把握し，治療の副作用による二次的障害を防止していくことが求められる．また，外科治療においては術者との綿密な情報交換などで術後リハビリテーションを展開するなど，RA 診療においては多職種連携がリスク管理の 1 つのポイントとなる．多職種連携の成功は対象者の死亡率低下など多くの効果が報告されているが，RA の対象者においても同様に多職種連携の成功が対象者の QOL 向上につながると断定できる．

2 全身性エリテマトーデス

A 概要

1 全身性エリテマトーデスとは

全身性エリテマトーデス(systemic lupus erythematosus; SLE)は，紅斑性狼瘡と呼ばれる皮膚病変を特徴とする全身性炎症性疾患である．発熱，全身倦怠感などの全身症状と，多彩な臓器病変がみられる[2)]．臓器障害には皮膚症状のほか，リンパ節腫脹，眼症状(網膜症など)，筋骨格症状(関節痛/関節炎/稀に関節変形などあるが関節破壊によるものではない)，腎症状(ループス腎炎)，神経精神症状(CNS ループス)などがある．

SLE の患者数はわが国において約 6 万人(特定疾患申請者)である．一方，欧米の疫学データでは罹患率 0.3～31.5/10 万人年，有病率 3.2～517.5/10 万人である．好発年齢は 15～45 歳，男女比は 1：9 で女性に多い[2, 23)]．

2 医学的治療と作業療法の関連

SLE の薬物治療は抗炎症と免疫抑制を目的とする．また多様な病態のため，個々の対象者で治療反応性や副作用，合併症などを考慮しながら検討されているのが現状である[2)]．治療薬には NSAIDs，副腎皮質ステロイド，免疫抑制薬などがある．

薬物の副作用については注意が必要である．ステロイドの副作用には，感染症の誘発・増悪，骨粗鬆症・骨頭壊死，ステロイド精神病，ステロイドミオパシー，その他種々ある．大腿骨頭の壊死は股関節痛や歩行障害を引き起こす．また脊椎の骨粗鬆症は容易に圧迫骨折などを引き起こし，ADL や IADL 制限の原因となる．ステロイドの高用量使用により精神症状(気分障害：躁状態/うつ状態など)の発現がある．日ごろから精神・心理状態を把握するよう，リハビリテーション中の観察，他職種との連携が欠かせない．

B 作業療法評価

1 一般的な評価

SLE は多彩な病態および障害像を示すため，それらに対応した検査，評価を適宜検討する必要がある．

a 全身状態の把握

発熱や薬物治療による副作用は全身の倦怠感などの誘因となる．疲労の程度や出現する時間帯など評価する．

b 検査所見の確認

SLE は症状が多彩であり，各種検査データに異常値が現れる．好中球，CK 値，RA 因子などを確認する．

c 心身機能・身体構造/活動

(1) 関節可動域

他動および自動の ROM を測定する．

(2) 筋力

徒手筋力テスト(MMT)による測定部位は大まかに肩甲骨周囲，肩，肘，手関節に関する筋群を評価し，それ以外は末梢神経系の問題がなければ，各種機器による握力やピンチ力を計測する．

(3) リーチ範囲

リーチ範囲は手部を身体各部位へ到達させ，可否を判断する．結髪動作(手を後頭部へ回す)や結帯動作(手を腰へ回す)の程度により大まかなADL能力の指標となる．

(4) 巧緻性

巧緻性評価はSTEFが利用できる．箸操作や書字など具体的な作業を観察してもよい．

(5) 耐久性

疲労の訴えや疲労の出現する状況(作業時/ADLなど)の確認，作業療法実施時のバイタルサインの変動などを評価する．

(6) 精神・心理状態/高次脳機能

ステロイドなど使用している場合は精神・心理状態に注意し，観察しておく．またCNSループスによる神経精神症状の場合は認知機能や症状に合わせ，各種認知機能検査，高次脳機能障害の評価を行う．

(7) 日常生活活動/生活関連活動

ADLでは動作の可否，IADLでは作業上の問題を確認する．疲労の影響などに注意する．必要に応じ，バーセルインデックス(BI)や機能的自立度評価法(FIM)を採点する．

(8) その他

症状が多岐にわたるため，場合によっては構音障害(嗄声，小声など)の有無，嚥下の状態を評価する．臓器障害や薬物の副作用による食欲減退の可能性も考慮し，栄養状態の把握も必要である．

2 評価における注意事項

ROMや筋力の測定では炎症の強い時期は注意が必要である．自動運動やリーチ範囲の確認にとどめる．

その他，QOLの評価も場合によっては必要である．SLEは慢性疾患のため，職場や家庭・社会における役割や立場の喪失感に由来する抑うつ状態や不安感の存在が報告されており[24]，疾患活動性や臓器障害とは別の視点で健康関連QOLの評価が推奨されている[2]．

Keyword

課題指向型訓練　課題指向型アプローチともいう．ダイナミカル・システムズ(DS)理論に基づく治療法．課題指向型訓練では，課題を遂行する状況や環境に配慮し，行動目標を明確にしたうえで，多様な状況下で課題を設定し，難易度を調整しながら反復練習を行うことにより，運動パフォーマンスが改善されるとする．拘束療法(constraint-induced movement therapy; CI療法)もその一例である．

C 作業療法の目標

炎症の強い時期は疾患自体を悪化させないように，多職種連携により現有のADL能力やROM/筋力の維持，体力の温存，適切な栄養状態の維持に努める．疾患活動性が安定している時期は個人の状態や希望に合わせ，ADL回復や家事作業への復帰，就労への目標設定がなされる．

D 作業療法プログラム

1 一般的なプログラム

疾患活動性や各種症状に合わせ，プログラムを立案，実施する．

a 関節可動域の維持

他動もしくは自動運動によるROMの維持に努める．RAに似た関節変形をおこすことがあり，各種スプリントも検討する．

b 筋力の維持・強化

全身状態や筋力の程度に応じ，自動介助運動から抵抗運動まで適宜実施する．炎症が強い時期は過負荷に注意する．

c 巧緻性の維持・向上

作業上の問題を特定し，**課題指向型訓練**を実施する．

d 日常生活活動/生活関連活動の維持・向上

過負荷にならないように活動量の調整が必要である．場合によっては自助具や福祉機器の活用を検討する．

e 自己管理法の指導

慢性疾患のため前記のプログラムも含めた生活および仕事全般に対する自己管理(主に疲労に対するエネルギー節約など)について指導する．

2 注意事項

寛解と再燃を繰り返すため，前記の身体およびADL 訓練以外に自己管理を促すことが必要である．特に疲労や ADL/IADL での負荷量など，活動量の調整が必要である．

作業療法実施中であれば，バイタルの変化や作業時の自覚的疲労度を評価する．たとえば，実際の作業時間や作業量に対してボルグの自覚的運動強度尺度(RPE)(➡ 140 ページ)などで判定し，経過をみることも必要である．また，自己管理では日々の体調を記録する日誌が有用である．1 日のスケジュールのなかに，どの時間帯にどのような作業を行ったかを記録し，そのときの疲労度を VAS〔0(作業していてまったく疲労はない)～10(作業していて堪え難い疲労がある)〕で記載できる日誌を提供してもよい．

3 多発性筋炎・皮膚筋炎

A 概要

1 多発性筋炎・皮膚筋炎とは

多発性筋炎(polymyositis; PM)/皮膚筋炎(dermatomyositis; DM)は SLE と同じ自己免疫疾患である[2]．病因として他の自己免疫疾患と同様，遺伝的要因と環境による外的要因がある．

日本人の有病率は 13.2/10 万人，発症年齢のピークは PM と DM 両者を含めた報告で 55～59 歳である．40～60 歳での発症が多く，60 歳以上の発症は全体の 30% を占める[2]．性別では男女比 1 : 2.7 と報告されている[2]．

臨床症状は全身症状(発熱，全身倦怠感，体重減少など)，骨格筋症状，骨格筋外症状に分けられる．骨格筋症状は亜急性または慢性の経過を示し，四肢の近位筋優位に筋痛や筋力低下がおこる．骨格筋外症状(皮膚/関節/心臓/肺)は疾患の重症度や予後規定因子を評価するうえで重要な症状である．病初期には RA と類似した関節炎を手指関節や手関節に認める．また，肋間筋などの筋力低下により換気低下・息切れを示す．ほかにも心疾患症状，消化器症状を認める．

2 医学的治療と作業療法の関連

PM/DM の治療薬はステロイドが第一選択薬であり，ステロイドミオパシーなどのステロイドによる有害事象や再燃を予防する目的で免疫抑制薬を併用することが多い．また高齢，合併症，免疫機能低下により免疫抑制薬の併用が困難な場合は，免疫グロブリン大量静注療法(➡ 360 ページ)が行われる[2]．

ステロイドの使用中には感染症・糖尿病・骨粗鬆症などの合併に注意する．感染症に対しては，作業療法実施時間は可能な範囲で人との接触を避けるために，個室での対応や訓練時間の最終の時間帯に実施する．糖尿病を併発している場合は末梢神経障害による感覚障害に注意する．感覚障害によりADLや作業上の問題がある場合は自助具や福祉用具の活用を検討する．また，骨粗鬆症がある場合は転倒に注意するように助言し，必要に応じ環境調整も検討する．

B 作業療法評価

1 一般的な評価

SLEにおける評価に準ずる．

2 評価における注意事項

全身症状が強い場合は疲労や栄養状態についても確認する．筋炎を生じている場合は筋痛の部位や程度を評価しておくとよい．また筋力低下は四肢近位筋優位に出現するため，肩周囲筋，股関節周囲筋および体幹筋の筋力低下に注意する．近位筋の筋力低下に関連し，ADLでは中枢部の筋力を必要とする更衣動作や起居・移乗動作の介助量が増えるため，定期的にADL評価を実施する．

C 作業療法の目標

疾患活動性の高い時期は機能や現存するADLの維持に努める．疾患活動性が安定したら個々の事例の目標に合わせ，速やかに機能およびADL向上，体力向上に努める．

D 作業療法プログラム

1 一般的なプログラム

基本的にはSLEの項目に準ずる．

a 筋力の維持・向上

筋力低下や全身状態の程度にもよるが，早期から軽度～中等度の筋力増強訓練や有酸素運動でも，筋炎の増悪はなく筋力の障害を軽減するという報告もある[2]．

肩関節周囲筋の筋力低下でMMTの筋力段階2～3の場合はポータブルスプリングバランサー(PSB)〔第 III 章3の図6(➡224ページ)参照〕などを使用することで，負荷量を調整しながら筋力訓練が可能である．

b 日常生活活動の支援

中枢部の筋力低下の場合，起き上がり動作では電動ベッドの背上げ機構の利用，立ち上がりや移乗では高さ調整機構の利用を提案する．肩周囲筋の筋力低下では食事動作が困難となるため，PSBの利用を考える．

2 注意事項

疾患活動性には常に注意が必要である．筋痛の存在やCK値の上昇に注意する．CK値は個人差も大きく一概にいえないが，おおむね1,500 U/Lを超えるようであれば主治医と相談し，負荷量の調整が必要である．CK値の上昇が大きい場合，低負荷のADL動作の指導が必要である．

●引用文献

1) 高林克己：7. 膠原病各論 慢性関節リウマチ．宮坂信之(編)：最新 膠原病・リウマチ学(普及版)．pp98–116, 朝倉書店, 2012
2) 東京女子医科大学病院膠原病リウマチ痛風センター

(編)：Evidence based medicine を活かす膠原病・リウマチ診療. 第 4 版, メジカルビュー社, 2020
3) 秋田鐘弼：II. 上肢疾患 リウマチ手指変形の診断. *MB Orthop* 30:113–119, 2017
4) 水関隆也：リウマチによる母指の変形. *MB Orthop* 24:45–52, 2011
5) 岩本卓士：関節リウマチによる手指変形に対する軟部組織再建. 日関病誌 38:91–97, 2019
6) 厚生労働省ホームページ：https://www.mhlw.go.jp/new-info/kobetu/kenkou/ryumachi/dl/jouhou01-11-0003.pdf
7) Melvin JL(編著), 木村信子(監訳)：リウマチ性疾患—小児と成人のためのリハビリテーション. 改訂第 3 版, 協同医書出版社, 1993
8) 椎野泰明：PT マニュアル 関節リウマチの運動療法. 第 2 版, p39, 医歯薬出版, 2003
9) Imaeda T, et al: Validation of the Japanese Society for Surgery of the Hand version of the Disability of the Arm, Shoulder, and Hand questionnaire. *J Orthop Sci* 10:353–359, 2005
10) Imaeda T, et al: Validation of the Japanese Society for Surgery of the Hand Version of the Quick Disability of the Arm, Shoulder, and Hand (QuickDASH-JSSH) Questionnaire. *J Orthop Sci* 11:248–253, 2006
11) 栗本　秀, 他：Hand20 の信頼性および妥当性の検討. 日手会誌 24:1–4, 2007
12) 椎野泰明：慢性関節リウマチと ADL. 臨床リハ 1:318–322, 1992
13) 水落和也：IV 関節リウマチ. 伊藤利之, 他(編)：新版日常生活活動(ADL)—評価と支援の実際. 医歯薬出版, 2010
14) 中外製薬：リウマチ体操. https://chugai-ra.jp/movie/
15) 坂本安令：6 関節リウマチ 疾患別 上肢・手の困難事例へのアプローチ—具体的介入例とポイント. 作療ジャーナル 51:772–777, 2017
16) 渡部一郎：関節リウマチのリハビリテーションの 10 年. 作療ジャーナル 40:503–508, 2006
17) 佐浦隆一：教育講演 関節リウマチのエビデンスを求めて. *Jpn J Rehabil Med* 47:310–314, 2010
18) 中村めぐみ, 他：SARAH エクササイズ・プログラムの紹介. *Jpn J Rehabil Med* 57:1023–1030, 2020
19) 野村　歓, 他：OT・PT のための住環境整備論. 第 2 版, 三輪書店, 2012
20) 島原範芳, 他：生物学的製剤使用中の関節リウマチ患者の疼痛症状, 機能障害, 精神心理的問題の関係性—心理社会的側面評価の重要性. 臨床リウマチ 30:154–165, 2018
21) 寺岡　睦, 京極　真：臨床における作業機能障害の種類と評価(CAOD)の尺度特性. 作業療法 37:508–517, 2018
22) 大嶋伸雄：作業療法カウンセリング. pp67–71, 三輪書店, 2020
23) 三森明夫：膠原病診療ノート—症例の分析 文献の考察 実践への手引き. 第 4 版, 日本医事新報社, 2019
24) 船内正憲, 他：全身性エリテマトーデス患者の生活の質(Quality of life, QOL)—簡便法による予備的検討. *Jpn J Clin Immunol* 28:40–47, 2005

4 上肢の末梢神経損傷

GIO 一般教育目標 上肢の末梢神経損傷の対象者に作業療法を実施できるようになるために，この疾患の病態を理解し，作業療法の評価法と治療・指導・援助法を修得する．

SBO 行動目標

1）末梢神経損傷の分類および特徴を説明できる．
- □ ①末梢神経の構造を説明できる．
- □ ②末梢神経損傷の分類と特徴を説明できる．
- □ ③末梢神経損傷の再生過程と予後予測を説明できる．
- □ ④末梢神経損傷の臨床症状を 3 つ説明できる．
- □ ⑤以下の末梢神経の損傷部位ごとの特徴を説明できる．
  正中神経，尺骨神経，橈骨神経，腕神経叢
- □ ⑥絞扼性神経障害を 3 つあげ，それぞれの特徴を説明できる．

2）末梢神経損傷の医学的治療と作業療法の関連について説明できる．
- □ ⑦保存療法の対象となる末梢神経損傷をあげることができる．
- □ ⑧末梢神経損傷の間欠的治療を 5 つあげることができる．

3）上肢の末梢神経損傷の対象者に対する作業療法評価を説明できる．
- □ ⑨上肢の末梢神経損傷の対象者に対する一般的な作業療法評価を列挙できる．
- □ ⑩上肢の外在筋と内在筋のごまかし運動・代償運動を実演できる．

4）上肢の末梢神経損傷の医学的治療方法に応じた作業療法目標を設定できる．
- □ ⑪保存療法，神経修復術後，機能再建術後の目標を説明できる．

5）上肢の末梢神経損傷の対象者に対する作業療法プログラムを計画できる．
- □ ⑫神経剥離術の作業療法プログラムを説明できる．
- □ ⑬神経縫合術，神経移行術後の作業療法プログラムを説明できる．
- □ ⑭機能再建術後の作業療法プログラムを説明できる．
- □ ⑮上肢の各末梢神経損傷に対する代表的なスプリントを列挙できる．
- □ ⑯上肢の絞扼性神経障害に対する作業療法プログラムを説明できる．

A 概要

1 上肢の末梢神経損傷とは

a 上肢の末梢神経

上肢の末梢神経は第 5 頸髄から第 1 胸髄よりおこり，腕神経叢を形成したのち，各末梢神経に分岐する．末梢神経には運動神経，感覚神経，自律神経線維が含まれ，支配領域の筋や感覚受容器に達する．

b 末梢神経の構造

末梢神経の構造を図 1[1] に示す．神経内膜は各神経線維間に縦走する膠原線維であり，神経周膜は多くの神経線維およびその間の神経内膜を包む強固な結合組織で神経束を形成する．神経束は神

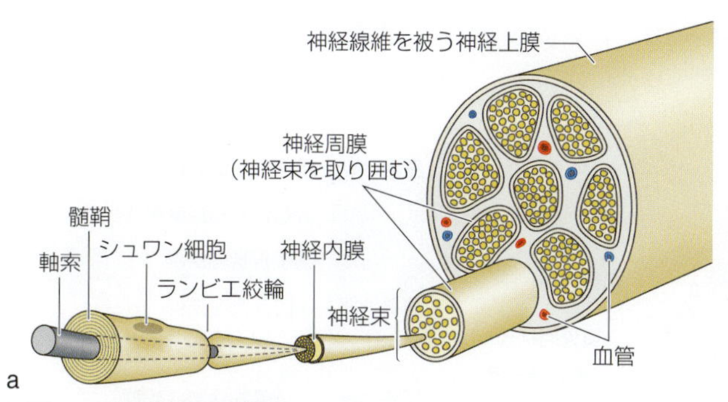

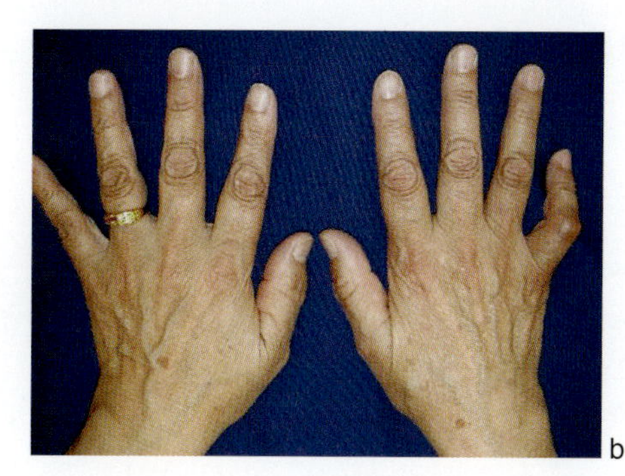

▶図 1 末梢神経の構造

a：末梢神経線維，b：右肘部管症候群(手内筋の筋萎縮，鷲手変形)

〔a：山下敏彦：筋・神経の構造, 生理, 化学. 井樋栄二, 他(編)：標準整形外科学. 第 14 版, p80, 医学書院, 2020 より〕

経上膜で束ねられ，神経幹をなす．

神経線維は有髄神経と無髄神経に分けられる．有髄神経は軸索と髄鞘(ミエリン鞘)で構成され，髄鞘はシュワン(Schwann)細胞膜で幾層にも覆われているのに対して，無髄神経は数本の軸索が 1 つのシュワン細胞で包まれている．

c 末梢神経障害の種類

末梢神経障害には，1 本の末梢神経のみが障害され，その支配域の筋力低下，知覚障害による症状を認める単神経障害(mononeuropathy)，糖尿病などのように複数の個別の神経に単神経障害が生じる多発単神経障害(mononeuropathy multiplex)，末梢神経の支配領域に限局しない障害分布を示す多発神経障害(polyneuropathy)がある．本項では主に単神経障害について述べる．

d 上肢の末梢神経損傷

末梢神経損傷の経路のいずれかで，なんらかの原因により損傷が生じるものを末梢神経損傷といい，支配領域の運動・知覚障害のほか，発汗，血管運動，栄養などの自律神経機能も障害を受ける．

原因は外傷性と非外傷性に分けられる．外傷性損傷は切創などによる開放性損傷と，圧迫，牽引，虚血，電撃創や放射線障害などにより生じる閉鎖性損傷がある．非外傷性損傷には，絞扼性損傷と腫瘍などによる圧迫性損傷がある[2]．

絞扼性神経障害(entrapment neuropathy)とは，神経が手根管や肘部管などの線維性や骨性のトンネルを通過する際に，なんらかの原因で慢性的に神経が絞扼される末梢神経障害をいう．上肢の一般的なものを表 1[3] に示す．

e 末梢神経損傷の分類と特徴

末梢神経損傷の分類は，セドン(Seddon)分類やサンダーランド(Sunderland)分類が一般的に用いられている(▶表 2)．セドンの分類は，一過性神経伝導障害(neurapraxia)，軸索断裂(axonotmesis)，神経断裂(neurotmesis)の 3 つに分類されている[4]．

(1) 一過性神経伝導障害

サンダーランド分類の I 度と同様である．軸索には異常がなく，髄鞘の変化による一過性の伝導障害である．このため，筋や知覚の障害は髄鞘の回復により一斉に回復する．回復は髄鞘の損傷程度により数分から数週間を要する．大径神経から圧迫を受けるため筋力や触覚が障害される．

(2) 軸索断裂

サンダーランド分類の II 度と III 度にあたる．II 度は髄鞘と軸索の損傷，III 度は神経内膜を含む損傷である．

II 度では軸索が断裂しているため，断裂部位以遠にワーラー(Waller)変性を生じる．神経内膜の損傷はないため再生軸索は終末目的器官に正しく

▶表 1　主な上肢の絞扼性神経障害

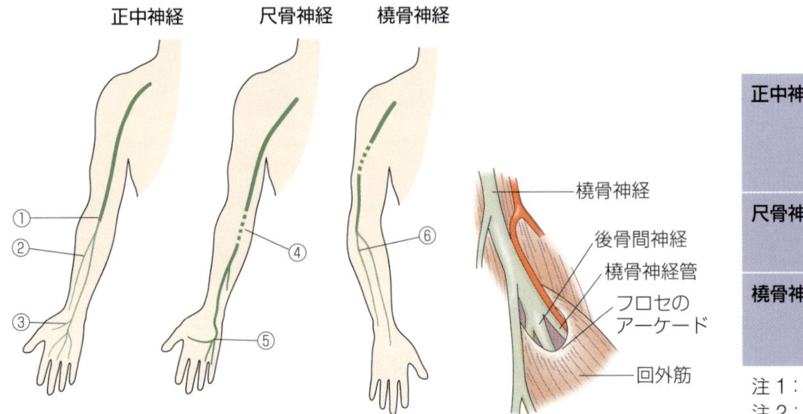

正中神経	①円回内筋症候群
	②前骨間神経麻痺[注1]
	③手根管症候群
尺骨神経	④肘部管症候群
	⑤尺骨(ギヨン)管症候群[注2]
橈骨神経	⑥橈骨神経管症候群 回外筋症候群 後骨間神経麻痺[注1]

注 1：純粋運動神経．知覚障害を伴わない．
注 2：手背部の知覚障害を伴わない．

〔櫛邉　勇：上肢の末梢神経損傷．山口　昇，他(編)：身体機能作業療法学．第 3 版，pp262–263，医学書院，2016 より改変〕

▶表 2　末梢神経損傷の分類

セドン分類	サンダーランド分類	軸索	髄鞘	神経内膜	神経周膜	神経上膜	神経の病変
一過性神経伝導障害(neurapraxia)	I 度	○	×	○	○	○	節性脱髄
軸索断裂(axonotmesis)	II 度	×	×	○	○	○	ワーラー変性
神経断裂(neurotmesis)	III 度	×	×	×	○	○	
	IV 度	×	×	×	×	○	
	V 度	×	×	×	×	×	

○：連続性あり，×：損傷
注：axonotmesis はサンダーランド分類 II～IV 度，neurotmesis はサンダーランド分類 V のみとする分類もある．

到達し，麻痺は正常に近い状態まで自然回復する．回復が遅い場合は神経剝離術などが施行される．

III 度では神経内膜まで損傷しているため，過誤神経支配(misdirection)を生じる可能性がある．過誤神経支配とは，再生軸索が，同じ神経内膜内のシュワン管に入らず，他のシュワン管に入るため不完全な回復がおこることをいう(▶図 2)[5]．周膜は保たれてはいるものの，完全な回復は困難である．

(3)　神経断裂

サンダーランド分類の III 度のうち重篤なものと，IV 度，V 度がこれにあたり，自然回復は期待できない．IV 度損傷では神経上膜のみ連続性を有し，神経幹は瘢痕組織などで見た目上の連続性は有しているが，神経束は断裂している．さらに V 度損傷では神経上膜も断裂し，神経幹の連続性が失われた状態である．

その他として，VI 度損傷がある．VI 度損傷は Dellon らが追記した概念であり，I～V 度損傷の神経束が混在した状態である[6]．

f 末梢神経の再生過程と予後予測

軸索が損傷するとワーラー変性が生じる．ワーラー変性は断裂した断端遠位部の髄鞘，軸索が貪食される過程である．このののちに，神経内膜の中は増殖したシュワン細胞で満たされ，軸索再生に適した環境であるシュワン管となり，再生軸索を誘導する．シュワン管に入ると軸索再生が進む．

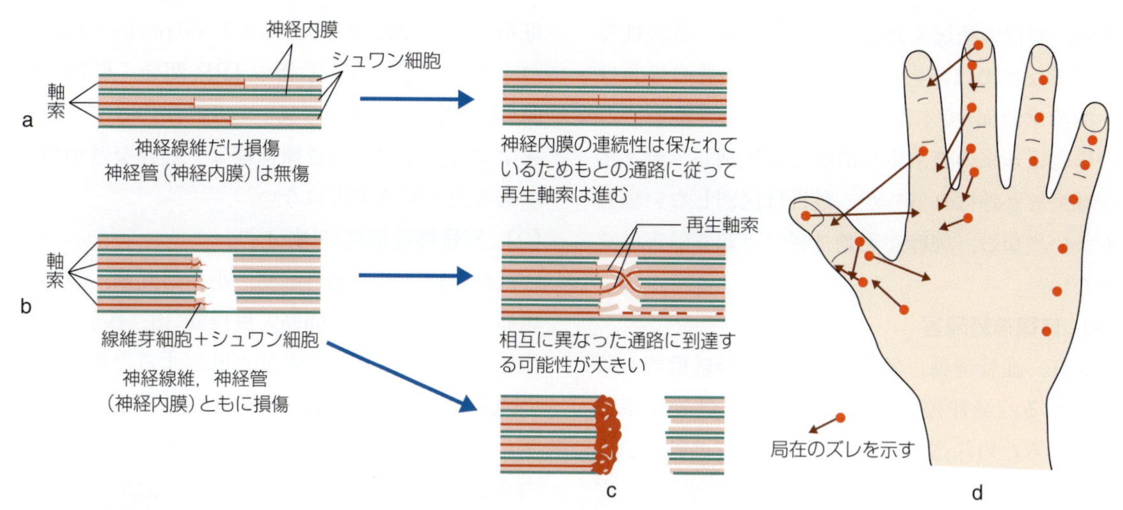

▶**図 2 過誤神経支配**

a：サンダーランド分類 II 度損傷であれば，神経内膜は損傷されないためもとの通路に従って再生する．このため過誤神経支配はおこらない．
b：過誤神経支配．再生軸索が間違った通路（神経内膜内のシュワン管）に入ることがある．
c：神経腫の形成．
d：知覚神経が従来の神経線維に修復されない場合，従来とは違う部位を知覚する誤局在が生じる．
〔d：第 49 回作業療法士国家試験問題 午後 問題 8 より〕

再生軸索の再髄鞘化がおこり，標的受容器とのシナプス形成により神経支配領域の筋や知覚の再支配が生じる[4]．再生軸索がシュワン管に入れなかった場合は，近位断端に瘢痕形成や再生軸索による神経腫が形成され（▶図 2-c），疼痛や異常知覚の原因となる．

回復までの期間は，再生軸索が断端間の瘢痕部を乗り越える時間である初期遅延（initial delay），軸索の進む速度を 1 日数 mm，運動神経が筋肉内の終板を再支配する時間である終末遅延（terminal delay）を考慮して考える．すると再生速度は 1 日 1mm となり，損傷部位からの距離で回復までの期間は予測できる．

予後の違いが生じる原因として，損傷部位や年齢，基礎疾患の有無などがあげられる．損傷が近位の場合，同じ神経束内に運動・知覚・自律神経が混在し，過誤神経支配がおきる可能性が高い．さらに効果器までの距離が長く，再生軸索が着くまでに時間を要し効果器の変性が生じることなどから，近位部損傷は遠位部損傷に比べ予後は不良である．若年者では四肢が短いこと，再生速度が速いことなどから回復は良好である．糖尿病などの基礎疾患を有する場合の障害は重篤となり，回復は不良である．

g 末梢神経損傷の臨床症状

(1) 運動麻痺

損傷部以遠の支配筋の筋力低下を呈する．完全損傷の場合は損傷部以下では完全な麻痺となる．脱神経筋は経時的に萎縮し，損傷された神経により特徴的な肢位を呈する．

(2) 知覚障害

神経が障害されると支配する皮膚領域に知覚障害を認める．完全損傷では知覚は脱失し，不完全損傷では鈍麻となる．再生時の過敏はしばしば手の使用時の問題となる．ワーラー変性後の軸索の再生時，再生軸索が髄鞘に覆われていない部位を叩打すると支配域に放散痛やビリビリするようなしびれ感を生じる．これをティネル（Tinel）徴候という．神経の回復に従い徐々に遠位に移動するため，回復の状況を知ることができる．絞扼性神経障害などでは障害部位(手根管症候群の場合は手関節掌側面)で本徴候を認めることが多い．この場合は本来のティネル徴候とは区別し，ティネル様徴候と呼ばれる[4]が，最近は区別しない場合も多い．なお，純粋な運動神経では知覚障害は認めない．

(3) 自律神経障害

発汗，血管運動，栄養などの自律神経機能も障害される．発汗停止による皮膚の乾燥で易損性を認めるため注意が必要である．血管運動は急性期には支配域の血管拡張による血流が増大し，皮膚温上昇，皮膚の紅潮を認める．慢性期では血管収縮を生じ皮膚温低下，皮膚の蒼白を認める．栄養障害により皮膚や爪，骨の萎縮を認めることもある．

h 各末梢神経損傷の特徴[7,8]

(1) 正中神経損傷(▶表 3)[3]

損傷部位による低位，高位麻痺のほかに前骨間神経麻痺がある．

手関節付近での損傷は低位麻痺である．短母指外転筋，母指対立筋，短母指屈筋(浅頭)，虫様筋(I，II)が麻痺するため，母指掌側外転・対立が困難となり，指腹・指尖つまみができず，猿手(ape hand)を呈する．

高位麻痺では低位麻痺の筋に加え，上腕骨内側上顆に起始する筋が麻痺する．このため，手を握るよう命じても，環・小指以外の屈曲が困難となり，祈祷肢位を呈する．知覚はいずれの場合も同様の部位が障害される．

前骨間神経は，上腕骨内側上顆より 2〜8 cm 末梢で正中神経の橈・背側より分岐する．長母指屈筋，深指屈筋(示・中指)，方形回内筋を支配する．母指と示指で輪〔パーフェクト O(perfect O)〕をつくろうとしても，示指の DIP 関節，母指指節間(IP)関節の屈曲が困難であり，涙のしずく徴候を呈する．なお，前骨間神経は，純粋な運動神経であるため知覚障害はない．

(2) 尺骨神経損傷(▶表 4)[3]

低位麻痺では小指外転筋，小指対立筋，短小指屈筋，掌側・背側骨間筋，虫様筋(III，IV)，短母指屈筋(深頭)，母指内転筋が麻痺するため，手指の内外転は行えず，しっかりと物を握ることは困難となる．また，環・小指の鷲手(かぎ爪)変形(手内在筋マイナス変形)を呈する．示指から小指までの鷲手変形を呈するのは，尺骨・正中神経の同時麻痺がある場合である．

高位麻痺では低位麻痺の筋に加え，尺側手根屈筋，深指屈筋(環・小指)が麻痺するため，環・小指の DIP 関節の屈曲が困難となる．

(3) 橈骨神経麻痺(▶表 5)[3]

橈骨神経は，上腕骨外側上顆の位置で浅枝と深枝に分かれる．浅枝は純粋な知覚神経である．深枝は運動神経で，尺側手根伸筋に筋枝を出したのちは後骨間神経と呼ばれる．

低位麻痺では短橈側手根伸筋，回外筋，尺側手根伸筋，指伸筋，小指伸筋，長母指外転筋，長・短母指伸筋，示指伸筋が麻痺するため，手関節背屈は保たれるが，指伸展ができないため下垂指(drop finger)を呈する．低位麻痺のうち，短橈側手根伸筋麻痺がなく，知覚障害がない場合を後骨間神経麻痺という．

高位麻痺では低位麻痺の筋に加え，腕橈骨筋，長橈側手根伸筋が麻痺するため，下垂手(drop hand)を呈する．

(4) 腕神経叢損傷(▶表 6)[9]

腕神経叢損傷は交通事故などの高エネルギー外傷や骨盤位分娩や巨大児の娩出時に生じる分娩麻痺のほか，乳がんや**パンコースト(Pancoast)型肺がん**などでも認められ，上肢の重大な機能損失を引き起こす．

損傷型は神経根が脊髄から引き抜かれた(引き

Keyword
パンコースト型肺がん　肺尖部に発生した肺がん．腕神経叢や下頸部交感神経節に浸潤すると，肩や腕の痛み，ホルネル徴候，手の萎縮などを呈する．

▶表 3 正中神経麻痺

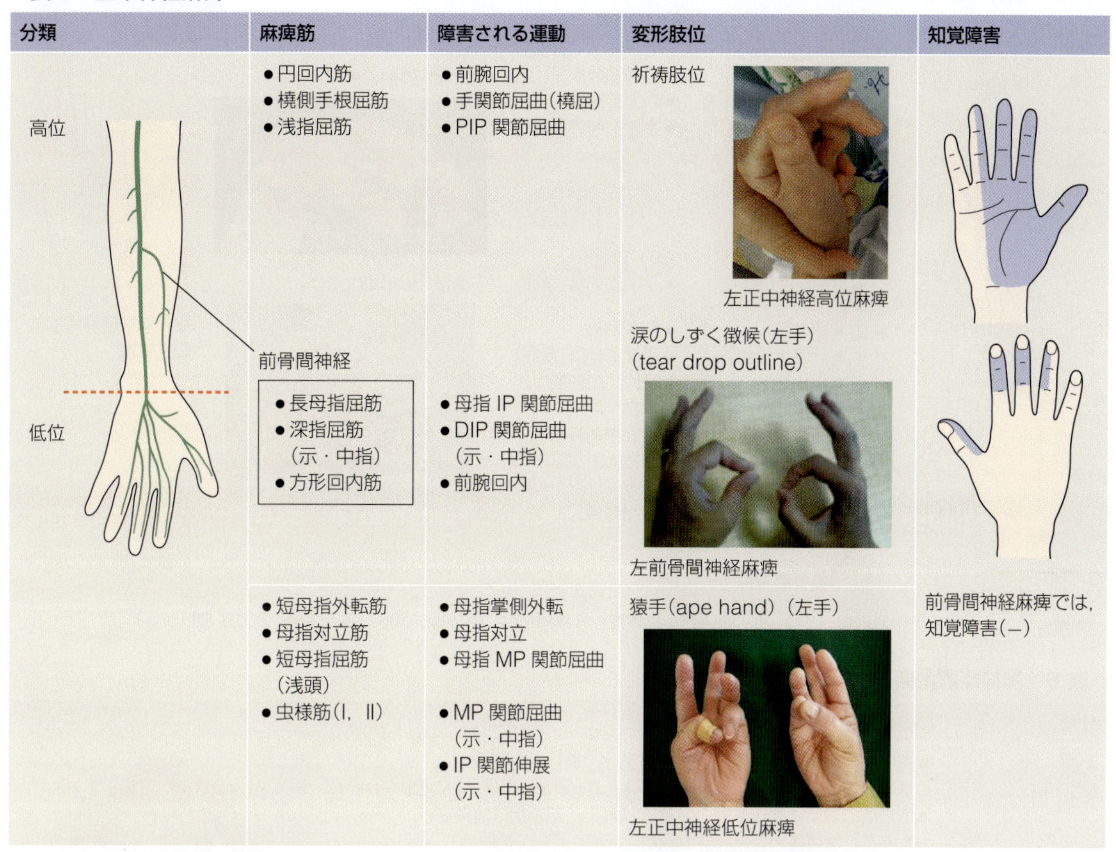

分類	麻痺筋	障害される運動	変形肢位	知覚障害
高位	●円回内筋 ●橈側手根屈筋 ●浅指屈筋	●前腕回内 ●手関節屈曲(橈屈) ●PIP 関節屈曲	祈祷肢位 左正中神経高位麻痺	
前骨間神経	●長母指屈筋 ●深指屈筋 (示・中指) ●方形回内筋	●母指 IP 関節屈曲 ●DIP 関節屈曲 (示・中指) ●前腕回内	涙のしずく徴候(左手) (tear drop outline) 左前骨間神経麻痺	
低位	●短母指外転筋 ●母指対立筋 ●短母指屈筋 (浅頭) ●虫様筋(I, II)	●母指掌側外転 ●母指対立 ●母指 MP 関節屈曲 ●MP 関節屈曲 (示・中指) ●IP 関節伸展 (示・中指)	猿手(ape hand)(左手) 左正中神経低位麻痺	前骨間神経麻痺では,知覚障害(–)

〔櫛邉 勇:上肢の末梢神経損傷. 山口 昇, 他(編):身体機能作業療法学. 第 3 版, p266, 医学書院, 2016 より改変〕

▶表 4 尺骨神経麻痺

分類	麻痺筋	障害される運動	変形肢位	知覚障害
高位	●尺側手根屈筋 ●深指屈筋 (環・小指)	●手関節屈曲(尺屈) ●DIP 関節屈曲 (環・小指)	鷲手(かぎ爪手)(claw hand)	
低位 手背枝	●小指外転筋 ●小指対立筋 ●短小指屈筋 ●骨間筋 ●虫様筋(III, IV) ●短母指屈筋(深頭) ●母指内転筋	●小指外転 ●小指対立 ●小指 MP 関節屈曲 ●MP 関節内・外転 ●MP 関節屈曲・IP 伸展(環・小指) ●母指 MP 関節屈曲 ●母指内転	鷲手(かぎ爪手)(claw hand) 右尺骨神経麻痺 尺骨神経麻痺では, 環・小指の鷲手変形を生じるが, 正中・尺骨神経麻痺では, 示指〜小指まで鷲手変形となる	尺骨管症候群では, 手背部の知覚障害(–)

〔櫛邉 勇:上肢の末梢神経損傷. 山口 昇, 他(編):身体機能作業療法学. 第 3 版, p266, 医学書院, 2016 より改変〕

▶表 5　橈骨神経麻痺

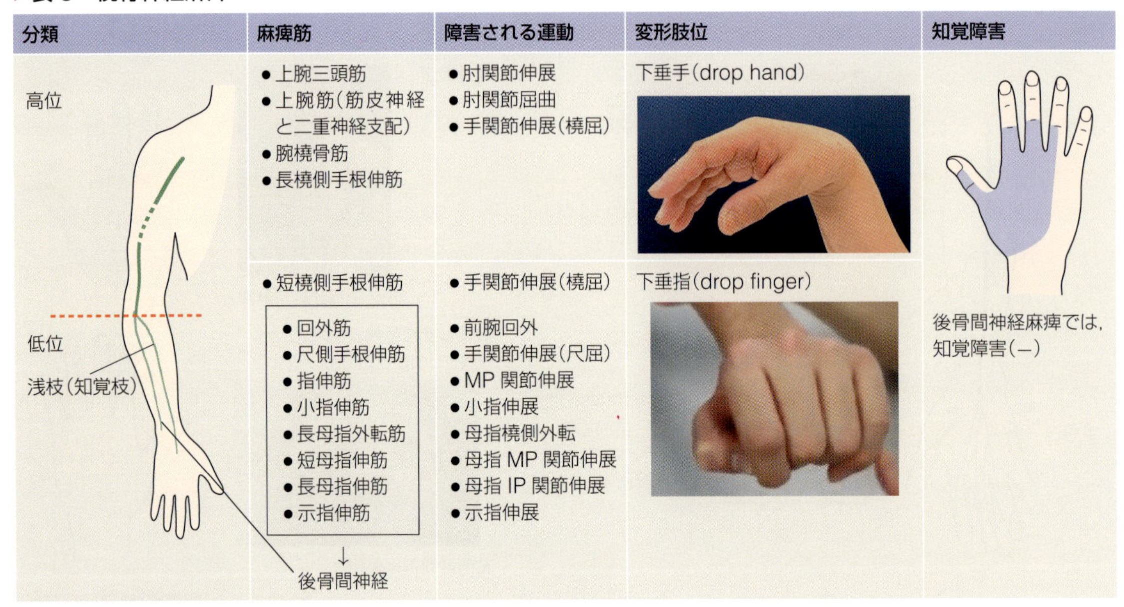

分類	麻痺筋	障害される運動	変形肢位	知覚障害
高位	●上腕三頭筋 ●上腕筋（筋皮神経と二重神経支配） ●腕橈骨筋 ●長橈側手根伸筋	●肘関節伸展 ●肘関節屈曲 ●手関節伸展（橈屈）	下垂手（drop hand）	
低位 浅枝（知覚枝）	●短橈側手根伸筋 ●回外筋 ●尺側手根伸筋 ●指伸筋 ●小指伸筋 ●長母指外転筋 ●短母指伸筋 ●長母指伸筋 ●示指伸筋 ↓ 後骨間神経	●手関節伸展（橈屈） ●前腕回外 ●手関節伸展（尺屈） ●MP 関節伸展 ●小指伸展 ●母指橈側外転 ●母指 MP 関節伸展 ●母指 IP 関節伸展 ●示指伸展	下垂指（drop finger）	後骨間神経麻痺では，知覚障害（−）

〔櫛邉　勇：上肢の末梢神経損傷．山口　昇，他（編）：身体機能作業療法学．第 3 版，p267，医学書院，2016 より改変〕

▶表 6　腕神経叢損傷

分類	残存機能と障害される運動	特徴など
全型 C5〜T1	●肩甲上腕関節以遠の運動はすべて行えない ●僧帽筋で肩甲骨を一部動かすことは可能	●上肢全体の著しい筋萎縮 ●ホルネル（Horner）徴候：主に C8〜Th2 の交感神経の圧迫または損傷など ［症状］ ○縮瞳・眼瞼下垂 ○発汗異常（同側顔面の無汗症など） 肩・肘の機能再建後の全型損傷例
上位型 C5，6，（7） エルブ（Erb）麻痺	●手関節屈曲・（伸展） ●手指，母指の運動は可能 ●肩屈曲・外転・外旋，肘屈曲，前腕回外は障害	●右上位型（C5–7）損傷 ●右肩周囲の筋萎縮は著明ではあるが，前腕以遠の筋萎縮は軽度（右写真） ●ウェイター・チップポジション（左写真）
下位型 （C7）C8〜T1 クルンプケ（Klumpke）麻痺	●肩・肘・前腕，手関節の運動は可能 ●手指のみ障害	●ホルネル徴候を認める ●発生数は少ない．全型損傷の上位根の自然回復例と考えられている 右眼ホルネル症候群 〔中村　誠：神経眼科．中澤　満，他（編）：標準眼科学．第 14 版，p313，医学書院，2018 より〕

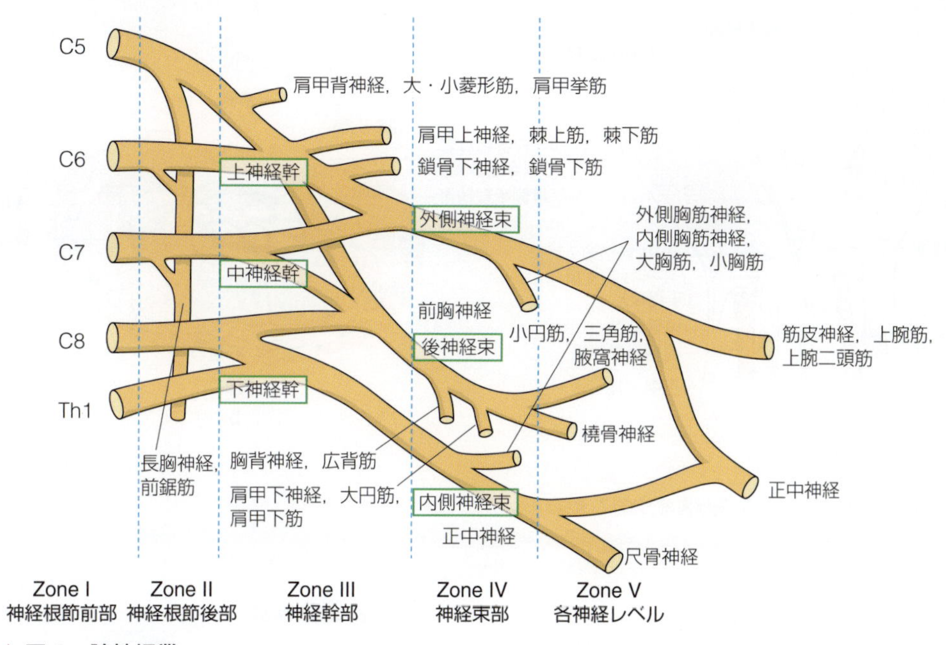

▶図 3 腕神経叢

抜き損傷)節前損傷(Zone I)と，それより末梢の節後損傷がある．節前損傷は損傷部位の直接的な修復は行えないため，神経移行術や機能再建術が適応となる．節後損傷は部位により神経根損傷(Zone II)，神経幹損傷(Zone III)，神経束損傷(Zone IV)，各神経レベル(Zone V)に分類される(▶図 3)．

損傷高位により，全型(C5〜T1)，上位型(C5〜7)，下位型(C7〜T1)に分けられるが，現在ではC5–6 型，C5–7 型，C5–8 型，C5–T1 型に分類されることも多い(C＝頸髄，T＝胸髄)．下位型は全型損傷の上位根の自然回復例と考えられている[10]．

節前損傷では損傷高位により機能再建術が選択される．全型では肩甲上腕関節の固定術や副神経を肩甲上神経に移行することで肩関節の固定性を得る．肘関節屈曲機能は肋間神経を筋皮神経に移行し獲得をはかる．上位型では筋皮神経への肋間神経移行のほか，円回内筋の筋力が十分であれば円回内筋と尺側手根屈筋が付着している内側上顆の一部を切離し，上腕骨の近位へ移行するスタインドラー(Steindler)法も選択される．肩関節機能は残存筋を用いての多数筋移行術が行われる．僧帽筋の付着部を遠位にすることでの肩関節屈曲・外転の再建，広背筋・大円筋を棘下筋に縫着しての外旋機能再建が主な方法である．近年では，全型引き抜き損傷例においても指の動きを獲得できる double free muscle transfer 法(Doi 法)が報告[10] されている．また，節後損傷は末梢神経損傷であるため，神経縫合術や神経移植術が適応になる．

i 絞扼性神経障害

病因は機械的圧迫，神経幹内の血流障害，関節運動に伴う摩擦や牽引である．骨折や脱臼に伴う変形や骨棘，関節包や靱帯の肥厚，異常筋の存在などによる外因性と，内分泌異常，代謝性疾患，アルコール中毒などの神経易損性を高めるものによる内因性がある．絞扼部分にはティネル(様)徴候を認める．圧迫が増悪すると遠位部はワーラー変性に陥ることもある．また同一神経内に損傷が重複することで，軽微な絞扼では通常生じないような神経障害が発生する病態を double-crush という．

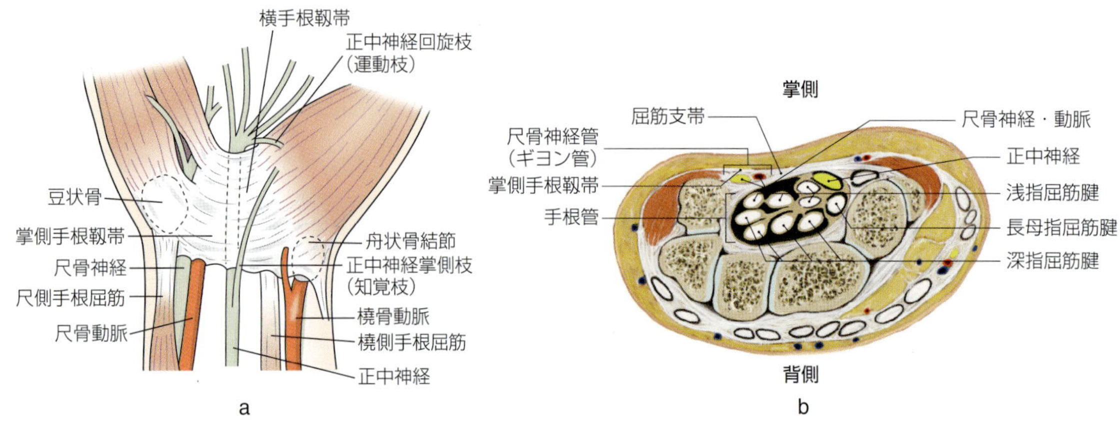

▶**図 4　手根管**
a：手掌面，b：横断面.
〔b：坂井建雄：標準解剖学. p255, 医学書院, 2017 より〕

主な絞扼性神経障害の特徴

最も発生頻度が高い手根管症候群と，肘関節周辺の骨折後や OA で認めることの多い肘部管症候群，さらに胸郭出口症候群について述べる.

(1) 手根管症候群

手根管症候群(carpal tunnel syndrome; CTS)は正中神経が手根管部(▶**図 4**)[11] で絞扼されて発症する．妊娠中や 40～60 歳代の女性に多い．原因はホルモンの乱れを基盤にした浮腫による手根管内圧の亢進，手の過剰な使用や RA などにみられる腱鞘滑膜炎，そのほかとしてガングリオン，腫瘍，人工透析患者のアミロイド沈着などの手根管内の内容物の増加に伴うものがある．また，手根管自体の狭窄によるものとして，骨折後の変形治癒，OA，横手根靱帯の肥厚がある.

正中神経低位麻痺の症状を示し，母指，示指，中指，環指橈側のしびれ感が初発症状であることが多い．夜間に同部のしびれや痛みで目が覚めたり，起床時のしびれ感が特徴的である．症状が進行すると短母指外転筋，母指対立筋，短母指屈筋(浅頭)の萎縮を認める．手を振ることでしびれが軽減するフリックサイン(flick sign)や，手関節を掌屈位で保持するとしびれ感が増悪するファレン(Phalen)テスト陽性などの症状を認める.

(2) 肘部管症候群

肘部管症候群(cubital tunnel syndrome; CuTS)は尺骨神経が肘部管(▶**図 5-a**)で絞扼され発症する．また，同部は末梢神経が皮膚の最も近くを走行する部位であり，刺激症状は机に肘をつくことなどによっても誘発されやすい．原因は小児期の骨折による外反肘変形の遺残や，OA による骨棘形成，ガングリオンなどのほか，野球や柔道などのスポーツによるものが多い．肘関節周辺の外傷や手術後に亜急性の経過で尺骨神経障害が生じる病態を外傷性亜急性尺骨神経絞扼性障害(delayed-onset ulnar neuritis; DOUN)といい，リハビリテーション中に尺骨神経障害が増悪するという報告[12] もある.

肘関節屈曲位での環・小指のしびれ感の増悪や，骨間筋・虫様筋(Ⅲ，Ⅳ)の筋力低下による環・小指の鷲手変形を認める．紙を横つまみでつまませて引っ張ると**図 5-b** のように母指 IP 関節が屈曲するフロマン(Froment)徴候は，母指内転筋筋力低下を長母指屈筋で代償するために生じる.

(3) 胸郭出口症候群

腕神経叢と鎖骨下動静脈は前斜角筋と中斜角筋の間，鎖骨と肋骨間，小胸筋下の生理的狭窄部位を通過する．正常ではこの部で絞扼されることはないが，胸郭出口症候群(thoracic outlet

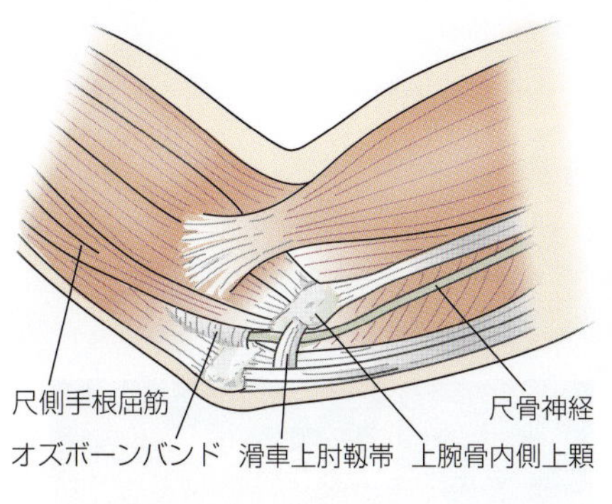

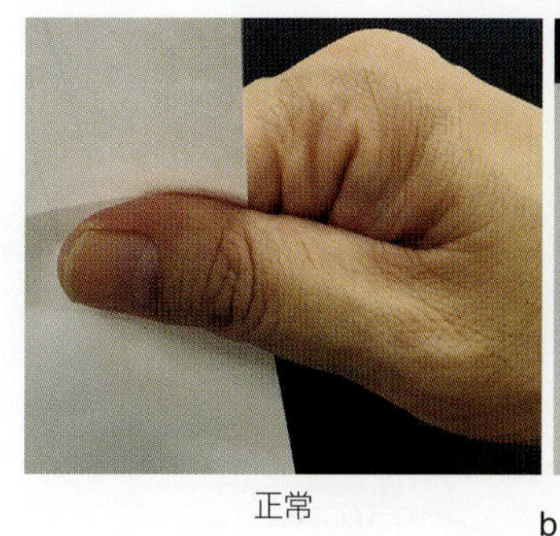

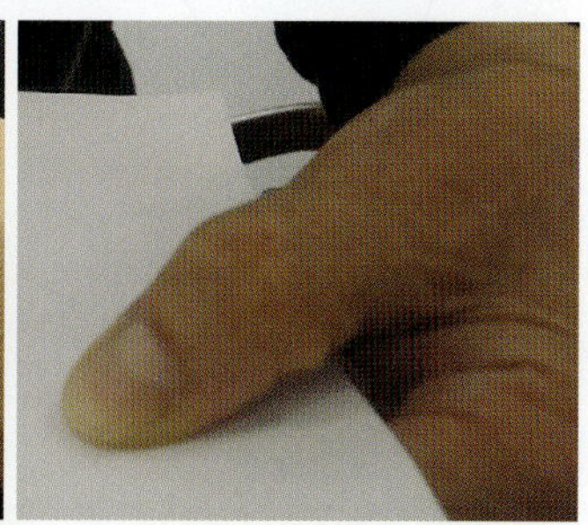

▶図 5 肘部管
a：上腕骨内側上顆の後ろ，骨と靱帯に囲まれた部位．
b：母指内転筋の筋力低下のため長母指屈筋で代償している．このため IP 関節が屈曲している．

syndrome; TOS）では高頻度で認められる解剖学的変異や上肢の運動，なで肩であることなどでの狭窄部のさらなる狭小化により絞扼をきたす．従来から血管性 TOS，神経性 TOS に分けられるが，静脈性 TOS は全症例の 3%，動脈性 TOS は 1% と少なく[13, 14]，神経性 TOS が多くを占める．

症状は，手指，主に尺側にみられる腕のしびれ，脱力感，熱・冷感，頸部や肩・肩甲骨周囲・前胸部の疼痛などがある．

2 医学的治療と作業療法の関連

末梢神経損傷に対する医学的治療は神経の損傷程度により選択される．

a 保存的治療

保存治療はサンダーランド分類の I～III 度損傷で神経が離開していない場合に適応となる[15]．治療はビタミン B_{12} 製剤などの内服治療のほかに，必要に応じてスプリント療法が筋長の保持，変形の予防や機能の代償目的で実施される．回復に応じた筋力増強訓練や ROM の維持・改善，知覚再教育訓練や ADL 訓練を行う．また，絞扼性神経障害などの**蓄積性外傷疾患**の場合は，環境や生活や職業上での使用方法についての対象者教育が実施される．さらに，糖尿病合併症の 1 つである多発単神経障害による知覚障害を呈する場合も，繰り返す創傷による潰瘍形成や感染防止の観点から対象者教育は特に重要である．

b 観血的治療[4]

開放性の末梢神経損傷では神経縫合術が行われる．閉鎖性損傷の場合は保存療法を行いながら，ティネル徴候の遠位方向への進展の具合や筋力の回復状況に基づいて手術の適応が決定される．一般には 3 か月経過をみて回復が認められなければ手術が選択される．

(1) 神経剝離術

神経の連続性があり，周囲組織の圧迫などによるものに適応がある．圧迫を除くことで神経内の血流と軸索流が改善し，変性した軸索の正常化が期待できる．

(2) 神経縫合術（▶図 6-a～c）[16]

神経断端の緊張が少なく，直接縫合可能なものに適応がある．神経上膜縫合術，神経上膜周膜縫

Keyword
蓄積性外傷疾患　cumulative trauma disorder（CTD）．身体動作の反復によって発生し，長時間の持続的な身体の使用あるいは負荷が，腱，筋，感覚神経などの組織の磨耗や断裂を引き起こす．症状が出現しやすいのは，手関節，手指，肩，背部，頸部，眼球など．CTD は，特徴の似た複数の障害の総称で，反復性外傷疾患，過使用症候群，局部性筋骨格障害，職業性疾患などとも呼ばれる．

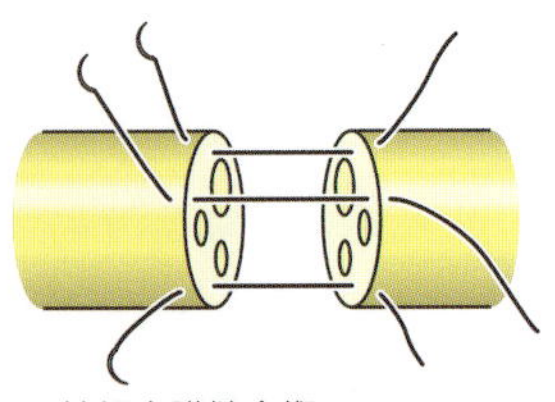
a. 神経上膜縫合術

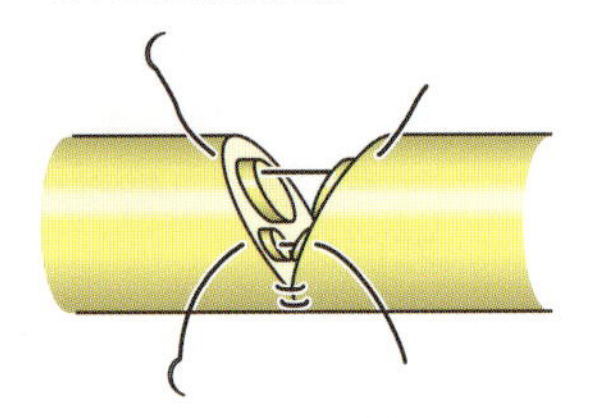
b. 神経上膜周膜縫合術

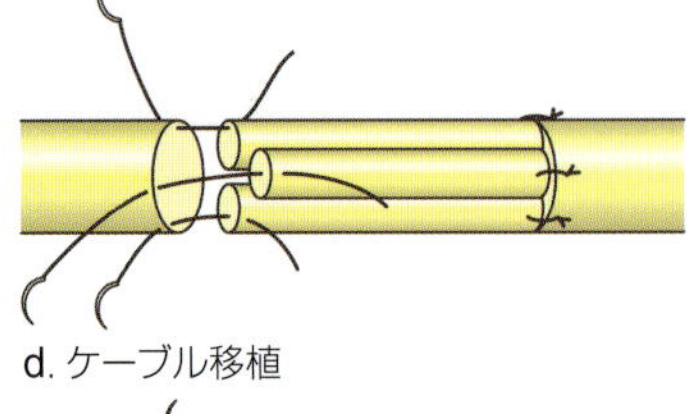
d. ケーブル移植

c. 神経周膜縫合術

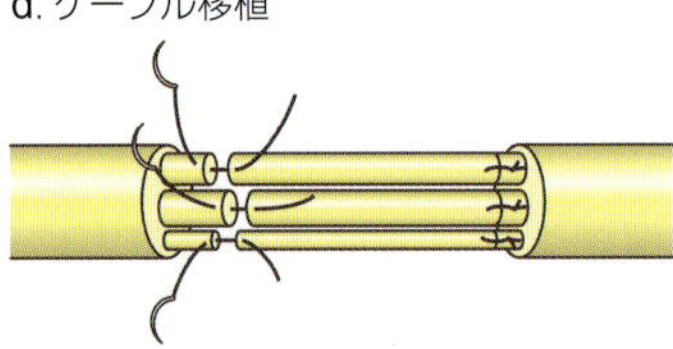
e. 神経束間移植

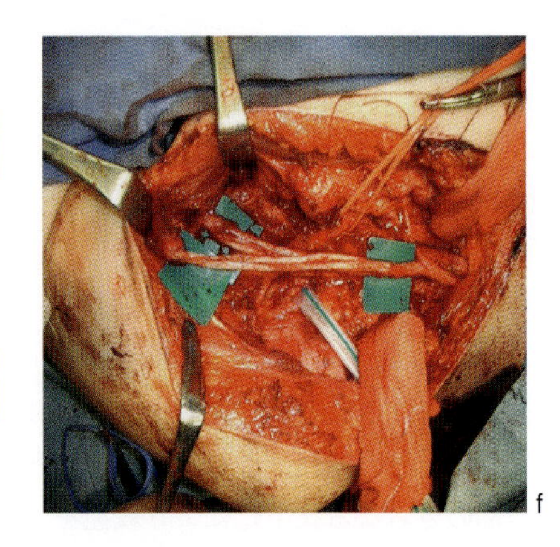
f

▶図 6　神経修復術
a〜c：神経縫合術：神経束の同定が可能であれば上膜周膜縫合を，同定困難な場合は上膜縫合が行われる．
d〜f：神経移植術：ドナーの神経が細い場合は f のように数本束ねて移植する(ケーブル移植)．
〔a〜e：岩崎倫政：末梢神経損傷．井樋栄二，他(編)：標準整形外科学．第 14 版，p869，医学書院，2020 より〕

合術，神経周膜縫合術がある．

(3) 神経移植術

神経断端に欠損がある場合や，断端を合わせたときの緊張が強く，縫合不可能なものに適応がある(▶図 6-d〜f)[16]．最近は図 7[16] のように神経再生誘導チューブなどの人工神経が使用される場合もあるが，臨床成績では自家神経移植を超えられていない[15]．

(4) 神経移行術

腕神経叢麻痺や神経近位端の損傷が著しく，神経縫合術や神経移植術が困難な場合に適応がある．腕神経叢損傷全型では肋間神経を筋皮神経に移行し肘屈曲機能の再建をはかる方法や，上位型では尺骨神経の一部を筋皮神経に移行するオバーリン(Oberlin)法がある．

(5) 機能再建術

機能再建術は，神経修復術が困難な場合や神経修復によっても十分な回復がみられない場合に適応となる．機能再建術は，残存している筋や腱を移行する筋腱移行術(▶表 7)と腱固定術，関節固定術などがある．

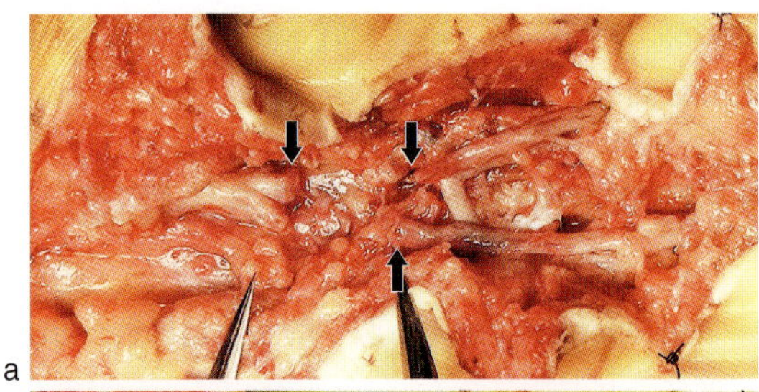
a

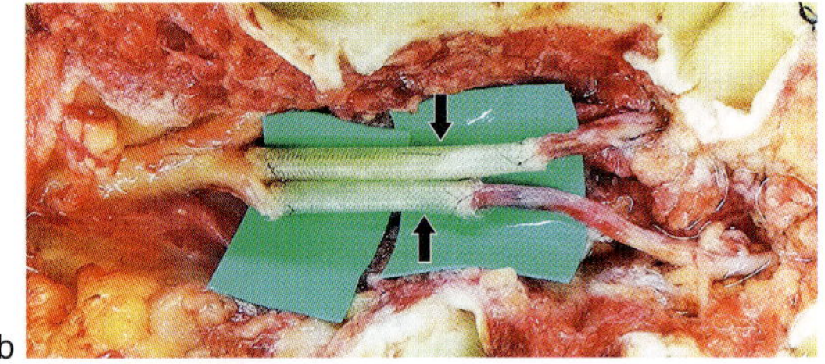
b

▶図 7　人工神経移植術
a：手掌での指神経の欠損(矢印：神経断端)
b：人工神経を移植したところ(矢印：人工神経)
〔岩崎倫政：末梢神経損傷．井樋栄二，他(編)：標準整形外科学．第 14 版，p870，医学書院，2020 より〕

▶表 7　末梢神経損傷における主な筋腱移行術

損傷神経と再建ニーズ	再建法
母指対立（正中神経）	カミッツ(Camitz)法 移行腱：長掌筋腱 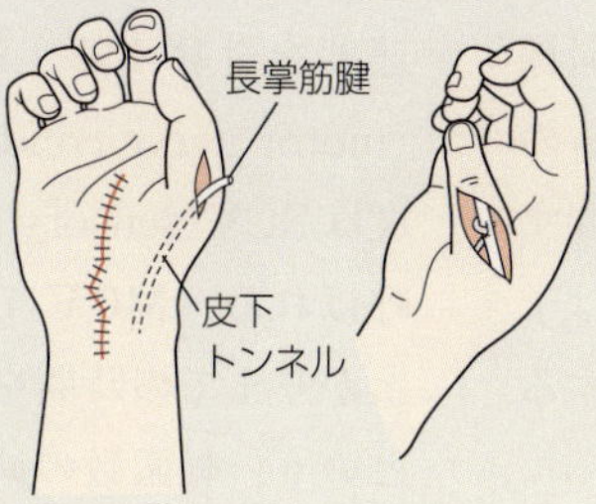 長掌筋腱 皮下トンネル バネル(Bunnell)法 移行腱：浅指屈筋腱 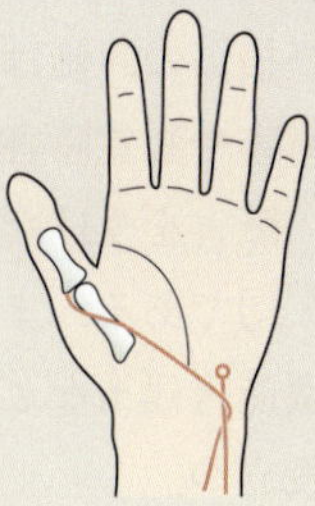
母指内転，手指外転（尺骨神経）	母指内転 ブランド(Brand)法 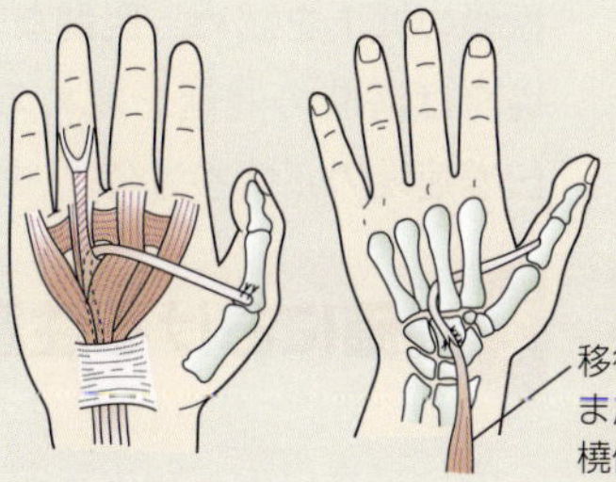 移行腱：腕橈骨筋または橈側手根伸筋 示指外転 ネビエーサー(Neviaser)法 長母指外転筋を第 1 背側骨間筋に 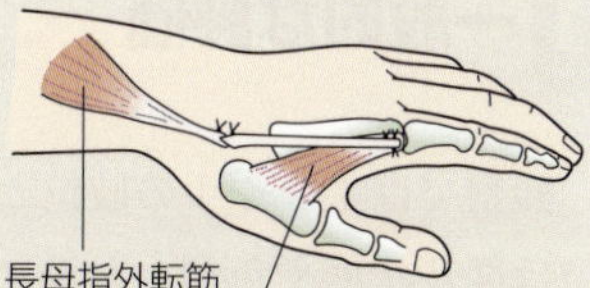 長母指外転筋 第 1 背側骨間筋
手関節，手指伸展（橈骨神経）	ブランド法，津下法 ● 長掌筋を長橈側手根伸筋に ● 橈側手根屈筋を総指伸筋に ● 長掌筋を長母指伸筋に このほかにも浅指屈筋を移行するボイス(Boyes)法，尺側手根伸筋を移行するリオルダン(Riordan)法などがある 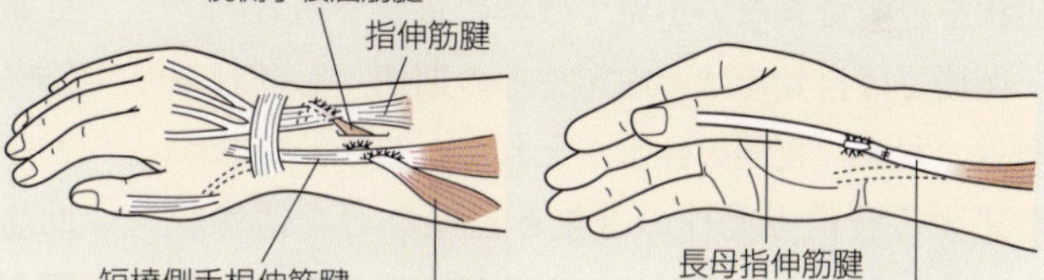 橈側手根屈筋腱 指伸筋腱 短橈側手根伸筋腱 円回内筋 長母指伸筋腱 長掌筋腱
肘関節屈曲（筋皮神経）	スタインドラー法 内側上顆の一部を切離し，円回内筋と尺側手根屈筋を肘関節近位部に固定 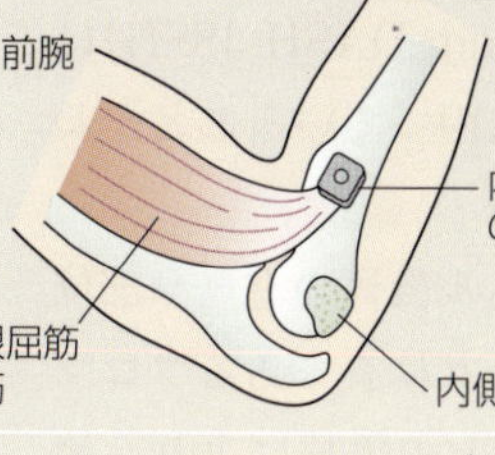 上腕 前腕 内側上顆の一部 尺側手根屈筋 円回内筋 内側上顆
肩関節屈曲・外転，外旋（腋窩神経ほか）	多数筋移行術 僧帽筋を大結節遠位に移行，大円筋・広背筋を棘下筋腱部に移行 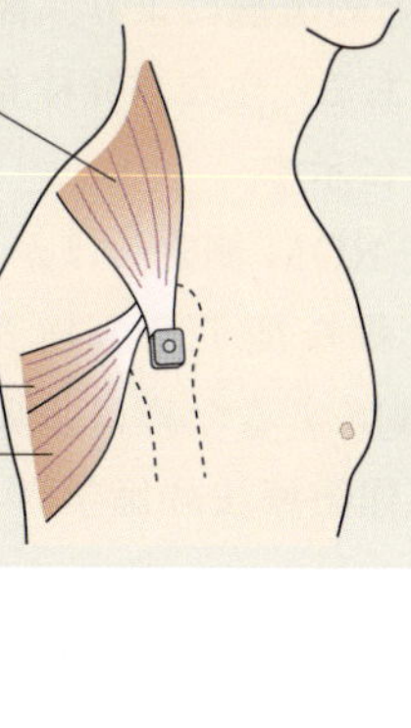 僧帽筋上部線維 大円筋 広背筋

B 作業療法評価

末梢神経損傷の評価は，他の疾患や外傷と同様に，運動障害や知覚障害の程度のみに注目するのではなく，障害を受けた対象者の全体像を把握することが大切である．また，作業療法の評価は予後予測や機能再建術などの観血的治療を決定する補助にも役立つ．

1 一般的な評価

観察では上肢や手の肢位と使い方のほか，皮膚では発汗状態や色調，お湯に浸したのちのしわの有無(リンクルテスト)，筋や軟部組織の萎縮の有無と程度についての評価を行う．これらの評価は症状を説明できない小児では特に重要である．

面接では自覚症状の内容やその期間，しびれや痛みの程度，夜間の睡眠がとれているか，症状が増悪する肢位や動作の有無と程度などを情報収集する．患者立脚型評価である日本手外科学会版上肢障害評価表(日本手外科学会版 Disability of the Arm, Shoulder, and Hand; DASH-JSSH)による評価は，対象者が実際に困っていることがわかる．

神経誘発検査であるティネル徴候の有無や部位の確認を行う．スクリーニング検査であるフロマン徴候やパーフェクト O などの実施により，簡単に損傷神経の特定が可能である．主な誘発検査とスクリーニング検査を**表 8** に示す．

検査・測定では周径測定や ROM 測定のほか，回復に応じた知覚検査や詳細な徒手筋力検査(MMT)の実施が障害像を理解するために重要である．詳細は本シリーズ『作業療法評価学』[17]を参照されたい．

[神経伝導速度検査(▶図 8)[16]]　絞扼性末梢神経障害の診断の際に用いられる．末梢神経を電気刺激してインパルスを発生させ，運動神経では複合筋活動電位(compound muscle action potential; CMAP)である M 波を，感覚神経では複合神経活動電位(compound sensory nerve action potential; SNAP)を計測し，伝導距離と時間から伝導速度を計算する．運動神経の伝導速度は MCV (motor nerve conduction velocity)，感覚伝導速度は SCV(sensory nerve conduction velocity)と呼ばれる．MCV では刺激開始から M 波の立ち上がりまでの時間を潜時，立ち上がりの幅を振幅という．軸索数の減少による筋萎縮がある場合は振幅の低下を認め，脱髄など髄鞘の障害を認める場合は潜時の遅延を認める．**図 8**[16] に各神経の伝導速度の正常参考値[18] を示す．

2 評価における注意事項

末梢神経損傷の評価のなかで，MMT はきわめて重要な評価である．実施時に動的腱固定効果〔テノデーシスアクション(➡ 223 ページ)〕や重力などを利用したごまかし運動(trick movement)，補助筋・協同筋の代償により，正確な評価実施が困難な場合がある．このため，筋の触診が正確に行えることは必須である．**表 9**[3] に上肢のごまかし運動と代償運動を示す．

C 作業療法の目標

作業療法の目標は，損傷している部位のみに注目して設定するのではなく，再び“使える手”を目指すべく，何をすべきかを常に考えてアプローチを行う必要がある．

1 保存的治療

局所の安静と浮腫や ROM 制限などの二次的合併症の予防を行う．筋力の改善に合わせて筋力増強訓練も実施するが，過用による筋力低下を生じることもあるため，負荷量には十分な注意が必要である．絞扼性神経障害の場合は再発防止のため

▶表 8 誘発検査とスクリーニング検査

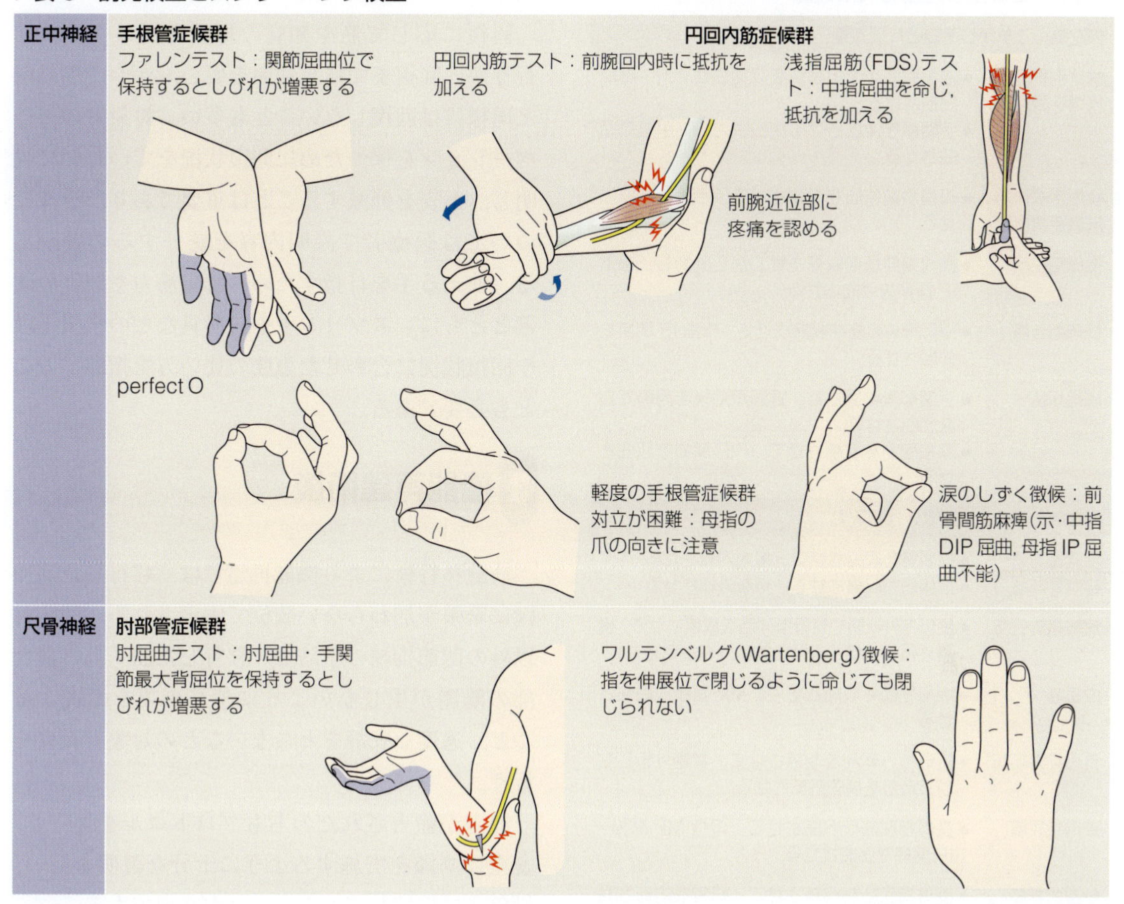

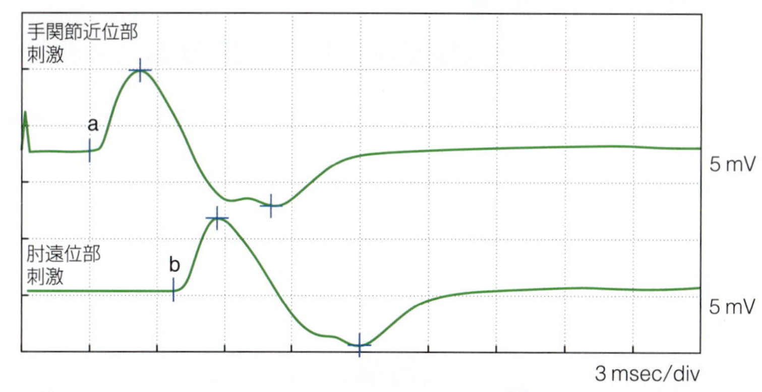

運動神経伝導検査
2 点の刺激部位間の距離を遠位潜時(b)と近位潜時(a)の差で割って算出する.

$$\frac{\text{距離}}{b-a} = \text{伝導速度}$$

運動	振幅	末端潜時	伝導速度(前腕)
正中神経	10.5 mV	3.4 msec	57.0 m/秒
尺骨神経	10.4 mV	2.5 msec	57.5 m/秒

感覚	手首刺激の振幅	伝導速度(肘～手首)	伝導速度(手首以遠)
正中神経	32.9 μV	63.9 m/秒	56.2 m/秒
尺骨神経	30.4 μV	63.9 m/秒	56.2 m/秒

▶図 8 神経伝導速度と参考正常値
〔グラフ：岩崎倫政：末梢神経損傷. 井樋栄二, 他(編)：標準整形外科学. 第 14 版, p867, 医学書院, 2020 より〕

▶表 9　ごまかし運動と代償運動

外在筋のごまかし運動と代償運動	
橈側手根屈筋 尺側手根屈筋	●浅指屈筋や深指屈筋を収縮させて，手関節屈曲させる ●手関節を伸展させてから脱力し，手関節屈曲させる
橈側手根伸筋 尺側手根伸筋	●母指や指伸筋を収縮させて，手関節伸展させる
長母指屈筋	●長母指伸筋を収縮させてから脱力し，母指 IP 関節を屈曲させる
長母指伸筋	●短母指外転筋を収縮させて，母指 IP 関節を伸展させる
浅指屈筋	●手関節を伸展させ，腱固定効果を用いて指を屈曲させる ●深指屈筋を収縮させて，PIP 関節を屈曲させる
内在筋のごまかし運動と代償運動	
掌側骨間筋 背側骨間筋	●指屈筋を収縮させて，指を内転させる ●指伸筋を収縮させて，指を外転させる
短母指外転筋	●長母指外転筋や短母指伸筋を収縮させて，橈側外転しながら母指を掌側外転させる
虫様筋	●浅指屈筋を収縮させて，MP 関節の屈曲させる
長母指外転筋	●短母指外転筋を収縮させて，掌側外転しながら母指を橈側外転させる
短母指屈筋	●長母指屈筋を収縮させて，母指 MP 関節・IP 関節を屈曲させる
母指内転筋	●長母指屈筋を収縮させて，母指を内転させる

〔櫛邉　勇：上肢の末梢神経損傷．山口　昇，他(編)：身体機能作業療法学．第 3 版，p270，医学書院，2016 より改変〕

に ADL の方法，職業や生活習慣，スポーツ場面での注意点などの具体的な指導により，対象者自身が自己管理を行えるようになることは重要な目標である．

2 神経修復術後

神経縫合術や移植術，移行術などの神経修復術後は，神経の再断裂や縫合部の離開を予防するため，縫合した神経に牽引力が加わらない肢位で 3～4 週間の固定が必要となる．この間は縫合部の安静を保ちながら，浮腫の管理や固定部以外の可動域の維持を行い，関節拘縮を予防することが目標となる．

回復に応じて筋や知覚の再教育プログラムを行うが，回復までに長期間を要し，かつ受傷以前と同様には回復しないことも多い．対象者のモチベーションを保つために回復状況をていねいに説明し，不安を軽減することは重要であり，予後については医療者で説明内容を統一する必要がある．使える手を目指すためには，筋力や知覚の改善とともに，スプリントや自助具などの代償手段や回復状況に合わせた患肢の使い方を指導することも必要である．

3 機能再建術後

筋腱移行術による機能再建では，移行した筋や腱に緊張が加わらない肢位で固定される．固定部以外の関節拘縮の予防と，移行した筋・腱の縫合部の離開が生じないように禁忌事項を徹底すること，過度な安静をとらないなどの対象者教育を行う．

固定が除去されたのちもプロトコルを遵守し，安全に訓練を実施するように十分な説明を行い，対象者に理解してもらうことが必要である．

D 作業療法プログラム

一般的なプログラムのほかに，臨床上よく遭遇する手根管症候群などの絞扼性神経障害に対するプログラムについて述べる．なお，知覚障害についての治療プログラムは，第 II 章 8「感覚・知覚再教育」の項(➡ 128 ページ)を参考にされたい．

1 一般的なプログラム

a 神経剝離術後のプログラム

術後 2，3 日は安静固定をする．その後，疼痛の程度を確認しながら愛護的な自動・他動運動を行う．必要に応じて筋力の回復に合わせた筋力増

▶表 10 MMT を基準とした筋力増強訓練

<table>
<tr><th>MMT</th><th>訓練目標</th><th colspan="6">訓練内容</th></tr>
<tr><td>0</td><td>拘縮予防</td><td rowspan="7">ROM 訓練</td><td></td><td></td><td></td><td></td><td></td></tr>
<tr><td>1</td><td>重力除去位での関節運動</td><td rowspan="3">低周波などの電気刺激</td><td rowspan="3">EMG バイオフィードバック訓練</td><td></td><td></td><td></td></tr>
<tr><td>2</td><td rowspan="2">抗重力位での関節運動</td><td rowspan="2">重力除去位での訓練</td><td></td><td></td></tr>
<tr><td>3⁻</td><td rowspan="2">抗重力位での訓練</td><td></td></tr>
<tr><td>3</td><td rowspan="3">筋力に応じた積極的な筋力増強</td><td></td><td></td><td></td><td rowspan="3">抵抗訓練</td></tr>
<tr><td>4</td><td></td><td></td><td></td><td></td></tr>
<tr><td>5</td><td></td><td></td><td></td><td></td></tr>
</table>

〔櫛邉 勇：上肢の末梢神経損傷. 山口 昇, 他(編)：身体機能作業療法学. 第 3 版, p271, 医学書院, 2016 より改変〕

強訓練のほか，物品操作訓練も実施する.

b 神経縫合術・神経移行術後のプログラム

術後は縫合部の離開が生じないよう 3〜4 週間の固定が行われる．固定期間中は禁忌事項を守りながら，高挙や可能な部位の自動運動など，積極的な浮腫に対するアプローチを実施する．固定部以外で，許可された部位の ROM 維持にも努める.

固定除去後は，外傷予防や手の清潔管理などの指導に加えて，筋の不均衡による拘縮の予防や筋長保持のためにスプリント装着を行う．スプリントは機能代償の目的もあり，生活や職業など必要に応じて使用する．ROM 訓練は愛護的・段階的に実施し，最初は神経の過度な伸張は避ける．ティネル徴候の進展を確認しながら徐々に ROM を拡大していく.

神経の回復により MMT で筋力段階(以下，筋力段階) 1 以上になれば筋力増強訓練を行う．段階づけの方法は**表 10**[3] に示す．筋力が不十分でない時期は疲労しやすく回復も遅いため，回数には注意し，十分な休止時間をとることが必要である．過誤神経支配が生じた場合では，対象者に筋を触知させながら運動を行うことや表面筋電計(electro myography; EMG)を用いたバイオフィードバック訓練が有効である.

知覚も脱失している時期からのアプローチが必要である．防御知覚脱失に伴う創傷予防などの対象者教育のほか，聴覚による模造知覚やミラーセラピー(➡ 132，133 ページ)のような運動錯覚を利用する方法[19] で術後早期より知覚再教育を進める．回復に伴いさまざまな段階づけが行われる.

以下に節前の全型・上位型腕神経叢損傷例に行われる肋間神経移行術後プログラムを示す.

■肋間神経移行術後プログラム

筋皮神経に第 3〜5 肋間神経を移行して肘関節屈曲機能を再建する場合の術後は，肩関節 30° 程度の軽度外転位でバストバンド固定を行う．固定中は肘関節以遠，肩甲骨の運動を医師の指示のもと実施する．術後 4 週以降から固定を除去し，肩関節の他動運動を開始する．縫合部の伸張を避けるため，外転・屈曲は 90° までとする．ティネル徴候が腋窩を越えたのを確認してから 90° 以上の外転を行う．術後約 3 か月程度で上腕二頭筋の収縮が確認されたのちは，呼吸に合わせての EMG を用いたバイオフィードバック訓練を，さらに筋

高位麻痺
長対立スプリント

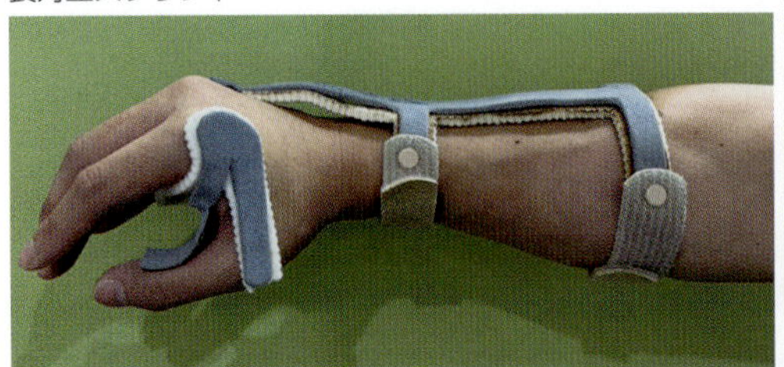

ランチョー型長対立スプリント

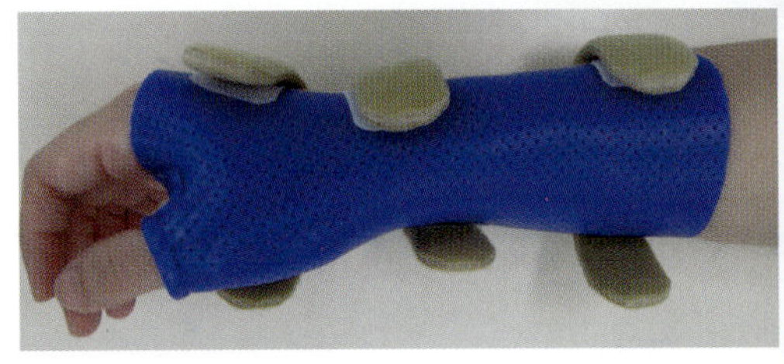

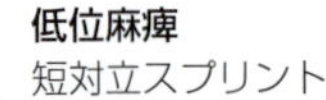

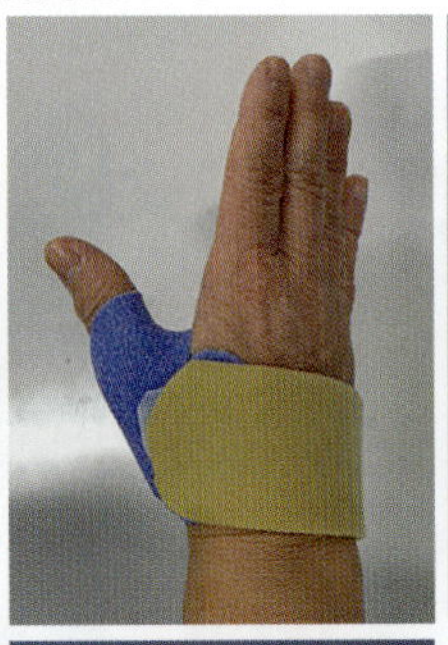

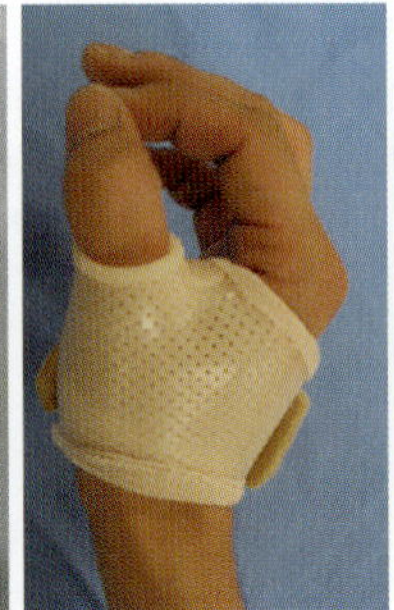

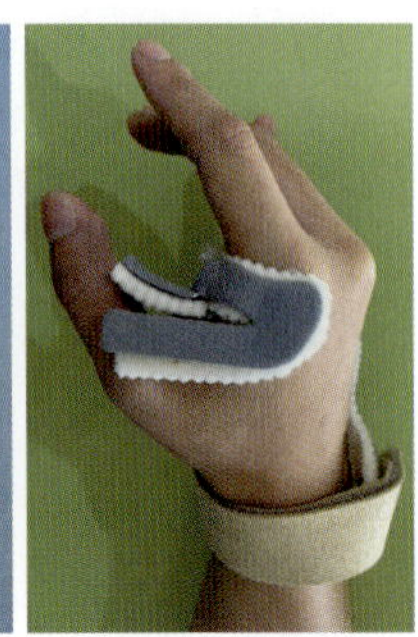

ランチョー型

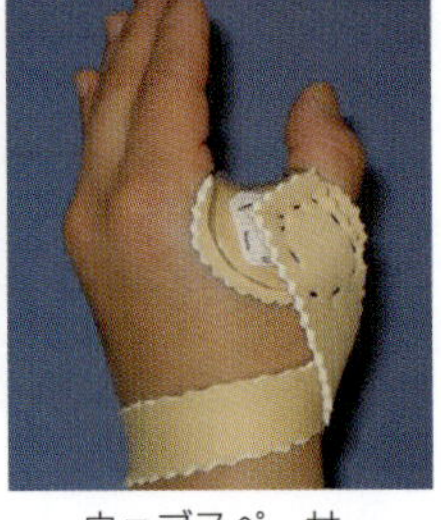

ウェブスペーサー

▶**図 9　正中神経麻痺のスプリント**

力段階 2⁻ になれば除重力位や水中で浮力を利用しての自動運動訓練を行う．筋力段階 3 以上になれば重錘などを使用した積極的な筋力増強訓練を行う．

c 機能再建術後のプログラム

術前では ROM 制限をできるかぎり改善しておくこと，ドナーになる筋（被移行筋）の十分な筋力増強を行うことが必要である．ドナーとなる筋・腱は従来と走行が変わることで MMT で 1 段階程度の筋力低下を認めるため，筋力段階 4 以上を有している必要がある．術後は腱縫合術後のプログラムと同様に縫合部が離開しないよう，経過に合わせて進める．具体的なプログラムは腱損傷の固定法のプログラムを参照すること．

d スプリント療法

各末梢神経損傷におけるスプリントの使用方法について述べる．スプリントは機能代償，麻痺筋の筋長保持，変形や ROM 制限の予防を目的に使用される．

(1)　正中神経（▶図 9，10-c）

高位麻痺では手関節掌屈，母・示・中指の屈曲が困難となる．このため，手関節を固定することが安定した動作を行ううえで必要となる．また，母指を対立位にすることで環指とのつまみ動作が可能となる．

低位麻痺では内在筋のみが筋力低下し，手関節の固定性は問題がないため，短対立スプリントやウェブスペーサーなどを使用し，対立の代償と母指の内転位拘縮を予防する．

(2)　尺骨神経（▶図 10）

高位麻痺であっても支配筋は尺骨手根屈筋と環・小指の深指屈筋であり，手関節の固定性には大きな影響がない．そのため，MP 関節屈曲保持用スプリントを用いる．MP 関節を屈曲位に保持することで総指伸筋の緊張を高めることができる．これにより総指伸筋での近位指節間（PIP）関節・DIP 関節の伸展を容易にし，かつ虫様筋・骨間筋の筋長を保つことができる．ナックルベンダーなども同様の目的で使用される．

正中・尺骨両神経高位麻痺では指屈曲が不可能

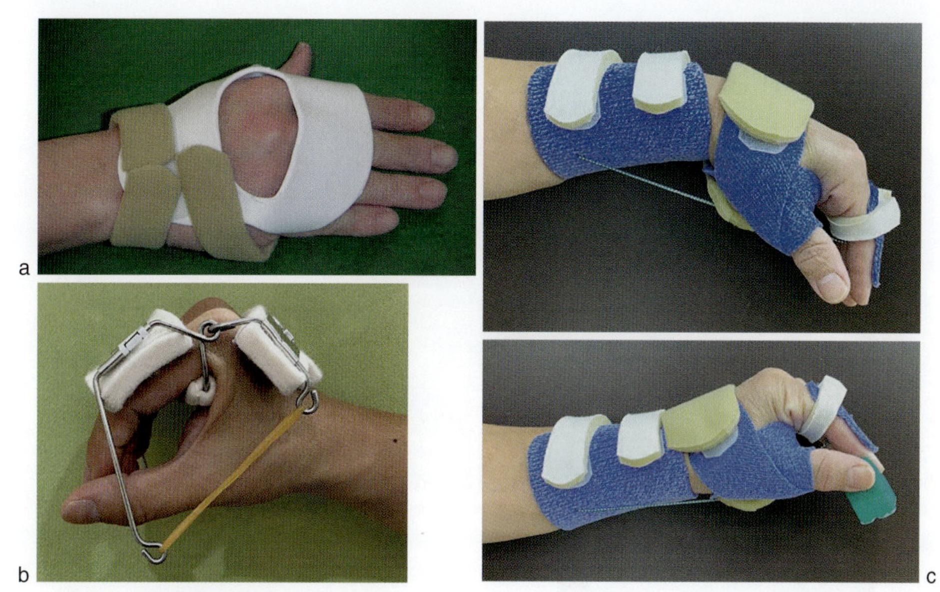

▶図 10 尺骨神経麻痺のスプリント
a：MP 関節屈曲保持用スプリント(虫様筋カフ).
b：ナックルベンダースプリント.
c：RIC 装具：正中神経高位麻痺，正中・尺骨両神経麻痺の場合に使用．手関節伸展を利用し指の屈曲を行う.

となる．しかし，手関節背屈は可能であるため，必要であれば動的腱固定効果を利用しての RIC (Rehabilitation Institute of Chicago)型把持装具などの手関節駆動型装具の使用も検討する.

(3) 橈骨神経(▶図 11)

高位麻痺では手関節背屈，母指・手指の伸展が困難である．簡易にコックアップスプリントのみを使用する場合も多いが，手関節背屈と母指・手指の懸垂機能のついたトーマス型懸垂スプリント，オッペンハイマー型スプリントも必要に応じて使用される.

低位麻痺は深枝の麻痺で手関節背屈機能は保たれるが，母指・手指の伸展は困難であり下垂指を呈するため，手指伸展保持用装具などを用いる.

2 絞扼性神経障害に対するプログラム

a 手根管症候群

手根管症候群は著明な筋萎縮を認める重症例以外は保存的治療が第一選択となる．治療は局所のステロイド注射やビタミン B_{12}，NSAIDs の内服などの医学的治療のほか，作業療法ではスプリント療法，神経滑走訓練，腱滑走訓練，対象者教育が主に実施される．保存的治療は 3 か月程度実施され，症状変化が認められなければ，横手根靱帯の部分切離などの手根管開放術が実施される.

(1) 保存的治療におけるアプローチ

• スプリント療法(▶図 12)

コックアップスプリント装着により安静を得ることで，手根管内を通過する屈筋腱腱鞘滑膜の腫脹を改善させる．これにより手根管内圧を低下させることで症状改善を目的としている．手根管内圧は手関節中間位が最も低いため，スプリントは中間位で作製する．なるべく長い時間装着するように指導するが，仕事などで困難な場合は夜間のみでも装着するように指導する.

保存的治療とは別に，母指球筋の著明な萎縮を認め，対立困難な重症例には低位麻痺に適用する代償目的のスプリントを使用し，ADL での困難などを軽減させる.

高位麻痺

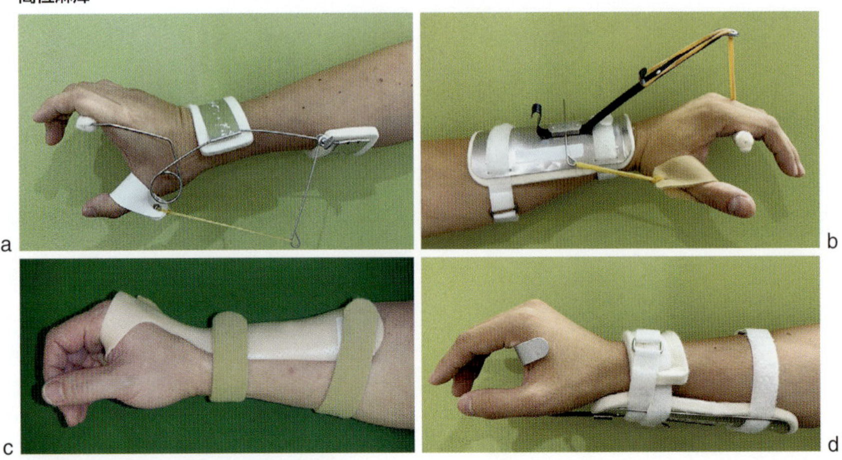

低位麻痺

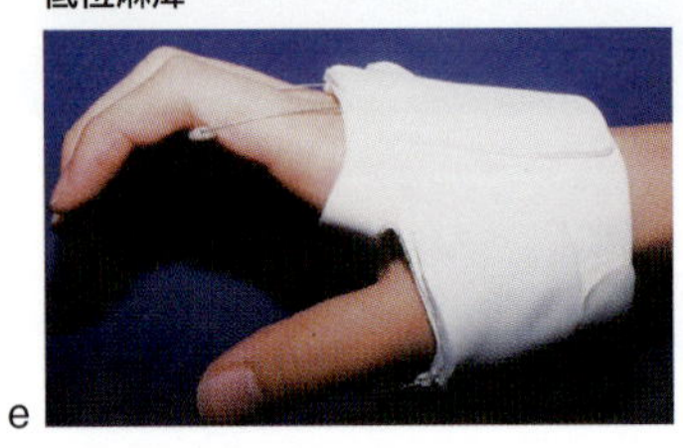

▶図 11　橈骨神経麻痺のスプリント
a：オッペンハイマー型，b：トーマス型，c：コックアップスプリント，d：バネル型，e：手指伸展保持用装具.

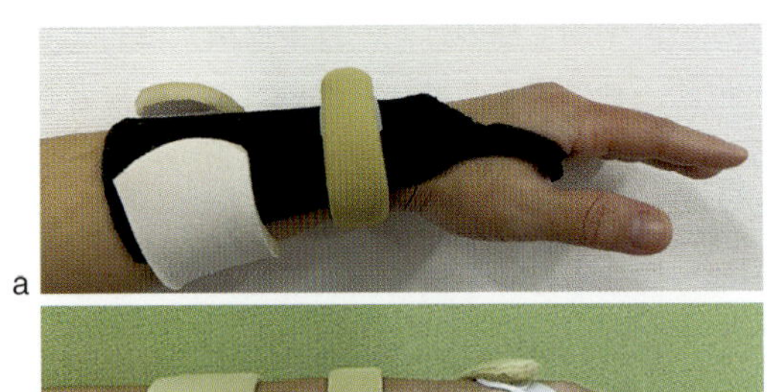

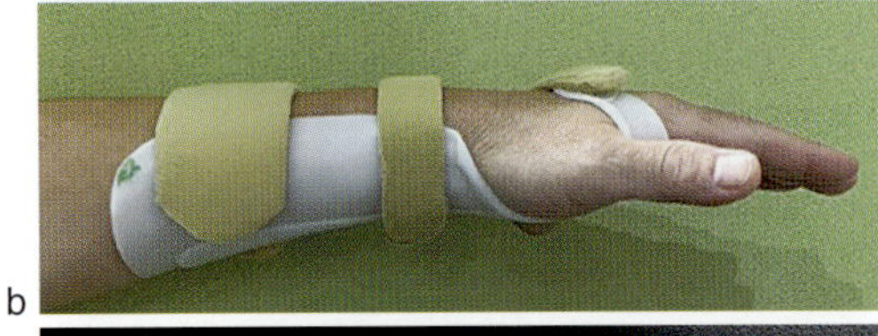

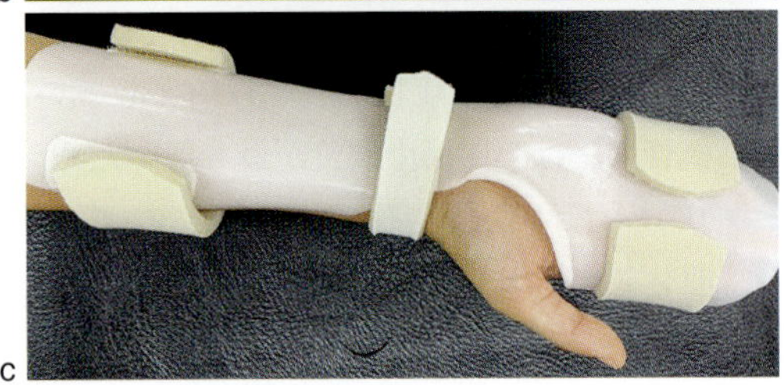

▶図 12　手根管症候群の保存治療目的のコックアップスプリント
手根管内圧が低い中間位で作製.
a：背側型.
b：掌側型.
c：夜間は浅・深指屈筋腱による正中神経圧迫回避などの目的で，手指も固定し安静を得るのが望ましい.

• **神経・腱滑走訓練**

神経・腱の滑走訓練により手根管内の癒着の改善と屈筋腱腱鞘滑膜の浮腫の改善による内圧軽減の目的で実施する．神経滑走訓練と腱滑走訓練(▶**図 13**)は各肢位を 1 セットにつき 7 秒間維持し，それを 5 回繰り返し，1 日 3〜5 回実施する[8]．神経剝離術後などでは**図 14** のような愛護的な方法を実施する[20]．

• **対象者教育**

手根管内圧を高めるような肢位や動作はなるべく行わず，望ましい動作の方法を指導する(▶**図 15**)．長時間の掌屈位や過度な反復動作を行わないこと，なぜホームエクササイズやスプリント装着を行わなければいけないのかなどを指導し，アドヒアランス(➡ 442 ページ)を高めることが重要である．

(2) 手根管開放術術後のアプローチ

手根管開放術には，内視鏡を用いる鏡視下手術あるいはそれ以外の方法がある．術後は切開の大きさや程度によりプログラムの内容が異なるた

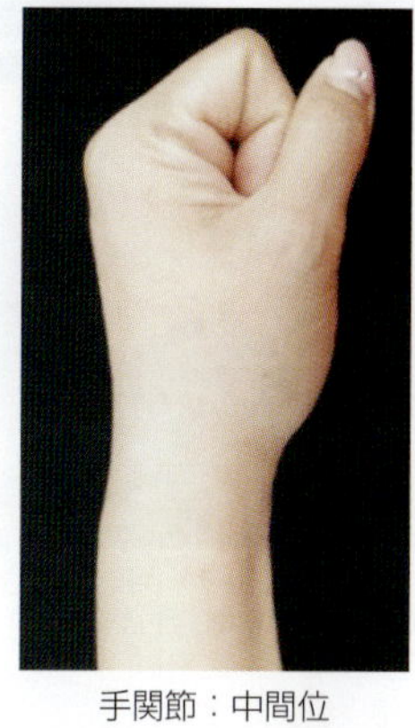

手関節：中間位
指・母指：屈曲

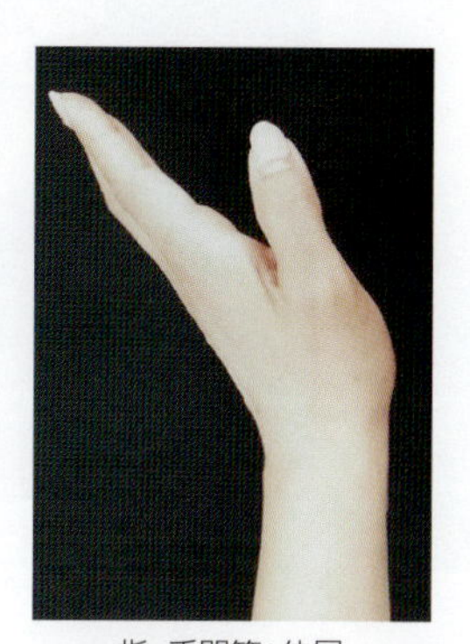

指･手関節：伸展
母指：中間位

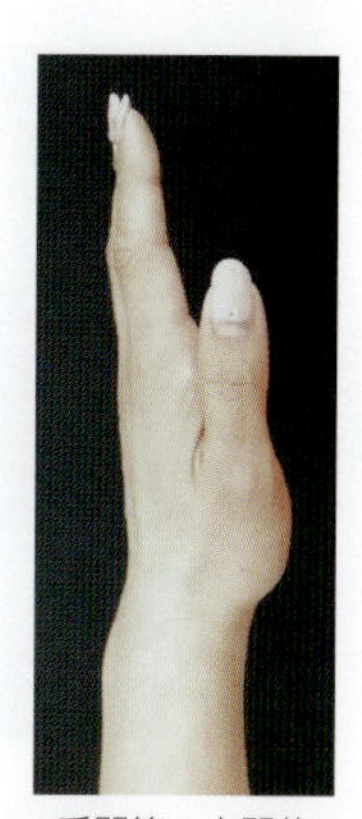

手関節：中間位
指・母指：伸展

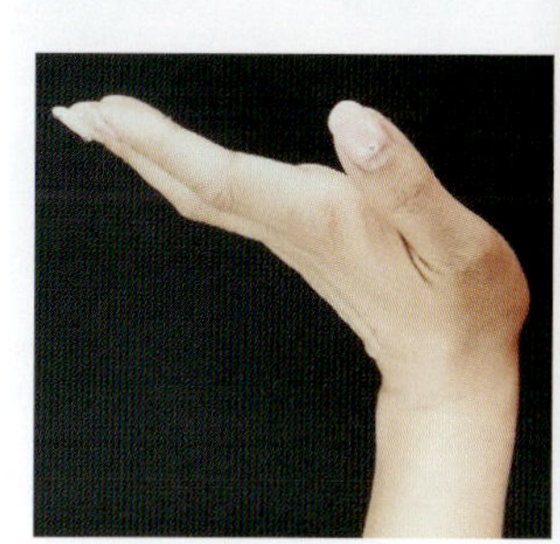

指・母指・手関節：
伸展位

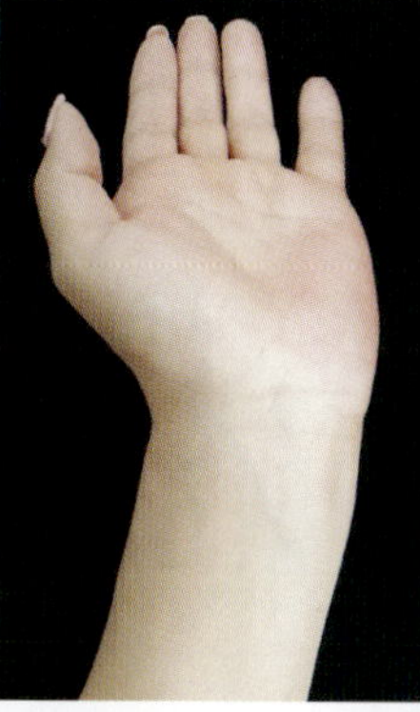

指・母指・手関節：伸展
前腕：回外

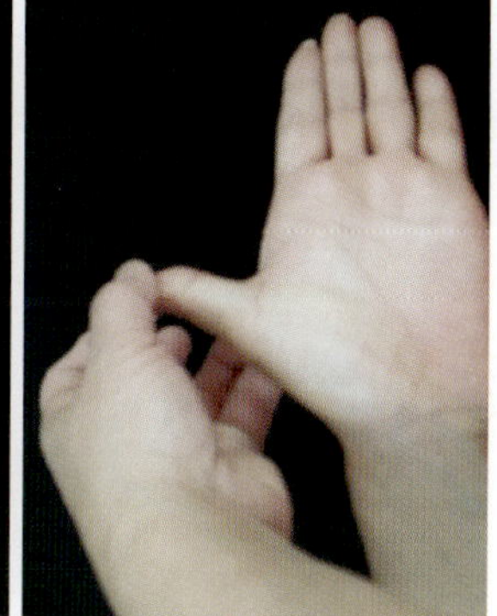

母指：過伸展・外転
指・手関節：伸展
前腕：回外

▶図 13　正中神経滑走訓練
各肢位について 1 セット 7 秒間各肢位を保持し，それを 5 回繰り返す．1 日 3〜5 回実施する．

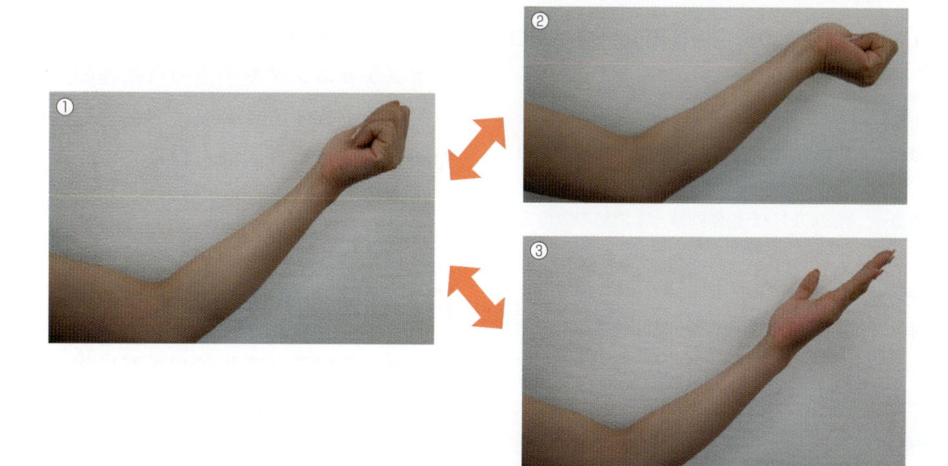

▶図 14　正中神経の愛護的な滑走訓練
手術後早期の滑走訓練は，図のような正中神経の伸張が少ない肢位で運動を行う．手指屈曲運動では近位方向に神経が滑走するため，癒着防止に効果的である．

鞄は肘に掛ける
と手関節が掌屈
する場合が多い

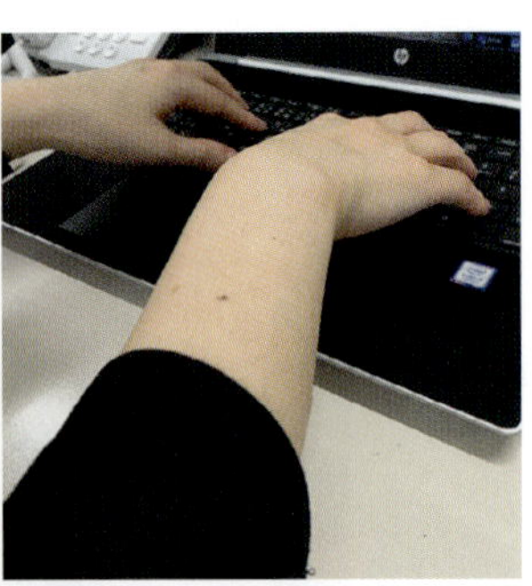

キーボード操作は机の高さや操作の
癖などで掌屈位をとる場合もある

鞄はなるべく肩に掛ける

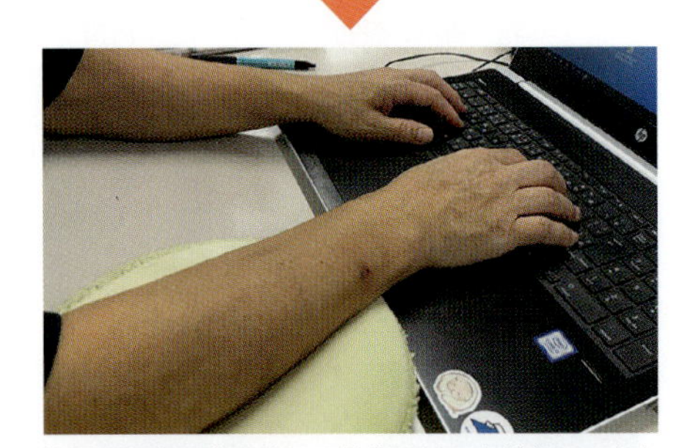

掌屈や過度な背屈位での操作はリスクが高いことを
認識してもらい，アームピローの使用や椅子の高さ
の調整などを指導する

▶図 15　手根管内圧を高める肢位（上段）と改善方法（下段）

▶表 11　カミッツ法による母指機能再建術術後プロトコル

術翌日	母指 IP 関節の自動介助運動を開始
術後 3 週経過後	ギプス除去．母指 IP 関節の他動運動，母指対立の自動運動を開始
術後 4 週経過後	軽度のピンチ動作訓練と手関節中間位までの自動運動を開始
術後 5 週経過後	積極的な手関節自動運動の開始
術後 7 週経過後	手関節伸展他動運動，積極的なピンチ動作訓練の開始
術後 8 週経過後	母指の他動運動の開始
術後 12 週経過後	ADL 上での患手の使用制限の解除

長掌筋腱を移行するカミッツ法の術後プログラム．
術後固定肢位：手関節背屈位，母指対立位でのギプス固定．

め，医師と連絡をとり決定する．浮腫の予防目的のポジショニングや手指の自動運動，神経・腱滑走訓練を実施する．必要に応じて知覚再教育や筋力増強，巧緻動作訓練も行う．カミッツ法による母指機能再建術が同時に行われた場合のプログラムを**表 11** に示す．

b 肘部管症候群

肘部管症候群は手根管症候群に次いで多い絞扼性神経障害である．原因は前述のように骨折後，OA，野球などのスポーツ障害があげられる．スポーツ障害では尺骨神経脱臼の有無も確認する．まずは保存的治療が選択されるが，手の前腕から手の尺側のしびれ感や骨間筋，母指内転筋の筋力

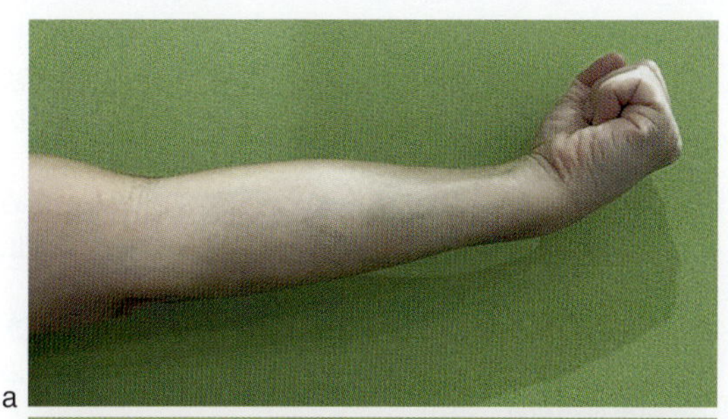
a

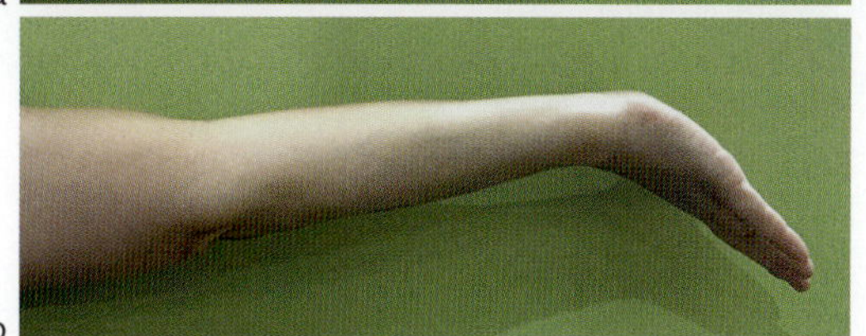
b

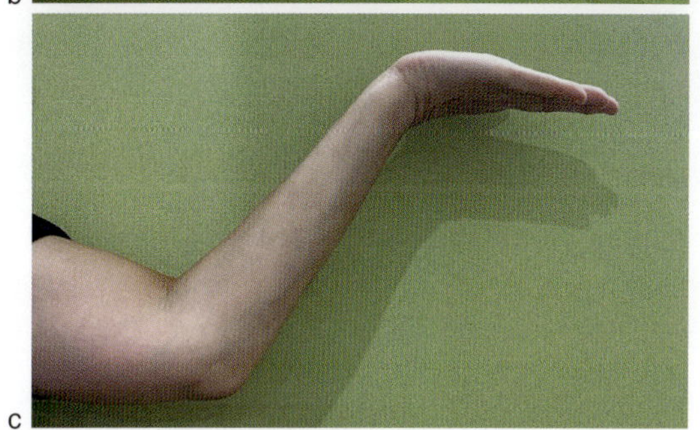
c

▶図 16 尺骨神経滑走訓練
a：尺骨神経弛緩肢位(肘伸展，前腕軽度回外，手関節掌屈)，b：肘伸展，前腕回外，手関節背屈，c：尺骨神経の緊張肢位(肘屈曲，前腕回外，手関節背屈)．
a，b，c を繰り返す．自動のみならず臥位で他動的にリラクセーション下で実施するのもよい．回数などは正中神経と同じ．

低下による握力やピンチ力低下が重篤な場合は観血的治療が選択される．野球の投球が原因の場合は投球フォームの指導も必要である．

(1) 保存的治療におけるアプローチ

肘関節屈曲位で肘部管内の内圧が高まり，しびれ感が増悪する．このため，長時間の動作や肘関節屈曲位の回避を指導する．また，肘関節 30° 屈曲保持用の夜間装具やバスタオルなどを肘関節部に巻いて最終域までの屈曲を防止すること，尺骨神経滑走訓練[21] も試みる(▶図 16)．

小児では，肘関節周辺骨折後に書字を嫌がることや，食事を中断するなどの行動を認めることがある．これらは前述した DOUN(➡ 286 ページ)による刺激症状が肘関節屈曲により生じている場合も考えられる．症状をうまく説明できない小児では，保護者の感じる違和感や，具体的な数多くの「はい」，「いいえ」で答えられる質問を用意するなどで，症状を見逃さないことが重要である．

(2) 観血的治療術後のアプローチ

肘部管開放術や尺骨神経前方移行術などがある．10～14 日のキャスト固定ののち，愛護的な自動・他動運動から開始する．合併症を有している者や罹病期間が長い重症例では症状の改善が不良な場合もあるため，医師とよく相談して目標設定を行う．

3 注意事項

末梢神経損傷に対する作業療法を実施する際には，経時的な評価により回復経過を把握することが重要である．神経修復術や機能再建術が行われた場合は，術式や禁忌事項などについて，医師との密な情報交換を行う．術後は神経縫合部や麻痺筋の不用意な伸張を避け，拘縮の予防に努め，回復に応じた段階的な筋力増強訓練や知覚再教育訓練を実施する．過用や誤用を避け，運動や知覚回復によりどのような動作が可能になるのかなど，具体的な説明を行うことが大切である．

●引用文献

1) 山下敏彦：筋・神経の構造, 生理, 化学. 井樋栄二, 他(編)：標準整形外科学. 第 14 版, p80, 医学書院, 2020
2) 加藤博之：末梢神経障害. 井樋栄二, 他(編)：標準整形外科学. 第 14 版, pp406–409, 医学書院, 2020
3) 櫛邉 勇：上肢の末梢神経損傷. 山口 昇, 他(編)：身体機能作業療法学. 第 3 版, pp261–278, 医学書院, 2016
4) 岩崎倫政：末梢神経損傷. 中村利孝, 他(監)：標準整形外科学. 第 13 版, pp856–871, 医学書院, 2017
5) 第 49 回作業療法士国家試験問題 午後 問題 8
6) 金谷文則：末梢神経損傷の治療. *Jpn J Rehabil Med* 51:52–60, 2014
7) 上羽康夫：手—その機能と解剖. 第 6 版, pp241–282, 金芳堂, 2017
8) 中田眞由美：末梢神経損傷のハンドセラピー. 絞扼性神経障害のハンドセラピー. 中田眞由美, 他(著), 鎌倉矩子, 他(編)：作業療法士のためのハンドセラピー入門. 第 2 版, pp95–126, 三輪書店, 2006

9) 中村　誠：神経眼科. 中澤　満, 他(編)：標準眼科学. 第 14 版, p313, 医学書院, 2018
10) 土井一輝：腕神経叢麻痺の診断と治療—最近の知見. 医事新報 (4491):54–61, 2010
11) 坂井建雄：標準解剖学. p255, 医学書院, 2017
12) 川野健一, 他：肘関節周囲骨折後の尺骨神経障害について. 日肘関節会誌 23:307–310, 2016
13) 飯田博己：胸郭出口症候群に対する病態に応じた理学療法. 関節外科 38:1056–1067, 2019
14) 園生雅弘：胸郭出口症候群の病態と分類. 関節外科 38: 998–1006, 2019
15) 越智健介：末梢神経損傷/障害治療のスキルアップ. *Orthopaedics* 30:27–36, 2017
16) 岩崎倫政：末梢神経損傷. 井樋栄二, 他(編)：標準整形外科学. 第 14 版, pp867, 869–870, 医学書院, 2020
17) 櫛邊　勇：感覚検査. 能登真一, 他(編)：標準作業療法学 専門分野 作業療法評価学. 第 3 版, pp114–129, 医学書院, 2017
18) 木村　淳, 他：神経伝導検査と筋電図を学ぶ人のために〔DVD-ROM 付〕. 第 2 版, pp108–124, VII–XVII, 2010
19) 中田眞由美(編著)：新知覚をみる・いかす—手の動きの滑らかさと巧みさを取り戻すために. pp334–338, 協同医書出版社, 2019
20) 越後　歩：手根管症候群のセラピィ. 日ハンドセラピィ会誌 7:51–55, 2014
21) 西出義明, 他：肘部管症候群の保存療法. 日ハンドセラピィ会誌 7:45–49, 2014

5

腱損傷

GIO 一般教育目標 腱損傷の対象者に作業療法を実施できるようになるために，この疾患の病態を理解し，作業療法の評価技法と治療・指導・援助法を修得する.

SBO 行動目標

1）手指腱損傷の特徴と臨床症状を説明できる.
- □ ①手指屈筋腱損傷の受傷転帰を説明できる.
- □ ②屈筋腱，伸筋腱，腱鞘および区分の構造と機能を説明できる.
- □ ③腱の治癒過程および修復過程を説明できる.
- □ ④手指屈筋腱損傷の手術療法と作業療法の関連について説明できる.

2）腱損傷の対象者に対する作業療法評価を説明できる.
- □ ⑤手指の屈筋腱損傷の対象者に対する一般的な作業療法評価と注意事項を列挙できる.
- □ ⑥次の用語を説明できる.
  TAM，%TAM，TPM，TPD，皮膚性拘縮，腱性拘縮，筋性拘縮
- □ ⑦関節拘縮の種類を 3 つあげ，それぞれを説明できる.

3）腱損傷の修復段階に応じた作業療法目標を設定し，作業療法プログラムを計画できる.
- □ ⑧手指腱の修復過程に応じた作業療法目標を説明できる.
- □ ⑨手指の屈筋腱修復術後の作業療法プログラムを説明できる.
- □ ⑩手指の伸筋腱修復術後の作業療法プログラムを説明できる.
- □ ⑪手指の腱剝離術後の作業療法プログラムを説明できる.
- □ ⑫腱鞘炎の種類とその対応を説明できる.

4）腱板断裂の特徴と臨床症状を説明できる.
- □ ⑬腱板断裂の受傷転帰と受傷しやすい腱，その理由を説明できる.
- □ ⑭肩関節の運動における腱板の役割を説明できる.
- □ ⑮腱板断裂に対する医学的治療と作業療法の関連性を説明できる.

5）腱板断裂の対象者に対する作業療法評価を説明できる.
- □ ⑯腱板断裂の対象者に対する特有の評価を説明できる.
- □ ⑰腱板断裂の対象者に対する一般的な作業療法評価を説明できる.

6）腱板断裂の回復段階に応じた作業療法目標を設定し，作業療法プログラムを計画できる.
- □ ⑱腱板断裂の術後の時間経過に応じた作業療法目標を説明できる.
- □ ⑲腱板断裂の術後の一般的な作業療法プログラムを説明できる.
- □ ⑳腱板断裂の術後の自主トレプログラムをクラスメイトに指導できる.

1 手指腱損傷

A 概要

手指の腱損傷は，刃物や金属板の辺縁などによる断裂，骨折での転位骨片や RA での皮下断裂，さらには急激な外力が加わることによる裂離などで生じる(▶図 1).

ここでは，手指腱損傷後の治療を行ううえで，必要な基礎知識と訓練内容を中心に述べる．

1 手指腱損傷とは

屈筋腱と伸筋腱の特徴を**表 1**[1] に示す．屈筋腱は伸筋腱に比べ太く丸い形状であり，深指屈筋と浅指屈筋が腱交叉を形成するなどの特徴がある．伸筋腱は細く，指部で内在筋と伸展機構(▶図 2)を形成する[2]．

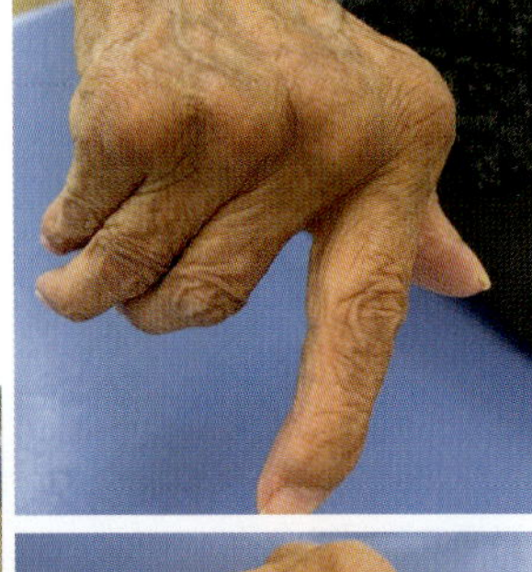

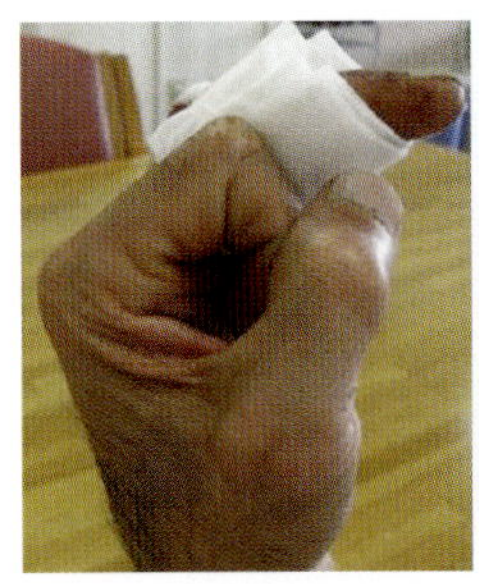

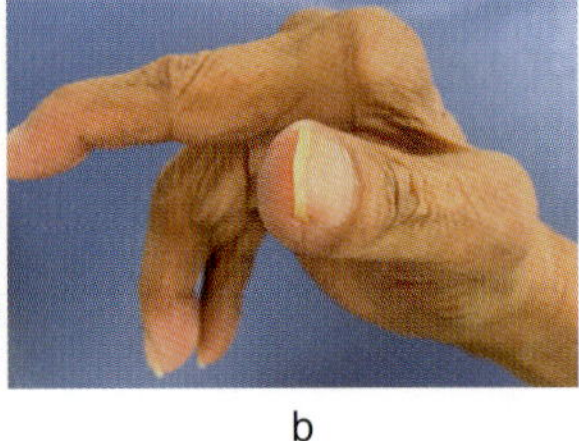

a　　　　b

▶図 1　手指腱損傷例
a：左中指浅指屈筋・深指屈筋断裂例(刃物による切創)．虫様筋・骨間筋の作用によって MP 関節の自動屈曲は可能である．
b：左中指・環指・小指伸筋腱断裂例(RA による皮下断裂)．MP 関節の自動伸展が困難である．

a 腱鞘

屈筋腱の腱鞘は，滑膜性腱鞘と靱帯性腱鞘に分けられる[2]．指や手掌では滑膜性腱鞘に取り囲まれ，関節部分を通る腱の滑走(gliding)を容易にしている．滑液を産出し，腱の血行が乏しい部分に栄養を与えている．

靱帯性腱鞘は指の屈筋腱周囲に認められる線維性組織であり，十字部 C(pars cruciformis)と輪状部 A(pars annularis)に分けられる．輪状部の靱帯性腱鞘は骨に近い位置に腱を保持し，関節部での腱の浮き上がり(bowstring)を防止し，指屈

▶表 1　屈筋腱と伸筋腱の特徴

屈筋腱	伸筋腱
● 厚い皮膚や軟部組織で覆われている ● 太くて楕円形をしている ● 浅指屈筋は腱交叉を形成する ● 手根部から腱鞘を有する ● 腱紐と滑膜性腱鞘から栄養供給がある ● 腱の滑走距離が大きい	● 薄い皮膚で覆われている ● 細くて平面形をしている ● 各指で腱間結合がある ● 指部では内在筋と伸展機構を形成している ● 腱傍織(腱と筋膜間にある組織)と腱鞘から栄養供給がある ● 腱の滑走距離が小さい

〔櫛邉　勇：手指腱損傷．山口　昇，他(編)：身体機能作業療法学．第 3 版，p281，医学書院，2016 より〕

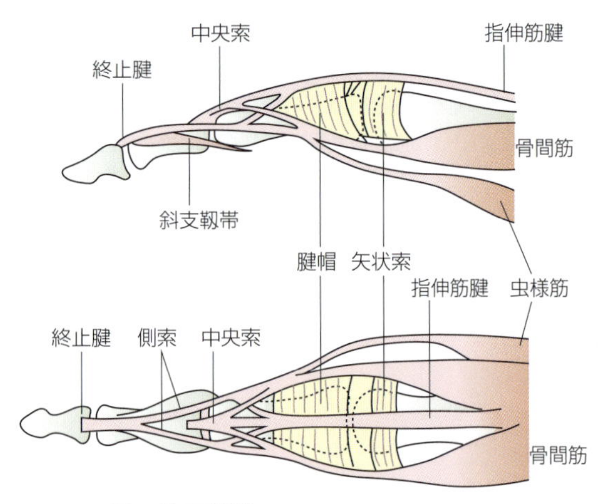

▶図 2　指の伸展機構

曲を効率的に行うための滑車〔プーリー(pulley)〕の役目を果たしている(▶図3)．特にA2およびA4の靱帯性腱鞘は，PIP関節やDIP関節の自動屈曲可動域に影響を及ぼすため，きわめて重要である．

伸筋腱は手関節背側の6区画に分かれた伸筋支帯を通過し，区画ごとに同一の滑膜性腱鞘に包まれるが，小指伸筋および尺側手根伸筋はそれぞれの腱鞘に包まれる．滑膜性柄腱鞘は手部のみにあり，靱帯性腱鞘は手背部にはない．

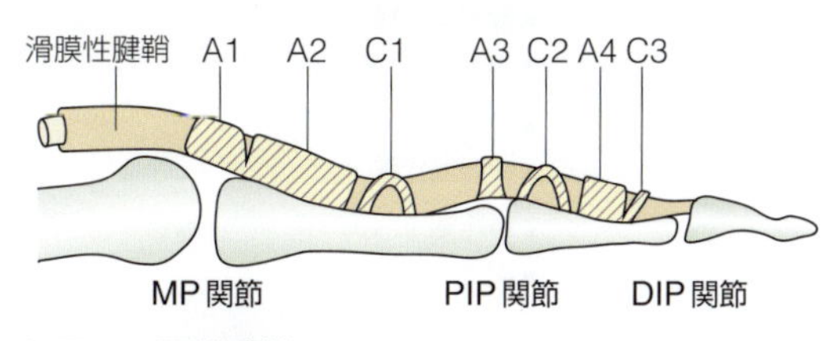

▶**図3　屈筋腱鞘**
斜線部：靱帯性腱鞘．

b 区分(zone)

屈筋腱と伸筋腱損傷のzoneを**図4**に示し，屈筋腱および伸筋腱損傷のzone別の特徴を**表2**[1]に示す．損傷したzoneにより解剖学的特徴が異なるため，治療内容に違いがある．

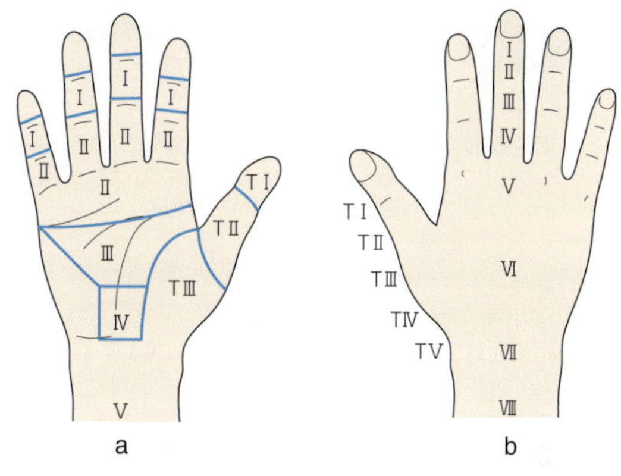

▶**図4　腱損傷の区分(zone)**
a：屈筋腱損傷の区分，b：伸筋腱損傷の区分(奇数は関節上である)．

▶**表2　屈筋腱・伸筋腱損傷の区分と特徴**

屈筋腱損傷の区分		伸筋腱損傷の区分	
Ⅰ	●中節遠位2/3から末節近位1/3 ●浅指屈筋停止部から深指屈筋停止部の範囲であり，深指屈筋の単独損傷	Ⅰ	●DIP関節のレベルで槌指をきたすことが多い ●終止腱の付着部で槌指となり，陳旧例ではスワンネック変形をきたす
Ⅱ	●母指球皮線基部と遠位手掌皮線基部を結ぶ線から中節骨基部まで ●浅指屈筋と深指屈筋が走り，滑走障害を生じやすい．栄養は滑液と腱紐からなる ●以前はno man's landと呼ばれ，予後不良な部位であった．深指屈筋と浅指屈筋の交叉癒合が生じやすい	Ⅱ	●側索が損傷されやすいが，片側では特に問題はなく，両側損傷例で問題になる ●斜支靱帯の拘縮をきたしやすい
Ⅲ	●比較的予後は良好であるが，虫様筋の拘縮をきたすことがある	Ⅲ	●PIP関節のレベルである ●中央索と側索が損傷され，ボタン穴変形をきたす
Ⅳ	●手根管の部位で，神経や血管損傷を伴う ●複数の腱が走行しているため，腱どうしの癒着を生じやすい	Ⅳ	●一側または両側の側索が損傷される場合がある
Ⅴ	●早期の腱修復が行われないと筋の退縮がおこりやすい ●比較的表層にあるため，皮膚や隣接腱，腱周囲組織との癒着をおこしやすい ●血管や神経損傷を伴う	Ⅴ	●ナックル部で突出しており，MP関節のレベルで骨損傷を伴いやすい
母指	●長母指屈筋腱は母指球の深部で癒着を生じやすい	Ⅵ〜Ⅷ	●中手骨骨折や橈尺骨骨折を合併しやすい ●特に，zone Ⅶ でRAの皮下断裂が多い
		母指	●長母指伸筋腱断裂が多い

〔櫛邉　勇：手指腱損傷．山口　昇，他(編)：身体機能作業療法学．第3版，p282，医学書院，2016より改変〕

▶表 3　腱の治癒過程

術後経過	腱の治癒過程	許可される運動(固定法)
術後 1 週目 (炎症)	腱周囲組織から肉芽組織が腱断端内や靱帯性腱鞘と腱の表面に侵入し，軽度の癒着を生じる．特に，術後 5〜10 日目は縫合部の腱が弱化し，再断裂をきたしやすい	●固定
術後 2 週目 (線維増殖期)	肉芽組織内に線維芽細胞や新生膠原細胞が出現する．線維芽細胞は腱の長軸に対して垂直に配列されるため，張力に抗する力は低い	
術後 3 週目 (線維増殖期)	腱断端の表面にある線維芽細胞や膠原線維は腱の長軸に平行に再配列されてくるが，腱の中心部では細胞の配列は不規則である	
術後 4 週目 (成熟期)	線維芽細胞，線維細胞，膠原線維が腱の長軸に対して平行に再配列され，ほぼ癒合が完成する	●自動屈曲運動開始 ●自動伸展(MP 関節屈曲位での手外在筋での)：5 週目から
術後 6 週目	腱縫合部の細胞成分が減少し，膠原線維が増加してくる．正常の腱組織と類似した構造となり，腱と周囲組織の癒着が減少し，癒着のなかの血管の走行を認める	●手関節他動伸展 ●単関節自動伸展 ●愛護的な他動伸展 ●軽いブロッキング訓練 ●腱滑走訓練 ●ADL では軽作業のみ許可
術後 8 週目	縫合腱の抗張力が急激に増加する	●筋力強化 ●中等度作業
術後 12 週目	組織学的にも正常組織と区別ができなくなる	●重作業 ●ADL 制限の解除

C 腱の治癒過程

腱の治癒過程には，腱鞘外癒合(extrinsic healing)と腱鞘内癒合(intrinsic healing)という 2 つの考え方がある[3]．腱鞘外癒合とは，腱周囲組織からの反応と癒着からの腱外血行により腱が癒合するという治癒過程である．また，腱鞘内癒合とは，腱内血行や滑膜性腱鞘内での滑液拡散により周囲組織と癒着せずに癒合する過程である．臨床上は，2 つの治癒理論によって腱は治癒する．したがって，癒着を最小限にし，最大限の腱滑走を促すようにすることは，作業療法を実施する際に最も大切なことである．

腱の治癒過程を表 3 に示す．通常，術後 3 週間経過後に線維芽細胞と膠原線維が腱の長軸と同一の走行となるため抗張力が増し，一般的に自動運動が開始される．その後のプログラムは癒合の程度により進められる．しかし，受傷時の状況や神経や血管，骨などの合併損傷や，糖尿病などの基礎疾患の有無などにより治癒の進行度合いは変化することを念頭におく必要がある．

2 医学的治療と作業療法の関連

観血的治療法は，開放性断裂では断裂端を直接縫合する端々縫合術が行われるが，腱断裂時には筋収縮により腱は退縮する．そのまま放置すると筋短縮性拘縮(myostatic contracture)に陥るため，端々縫合が行えず，腱移植術や腱移行術が必要になる場合もある．このため，損傷後はできるだけ早期に縫合する必要がある．RA などの伸筋腱の閉鎖性断裂では，断裂端を隣接腱に縫合する端側縫合術が多く行われる(▶表 4)[1]．

また，部分断裂例や伸筋腱の終止腱断裂例で腱の退縮が少ない場合には，保存的治療の対象となることもある．作業療法を実施する際には，腱の再断裂や腱の癒着を予防し，最大限の ROM や筋力の改善をはかるとともに，“使える手”を目指して訓練を行うことが重要である．

▶表 4　観血的治療法

端々縫合術	切断された腱の両端を適合させて縫合する．縫合糸の入る数により強度が変わる．6-strand 腱縫合術では早期自動屈曲が可能である	
端側縫合術	切断された腱の端を健常腱に縫合する．編み込み縫合が行われることが多い	縫合する これを最低3回は繰り返すようにする
腱移植術	切断された腱断間に腱を移植し，橋渡しを行って縫合する	
腱移行術	損傷腱の機能を他の筋腱で代償する	
腱固定術	深指屈筋の遠位断端を中節骨に固定する	
関節固定術	意図的に骨性強直をおこし，関節の運動機能を消失させる	

〔櫛邉　勇：手指腱損傷．山口　昇，他(編)：身体機能作業療法学．第 3 版，p280，医学書院，2016 より改変〕

B 作業療法評価

1 一般的な評価

以下に一般的な評価について述べるが，いずれも腱の治癒過程によっては禁忌となるため，経過に合わせて実施する必要がある．

a 関節可動域

自動関節可動域(active ROM)，他動関節可動域(passive ROM)を 2° 単位で測定する．

(1) 自動関節可動域

［総自動運動域］　総自動運動域(total active motion; TAM)は全関節を同時に屈曲させる総自動屈曲角(MP 関節・PIP 関節・DIP 関節自動屈曲角の総和)から，同時に伸展させせたときの総自動伸展不足角(MP 関節・PIP 関節・DIP 関節自動伸展不全角の総和)を引いたものである．たとえば，MP 関節屈曲 80°，PIP 関節屈曲 70°，DIP 関節屈曲 50° で，MP 関節伸展 0°，PIP 関節伸展 −30°，DIP 関節伸展 −10° であれば，TAM は総自動屈曲角 200°(MP 関節屈曲 80° ＋ PIP 関節屈曲 70° ＋ DIP 関節屈曲 50°)から総伸展不足角 40°(PIP 関節伸展 −30° ＋ DIP 関節伸展 −10°)を引いて 160° となる．過伸展は 0° として扱う．

［%TAM］　TAM の対側比である．健側角度が不明な場合には，正常 TAM を 270° として，%TAM を算出する．

(2) 他動関節可動域

総他動運動域(total passive motion; TPM)は総他動屈曲角から総他動伸展不足角を引いたものである．過伸展は 0° として扱う．動的腱固定効果〔「腱性拘縮」の項(➡ 306 ページ)参照〕の影響を除外して関節ごとに測定を行うため，主に関節周囲組織性拘縮を評価している．

(3) 指尖手掌間距離

指尖手掌間距離(tip palmer distance; TPD)は指先端と手掌皮線との距離を測定したものである．

b 筋力

MMT や握力・ピンチ力を測定する．

c 知覚

受傷時に指神経損傷を合併している場合に実施する．

d 関節拘縮

関節拘縮の要因には，原因が関節内にある骨・軟骨性拘縮，関節周囲組織性拘縮と，関節外にあ

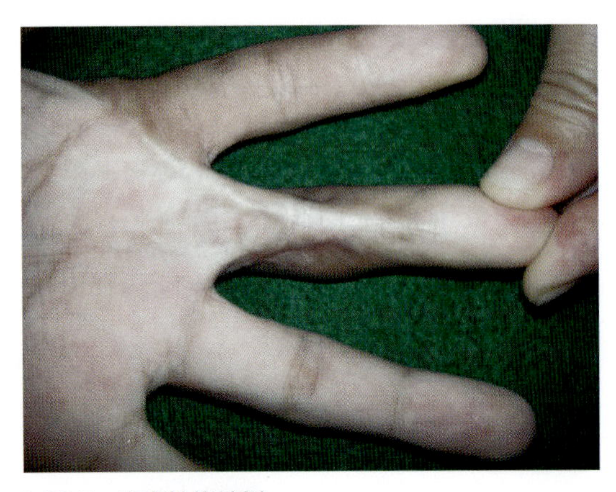

▶図 5　皮膚性拘縮例
他動伸展すると創部が蒼白となる.

る皮膚性拘縮，腱性拘縮，筋性拘縮などがある．ここでは手指腱損傷後に合併しやすい皮膚性拘縮，腱性拘縮，筋性拘縮の鑑別方法について述べる．

(1)　皮膚性拘縮

皮膚性拘縮は，皮膚の他動的伸張を行うと短縮した皮膚や創部が蒼白となる(▶図 5)ことで評価できる．

(2)　腱性拘縮

腱性拘縮の場合には，動的腱固定効果が陽性となる．動的腱固定効果とは，腱の癒着や前腕部での筋の短縮がある場合に，腱が癒着している部位や筋が短縮している部位より遠位の関節の肢位の変化により，より遠位の関節の可動性が変化することをいう．関節周囲組織性拘縮や関節上で腱の癒着がある場合は陰性である．

手掌部での屈筋腱の癒着により PIP 関節に屈曲拘縮を認める場合，MP 関節を伸展位にすると，屈筋腱は緊張し PIP・DIP 関節の伸展は困難となる(▶図 6-a)．しかし，MP 関節を屈曲位にして屈筋腱を弛緩させると PIP・DIP 関節の伸展が容易となる(▶図 6-b)．

手背部での伸筋腱の癒着では，MP 関節を屈曲位にし，伸筋腱を緊張させると PIP・DIP 関節の屈曲が困難となるが(▶図 6-c)，MP 関節を伸展位にし，伸筋腱を弛緩させると PIP・DIP 関節の屈曲は容易となる(▶図 6-d)．

(3)　筋性拘縮

前腕部に拘縮の原因が存在する場合は，上記の方法では癒着によるものか，筋の短縮などによるものかの判別は行えない．創の部位，筋の触診，筋腱を伸張させた場合の皮膚の引きつれなどで判断する[3]．どちらの場合においても，手指屈筋では手関節を伸展位にすると手指伸展は困難となり，手関節を屈曲位にすると手指伸展が容易となる．手指伸筋の場合は手関節を伸展位にすると手指屈曲が容易となり，手関節を屈曲位にすると手指屈曲が困難になる．

手内筋の短縮が固定や筋の直接的な外傷などにより生じた場合，MP 関節を伸展位にすると PIP 関節屈曲が困難となるが(▶図 7-a)，MP 関節を屈曲位にすると PIP 関節の屈曲が容易となる(▶図 7-b)．なお，伸筋腱が癒着によるものであれば，MP 屈曲位で PIP 関節屈曲は困難となり鑑別できる．

e 能力障害

STEF やパデュペグボードなどを実施し，損傷指を含めた手全体の能力を検査する．さらには，生活全般での困難な点は患者立脚型評価である HAND 20 や DASH-JSSH を使用する．

2 評価における注意事項

すべての評価は腱の癒合過程に基づいて実施することが基本である．手指の外在屈筋と外在伸筋は多関節筋であり，手関節の肢位によって ROM の測定値が異なるため，手関節の肢位を一定にしておくことが望ましい．また，手指の自動 ROM 測定の際には，全指同時屈曲・全指同時伸展させて測定する．他動 ROM 測定の際には，単関節のみを屈曲あるいは伸展させて測定する．

MMT や握力・ピンチ力測定の実施は，腱の再断裂防止のため術後 12 週以後とする．

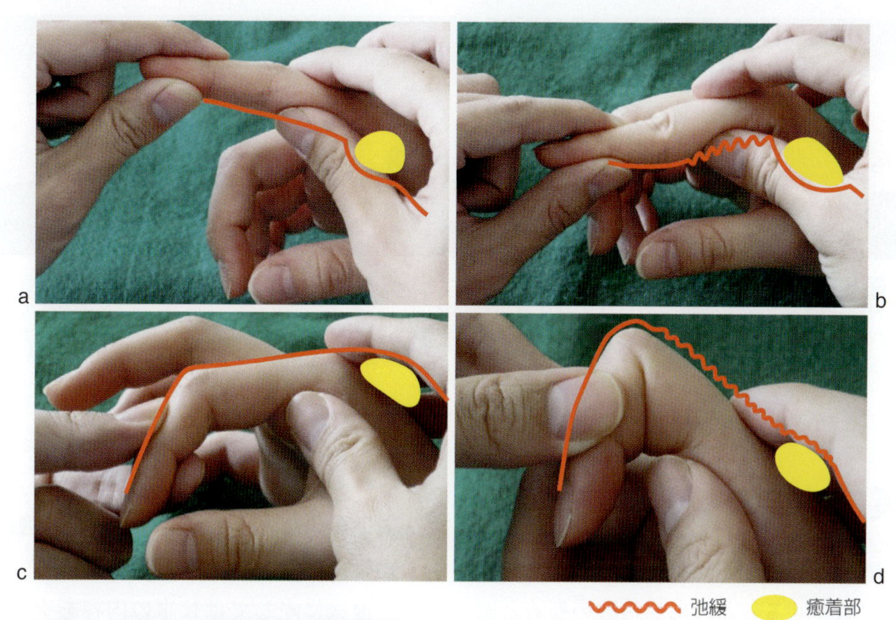

▶図 6 手掌部・手背部での腱性拘縮

屈筋腱

a：MP 関節を伸展位にすると屈筋腱の緊張が強くなり，PIP・DIP 関節の伸展が困難となる.
b：MP 関節を屈曲位にすると屈筋腱の緊張が弱まり，PIP・DIP 関節の伸展が容易となる.

伸筋腱

c：MP 関節を屈曲位にすると伸筋腱の緊張が強くなり，PIP 関節の屈曲が困難となる.
d：MP 関節を伸展位にすると伸筋腱の緊張が弱まり，PIP 関節の屈曲が容易となる.

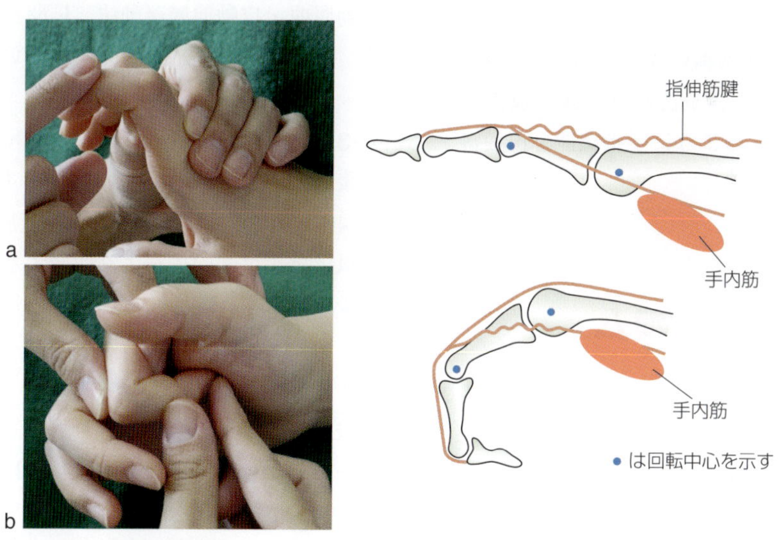

▶図 7 手内筋拘縮

a：MP 関節を伸展位にすると伸筋腱の緊張は弱くなるが，手内筋の緊張が強くなり，PIP・DIP 関節の屈曲が困難となる.
b：MP 関節を屈曲位にすると伸筋腱の緊張は強くなるが，手内筋の緊張が弱まり，PIP・DIP 関節の屈曲が容易となる.

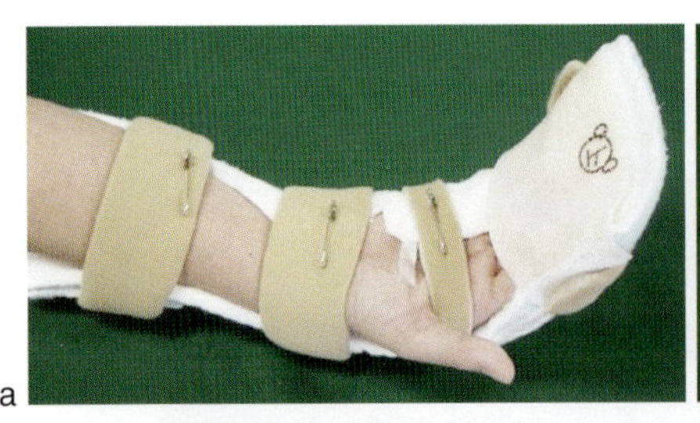
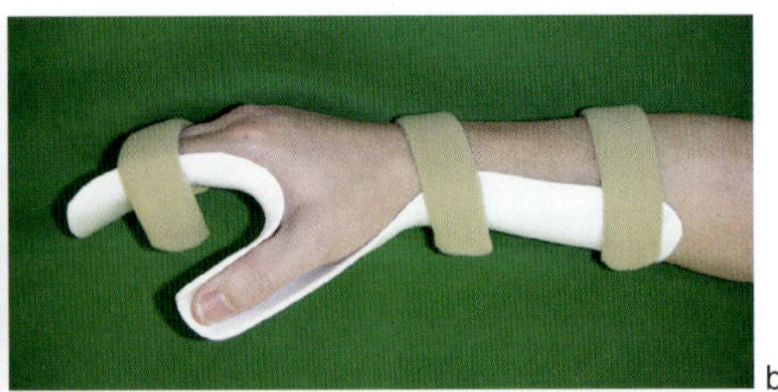

▶図 8　腱修復術後の保護用スプリント
a：屈筋腱修復術後の夜間用スプリント(PIP・DIP 関節伸展位固定).
b：伸筋腱修復術後の安静スプリント(MP 関節軽度屈曲，PIP・DIP 関節伸展位固定).

C 作業療法の目標

炎症期(術後翌日から術後 3～4 週まで)は，術後の腫脹を軽減させるとともに修復腱の癒着と関節拘縮，再断裂を予防することが目標となる．

線維増殖期から成熟期(術後 3～4 週から術後 6 週まで)は，修復腱の癒着による腱の滑走障害を自動運動を主体として改善するとともに，関節拘縮を予防・改善することが目標となる．

成熟期以降(術後 6 週から術後 12 週まで)は，他動矯正運動を加えられる時期であるため，腱の滑走障害の改善，関節拘縮の改善が目標となる．また，術後 12 週以降は，筋力増強訓練を段階的に行い，患側手を使えるように手指機能を再獲得することが目標となる．

D 作業療法プログラム

1 一般的なプログラム

プログラム実施には腱の修復過程を熟知する必要がある．許可されるまでは ADL 上，患側手の使用は禁忌であり，再断裂のリスクについて対象者に十分理解してもらう必要がある．

スプリントは，主に保護や安静を目的としたスプリント(▶図 8)，腱の滑走を促すことを目的としたスプリント，拘縮の除去を目的としたスプリント(▶図 9)が用いられる．

就労再開は，事務作業では術後 6 週以降，製造や建築関係などの重作業では術後 12 週以降とする．復職に際しては仕事の内容を十分に把握し，必要であれば模擬的な訓練も実施する．また，野球やゴルフなどのスポーツへの復帰も術後 12 週以降とする．

a 屈筋腱修復術後のプログラム[3,4]

屈筋腱修復術後プログラムには，固定法，早期他動屈曲・自動伸展運動法，早期自動運動法がある．それぞれの適応と留意点について**表 5**[1] に示す．

(1)　3 週間固定法

術後 3 週間ギプス固定(手関節 30° 屈曲位，MP 関節 40～60° 屈曲位，IP 関節軽度屈曲位)を行う．以下はギプス除去後より開始するが，腱の癒着が少なく，自動屈曲角度の良好な対象者については，再断裂防止のために術後プログラムを 1～2 週遅らせる．

術後 4 週目からは自動・他動屈曲運動，腱滑走訓練を行う．夜間は伸展防止を目的に保護スプリントを装着させる．

術後 5 週目から軽度の他動伸展運動と自動での全関節同時伸展，浅指屈筋単独での屈曲運動を行う．術後 6 週目で腱の滑走を促すブロッキング訓練や腱滑走訓練(▶図 10)を追加し，必要に応じて屈曲拘縮矯正のためのスプリント療法を追加す

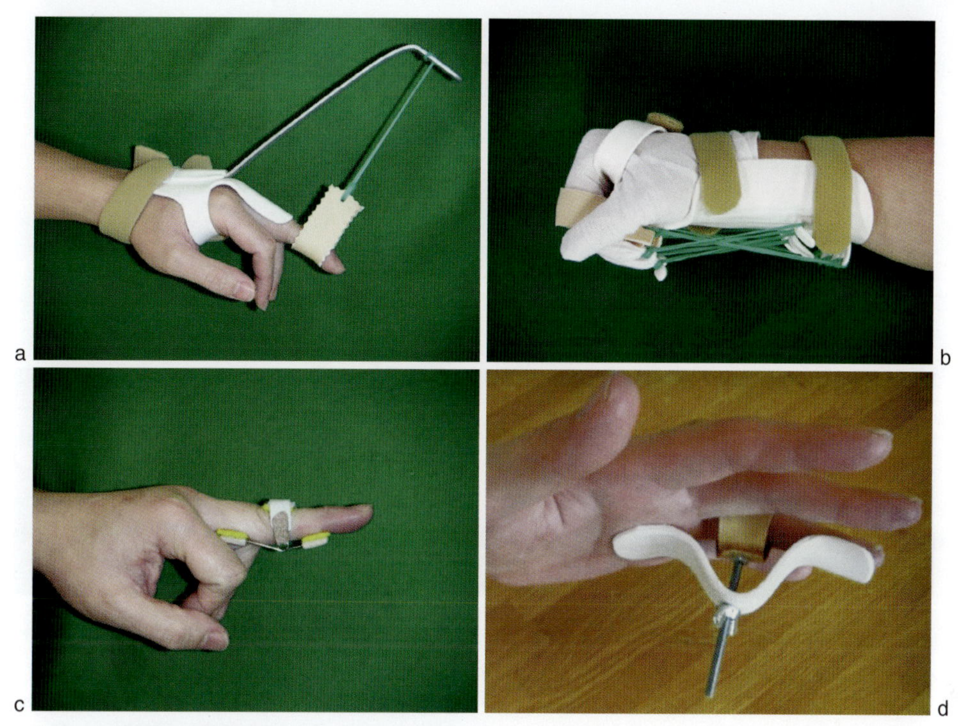

▶図 9　拘縮の除去を目的としたスプリント
a：PIP 関節伸展可動域改善のための動的伸展スプリント.
b：MP 関節・PIP 関節屈曲可動域改善のための動的屈曲スプリント.
c：PIP 関節伸展可動域改善のためのセイフティピンスプリント.
d：PIP 関節伸展可動域改善のためのジョイントジャック.

▶表 5　屈筋腱修復術後訓練プログラムの適応と留意点

術後訓練プログラム	適応	留意点
3 週間固定法	●小児や理解力の低い対象者 ●複数指損傷や重篤な合併症がある場合	●再断裂の危険性は低いが，修復腱と周囲組織との癒着が生じやすい
早期他動屈曲・自動伸展運動法(クライナート変法)	●症状の理解度がよい対象者 ●神経・血管・骨折などの重篤な合併症がない ●修復腱の緊張が強くない	●修復腱と周囲組織との癒着が少なく，関節拘縮も生じにくい ●再断裂の危険がある
早期自動運動法	●症状の理解度がよい対象者 ●神経・血管・骨折などの重篤な合併症がない ●修復腱の緊張が強くない ●強固な縫合法である	

〔櫛邉　勇：手指腱損傷. 山口　昇, 他(編)：身体機能作業療法学. 第 3 版, p285, 医学書院, 2016 より改変〕

る．背側スプリントは夜間のみとし，日中は除去する．軽度の ADL 上の使用は許可する．

術後 8 週以降に筋力増強訓練を追加し，箸の使用や書字などの軽度～中等度の作業であれば ADL 上の使用も許可する．夜間スプリントは終了する．術後 12 週で，ADL 上の使用制限を解除する．

(2)　早期他動屈曲・自動伸展運動法

術後早期から腱を滑走させて癒着を防止しようとするものであり，わが国では，クライナート(Kleinert)変法，デュラン(Duran)法と，両者を併用して行う方法が一般的である[3]．

ブロッキング訓練

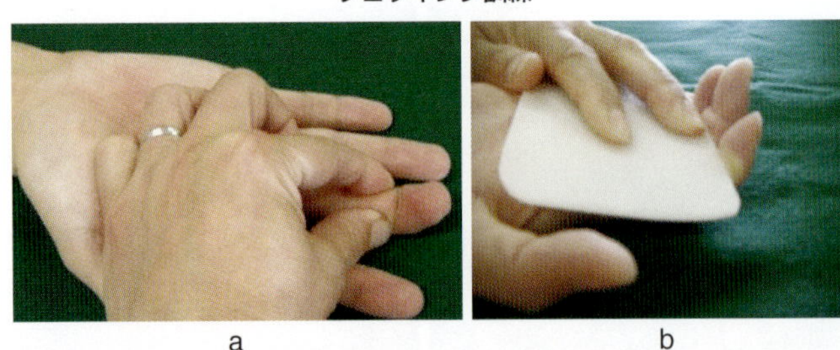

腱滑走訓練

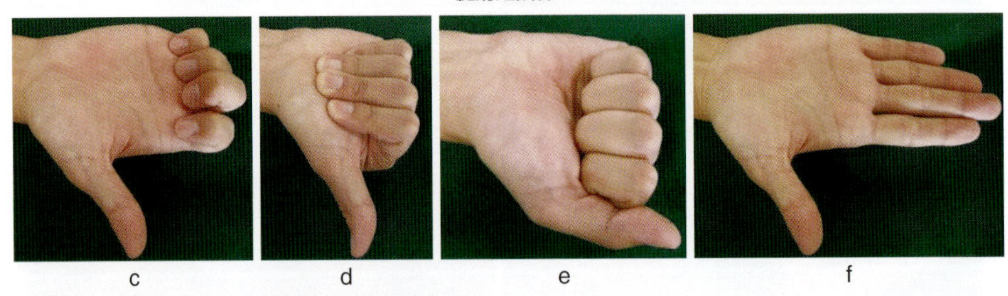

▶図 10　ブロッキング訓練と腱滑走訓練
a：徒手によるブロッキング訓練，b：ブロックを用いたブロッキング訓練，c：鉤こぶし（深指屈筋のみ収縮），d：伸展こぶし（浅指屈筋のみ収縮），e：握りこぶし（深指・浅指屈筋の収縮），f：手指伸展（屈筋の収縮なし）．

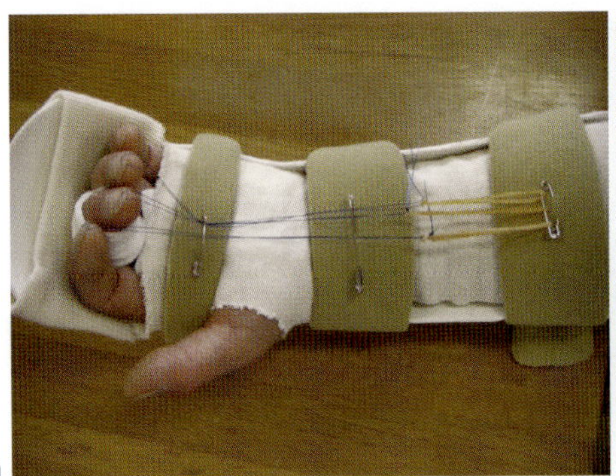

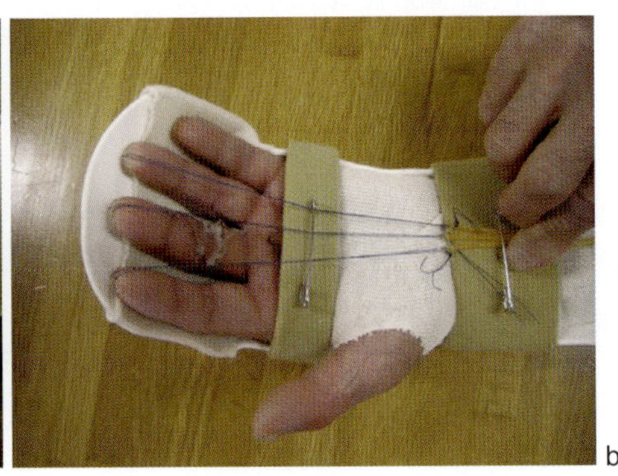

▶図 11　クライナート変法
a：他動屈曲（ゴムの牽引力で屈曲）．
b：自動伸展（十分に自動伸展できないときにはゴムの牽引力をゆるめる）．

- **クライナート変法**[3]：術後当日に背側スプリント（手関節 30° 屈曲位，MP 関節 60～70° 屈曲位，IP 関節伸展位）装着下で，ゴムバンド牽引（rubber band traction; RBT）を装着する（▶**図 11**）．術後 3 日目から RBT 装着下で，同時収縮が生じない程度の牽引力でのゴムによる他動屈曲運動および自動伸展運動を行う．1 日 3～4 セット，1 セット 15 回程度を目安にする．術後 3 週目以後は，固定法と同様である．
- **デュラン法**：背側スプリントと RBT を装着し，自動伸展・他動屈曲を行う．術後 4 週間は PIP・DIP 関節それぞれの他動伸展を行う（▶**図 12**）．1 日 2 セット，1 セット 6～8 回実施する．

(3) 早期自動運動法

近年，強固な縫合法の開発によって（▶**表 4**[1] 参

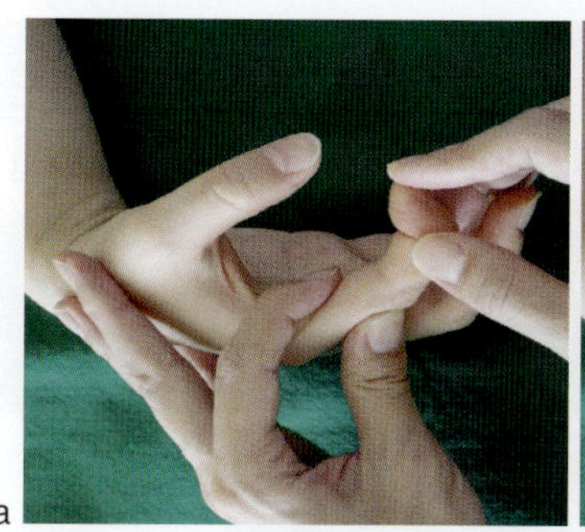
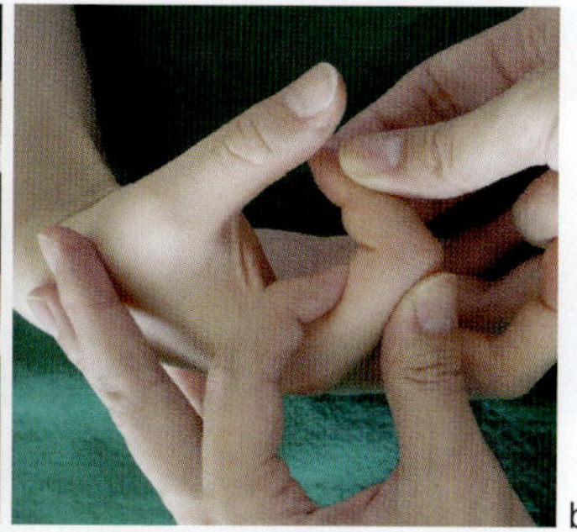

▶図 12 デュラン法
a：PIP 関節他動伸展時(手関節，MP 関節，DIP 関節屈曲位保持し，屈筋腱を弛緩させる).
b：DIP 関節他動伸展時(手関節，MP 関節，PIP 関節屈曲位保持し，屈筋腱を弛緩させる).

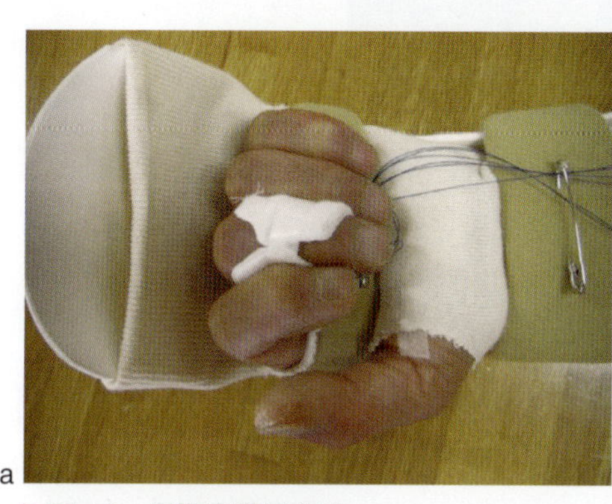
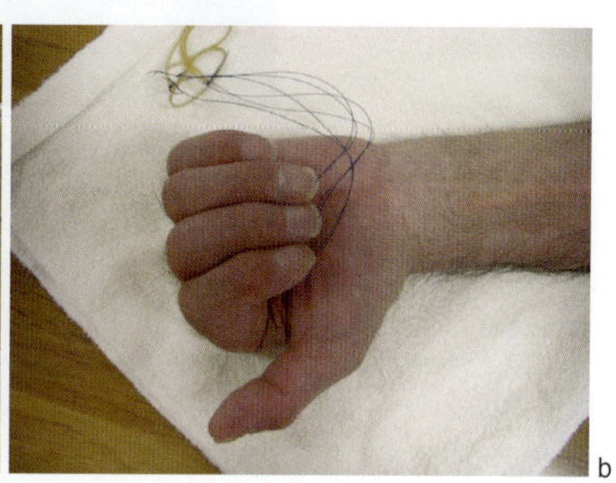

▶図 13 早期自動屈曲法
a：背側スプリント装着下での屈曲位保持訓練(等尺性収縮)：作業療法士が他動屈曲したのち，その肢位を保持させる.
b：術後 3 週時の自動屈曲.

照)，知識をもつ作業療法士の監視下で早期自動屈曲法が行われている．術後，背側スプリント(手関節 0～10° 屈曲位，MP 関節 30～70° 屈曲位，PIP・DIP 関節 0°)を装着し，RBT で損傷指以外の指も屈曲位に保つ．翌日より作業療法士が，最大他動屈曲位に全指を保持し，対象者は軽く力を入れて，その肢位を保持する等尺性訓練(place-hold exercise)を行う(▶図 13)．また，術後 1 週間後より等張性収縮による完全自動屈曲と自動伸展を行う．1 日 3～4 セット，1 セット 15 回程度を術後 3～4 週間実施する．それ以降は，3 週間固定法に準じて訓練を行う．訓練プログラムは，術式や対象者の理解度などに左右されるため，手外科医との連携が必要不可欠である．

b 伸筋腱修復術後のプログラム

伸筋腱損傷は，指背腱膜部と固有腱部では解剖学的特徴の違いにより治療法は異なる．指背腱膜部の新鮮損傷ではスプリントなどによる保存的治療が可能である．固有腱部となる zone Ⅴ～Ⅷ では伸筋腱修復術が行われる．術後プログラムには，固定法，早期他動伸展・自動屈曲運動法(逆クライナート法)，減張位早期自動運動法がある．

(1) 固定法

術後 3～4 週間ギプス固定(手関節 20° 伸展位，MP 関節 30° 屈曲位，PIP 関節軽度屈曲位)を行う．術後 4 週目からギプスを掌側キャストに変更し，装着下での自動屈曲・伸展や他動伸展保持訓

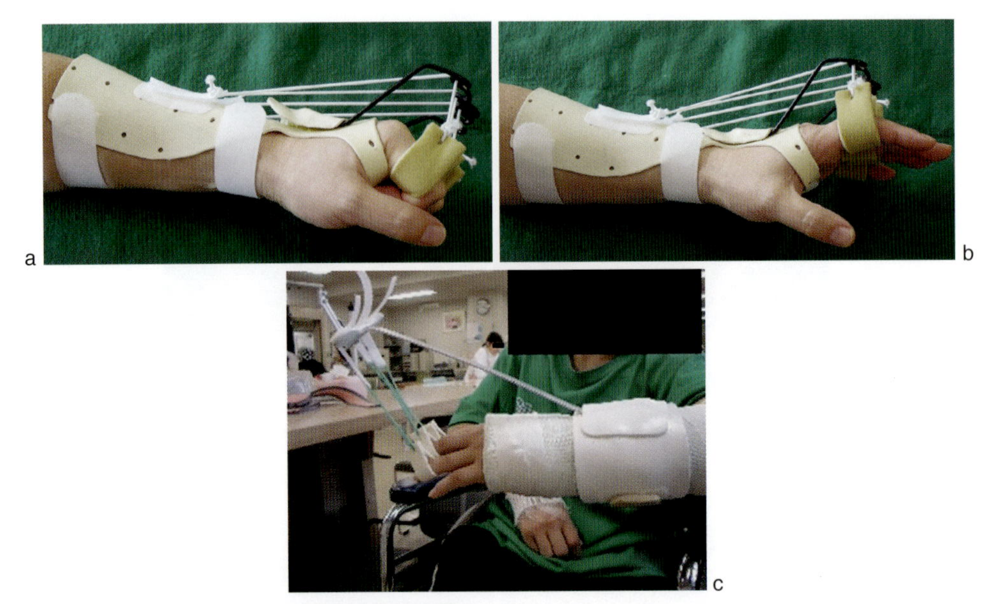

▶図 14　逆クライナート法（伸筋腱損傷例）
a：自動屈曲運動，b：他動伸展運動（ゴムの牽引力による），
c：RA 例：手関節形成術を同時実施．ギプスにアウトリガーを取り付けている．

練を行う．キャストは手関節までに変更する．術後 6 週目から軽度の他動屈曲運動を開始し，術後 8 週目から軽度の抵抗運動や手関節掌屈位での他動屈曲や持続矯正訓練を追加する．

術後 12 週で ADL での患側手の使用制限を解除し，積極的な筋力増強訓練を行う．

編み込み縫合（▶表 4[1] 参照）により腱移行を行われた場合は，プログラムを 1 週程度早めてもよい．

(2)　逆クライナート法（▶図 14）

逆クライナート法は，伸筋腱の zone V～VII で用いられる．zone VI・VII では IP 関節はフリーとするが，zone V では修復腱に緊張が加わりやすいため，MP 関節の屈曲を制動する．術後当日に手指伸展補助付きの背側動的スプリントを装着する．術後翌日から自動屈曲・他動伸展運動を行う．夜間は静的スプリントを装着し，伸展不足を予防する．術後 4 週以降は固定法に準じる．

(3)　減張位早期自動運動法

伸筋腱の zone V～VII で用いられる．

- **石黒法**：術後当日に断裂腱を隣接指に編み込み縫合後，患指を隣接指に重ねて減張位を保つようにテーピングを行う（▶図 15）．術後翌日から自動屈曲・自動伸展運動を行う．術後 4 週以降は固定法に準じる．
- **ICAM（immediate controlled active motion）法**[5]：スプリント材で患指と隣接指を連動させるヨーク（yoke）とコックアップスプリント（▶図 16）を用いて損傷指を 15～20° 伸展位に保ち，術後翌日より自動屈曲・自動伸展運動を行う．術後 3 週で MP・PIP 関節の伸展不全がなければコックアップスプリントを除去し，術後 5 週でヨークなしで自動屈曲・自動伸展を開始するが，日中のヨークの装着は継続する．術後 7 週でヨークを除去する．その後は固定法に準じる．

C 腱剝離術前後のプログラム

腱剝離術は腱の癒着により ROM が制限されている場合や，拘縮の改善が認められない場合などに行われる．通常，腱修復術後 3 か月以降，屈筋腱移植術例では腱の再断裂を考慮し，術後 6 か月

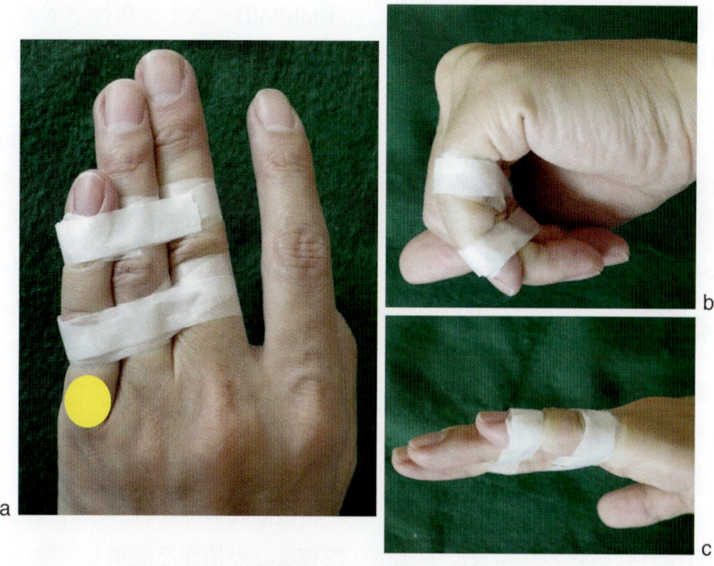

▶**図 15 減張位早期自動運動法(石黒法)**
a：テーピング装着：損傷指を隣接指に重ねて減張位にする(● 損傷指).
b：自動屈曲運動，c：自動伸展運動.

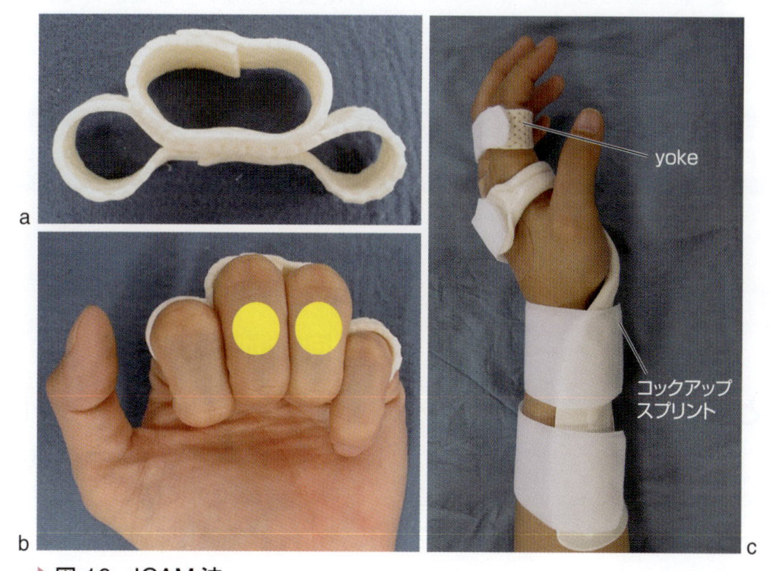

▶**図 16 ICAM 法**
a：ヨーク(yoke).
b：ヨーク装着下での指屈曲：損傷指を 15～20° 伸展位に保持する(● 損傷指).
c：ヨークとコックアップスプリントの装着.

以降に行われる場合が多い．術前は関節周囲軟部組織性拘縮をできるだけ改善させ，かつ積極的な筋力増強訓練を実施する．可能であれば手術を見学し，腱の光沢の程度などの状態を確認し，術後訓練の参考にする．以下に臨床上みることの多い屈筋腱剝離術後のプログラム[3,6,7]について紹介する．

術後翌日から屈曲位保持訓練と自動・他動伸展訓練を行う．夜間および訓練時以外は，術前に伸展位拘縮があれば屈曲位に，屈曲位拘縮であれば伸展位に安静固定する．過度な訓練は行わない．術後 2 週目から自動運動訓練，筋力増強訓練を実施．屈曲力が不十分な場合は屈曲保持用スプリントを装着させる．術後 3 週目からブロッキング訓練などの腱の滑走訓練を積極的に行う．急激な ROM 改善を認める対象者では再断裂に注意し，筋力増強訓練の実施は遅らせる．

d 腱鞘炎に対するプログラム

腱鞘炎とは腱鞘や腱鞘滑膜の肥厚による腱の通過障害であり，腫脹や圧痛を認める．更年期の女性，妊婦や手を酷使する作業を行う者や RA の患者に多く認める．

短母指伸筋腱と長母指外転筋腱の腱鞘炎はドゥケルバン（de Quervain）病といい，母指を他指で握り込み，手関節を尺屈させると第 1 区画（橈骨茎状突起周囲）に疼痛を認めるアイヒホッフ（Eichhoff）テストが陽性である．母指 MP 関節と手関節を固定するスプリントの装着により安静をとらせる．屈筋腱腱鞘炎は A1 プーリーで生じ，同部の圧痛のほか，PIP 関節の屈曲・伸展で引っかかり（弾発現象）を認めるものをばね指という[8]．手指の屈曲を制限する安静用のスプリントの装着などを行うほか，屈曲拘縮を認める場合は改善をはかる．いずれも再発防止のための手の使い方の指導や，セルフケアの方法を指導する．

2 注意事項

術後訓練の際には，手外科医からの手術所見や内容などの情報を収集し，腱の修復過程などを熟知しておく必要がある．また，術後プログラムを変更する場合には，手外科医との連携を十分とり，再断裂を予防する必要がある．

② 腱板断裂

A 概要

1 腱板断裂とは

腱板断裂（rotator cuff tear）とは，変性や外傷により腱の連続性が失われた状態をいう．中高年者に肩の痛みを生じる代表的な疾患であり，転倒など明確な誘因がなくても生じることがある．

腱板断裂は回旋筋腱板を構成する棘上筋腱，棘下筋腱，小円筋腱，肩甲下筋腱のうち，棘上筋腱で最も生じやすい．その理由として，①重力に逆らって上腕骨頭を関節窩に引きつけるため常に強い負担を強いられ，②肩峰と骨頭の間の狭い部分を通過するため圧迫を受けやすく，③豊富な神経・血管の分布を受けている点などがあげられる．

2 肩関節の機能解剖

a 回旋筋腱板の作用

腱板は上肢挙上の際に骨頭を臼蓋に引きつけることで安定した関節運動を可能にする．肩関節外転の場合，棘上筋が骨頭を臼蓋に引きつけながら，三角筋中部線維は上肢の重みを持ち上げる．棘下筋，小円筋，肩甲下筋も同様な役割を担う．深層にあり安定した関節運動に寄与するこれらをインナーマッスル（inner muscle）という．

b 肩複合体，肩甲上腕リズム

肩周辺には肩甲上腕関節（狭義の肩関節），肩鎖関節，胸鎖関節，第 2 肩関節（肩峰・烏口肩峰靱帯と大結節の間の通路），肩甲胸郭関節が存在する．これら 5 つの関節が肩複合体として作用し，肩の

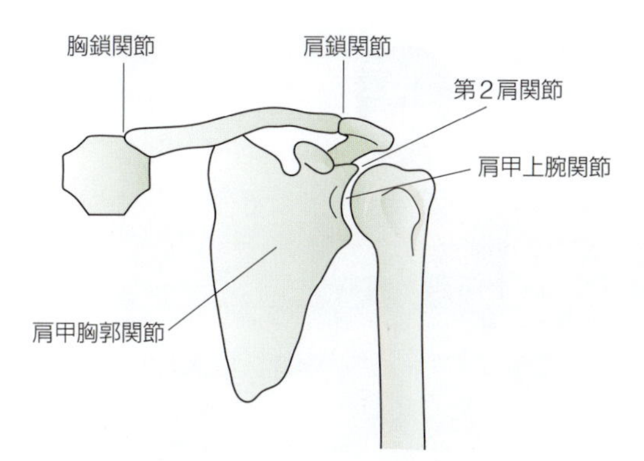

▶図 17　肩複合体

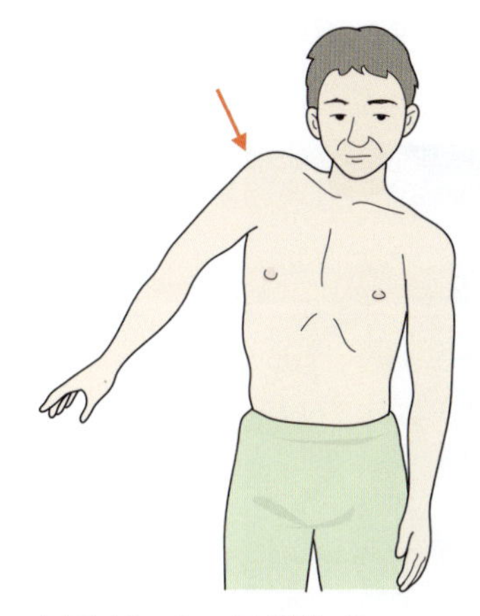

▶図 18　シュラグサイン
肩甲上腕関節の負担を軽減させようとする肩甲骨の代償運動.

安定性と可動性の基盤となる(▶図 17).

肩の可動性は肩甲上腕リズム(scapulohumeral rhythm)として現れる. 上肢挙上の際にみられる肩甲上腕関節と肩甲胸郭関節の連動をいい, その割合についてはさまざま報告があるものの, 全体として 2：1(肩甲上腕関節：肩甲胸郭関節), そして可動初期には肩甲骨の動きが少ないとされる.

腱板断裂では, 肩甲上腕関節の負担を軽減させようとする肩甲骨の代償運動〔シュラグサイン(shrug sign)〕がみられる(▶図 18). 具体的には, 過剰な肩甲骨挙上, 体幹側屈がみられる.

c 腱板断裂診断のための検査

(1) 棘上筋テスト(▶図 19)

肩甲骨面上挙上, 最大内旋位(母指が下方を向く)を保持し, 検者が前腕遠位部で下方へ抵抗をかける. 左右差があれば陽性とし, 棘上筋腱の断裂を疑う.

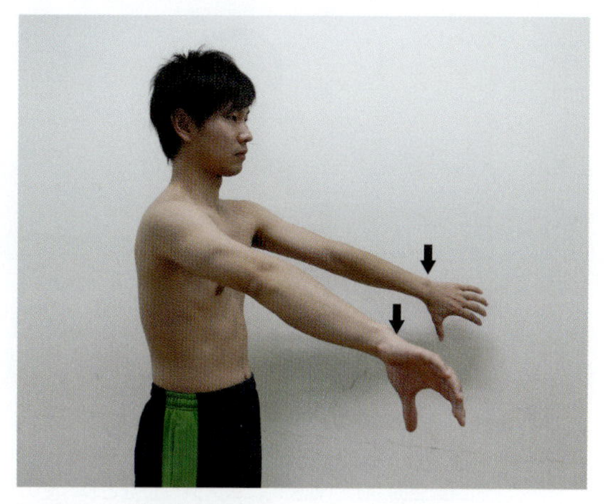

▶図 19　棘上筋テスト
肩甲骨面上挙上, 最大内旋位(母指が下方を向く)を保持し, 検者が前腕遠位部で下方へ抵抗をかける. 左右差があれば陽性とし, 棘上筋腱の断裂を疑う.

(2) 外旋筋テスト(▶図 20)

肘関節屈曲 90°, 他動的に最大外旋位をとり, その位置を保持するよう指示する. 保持できなければ陽性とし, 棘下筋腱断裂を疑う.

(3) リフトオフテスト(▶図 21)

手背を他動的に腰部に当てた状態から, 手背を後ろに離すよう指示する. 離れなければ陽性とし, 肩甲下筋腱の断裂を疑う.

d インピンジメント症候群

腱板など肩峰・烏口肩峰靱帯と大結節の間を通路する組織が上方の肩峰・烏口肩峰靱帯と衝突し, その結果炎症, 機能障害, 疼痛が生じる病態の総称である. インピンジメントが生じる原因の1つに腱板断裂がある.

3 医学的治療と作業療法の関係

保存療法が第一選択となる. 腱板の修復は望めないが, 疼痛の緩和や肩複合体全体としての機能向上を期待する. 薬物療法と物理療法が処方さ

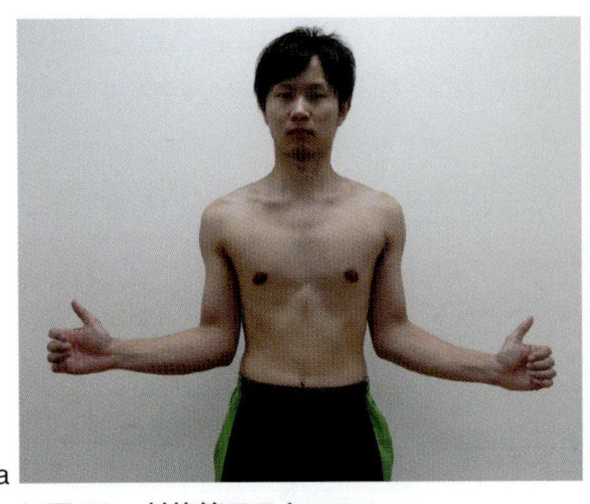
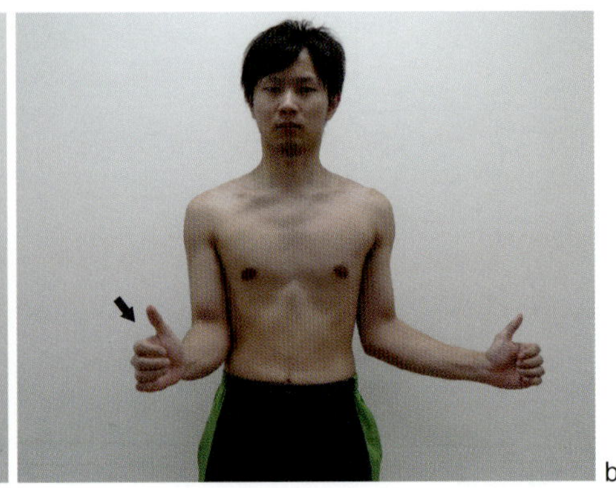

a　b

▶図 20　外旋筋テスト
肘関節屈曲 90°，他動的に最大外旋位をとり，その位置を保持するよう指示する．保持できなければ陽性とし，棘下筋腱断裂を疑う（b，右）．

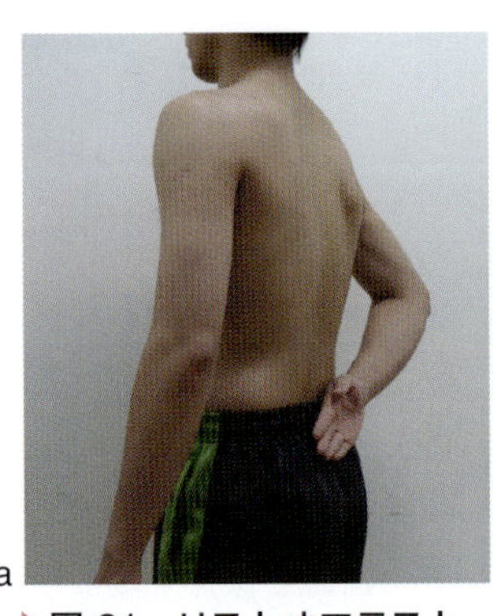
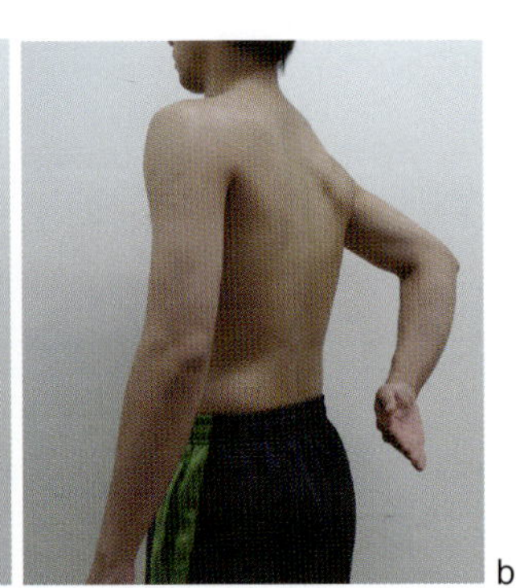

a　b

▶図 21　リストオフテスト
手背を他動的に腰部に当てた状態から，手背を後ろに離すよう指示する．離れなければ陽性とし，肩甲下筋腱の断裂を疑う．

れ，ROM 訓練と筋力増強訓練が行われる．

安静時痛や夜間痛，ADL 上の支障が持続する場合は手術療法の適応となる．断裂した腱板を骨に縫合固定する腱板修復術，または肩峰下面を切除し棘上筋腱の通路を拡大する肩峰下除圧術が選択される．

後療法では，外固定安静，振り子運動，他動運動，自動運動の順で進められる．作業療法では各時期に合わせて評価とプログラムの内容を選択していく．

B 作業療法評価

手術療法を中心に述べる．保存治療の場合も基本的には同じ考えに基づく．

1 一般的な評価

a 疼痛

術直後に強い痛みを訴えることが多い．痛みの部位，強度，種類，運動との関連，増悪・軽快因子を確認する．VAS や NRS を用いることで経時的に評価していく．

可動初期の運動による疼痛の増悪は周辺筋の筋スパズムを引き起こし，以降のプログラムを順調に進めることが困難になる．翌日まで残存する痛みに注意する．

b 術後固定の確認

外転枕を用いた外固定が行われる．不適切な装着ではリラクセーションが得られず，肩甲骨の挙上や手指を握りしめる様子がみられる．

c 関節可動域

肩甲帯と肩関節，肘関節，そして必要に応じて遠位関節の ROM を測定する．受傷機転には下肢，体幹の柔軟性低下が影響することもあり，大まかな評価を行う．

d 筋力

術後プロトコールを確認し，肩関節の筋力検査が実施可能な時期を確認しておく．

e 日常生活活動

外固定中であっても ADL 自立度が著明に低下することはない．ただし，装具の装着や更衣動作については，術創部への負担がかかっていないか，動作確認しておく必要がある．

C 作業療法の目標

術後 3 か月に日常生活へ復帰，6 か月後には一定の重労働に復帰できるまでの機能改善が目標となる．

D 作業療法プログラム

1 一般的なプログラム

(1) リラクセーション

術後初期には痛みや心理的緊張による持続的筋緊張がよくみられる．患側上肢の重みを軽減し，深呼吸をすることでリラクセーションをはかる．手指の屈伸運動は視覚的に確認しながらゆっくり反復する．就寝時には肘関節の下に枕を置き，手は腹部の上に置くよう指導する〔本章 1 の図 6（➡ 244 ページ）参照〕．上肢の重みによる肩関節の負担が軽減，疼痛が緩和することで睡眠の質が向上する．浮腫予防も期待できる．

また，リラクセーションや遠位関節の自動運動を中心にした自主トレを指導する（▶図 22）．

(2) 振り子運動

前かがみ体操〔コッドマン（Codman）体操〕から始める．患側上肢の力を抜き，体幹を前傾させることで肩関節の屈曲が自動的に得られる〔本章 1 の図 7（➡ 244 ページ）参照〕．この状態から体幹を前後・左右に動かすことを振り子運動といい，関節拘縮予防により有用である．振り子運動に重錘を用いる場合は，手で持つより手関節に巻くことで患側全体の筋緊張緩和が得られやすい．いわゆるコッドマン体操は，上述した①前かがみ体操だけでなく，②振り子運動，③重錘を用いた振り子運動を含むことも多い．

(3) 棒体操・滑車運動

肩関節屈曲のための自動介助運動として最もよく用いられる〔本章 1 の図 8（➡ 244 ページ）参照〕．上肢を外旋・回外して棒を振ることで，体操時の肩関節内旋固定を防ぐことができる．

滑車運動の場合，患側上肢の重みが軽減され，支点の安定性が得られやすい背臥位で行うのがよい．

(4) 関節可動域訓練

①他動運動，②自己他動運動，③自動運動，④他動運動の順で拡大していく．①の他動運動では，リラクセーションや拘縮予防を主体とした ROM 訓練を行う．筋を強く伸張するダイレクトストレッチを主体とした④の他動運動とは目的が異なる．

(5) カフエクササイズ（cuff exercise）

通常の筋力増強訓練ではなく，インナーマッスルである腱板の働きを高めるプログラムを指導する．棘上筋の場合，肩関節内旋位（母指が下方を

「肩」手術後のリハビリテーション

①よい姿勢を覚えましょう

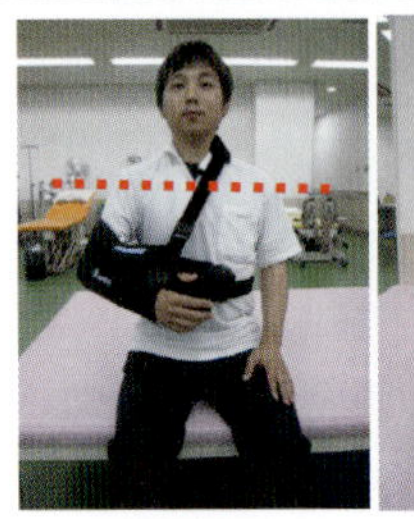

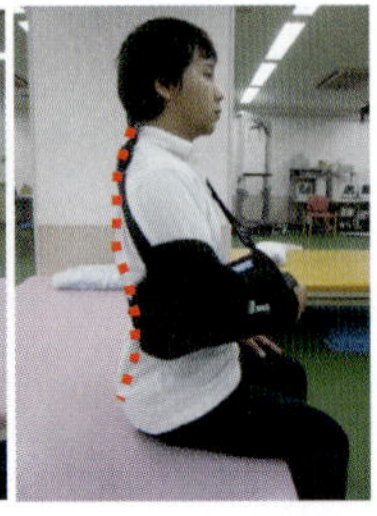

装具のつけ方

・肩に負担がかからない楽な姿勢で装具をつけましょう.
・背筋を伸ばし，胸をはり，よい姿勢を心がけてください.
・正面から見ても，側面から見ても，両肩の位置が同じように.
・腕は体から少し外に開き，肘をしっかりと装具の中に入れ，
　肩のまわりの筋肉に緊張がかからないようにします.

〔悪い姿勢〕→

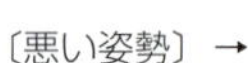

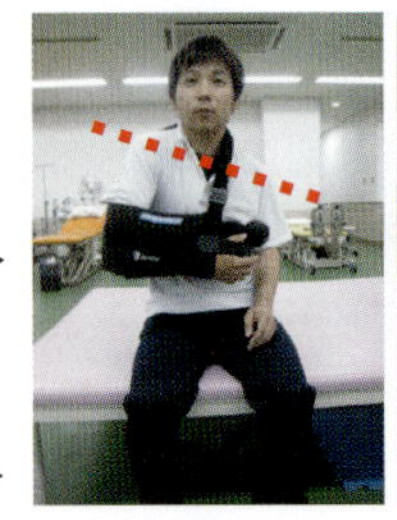

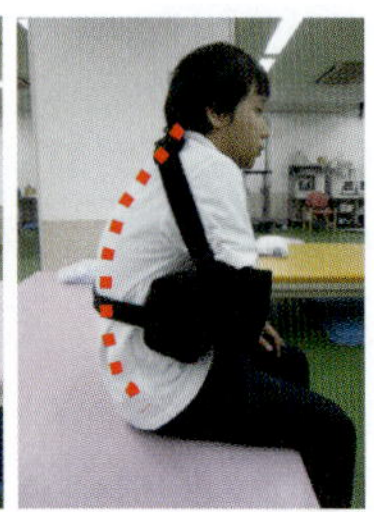

・姿勢が悪く，猫背となり，肩が前に出てしまっています.
・バンドもきつく，肩が上に上がっています.
・筋肉の緊張がとれていない姿勢に慣れてしまうと，かえって
　痛みを引き起こし，その後のリハビリテーションも進みません.

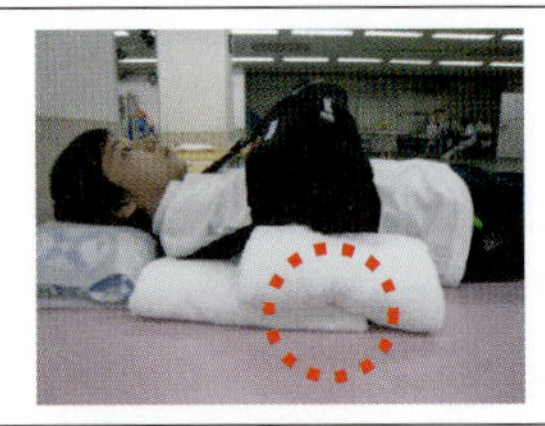

寝るときの姿勢

・肘の下にタオルなどを置き，腕が背中のほうに落ち込まないようにします.
・痛みが強いときには我慢をせず，医師・看護師にお知らせください．薬での対応などを
　検討します.

②肩のまわりの体操

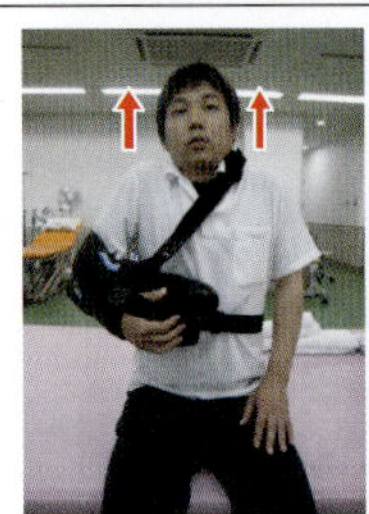

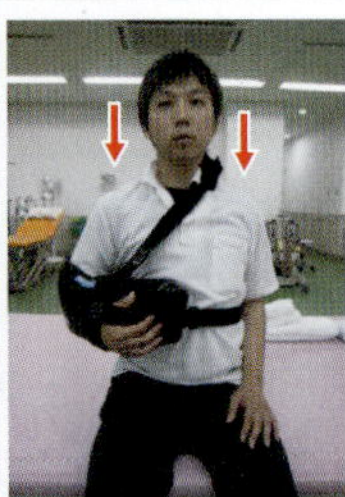

肩すくめ運動

・座った姿勢で，ゆっくり肩の上げ下げを繰り返します.
・肩甲骨が上下に動くように意識してください.
・肩が前に出ないように，背筋を伸ばし，よい姿勢を保ちながら行ってください.
・目安：朝・昼・夕５回ずつ

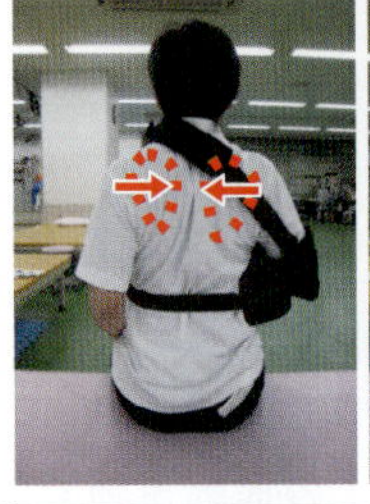

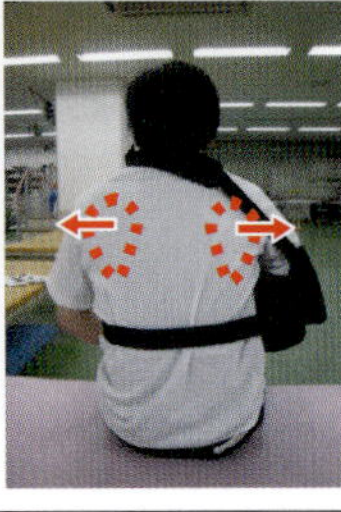

胸はり運動

・座った姿勢で，①背筋を伸ばし胸を張る，②背中をまるめ肩をすぼめる，という
　動作をゆっくり繰り返します.
・背骨が前後に動くように，また肩甲骨が内側・外側に動くように意識してくださ
　い.
・目安：朝・昼・夕５回ずつ

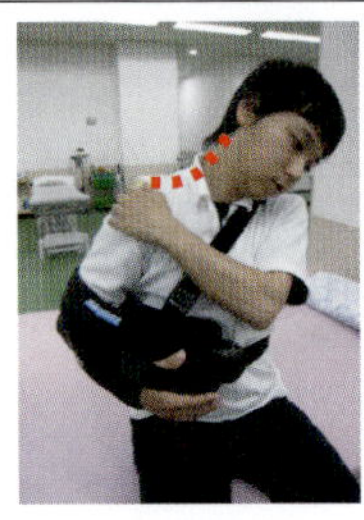

首のストレッチ運動

・座った姿勢で，首筋を伸ばすようにスト
　レッチを行います.
・頭を斜め前に傾け，首の後ろを伸ばすよ
　うに意識してください.
・目安：朝・昼・夕 左右５秒を５回ずつ

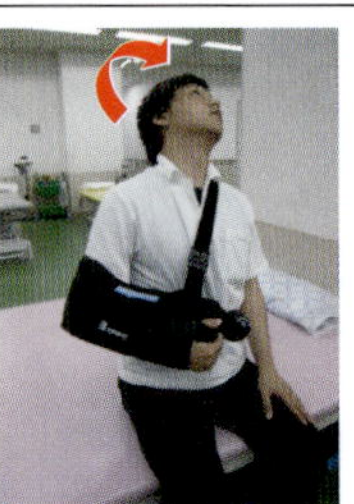

首まわし運動

・座った姿勢で，よい姿勢を保ちなが
　ら，首を大きく回します.
・右まわしと左まわしの両方を行って
　ください.
・目安：朝・昼・夕 左右５回ずつ

（つづく）

▶図 22　術後自主トレプログラム（群馬大学医学部附属病院リハビリテーション科）

③肘・手の体操

肘の屈伸運動
・ベッドに横になった姿勢で，装具の腕の部分だけを外し，ゆっくり肘の曲げ伸ばしを行います．
・目安：朝・昼・夕５回ずつ

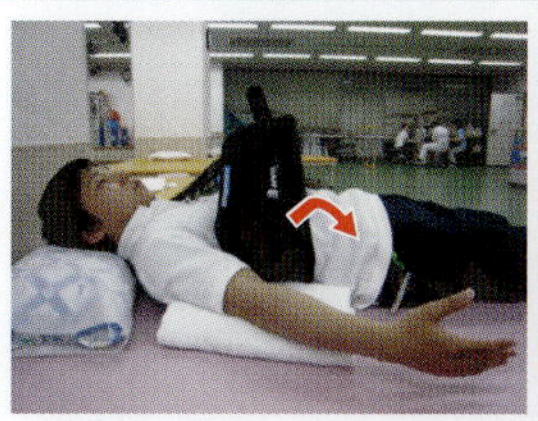
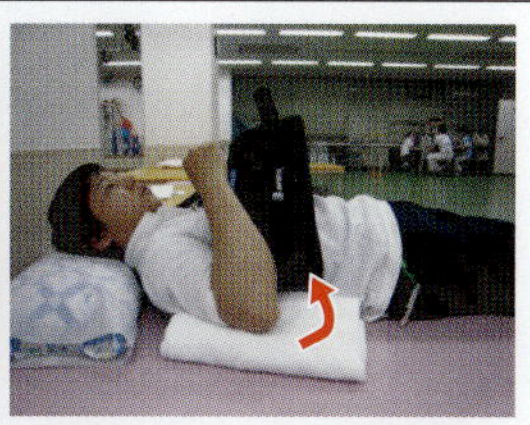

腕の捻り運動
・ベッドに横になった姿勢で，装具をつけたまま，手のひらが表・裏になるように，ゆっくり腕を捻ります．
・目安：朝・昼・夕５回ずつ

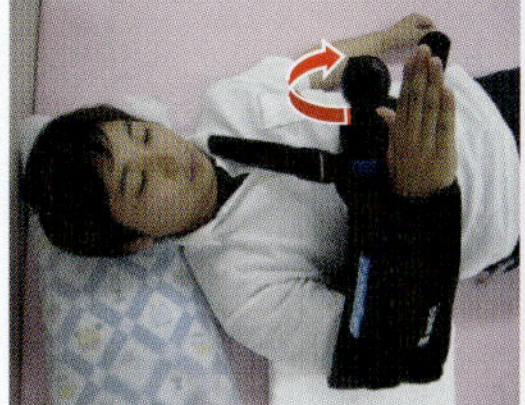
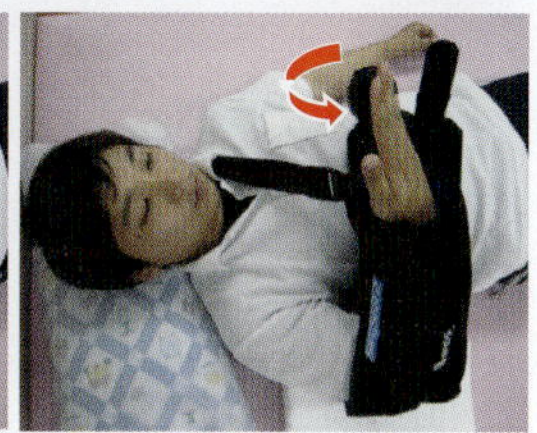

手の握り運動
・ベッドに横になった姿勢で，装具をつけたまま，ゆっくりボールを握ります．腕が心臓より高い位置で行ったほうが効果的です．
・特に手術後の早期には，腕のむくみをとるために，なるべくこの運動をしてください．
・目安：朝・昼・夕５回ずつ

④腰のまわりの体操

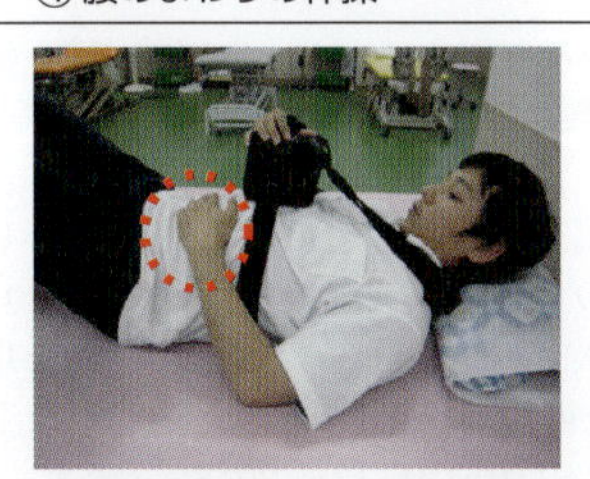

腹筋運動
・ベッドに横になった姿勢で，両膝を立て，装具と反対の手をお腹の上にのせ，お腹の力で手のひらを押し返すようにします．
・軽くあごを引き，お腹の筋肉に力が入るように意識してください．
・目安：朝・昼・夕５秒を５回ずつ

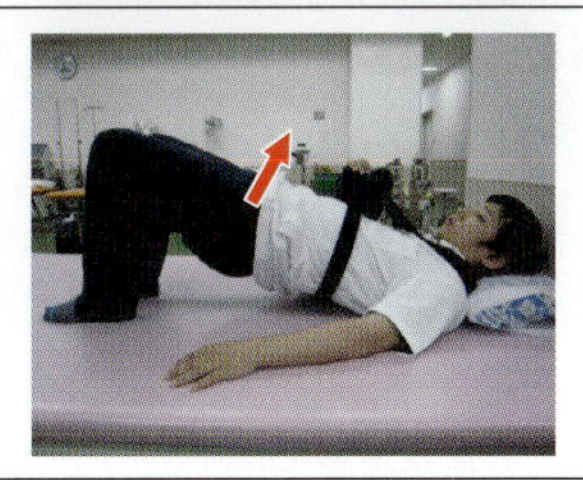

背筋運動
・ベッドに横になった姿勢で，両膝を立て，ゆっくりお尻を持ち上げます．
・背中とお尻の筋肉に力が入るように意識してください．
・目安：朝・昼・夕５回ずつ

腰の捻り運動
・ベッドに横になった姿勢で，両膝を立て，腰を捻るように両膝を左右に倒します．
・目安：朝・昼・夕 左右５回ずつ

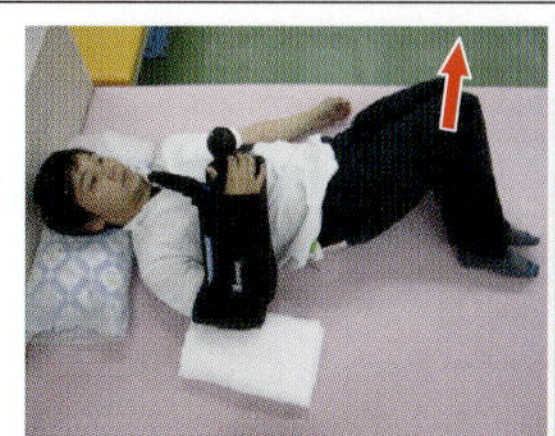
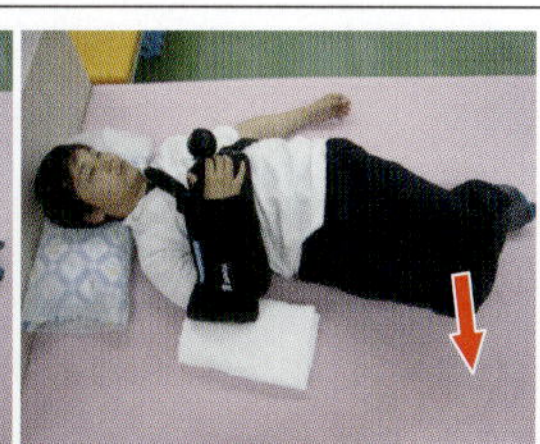

※どの運動も，痛みのない範囲で，ゆっくりと行ってください．痛みを強く感じるようなことは厳禁です．
※手術後のリハビリテーションの内容は，手術前の状態や手術の方法によって変わってきます．ご自分で判断をせずに，必ず担当医師・理学療法士・作業療法士の指示に従ってください．

群馬大学医学部附属病院

▶図 22 (つづき)術後自主トレプログラム

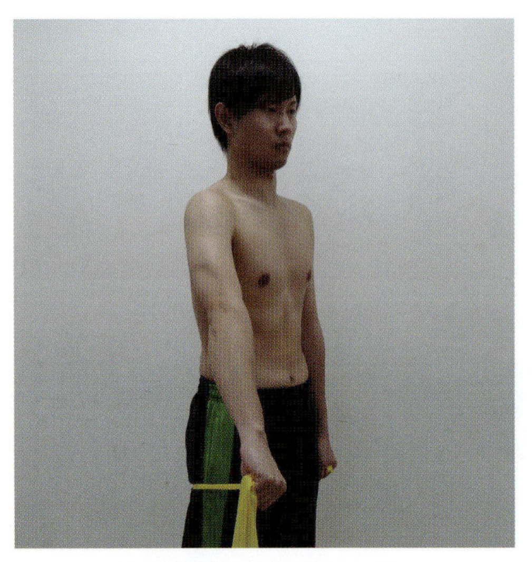

▶図 23　棘上筋のカフエクササイズ

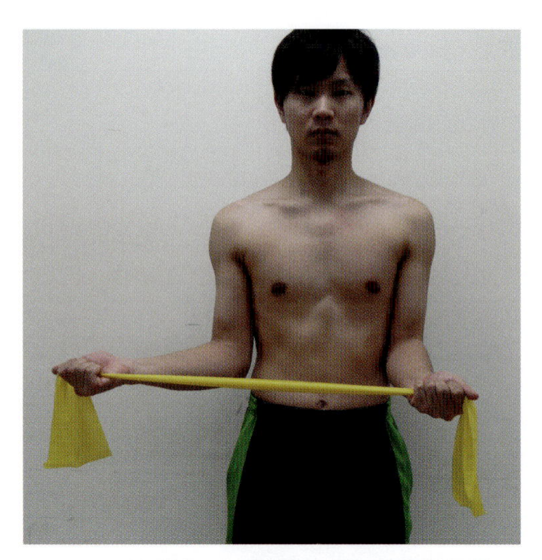

▶図 24　棘下筋・小円筋のカフエクササイズ

向く)，肩甲骨面上挙上 30° から開始，60° を目安にゆっくり挙上していく．下垂位から開始する場合，棘上筋腱にストレスがかかるとされる．負荷は，セラバンド® では最弱(ベージュ)や弱(黄色)，重錘では 0.5 kg を目安とする(▶図 23)．

棘下筋・小円筋では外旋方向へ，肩甲下筋では内旋方向へ，上記条件に準じて行う(▶図 24)．

(6)　日常生活活動

術直後には上衣更衣により痛みが増強することがあり，適切な動作法を指導する．結髪，結帯動作なども肩関節の可動域拡大とともに改善していく．

2 注意事項

疼痛コントロールが不良な場合は，医師と密に連携をとるとともに，患側上肢の誤用に十分注意を払う必要がある．

固定の時期から外来治療となることも多い．外来治療では自主トレへのモチベーションが低くなりやすいため，定期的に自主トレの内容や実施状況を確認する．

●引用文献

1) 櫛邉　勇：手指腱損傷. 山口　昇, 他(編)：身体機能作業療法学. 第 3 版, pp280–290, 医学書院, 2016
2) 上羽康夫：手―その機能と解剖. 第 6 版, pp191–220, 金芳堂, 2017
3) 大山峰生：腱損傷のハンドセラピー. 中田眞由美, 他(著), 鎌倉矩子, 他(編)：作業療法士のためのハンドセラピー入門. 第 2 版, pp128–158, 三輪書店, 2006
4) 金城養典, 他：新鮮屈筋腱・伸筋腱損傷に対するリハビリテーション. *MED REHABIL* (244):17–24, 2020
5) 越後　歩, 他：ICAM 法(早期制限下自動運動法)を用いた手指伸筋腱縫合術後のハンドセラピィ. 日ハンドセラピィ会誌(JJHTS) 10:131–136, 2018
6) 奥村修也：手指腱損傷修復後のハンドセラピィ. 斎藤慶一郎(編)：リハ実践テクニック ハンドセラピィ. pp116–154, 2014
7) 桂　理, 他：Zone II 屈筋腱修復術後の腱剥離術後における再断裂の要因について. 日ハンドセラピィ会誌(JJHTS) 9:101–105, 2017
8) 金谷文則：腱鞘炎. 井樋栄二, 他(編)：標準整形外科学. 第 14 版, pp492–493, 医学書院, 2020

●参考文献

9) 土屋弘行, 他(編)：今日の整形外科治療指針. 第 7 版, 医学書院, 2016
10) 信原克哉：肩―その機能と臨床. 第 4 版, 医学書院, 2012
11) 井樋栄二：肩関節. 井樋栄二, 他(編)：標準整形外科学. 第 14 版, pp426–450, 医学書院, 2020

6

熱傷

熱傷の対象者に作業療法を実施できるようになるために，この疾患の病態を理解し，作業療法の評価技法と治療・指導・援助法を修得する．

1）熱傷の特徴と臨床症状を説明できる．
- □ ①熱傷を原因別に分類することができる．
- □ ②熱傷範囲および熱傷深度を決定する方法を説明できる．
- □ ③熱傷の重症度を判定する方法を説明できる．

2）熱傷の医学的治療と作業療法の関連について説明できる．
- □ ④熱傷ショック期の医学的治療を説明できる．
- □ ⑤熱傷に対する保存療法を説明できる．
- □ ⑥熱傷に対する外科的療法を説明できる．
- □ ⑦熱傷の医学的治療における作業療法の注意事項，リスク管理を説明できる．

3）熱傷の対象者に対する作業療法評価を説明できる．
- □ ⑧熱傷の対象者に対する一般的な作業療法評価と注意事項を列挙できる．

4）熱傷の病期に応じた作業療法目標を設定し，作業療法プログラムを計画できる．
- □ ⑨熱傷の病期を 3 つに分け，それぞれ病期における作業療法目標を説明できる．
- □ ⑩熱傷の対象者の運動機能のための作業療法プログラムを列挙できる．
- □ ⑪熱傷の対象者に用いられる代表的なスプリントを説明できる．
- □ ⑫瘢痕を抑制するための方法を説明できる．

5）熱傷の対象者の ADL を指導・援助するための作業療法プログラムを計画できる．
- □ ⑬熱傷の対象者に対する ADL 指導・援助を病期の進行に沿って説明できる．
- □ ⑭熱傷の対象者の日常生活上の注意事項を説明できる．

6）熱傷の対象者の地域生活・社会参加を支援する作業療法プログラムを計画できる．
- □ ⑮熱傷の対象者の地域生活・社会参加を支援する際に配慮すべき事項を説明できる．

A 概要

1 熱傷とは

熱傷とは皮膚の外傷の 1 つであり，熱が生体表面に作用して生ずる身体組織の損傷をいう．損傷を受ける身体組織は皮膚にとどまらず，皮下脂肪，筋，骨にまで及ぶ場合がある．熱傷は熱エネルギーの種類により，熱湯熱傷，接触熱傷，火炎熱傷，低温熱傷に分類される．このほか，特殊熱傷といわれるものに，電撃傷，化学損傷，放射線損傷がある．

また，熱傷は小範囲のものを除けば熱傷ショックを伴う全身性の疾患である．熱傷ショックとは，受傷後に組織の破壊によって血管壁の透過性が亢進し，アルブミンなど血漿成分が血管外への漏出することによって血圧低下や尿量の減少を引き起こす病態のことである（▶図 1）．症状は体液

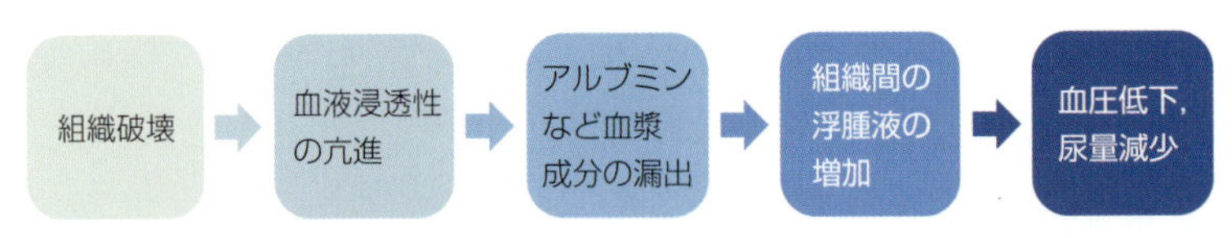

▶図 1　体液変動と熱傷ショックの病態

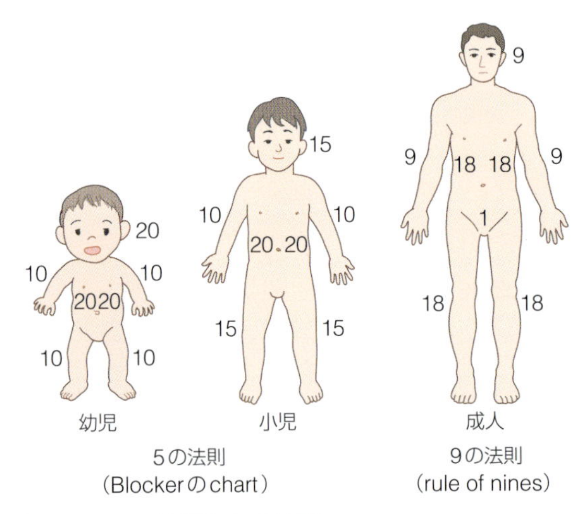

▶図 2　5 の法則と 9 の法則
〔仲沢弘明：熱傷. 鈴木茂彦, 他(編)：標準形成外科学. 第 7 版, p148, 医学書院, 2019 より〕

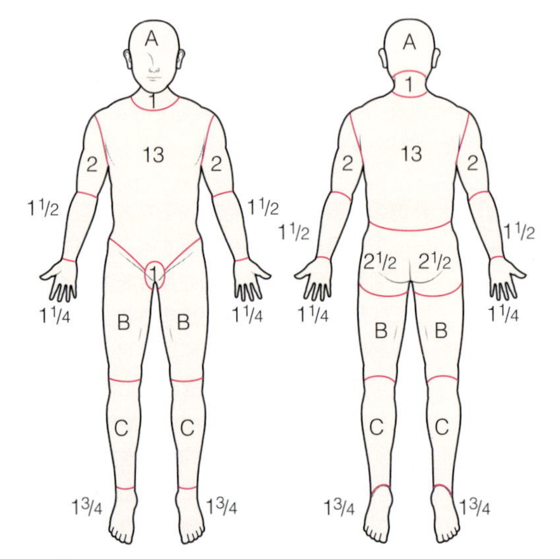

年齢による体表面積の換算

体の部位＼年齢	0 歳	1 歳	5 歳	10 歳	15 歳	成人
A＝頭部の1/2	$9\frac{1}{2}$	$8\frac{1}{2}$	$6\frac{1}{2}$	$5\frac{1}{2}$	$4\frac{1}{2}$	$3\frac{1}{2}$
B＝大腿部の1/2	$2\frac{3}{4}$	$3\frac{1}{4}$	4	$4\frac{1}{4}$	$4\frac{1}{2}$	$4\frac{3}{4}$
C＝下腿部の1/2	$2\frac{1}{2}$	$2\frac{1}{2}$	$2\frac{3}{4}$	3	$3\frac{1}{4}$	$3\frac{1}{2}$

▶図 3　ランド-ブラウダーの法則
〔仲沢弘明：熱傷. 鈴木茂彦, 他(編)：標準形成外科学. 第 7 版, p148, 医学書院, 2019 より〕

変動とともに，循環器系，呼吸器系，代謝系など全身に及ぶため，熱傷は単なる外傷ではなく内部障害ととらえるべきである．

熱傷の診断には，受傷部位に加えて，受傷範囲と深度を判定することが特に重要であり，これに年齢や既往歴などが関係する．作業療法を実施していくためには，以下の診断基準を十分に理解しておく必要がある．

(1)　熱傷範囲

熱傷範囲の診断は対象者の全体表面積に占める受傷面積の割合として算出する[1]．算出方法としては，①9 の法則，②5 の法則，③ランド-ブラウダー(Lund & Browder)の法則などがある．

9 の法則は，**図 2**[1] のように身体の各部を 9% の単位で分け，成人の受傷範囲を算出するものである．5 の法則は，それを 5% 単位として幼児，小児に適用する方法である．また体表を部位ごとに分類して損傷部位を示すランド-ブラウダーの法則(▶**図 3**)[1] は損傷範囲をより正確に計測できる．

(2)　熱傷深度

熱傷は受傷の深度によって，組織破壊の程度が I 度から III 度までに分類される(▶**図 4，表 1**)[1,2]．I 度熱傷は，表皮角質層に受傷がとどまる熱傷で，熱感や知覚過敏を伴うものの治癒後に瘢痕を残さない．

II 度熱傷は真皮層に熱傷が及ぶもので，真皮浅層にとどまる浅達性 II 度熱傷(superficial dermal burn; SDB)と真皮深層まで傷害される深達性 II 度熱傷(deep dermal burn; DDB)に分けられる．浅達性 II 度熱傷は有痛性で腫脹を認めるものの，創の治癒期間は 10 日～2 週間以内と短く，瘢痕形成もみられない．一方，深達性 II 度熱傷は毛嚢

▶**表 1　熱傷深度の分類**

熱傷深度			臨床所見	経過
I 度	浅達性熱傷	表皮熱傷 epidermal burn(EB)	乾燥・紅斑・浮腫 知覚過敏・有痛性	3〜4 日で治癒 瘢痕形成(−)
II 度		浅達性 II 度熱傷 superficial dermal burn (SDB)	湿潤・水疱形成 水疱底面紅色 有痛性, pin prick test(+)	2 週間前後で治癒 色素沈着(±)
	深達性熱傷	深達性 II 度熱傷 deep dermal burn(DDB)	湿潤・水疱形成 水疱底面白濁色 知覚鈍麻, pin prick test(−)	3 週間前後で治癒 瘢痕形成(+) 感染により III 度へ移行しやすい
III 度		皮膚全層熱傷 full-thickness burn, deep burn(DB)	乾燥・羊皮紙様 水疱形成なし 無痛性, pin prick test(−)	1 か月以上自然治癒に要する 瘢痕形成(+) 多くは植皮を必要

〔野崎幹弘：熱傷総論. 秦　維郎, 他(編)：標準形成外科学. 第 5 版, pp201–209, 医学書院, 2008 より〕

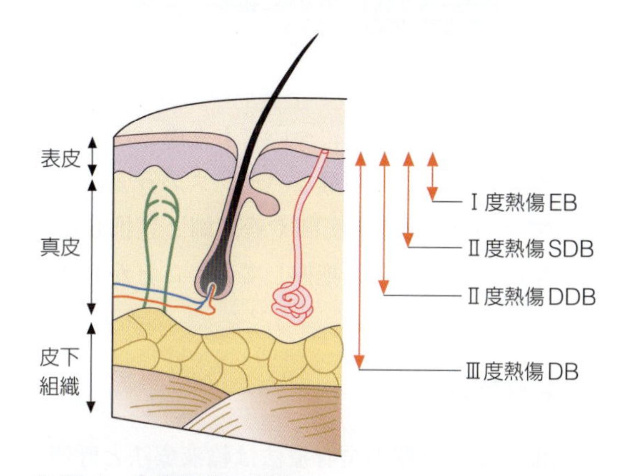

▶**図 4　皮膚損傷の程度**

熱傷深度は**表 1** を参照のこと.

〔仲沢弘明：熱傷. 鈴木茂彦, 他(編)：標準形成外科学. 第 7 版, p148, 医学書院, 2019 より〕

や汗腺など皮膚付属器が多く破壊されるため痛覚は鈍麻し，表皮形成にも 3〜4 週間以上を要する. さらには，感染により容易に III 度熱傷に移行しやすい.

III 度熱傷は，皮膚全層あるいは皮下脂肪，筋，骨にまで損傷が及ぶもので，無痛性となるが自然の表皮化は望めない. 壊死した組織の周辺では肉芽組織が増殖し，著しい瘢痕形成をきたすため，組織の切除と植皮術が唯一の治療手段となる.

(3)　熱傷部位

熱傷では，顔や手，各種関節部，陰部は解剖学的，機能的に重要な部位であるため，治療にあたって特に注意が必要とされている(▶**図 5**)[3]. また気道熱傷の有無も確認しておくことが重要である.

(4)　年齢

受傷時の年齢は 10 歳以下，特に 0〜5，6 歳までの年齢層に多い. 特に幼児は深い熱傷となりやすく，生理的機能も未熟なためショックに陥りやすい. また，昨今の高齢化により高齢者の受傷も増加傾向にあるが，幼児同様ショックに陥りやすい.

(5)　既往歴

既往歴は時に重症熱傷患者の予後を左右する. 特に高血圧や腎疾患，動脈硬化，糖尿病，肝疾患は重大である. また，精神障害のため焼身自殺をはかり，重症熱傷となる対象者も稀ではない.

(6)　熱傷の重症度

重症度の判定は，熱傷範囲と熱傷深度をもとに行う. 重症熱傷はショック治療を含めた全身管理が必要なものを指すが，幼小児では II 度熱傷面積が 10〜15% 以上，成人では 20% 以上がその対象となる. シュワルツ(Schwartz)が開発した熱傷指数(Burn Index)[1] によれば，その値が 10〜15 以上(小児の場合は 5 以上)を重症熱傷として扱う. また，この Burn Index に年齢を足して求める熱傷予後指数(Prognostic Burn Index)は高齢者の予後を予測する指数として用いられ，100

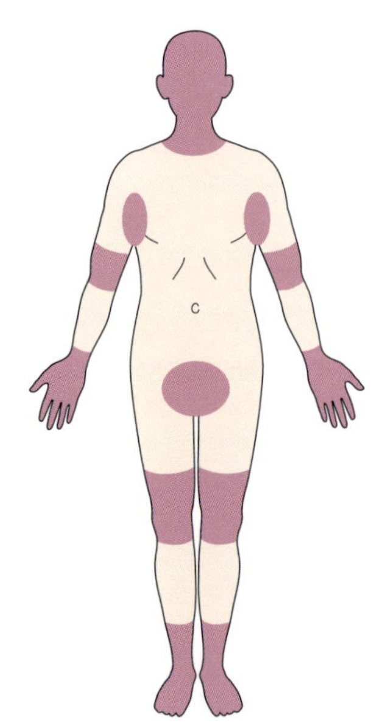

▶図 5　熱傷治療における特殊領域
〔難波雄哉：熱傷の治療．p83，克誠堂出版，1982 より〕

▶表 2　アルツの診断基準

重症熱傷…総合病院で入院加療必要
1. II 度 30% 以上
2. III 度 10% 以上
3. 顔面・手・足・陰部熱傷
4. 気道熱傷
5. 電撃傷・化学熱傷
6. 骨折・軟骨組織損傷を伴う
中等度熱傷…一般病院で入院加療必要
1. II 度 15～25% 以上
2. III 度 10% 未満
軽症熱傷…外来通院
1. II 度 15% 未満
2. III 度 2% 未満

〔野崎幹弘：熱傷総論．秦　維郎，他(編)：標準形成外科学．第 5 版，pp201–209，医学書院，2008 より〕

以上が予後不良とされている．

$$\text{Burn Index} = 1/2 \times \text{II 度熱傷面積}(\%) + \text{III 度熱傷面積}(\%)$$

$$\text{Prognostic Burn Index} = \text{Burn Index} + \text{患者年齢}$$

他方，アルツ(Artz)の診断基準(▶**表 2**)[2] では，範囲と深度に部位と合併症を加えて重症度を判定する．これによると，熱傷の重症度は重症，中等度，軽症の 3 つに分類され，それぞれに治療にあたるべき医療機関が特定されている．

皮膚は人体のなかで最大の臓器ともいわれており，熱傷の重症度は深達度に熱傷面積を乗じた体積としてとらえることも便利である．

2 医学的治療と作業療法の関連

熱傷の治療はショック期に行われる全身療法と感染防止や鎮痛，局所保護などのために行われる局所療法に大きく分けられる．作業療法を含めたリハビリテーション(以下，リハ)は救命，救肢に加え，運動機能や外見についても考慮しなければいけない点で非常に困難なバランスのうえに成り立っているとされ[4]，医師や看護師と連携しながら医学的治療を十分に把握しておくことが必要である．

a 全身療法

熱傷ショック期の全身療法は輸液療法と呼吸・栄養管理が中心となる．輸液療法は循環血漿量を保ち，各組織の血液灌流を維持することが最大の目的であるが，その管理は尿量，血圧，中心静脈圧，ヘマトクリット値，電解質，血清蛋白などの指標で行う．このうち最も重要かつ簡単な指標は時間尿量であり，30～50 mL/時間が目標とされる．ショック期からショック離脱期への移行は，尿量の増加や電解質の正常化によって確認される．

呼吸管理はショック期に合併しやすい肺水腫に対して人工呼吸器管理が積極的に実施される．

さらに栄養管理は体重減少，易感染性の防止の観点から特に重要である．全身の浮腫が組織の酸素化を障害するため，将来の運動機能障害を予期した対応が求められる．

b 局所療法

局所療法の目的は感染防止，鎮痛，局所保護，表皮形成の促進などである．局所療法は熱傷創の範囲や部位，深度などにより異なるものの，保存的療法と外科的療法に大別される．

■保存的療法

(1) 開放療法

創面を消毒後に直接空気にさらして乾燥させる方法である．**痂皮**形成が促進されやすいが，関節部位や手足では適応とならない．

(2) 閉鎖療法

ガーゼや弾性包帯などで創面を厚く覆うことで，感染の防止や浮腫の抑制をはかる方法である．軟膏療法と併せて処方することが多く，現在最も広く行われている治療法の 1 つである．

(3) 軟膏療法

熱傷創に外用薬を用いる方法であるが，その目的は感染防止にとどまらず，表皮形成の促進や瘢痕の発生防止にまで至る．なかでもスルファジアジン銀は抗菌力にも優れ，疼痛など副作用も少ない．また顔面であれば，血流が良好で上皮化がおこりやすいためワセリンを塗布することが多い．

(4) 温浴療法

36～38℃ の不感温度に設定された温水の中で行う．この療法の目的は，創面の清浄と**ドレナージ**により上皮形成を促進することである．

■外科的療法

(1) デブリードマン

壊死組織はそれが長期間残存すると細菌感染を引き起こし，敗血症へと移行しかねない．デブリードマン(debridement)とはそのような壊死組織を切除することで感染予防と植皮をしやすい移植床の確保を目的として行われる外科的療法のことを指す．

(2) 植皮術

深達性 II 度熱傷や III 度熱傷における局所療法の目標は創閉鎖のための植皮である．多く用いられる方法は，表皮と真皮の一部を含む分層植皮であり深達性 II 度熱傷に用いられる．III 度熱傷には表皮とすべてを含む全層植皮が実施される．これらはいずれも瘢痕が形成されにくいため，顔面や頸部などに適用される．一方，広範囲熱傷により自家植皮の採皮部に制限がある場合は，採取した皮膚を網目状に 3～6 倍に拡張したメッシュ状皮膚移植片や切手大に切り分けたパッチ皮膚移植片が用いられる．植皮術が施行された部位に対しては，その生着を待ってから ROM 訓練を実施する必要があり，医師との連携が不可欠となる．

B 作業療法評価

熱傷の作業療法は熱傷の病態の変化から，急性期，不動期，成熟期の 3 期に分類される[5]．このうち，熱傷ショックを伴うような急性期さらに不動期は一般的に熱傷センターと呼ばれる熱傷 ICU (intensive care unit)で医学的に管理される．不動期は移植皮膚の生着を促すために安静を保つ時期であり，成熟期は安定した表皮が形成される時期を指す．

作業療法の観点からすれば，それぞれ予防的アプローチ期，積極的アプローチ期と言い換えることができる．作業療法評価はそれぞれの時期を通して，医学的診断，臨床所見といった情報収集，ROM や筋力といった身体機能評価，精神症状や認知機能などの精神機能評価，日常の活動状況評価さらには環境評価に分けて実施する．

Keyword

痂皮　皮膚が損傷したとき，その部位の表面から滲出した血漿や炎症細胞，壊死塊などの血液成分が固まったもの．損傷部の止血や保護，細菌や異物の侵入を防ぐ役割がある．

ドレナージ　感染原因の除去や減圧目的で，血液，膿や滲出液などを体外に排出させること．

1 医学的情報の収集

熱傷の範囲や重症度を含む医学的診断，バイタルサインやラボデータの変化，さらに手術の有無や予定，さらには術後の安静度などについて，担当医師やカルテ，担当看護師から速やかに情報収集する必要がある．

(1) 診断と受傷原因

重症熱傷は多くの場合，事故や自らの過失によって受傷する場合が多い．あるいは焼身自殺といった自殺企図によって引き起こされる場合もあり，精神疾患の既往や受傷時のエピソードをしっかり把握しておくことが大事である．

(2) 合併症

心，肺，腎，肝などの諸臓器病変，感染症の有無，骨折や神経損傷といった他の外傷の有無などを確認する．

(3) 熱傷範囲と熱傷深度

前述の熱傷範囲と熱傷深度の分類によって把握する．特に深達性 II 度熱傷や III 度熱傷は，その後の作業療法の重要な対象部位となるため評価用紙にマッピングなどをして把握しておくとよい．

(4) 手術の有無と予定

植皮術の方法と日時を確認しておく．植皮後の ROM 訓練は皮膚の生着を待って行う必要があるため，訓練開始の判断は最終的に医師にその判断を仰ぐ．一般的にメッシュ状皮膚移植片による皮膚の生着には 7～10 日を要す．

(5) 気道熱傷の有無と呼吸器管理の状態

気道熱傷は肺感染症をきたしやすく，呼吸障害も必発するため予後を大きく左右する．人工呼吸器管理になっていれば，その呼吸様式や酸素濃度を確認しておく．このことは動脈血酸素分圧 (PaO_2) などの血液ガス濃度の把握と併せて，呼吸状態の把握につながる．

(6) 臨床検査所見（ラボデータ）

ラボデータは全身状態の把握に有効である．特に熱傷ショック期において，このデータの把握は欠かせない．主な指標は WBC，RBC，PLT，TP，LDH，GOT，GPT，BUN，BS，K，Na の各値であり，特に TP（総蛋白）は作業療法可否の指標となるもので 5.0～6.0 を目安にしておくとよい．詳細は本シリーズ『作業療法評価学』を参照．

2 作業療法評価

a 身体機能

(1) 意識レベル

合併症による意識障害と**セデーション**による睡眠状態の区別をしておく．いずれの場合も，指示に対する理解や痛みに対する反応が有効かどうかの見極めが必要である．

(2) 関節可動域

急性期における初期評価の段階では，ROM 測定は目測でよい．四肢を持ち上げる際には，熱傷創や植皮部位に触れないよう注意する．また，閉鎖療法が行われている部位については，ガーゼや包帯などによる制限があることを考慮して測定しておく．創治癒後には，肥厚性瘢痕や**ケロイド**の部位，色調を観察し，ROM 制限への影響を把握しておくことも重要である．また顔面に関しては，**小口症**に伴う口唇の可動域にも注意を払う必要がある．成熟期には最終可動域での皮膚の緊張状態や ROM 制限因子の特定を行う．

(3) 肥厚性瘢痕

深達性 II 度熱傷や III 度熱傷では創の治癒後に瘢痕が形成される．熱傷の創は治癒過程におい

Keyword

セデーション　sedation．鎮静処置のこと．薬物を使って意図的に意識状態を低下させ，身体的・心理的苦痛を感じさせなくする処置である．

ケロイド　しばしば線状に配列する過形成瘢痕組織塊で，圧痛や疼痛を伴う．6 か月を過ぎても創面を越えて正常皮膚へ持続性に拡大傾向を示す．

小口症　口の開口部がさまざまな原因によって小さくなること．

▶表 3　瘢痕スケール

スコア	柔軟性	隆起	血行	色素沈着
0	正常	正常	正常	正常
1	柔軟だが少し抵抗がある	1〜2 mm	ピンク	軽度
2	あらゆる動きで抵抗感がある	3〜4 mm	赤	中等度
3	柔軟性がなく一塊に動く	5〜6 mm	紫	重度
4	収縮し，変形および制限がある	> 6 mm		

〔Baryza MJ, et al: The Vancouver Scar Scale: an administration tool and its interrater reliability. *J Burn Care Rehabil* 16:535–538, 1995 より〕

て赤みと硬さを増強させていくが，6 か月ころをピークとして徐々に肥厚・隆起した瘢痕となる．肥厚性瘢痕は ROM を制限する因子となるため，その状態を**表 3**[6] に示す瘢痕スケールを用いて客観的に評価しておくとよい．

(4) 筋力

熱傷 ICU での管理が長期化すると廃用症候群による筋力低下が生じやすい．MMT などで熱傷創部に抵抗をかけることは創傷治癒を遅らせる危険性があるため禁忌である．急性期や予防的アプローチ期では，特に肩関節，股関節など粗大関節に関与する抗重力筋群の大まかな評価を行うにとどめておく．上肢や手が損傷していることも多いため，積極的アプローチ期に入れば握力やピンチ力の評価も重要となる．

(5) 知覚

急性期では，熱傷深度に併せて出現する疼痛や灼熱感の評価を行っておく．深達性 II 度熱傷では知覚鈍麻となる．植皮術後の皮膚についても，筋皮弁以外はなんらかの感覚障害をきたすため，皮膚の生着とともに感覚の再獲得の経過を評価する．成熟期になれば，セメス–ワインスタイン・モノフィラメントテスト(SWT)を用いたマッピングによって知覚障害を経時的に評価していく〔第 II 章 8「感覚・知覚再教育」(➡ 128 ページ)参照〕.

(6) 筋緊張

急性期では逃避肢位をもたらす四肢の屈筋群の筋緊張を確認しておく．

b 精神機能

熱傷 ICU に入院中の急性期には，不眠や不安の状態，後述の ICU 症候群(➡ 329 ページ)による精神症状の評価を中心に行う．また一般病棟への転棟や社会復帰を控えた段階では，機能障害そのもの，あるいは肥厚性瘢痕やケロイドによる自己の容姿や醜形に対する不安や被害感情が表面化してくることを考慮に入れて，精神機能全般を把握しておく．さらに，受傷原因が自殺企図による場合は原疾患に対する評価も欠かせない．

認知機能の観点からは，リハに対する耐性やポジショニング・スプリント処方時の自己管理能力の有無などを評価する．気道熱傷のために呼吸器管理となっている場合は，発声不可となるため YES–NO の確認手段を決めておくとよい．

c 活動・参加状況

座位耐久性や立位保持能力といった基本動作から，食事，更衣などのセルフケアの獲得状況について評価を行う．特に急性期や予防的アプローチ期では，栄養の方法，尿意の有無，排泄手段，寝返り・起き上がりの自立度について記載しておく．

急性期や予防的アプローチ期を脱したのちは，容姿や外見の問題による心理的・社会的影響との関連を検討するためにも，院内での活動状況やさまざまなプログラムへの参加状況を把握しておくとよい．

d 環境

熱傷 ICU は一般的な ICU 以上に特殊な環境である．物理的な環境もさることながら，人的環境も極度に制限されたものになる．ベッドサイドの物理的環境ばかりではなく，熱傷 ICU 内での対治療者との関係や家族の受け入れといった人的環境も把握しておく必要がある．

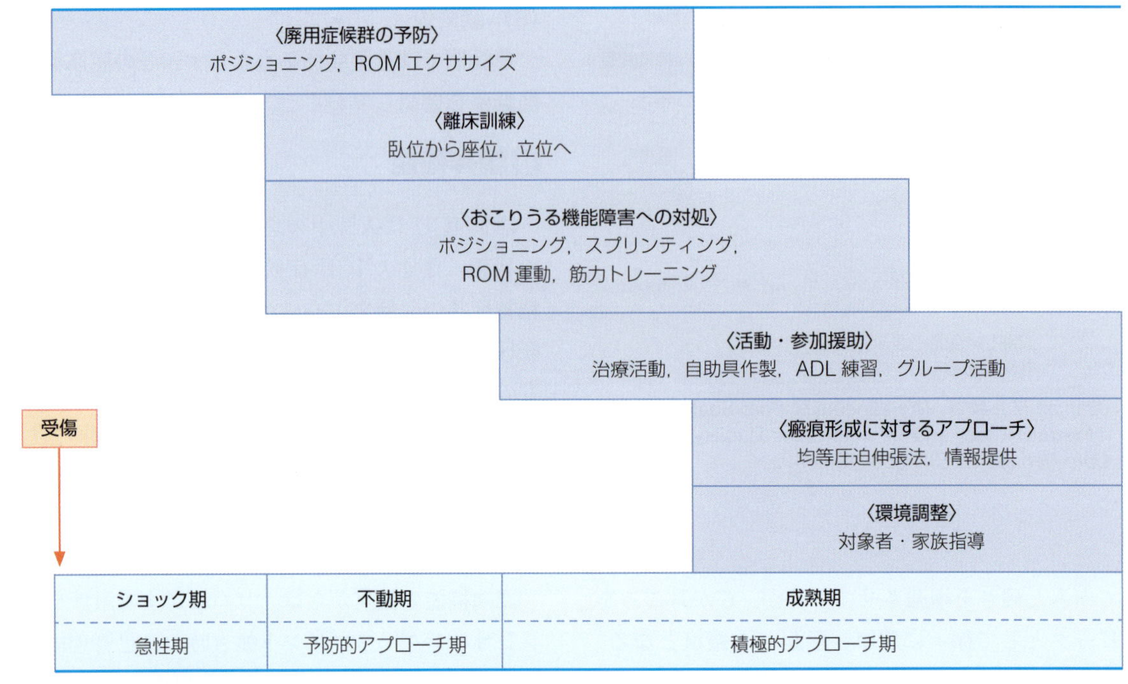

▶図 6　作業療法の流れ

C 作業療法の目標

熱傷の対象者に対する作業療法の目標は身体機能を回復させたうえで社会復帰を目指すことにある．熱傷の部位によっては外見の受容も重要な因子となるため，身体機能ばかりではなく心理的な要素にも十分に配慮しながら目標を設定する必要がある．また植皮術が繰り返されることも多いため，対象者とのかかわりも長くなる可能性があり，信頼関係の構築も重要である．**図 6** に作業療法の流れを示す．病期によって目標やプログラムが異なるため，病期を意識しながら対応にあたることが重要である．

急性期では医学的管理のもとで廃用症候群を防ぐことが第一の目標となる．救命，救肢を最優先にしながら，拘縮や ROM 制限を可能なかぎり防止する．

予防的アプローチ期に入ると徐々に離床を進め，基本的動作の獲得を目指したアプローチを始めていく．この期では，おこりうる拘縮や筋力低下など機能障害を防ぐアプローチも積極的に行っていくことも必要となる．

積極的アプローチ期では ADL などの活動レベルの向上と瘢痕抑制のための治療をしながら，具体的な社会復帰を目指していくこととなる．

D 作業療法プログラム

1 一般的なプログラム

a 身体機能

(1) ポジショニング

急性期ではベッド上で拘縮防止のために**図 7**[7] のようなポジショニングを行う．

(2) 関節可動域訓練

意識障害がある場合は他動的に，意識障害がない場合は自動運動か自動介助運動で行う．いずれ

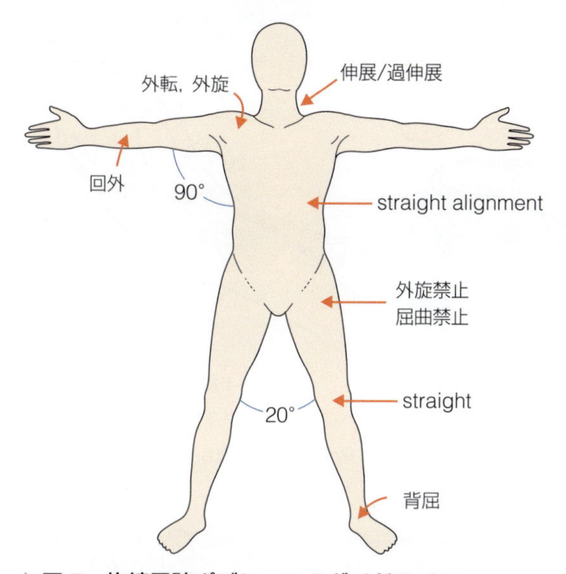

▶図 7　拘縮予防ポジションのガイドライン
〔Helm PA, et al: Burn injury: rehabilitation management in 1982. *Arch Phys Med Rehabil* 63:6–16, 1982 より〕

の場合も，受傷創や移植された皮膚周辺を損傷しないように愛護的に運動することが重要である．運動回数は 1 関節 1 運動を各 10 回，これを 1 日 2 回以上行うこととする．一般的に，植皮術後の安静期間は採皮部で 1～2 日，植皮部で 7～10 日とされる[8]．顔面熱傷がある場合は小口症や閉眼障害に注意し，開口訓練や顔面のストレッチを行う．また拘縮部位における無理な可動域運動の弊害としての異所性骨化には，十分に気をつけなければいけない[9]．

(3) 呼吸作業療法

体位交換などによって，喀痰を末梢気道から中枢気道へと移動させ，吸痰を行う．自力での排痰が困難な場合には，吸引器を用いて除去する．

(4) スプリント療法

安静スプリントは熱傷による ROM 制限を防ぐために有効となる治療法である．手関節，肘関節，足関節などに適用となるが，手関節を含む手部は最も熱傷を受傷しやすく，解剖学的にも多重関節構造と複雑な筋腱機構を有するため，その変形や拘縮を予防するため積極的にスプリントを作製し装着する．

手部は手背部と手掌部とで皮下の構造が異なる点で注意が必要である．手背部の皮膚は比較的薄く，伸展性・移動性に富み十分なゆとりがある一方，手掌部は皮膚や皮下組織が厚く，可動性も少ない[10]．よってスプリント装着の際の固定肢位も**図 8**[7] のように異なる．スプリントやストラップはルーズフィットを心がけ，常に清潔を保つようにする[5]．成熟期に入ると**図 9**[11] のようなより積極的なスプリント装着を行っていく．スプリントの装着中も常に皮膚の状態のチェックと ROM 訓練を欠かさないように注意する必要がある．

(5) 筋力訓練

予防的アプローチ期に入れば，筋力低下を防ぐための筋力訓練を実施していく．訓練では熱傷創や移植された皮膚に対する収縮や伸張を避けるため，等張性収縮よりも等尺性収縮を行うよう心がける．

(6) 瘢痕抑制

皮膚結合組織の創傷治癒過程では，コラーゲン線維の過剰生成により肥厚性瘢痕やケロイドがしばしば形成される．特に肥厚性瘢痕は瘢痕拘縮の原因ともなり，早期からその抑制に努める必要がある．それには創の治癒過程で適切な圧迫と伸張が必要となる．特に創全体に均一に圧力をかける均等圧迫伸張法という方法が有用であり，部位に応じて管状サポート包帯，メッシュグローブ，圧迫被服，フェイスマスクとして装着する．シリコンを素材としたエラスタマー® はモデリングにより患部の細かな形状形成に有用であり，また瘢痕抑制用のシリコンジェルシート(▶**図 10**)は湿布様に必要な大きさだけ切って患部に接着使用できるためさらに有用である[12]．

b 精神機能

ICU 症候群による精神症状は一般病棟への転棟を機に消失する可能性が高い可逆的な症状である．また受傷の原因が自殺企図によるものであれば，原疾患についての評価も必要となる場合がある．さらに熱傷のリハで重要な精神機能面への援

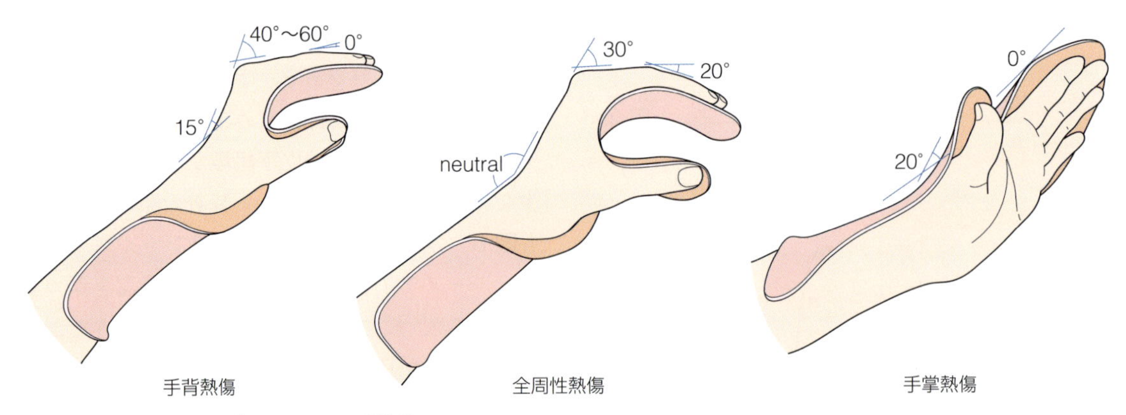

▶図 8　急性期のスプリンティング肢位
〔Helm PA, et al: Burn injury: rehabilitation management in 1982. *Arch Phys Med Rehabil* 63:6–16, 1982 より〕

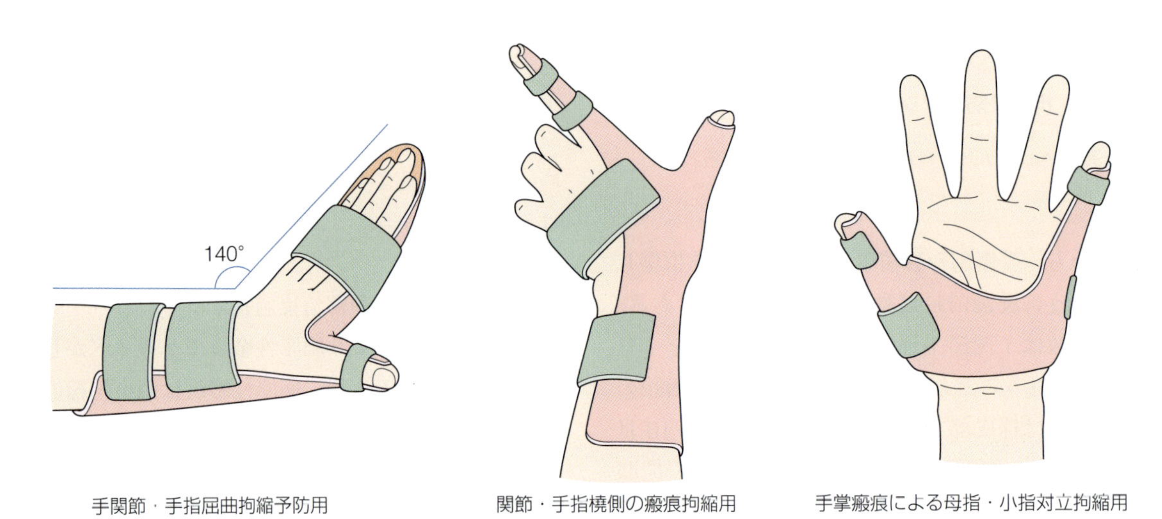

▶図 9　成熟期のスプリント
〔Pullium GF: Splinting and positioning. In Fisher SV, et al (eds): Comprehensive rehabilitation of burns. pp64–95, Williams & Wilkins, Baltimore, 1984 より〕

助の対象となるのは熱傷受傷による心的ショックやその後の外観の喪失，醜形に起因する絶望感などの苦しみである．心理支持的に接するとともに，他の医療チームメンバーとも密な情報交換を行いながらチームとして一貫して対応していくことが求められる．

C 活動・参加指導

(1)　離床訓練

熱傷ショック期を脱し全身状態が安定してくれば，起居から座位，車椅子乗車へと離床を進める．熱傷 ICU でエアーベッドを使用している場合は，一時的にエアーを抜いてこれを進める．注意すべき点は，一般的な離床練習のときと同様に，起立性低血圧を予防するためのバイタルサインのチェックを行う点である．また殿部に熱傷創がある場合や殿部付近に植皮術を行った直後であれば，座位訓練の適応を医師に確認する必要がある．座位の耐久性が高まれば立位保持や歩行へと進める．

(2)　治療活動

ベッド上での手指巧緻性向上を目的として，折

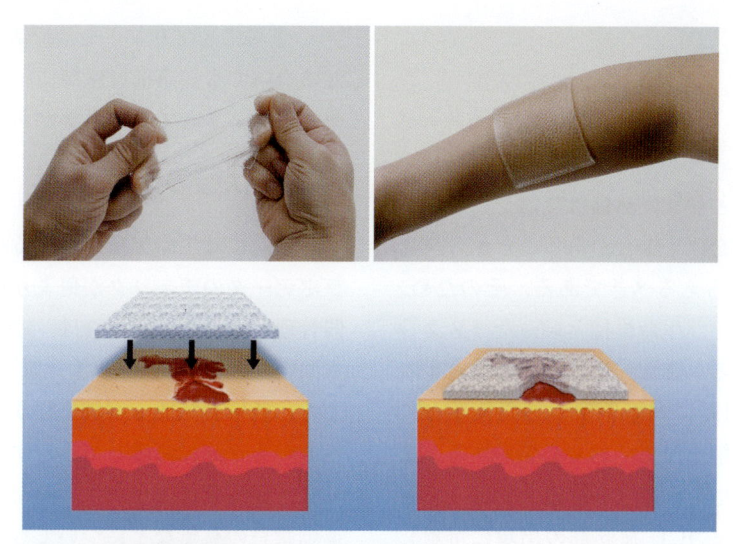

▶図 10 瘢痕抑制用シリコンジェルシート

り紙，スティック手芸といった治療活動やペグを用いる．座位耐久性が高まれば，パソコンや刺繍といった作品として成果を期待できるものも用いられる．いずれの場合も，熱傷 ICU への持ち込みの際は，医師に了解を得たうえで十分に滅菌して搬入する．

(3) 日常生活活動訓練

急性期の熱傷 ICU では，ナースコール使用のための練習とセッティングを行う．手指に重度の熱傷創がある場合には足部や膝部の使用も有効である．ベッド上では食事動作の獲得を目指し，車椅子乗車が可能になれば排泄動作の獲得へと進める．手指に熱傷がある場合やリーチ範囲が狭まっている場合はユニバーサルカフや長柄スプーンなど自助具の作製を行う．

(4) 日常生活指導

移植後の皮膚や浅達性 II 度熱傷の皮膚は色素沈着をおこしやすい．特に紫外線照射は色素沈着を容易に進行させる．このため，少なくとも 6 か月間は直射日光の遮光を指導する．

(5) 社会参加援助

熱傷は生体を保護するという目的の皮膚の修復が済んだのちにも，外見の喪失や醜形に関する心の修復という課題を残す特殊な疾患である．顔面や手部など隠すことが難しい部位を受傷した場合には，それまで営んできた社会への復帰が難しくなる対象者が少なくない．作業療法士は共感と支持の態度で継続的に接することがもちろん重要であるが，同様の受傷歴をもつ対象者からのアドバイスを聞く場を設定したり，院内での他の対象者とのグループ活動への参加を促したりすることも有効に働く場合がある．対象者が再び社会に戻るためには役割や自信を再びいだけるような自己効力感の改善が必要となる．

d 環境調整

顔面熱傷がある場合は，最初に鏡を見せるタイミングやグループ参加の時期，さらに作業療法室で他の外来の対象者の多い時間帯は避けるなど，治療を行う時期・時間などに十分な配慮が必要である．

リハを効率よく進めるためには，急性期の段階から医師，看護師，理学療法士，医療ソーシャルワーカーなどの医療スタッフのチームワークが欠かせない．さらに社会復帰を念頭においた家族の理解や協力も必要である．そのためには，早期から医療チームに家族を含んだ総合的チームを結成し，熱傷の対象者のリハを支えていく必要があるといえる．

2 注意事項

冒頭でも述べたとおり，熱傷は熱傷ショックによる諸臓器の障害を伴う場合があることから全身性の疾患としてとらえるべきである．そのため，急性期では感染防止，生命維持といったリスク管理が特に重要となる．また，植皮術後の皮膚生着までのある一定期間に安静を保つ必要性などについても十分に理解を深めておく必要がある．また，熱傷 ICU に入院している対象者では，不眠や幻聴などを呈する ICU 症候群の出現に留意しておく必要がある．

a 感染防止

熱傷では皮膚が直接傷害されるため，細菌の進入や増殖を防ぐ生体防御としてのバリア機能が失われる．また血液性の免疫能の低下や栄養状態の低下から易感染性が非常に高まった状態となるため，感染防止を怠ると容易に敗血症に陥る．さらに，**多臓器不全**(multiple organ failure; MOF)を併発すると予後はきわめて不良となる．原因菌として，早期には黄色ブドウ球菌，グラム陽性桿菌が多いが，晩期には緑膿菌やグラム陰性桿菌，メチシリン耐性ブドウ球菌(methicillin-resistant *Staphylococcus aureus*; MRSA)などが問題となる．感染源による分類では内因性と外因性に分けることができ，特にわれわれ作業療法士は外因性のものに最大限注意する必要がある．

感染対策は熱傷 ICU 入室の際に浴びるエアシャワーから手洗い，マスク，キャップ，グローブ，ガウン着用に至るまでの一連の滅菌テクニックを入念，かつ厳格に行う必要がある(➡ 41 ページ)．さらにスプリントや治療活動の材料，道具などについても，事前に医師に了解を得たうえで滅菌処理を済ませておく必要がある．

Keyword

多臓器不全(MOF)　多臓器不全症候群．生命維持に必要な腎臓や肺，肝臓，心臓，血管系，消化器系，神経系のなかの2つ以上が同時に，あるいは短時間に機能不全に陥った状態を指す．

b 全身状態のチェック

急性期には生命維持に関するバイタルサインやラボデータのチェックが何より重要である．呼吸器管理となっている場合は，呼吸器のモードや酸素濃度，血液ガス濃度にも注意を払う必要がある．また，低栄養状態で訓練を行う場合には，疲労の度合いを十分に考慮して決定する必要がある．さらに，植皮術後の皮膚生着前などにおける部分的運動禁忌の有無などについても，事前にカルテや医師などから直接情報収集しておくべきである．

●引用文献

1) 仲沢弘明：熱傷．平林慎一(監)，鈴木茂彦，他(編)：標準形成外科学．第 7 版，pp146–158，医学書院，2019
2) 野崎幹弘：熱傷総論．秦　維郎，他(編)：標準形成外科学．第 5 版，pp201–209，医学書院，2008
3) 難波雄哉：熱傷の治療．p83，克誠堂出版，1982
4) 木村雅彦：熱傷に伴う問題点と対応—リハビリテーション．救急医 38:1346–1354，2014
5) 寺本みかよ：熱傷．日本作業療法士協会(編)：急性期の作業療法．pp48–64，日本作業療法士協会，1994
6) Baryza MJ, et al: The Vancouver Scar Scale: an administration tool and its interrater reliability. *J Burn Care Rehabil* 16:535–538, 1995
7) Helm PA, et al: Burn injury: rehabilitation management in 1982. *Arch Phys Med Rehabil* 63:6–16, 1982
8) 出江紳一：熱傷急性期のリハビリテーション．*MED REHABIL* (9):80–89，2001
9) 石倉直敬，他：熱傷患者のリハビリテーション—疼痛抑制を考慮して．熱傷 26:233–243，2000
10) 松村　一：手指の熱傷．救急医 27:106–108，2003
11) Pullium GF: Splinting and positioning. In Fisher SV, et al (eds): Comprehensive rehabilitation of burns. pp64–95, Williams & Wilkins, Baltimore, 1984
12) 赤石諭史，他：瘢痕治療におけるシリコーンジェルシートの適応と作用機序．創傷 1:112–118，2010

切断と義肢

GIO 一般教育目標 切断の対象者に作業療法を実施できるようになるために，この疾患の病態を理解し，作業療法の評価技法と治療・指導・援助法を修得する．

SBO 行動目標

1）切断の特徴を説明できる．
- □ ①四肢切断の傾向と原因を説明できる．
- □ ②四肢切断の部位別分類を説明できる．

2）切断の医学的治療と作業療法の関連について説明できる．
- □ ③上肢切断者の断端の状態を良好に保つために行われる外科的処置について説明できる．
- □ ④上肢切断者の作業療法の阻害因子となる合併症を 2 つ説明できる．

3）義肢の分類と構成要素を説明できる．
- □ ⑤骨格構造義肢と殻構造義肢，仮義肢と本義肢の違いを説明できる．
- □ ⑥以下の義手の特徴を説明できる．
  装飾用義手，能動義手，作業用義手，電動義手・筋電義手
- □ ⑦義手および義足を構成する部品を列挙することができる．

4）切断者・義手使用者に対する作業療法評価を説明できる．
- □ ⑧切断端を評価する方法を 4 つあげ，それぞれを説明できる．
- □ ⑨義手を装着するための身体機能評価の項目と着眼点を説明できる．
- □ ⑩義手使用者の ADL 評価における着眼点および注意点を説明できる．
- □ ⑪上腕義手および前腕義手のチェックアウトを実施できる．
- □ ⑫義手使用者の精神心理面の評価を説明できる．
- □ ⑬切断者・義手使用者の作業療法評価における注意点を説明できる．

5）上肢切断者の回復段階に応じた目標を設定し，作業療法プログラムを計画できる．
- □ ⑭義手使用者の断端成熟期および社会復帰期の作業療法目標を説明できる．
- □ ⑮上肢切断者の切断側の機能を維持・改善する作業療法プログラムを説明できる．
- □ ⑯上肢切断者の健側上肢，体幹・下肢機能を改善する作業療法プログラムを説明できる．
- □ ⑰能動義手の操作訓練の流れを説明できる．
- □ ⑱筋電義手の適応を考える際の考慮点を説明できる．
- □ ⑲筋電義手の操作訓練の流れを説明できる．
- □ ⑳義手使用者の ADL 訓練の方法を説明できる．
- □ ㉑上肢切断者の疼痛に対するアプローチを説明できる．

6）義手使用者の地域生活・社会参加を支援する作業療法プログラムを計画できる．
- □ ㉒復帰先に応じた義手を推薦できる．
- □ ㉓社会生活を営むうえでの考慮点を説明できる．

A 切断

1 切断とは

四肢の切断(amputation)とは上肢・下肢がなんらかの理由で切除され，その形態と機能を失った状態をいう．骨を横断的に切断した場合を「切断」，関節の構造体で切り離した場合を「離断(disarticulation)」と区別して呼んでいる．切断・離断の原因は上肢では労働災害，交通事故などの外傷によるものが最も多く，次いで悪性腫瘍，循環障害の順で多い．

四肢切断者の実態は，上肢切断者は肢体不自由者の約 4.6%，下肢切断者は 3.6% で，上肢切断者は減少の傾向にあり，下肢切断者は増加の傾向にある．

近年，整形外科分野でのマイクロサージェリーなど，技術の進歩により外傷や悪性腫瘍による切断が回避され，患肢が温存されることが多くなっている．このような背景が上肢切断数減少の要因の 1 つとなっている．下肢では以前は交通事故などの外傷が多かったが，近年では高齢化の影響で末梢血管循環障害による切断が増加し，下肢切断原因のトップになっている．このような背景が下肢切断者増加の要因と推測できる．末梢血管循環障害の主な疾患として閉塞性動脈硬化症，末梢動脈疾患〔バージャー(Buerger)病〕があげられる．また，壊死性疾患として糖尿病によるものがあげられる．

■切断部位の名称

切断部位の名称は国内外で多くの異なる呼び方が用いられてきたが，現在では国際標準化機構(International Organization for Standardization; ISO)の国際基準の使用を促している．しかし，上肢切断については義手の適応の観点から，臨床場面では米国整形外科学会(American Academy of Orthopedic Surgeons; AAOS)による呼称分類も用いられている(▶図 1，2)．

2 医学的治療と作業療法の関連

a 切断術

切断術の目的は以下のとおりである．

①病的な組織を切離し，創の治癒を促進させる．

②筋，神経，血管などをできるだけ生理的に残し，義肢装着によりその残存機能を最大限に引き出す．

上肢切断者の作業療法において断端管理，義肢装着は社会復帰への重要な因子であり，対象者の切断端がどのように処理されているのかを知ることは作業療法を円滑に進めることにつながる．

(1) 神経の処理

神経切断後の合併症としておこる神経腫は時に痛みを伴い，義肢装着の阻害因子となる．神経腫の発生を防ぐために，神経を軽く遠位に引っ張り，周辺組織への癒着を防ぐ目的で結紮し，鋭利なメスで切断する方法が一般的に行われている．

(2) 骨の処理

骨は切断端のとがった部分を削り，骨膜で骨髄腔を閉鎖し，骨端部を覆う方法がとられる．

(3) 筋の処理

断端筋は，切断後そのまま筋膜縫合をしてしまうと関節運動に関与しなくなり，筋萎縮を引き起こす．筋萎縮に伴う局所の循環状態の低下と退行変性を防ぐには，切断前と同様の緊張を与え，より生理的な状態に保つ必要がある．断端筋の状態が保たれると筋力が保たれ，義肢装着・操作に有効であり，特に筋電義手使用には筋形成術が施され，筋収縮が十分にできる状態にあることが望ましい．筋の処理方法を図 3 に示す．

(4) 皮膚の処理

良好な断端では，皮膚の適度な可動性と緊張性が必要である．癒着をおこすと義肢装着の阻害因子となりうる．前腕長断端・手関節離断では切断創瘢痕を背側に，また，ソケットから圧力が直接かかる橈骨下端や上腕切断の上腕骨前下端には皮

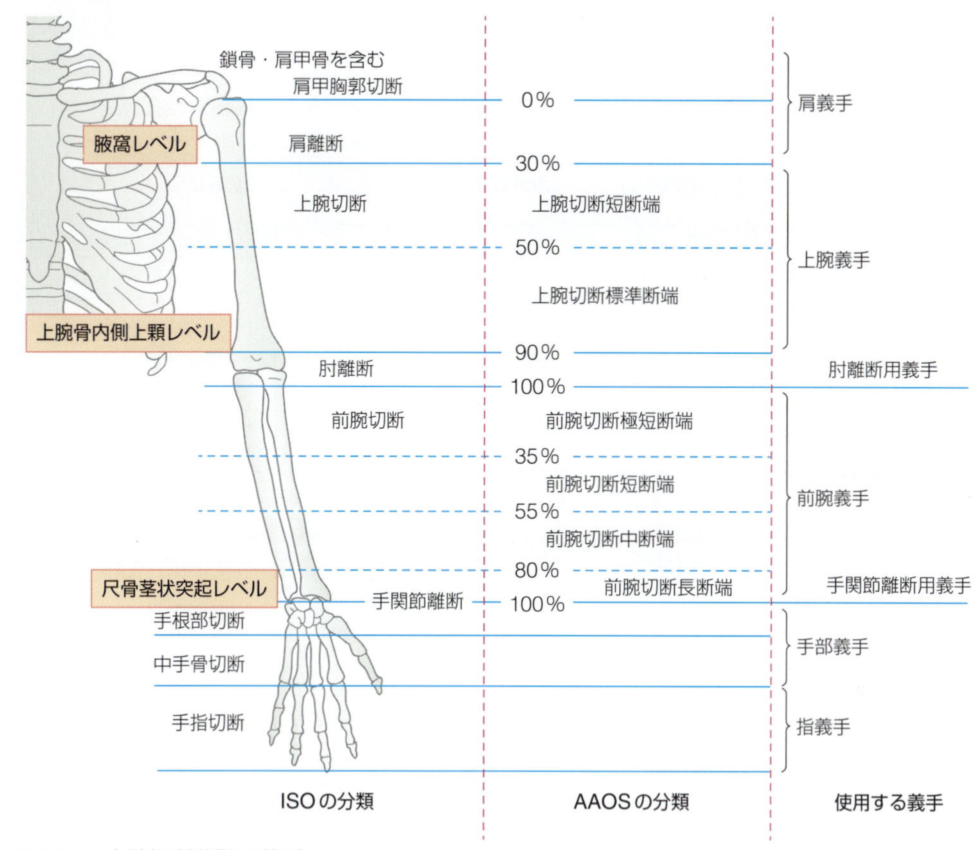

▶図 1　上肢切断分類と義手

膚瘢痕がないようにすることが望ましい.

b 合併症

(1) 幻肢・幻肢痛

切断した四肢がそこに残存しているような幻覚を感じることを幻肢(phantom limb)と呼び，その幻肢部分に疼痛があるものを幻肢痛(phantom pain)と呼んでいる.

幻肢は切断術後数日間に出現し，平均 6 か月～2 年持続するといわれているが，数十年持続する例もある．幻肢は下肢切断よりも上肢切断に強く認められる．形態は実物大から手指のみ，また，断端から連続しているものから遊離，埋没しているものなどさまざまである.

実物大の「手」が残存している場合，痛みを伴っていなければ義手装着に有効に使うことができる．痛みを伴う幻肢痛は神経腫や断端の癒着などと関連がある場合がある．痛みの性状はさまざまであり，強い場合は作業療法の阻害因子になる.

(2) 神経腫

神経腫は切断後に軸索や神経鞘細胞などの増殖により形成され，痛みなどの感覚刺激症状を伴い，義肢装着など作業療法の阻害因子となる.

B 義肢

1 義肢の分類

a 骨格構造義肢と殻構造義肢

義肢(義手，義足)の構造には，骨格構造と殻構造がある．骨格構造は内骨格構造とも呼ばれ，義肢の中心に金属パイプの軸と関節にあたる継手

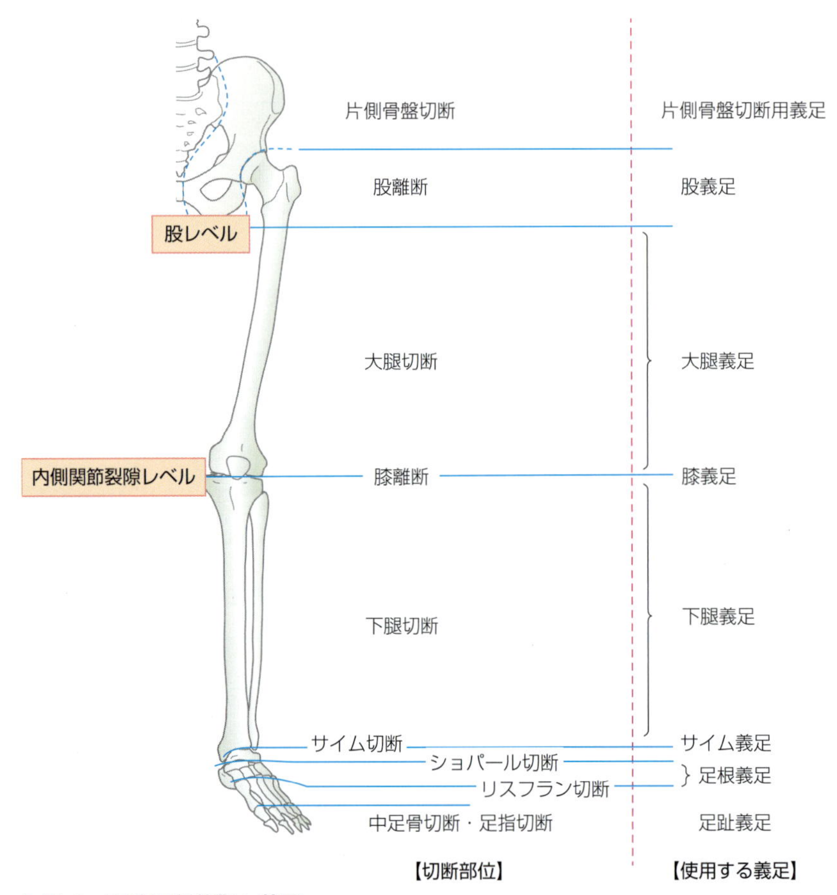

▶図 2　下肢切断分類と義足

が人体の骨格のようにあり，その上をウレタンフォームなどの柔らかい素材で手足の形態を形づくる構造になっている．殻構造は外骨格構造とも呼ばれ，甲殻類のように外側に固い支持部をもち，同時に形態も形づくる構造である(▶図 4)．

b 仮義肢と本義肢

義肢を装着する時期で分類したものである．四肢切断後，**断端**の状態が変化している時期に装着し，義肢操作訓練や歩行訓練に用いる義肢を仮義肢という．断端の変化に迅速に対応できるよう，ギプス包帯や熱可塑性プラスチックを利用した仮**ソケット**と必要な構成要素を組み合わせて利用する．

断端の状態が落ち着き(断端成熟)，切断者が社会復帰のゴールとして生活のなかで装着する義肢を本義肢という．

Keyword

断端　①切断後に残る肢端．②付着していた腫瘍の除去後に残る組織茎．四肢の切断の場合は①を指す．

ソケット　socket．断端を収納する中空または中凹の義肢部品．断端からの機動力を義肢に伝達する．義足では体重支持機能も兼ねる．

c 装飾用義手

装飾用義手は「外観の復元を第一義に考え，軽量化と見かけのよさをはかった義手の総称」(JIS T-0101)と定義されている．

切断により失われた上肢・手の形態を補うための義手であり，基本的に把持機能を有しないが，手指内に設置された針金やプラスチック製の関節

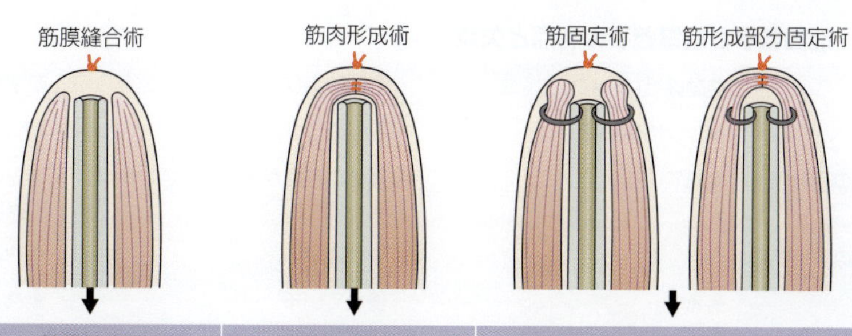

	筋膜縫合術	筋肉形成術	筋肉固定術
断端の性状・外観	不完全円錐形・骨端突出	円錐形	円錐形・ドーム状
断端の皮膚温	中等度・低下傾向強し	軽度低下	正常域維持
断端の性状	高度変性	軽度変性	一部に軽度変性
断端の臨床的所見	萎縮傾向大・骨突出	萎縮抑制	萎縮極微小
断端筋群の機能 筋電位の状態	筋萎縮傾向…大 筋電位減弱傾向…大	筋萎縮…抑制 筋電位減弱傾向…小	筋萎縮傾向…極微小 筋電位…ほぼ正常域維持

▶図 3　上肢切断術と断端機能と状態

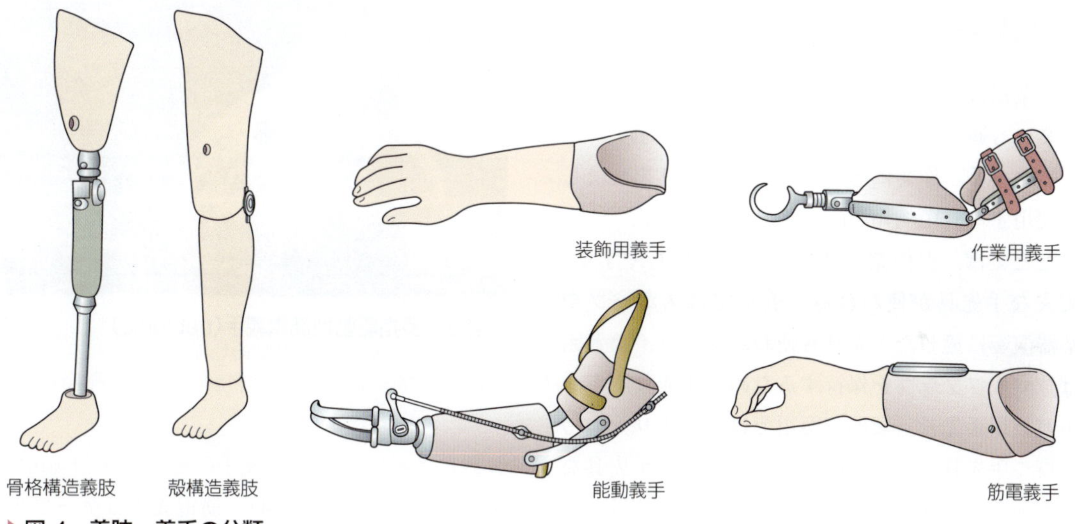

▶図 4　義肢・義手の分類

である程度，物を持たせたり，指の曲げ伸ばしができる(▶図 4).

d 能動義手

能動義手は「主として上肢帯および体幹の運動を義手制御のための力源に利用し，ケーブルを介して，専用の継手，**手先具**を操作する構造の義手」(JIS T-0101)と定義されている．

手先具から前腕，上腕部を通り体幹背部にケーブルを走行させ，そのケーブルを主に肩甲骨の外転運動により引くことで手先具，肘継手の屈伸を制御し，手の把持・保持機能を有した義手である(▶図 4).

Keyword

手先具　人の手部にあたる義手の部品の総称で，フック，ハンド，作業用手先具がある．

▶表 1　能動義手と筋電義手の利点と欠点

	能動義手(フック)	能動義手(ハンド)	筋電義手
外観	フックに違和感	「手」の形なのでよい	「手」の形なのでよい
手先具の巧緻性	優れている	指先に隙間があり，小さい物はつまみにくい	指先に隙間があり，小さい物はつまみにくい
手先具の開閉速度	速い	やや遅い	やや遅い
把持力	劣る	優れている	優れている
把持動作の使用感	手先具の開閉に肩甲帯や肩の動きを利用しているので不自然	手先具の開閉に肩甲帯や肩の動きを利用しているので不自然	筋収縮を利用しているので使用感が自然
把持可能な範囲	ハーネスでケーブルが引けなくなる身体背部，ケーブルが引かれて手先具が閉じられない足先などでは不可能	ハーネスでケーブルが引けなくなる身体背部，ケーブルが引かれて手先具が閉じられない足先などでは不可能	ハーネスがないので制限がない
重量	軽い	やや重い	電動ハンドとバッテリーで重い

〔陳　隆明：従来の能動義手, 筋電義手の利点と欠点. 陳　隆明(編)：筋電義手訓練マニュアル. p7, 全日本病院出版会, 2006 より一部改変〕

e 作業用義手

作業用義手は「農業，山林作業や工業関係の重作業にも適するように，機能を優先して頑丈につくった義手．作業に応じて専用の手先具を交換して使用する」(JIS T-0101)と定義されている．

たとえば，農作業で鎌や鍬などが持ちやすく，丈夫な手先具が使われる．近年ではスポーツや楽器演奏に適した手先具も使われている．たとえば，ゴルフクラブを保持するための手先具やボール競技用手先具，楽器演奏用ではバイオリンの弓を持つ手先具，ギターのピックが付いた手先具などがある．機能優先であるため，その外観はさまざまである(▶図 4)．

f 電動義手と筋電義手

電動義手は「義手の継手および手先具の操作力源に小型電動機を用い，断端の筋電位または機械装置によって操作する義手の総称」(JIS T-0101)と定義されている(▶図 4)．筋電義手はケーブルコントロール能動義手のようにケーブルで手先具などを操作していないため，頭上や身体の背面など，どの位置でも手先具の開閉が容易にできる．加えて把持力が 90 N と強く，作業活動での利便性が高い．能動義手と電動・筋電義手ではそれぞれに長所・短所があるので，実際に使用する上肢切断者のニーズと適用に留意することが大切である(▶表 1)[1]．

近年，多指駆動型筋電義手(▶図 5)が市販されるようになり，つまみや把持のパターンが多様化し，さまざまな対象物の把持が容易にできるよ

▶図 5　多指駆動型筋電義手(bebionic)
〔資料提供：オットーボックジャパン〕

Keyword
N　newton．国際単位系(SI)における力の単位(記号 N)．1 ニュートンは 1 kg の質量をもつ物体に 1 m/s^2 の加速度を生じさせる力と定義される．重力単位系(MKS)の重量キログラム(kgf)との関係では 1 kgf は 9.8 N であり，90 N は約 9.2 kgf となる．

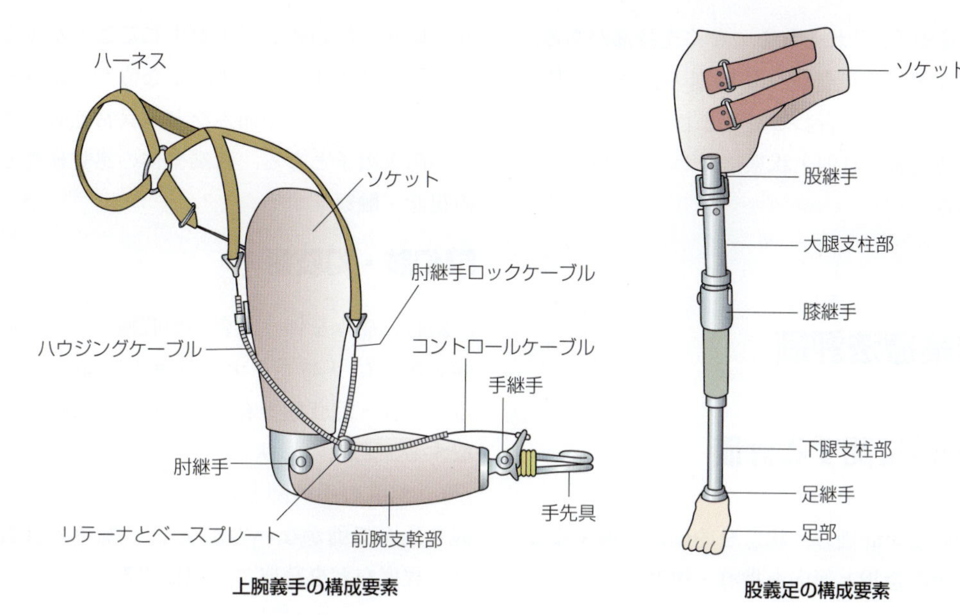

▶図 6　義手・義足の構成要素

うになり利便性が向上している．また，多指駆動型筋電義手の開発に伴い，制御も 2 電極から多電極になり，単一の筋出力から複数の筋出力のパターン認識による制御が可能となってきている．さらに，海外では電極の筋内への移植や筋電義手制御のため末梢神経をターゲットの筋に移植する targeted muscle reinnervation（TMR），骨直結義肢，触覚や温度覚などの知覚フィードバックの研究も行われている．

2 切断部位と義肢の構成要素

a 上肢切断と義手の構成要素（▶図 6）

義肢を形づくっている部品のことを構成要素という．義手の構成要素は義手を断端に装着するためのソケット，肩関節の役割をする肩継手，肘関節の役割をする肘継手，手関節の役割と，前腕幹部と手先具を連結する役割をもつ手継手，手の役割をする手先具，義手が落ちないように身体に固定し，能動義手の**ケーブル**を制御するための**ハーネス**，バンド類，能動義手の場合は**コントロールケーブル**，筋電義手は筋電位を採取する電極，電動ハンドを動かすためのバッテリーがある．

各構成要素は切断部位，切断端の長さ，状態，手の使用目的，ニーズに合わせてさまざまな種類があるので，使用者の目的・状態に合わせて選択する必要がある．

b 下肢切断と義足の構成要素（▶図 6）

義足の構成要素は義足を断端に装着するためのソケット，股関節の役割をする股継手，膝関節の役割をする膝継手，足関節と足の役割をする足部

Keyword

ケーブル，コントロールケーブル　cable，control cable．能動義手において，ハーネスで受けた上肢帯や体幹の運動を手先具や肘継手に伝達する装置．ケーブルはケーブルハウジングの中を通って作動し，ケーブルハウジングは関節をまたいだ 2 点に支持された走行路に設置される．複式コントロールケーブル，単式コントロールケーブルがある．

ハーネス　harness．ハーネスは義手を吊り下げて支えて（懸垂支持）断端に固定し，上肢帯や体幹の運動を義手のケーブルへ伝達するために肩や胸郭に装着する部品．8 字ハーネス，9 字ハーネス，胸郭バンド式ハーネス，リュックサックハーネスなどがある．

をつなぐ足継手，それぞれをつなぐ支持部がある．

各構成要素は切断部位，切断端の長さ，状態，使用目的，ニーズに合わせてさまざまな種類があるので，使用者の目的・状態に合わせて選択する必要がある．

C 作業療法評価

1 切断端に関する評価

上肢切断端を評価し，状態を的確に把握することは，義手の選択と適応を指導・援助するために重要な項目である．

a 形態計測

切断側では断端までの上肢長を計測する．義手を製作するときの構成要素の選択，ソケット形状の選択を決める要素になる．また，片側切断では義手の長さを決めるために残存肢の断端長を計測する．装飾用義手製作時は左右上肢の長さをそろえるために中指先端まで，能動義手を製作するときは「摘まむ・把持」動作を考慮し，母指先端までの長さをはかる．両側切断の場合は，カーライル(Carlyle)インデックスの計算式を用いて上腕長と前腕長を決定する．

上腕長 $= 0.19 \times$ 切断者の身長

前腕長 $= 0.21 \times$ 切断者の身長

b 断端周径

切断端は切断術直後は腫脹や断端浮腫の状態にあるが，変化を計測し，断端成熟の時期を評価することは本義手作製時期を知るために重要である．

c 感覚と皮膚の状態

末梢神経の切断や受傷時の皮膚損傷や欠損により，切断部位の感覚障害が生じることが少なくない．評価は表在感覚が中心となるが，鈍麻や脱失に加えて，しびれや痛みなどの異常感覚は義手装着の阻害因子となる．断端全体の感覚検査と皮膚の視診・触察をする．

d 幻肢・幻肢痛

幻肢に痛みを伴う場合が幻肢痛であり，痛みが強い場合はリハビリテーションの阻害因子となる．幻肢・幻肢痛の有無は面接などで本人から聴取する．幻肢の形状(手の形がすべてか一部なのか)，幻肢の手の随意性(思いどおりに動くのか，握り込んで動かないのかなど)，痛みの性質や頻度，程度などを聴取し，記録する．

2 その他の身体機能

a 関節可動域

切断側上肢については残存している関節すべてを測定し，制限がある場合は原因を明確にしておく．特に肩甲骨外転・内転は能動義手使用時に力源となるので十分な ROM が保たれていることが望ましい．

健側上肢および体幹・下肢の ROM もスクリーニング的に把握をしておく．義手を使用しない ADL 活動では上肢の欠損や長さを補うために体幹前屈や回旋が必要となる．さらに，両上肢切断などでは上肢の代わりに下肢を使う場面も多くなるため，下肢の ROM 制限は ADL 動作の阻害因子となる．

b 筋力

切断側上肢については残存している関節運動にかかわる筋を検査する．切断に至る外傷による筋や末梢神経の損傷，切断により上肢重量の減少や関節運動がなくなることなどが要因となる廃用性筋力低下や麻痺の有無の確認をする．

健側上肢および体幹・下肢の筋力もスクリーニング的に把握をしておく．筋力低下は ADL 動作や義手使用に影響を及ぼす．

c 健側手の巧緻性

片側上肢切断の場合，残存している上肢が利き手，非利き手にかかわらず実用手となる．特に非利き手が健側手の場合は利き手交換が必要となるため巧緻性の確認をする．STEF などを用いて評価する．

d 姿勢

片側上肢切断の場合，切断直後から体重心の偏りが生じるといわれている[2]．その偏りを補正するために前額面において体幹を切断側に側屈させる，または切断側に水平移動させるという姿勢の変化がみられる．また，上肢重量の減少は肩甲帯周囲筋の筋力の均衡を崩し，肩甲骨の挙上を引き起こす．さらに，歩行時などには切断側中殿筋の活動上昇や体幹が側屈すると報告されている．

このような姿勢のわずかな歪みでも，受傷後の年数が長くなると腰痛などの二次的障害を生じる可能性があるため，早期から姿勢の観察をし，評価することは重要である．

3 日常生活活動

a 義手を使用しない日常生活活動

ADL 動作のなかで義手を使用しない動作(洗面，入浴など)や義手のない状況を想定して，義手なしでの評価を行う．

片側切断の場合は断端や体幹・下肢の使い方も含めて評価する．両側切断の場合は前腕切断であれば断端の利用価値も高いため，断端利用で可能な動作を確認する．両側とも上腕以上の切断の場合は下肢の使用がポイントになるが，自助具使用の有効性を視点に評価する．

不可能な動作については，義手使用で可能になるのか，また，可能な動作でも義手使用でより効率的になるのかを考慮し，動作分析を十分に行う．

b 義手を使用しての日常生活活動

義手を使用しない ADL の評価から，義手使用で可能または効率的になると考えられる動作の評価を行う．片側切断では片手動作で可能だった動作が，義手を使用し両手動作になることで効率的になることが多い．両側切断の場合，義手を使用することで可能になる動作と義手を使用しても困難な動作を確認し，自助具や福祉用具利用の可能性を探り，ADL 動作が向上するかを評価する．

4 義手チェックアウトと適合

義手のチェックアウトは能動義手の適合と肘継手，手先具の制御が適切であるかをチェックするものである．上腕義手と前腕義手のチェックアウト項目と評価は，図 7，8[3] の表のとおりである．

能動義手以外の義手においても，ソケットと断端の適合を評価する．義手装着時に断端に痛み，発赤，不快感などがないか，断端を観察する．

5 精神心理面

義手という“道具”を使うためには使用方法やメンテナンスを理解し，実行できることが求められる．特に筋電義手のように精密機械を取り扱うためには，水や砂など使用に適さない環境を理解できることが望ましい．知的低下や高次脳機能障害，精神機能障害などで注意力や判断力が低下していないかの評価が必要な場合がある．

また，上肢切断による上肢の損失は心理的にも影響が大きい．障害受容など心理的にどのような状態にあるのかを把握しておくことも重要である．

6 社会復帰に向けての評価

上肢切断の原因では労働災害によるものが多く，経済的役割を担う立場の切断者が多い．すな

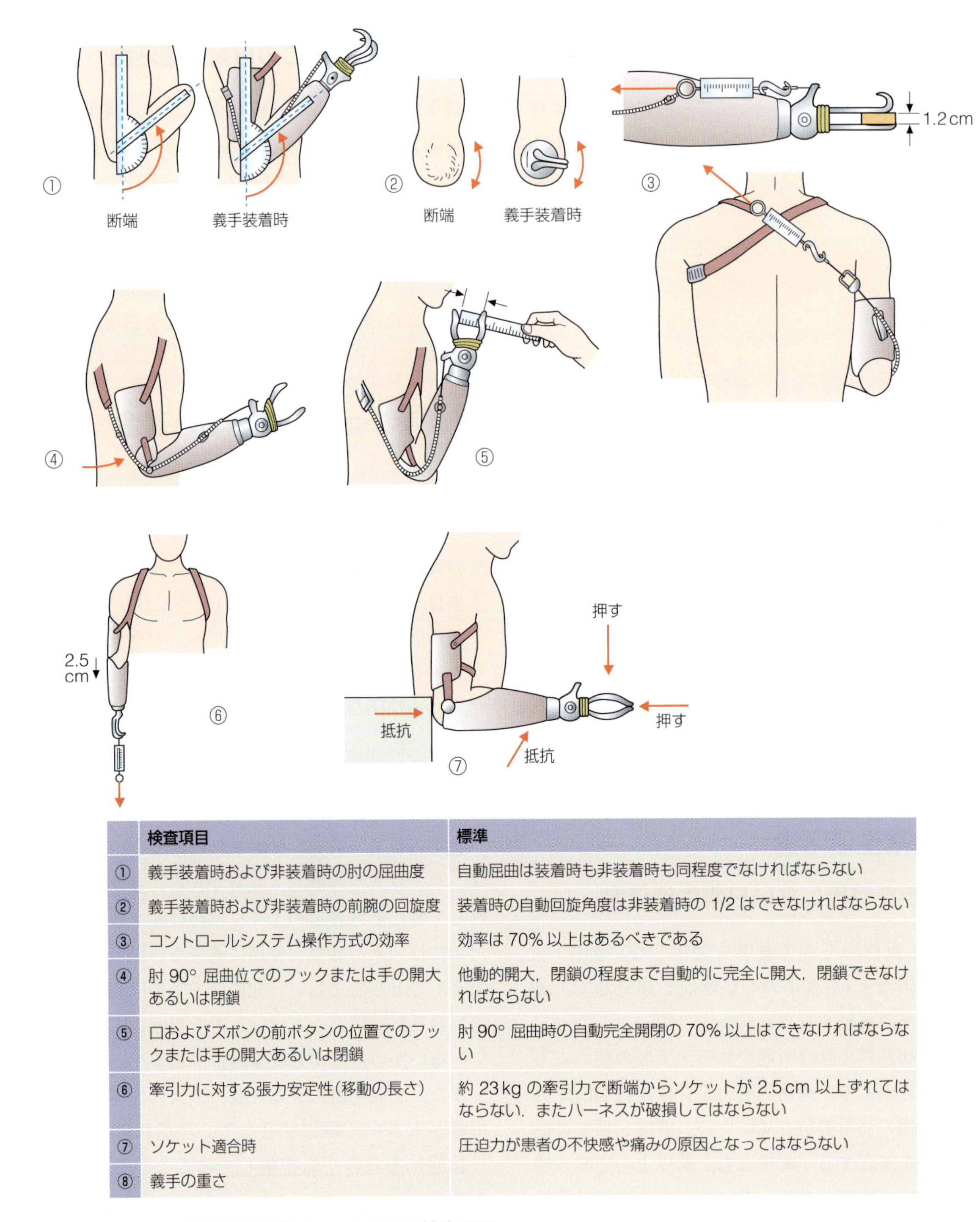

	検査項目	標準
①	義手装着時および非装着時の肘の屈曲度	自動屈曲は装着時も非装着時も同程度でなければならない
②	義手装着時および非装着時の前腕の回旋度	装着時の自動回旋角度は非装着時の 1/2 はできなければならない
③	コントロールシステム操作方式の効率	効率は 70% 以上はあるべきである
④	肘 90° 屈曲位でのフックまたは手の開大あるいは閉鎖	他動的開大，閉鎖の程度まで自動的に完全に開大，閉鎖できなければならない
⑤	口およびズボンの前ボタンの位置でのフックまたは手の開大あるいは閉鎖	肘 90° 屈曲時の自動完全開閉の 70% 以上はできなければならない
⑥	牽引力に対する張力安定性（移動の長さ）	約 23 kg の牽引力で断端からソケットが 2.5 cm 以上ずれてはならない．またハーネスが破損してはならない
⑦	ソケット適合時	圧迫力が患者の不快感や痛みの原因となってはならない
⑧	義手の重さ	

▶**図 7　前腕能動義手チェックアウト検査項目**

〔澤村誠志：切断と義肢．第 2 版，p152，医歯薬出版，2016 より一部改変〕

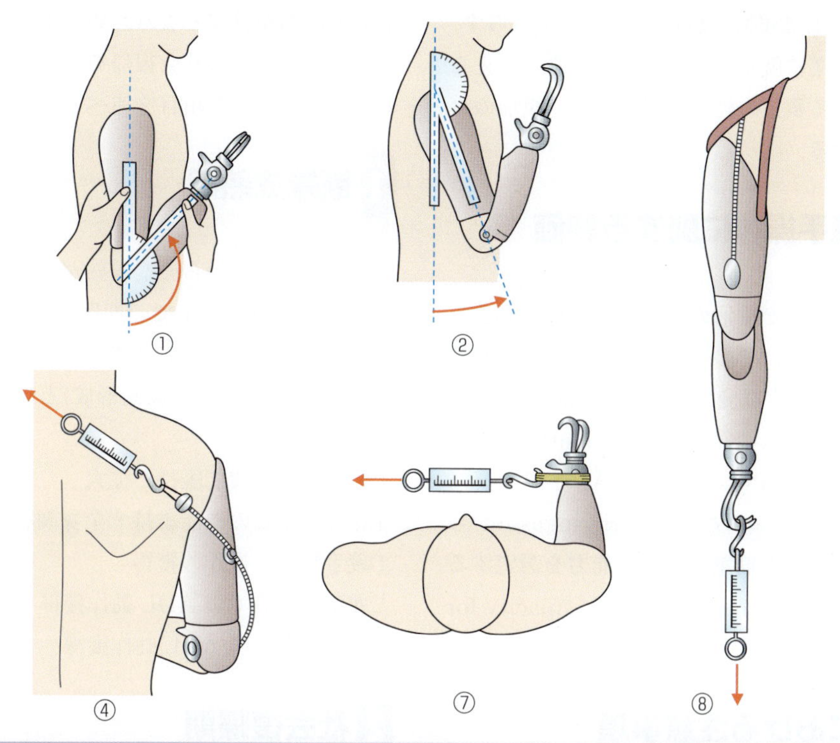

	検査項目	標準
	義手装着時および非装着時の肩関節の可動範囲	屈曲 90° 伸展 30° 外転 90° 回旋 45°
	義手の他動的肘屈曲範囲	義手の肘屈曲 135°
①	義手装着時の能動屈曲範囲	肘完全屈曲 135°
②	肘完全屈曲に要する肩の屈曲角	肩の屈曲角は 45° を超えてはならない
③	肘を(90° から)屈曲するのに必要な力	4.5 kg を超えてはならない
④	コントロールシステム操作方式の効率	効率は少なくとも 50% 以上であるべきである
⑤	肘 90° 屈曲位でのフックまたは手の開大あるいは閉鎖	他動的開大，閉鎖の程度まで自動的に完全開大あるいは閉鎖できなければならない
⑥	口およびズボンの前ボタンの位置でのフックの開大と閉鎖	末端手部装置の開大あるいは閉鎖は最小限度 50% はできなくてはならない
⑦	トルクに対するソケットの安定性	肘軸より約 30 cm の先端部で内外側ともに約 1 kg の引っ張りに抵抗できなければならない
⑧	牽引力に対する張力安定性	約 23 kg の牽引力に対して断端からソケットが 2.5 cm 以上ずれてはならない．また破損してはならない
⑨	ソケット適合	圧迫力が患者に不快感や，痛みの原因となってはならない
⑩	義手の重さ	

▶図 8 上腕能動義手チェックアウト検査項目
〔澤村誠志：切断と義肢．第 2 版，p190，医歯薬出版，2016 より一部改変〕

わち，社会復帰は現職，職場転換にかかわらず，なんらかの職業に就くことが目標となると考えられる．希望する職業の動作分析を行い，復帰の可能性を評価する．

7 筋電義手操作に関する評価

筋電義手使用者が生活のなかでどの程度義手を使用できているか，そのパフォーマンスを客観的に評価する評価法が開発されている．2002 年にサウスハンプトン大学で開発された Southampton Hand Assessment Procedure(SHAP)，スウェーデンの作業療法士ハーマンソン(Hermansson)らによって開発された筋電義手操作能力を測定するために標準化された Assessment of Capacity for Myoelectric Control(ACMC)などがある．

8 評価における注意事項

前述したように，切断による四肢の損失感や外見の変化は心理的負担が大きいことが推測される．特に初期評価時には心理面に留意することが重要である．対象者の身体機能に加え，ニーズだけではなく，希望を十分に把握することが義肢装着の支援を円滑に進めることにつながる．以下の項目に加えて，Aid for Decision-making in Occupation Choice(ADOC)やカナダ作業遂行測定(COPM)などを用いて本人の望むライフスタイルを明確にしておくことを忘れてはならない．

①疼痛の有無(有痛性の神経腫・幻肢痛など)
②瘢痕・癒着の有無
③義肢装着・操作に必要な ROM と筋力
④義手装着に適した断端の成熟
⑤社会復帰後のライフスタイル

D 作業療法の目標

上肢切断者の作業療法過程は断端成熟度合と義肢装着時期が目安となるため，本項では，断端成熟と義肢装着後の社会復帰を目指す時期でそれぞれの目標とすべき項目を述べる．

1 断端成熟期

上肢切断術後から断端成熟が完成し，本人用の本義肢を作製するまでの期間を断端成熟期とし，その目標は以下のとおりである．

①切断端の成熟促進(断端形成)と切断側上肢の機能維持・拡大
②健側上肢の機能維持と拡大
③体幹・下肢の機能維持・全身調整
④義手装着・操作の獲得
⑤義手非装着での ADL 動作獲得
⑥義手装着での ADL 動作獲得

2 社会復帰期

断端が成熟し，本義肢が作製され，具体的な社会復帰の進路が確定される時期を社会復帰期とし，その目標は以下のとおりである．

①社会復帰の具体的な目標の設定
②対象者のニーズに合わせた義手の選択
③ IADL(自動車運転，公共交通機関の利用，買い物など)の獲得

E 作業療法プログラム

1 断端成熟期のプログラム

a 切断端の成熟促進(断端形成)とケア

切断後の浮腫の除去・予防，過度な脂肪除去，さらに，義手装着に適した円錐形の安定した断端をつくるために**弾性包帯**を巻き，断端周径が落ち着くまで毎日，周径を計測し記録する．また，感覚障害，非適切な断端包帯の巻き方，合わない

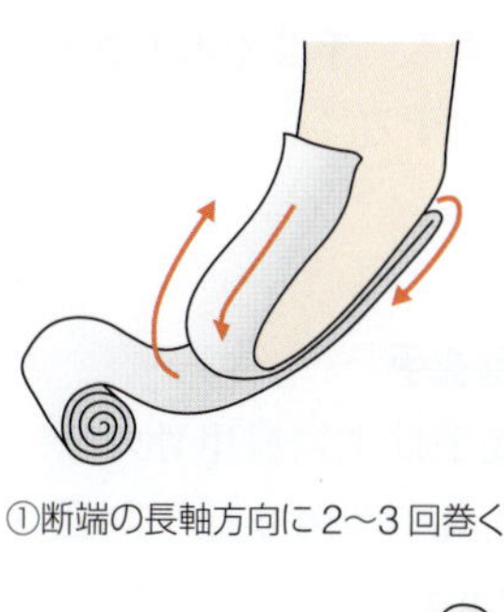

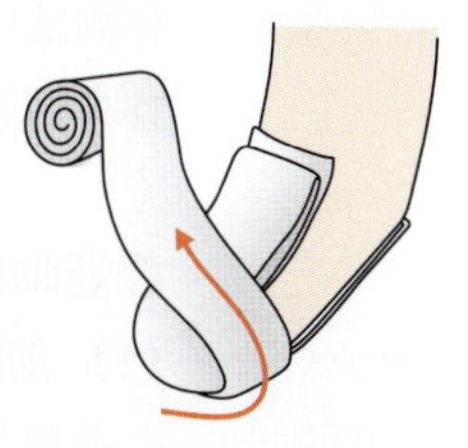

③包帯がしわにならない
ように重ねて巻く

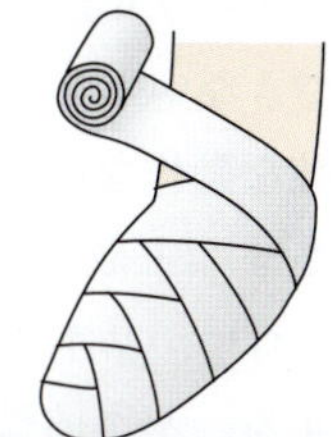

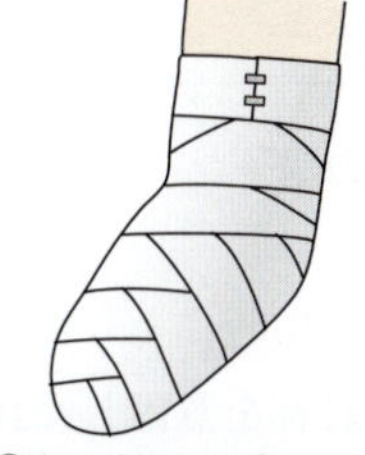

▶図9 断端包帯の巻き方
前腕切断では幅7.5 cm，上腕切断では幅10 cmの弾性包帯を用いる．①断端の長軸方向に沿って2～3回巻く．このとき，先端部分が上下左右に偏らないように留意する．②長軸方向に巻いたのち，末梢から中枢側に向かって斜めに巻き上げる．③～⑤巻き上げるときは末梢部は循環障害をおこさない程度に圧を加え，中枢に向かうほど圧を弱めて巻く．また，包帯のしわをなるべくつくらないように留意する．

義手ソケットなどで断端に傷ができていないか観察をする．断端包帯の巻き方とポイントは，図9のとおりである．

また，巻いたあとは10分後に圧のチェックと不快感がないか聴取する．弾性包帯は1日に数回巻き直し，圧は適切か，発赤や傷はないかなど，断端の状態をチェックする．

b 切断側上肢の機能維持・拡大

上肢が切断されると，切断側上肢は使用頻度が低下し，使用されなければ筋力は低下する．特に肩甲帯や肩関節周囲は上肢重量が減少したことにより筋力のアンバランスが生じ，肩甲骨挙上などを含めてROM制限も生じる可能性がある．残存している上肢帯の筋力低下やROM制限は義手装着・操作の阻害因子となりうるので，維持・拡大に努めなければならない．

実際の訓練では，作業療法士が徒手的に行う，訓練機器の利用，そして作業活動の利用が考えられる．

c 健側上肢の機能維持

片側上肢切断の場合，残存している上肢が実用手となるため，筋力，ROM，手指巧緻性に問題があれば改善をする．また，残存上肢が非利き手の場合は，早期からの利き手交換訓練が必要となる．

d 体幹・下肢の機能維持・拡大

片側の上腕以上レベルでの切断や両側上肢切断の場合，ADLにおいて下肢の使用が多くなる．下肢で物を押さえるなどの動作を行うためには体幹・下肢の柔軟性を要する．これらの動作をスムースに行うためには体幹・下肢の十分な筋力とROMが必要となるため，機能維持・拡大に努めなければならない．

Keyword
弾性包帯 elastic bandage．伸縮性のある包帯．弾力包帯とも呼ばれる．巻きやすく，ずれないという特徴をもつ．浮腫や腫脹を圧迫して抑制するために局所的に用いる．

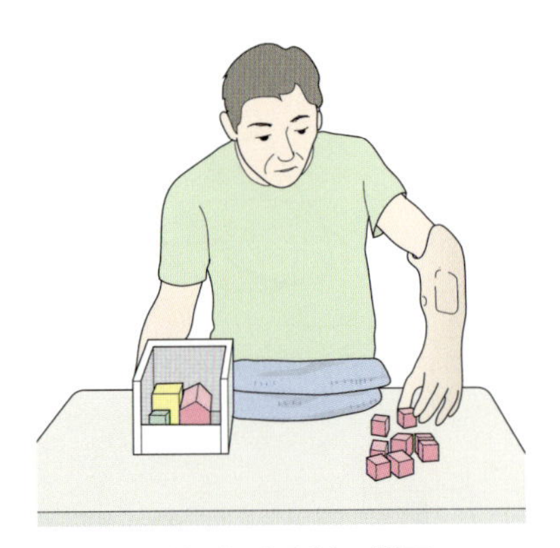

▶図 10　義手操作訓練の様子

また，片側上肢切断の場合，切断により体幹の偏りが懸念されるため，左右対称を意識した体幹の回旋や側屈などを取り入れた体操を行う．さらに，歩行時の手の振りや骨盤の回旋も左右対称を意識して行うよう指導する．

e 義手操作訓練

義手操作訓練は断端形成が進むなか，仮ソケットを利用した仮義手を用いて積極的に行うべきである．切断術後 0〜90 日の間を "golden window"[4] と呼び，この期間に義手を装着すると定着率が高くなる．また，能動義手，筋電義手，手先具ではハンド型，フック型など，なるべく多くの義手を体験できるよう義肢装具士と協力して準備することが望ましい．本項では，能動義手と筋電義手に分けて述べる．

使用方法については，義手の種類にかかわらず，基本的操作訓練として対象物の「把持・保持・離す」から始まる．対象物は適当な大きさの物からより大きい物，より小さい物へ，硬い物から柔らかい物へ(たとえば，積み木などのブロックからスポンジ，紙コップ)，適度な厚みの物から薄い，平たい物(たとえば，ブロックからコイン，紙)へと段階づけをしていく．また，把持して離す訓練では対象物の場所や移動する場所を机上の左右前後の 2 次元的空間から，机上の台の上や床から机上など 3 次元的空間への段階づけを行う(▶図 10)．

基本的な把持・離すが習得されたら，応用的操作訓練に移行する．手芸や木工など，さまざまな作業活動を応用する．

■能動義手

(1) 前腕能動義手

前腕能動義手は主に肩甲骨外転，肩関節屈曲によって手先具の開閉を行う(▶図 11)．コントロールケーブルがゆるんでしまう身体背面では開閉ができない．しかし，手先具開閉の動作は比較的単純な動作なので習得が容易で実用性も高い．さまざまな上肢の肢位で開閉できるように動作訓練を行い，基本的操作訓練，応用的操作訓練に移行する．基本的操作訓練が終了する時期から，ADL のなかで実際に使用する訓練を並行して行うと効率的である．

(2) 上腕能動義手

上腕能動義手は手先具の開閉と肘継手の屈伸操作を肩甲骨外転と肩関節屈曲で行い，肘継手のロック・ロック解除を肩関節伸展・外転の動きで制御する(▶図 11)．

はじめは肘継手 90° 屈曲位で手先具の開閉を練習し，慣れてきたらさまざまな肘継手の角度で開閉を行う．次に，肘継手の操作を練習する．肘継手のロック操作と屈伸操作は肩甲骨と肩関節の動きを組み合わせることでスムースに行うことができるが，習得には練習が必要である．はじめは作業療法士が義手を持ち，切断者に身体の動かし方を徒手的に指導するとよい(▶図 11)．

■筋電義手

(1) 筋電義手適応

筋電義手の適否を考える際は筋電位の採取が可能か否か，筋電義手を扱えるか否かの判断が必要となる．筋電義手のセンサーは皮膚表面から筋電位を採取する．ターゲットとする筋の表面を覆う皮膚に瘢痕や肥厚している部分があると筋電位の採取が困難になるため，皮膚の状態を触診や視診で確認する．次に，筋電位採取は視覚的バイオフィードバックを利用した専用機器にて行う

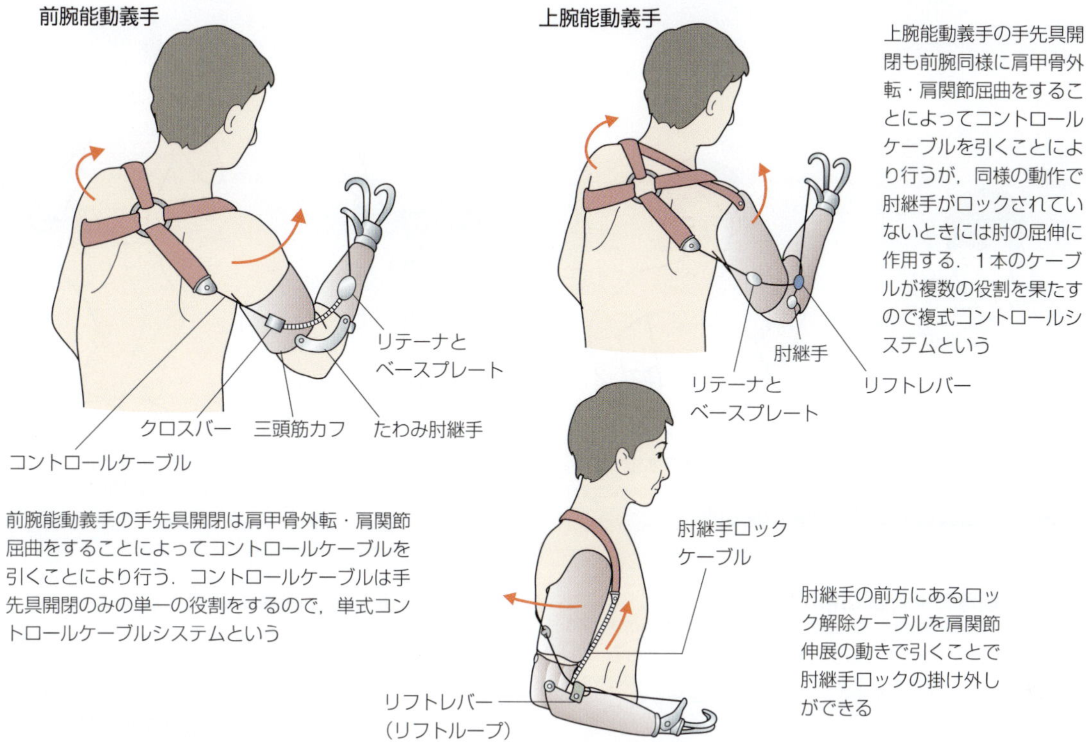

▶図 11　能動義手のコントロール

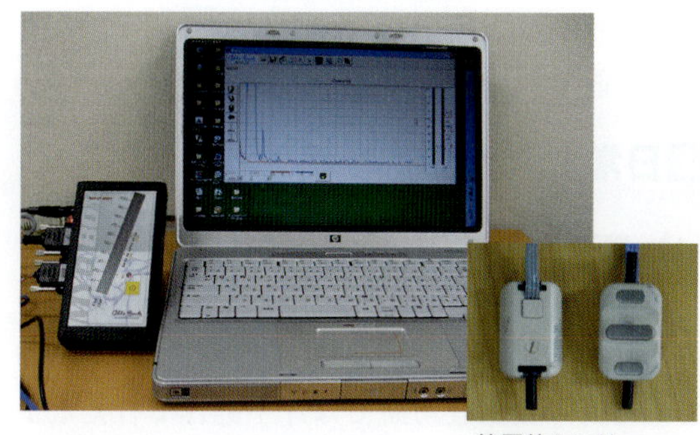

▶図 12　筋電義手訓練用機器
写真は筋電義手評価・訓練専用機器 MYO BOY(オットーボック社製).

(▶図 12)．十分な強さの筋電位が採取できる筋が確認できたら，その筋が筋電義手制御に適した収縮と弛緩を随意的にできるかを確認する．

筋電義手の取り扱いとしては，筋収縮と制御の関係が理解でき，精密機械としてのメンテナンス(バッテリーの充電，水や砂など禁忌となる使用環境の理解と清掃など)を理解し実行できる知的能力，精神的状態にあることを確認する．使用者本人が困難な場合(精神的疾患の合併者，小児など)は，取り扱える介助者や保護者の有無を確認することも必要である．

(2) 筋電位収縮訓練

筋電義手を制御するためには，一定の筋電位出力を伴った随意的な筋収縮と弛緩が必要である．基本的な筋電義手制御システムでは，手先具の開閉それぞれに1つずつ筋電位を利用する．切断部位別に利用する筋を**表 2**[5] に示す．わが国で一般的に使用されている前腕切断に対する前腕筋電義手を例にとって説明をする．

前腕筋電義手では手先具(ハンド)を開くには手関節背屈筋，閉じるには掌屈筋を利用する．視覚的バイオフィードバックを利用した訓練機器を用いて筋電位出力の練習を行う．筋収縮時のイメージは手指伸展位で手関節背屈と掌屈を行う．幻肢が残存している場合は利用すると効率的である．

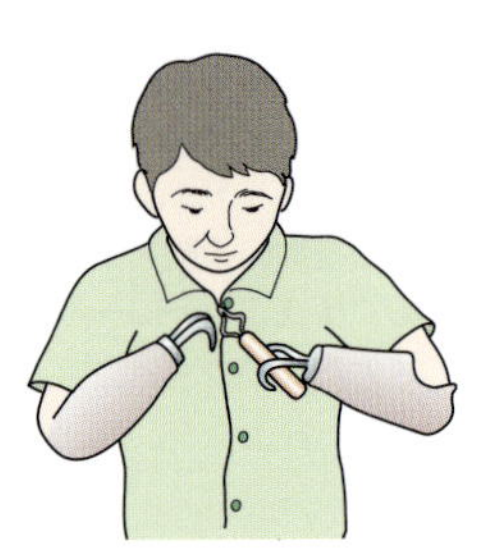

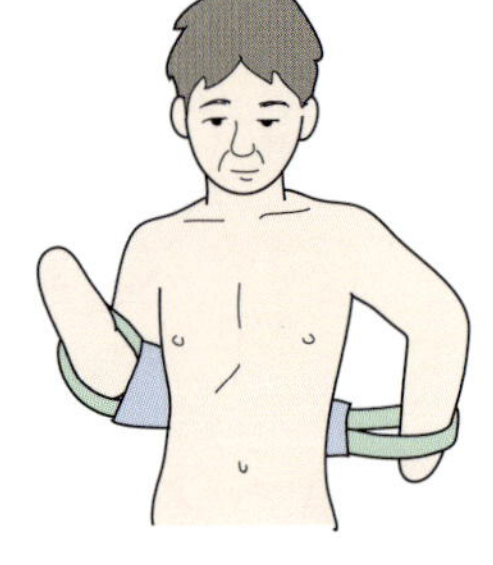

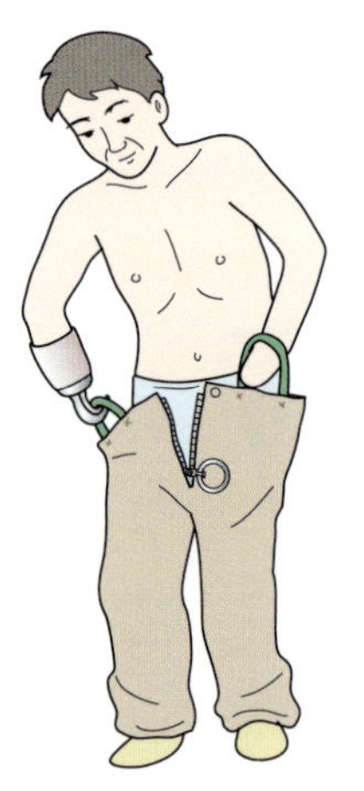

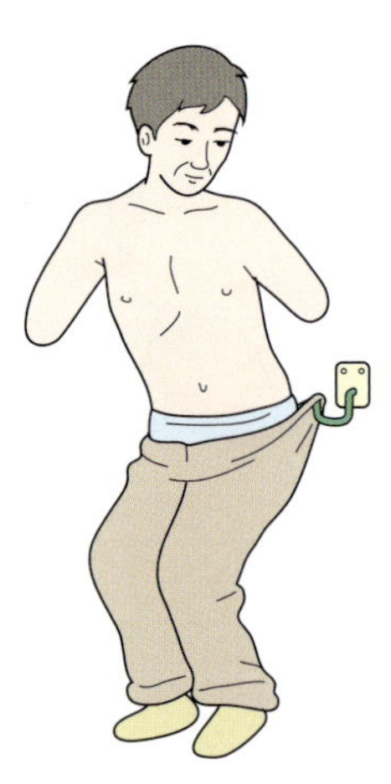

▶図 13　上肢切断者の自助具の使用例

▶表 2　筋電義手制御に用いる筋

分離した筋収縮が随意的に可能な筋であれば，基本的にどの筋を用いても制御は可能であり，大胸筋なども使用される．

切断レベル	ハンドを開く・回外する	ハンドを閉じる・回内する
前腕切断	手関節背屈筋群	手関節掌屈筋群
上腕切断	上腕三頭筋	上腕二頭筋
肩離断	三角筋前部線維	上腕三頭筋後部線維

〔森田千晶：上肢切断. 伊藤利之(監)：ADL とその周辺. 第 3 版, pp166–182, 医学書院, 2016 より一部改変〕

幻肢が残存していない場合でも，パソコンの画面上で波形やグラフィックを確認しながら行うことができる．

訓練開始初期は筋収縮の強さをコントロールできずに常に強い収縮を持続させがちで筋疲労をまねきやすい．筋疲労は 2 つの筋の分離した収縮を妨げ，同時収縮による誤動作を引き起こす可能性があるため，対象者の疲労に留意しながら訓練を行う．

(3)　装着訓練

モーターやバッテリーのある筋電義手は能動義手や装飾用義手に比べて重量がある．そのため，切断上肢の残存筋筋力が低下していると装着時の重さが負担になったり，筋の同時収縮を誘発し，筋電義手の制御に影響が出る．筋力低下が認められる場合は筋力増強訓練が必要となる．

操作訓練の流れは能動義手と同様に基本的訓練から応用訓練・ADL 訓練が行われる．筋電義手はコントロールケーブルで手先具を制御しないので，身体の背面，頭上，足元など，さまざまな場所で手先具の開閉が可能である．また握力も強いため，瓶のふたを開けるなど力のいる両手動作も実用可能である．

f 日常生活活動

(1)　義手を使用しない日常生活活動

義手を使用しない ADL 動作には 2 つの要素がある．1 つは，入浴など義手を使用できない動作であり，片側上肢切断では片手動作で行えるように自助具(▶図 13)の使用も含めて訓練を行う．もう 1 つは，義手がなんらかの理由で使用できない状況のときには健側上肢や断端を利用しての ADL となるため，義手のない状況でも必要な動作訓練をしておくことは重要である．

(2)　義手を使用しての日常生活活動

片側上肢切断の場合，多くの ADL 動作が片手で可能ではあるが，缶を持ってプルトップを開ける，袋を両手で持って開ける，冷蔵庫の扉を片手で開け，もう一方の手で物を取り，扉を閉めるなど，両手で行う動作は義手を使ったほうがより効率的に行え，ADL の質を高める．場面に合った義手の使い方(手先具の向きなど)を指導する．

(3) 両側上肢切断の日常生活活動

両側前腕切断の場合は断端と義手の利用で多くの ADL の自立が期待できる．困難な動作は自助具の活用を考える．両側上腕の切断では，断端の利用は実用性に乏しく，実用的な義手の利用範囲も机上での動作などに制限される．自助具や福祉用具の活用が ADL 動作の自立度を上げるが(▶図 13)，介助を要する場面もある．

g 疼痛に対するアプローチ

(1) 断端痛

神経断端や神経腫により疼痛がひどい場合は神経腫切除などの手術適応になるが，多くの場合は投薬や物理療法で疼痛の軽減をはかる．

(2) 幻肢痛

物理療法として超音波療法，低周波療法，マッサージなどが行われ，中枢性鎮痛薬の投与も効果的である．作業療法場面でも開始時にホットパックなどを利用することもある．幻肢痛は不安など心理的要因で誘発されることも多いため，心理的安定を考慮したアプローチが望ましい．切断端の疼痛には全周的圧迫が効果的といわれており，断端包帯を適切に巻くことで軽減されることもある．

2 社会復帰期のプログラム

断端形成がなされ，本義手を選定し社会復帰を目指す段階である．切断者のニーズに合わせた義手の選定と社会復帰に必要な訓練を行う．

a 義手の選択

切断者の仕事内容や作業場面に合わせて義手や手先具の種類を選択する．たとえば，工場などでの機械操作ではフック型手先具と能動義手，営業など人前に出ることが多ければハンド型手先具の筋電義手など，適切な義手選択を支援することが重要である．

b その他

通勤や通学のための公共交通機関の利用や車の運転など，社会生活を送るうえで必要な作業活動の支援を行う．下肢に障害がないので，公共交通機関の利用に関して問題はない．

車の運転に関しては，片側上肢切断では片手でも運転できるよう自動車の改造が必要になる．ハンドル回旋装置の設置が免許の条件となり，ウインカーや各種スイッチ類も必要に応じて改造を行う．両側前腕切断では義手使用で運転が可能だが，両側上腕切断ではハンドル操作とアクセルブレーキ操作を足で行う装置を設置した自動車がある．自動車の改造などについては自動車メーカーや障害者用自動車の改造を専門に行っている業者に問い合わせるとよい．

3 注意事項

上肢切断は運動器の単純な障害ととらえられやすいが，多肢切断では自殺企図の後遺症の可能性もあり，基礎疾患に精神疾患をもっている場合も少なくない．また，精神疾患がなくても，切断で上肢を失うということはショックが大きく，心理的に不安定になっていることも少なくない．作業療法の場面では上肢切断の身体的側面だけではなく，精神面にも十分留意し，心理的サポートを心がけることが重要である．

●引用文献

1) 陳 隆明：従来の能動義手，筋電義手の利点と欠点．陳 隆明(編)：筋電義手訓練マニュアル．p7，全日本病院出版会，2006
2) Greitemann B, et al: Asymmetrie der Haltung und der Rumpfmuskulatur nach einseitiger Armamputation-eine klinische, elektromyographische, haltungsanalytische und rasterphotogrammetrische Untersuchung. *Z. Orthop* 134:498–510, 1996
3) 澤村誠志：切断と義肢．第 2 版，医歯薬出版，2016
4) Meier RH, et al (eds): Functional Restoration of Adults and Children with Upper Extremity Am-

putation. p128, Demos Medical Publishing, New York, 2004
5) 森田千晶：上肢切断. 伊藤利之(監)：ADL とその周辺. 第 3 版, pp166–182, 医学書院, 2016

●参考文献

6) ADOC URL: http://adocproject.com/about-adoc
7) Myo Plus URL: https://www.ottobock-export.com/en/prosthetics/upper-limb/solution-overview/myo-plus-mustererkennung/
8) SHAP URL: http://www.shap.ecs.soton.ac.uk
9) TMR URL: https://www.hopkinsmedicine.org/plastic_reconstructive_surgery/services-appts/tmr.html
10) 骨直結義肢 URL: https://www.osseointegration.org/
11) 吉川ひろみ：好きこそものの上手なれ—幸せを感じる作業を見つける COPM. 作業療法がわかる COPM・AMPS スターティングガイド. pp1–26, 医学書院, 2008
12) Lindner HY, et al: Assessment of capacity for myoelectric control: evaluation of construct and rating scale. *J Rehabil Med* 41:467–474, 2009
13) 陳　隆明, 他：筋電義手. 川村次郎, 他(編)：義肢装具学. 第 4 版, pp106–115, 医学書院, 2009
14) 林　義孝：切断者のリハビリテーション. 川村次郎, 他(編)：義肢装具学. 第 4 版, pp65–68, 医学書院, 2009
15) 古川　宏, 他：義手. 川村次郎, 他(編)：義肢装具学. 第 4 版, pp80–105, 医学書院, 2009
16) 森田千晶, 他：上肢の運動学とバイオメカニクス. 澤村誠志(編)・日本義肢装具学会(監)：義肢学. 第 3 版, pp218–307, 医歯薬出版, 2015

8 腰痛症

GIO 一般教育目標 腰痛症の対象者に作業療法を実施できるようになるために，この疾患の病態を理解し，作業療法の評価技法と治療・指導・援助法を修得する．

SBO 行動目標

1）腰痛症の特徴と臨床症状を説明できる．
- □ ①腰痛症を定義する3つの側面をあげ，それぞれを説明できる．
- □ ②椎間関節性腰痛症を軽減させるために必要な筋群を列挙できる．

2）腰痛症の医学的治療と作業療法の関連について説明できる．
- □ ③非特異的腰痛に対する医学的治療を列挙できる．
- □ ④腰痛症の対象者に対する作業療法のかかわりを説明できる．

3）腰痛症の対象者の病期に応じた作業療法評価および作業療法プログラムを計画できる．
- □ ⑤急性腰痛の痛みを評価する方法を説明できる．
- □ ⑥急性腰痛の対象者に対して痛みをおこさないような基本動作を指導できる．
- □ ⑦急性腰痛の対象者に対してADL指導を行える．
- □ ⑧慢性腰痛の対象者に対して，腰痛軽減のための体操を指導できる．
- □ ⑨慢性腰痛の対象者に対する生活指導の基本となるボディメカニクスを説明できる．
- □ ⑩慢性腰痛があるときの家事動作の遂行方法を実演できる．
- □ ⑪エネルギー節約の原則を説明できる．

A 概要

1 腰痛症とは

腰痛は疾患名ではなく症状を示す名称であり，確立された定義はない．腰痛診療ガイドラインでは，部位，有症期間，原因の3つの側面を基準に定義している（▶表1）．いわゆる腰痛症（low back pain）とは，原因が明らかではない非特異的腰痛を意味する．

2 腰椎の機能解剖

a 腰椎前彎・腰仙角・椎間関節

脊柱を側面からみると全体としてS字状であり，腰椎では前彎を示す．腰椎前彎と骨盤の傾きの関係を示したのが腰仙角である．水平線に対す

▶表1　腰痛定義の3つの側面

部位	触知可能な最下端の肋骨と殿溝の間の領域に位置する疼痛
有症期間	急性：4週間未満 亜急性：4週～3か月 慢性：3か月以上持続する疼痛
原因	特異的腰痛：原因が明らかな腰痛 非特異的腰痛：原因が明らかではない腰痛（腰痛症）

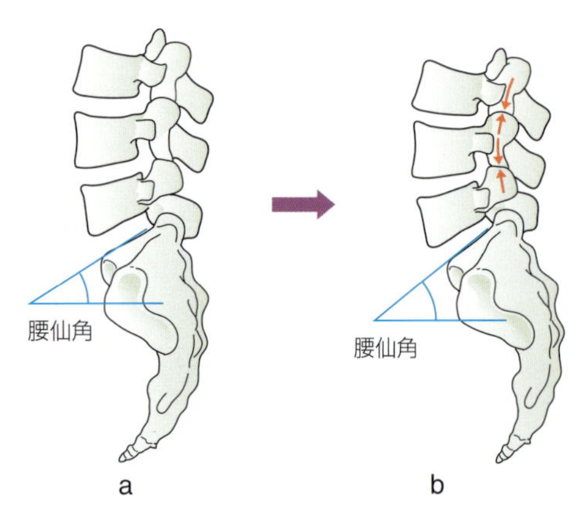

▶図 1　腰椎前彎・腰仙角・椎間関節の関係
腰仙角，腰椎前彎が増強すれば(a → b)椎間関節への負担が増え，椎間関節性腰痛が生じやすい．

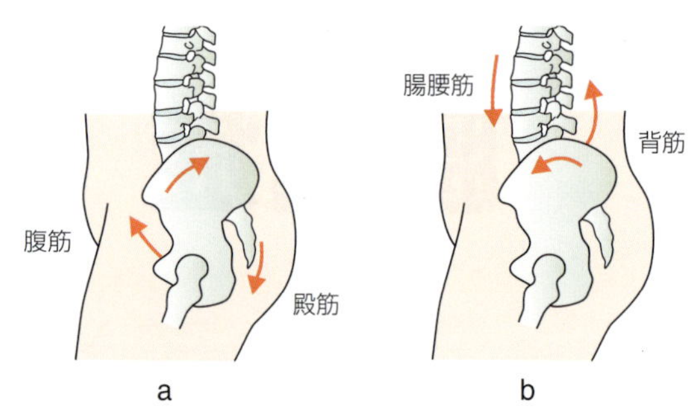

▶図 2　腰椎前彎に影響する筋
a：殿筋と腹筋は腰椎前彎を減少させる．
b：腸腰筋と背筋群は腰椎前彎を増強させる．

る第 1 仙椎上縁の傾斜角であり，生理的腰仙角は 30° とされる(▶図 1-a)．

腰仙角，腰椎前彎が増強すれば椎間関節への負担が増える．それにより椎間関節の関節包に存在する感覚神経が刺激され，椎間関節性腰痛が生じる(▶図 1-b)．

b 中腰(体幹前傾位)

中腰になると体幹前傾位を維持するため背筋の活動が増え，結果的に腰椎に対する負担も増加する．

c 腰椎前彎に影響する筋

骨盤前傾と腰椎前彎を減少させる筋には殿筋と腹筋(▶図 2-a)，増強させる筋には腸腰筋と背筋群がある(▶図 2-b)．椎間関節性腰痛を軽減させるためには，腰椎前彎の減少に作用する殿筋と腹筋を強化，腸腰筋と背筋群のストレッチングを行う．ただし，重要なのは前彎の減少ではなく，生理的前彎を維持することである．

3 医学的治療と作業療法の関連

医師による診察の場面では，問診，姿勢・歩行などの視診，筋緊張・圧痛などの触診が行われ，腰痛の原因が明らかな特異的腰痛との鑑別に重点がおかれる．下肢の感覚障害や SLR による放散痛がある場合は腰痛症ではない可能性が高い．非特異的腰痛と判断されると，状態に合わせ薬物療法，神経ブロック・注射療法，運動療法が処方される．

作業療法士はこの運動療法の段階からかかわる．しかし腰痛の運動療法だけに作業療法が処方されることは少なく，むしろ他の疾患をもつ対象者の治療過程のなかで腰痛治療にかかわる場合が多い．

B 急性腰痛における生活指導

1 治療・指導・援助

a 痛み

最も一般的な評価法は VAS である．腰痛による生活障害の程度を評価するときは，RDQ (Roland Morris disability questionnaire)日本語版を用いる．RDQ は Qualitest 株式会社の Web サイトより入手でき，非営利目的の個人使用では登録の必要はない．

b 臥位(▶図 3)

背臥位では腰椎前彎が強くなる．膝下に枕を入

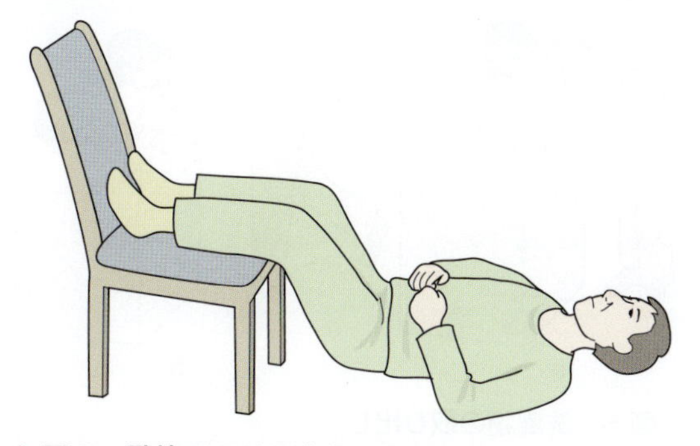

▶図 3　臥位でのリラクセーション
下腿全体を高くすることで腰椎前彎が軽減し，疼痛が緩和する．

れるか下腿全体を高くすることで前彎を軽減できる．同様の理由で腹臥位では枕を頭ではなく，腹部の下に入れる．側臥位では下肢のアライメントが崩れやすいので，両膝の間に枕を入れアライメントを整える．

c 起き上がり

体幹の回旋を利用する起き上がりは避ける．両膝を曲げ，体幹を回旋せずに側臥位になり，両手を支えとして用いながら起き上がる．

d 立位

姿勢を観察するときは側方から前後方向のバランスをみる．肩峰と大転子が同一垂直線上にあるのがよい姿勢であり，大転子が前方にあるほど腰椎前彎の増大を意味する．

姿勢指導を行うときは，まず膝関節を少し曲げ，ゆっくり骨盤の前後傾を繰り返す．腰痛が軽減する骨盤の位置が腰痛軽減位である．

e 運動療法

急性腰痛に対する運動療法の有効性は明らかではない．筋力強化やストレッチングより散歩など有酸素運動を指導する．

f 日常生活活動指導

痛みに応じて活動性を維持し，少なくとも ADL は継続する．何日も続くベッド上安静では心身機能がさらに低下し，腰痛増強の悪循環となる．

可能なかぎり体幹の回旋を避け，必要なものは手の届く範囲に置くよう指導する．

g コルセット

長期的な使用は身体機能の低下や心理的依存をまねく可能性がある．急性期のみの使用にとどめる．

h 福祉用具

リーチ機能を補うリーチャーや長柄ブラシ，ソックスエイドを紹介する．

2 生活指導における注意事項

突然の強い腰痛により不安が生じやすい．対象者に急性腰痛は多くの場合改善していくことを伝える．また腰椎の機能解剖と腰痛との関係を説明しながら生活指導を行う．痛みの減少を自覚することで不安が軽減する．

C 慢性腰痛における生活指導

1 治療・指導・援助

a 運動療法

慢性腰痛に対する運動療法は疼痛の軽減に有効とされる．特に，対象者の能力に合わせた筋力強化や体幹バランス訓練が効果的である．

代表的な腰痛体操にはウィリアムズ(Williams)体操があげられる．腰椎前彎の減少を目的とし，①殿筋と腹筋の強化，②腸腰筋と背筋の伸張，③下肢筋のバランスと筋力強化を含む運動から構成される．しかしながら，ウィリアムズ体操の有用性には否定的な見解もある．

▶図 4　整容時の姿勢
a：中腰での持続的作業であり，腰背部への負担が大きい．
b：膝立ちになることで腰背部への負担が減少する．

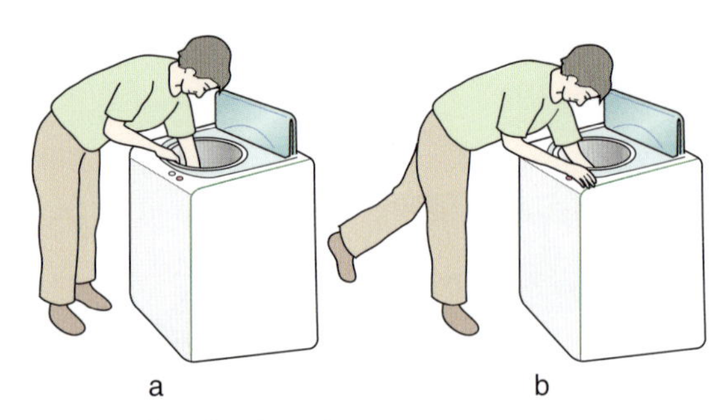

▶図 5　洗濯物の取り出し
a：中腰で洗濯物を取り出すと腰背部に強い負担がかかる．
b：ゴルファーリフトでリーチすることで腰背部への負担が減少する．

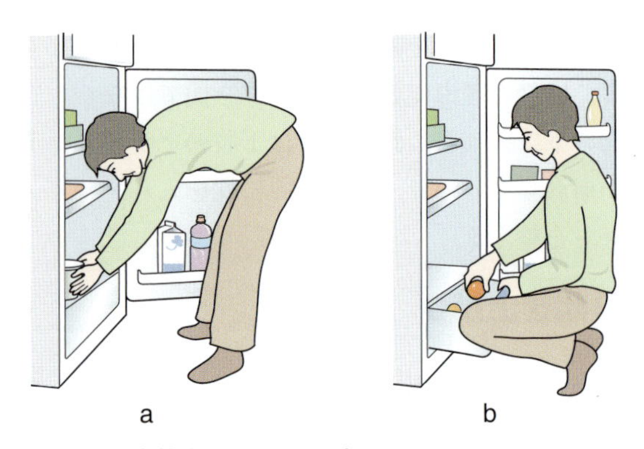

▶図 6　冷蔵庫からの取り出し
a：中腰での下方リーチ動作は腰背部への負担が大きい．
b：膝立ちの状態でリーチし，取り出したものは体に密着させたまま持ち上げる．

b ボディメカニクス

ボディメカニクスとは人間工学の観点からみた骨格，筋などの各系統間の力学的総合関係を意味する．腰痛の生活指導では，生理的彎曲を維持しながら，腹筋の収縮で腹圧を上昇させ，中腰を避けることが重要である．

具体的には，①中腰を避け，股関節屈曲を用いて重心を下げる，②持続的に動作を行うときは片手を台の上に乗せ，腰部への負担を軽減する，③リーチ時には支持基底面を広く確保し，背筋の負担を軽減するなどである．生活指導では上述した要素を取り入れた動作法を行う．

c 日常生活活動・生活関連活動指導

（▶図 4〜6）

(1) 整容

中腰での持続的作業を避ける．膝立ちになるか片手を台に乗せる．

(2) 洗濯機

中腰で洗濯物を取り出すと腰背部に強い負担がかかる．片足を上げながらリーチするゴルファーリフトで洗濯物を取り出す．

(3) 掃除機

中腰でのリーチ動作の反復を避ける．膝関節の屈曲を利用して重心を下げ，小刻みに歩きながら行う．

(4) 流し台

流し台の高さが合わないときは，両下肢を左右に広げ重心を下げる．

(5) 冷蔵庫からの取り出し

中腰での下方リーチを避ける．膝立ちの状態でリーチし，取り出したものは体に密着させたまま持ち上げる．

d エネルギー節約

洗濯や掃除，食事の用意などの IADL は腰部への負担が大きい．腰痛の予防を目的に生活パターンを調整するエネルギー節約を行う．

エネルギー節約の原則は，①事前に計画し，②優先順位を設定し，③余分な仕事は減らし，④自分のペースを守りながら，⑤休息と活動のバランスを維持することである．たとえば，洗濯を午前中に済ませ，浴室の掃除を午後にすることなどである．

e 仕事

実際作業のシミュレーションを通して，正しい姿勢，運搬法，機器の使用を指導する．自分のペースを守り，必要なときにはまわりに援助を求めるようアドバイスする．

●参考文献

1) 川上俊文：図解腰痛学級．第5版，医学書院，2011
2) 遠藤健司，他(編)：最新腰痛症ハンドブック—腰椎椎間板ヘルニアからスポーツ，事故の治療まで．シュプリンガー・ジャパン，2008
3) 日本整形外科学会，他(監)：腰痛診療ガイドライン 2019．改訂第2版，南江堂，2019
4) 李　範爽(訳)：腰痛症．Pendleton HM，他(編著)，山口　昇，他(監訳)：身体障害の作業療法．改訂第6版，pp1227–1247，協同医書出版社，2014

神経筋疾患

1 ギランーバレー症候群

GIO 一般教育目標 ギランーバレー症候群の対象者に作業療法を実施できるようになるために，この疾患の病態を理解し，作業療法の評価技法と治療・指導・援助法を修得する．

SBO 行動目標
1) ギランーバレー症候群の病態および予後について説明できる．
- □ ①ギランーバレー症候群の病型を説明できる．
- □ ②ギランーバレー症候群の機能尺度(重症度)を表す方法を説明できる．
- □ ③ギランーバレー症候群の症状と予後を説明できる．

2) ギランーバレー症候群の医学的治療と作業療法の関連について説明できる．
- □ ④ギランーバレー症候群の診断に用いられる方法を列挙できる．
- □ ⑤ギランーバレー症候群の医学的治療を説明できる．

3) ギランーバレー症候群の対象者に対する作業療法評価を説明できる．
- □ ⑥ギランーバレー症候群の対象者に対する一般的な作業療法評価を列挙できる．
- □ ⑦ギランーバレー症候群の対象者の評価および治療における注意点を説明できる．

4) ギランーバレー症候群の対象者の病期に応じた作業療法目標を設定できる．
- □ ⑧ギランーバレー症候群の病期に応じた作業療法目標を説明できる．

5) ギランーバレー症候群の対象者に対する作業療法プログラムを計画できる．
- □ ⑨ギランーバレー症候群の対象者の身体機能障害に対する作業療法プログラムおよび注意点を説明できる．
- □ ⑩ギランーバレー症候群の対象者に対する ADL/IADL 指導上の注意点を説明できる．

A 概要

1 ギランーバレー症候群とは

ギランーバレー症候群(Guillain-Barré syndrome; GBS)は，脳脊髄液の蛋白細胞乖離を伴う急性発症の免疫介在性の多発根神経炎である[1]．急性の末梢神経障害をきたし，多くの場合，発症前 4 週間以内に先行感染を伴う．

先行感染後，数週から数か月で徐々に自然寛解することが多いため，一般的には予後は良好であるが，一部では回復が遅延したり，重篤な後遺症が残る．臨床経過については**図 1**[2] に示す．主な症状に両側性弛緩性運動麻痺，腱反射の消失と感覚障害，咽頭機能低下，疼痛，呼吸不全などがある(▶**表 1**)[3]．

a 疫学

頻度は人口 10 万人あたり年間 1～2 人前後であり，男女比は約 3：2 で男性に多い．平均年齢は 40 歳前後であるが，あらゆる年齢層にみられる[4]．

b 病型

GBS は脱髄性神経障害(acute inflammatory demyelinating polyneuropathy; AIDP)と軸索

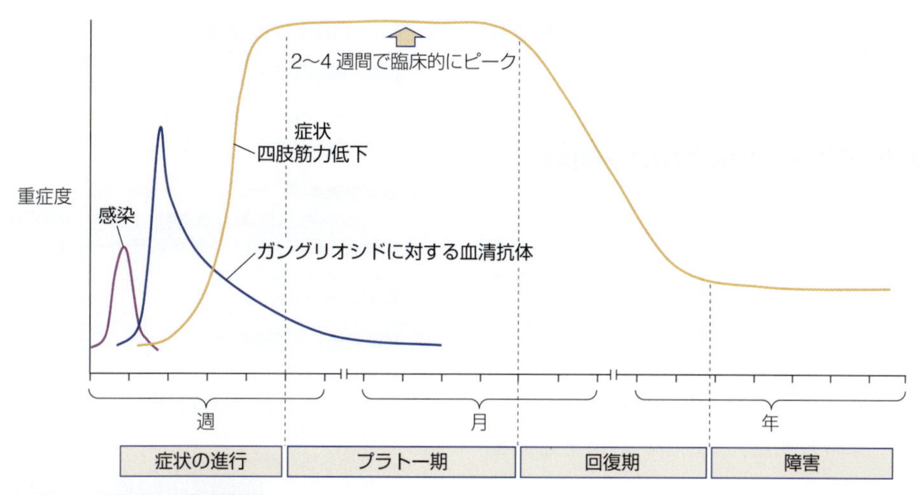

▶図 1　GBS の臨床経過
〔Willison HJ, et al: Guillain-Barré syndrome. *Lancet* 388:717–727, 2016 より改変〕

▶表 1　GBS の症状とその頻度

主要な症状	頻度(%)
下肢の筋力低下	95
上肢の筋力低下	90
反射消失	90
感覚異常	85
感覚脱失	75
咽頭機能低下	50
疼痛	50
呼吸不全	50
眼筋麻痺	15
運動失調	15
括約筋障害	5

〔Khan F: Rehabilitation in Guillian Barre syndrome. *Aust Fam Physician* 33:1013–1017, 2004 より改変〕

障害型神経障害(acute motor axonal neuropathy; AMAN)に分類される．両者はそれぞれ，病態，臨床症状，経過，治療法などの面で異なる．臨床像の違いについては**表 2**[5] に示す．

▶表 2　AIDP と AMAN の臨床像の違い

	脱髄性神経障害(AIDP)	軸索障害型神経障害(AMAN)
標的抗原	Moesin など	GM1，GD1a など
先行感染	サイトメガロウイルスなど	*Campylobacter jejuni*, *Haemophilus influenzae* など
ピークまでの日数	中央値 11 日(6〜16 日)	中央値 8 日(3〜16 日)
ピーク時の重症度	両者に違いなし	
脳神経麻痺	多い	少ない
呼吸筋麻痺	多い	少ない
自律神経障害	多い	少ない
感覚障害	多い	少ない

〔國分則人：Guillain-Barré 症候群．水澤英洋，他(編)：神経疾患最新の治療 2018–2020．p243，南江堂，2018 より許諾を得て改変し転載〕

発症早期からの球麻痺があげられる．

c 重症度

GBS の重症度評価にはヒューズ(Hughes)の機能尺度を用いる[6]．詳細は本シリーズ『作業療法評価学』を参照のこと．また，GBS の重症化予測については，EGRIS(Erasmus GBS Respiratory Insufficiency Score)がある[7]．重症化因子としては，①高齢発症，②下痢の先行，③軸索障害，④

d 予後

GBS の経過は単相性で予後良好とされているが，約 15〜20% は発症から 6 か月経過後も独歩不能であり，死亡率は 3〜7% と報告されている[8]．また，対象者によっては数か月から数年もの間，痛みや疲労が持続することがある[9]．

死亡リスクの増加の予測因子は，高齢，重症度，併存疾患の増加，肺・心臓合併症，人工呼吸器装着による機械的換気，全身感染である[10]．

2 医学的治療と作業療法の関連

a 診断

GBS の診断は，急性の多発根神経炎であることを臨床的，電気生理学的に確認すること，その他の疾患を除外することからなり，抗ガングリオシド抗体や先行感染の病歴などと併せて総合的に行われる[5]．診断基準は，Asbury らによる基準(▶**表 3**)[11] が用いられる．

検査については，電気生理学的検査では，**神経伝導検査**(nerve conduction study; NCS)において遠位潜時の延長，複合筋活動電位(compound muscle action potential; CMAP)の振幅の低下，伝導速度の低下，伝導ブロック，F 波の消失，豊富な A 波の出現などがみられる[8]．

b 治療

急性期の免疫治療としては，**免疫グロブリン大量静注療法**(intravenous immunoglobulin; IVIg)と**血漿交換**のいずれかを第一選択とする．重症例では極期の人工呼吸器管理や自律神経障害の管理などの全身管理が重要である[4]．

Keyword

神経伝導検査　末梢神経疾患，脊髄疾患などの診断や神経障害の病態把握に活用されている．末梢神経を電気刺激し，誘発された電位を記録し，伝導の速度，振幅を計測する．測定は，上肢の運動神経では正中神経，尺骨神経，橈骨神経，下肢では脛骨神経，腓骨神経などである．

免疫グロブリン大量静注療法　免疫機構を刺激，抑制，調節することによって免疫応答機構を調節することを目的とする．IVIg の標準的な治療としては，免疫グロブリン製剤 400 mg/kg(8 mL)を 1 日量として，5 日間連日，点滴静注する方法が用いられることが多い．重症筋無力症や GBS で用いられる．

血漿交換　血液をいったん体外に取り出し，血球成分と血漿成分に分け，その血漿成分を処理する一連の治療を指す．治療の目的は血漿中の疾患原因となる物質の除去と大量の血漿を補充することの 2 つがある．

▶**表 3　GBS 診断基準**

1. 診断に必要な所見
A. 2 肢以上の進行性の筋力低下 部位や程度はさまざまであり，軽度の失調を伴う場合がある
B. 腱反射消失 すべての腱反射の消失が原則．しかし，他の所見(2 肢以上の進行性の筋力低下があるなど)が一致していれば，上腕二頭筋反射と膝蓋腱反射の明らかな低下と四肢遠位部の腱反射の消失でもよい
2. 診断を強く支持する特徴
A. 臨床的特徴 1. 4 週までには進行は停止する 2. 比較的対称性 3. 軽微な感覚障害の徴候 4. 脳神経障害，顔面神経麻痺は約 50% にみられ，しばしば両側性 5. 回復：通常の症状進行の停止後，2～4 週で回復が始まる．ほとんどの症例は機能的に回復 6. 自律神経障害・頻脈

〔Asbury AK, et al: Assessment of current diagnostic criteria for Guillain-Barré syndrome. *Ann Neurol* 27: Suppl:S21–S24, 1990 より改変〕

また，下肢深部静脈血栓症の予防として可能なかぎり早期にリハビリテーション(以下，リハ)を開始する．GBS は症状とその重症度が多様であるため，個々の対象者に合ったリハプログラムを組むことも必要である[5]．

B 作業療法評価

1 一般的な評価

a 呼吸

呼吸不全は GBS の最も重篤な短期合併症であり，対象者の 20～30% で人工呼吸器管理が必要となる．さらに，挿管された対象者の 60% が肺炎，敗血症，消化管出血，肺塞栓症などの重大な合併症を発症する[12]．

すでに人工呼吸管理が施行されている場合は，肺炎，無気肺の有無を確認する．胸部聴診を行い，胸部 X 線，血液ガスの所見を確認する．人工呼吸管理が行われておらず，症状が進行中の場合は，診療科からの情報収集と注意深い経過観察が必要である[13]．

b 嚥下機能

顔面の筋力低下は対象者の約半数にみられ，その多くは両側性である．また球麻痺がみられるため，特に急性期においては嚥下機能の評価が重要である．

嚥下機能の評価は，問診と嚥下関連器官の運動を観察し，反復唾液嚥下テスト（Repetitive Salivation Swallowing Test; RSST），改訂水飲みテスト（modified Water Swallowing Test; mWST），食物テストなどのスクリーニングにより嚥下障害の病態と重症度を把握する．不顕性誤嚥の疑いがある患者や，食事場面で咽頭残留感やむせが強い場合には，嚥下造影検査（videofluoroscopy; VF）や内視鏡検査により精査を行う（➡ 146，147 ページ）[14]．

c 関節可動域

長期臥床に伴う廃用性の拘縮などが認められるため，四肢の関節可動域（ROM）の評価を行う．他動運動および自動運動では，疼痛や疲労の出現に注意を払う．

d 筋力

上下肢筋力低下が高頻度に認められることから，筋力評価が重要である．急性期においては易疲労性も強く，無理な実施は避け，状態が安定してから行う．筋力改善の推移は治療効果判定，回復状況の確認に必要であり，定期的に検査する．

e 感覚

ほとんどの対象者が，感覚障害および感覚脱失を経験する[3]．表在覚，運動・位置覚の評価を行い，異常感覚や疼痛には視覚的アナログスケール（VAS）を用いる．

f 精神状態

精神症状として，不安（82%），急性ストレス障害，抑うつエピソード（67%），短時間の反応性精神病（25%）がある．Weiss らは運動不足とコミュニケーションの喪失が精神病症状の発生と最も密接に関係している状態であることを示した[15]．また，急性期以降の生活の質（QOL）の制約因子として，疲労や抑うつ状態がある[16]．疲労，痛み，不安・抑うつは，対象者の QOL 障害の原因となるため注意を要する[17]．

g 日常生活活動

運動機能の回復に合わせて，セルフケアの評価を進めていく．評価には機能的自立度評価法（FIM）およびバーセルインデックス（BI）を用いる．急性期では，呼吸障害，構音障害などからコミュニケーション障害を呈することがよくあるため，ナースコールの使用状況，コミュニケーション方法についても併せて評価する．

h 疼痛

急性期において，半数以上の対象者が疼痛を経験し，1 年後にも痛みが残ることがある[18]．

疼痛評価としては，数値評価スケール（NRS），VAS，口頭式評価スケール（Verbal Rating Scale; VRS）などがある．

2 評価における注意事項

GBS の対象者では疲労の発現率が高いことが確認されている[19]．急性期には過負荷に注意を払い，特に身体機能の評価時には疲労や疼痛の出現に注意する．

C 作業療法の目標

作業療法の役割として，対象者の疲労に注意しながら機能的自立を促進するために，自助具などの機器適応やエネルギー節約の助言などを通じてセルフケアを容易にすることがあげられる[20]．

a 急性期における目標

- 廃用・誤用の防止
- 機能維持
- エネルギー節約(自助具などの適応)
- 作業の簡素化

b 回復期における目標

- ADL の獲得
- 筋力の回復
- 復職などの社会参加，公共交通機関の利用，自動車運転の再開

D 作業療法プログラム

1 一般的なプログラム

a 呼吸機能訓練

呼吸機能に対しては，胸郭への他動運動，排痰(体位ドレナージ)，呼吸法(腹式呼吸，口すぼめ呼吸)，呼吸介助などのアプローチがある(➡ 438 ページ)．

b 関節可動域訓練

急性期および安静臥床が必要な対象者に対しては，廃用性の可動域低下を防ぐために他動的 ROM 訓練を行う．ベッド上での良肢位管理についても並行して行う．急性期においては重度の麻痺を呈することから，ベッド上での体位変換の際の上肢のポジショニングなどは病棟看護師などと情報共有しながら進めていく．自動運動については安静度，治療経過に応じて追加して行う．

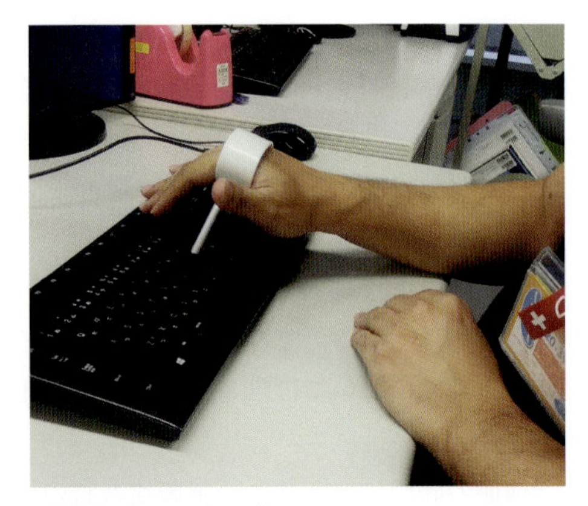

▶図 2　タイピングエイド
手指の巧緻性の低下がある場合に，パソコンのタイピングで用いられる．

c 筋力訓練

急性期においては，積極的な筋力訓練は行わない．随意運動が可能になったら，主治医の判断を確認し，負荷量を細かく設定して筋力訓練を進めていく．開始当初は低負荷での運動でも疲労感や疼痛などが強く認められることがあり，これらには注意が必要である．

d 巧緻動作訓練

手指の随意運動の回復に合わせて，ペグボード，アクリルコーンなどを利用した手指，手関節の協調運動など行う．書字練習，パソコンのタイピング(▶図 2)なども必要性に鑑みて進めていく．同一姿勢での長時間の実施は避け，疲労，過負荷に注意する．

e 日常生活活動訓練

(1)　急性期

急性期においては，人工呼吸器管理や構音障害によるコミュニケーション障害が問題となることが多い．ナースコールの工夫(▶図 3)など意思伝達手段を確保しながら，病棟看護師などと協力しコミュニケーション支援を行う．

(2)　回復期

対象者の運動機能の回復に合わせて，食事，ト

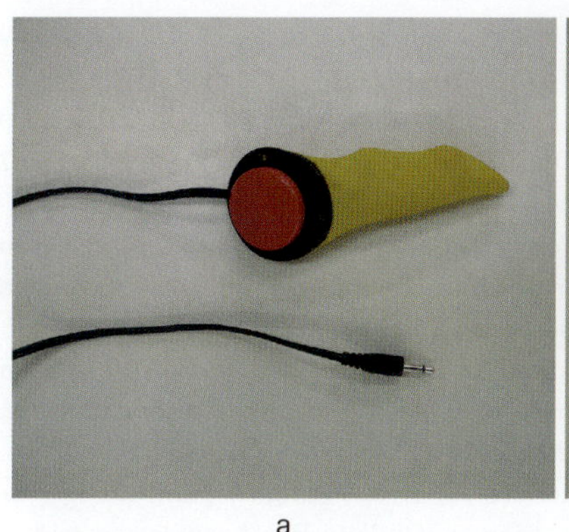

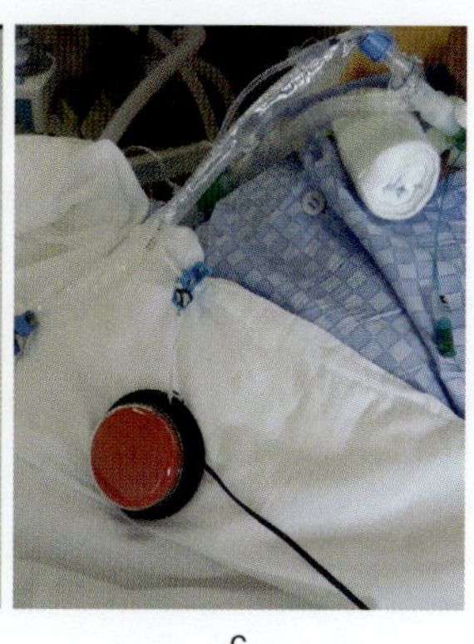

a　b　c

▶図 3　ナースコールのスイッチの変更
a：ボタン式のナースコールの操作が困難な対象者に用いられる．
b・c：肘，足などの粗大な運動でもスイッチが押せるようにするもの．

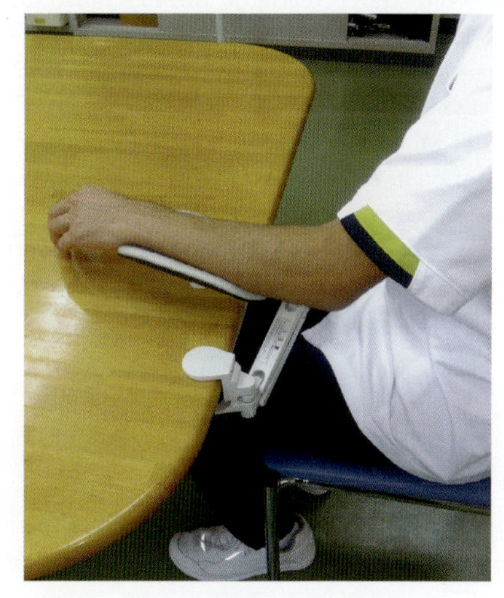

▶図 4　アームサポートの一例
上肢筋力低下のある場合に用いる．書字やパソコン操作の場面で利用する．

イレ動作，更衣動作，入浴など ADL の練習を行う．基本動作の練習として，移乗動作練習，座位，立位バランス練習などを取り入れる場合もある．

筋力低下が顕著な対象者に対しては，スプーンや食器，アームサポート(▶図 4)など福祉用具・自助具の活用を適切に行い，環境調整なども行っていく．

疲労に注意し，介助で行うか自力で行うかなどは，本人と相談しながら設定していくことも重要である．

f 生活関連活動訓練

生活関連活動(IADL)でのさまざまな制約が生じる．Bernsen らは，GBS により仕事をもっていた対象者の 38% が仕事を変えざるをえなくなり，44% が余暇活動を変更し，37% が家庭での機能が低下し，39% がパートナーの生活に変化があったと報告した[21]．

作業療法では，回復状況に合わせて，家事動作，復職に向けた準備，公共交通機関の利用などについてフォローする．実際場面での練習や必要に応じて家屋訪問などを行い，環境調整なども進めていく．

2 注意事項

ROM 訓練，筋力訓練，動作訓練については，状態をみながら，過負荷にならないように注意を払う．また負荷量を漸増していく際には，対象者の状態変化を注意深くみていくことが重要である．

●引用文献

1) 日本神経学会(監修),「ギラン・バレー症候群, フィッシャー症候群診療ガイドライン」作成委員会(編)：ギラン・バレー症候群, フィッシャー症候群診療ガイドライン 2013. 南江堂, 2013
2) Willison HJ, et al: Guillain-Barré syndrome.

Lancet 388:717–727, 2016
3) Khan F: Rehabilitation in Guillian Barre syndrome. *Aust Fam Physician* 33:1013–1017, 2004
4) 吉良潤一(専門編集), 辻 省次(総編集)：免疫性神経疾患—病態と治療のすべて, アクチュアル脳・神経疾患の臨床. p295, 中山書店, 2016
5) 國分則人：Guillain-Barré 症候群. 水澤英洋, 他(編)：神経疾患最新の治療 2018–2020. p243, 南江堂, 2018
6) Hughes RA, et al: Controlled trial prednisolone in acute polyneuropathy. *Lancet* 2:750–753, 1978
7) Walgaard C, et al: Prediction of respiratory insufficiency in Guillain-Barré syndrome. *Ann Neurol* 67:781–787, 2010
8) 山岸裕子, 他：ギラン・バレー症候群の予後と予後予測因子. 臨神経 60:247–252, 2020
9) van Doorn PA, et al: Clinical features, pathogenesis, and treatment of Guillain-Barré syndrome. *Lancet Neurol* 7:939–950, 2008
10) van den Berg B, et al: Guillain-Barré syndrome: pathogenesis, diagnosis, treatment and prognosis. *Nat Rev Neurol* 10:469–482, 2014
11) Asbury AK, et al: Assessment of current diagnostic criteria for Guillain-Barré syndrome. *Ann Neurol* 27(Suppl):S21–S24, 1990
12) Durand MC, et al: Clinical and electrophysiological predictors of respiratory failure in Guillain–Barré syndrome: a prospective study. *Lancet Neurol* 5:1021–1028, 2006
13) 古野 薫：Ⅷ 神経筋疾患—ギラン・バレー症候群. *MED REHABIL* (163):328–331, 2013
14) 福岡達之, 他：神経免疫疾患の言語聴覚療法—疾患別の嚥下障害の特徴とリハビリテーション. *MED REHABIL* (213):69–74, 2017
15) Weiss H, et al: Psychotic symptoms and emotional distress in patients with Guillain-Barré syndrome. *Eur Neurol* 47:74–78, 2002
16) Neroutsos E, et al: Guillain-Barre syndrome and mood disorders. *Ann Gen Psychiatry* 9(Suppl 1): S204, 2010
17) Merkies IS, et al: Fatigue, pain, anxiety and depression in Guillain-Barré syndrome and chronic inflammatory demyelinating polyradiculoneuropathy. *Eur Neurol* 75:199–206, 2016
18) Ruts L, et al, for the Dutch GBS Study Group: Pain in Guillain-Barre syndrome: a long-term follow-up study. *Neurology* 75:1439–1447, 2010
19) de Vries JM, et al: Fatigue in neuromuscular disorders: focus on Guillain-Barré syndrome and Pompe disease. *Cell Mol Life Sci* 67:701–713, 2010
20) Orsini M, et al: Guideline for neuromuscular rehabilitation in Guillain-Barré syndrome: what can we do?. *Rev Neurocienc* 18:572–580, 2010
21) Bernsen RA, et al: Long-term impact on work and private life after Guillain-Barré syndrome. *J Neurol Sci* 201:13–17, 2002

2 多発性硬化症

GIO 一般教育目標 多発性硬化症の対象者に作業療法を実施できるようになるために，この疾患の病態を理解し，作業療法の評価技法と治療・指導・援助法を修得する．

SBO 行動目標

1）多発性硬化症の病態および予後について説明できる．
- □ ①多発性硬化症の病態を説明できる．
- □ ②多発性硬化症の症状と予後を説明できる．

2）多発性硬化症の医学的治療と作業療法の関連について説明できる．
- □ ③多発性硬化症の診断に用いられる方法を列挙できる．
- □ ④多発性硬化症の医学的治療を説明できる．

3）多発性硬化症の対象者に対する作業療法評価を説明できる．
- □ ⑤多発性硬化症に特有の評価法を 2 つ列挙できる．
- □ ⑥多発性硬化症の対象者に対する一般的な作業療法評価を列挙できる．
- □ ⑦多発性硬化症の対象者の評価および治療における注意点を説明できる．

4）多発性硬化症の対象者の作業療法目標を設定できる．
- □ ⑧多発性硬化症の特徴をふまえた作業療法目標を説明できる．

5）多発性硬化症の対象者に対する作業療法プログラムを計画できる．
- □ ⑨多発性硬化症の対象者の身体機能障害に対する作業療法プログラムを説明できる．
- □ ⑩多発性硬化症の対象者の認知機能障害に対する対処法を説明できる．
- □ ⑪多発性硬化症の対象者に対する ADL 指導上の注意点および考慮点を説明できる．
- □ ⑫多発性硬化症の対象者の地域生活・社会参加を支援する際に配慮すべき事項を説明できる．
- □ ⑬多発性硬化症の対象者の自己管理指導を説明できる．

A 概要

1 多発性硬化症とは

多発性硬化症(multiple sclerosis; MS)は中枢神経白質がおかされる慢性炎症性脱髄疾患である．**脱髄**に伴う中枢神経徴候の再発と寛解を繰り返すことが特徴で，時間的・空間的多発性を有する．病型には再発と寛解を繰り返す再発寛解型と，進行性に症状が増悪する進行性型に分類される[1]．

欧米白人と比較してアジア系の人々の MS は，有病率が低いこと，発症時および臨床経過全体での視覚系の病変の頻度が高く重度であること，視神経および脊髄の病変の発生頻度が高いこと，進行が比較的速いこと，家族性の発生が少ないこと

Keyword

脱髄　正常に形成された髄鞘が崩壊する病態を示したものである．脱髄疾患には，一度完成した髄鞘がなんらかの原因により崩壊する狭義の脱髄と，髄鞘の形成不全や髄鞘の再生障害によるものがある．中枢神経における脱髄疾患で代表的なものに MS がある．

(日本では 1%)が特徴である[2]．発症年齢は 20～40 歳くらいで女性に多い(男女比 1：2～3)[3]．

一方，MS と類似した中枢神経の再発炎症性疾患としては視神経脊髄炎(neuromyelitis optica; NMO)がある．NMO も炎症を繰り返す長期的な経過をとることが特徴的である．ただし，MS と NMO のそれぞれ最適な治療法は異なり，区別が必要である[4]．MS と NMO の違いについては表 1[5] に示す．

▶表 1　MS と MNO の病態

	多発性硬化症(MS)	視神経脊髄炎(NMO)
病態	●1 次性脱髄 ●2 次性軸索障害	●1 次性アストロサイト障害 ●2 次性脱髄，軸索障害
中心となる免疫細胞エフェクター	●リンパ球(T ＞ B)，ミクログリア，マクロファージ ●一部で自己抗体	●抗アクアポリン 4 (AQP4)抗体，補体 ●B リンパ球･形質(芽)細胞 ＞ T リンパ球
発症年齢	若年	若年～中年
性差	女性 ＞ 男性	女性 ≫ 男性
臨床型	●再発寛解型 ●二次進行形 ●一次進行形	●再発寛解型

〔黒田　宙，他：多発性硬化症と視神経脊髄炎．水澤英洋，他(編)：神経疾患最新の治療 2018–2020．p157，南江堂，2018 より許諾を得て転載〕

2 医学的治療と作業療法の関連

a 診断

診断にはマクドナルド(McDonald)の診断基準(▶表 2)[6] が用いられることが一般的である．この基準によると，空間的多発性(dissemination in space; DIS)と時間的多発性(dissemination in time; DIT)が満たされれば MS と認める．

b 医学的治療

MS 治療の基本は，①急性期治療，②進行抑制・

▶表 2　マクドナルドによる MS 診断基準

臨床症状	MS の診断に必要な MRI 所見
2 回以上のエピソード (2 病変の客観的な臨床的証拠を有する)	特になく，MS の診断可能
2 回以上のエピソード (1 病変の客観的な臨床的証拠を有する)	空間的多発性(DIS)の証明が必要 *1
1 回以上のエピソード (2 病変の客観的な臨床的証拠を有する)	時間的多発性(DIT)の証明が必要 *2
1 回のエピソード(=clinically isolated syndrome) (1 病変の客観的な臨床的証拠を有する)	DIS と DIT の両者の証明が必要
MS を示唆する進行性の増悪 (primary progressive MS; PPMS)	1 年間の進行性の増悪および以下の 3 つのうち 2 つを満たす ●特徴的な領域(脳室周囲，皮質直下，テント下)の少なくとも 1 領域に 1 つ以上の T_2 病変 ●脊髄に 2 つ以上の T_2 病変 ●髄液所見陽性 *3

*1 空間的多発性の証明
●MRI の T_2 強調画像で MS の病巣に典型的な部位 4 か所(脳室周囲，皮質直下，テント下，脊髄)のうち，少なくとも 2 か所に病変を認める．
●他の病変による症状の発症を待つ．

*2 時間的多発性の証明
●Gd(ガドリニウム)造影効果のある病変とない病変が同時に存在する．
●ある時点の MRI と比較して，T_2 強調画像または Gd 造影画像で新たな病変を認める．
●2 度目の症状の発症を待つ．

*3 髄液所見陽性：オリゴクローナルバンド陽性または IgG インデックスの上昇

〔Polman CH, et al: Diagnostic criteria for multiple sclerosis: 2010 revisions to the McDonald criteria. *Ann Neurol* 69:292–302, 2011 より改変〕

▶表 3 MS の治療

急性期治療
①ステロイドパルス療法 ●治療の第一選択 ●メチルプレドニゾロン 1,000 mg を 3～5 日投与 ②血漿浄化療法(plasmapheresis; PP) ●パルス療法無効例に対して行われる ●単純血漿交換と血漿吸着療法がある
進行抑制・再発予防
①インターフェロン β(IFN-β)療法 ●RRMS の再発予防に有効 ●MNO では再発防止効果は乏しい ②免疫抑制薬 ●フィンゴリモド(経口薬) ●RRMS のうち IFN-β で効果が認められなかった患者や副作用で IFN-β の継続が困難な患者，疾患活動性の高い患者などを適応とする ●ナタリズマブ(単剤で投与・静注) ●年間発症率を著しく減少させる
対症療法
痙縮 ●経口筋弛緩薬 ●フェノールブロック ●髄腔内バクロフェン療法 排尿障害 ●抗コリン薬 ●α 遮断薬 ●間欠自己導尿 排便障害 ●整腸薬・緩下剤 ●浣腸 疼痛 ●鎮痛薬 ●SSRI(選択的セロトニン再取込み阻害薬) ●SNRI(セロトニン・ノルアドレナリン再取込み阻害薬)

RRMS：再発寛解型 MS(relapsing-remitting MS)

〔早乙女貴子：多発性硬化症・視神経脊髄炎のリハビリテーション. *J Clin Rehabil* 27:434–443, 2018 を参考に作成〕

再発予防，③対症療法の 3 点があげられる．代表的な治療方法，投薬について**表 3**[7] に示す．

MS は症状が再燃寛解を繰り返したり，病巣によってさまざまな障害パターンを呈する．そのため，個人の活動や社会参加における疾患の後遺症や症状を軽減し，可能なかぎりの ADL 自立と QOL を維持するために，包括的なリハビリテーションを行うことが重要である[8]．

B 作業療法評価

1 一般的な評価

脱髄病変の部位により症状は多彩であり，適切な神経学的評価に基づいて障害を把握することが重要となる．脱髄病変に伴う神経症状を基盤とした，運動機能障害や廃用性の筋力低下などについても確認が必要である．ADL 維持の観点から自助具や装具の適応を視野に入れる必要があることから，残存機能を適切に評価しておく．

なお日本神経学会のガイドラインでは，MS の対象者の身体障害度の評価にはクルツケ(Kurtzke)の総合障害度スケール(expanded disability status scale; EDSS)[9] を用いることが推奨されている[10]．EDSS は機能別障害度(functional systems; FS)と歩行，ADL を総合的に評価するものである．なお，EDSS，FS ともに，詳細は本シリーズ『作業療法評価学』を参照のこと．

2 身体機能の評価

a 筋緊張・関節可動域

中枢神経障害に伴う痙縮，ROM 制限の程度を把握する．痙性麻痺では次のような制限がおこりやすい[11] ため，四肢体幹の機能的 ROM を定期的に評価することが必要である．

- 股関節屈筋，股関節内転筋，ハムストリングス，アキレス腱の短縮による下肢屈曲
- 小胸筋・大胸筋・広背筋の短縮による肩関節屈曲制限
- 僧帽筋や後頸筋の短縮による頸部の ROM 制限

b 筋力

- 徒手筋力検査(MMT)，握力，ピンチ力の測定
- 脊髄病変の場合は，髄節レベルに応じた残存筋の確認

c 感覚

- 触覚・痛覚・運動覚・位置覚
- 脊髄病変の場合は髄節レベルに対応した感覚障害
- 異常感覚の有無

d 協調性

小脳・脳幹に病変が存在する場合，四肢体幹の運動失調，構音障害，眼振，めまい，複視，視力障害などが出現する．運動失調は小脳性の場合と脊髄性(後索障害型)の場合とで対応が異なるため，画像所見を確認し評価する[13]．

評価としては協調性テスト(鼻指鼻試験，膝打ち試験，手回内・回外検査，arm stopping test など)を行う(➡ 123 ページ)．

e 上肢機能，巧緻動作

病変に応じた上肢機能の質的・量的変化を確認する．

- 随意性：ブルンストロームステージ(Brunnstrom Stage)など
- 巧緻動作：簡易上肢機能検査(STEF)のほか，書字や箸操作，着衣動作など動作遂行時の特徴も把握する．

3 認知機能

高次脳機能障害は MS 患者の 43〜70% にみられる．MS における高次脳機能障害では，注意，情報処理効率，遂行機能，処理速度および長期記憶に障害が生じ，特に処理速度および視覚学習と記憶の面で影響を受けやすい．これらの障害は，日常生活だけでなく，家事や社会参加能力，雇用の維持といった社会生活全般に影響を及ぼす[13]．

- シンボルデジットモダリティテスト(Symbol Digit Modalities Test; SDMT)：実施の簡潔さ，信頼性，感度の面から SDMT が使用される[14]．
- 前頭葉機能検査(Frontal Assessment Battery; FAB)
- その他：Trail Making Test 日本版(TMT-J)，コース立方体組み合わせテストなど
- MMSE，改訂長谷川式簡易知能評価スケール(HDS-R)：MS では記憶障害，異常行動などがあまり目立たないことがあるため，HDS-R，MMSE での結果のみでそれらを判断することは難しい[15]．一方で注意，集中，情報処理などの症状が出ることがあるため，それらに対応した検査を選択する必要がある．

4 精神・心理機能

MS におけるうつ病の有病率については，生涯有病率は約 50%，年間有病率は 20% と高率であることに加え，うつ病が中等度から重度の範囲にある場合，認知機能障害が悪化する可能性が高いことが示唆されている[16]．

また，再発例については将来への不安などもあり，心理的なサポートを要する場合がある．標準的な評価尺度として，ベック抑うつ質問票(Beck Depression Inventory; BDI)やハミルトンうつ病評価尺度(Hamilton Rating Scale for Depression; HRSD)などが用いられる[17]．

5 日常生活活動

ADL 評価には，FIM や BI が用いられる．膀胱直腸機能の障害を呈している場合はトイレ動作への影響が大きい．排尿，排便障害の有無を確認する．神経症状の悪化は体温上昇と関連するため，入浴を含めた 1 日全体の時間の使い方についても確認をしておく．

6 生活関連活動

発症が若年者に多いことから，復職，自動車運転などの評価も必要である．仕事の内容や環境，

家庭内での役割などについても十分に把握する．

7 評価における注意点

(1)　ウートフ現象

ウートフ現象（Uhthoff phenomenon）は体温の上昇により発作性に神経症状が増悪し，体温の低下により改善するものを示す．この悪化は，MS の真の再発や増悪と区別する必要がある．

(2)　疲労

MS の随伴症状として易疲労性があげられる．反復の動作などで疲労しやすいため注意する．MS 関連の疲労については医師，看護師，理学療法士などのチームによって評価し管理する[18]．

(3)　実施時間帯

実施時間は，体温が上昇しやすい入浴後を避けるなどの配慮が求められる．

(4)　疼痛

対象者の多くが痛みを経験する．四肢痛，三叉神経痛，レルミット（Lhermitte）徴候，疼痛性強直性痙攣，腰痛，頭痛など，いくつかの異なるタイプの痛みがあり，年齢，罹病期間，うつ病，機能障害の程度，疲労の増加と関連する．

C 作業療法の目標

MS は再発と寛解を繰り返し，長期にわたって多様な症状を示す疾患である．またウートフ現象のように症状の変動なども特徴的である．

作業療法においては，症状変化に応じた適切な目標設定をきめ細やかに行う必要がある．

再燃時，増悪時，寛解期など病期によっても設定目標やアプローチは異なるため，対象者の状態の把握に努める．それぞれの目標設定例を**表 4** に示す．

▶**表 4　目標設定例**

再燃時・急性増悪時
1. 誤用，廃用の防止：ROM の維持 脱髄病変に伴う四肢，体幹の障害に対する対応 2. 上肢巧緻動作の確保 基本動作・セルフケアの獲得：易疲労に注意したセルフケアの獲得 自助具や環境整備 3. 精神状態の安定：抑うつ状態などへの配慮 体調変動，易疲労に注意した作業時間の配分などの助言や支援 4. ADL の獲得・維持 安全な食事の摂取，排泄管理
寛解期
1. 自己管理能力の獲得 症状の理解と活動時間・量についての調整把握 2. IADL の獲得 家事動作，屋外の移動（自動車運転含む），公共交通機関の利用など 3. 就労 復職，就労継続

D 作業療法プログラム

MS の対象者の作業療法においては，認知再訓練，持久力・筋力運動，運動訓練などのさまざまな組み合わせを考慮する必要がある．

作業療法アプローチでは，①機能面への直接的アプローチ，②疲労の管理，③就業および生活上の役割の達成，④健康自己管理面の支援などがある[19]．

1 一般的なプログラム

a 良肢位保持と関節可動域の維持

発症時，再発増悪時については，四肢の良肢位の管理や誤用・廃用に留意してアプローチを行う．他動 ROM 訓練では，筋緊張や疼痛に注意を払い，愛護的に行う．自動運動については過負荷に注意する．

b 抵抗運動，運動療法

抵抗運動については，過度の疲労に注意しながら行う．適切な休憩をはさみながら安全に行う抵抗運動については効果が期待できる．筋力機能，運動耐性機能，歩行率など運動関連活動の観点から，運動療法の有利性があるというエビデンスが示されている[20]．

c バランス訓練

運動失調や感覚障害の影響によりバランスの低下が生じている場合には，バランス訓練を積極的に行う必要がある．MS の対象者におけるバランス訓練は転倒率やバランスの改善に有益な効果がある[21]．

d 上肢巧緻動作訓練

運動麻痺，廃用性の筋力低下などによって低下した上肢機能へのアプローチを行う．残存機能の活用と，症状に応じた道具の使用訓練など，ADL と併せて訓練を行う．

e 認知トレーニング

MS の対象者に特徴的な高次脳機能障害は次のようなものがあり[11]，それぞれに対応したアプローチを行う．

- 情報処理の遅延
- 注意力の低下（特に注意の転導性）
- 注意の分配
- 記憶力の低下（エピソード記憶の障害など）
- 遂行機能の低下

認知トレーニングおよび代償手段（メモの活用など）の獲得・指導，環境設定（作業の単純化など）を幅広く行う必要がある．注意障害および記憶障害についてのアプローチについては本シリーズ『高次脳機能作業療法学』を参照されたい．

f 精神面への対応

MS の対象者における抑うつ症状に対しては薬物療法，認知行動療法，運動療法などがある[10]．抗うつ薬などの服薬状況などを確認しておくこと．作業療法場面においては，可能な範囲での軽作業・手工芸などが気分転換に効果的なこともあるため，疲労や倦怠感などの症状に注意して導入を検討してみるのもよい．

g 日常生活活動訓練

MS は症状が多彩であることや急性増悪など，ADL への影響は大小さまざまであり，障害に応じたアプローチを行う．また若年者の場合は，ライフイベントに応じたフォローアップも必要となる．対象者のかかえる ADL 上の問題と本人の要望や体力面などから，動作練習を検討する．排泄管理で問題をかかえることも多いため，失禁対策として尿パッドの使用や時間での管理など自己管理指導についても行う．

h 就労支援

MS は若年発症が多く，就学就労，就労継続支援が重要である．作業環境への適応，職場の理解や配慮が不十分な場合，病状が悪化し就労継続が困難になることもあり，本人のみならず，職場への働きかけなど多面的なフォローを必要とする．就労継続のためには勤務時間帯の調整，休憩時間，通院日の確保，服薬など，さまざまな条件を整えることが肝要である．

ただし，担当作業療法士がこれらすべてを単独で行うことは困難であり，ハローワークなどの情報紹介などが有用である．ハローワークなどでは，就職活動時の意欲や貢献のアピールの仕方に関する支援のほか，疾病や障害の状態と必要な配慮およびその配慮があればできる仕事の内容などを整理し，事業主に対してわかりやすく説明できるようにする支援も実施している[22]．作業療法における就労の事前アセスメントとしては，脳の機能障害，注意力や集中力，記憶力の低下，思考速度や情報処理量の低下，行動の計画や組織化など，認知的な機能を確認する[23]．

i 自己管理指導――易疲労について

易疲労性への対処については，医師，看護師，理学療法士などの多職種チームによって評価され，管理することが重要[18]といわれており，情報共有をしっかり行ったうえで指導にあたる．

自己管理としては，エネルギー節約を中心に，重量物の運搬や頭上での作業を避けることなど，家事動作などの具体的な場面における動作指導を行う．過度な労働に伴う疲労が病状悪化につながる可能性があるため，対象者が自己管理できるように指導する．

j 自己管理指導 ── 体温変化への対処

体温や気温の上昇に伴う一時的な症状の悪化，ウートフ現象に注意するように指導を行う．ADLや家事動作，所用などを行う場合，体温の上昇する入浴後は避けるなどを具体的に説明し，理解してもらう必要がある．高温にならないように，室温の設定や入浴の温度などの環境設定についても併せて指導する．

2 注意事項

プログラムの実施にあたっては，実施時間帯，症状の日内変動などを考慮し，負荷量については細かく調整しながら行うことが求められる．プログラムにおける具体的な注意事項は上述の「評価における注意点」の項を参照されたい．

●引用文献

1) Lublin FD, et al: Defining the clinical course of multiple sclerosis: results of an international survey. *Neurology* 46:907–911, 1996
2) Kira J: Multiple sclerosis in the Japanese population. *Lancet Neurol* 2:117–127, 2003
3) 三須建郎：多発性硬化症と視神経脊髄炎─診断と治療の進歩. *Bone Joint Nerve* 8:35–41, 2018
4) Lennon VA, et al: A serum autoantibody marker of neuromyelitis optica: distinction from multiple sclerosis. *Lancet* 364:2106–2112, 2004
5) 黒田　宙, 他：多発性硬化症と視神経脊髄炎. 水澤英洋, 他(編)：神経疾患最新の治療 2018–2020. p157, 南江堂, 2018
6) Polman CH, et al: Diagnostic criteria for multiple sclerosis: 2010 revisions to the McDonald criteria. *Ann Neurol* 69:292–302, 2011
7) 早乙女貴子：多発性硬化症・視神経脊髄炎のリハビリテーション. *J Clin Rehabil* 27:434–443, 2018
8) Beer S, et al: Rehabilitation interventions in multiple sclerosis: an overview. *J Neurol* 259:1994–2008, 2012
9) Kurtzke JF: Rating neurologic impairment in multiple sclerosis: an expanded disability status scale (EDSS). *Neurology* 33:1444–1452, 1983
10) 「多発性硬化症・視神経脊髄炎診療ガイドライン」作成委員会(編)・日本神経学会(監)：多発性硬化症・視神経脊髄炎診療ガイドライン 2017. 医学書院, 2017
11) 伊藤利之, 他(編)：今日のリハビリテーション指針. pp35–38, 医学書院, 2013
12) 和田直樹：多発性硬化症・視神経脊髄炎に対するアプローチ. *MED REHABIL* (171):69–74, 2014
13) Chiaravalloti ND, et al: Cognitive impairment in multiple sclerosis. *Lancet Neurol* 7:1139–1151, 2008
14) Benedict RHB, et al: Cognitive impairment in multiple sclerosis: clinical management, MRI, and therapeutic avenues. *Lancet Neurol* 19:860–871, 2020
15) 新野正明：多発性硬化症における高次脳機能障害. 臨神経学 54:1058–1059, 2014
16) Siegert RJ, et al: Depression in multiple sclerosis: a review. *J Neurol Neurosurg Psychiatry* 76:469–475, 2005
17) Moran PJ, et al: The validity of Beck Depression Inventory and Hamilton Rating Scale for Depression items in the assessment of depression among patients with multiple sclerosis. *J Behav Med* 28:35–41, 2005
18) Tur C: Fatigue management in multiple sclerosis. *Curr Treat Options Neurol* 18:26, 2016
19) Yu CH, et al: Systematic review of occupational therapy-related interventions for people with multiple sclerosis: part 1. Activity and participation. *Am J Occup Ther* 68:27–32, 2014
20) Rietberg MB, et al: Exercise therapy for multiple sclerosis. *Cochrane Database Syst Rev* (2005): CD003980, 2005
21) Halabchi F, et al: Exercise prescription for patients with multiple sclerosis; potential benefits and practical recommendations. *BMC Neurol* 17:185, 2017
22) 障害者職業総合センター：マニュアル「難病のある人の就労支援のために　2016 年 06 月改訂」. https://www.nivr.jeed.or.jp/research/kyouzai/36_nanbyou.html
23) 日本作業療法士協会(編)：高次脳機能障害のある人の生活・就労支援. 作業療法マニュアル 58. pp43–44, 2015

3 重症筋無力症

GIO 一般教育目標 重症筋無力症の対象者に作業療法を実施できるようになるために，この疾患の病態を理解し，作業療法の評価技法と治療・指導・援助法を修得する．

SBO 行動目標
1）重症筋無力症の病態および予後について説明できる．
- □ ①重症筋無力症の病態を説明できる．
- □ ②重症筋無力症の症状と特徴を説明できる．

2）重症筋無力症の医学的治療と作業療法の関連について説明できる．
- □ ③重症筋無力症の診断および重症度分類に用いられる方法を列挙できる．
- □ ④重症筋無力症の医学的治療を説明できる．

3）重症筋無力症の対象者に対する作業療法評価を説明できる．
- □ ⑤重症筋無力症の対象者に対する一般的な作業療法評価を列挙できる．
- □ ⑥重症筋無力症の対象者の評価および治療における注意点を説明できる．

4）重症筋無力症の対象者の作業療法目標を設定できる．
- □ ⑦重症筋無力症の病状に応じた作業療法目標を説明できる．

5）重症筋無力症の対象者に対する作業療法プログラムを計画できる．
- □ ⑧重症筋無力症の対象者の身体機能障害に対する作業療法プログラムおよび注意点を説明できる．
- □ ⑨重症筋無力症の対象者に対する ADL 指導上の注意点および注意点を説明できる．

A 概要

1 重症筋無力症とは

重症筋無力症（myasthenia gravis; MG）は，神経筋接合部のシナプス後膜上に局在するいくつかの標的抗原に対する自己抗体の作用により，神経筋接合部の刺激伝達が障害されて生じる**自己免疫疾患**である[1]．

■疫学

特定疾患医療受給者証交付件数は 2006 年には 15,100 人であったが，2018 年の時点で 23,260 人を超えており，増加傾向にある[2]．年齢分布としては，5 歳未満に 1 つ目のピークがあり，全体の 7% を占める．次に女性では 30～50 歳代，男

Keyword

自己免疫疾患　免疫は外来の病原体などに対して自己を守るためのシステムであるが，なんらかの原因によりこの免疫システムが正常に機能しなくなり，自己を標的として攻撃する場合を「自己免疫疾患」と呼ぶ．自己免疫疾患には，特定の部位（臓器）が攻撃される「臓器特異的自己免疫疾患」と，全身の臓器が攻撃される「全身性自己免疫疾患」とがある．自己免疫疾患の原因は明らかにはなっていない．

特定疾患医療受給者証　国が指定する難病と診断され，重症度分類などに照らして病状の程度が一定程度以上の場合に，住所地を管轄する保健所に申請し，認定されることで交付される．有効期限は 1 年以内で，1 年ごとに更新申請が必要である．受給者証があれば年収などに応じて医療費の助成が受けられる．

性では50〜60歳代にピークがある[3]．

MGはわずかな運動でも易疲労性を伴う筋力低下がみられることが特徴である．外眼筋，嚥下筋および体幹・四肢の筋力低下が易疲労性と日内変動を呈し，寛解と増悪を認める．典型的な症状として，夕方，月経時，疲労の発生時に症状が悪化する．眼瞼下垂は，数分で変化または交互におこり，持続的な上向き視線ののちに悪化することがあるため，診断に特に有用である．臨床上特に注意すべきこととして呼吸不全が進行する**クリーゼ**がある[4]．

2 医学的治療と作業療法の関連

MGの原因は不明であるが，ニコチン性アセチルコリン受容体に対する抗体が発症に関与していることが明らかになっている．この疾患は治療可能性が高いため，早期発見が重要である．過去10年の間に，この疾患の理解に大きな進展がみられ，新しい治療法が開発され，罹患率および死亡率が大幅に減少している[5]．

a 診断

MGの診断は「重症筋無力症診療ガイドライン2014」で提唱された診断基準案（▶**表1**）[1]があり，臨床症状とアセチルコリン受容体（AChR）抗体，または筋特異的受容体型チロシンキナーゼ（MuSK）抗体のいずれかが陽性で診断確定となる[3]．

b 重症度分類

現存するほとんどの分類はオッサーマン（Osserman）の分類を修正したもので，純粋に眼球侵襲を有する対象者と全身性の脱力を有する対象者を分け，さらに軽度，中等度，重度の全身性の脱力を有する対象者を分けている．重症度の分類としては米国重症筋無力症財団分類（Myasthenia Gravis Foundation of America clinical classification; MGFA分類）が汎用されている[6]．詳細は本シリーズ『作業療法評価学』を参照のこと．

▶表1 重症筋無力症診断基準案2013

A. 症状
(1)眼瞼下垂 (2)眼球運動障害 (3)顔面筋力低下 (4)構音障害 (5)嚥下障害 (6)咀嚼障害 (7)頸部筋力低下 (8)四肢筋力低下 (9)呼吸障害 〈補足〉上記症状は易疲労性や日内変動を呈する
B. 病原性自己抗体
(1)アセチルコリン受容体(AChR)抗体陽性 (2)筋特異的受容体型チロシンキナーゼ(MuSK)抗体陽性
C. 神経筋接合部障害
(1)眼瞼の易疲労性試験陽性 (2)アイスパック試験陽性 (3)塩酸エドロホニウム(テンシロン)試験陽性 (4)反復刺激試験陽性 (5)単線維筋電図でジッターの増大
D. 判定
以下のいずれかの場合，重症筋無力症と診断する (1)Aの1つ以上があり，かつBのいずれかが認められる (2)Aの1つ以上があり，かつCのいずれかが認められ，他の疾患が鑑別できる

(注)Cの各手技については原典を参照．

〔日本神経学会(監)，重症筋無力症診療ガイドライン作成委員会(編)：重症筋無力症診療ガイドライン2014. p11, 南江堂, 2014より許諾を得て転載〕

c 治療

治療は自己免疫疾患の性質上，ステロイド（**ステロイドパルス療法**）を基盤とした免疫療法が主体であり，コリンエステラーゼ阻害薬，胸腺摘除術，免疫抑制薬，**血漿交換**および**免疫グロブリン大量静注療法**（➡360ページ）などの治療がある．ただしこれらの治療を行っても，MG患者が

Keyword

クリーゼ 危機的状態(crisis)を指すドイツ語である．全身の筋力低下，球麻痺症状(構音障害，嚥下障害)，呼吸器症状が急激に増悪し，呼吸不全に至った状態．MGが悪化した重症筋無力症性クリーゼと抗コリンエステラーゼ薬過剰によるコリン作動性クリーゼがある．

▶表 2　重症筋無力症診療ガイドライン 2014 による治療 CQ マップ

<table>
<tr><th rowspan="2">症状分布</th><th colspan="3" rowspan="2">眼筋に限局</th><th colspan="6">全身型</th></tr>
<tr><th colspan="3">軽症〜中等症</th><th colspan="3">重症〜クリーゼ</th></tr>
<tr><td>病型</td><td>早期発症</td><td>後期発症</td><td>胸腺腫関連</td><td>早期発症</td><td>後期発症</td><td>胸腺腫関連</td><td>早期発症</td><td>後期発症</td><td>胸腺腫関連</td></tr>
<tr><td>胸腺摘除</td><td colspan="3">胸腺腫関連 MG のみに適応</td><td colspan="3">胸腺腫関連 MG は適応
その他も一部適応あり</td><td colspan="3">症状改善を優先</td></tr>
<tr><td>経口免疫療法</td><td colspan="3">経口ステロイド
免疫抑制剤</td><td colspan="3">経口ステロイド
免疫抑制剤</td><td colspan="3" rowspan="2">血液浄化療法
免疫グロブリン静注療法
を軸に
ステロイドパルス療法
経口免疫療法</td></tr>
<tr><td>非経口免疫療法</td><td colspan="3">ステロイドパルス療法</td><td colspan="3">血液浄化療法
免疫グロブリン静注療法
ステロイドパルス療法</td></tr>
<tr><td>対症療法</td><td colspan="6">抗コリンエステラーゼ薬
ナファゾリン点眼薬，眼瞼挙上術</td><td colspan="3">原則使用しない
嚥下障害に対する過渡的治療</td></tr>
</table>

病型分類
- 早期発症 MG（胸腺腫非合併，50 歳未満発症）：early-onset MG（EOMG）
- 後期発症 MG（胸腺腫非合併，50 歳以上発症）：late-onset MG（LOMG）
- 胸腺腫関連 MG（胸腺腫合併，年齢不問）　：thymoma-associated MG（TAMG）

CQ：clinical question
詳細は原典を参照．
〔日本神経学会（監），重症筋無力症診療ガイドライン作成委員会（編）：重症筋無力症診療ガイドライン 2014. p24, 南江堂, 2014 より許諾を得て転載〕

完全寛解に至る割合は全体の 10% 以下である[4]．

代表的な治療方法については**表 2**[1] に示した．

B 作業療法評価

1 一般的な評価

a 筋力

筋力低下は一般的に MGFA 分類および QMG（Quantitative MG）スコアを用いて評価される[6]．評価の詳細は，本シリーズ『作業療法評価学』を参照のこと．

作業療法においては，頸部および四肢の MMT，握力測定，ピンチ力測定を行う．

筋力検査の際には，反復的筋収縮による急速な筋力低下に注意する．また日内変動などもあるため，検査する時間によっては結果が異なる可能性に留意すべきである．

> **Keyword**
> **ステロイドパルス療法**　steroid pulse therapy．ステロイド治療の一種で，短期間でかつ大量に用いる治療法である．目的としては免疫抑制と抗炎症作用である．治療としてはナトリウムの再吸収の弱いメチルプレドニゾロン 1,000 mg または 500 mg を最低 2〜3 時間かけて 3 日間連続投与する．その後プレドニゾロン 30〜20 mg/日の継続投与を行うことが一般的である．副作用として，徐脈や血圧低下，顔面のほてり，一過性の浮腫の増強と腎機能の低下，感染症や消化管潰瘍などがある．

b 関節可動域

明らかな関節拘縮を伴うことは少ないが，廃用性の ROM 制限の有無を確認しておく．

c 上肢巧緻動作

上肢近位筋の脱力，易疲労などがみられ，空間での上肢操作などが困難となりやすい．上肢機能検査としては STEF が用いられる．書字，箸操作，櫛の使用など，セルフケア場面の観察も交えて評価する．

d 日常生活活動

摂食・嚥下障害，コミュニケーション障害，呼吸機能の低下，眼瞼下垂などの特徴的な症状があり，ADL 評価には，MG-ADL スケール[7] を用いるとよい．評価の詳細は，本シリーズ『作業療法評価学』を参照のこと．

MG-ADL スケールの 2 ポイントの改善は臨床的な改善を示すことが報告されており，臨床的にも効果判定として有用とされている[8]．ADL の具体的な項目に関する評価は，FIM または BI を用いる．

e 精神・心理状態

合併する精神疾患としては，抑うつ性障害と不安障害が多い[9]．なかでも抑うつ症状がよくみられ，中等度～重症のうつ病の有病率は 20.5% と高く，うつ病と疲労の関連性も指摘されている[10]．また，ストレスは，症状悪化(クリーゼへ移行)につながりやすいため注意を要する．評価においては抑うつや不安症状の経時的変化，夜間の入眠状態などを確認しておく．

f 生活の質

時間帯や活動量によって QOL が変動することがあり，対面評価のみでは十分に QOL を把握することが困難である．こうした MG 特異的な QOL の評価として，revised Myasthenia Gravis Quality of Life Scale(MG-QOL15r)[11] が利用されている．15 項目の自己記入式評価スケールであり，対象者の主観を反映する．詳細は本シリーズ『作業療法評価学』を参照のこと．

2 評価における注意事項

a 易疲労性

MG では運動の繰り返し，連続動作などで疲労し，休息で回復する特徴がある．検査・測定の際には過度な運動負荷にならないよう不必要な負担は避け，計画的に実施する．

b 症状の変動

日内変動により症状に変化があるため，活動時間や実施時間に注意を払う．症状の程度も日ごとに変化することがあり，経過をていねいにみていく．症状の典型的な変動性は，①日中の短時間での変動を繰り返しながら，夕方，月経時，疲労の発生時に症状が悪化し，②数週～数か月の間に，症状の悪化，再発を繰り返すことが認められる[12]．

c 複視，眼瞼下垂

複視・眼瞼下垂に伴う視野障害の影響に注意を払う．ADL 場面では転倒や障害物への接触などに注意する．

d 感染予防

服薬状況によっては易感染性となる．また感染症の罹患は症状の悪化，**クリーゼ**(➡ 373 ページ)の誘発などにつながるため注意を払う．血液データなどで状態を確認するとともに，手洗い，手指消毒など日々の標準感染予防策に努めるよう指導する．

C 作業療法の目標

症状の程度，治療方針などを確認し，廃用症候群の予防，ADL をできるだけ保つことが求められる．急性期においては，易疲労，過負荷に注意しつつ，廃用予防，ADL の維持に努める．比較的症状が落ち着いてきた段階では筋力の向上，耐久性の向上，ADL の拡大などが検討される．また，症状の変動や対処など日常生活上の注意事項などについて対象者が理解できるよう支援する必要がある．

いずれにせよ，作業療法目標設定においては治療方針，本人の希望，症状の変動などを勘案し，医療チーム内で共有をはかる必要がある．

D 作業療法プログラム

1 一般的なプログラム

MG 対象者に対して，どのように運動を進めていくかなどの決められたプロトコルはないが，適切な指導・監視下であれば安全に運動を行うことは可能であり，筋力の向上と生理機能の改善が望める[13]．

a 関節可動域訓練

他動運動による ROM 訓練から行う．廃用性の ROM 低下などが認められる場合は，疼痛に注意しながら愛護的に行う．

自動運動については，実施回数をきめ細かく設定し，過労にならないように配慮する．

b 筋力訓練

同一筋の反復運動を避けて，低負荷，低頻度の運動より開始する．実施中の疼痛や疲労の出現，一時的筋力低下などの症状に注意を払う．負荷量の増大については，医師と連携をとりながら進めていく．

c 上肢機能訓練

負荷量の設定などについては筋力練習と同様の注意が必要である．実施頻度や反復回数についてもきめ細かく設定する．上肢近位筋の筋力低下に伴うリーチの困難さなどに対しては，自助具の使用訓練などを含めて上肢操作課題を行う．特定の筋に負担がかかりすぎないように注意する．書字，箸操作などの巧緻動作訓練も必要に応じて行う．

手指などの機能が温存されている場合は，手工芸などが気分転換などにも応用でき，対象者の希望などに応じてすすめてもよい．

d 基本動作訓練

座位，立位，歩行練習などは理学療法士と情報共有しながら，作業療法場面においても必要な動作訓練を行う．立位での動作訓練では，急な脱力に伴う転倒などに注意する．

e 日常生活活動訓練

急性期においては，可能な範囲での ADL 維持が目標となる．なるべくエネルギーを節約しながら行う動作の選定，道具の紹介などを行う．

嚥下障害を伴う場合もあり，言語聴覚士，看護師などと連携して食事練習を行う必要がある．呼吸機能の低下に伴う呼吸器管理によってコミュニケーション障害が生じている場合は，筆談，ホワイトボードの利用，文字盤の利用も検討する．

f 生活指導

症状悪化につながる要因に注意するよう指導する．ADL，IADL においては，低負荷で行えるような作業の単純化やエネルギー節約についても指導する．

■対象者への生活上の注意事項

- 易疲労・過労に注意し，疲れたときには休息をとるようにする．
- 過剰な自主練習はかえって筋力低下をまねく．自主練習の方法は担当作業療法士に確認する．
- 服薬は症状に直接的に影響があり，用量，用法をしっかり守る．わからない場合は医師，薬剤師に相談，確認をする．
- 感染症に注意する(服薬によって易感染状態となっている場合には特に注意)．
- ストレスについても注意が必要であり，不安などがある場合には担当作業療法士などに相談する．
- 月経前に症状の変動があるので，体調管理に配慮する．
- 買い物などでの重量物の運搬にはカートなどを

用いる.

2 注意事項

筋力訓練や基本動作訓練，ADL 訓練の際には負荷量を確認し，過負荷にならない配慮が必要である．特に上肢の反復運動での筋力低下の出現には注意する．その他プログラム実施における注意点は，上述の「対象者への生活上の注意事項」の項を参照されたい．

●引用文献

1) 日本神経学会(監)，重症筋無力症診療ガイドライン作成委員会(編)：重症筋無力症診療ガイドライン 2014. pp11, 24, 南江堂, 2014
2) 出典：厚生労働省衛生行政報告例(平成 30 年度末現在)
3) 久保田智哉, 他：重症筋無力症についての最新知見と治療. *MED REHABIL* (21):21–27, 2017
4) 本村政勝：重症筋無力症の最近の治療. 日内会誌 104:1953–1958, 2015
5) Jayam Trouth A, et al: Myasthenia gravis: a review. *Autoimmune Dis* 2012:874680, 2012
6) Jaretzki A, et al: Myasthenia gravis: recommendations for clinical research standards. Task Force of the Medical Scientific Advisory Board of the Myasthenia Gravis Foundation of America. *Neurology* 55:16–23, 2000
7) Wolfe GI, et al: Myasthenia gravis activities of daily living profile. *Neurology* 52:1487–1489, 1999
8) Muppidi S, et al, MG Composite and MG-QOL15 Study Group: MG-ADL: still a relevant outcome measure. *Muscle Nerve* 44:727–731, 2011
9) Ybarra MI, et al: Psychiatric disorders in myasthenia gravis. *Arq Neuropsiquiatr* 69:176–179, 2011
10) Gavrilov YV, et al: Depression in myasthenia gravis: a heterogeneous and intriguing entity. *J Neurol* 267:1802–1811, 2020
11) Burns TM, et al: International clinimetric evaluation of the MG-QOL15, resulting in slight revision and subsequent validation of the MG-QOL15r. *Muscle Nerve* 54:1015–1022, 2016
12) Berrih-Aknin S, et al: Diagnostic and clinical classification of autoimmune myasthenia gravis. *J Autoimmun* 48-49:143–148, 2014
13) Naumes J, et al: Exercise and myasthenia gravis: a review of the literature to promote safety, engagement, and functioning. *Int J Neurorehabil* 3(3), 2016

神経変性疾患

1 パーキンソン病

GIO 一般教育目標 パーキンソン病の対象者に作業療法を実施できるようになるために，この疾患の病態を理解し，作業療法の評価技術と治療・指導・援助法を修得する.

SBO 行動目標
1) パーキンソン病の病態について説明できる.
- □ ①パーキンソン病の発生機序を説明できる.
- □ ②パーキンソン病の運動症状(4 大症状)と非運動症状を説明できる.

2) パーキンソン病の医学的治療について説明できる.
- □ ③パーキンソン病の医学的治療を説明できる.

3) パーキンソン病の対象者に対する作業療法評価を説明できる.
- □ ④パーキンソン病の対象者に対する一般的な作業療法評価を列挙できる.
- □ ⑤パーキンソン病に特有の評価法を 2 つあげることができる.
- □ ⑥パーキンソン病の対象者の評価および治療における注意点を説明できる.

4) パーキンソン病の対象者の各病期に応じた作業療法目標を設定できる.
- □ ⑦パーキンソン病の各病期に応じた作業療法目標を説明できる.

5) パーキンソン病の対象者の各病期に応じた作業療法プログラムを計画できる.
- □ ⑧パーキンソン病の対象者の行為・動作改善のための方略を説明できる.
- □ ⑨パーキンソン病の対象者の各病期に応じた ADL 指導上の工夫を説明できる.

A 概要

1 パーキンソン病とは

パーキンソン病(Parkinson’s disease; PD)はわが国においてアルツハイマー型認知症に次いで頻度の多い緩徐進行性の神経変性疾患であり，有病率は 100〜300 人/10 万人，65 歳以上では 10 万人に 1 人と推計されている．多くは孤発型だが 5〜10% は遺伝性であり，発症年齢は 50〜65 歳が多く，40 歳以下で発症するものを若年性パーキンソン病と呼ぶ[1,2].

PD では，脳内の神経伝達物質であるドパミンを産生する中脳黒質の神経細胞が変性脱落し，線条体のドパミンが欠乏して特徴的な運動症状が出現する．近年，PD の神経細胞に生じるレビー(Lewy)小体(主成分は α–シヌクレイン)に注目した研究も進んでいる[3,4].

2 パーキンソン病の症状

PD の臨床症状は全身性で多彩であり，運動症状と非運動症状に大別される(▶表 1).

運動症状には，4 大徴候と呼ばれる無動(動作緩慢)，振戦(安静時振戦)，筋強剛(固縮)，姿勢保持障害があり，さらに姿勢異常，すくみ現象，特徴的な歩行障害がある．姿勢保持障害は進行期に出現することが多いため，近年，診断には無動(動

▶表 1 PD の症状

症状			具体的現象
運動症状	1	無動(動作緩慢)	**運動開始遅延，動作がゆっくり，運動減少(運動が小さく・少ない)** ●眼輪筋・外眼筋・表情筋→(仮面様顔貌)，発声筋→(小声で不明瞭) ●咀嚼・嚥下筋→(咀嚼・嚥下機能低下，流涎)，上肢・手指筋→(書字拙劣，小字症)
	2	振戦(安静時振戦)	**手指，上下肢，頸部，顔面，口部などに出現する 4～6 Hz の規則的振戦** ●静止時・安静時に出現し精神的緊張で増強 ●随意運動を行うと振戦は減弱，消失するが，動作時振戦が混在する例もあり
	3	筋強剛(固縮)	**他動運動時に鉛管様，歯車様の抵抗** ●四肢，頸部，体幹に出現
	4	姿勢保持障害	病初期には少なく，疾患の進行により出現 **バランス変化に対応困難** ●特に後方バランス変化に対応困難→(後方突進や転倒の危険性) **次の動作時に生じるバランス変化に対する予期的姿勢準備困難**
	5	姿勢異常	●立位時，歩行時に体幹前屈・四肢軽度屈曲・前傾姿勢となる ●体幹の強い前屈(腰折れ)や側屈(ピサ症候群)，過度の頸部前屈(首下がり)を生じることがあるが，背臥位で症状が減弱，消失する ●手指の変形：線条体手(striatal hand)
	6	すくみ現象	発語や手指のタップ運動，歩行などの開始時や途中に動作が停止する現象
	7	歩行障害	●歩行開始遅延，小刻み歩行，加速歩行，急に止まれない，方向転換困難 ●すくみ足(歩行開始時，曲がり角，部屋への入り口，狭い場所などで生じやすい) ●矛盾性歩行(床の線などの視覚刺激，メトロノーム音などの聴覚刺激ですくみ足が解消)
非運動症状	8	睡眠・覚醒障害	●夜間不眠，日中の眠気・過眠，突然の眠気，入眠を阻害する脚のむずむず感 ●レム睡眠行動異常(夢内容に一致した異常行動：夢の行動化)
	9	精神・認知・行動障害	●気分障害：抑うつ，不安，アパシー(感情や意欲の低下) ●行動障害：病的賭博，性欲亢進，買いあさり，常同反復動作 ●認知機能障害：精神活動緩慢，遂行機能障害，注意障害，視空間認知障害，記憶障害〔記憶障害が進行すると認知症を伴うパーキンソン病(PDD)となる〕 ●幻覚(幻視，幻聴，体感幻覚)，妄想・せん妄
	10	自律神経障害	起立性低血圧，排尿障害，便秘，性機能障害，四肢循環障害，発汗障害，脂顔，多汗
	11	知覚障害	嗅覚障害，手足のしびれ，痛み，入眠時・安静時の脚のむずむず感，複視
	12	その他	体重減少(やせ)，疲労・倦怠感，長期服薬による wearing-off 現象，on-off 現象，ジスキネジア

作緩慢)と安静時振戦，筋強剛(固縮)の 3 症状が重視されている[1,2]．

PD の非運動症状は，睡眠・覚醒障害，精神・認知・行動障害，自律神経障害，知覚障害などである．特に嗅覚障害，レム睡眠行動障害，便秘，気分障害(抑うつ，不安)は PD の発症初期，あるいは前駆期(運動症状が顕在化する以前)から生じることが明らかとなってきた[1,5]．

PD の運動症状(パーキンソニズム)は，進行性核上性麻痺(progressive supranuclear palsy; PSP)，大脳皮質基底核変性症(corticobasal degeneration; CBD)，多系統萎縮症(multiple system atrophy; MSA)，レビー小体型認知症(dementia with Lewy bodies; DLB)など PD 以外の神経変性疾患や，薬物，脳血管障害，**正常圧水頭症**(➡ 178 ページ)(normal pressure hydrocephalus; NPH)などの疾患でも生じる場合がある．これらは予後や治療も異なるため，パーキンソン症候群として区別する．

PD の初発症状の訴えは片側の上肢・下肢から始まる振戦や無動(動作緩慢)が多く，片側上肢動作の拙劣化，左右上肢の協調動作困難を訴える例も少なくない．対象者の約 20% には運動症状に先行して非運動症状が出現し[6]，発病初期には前

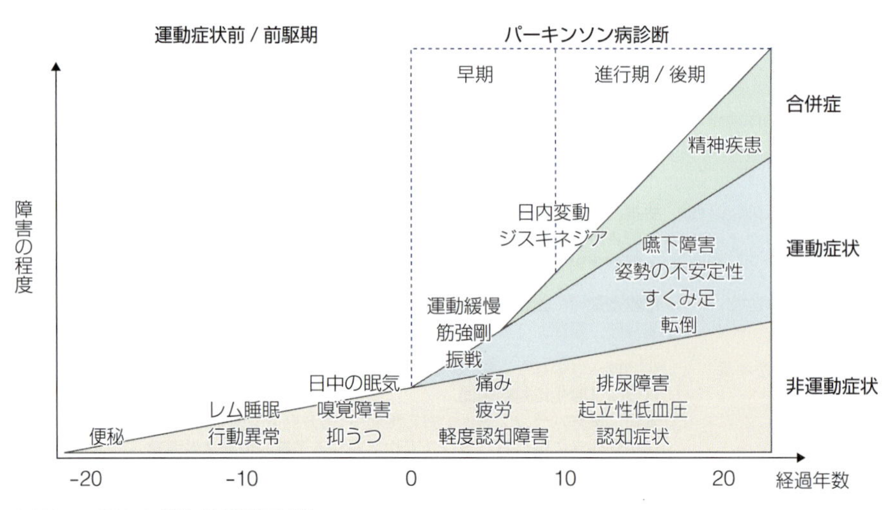

図 1　PD の進行と臨床症状
〔Kalia LV, et al: Parkinson's disease. *Lancet* 386:896–912, 2015 より作成〕

頭葉機能である遂行障害や注意障害(配分・転換の障害)，いわゆる軽度認知障害(mild cognitive impairment; MCI)の状態である者も多い[7]．一部は記憶障害が進行し認知症を伴う PD(Parkinson's disease with dementia; PDD)となり，DLB と同様の症状を呈する．**図 1**[5] には，PD の生涯にわたる経過を示す．

3 医学的治療と作業療法の関連

PD は高齢者に多く，緩徐進行性のため，重症度(病期)により治療，指導，援助の方法が変化する．この重症度にはホーエン–ヤール(Hoehn & Yahr; HY)の重症度分類および厚生労働省の生活機能障害度分類が用いられる[8,9](▶**表 2**)．わが国では，この HY の重症度分類が Ⅲ 度以上かつ生活機能障害が Ⅱ 度以上の診断を受けると指定難病として医療費助成の対象となる．過去には明らかな運動症状発現後に診断を受け治療開始となることが多かったが，近年の医療の進歩により前駆期，発病初期からの治療・指導の可能性と重要性が高まっている．

治療の中心となるのは薬物療法などの内科的治療と外科的治療，そして病期に応じた継続的リハビリテーションである[4,8,10]．**表 3** に内科的治療と外科的治療の概要を示す．なお，現在の PD に対する治療の多くが補充・対症療法であり，神経細胞の変性抑制や再生を可能とする治療法の開発が期待されている．

B 作業療法評価

1 一般的評価

さまざまな治療を受けながらも PD の運動症状と非運動症状は徐々に進行し，仕事や社会活動，生活関連活動(IADL)，日常生活活動(ADL)への影響が次第に大きくなる．よって，進行によって生じる全身的な症状を念頭に生活機能の評価を行うことが必要である．さらに薬効があるとき(on 時)とないとき(off 時)で機能が大きく変動することも忘れてはならない．**表 4** には PD に有用な評価を分類して示した[9,11–15]．

このなかから，PD の評価に広く使用されている UPDRS(Unified Parkinson's Disease Rating Scale；PD 統一スケール)の改訂版である MDS

▶表2　ホーエン-ヤールの重症度分類および修正版，厚生労働省の生活機能障害度分類

ホーエン-ヤールの重症度分類		ホーエン-ヤールの重症度分類(修正版)		厚生労働省の生活機能障害度分類	
		0度	パーキンソニズムなし	Ⅰ度	日常生活，通院にほとんど介助を要さない
Ⅰ度	●左右一側に振戦，筋強剛，無動などの症状あり ●機能障害はないかあっても軽度	1度	一側性パーキンソニズム		
		1.5度	一側性パーキンソニズムおよび体幹障害		
Ⅱ度	●左右両側に振戦，筋強剛，無動などの症状あり ●姿勢保持障害はない ●日常生活や職業に多少の障害がある	2度	両側性パーキンソニズムだが平衡障害なし		
		2.5度	軽度両側性パーキンソニズムおよび後方突進があるが自分で立ち直れる		
Ⅲ度	●姿勢保持障害，歩行障害あり ●日常生活にかなり障害があるが1人で生活可能 ●職業によっては仕事が可能	3度	軽度～中等度両側性パーキンソニズムおよび平衡障害，介助不要	Ⅱ度	日常生活，通院に介助を要する
Ⅳ度	●無動，姿勢保持障害は重度 ●自力での日常生活は困難 ●立位保持と歩行はかろうじて可能	4度	高度パーキンソニズムおよび平衡障害，歩行は介助なしでなんとか可能		
Ⅴ度	●立位保持や歩行は不可 ●介助なしではベッドまたは車椅子のままの状態	5度	介助なしではベッドまたは車椅子のままの状態	Ⅲ度	日常生活に全面的な介助を要し，歩行，起立が不能

(Movement Disorder Society)-UPDRS を紹介する．

MDS-UPDRS は4つのパートに分類される50項目で構成され，すべての項目を5段階(0：正常，1：ごく軽度，2：軽度，3：中等度，4：高度)で評定する尺度である．

Part Ⅰは「日常生活における非運動症状(13項目)」，Part Ⅱは「日常生活における運動症状の側面(13項目)」，Part Ⅲは「運動症状の検査(18項目)」，Part Ⅳは「運動合併症(6項目)」からなり，Part Ⅰ 6項目とPart Ⅳ全項目は評価者が面接を行い評定する．Part Ⅰの7項目とPart Ⅱの13項目はアンケート形式の質問に対象者/介護者が回答(評定)し，Part Ⅲの全項目は評価者が客観的な検査を行い評定する．

改訂前と比較して項目内容が以下のように整理され，PD の多様な症状をより幅広く把握できる評価法となっている．

① Part Ⅰ「日常生活における非運動症状」には，不安やドパミン調節異常症，排尿の問題，便秘，疲労の項目を追加．さらに改訂前は他パートに分類されていた痛み，異常感覚，不眠や眠気，

▶表 3　PD の内科的治療と外科的治療

内科的治療（薬物療法）	PD の治療薬	作用	副作用・禁忌
	L–ドパ合剤	ドパミン補充	吐き気，食欲不振，便秘，起立性低血圧，ジスキネジア，幻覚・妄想，睡眠発作
	ドパミン作動薬（ドパミンアゴニスト）	ドパミン受容体刺激	吐き気，食欲不振，便秘，起立性低血圧，ジスキネジア，幻覚・妄想，睡眠発作，過眠，興奮，浮腫，心臓弁膜症
	MAO-B 阻害薬	ドパミン分解酵素抑制	禁忌：三環系抗うつ剤，SSRI，SNRI との併用 副作用：L–ドパ合剤と同じ
	ドパミン遊離促進薬	ドパミン放出促進	口の渇き，食欲不振，便秘，幻覚，浮腫
	COMT 阻害薬	L–ドパ代謝分解抑制	副作用：L–ドパ合剤と同じ
	ノルアドレナリン前駆体薬	ノルアドレナリン補充	口の渇き，食欲不振，幻覚，妄想
	抗コリン薬	アセチルコリン抑制	口の渇き，食欲不振，幻覚，妄想
	抗てんかん薬	ドパミン合成賦活	吐き気，食欲不振，幻覚，妄想，眠気
	非ドパミン系治療薬	基底核興奮性アデノシンを抑制	ジスキネジア，便秘，幻覚，眠気，吐き気
	その他	便秘薬，昇圧薬など	
外科的治療（定位脳手術）	凝固術	作用	副作用
	視床腹中間核凝固術	振戦に効果的	構音障害，嚥下障害の可能性
	淡蒼球内節凝固術	ジスキネジアに効果的	認知機能低下の可能性
	視床下核の凝固術	無動に効果的	不随意運動出現の可能性
	視床腹内側（Forel H 野）	振戦，固縮，無動，ジスキネジアに効果的	不明
	脳深部刺激療法（DBS）	作用	副作用
	視床腹中間核の刺激療法	振戦に効果的	構音障害，嚥下障害の可能性
	淡蒼球内節の刺激療法	ジスキネジアに効果的	認知機能低下の可能性
	視床下核の刺激療法	無動に効果的	精神症状（幻覚・抑うつ，衝動性），認知機能低下の可能性
今後期待される新治療	遺伝子治療	神経細胞変性の抑制	
	ドパミン産生細胞移植	ドパミン細胞の再生	

SSRI：選択的セロトニン再取込み阻害薬，SNRI：セロトニン・ノルアドレナリン再取込み阻害薬，DBS：deep brain stimulation，MAO-B：モノアミン酸化酵素 B，COMT：カテコール–*O*–メチル基転移酵素．

起立性低血圧の項目を集約

② Part Ⅱ「日常生活における運動症状の側面」には，立ち上がり，趣味などの活動場面の項目を追加

③ Part Ⅲ「運動症状の検査」には，つま先のタッピング項目，歩行と区別して歩行のすくみ項目を追加

④ Part Ⅳ「運動合併症」では，ジスキネジア，ジストニアなどを薬効の on 時/off 時で比較し評定する項目に整理

2 作業療法評価の注意事項

発病初期は仕事や社会活動，IADL に困難が生じ，その後，基本動作やセルフケアなどの ADL に困難が生じる．PD の対象者は運動症状だけでなく非運動症状も大きな苦痛であると訴えることも多いため[12)]，認知機能など非運動症状の評価も発病初期から必要である．さらに，対象者の症状変化に応じた作業療法を行うため，継続的，定期的に行う．

▶表 4 PD の評価領域と評価方法

評価領域		評価方法
身体機能/運動機能	生理機能	血圧，心拍，経皮的酸素飽和度(SpO_2)
	筋緊張	MAS，他動・自動運動時の筋緊張確認
	筋力	MMT，握力など
	可動域(四肢，体幹など)	ROM-T，他動・自動運動時の可動域確認
	姿勢，肢位	姿勢(臥位・座位・立位)観察，四肢・体幹の状態確認
	静的・動的バランス	平衡反応検査，FRT(functional reach test)，BBS(Berg Balance Scale)
	歩行	TUG(timed up and go test)，転倒自己効力感尺度(Falls Efficacy Scale; FES)，すくみ足・小刻み歩行などの観察
	上肢機能	STEF，Motor Activity Log(MAL)，Fugl-Meyer Assessment(FMA)
	知覚	体性感覚(深部覚，しびれ，痛み，睡眠時・安静時のむずむず感)の確認
	その他	転倒経験，振戦，疲労感，眼球運動，構音・発語機能，嚥下機能の確認
精神・認知機能	全般的認知機能	MMSE，HDS-R
	注意	CAT(標準注意検査法)，TMT(Trail Making Test)など
	遂行機能	FAB，BADS(遂行機能障害症候群の行動評価)
	視空間認知	コース立方体テスト，レーブンカラーマトリックス検査
	気分障害	SDS(自己評価抑うつ尺度)，ARS(やる気スコア)，CAS(標準意欲評価法)
	行動障害	病的賭博，強迫的買い物，強迫的過食，反復常同行動などを確認
	その他	幻覚(幻視，幻聴)の確認，夜間の睡眠状況と日中の眠気など確認
活動・参加	ADL 評価	FIM，BI
	IADL などの評価	FAI(Frenchay Activities Index)，老研式活動能力指標，職業関連活動の確認
	生活時間調査	生活時間(服薬時刻，睡眠含む)，on 時/off 時の ADL・IADL 能力の解離を確認
環境因子・個人因子	物理的・人的環境	家族構成，家屋構造，杖や歩行器など使用する用具の確認
	個人歴や興味・関心	職歴，趣味，興味など〔COPM，作業遂行歴面接第 2 版(OPHI-II)なども活用〕
PD 用に構成された評価	UPDRS	運動症状，非運動症状，ADL 能力などを総合的に評価する
	MDS-UPDRS	UPDRS に疲労感，ドパミン調節異常症候群などを加え総合的に評価する
	Schwab and England ADL Scale	動作遂行時間を通常時間と比較し，ADL 自立度を % で表示する評価方法
	PDQ-39，PDQ-8	PD 患者の健康関連 QOL を測定する質問式調査票
	MASAC-PD31	ADL における運動症状と非運動症状を，on/off 時で評価する自記式調査票
	non-motor symptoms questionnaire	30 項目の非運動症状の有無をチェックする調査票

UPDRS：Unified Parkinson's Disease Rating Scale(PD 統一スケール)，MDS-UPDRS：Unified Parkinson's Disease Rating Scale(改訂版 PD 統一スケール)，PDQ：Parkinson's disease Questionnaire，MASAC-PD31：MASAC は Motor Activity of daily living, Sleep, Autonomic, Cognition mood and others の頭文字を示す．

薬効が on 時と off 時で対象者の機能は極端に変化する．症状は日内変動が大きく，薬物の追加・変更や気分・体調によっても変動することに注意が必要である．作業療法士が診療時に知ることができるのは，多くの場合，対象者の on 時の様子と機能である．1 日あるいは週単位の対象者の生活を確認し，off 時や外出時に生じている数々の困難，平日と週末で異なる困難を知ることが対象者の生活機能と生活の質(QOL)改善につながる．

生活機能の問題を把握するには，機能的自立度

▶表 5　PD の重症度別一般的目標

HY の重症度分類	運動症状に対する目標	非運動症状や活動・参加に対する目標
I〜II 度	**治療目標** ●活動性低下予防 ●動作や転倒への不安予防 ●身体機能の維持・向上	**目標** ●仕事や IADL などの維持・改善 ●ADL，コミュニケーションの維持・改善 ●精神・認知機能の維持・改善：遂行機能・注意機能など ●全身の運動機能の維持・改善 ●本人や家族が疾病・治療・対処方法を理解し実践
III〜IV 度	**追加治療目標** ●転倒予防 ●5 つの領域(コア領域)の制限の減少 ①移乗 ②姿勢 ③リーチと把持 ④バランス ⑤歩行	**追加目標** ●本人にとって大切な趣味，仕事，IADL などの維持・改善 ●ADL(基本動作，セルフケア，コミュニケーション)の維持・改善：動作方法変更，道具利用，環境改善，サービス導入 ●咀嚼・嚥下機能，発声・呼吸機能，体幹・上肢機能の維持・改善 ●支援者へのサポート
V 度	**追加治療目標** ●生命機能維持 ●褥瘡予防 ●関節拘縮予防	**追加目標** ●可能な ADL(意思伝達含む)の維持 ●誤嚥予防 ●呼吸・循環機能維持 ●支援者の介護負担軽減 ●緩和ケア

＊ Keus らは HY 1〜2.5 度，2〜4 度，5 度と分類しているが，本表では I〜II，III〜IV，V と区分した．

評価法(FIM)や FAI(Frenchay Activities Index)などで評価(点数化)するだけでは不十分である．詳細な聞き取りと観察によって，いつ，どこで(どのような状況で)，何が(どの活動の，どの工程・動作が)，どのように(どの程度)できるのか・できないのか，専門的観点から詳細に分析・把握することが必要である．

PD では，モチベーションが動作の可否に強く影響している．抑うつを予防し，治療効果を高めるには，作業療法士が対象者の興味・関心を十分に把握しておく必要がある．

C 作業療法の目標

PD は緩徐に進行するため，重症度に応じた目標を設定する必要がある[2, 14, 16]．**表 5** には運動症状，非運動症状や活動・参加に対する重症度別の目標を示す．これらは一般的目標であり，個々の対象者に適した目標設定が必要である．特に PD において本人が好む(やりたい)活動・参加を目標にすえることは重要である．このために生活行為向上マネジメントは[17] 有用なツールである．

1 発病初期(HY I〜II 度)

運動症状が軽度なこの時期の目標は，心身機能と活動，参加の維持，改善である．身体機能は四肢，体幹だけでなく，咀嚼・嚥下，発声・呼吸，眼球運動など全身的な機能も含む．

精神・認知障害や睡眠障害などの非運動症状は前駆期から生じ，発病初期にはすでに MCI 状態の対象者も少なくない．特に，精神活動緩慢，遂行障害や注意障害などの認知障害は，仕事や自動車運転，家事，金銭管理などの困難要因となっている可能性がある．運動機能，精神・認知機能の維持・改善をはかり，趣味や仕事，IADL などの活動・参加を維持・改善する．このとき，本人にとって重要な活動・参加を優先することが，抑うつや意欲低下にも効果的である．また，この時期の対象者と家族には，診断を受け将来を不安に思うことも多い．正しい疾病・治療の理解と適切な対処方法に関する理解と実践を促すことが必要である．

2 中期（HY Ⅲ～Ⅳ度）

この時期は姿勢保持障害も加わり，IADL や ADL 場面で歩行障害や転倒リスクが高まる．発病初期の目標に加え，転倒予防，移乗や歩行などの動作能力の維持・改善，入浴や排泄などのセルフケアや本人にとって大切な活動・参加の維持・改善が目標となる．これらの維持・改善のため，動作方法変更，道具利用，環境調整，サービス利用などの方法も積極的に活用する．また，食事やコミュニケーションを支える咀嚼・嚥下機能，発声・呼吸機能，体幹・上肢機能の維持・改善を重視する必要性も高まる．

症状進行により必要な介護の範囲と量は増加する．介護者の不安や負担軽減を目的としたサポートも必要である．

3 進行期（HY Ⅴ度）

褥瘡，関節拘縮，誤嚥を防ぎ，呼吸・循環機能の維持が必要な時期である．運動症状，非運動症状ともに進行し ADL 全般に介助が必要となるが，対象者本人との意思伝達を含め残存する ADL 能力を可能なかぎり維持することが目標である．介護者の負担がさらに増大するため，介護負担の軽減を重視しなければならない．さらに進行すれば，緩和ケアも必要となる．

D 作業療法プログラム

1 一般的プログラム

目標と同様，PD の重症度に適したプログラムを実施する．一貫して必要なのは，対象者本人と家族が疾病・症状・治療を理解し，規則正しい生活習慣を継続することである．趣味や仕事，IADL，ADL をできる範囲で続けることが廃用性機能低下を防ぎ，病状進行の抑制になること，また介護が必要な時期であっても社会とのつながりをもち続けることが健康維持につながることを指導し援助する．

対象者の多くは自宅生活者であり，病院や施設で提供するプログラムだけでなく，発病初期から自宅で行うプログラムや社会制度の活用も含む指導・援助も重要である．

表 6 には PD に対する重症度別の一般的プログラムを示す[2,14,16]．

a 病初期（HY Ⅰ～Ⅱ度）

ADL は可能でも趣味や仕事，IADL に困難が生じている可能性がある．その要因は運動症状よりも精神・認知機能障害や疲労などの非運動症状である可能性が高い．運動機能だけでなく遂行機能や注意機能，記憶など精神・認知機能の訓練を行う．なお，PD では動きが小さくなるため一般的に大きな運動が推奨されるが，リズムに合わせた運動，協調動作や巧緻動作，リラクセーションも指導する．これらのプログラムを症状に応じて構成し，ホームエクササイズを指導する．ストレッチやバランス訓練を含むパーキンソン体操[18]やリズム感のあるダンス[19]，市販の間違い探し課題や計算課題なども有用である．

趣味や仕事，家事，金銭管理などにおける具体的な困難を専門的観点から分析し，動作の簡素化・手順変更，道具利用や環境改善について指導・援助する．この時期，道具や環境改善の必要性はまだ低いと考えがちであるが，早期導入により不安や無動が改善し活動性が向上する対象者も多い．使いやすい食具や自助具の導入，安全に動ける環境の整備も検討価値がある．

症状，治療法，具体的対応方法に関するていねいな説明と助言は対象者や家族にとって心理的・精神的サポートとなる．PD に関するわかりやす

▶表 6　PD の重症度別一般的プログラム

HY の重症度分類	運動症状に対するプログラム	非運動症状や活動・参加などに対するプログラム
I～II 度	**治療内容** ●活動的なライフスタイルの促進 ●活動性低下予防との身体機能の向上のための情報提供 ●バランス，筋力，可動域，有酸素運動能力を改善する積極的訓練 ●配偶者や支援者への助言や指導	**治療内容** ●趣味，仕事，IADL（家事，金銭管理など）の困難に対する訓練と指導 ○精神・認知障害に対する訓練・指導：遂行機能・注意機能・記憶などの訓練 ○運動障害に対する訓練・指導：バランス・筋力・可動域，協調性・巧緻性・リラクセーションなどの訓練 ○動作方法，道具や環境調整の指導と援助 ●ホームエクササイズ（パーキンソン体操やダンス，認知課題など）の指導 ●環境整備，道具の早期導入も検討 ●本人と家族に疾病・症状・治療の理解と積極的生活習慣，社会参加を促す指導と援助
III～IV 度	**追加治療内容** ●自宅での能動的で機能的な課題練習（以下の方略を用いて行う） ○一般的方略 ○PD における特異的方略 ①認知運動方略 ② cue（手がかり）を用いる方略 ●複数課題の同時処理を減らす情報提供	**追加治療内容** ●転倒予防の治療・指導 ○姿勢保持に必要な筋力・可動域訓練，閉眼や認知課題実施下でのバランス訓練 ○転倒リスクの高い動作や環境の確認と指導 ○安全な動作方法指導，道具利用と環境調整の指導 ●本人にとって重要な活動・参加を維持する指導と援助 ○複数の方略（▶**表 7**）による動作指導 ○各種サービス（移動支援，ホームヘルプなど）の導入 ●ADL を維持・改善する訓練と指導 ○手指の巧緻動作を含む上肢機能，咀嚼・嚥下機能，発声・呼吸機能の訓練を追加 ○複数の方略（▶**表 7**）による動作指導 ○道具利用と環境調整の指導（着脱しやすい衣服や食具，起立しやすい椅子や便座など） ○必要な介助方法の指導 ○支援者の介護負担軽減方法（介護用品や各種サービス）の指導と援助 ●本人や支援者に薬物と症状の理解を促す指導 ○日々の症状の記録
V 度	**追加治療内容** ●ベッドや車椅子での姿勢調整 ●介助下での動作訓練 ●褥瘡と拘縮予防のための情報提供	**追加治療内容** ●車椅子やベッドでのポジショニング指導と援助 ●基本動作やセルフケアなどの ADL 介助方法の指導と援助 ●介護量軽減を目的とした環境調整，福祉用具導入 ●介護を支援する公的サービス，民間サービスの導入

＊ Keus らは HY 1～2.5 度，2～4 度，5 度と分類しているが，本表では I～II，III～IV，V と区分した．

い書籍や各種団体が作成したパンフレットなどを活用する．

b 中期（HY III～IV 度）

発病初期の治療・指導に加え，転倒予防や姿勢の改善に重点をおいた治療とホームエクササイズが必要である．姿勢保持に必要な筋力・可動域に加え，前庭・体性感覚を高める閉眼バランス訓練や，注意機能が必要な認知課題実施下でのバランス訓練を行う．転倒リスクの高い動作や環境について認識を促し，安全な動作方法，杖などの道具利用や手すり設置などの環境調整も指導する．

次第に趣味や仕事，IADL などが困難になるが，本人にとって重要な活動・参加を選択し，困難が生じる行為（動作）に対し適した方略[12, 14, 20, 21]を用いる（▶**表 7**）．

基本動作（歩行や起居など），セルフケア，コミュニケーション（会話，書字）などの維持・改善をはかるときも，各行為（動作）において困難が生じる工程を分析し，適した方略（▶**表 7**）を用いる．

▶表 7 PD の行為・動作改善に用いる方略

方略			内容
一般的方略			●可動域訓練(ストレッチ，弛緩，リラクセーションを活用) ●筋力増強(共同筋の関与を増強) ●協調性訓練(中枢部の可動性を基礎とする手足の運動) ●大きな運動だけでなく巧緻的な運動も実施 ●単純な運動から複雑な運動に段階づけ，日常生活に応用
認知運動方略			●動作手順や運動方法を意識し，注意集中して行う ●歩行や更衣などの動作練習は，細かな運動(工程)に分けて練習する ●注意配分が必要な二重課題動作(～しながら～する動作)は避ける ●あらかじめ動作手順や運動をメンタルリハーサル(イメージ)してから行う ●視覚・聴覚刺激を動作開始，切り替えなどの合図・手がかりとして活用する
	合図・手がかり方略	内的方略	前向きな態度，私はできるという気持ち(感情セット)をもって行動を開始する
			実動作の前に，具体的で詳細なメンタルリハーサルを行う
			内的対話：動きを自分自身に言葉で指示しながら動作する 例：「大きく一歩」と繰り返しながら歩く，「足を引き，床を見て，お尻を上げる」と言いながら立ち上がる 内言語化(声に出さず)して行う，もしくは外言語化(声に出して自分に言い聞かせる)して行う
			可視化(イメージ) 例：そこに丸太や線があるかのように想像し，またぐ動作を思い出して歩き出す 適切な歩幅を思い描きながら(イメージして)歩く
		外的方略	視覚環境への配慮 例：広く整頓された移動ルート確保，家具の配置，床やカーペットの色・模様に注意 事物を見やすい照度の確保，セルフケアにおける鏡の利用
			視覚的手がかりを動作の開始・継続に用いる 例：床上の線をまたいで歩く，扇状のテープを踏み方向転換する，壁の目印を見て姿勢を正す 行きたい場所に焦点をあて歩き出す，すくみ足にレーザーライト付き杖を活用する
			動作手順書(手がかりカード)を確認しつつ動作を遂行する(動作手順記憶にも活用) 例：「ボタンをつまむ」→「ボタン穴確認」→「ボタン穴にボタンを押し込む」→「引っ張る」 ＊動作手順の確認に，動作を活用することも可
			聴覚的手がかりを動作の開始・継続に用いる 例：リズミカルな音楽やメトロノーム，手拍子に合わせて歩く，かけ声(右，左など)や合図に合わせて立つ ＊「足を引く」→「床を見て上半身を前に倒す」→「壁を見ながらお尻を上げる」→「膝を伸ばして立ち上がる」など簡潔明瞭な言語指示も動作改善に有用
			触覚的手がかり 例：腰や足をタップする合図に合わせて立つ

加えて手指の巧緻動作を含む上肢機能訓練，咀嚼・嚥下訓練，発声・呼吸訓練を行い，パソコンなどの IT 機器，自助具や福祉用具，環境調整を積極的に導入する.

家族などには介助方法を指導するとともに負担軽減に有用な介護用品や各種サービスの活用を指導する.

薬物の量や種類が増え，薬物コントロールが重要な時期でもある．薬効時間帯(on 時/off 時)やジスキネジアなどの副作用を含め，薬物と症状の関係を記録するよう指導・援助する.

C 進行期(HY Ⅴ度)

ADL 全般に介助が必要となるが，一部の工程であっても自発的に行える動作は継続する．関節拘縮予防には他動運動と介助下での自動運動を行い，呼吸・循環，嚥下，排泄などの機能維持のために車椅子やベッドでの座位時間を確保する．褥瘡予防には適切なクッションやマットを導入し，車椅子やベッドでのポジショニングや体位変換を指導する．介護負担軽減をはかるため，さらに積極的な介護用品や各種サービスの活用を指導・援助する．緩和ケアにおいては心理的サポートも重要になる.

2 プログラムの注意事項

PD では運動学習障害も生じるため，動作獲得に時間を要し，その動作の保持能力も低下する[22]. ADL や IADL の維持・改善(再獲得)には動作の頻回な反復・継続が必要である．新たな道具の導入や環境改善は，運動学習能力障害が軽度な発病初期から行うことが効果的である.

PD の対象者の感情は運動に強く影響する．好きなことを行うときと，そうでないことを行うときとでは動きやすさが異なる．本人が好む(やりたい)活動を訓練や生活に取り入れることは，運動機能だけでなく抑うつや不安軽減など精神・認知機能の維持・改善にも有効である.

表 7 に示した方略の効果は病期や個人によって異なるため，継続した動作分析と要因の検討を行い，方略を組み合わせて対応する[9, 23, 24]．また，各方略を用いる理由を介護者にもわかりやすく伝える．これが，対象者の症状に対する理解を深め，自発的な介護方法の工夫や環境整備につながる.

PD は全身性の症状が長期にわたり進行するため，医療だけでなく福祉，介護の社会制度およびボランティアグループや PD 患者会などのインフォーマルな社会資源の活用が重要である[25]．病初期から医療関連職が連携してシームレスな治療・指導・援助を提供すること，地域連携パスや地域包括ケアシステムにおける医療・介護・福祉の連携をはかることを忘れてはならない.

●引用文献

1)「パーキンソン病診療ガイドライン」作成委員会(編)・日本神経学会(監)：パーキンソン病診療ガイドライン 2018. 医学書院, 2018
2) 林　明人(編著)：パーキンソン病の医学的リハビリテーション. 日本医事新報社, 2018
3) 櫻井博文：パーキンソン病とレビー小体型認知症. 心身医学 60:315–320, 2020
4) 齊藤勇二：パーキンソン病の治療の最前線. *Jpn J Rehabil Med* 56:180–184, 2019
5) Kalia LV, et al: Parkinson's disease. *Lancet* 386: 896–912, 2015
6) 賴高朝子：見逃したくない Parkinson 病の初期症状. 日内会誌 103:1854–1860, 2014
7) 立花久大：パーキンソン病の認知機能障害. 精神誌 115:1142–1149, 2013
8) 村田美穂(監)：パーキンソン病—すみやかな改善を目指す最新知識. 法研, 2014
9) 松尾善美(編)：パーキンソン病に対する標準的理学療法介入—何を考え，どう進めるか？. 文光堂, 2014
10) 堀澤士朗, 他：パーキンソン病の外科治療. *Jpn J Rehabil Med* 56:185–189, 2019
11) 能登真一, 他(編)：標準作業療法学専門分野 作業療法評価学. 第 3 版, 医学書院, 2017
12) Aragon A, et al: Occupational therapy for people with Parkinson's. 2nd ed, The Royal College of Occupational Therapists, London, 2018
13) Sturkenboom I, et al: Guidelines for occupational therapy in Parkinson's disease rehabilitation. https://www.parkinsonnet.com/discipline/occupational-therapy/(2020 年 11 月 19 日アクセス)
14) 牟田博行：パーキンソニズムの作業療法. *MED REHABIL* (248):23–30, 2020
15) Parkinson's Disease Society of the United Kingdom: Clinical tools and assessments. https://www.parkinsons.org.uk/professionals/clinical-tools-and-assessments(2020 年 11 月 25 日アクセス)
16) Keus SH, et al: Evidence-based analysis of physical therapy in Parkinson's disease with recommendations for practice and research. *Mov Disord* 22:451–460, 2007
17) 日本作業療法士協会(編)：生活行為向上マネジメント.(作業療法マニュアル 66)改訂第 3 版, 日本作業療法士協会, 2018
18) 山永裕明, 他：パーキンソン体操. 山永裕明, 他(監)：リハビリテーションハンドブック. pp4–7, 協和キリン, 2018. https://www.kyowakirin.co.jp/parkinsons/rehabilitation/pdf/rehabilitation_hb.pdf(2020 年 11 月 15 日アクセス)
19) 高畑進一, 他：パーキンソン病の生活機能障害. 橋本弘子(編著)：続 パーキンソン病はこうすれば変わる！—病気の理解とパーキンソン・ダンス. pp54–91, 三輪書店, 2019
20) 長岡正範：パーキンソン病のリハビリテーション(歴史的展開). *MED REHABIL* (135):11–18, 2011
21) 岡田洋平：パーキンソン病のリハビリテーション up-to-date. 作療ジャーナル 53:955–959, 2019
22) 塩月寛美：パーキンソン病について(原因/治療/病態). *MED REHABIL* (135):1–9, 2011
23) 高畑進一：Parkinson 病. 水落和也, 他(編), 伊藤利之, 他(監)：ADL とその周辺—評価・指導・介護の実際. 第 3 版, pp256–265, 医学書院, 2016
24) 高畑進一：パーキンソン病のリハビリのポイント—困りごとへの対応. 橋本弘子(編著)：続 パーキンソン病

はこうすれば変わる！―病気の理解とパーキンソン・ダンス. pp16–52, 三輪書店, 2019
25) 山本繁樹：パーキンソン病の人と介護者を支える社会資源. 作療ジャーナル 53:971–976, 2019

●参考文献

26) 松尾善美(編)：パーキンソン病に対する標準的理学療法介入―何を考え, どう進めるか？. 文光堂, 2014
27) 村田美穂(監)：パーキンソン病―すみやかな改善を目指す最新知識. 法研, 2014
28) 水落和也, 他(編), 伊藤利之, 他(監)：ADL とその周辺―評価・指導・介護の実際. 第 3 版, 医学書院, 2016
29) 佐藤　猛, 他(編)：パーキンソン病・パーキンソン症候群の在宅ケア―合併症・認知症の対応, 看護ケア. 中央法規出版, 2016
30) 林　明人(編著)：パーキンソン病の医学的リハビリテーション. 日本医事新報社, 2018
31) 橋本弘子(編著)：続 パーキンソン病はこうすれば変わる！―病気の理解とパーキンソン・ダンス. 三輪書店, 2019

2 脊髄小脳変性症

GIO 一般教育目標 脊髄小脳変性症の対象者に作業療法を実施できるようになるために，この疾患の病態を理解し，作業療法の評価技法と治療・指導・援助法を習得する．

SBO 行動目標

1）脊髄小脳変性症の病型および予後について説明できる．
- □ ①脊髄小脳変性症の病型を説明できる．
- □ ②脊髄小脳変性症の症状と予後を説明できる．

2）脊髄小脳変性症の医学的治療と作業療法の関連について説明できる．
- □ ③脊髄小脳変性症の医学的治療を説明できる．
- □ ④脊髄小脳変性症に対して作業療法が関与できる領域を説明できる．

3）脊髄小脳変性症の対象者に対する作業療法評価を説明できる．
- □ ⑤脊髄小脳変性症の対象者に対する一般的な作業療法評価を列挙できる．
- □ ⑥脊髄小脳変性症に特有の評価法を説明できる．
- □ ⑦脊髄小脳変性症の評価における注意点を説明できる．

4）脊髄小脳変性症の対象者の各病期に応じた作業療法目標を設定できる．
- □ ⑧脊髄小脳変性症の各病期に応じた作業療法目標を説明できる．

5）脊髄小脳変性症の対象者の各病期に応じた作業療法プログラムを計画できる．
- □ ⑨脊髄小脳変性症の身体機能維持のための有効な作業療法プログラムを説明できる．
- □ ⑩脊髄小脳変性症の ADL 指導上の工夫を説明できる．

A 概要

1 脊髄小脳変性症とは

脊髄小脳変性症（spinocerebellar degeneration; SCD）は，主に小脳・脳幹・脊髄に病変がおこり（▶図 1），運動失調を主症候とする神経変性疾患の総称である．わが国では，およそ 18.6 人/10 万人の有病率で，男女差はなく，対象者数は年々増加傾向にある．孤発性 SCD がおよそ 3 分の 2 強を占め，残り 3 分の 1 は遺伝性 SCD である．

孤発性と遺伝性それぞれで純粋小脳型と非純粋小脳型があり，さまざまな病型に分けられる（▶表 1）[1]．症状もさまざまで，皮質性小脳萎縮症（cortical cerebellar atrophy; CCA）や脊髄小脳失調症 6 型（spinocerebellar ataxia; SCA-6）のように純粋な小脳性運動失調を主体にするものから，多系統萎縮症（multiple system atrophy; MSA）のようにパーキンソニズムや自律神経障害を伴うものまである．

初発症状は，四肢・体幹の動揺や歩きにくさから始まることが多く，病期の過程で移動手段や生活手段の変更を余儀なくされる．また，口腔構音器官の協調運動障害による爆発的言語や**断綴性言語**（➡ 121 ページ）の構音障害が特徴的である（▶表 2）．予後は病型により異なるが，遺伝性 SCD がやや緩徐であることに対し，MSA は自律神経症状が早期から出現することも多く，比較的

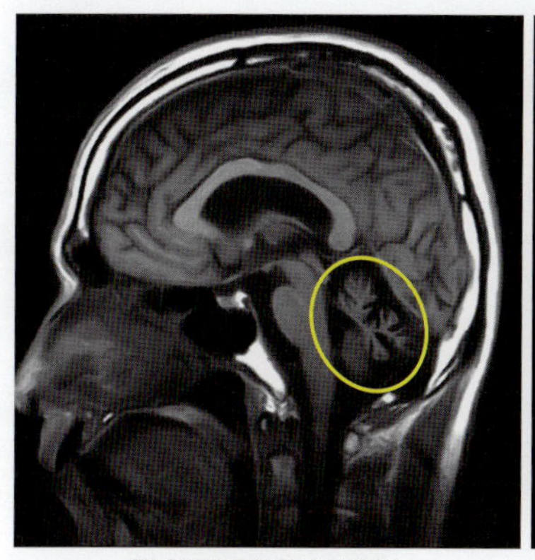

T1 強調画像(矢状断像)

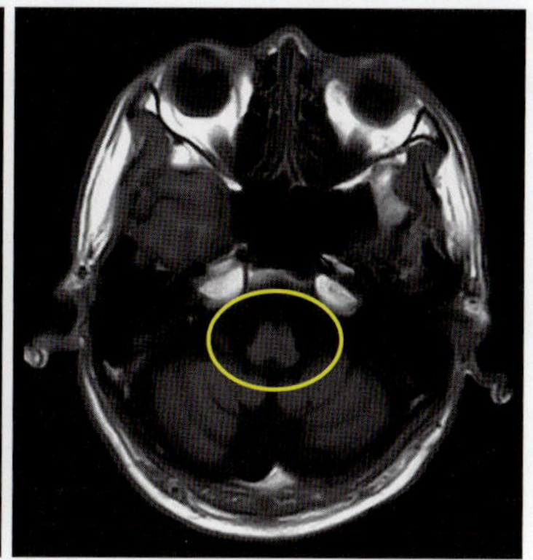

T1 強調画像(水平断像)

▶図 1　SCD の典型的画像
小脳の萎縮が認められる.

▶表 1　SCD の主な病型分類

病型			主な特徴
孤発性	多系統萎縮症(MSA)	MSA-C	症状として小脳性運動失調が優位
		MSA-P	症状としてパーキンソニズムが優位
	皮質性小脳萎縮症(CCA)		小脳性運動失調が主症状・高齢発症(50〜70 歳)で進行が緩徐
遺伝性	優性遺伝性	SCA-1	運動失調がみられ, 進行すると腱反射の亢進, 眼球運動障害, 顔面筋力低下などが加わる
		SCA-2	運動失調のほかに眼球運動速度の低下, 末梢神経障害などを伴う
		SCA-3(マシャド-ジョセフ病)	運動失調のほかに眼球運動障害, 錐体路・錐体外路障害, 末梢神経障害などを伴う
		SCA-6	小脳症状を示し, 進行は緩徐. わが国の遺伝性 SCD では最も多い
		SCA-31	わが国特有の SCA. 高齢発症で小脳運動失調を主体とする
		歯状核赤核淡蒼球ルイ体萎縮症(DRPLA)	小児から高齢者まで発症する. 若年性ではてんかん発作やミオクローヌス, 遅発成人病(40 歳以上)では舞踏病や認知症を示す
	劣性遺伝性	フリードライヒ運動失調症	若年発症(20〜25 歳)で, 深部感覚障害による感覚障害性の運動失調を示す. わが国では稀
		ビタミン E 欠乏症(AVED)	運動失調と深部感覚障害が主体

〔望月　久:脊髄小脳変性症—リハビリテーション評価と介入の視点. 寄本恵輔(監著):神経難病リハビリテーション 100 の叡智. 第 2 版, pp307–311, gene, 2019 より〕

進行が速い.

2 医学的治療と作業療法の関連

SCD は現在, 根本的治療法は存在しておらず, それぞれの症状に対しての対症療法で治療される. 小脳性運動失調に対しては甲状腺ホルモン分泌促進ホルモン(thyrotropin releasing hormone; TRH)製剤のプロチレリン酒石酸塩水和物(ヒルトニン® 注射薬), タルチレリン水和物(経口薬セレジスト®)が用いられる. 随伴症状であるパーキンソニズムに対してはレボドパが用いられることが多い[2].

リハビリテーション(以下, リハ)は, 対象者の症状と病態に合わせた難易度設定が有効であり, 適切な難易度を設定する技術が必要となる.

▶表 2　SCD の重症度分類〔厚生労働省研究班による分類〕

	下肢機能障害	上肢機能障害	会話障害
I 型（微度）	**独立歩行** 独歩可能．補装具や他人の介助を必要としない	発病前（健常時）に比べれば異常であるが，ごく軽い障害	発病前（健常時）に比べれば異常であるが，軽い障害
II 型（軽度）	**臨時補助・介助歩行** 独歩はできるが，立ち上がり，方向転換，階段昇降などで，壁や手すりなどの支持補助具や介助を必要とする	細かい動作は下手であるが，食事に補助具を必要としない．書字も可能であるが，明らかに下手である	軽く障害されるが，十分聞き取れる
III 型（中等度）	**常時補助・介助歩行・伝い歩行** 歩行できるが，ほとんど歩行器などの補助具や介助を必要とし，それらのないときは伝い歩きが主体をなす	手先の動作は全般的に拙劣で，スプーンなどの補助具を必要とする．書字はできるが読みにくい	障害は軽いが，少し聞き取りにくい
IV 型（重度）	**歩行不能・車椅子移動** 起立できるが，他人に介助されてもほとんど歩行できない．移動は車椅子によるか，四つ這いやいざりで行う	手先の動作は拙劣で，介助を必要とする．書字は不能である	かなり障害され，聞き取りにくい
V 度（極度）	**臥床状態** 支えられても起立不能で，臥床したまま．日常生活はすべて他人に依存する	手先のみならず上肢全体の動作が拙劣で，介助を要する	高度に障害され，ほとんど聞き取れない

（厚生労働省特定疾患運動失調症調査研究班，1992）

Miyai ら[3]は，週 3～7 回，1 日 1～2 時間の協調運動やバランス訓練，移動練習で短期的，長期的に症状と歩行速度を改善できることを報告している．また，自主運動としてのバランス訓練で歩行が改善した例や，ADL に関連した反復動作練習も推奨されている[4]．

SCD の対象者は，症状の進行により生活手段の変更が余儀なくされるため，福祉サービスを含めた環境調整も作業療法の一手段として重要となる．

B 作業療法評価

SCD の機能障害の中核は運動失調による協調性障害であり，バランスや巧緻性が低下する．病型によっては，運動失調以外にもパーキンソニズムや自律神経障害，錐体路障害，感覚障害，認知障害など多くの機能障害を伴う．以上のことより，評価では，病型に合った障害像を評価する必要がある．

1 一般的な評価

a 身体機能

筋力，関節可動域（ROM），筋緊張，感覚と病型に合った身体機能評価を選択する．

動作性の評価としては，協調運動やバランス，上肢機能の評価を行う．

- 協調運動：指鼻試験，鼻指鼻試験，踵膝試験，協調性テスト，線引き検査が用いられる（➡ 123 ページ）．
- バランス評価：FRT（Functional Reach Test），TUG（Timed Up and Go Test），BBS（Berg Balance Scale）などの評価指標が用いられる．
- 上肢機能評価：簡易上肢機能検査（STEF）がよく用いられる．

b 精神機能

小脳病変では遂行機能や視空間認知，言語機能の障害が生じることが報告されている．ただし SCD 対象者が早期から認知機能障害を認めることは少ない．まずは，MMSE や改訂長谷川式簡易知能評価スケール(HDS-R), 前頭葉機能検査(Frontal Assessment Battery; FAB)などの認知機能スクリーニング検査で, 対象者の障害像をとらえることから始める.

c 日常生活活動, 生活関連活動

協調運動障害による巧緻性低下やバランス低下により, ADL や IADL に支障が出る傾向が強い. ADL や IADL の評価は, 全体的な遂行状況を把握することに加え, 生活のどの場面にどのような症状が関連しているのかを把握することが重要である.

- ADL 評価：バーセルインデックス(BI), FIM
- IADL 評価：ロートン(Lawton)の尺度

d 役割

SCD は若年発症の例もあり, 発症時に就労や家庭内役割を担っている場合も多い. リハの目標設定のためにも, 仕事や家庭内の役割, 趣味, 社会参加活動など, 対象者の個別性に応じた実施状況を評価することが重要である.

e 生活環境

SCD は, 病期の過程で生活手段の変更を余儀なくされる. 主な生活の場である家屋をはじめ, 活動・参加範囲の環境を把握することが重要である.

2 脊髄小脳変性症特有の評価

(1) 脊髄小脳変性症の重症度分類(厚生労働省)

病期を移動手段によって分類している. 生活面での環境調整の判断に有用である(▶表 2).

(2) Scale for the Assessment and Rating of Ataxia(SARA)

歩行, 立位, 座位, 言語障害, 指追い試験, 指鼻試験, 手の回内・回外運動, 踵膝試験の項目で構成される. 運動失調を評価する方法としてよく用いられる.

(3) International Cooperative Ataxia Rating Scale(ICARS)

評価対象が 19 項目あり, 神経学的症状を満遍なく評価できる反面, その評価に時間を要する.

3 多系統萎縮症特有の評価

(1) 統一多系統萎縮症評価尺度

統一多系統萎縮症評価尺度(Unified Multiple System Atrophy Rating Scale; UMSARS)は 4 構成でなり, part I は病歴(historical review)で 12 項目, part II は運動機能障害(motor examination scale)で 14 項目, part III は自律神経症状(autonomic examination)で 4 項目, part IV は日常生活を中心とした全体的な機能障害スケール(global disability scale)である. 各構成視点の経時的な評価に有用である反面, その評価に時間を要する. 定期的な評価として part II を用いて, 必要時に他の項目を評価することで対応する場合が多い.

SCD, MSA 特有の評価については, 本シリーズ『作業療法評価学』を参照のこと.

4 評価における注意事項

小脳失調の一般的特性として, 動作を繰り返すとその症候に改善傾向がみられる. 何度も評価を繰り返すうちに, 症状がみられなくなる場合がある. 評価時は, 何度もやり直さないようにすることが重要である[5].

また, バランス低下が顕著にみられ, 代償的に姿勢を安定させていることが多い. 評価の際, 立位・座位にかかわらず, 転倒や外傷に注意を払わなければならない.

C 作業療法の目標

SCD は進行性の疾患であるが, できるだけ主

体的な活動を支援していくことが重要である．一次性機能障害として動作の不安定さがあるが，対象者は自ら代償手段を講じることが多い．代償手段は動作自立に役立つ一方，環境に適応するために過度な緊張が強いられる面もある．また，代償手段を用いても適応が困難な場合は，さらに活動性が低下し廃用性能力低下を呈する悪循環に陥ることになる．不適切な代償手段の修正および適切な動作方法の学習に取り組んでいく．

作業療法の目標としては，発症初期は二次的な機能低下の予防・改善をはかる．移動手段や生活手段の変更を余儀なくされ始める中期は，不適切な代償手段の修正および適切な動作方法の学習に取り組む．日常的に全面的な介助を要する時期となる後期は，環境調整による新たな代償手段の再適応を行っていかなければならない．さらに病期全般にわたって，障害があるなかでの役割遂行，活動・参加方法を確立し，QOL の向上も行わなければならない．

1 初期：二次的な機能低下の予防・改善

仕事や家庭内役割を継続し，廃用性能力低下を予防する．正確な協調運動の誘導と残存した筋力の維持・向上をはかり，既存の活動を継続できるようにする．特に移動に必要な下肢筋力，姿勢の安定性を維持するための姿勢保持筋の増強を行う．

2 中期：不適切な代償手段の修正および適切な動作方法の学習

座位や立位など各姿勢での重心移動，基本動作や ADL 遂行時の姿勢保持を過度な緊張を伴わないで行えるよう修正する．

また，危険を伴わない生活遂行のための代償手段への適応を開始する時期でもある．

3 後期：環境調整による代償手段の再適応

症状の進行により，これまでの代償手段が利用困難となってくるため，新たな代償手段の再適応を行う．ADL，IADL の自立度を確保するための福祉用具の適応を行う．

物的環境だけではなく，支援者への介助方法指導など，人的環境へのアプローチも行う．

4 その他：役割遂行，活動・参加方法の確立

家事や仕事の役割のなかで，対象者にできる範囲を確立する．支援者や職場の理解を得て，対象者が役割や参加を継続できる環境を調整する．

D 作業療法プログラム

作業療法目標に対応したプログラムを以下に示す．

1 初期

座位や立位などさまざまな姿勢で安定性を確保するためには，主動作筋や共同筋，拮抗筋の協調性を促すプログラムや早期からの筋力増強が有効である．筋力増強訓練は，固有感覚や外受容器によるフィードバック制御を期待し，ゆっくりと遠心性収縮を意識させながら実施させる．

フレンケル(Frenkel)体操は全身の協調した運動に有効とされている．そのほかにも，バランスボールを使用した反復運動(▶図 2)も有効である[6]．

またこの時期は，家庭内や社会的役割を担っている場合も多く，自宅内でできるホームプログラムの指導が重要である(▶図 3)．

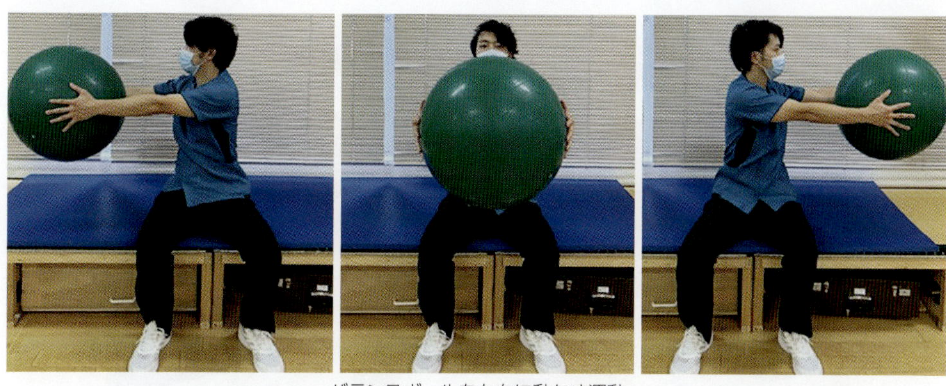
バランスボールを左右に動かす運動

▶図 2　バランスボールを使用した体幹トレーニングの一例

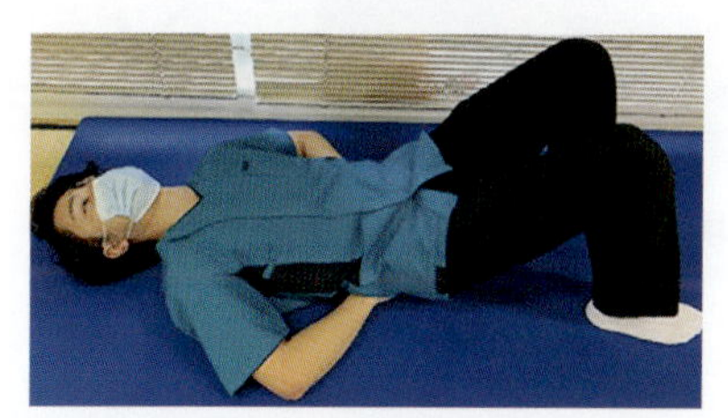
ドローイン（腹横筋運動）

腹横筋を意識してのお尻上げ

プランク

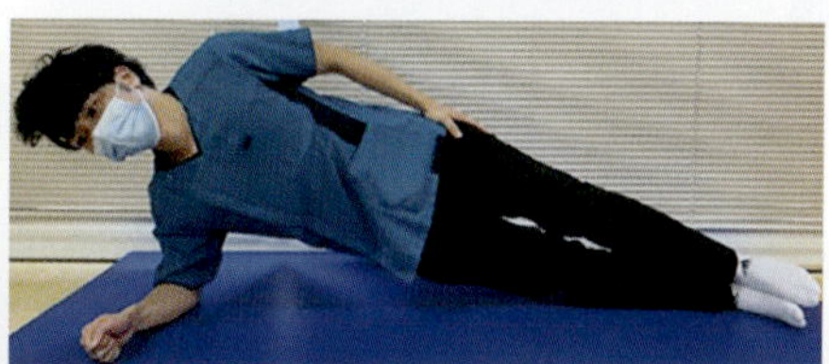
サイドブリッジ

四つ這い上肢挙上

四つ這い下肢挙上

四つ這いクロス

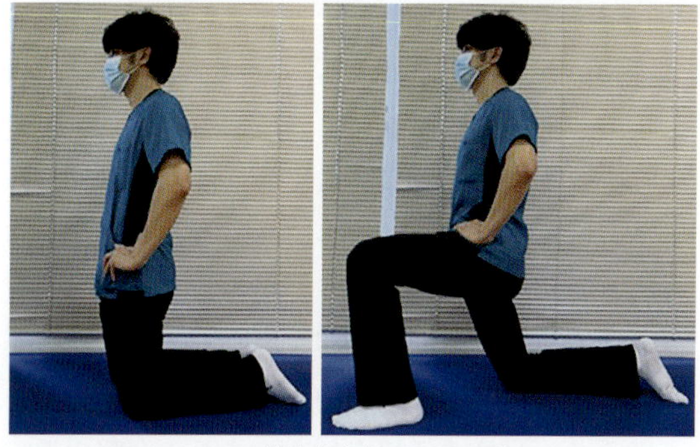
膝立ちからのステップ

ステップからの起立

▶図 3　自宅でできるホームプログラムの一例

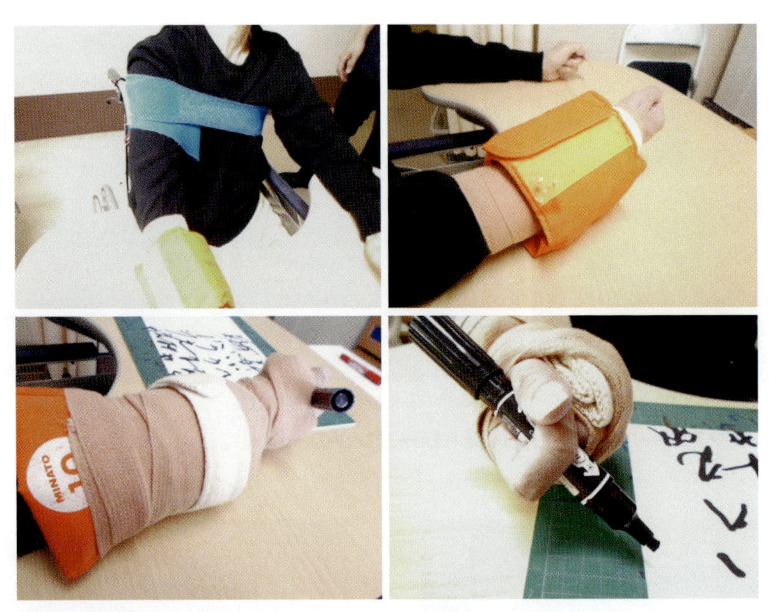

▶図 4　重錘や弾性包帯を用いた書字環境調整

2 中期

姿勢の保持に過度の緊張を伴う時期である．しかし，緊張を伴わないで同じ姿勢を保持しようとすると転倒リスク，外傷リスクが高まってしまう．「歩いて移動したい」，「お箸で食べたい」などの対象者の希望との折り合いをつけ始める時期でもあり，安全な姿勢，動作のメリットを伝えながらかかわっていく．歩行器や車椅子などの移動代替手段や，重錘負荷や弾性包帯，太柄の用具(スプーン，筆記具など)による生活動作変更(▶図 4)で自立度と安全性・活動範囲の確保を行う．

3 後期

中期の代償手段や生活手段の変更でも対応困難となってきた場合は，新たな代償手段を構築する．後期の新たな代償手段には人的資源の活用も加わってくる．主介護者である家族や各種の福祉サービス事業者への介助方法指導を行い，対象者には介助を受けることへの協力動作練習が必要となってくる．

介助者への介助方法指導では，目的動作を可能にすることのみを考えるのではなく，何に介助負担を感じているのかを確認していくことが重要となる．日々の生活のなかで主介助者のみならず他の支援者も含めて役割分担を行い，継続的なケアを受けられるよう対応していく．

4 その他

対象者のこれまで担ってきた役割が実施困難となった場合でも，職場や家族の理解を促したり代償手段を確立したりすることで，活動・参加が継続できるよう支援する．職場の支援では，通勤手段，通勤経路に関しての検討を行い，その環境への適応練習を行う．職場の理解が得られるのであれば，現場業務から事務業務への変更や業務を行うための動線の確保，使用する道具の選別を行う．家事役割を家庭で担う場合も，家事動線の確保や道具の選別，家族内での家事役割の分担や訪問系サービスの活用を行う．また，余暇や趣味活動に関しても，コミュニケーションやネットワー

はじめに

難病がある人にとって、治療と仕事の両立は大きな課題です。病気の悩み、経済的な問題、職場が病気を理解してくれるかという不安…。就職・転職を考えていても、あなたは解決方法が見つけられずに途方に暮れているかもしれません。

このハンドブックは、あなたが抱えるさまざまな課題を整理し、あなたに合う働き方をご自身で見つけることを目的としています。病気とうまく付き合いながら、長く職業生活を続けていく方法を、これから一緒に考えていきましょう。

<目　次>

Ⅰ　治療と仕事を両立させるための準備

1．課題の整理

難病のある人は仕事をするにあたって、いくつもの問題が複雑に絡み合っていることがあります。まずはあなたが抱えている課題をチェックし、該当するページに進んで整理してみましょう。

チェック項目	ページ
□自分の症状の特徴や治療の影響、今後の見通しが、把握できていない	⇒p2
□具体的な働き方について主治医の意見を確認できていない	
□どんな自己管理をすればよいのか分からない	⇒p4
□職場にどのように病気を理解してもらえばいいか分からない	
□会社に相談したいこと、配慮してほしいことをどのように説明したらいいか分からない	
□自分の病気を明かすべきか悩んでいる	
□思うような収入が得られる仕事が見つからない	⇒p8
□生活の維持に必要な金額を具体的に把握していない	
□就職活動がうまくいかないと感じている	⇒p10
□自分が生かせる仕事が分からない	
□自分の症状に合った働き方が分からない	⇒p12
□履歴書や職務経歴書の作成、面接に自信がない	⇒p15
□働く上での心配ごと、悩みごとを誰に相談したらよいのか分からない	⇒p20
□病気のためこれまでどおりに働き続けることが難しく、退職を考えている	⇒p22
□休職や退職で収入が途絶えた時の生活費が心配	

1

▶図 5　福岡県難病相談支援センターが発行する「難病のある人のための就労ハンドブック」

ク環境を整えたり，外出や飲食店利用などが可能となるよう支援する．各自治体に存在する難病相談支援センターの活用（▶図 5）も視野に入れて，医療，介護・福祉とで総合的に支援することが重要である．

5 注意事項

- 自律神経症状がある場合は，起立性低血圧を認めることもあるため，体位変換後の意識状態の確認を行うようにする．
- 座位や立位の保持自体が困難となる場合も多いため，環境調整時の姿勢安定性を確認するようにする．
- 動作を伴う場合は，衝突・外傷を回避できる環境で行うようにする．

●引用文献

1) 望月　久：脊髄小脳変性症―リハビリテーション評価と介入の視点. 寄本恵輔（監著）：神経難病リハビリテーション 100 の叡智. 第 2 版, pp307–311, gene, 2019
2) 菊池　豊：脊髄小脳変性症―疾患概要 症状, 予後, 治療. 寄本恵輔（監著）：神経難病リハビリテーション 100 の叡智. 第 2 版, pp297–301, gene, 2019
3) Miyai I, et al: Cerebellar ataxia rehabilitation trial in degenerative cerebellar diseases. *Neurorehabil Neural Repair* 26:515–522, 2012
4) 「脊髄小脳変性症・多系統萎縮症診療ガイドライン」作成委員会（編）・日本神経学会, 他（監）：脊髄小脳変性症・多系統萎縮症診療ガイドライン 2018. pp258–261, 南江堂, 2018
5) 近藤夕騎：脊髄小脳変性症―重症度分類・評価表. 寄本恵輔（監著）：神経難病リハビリテーション 100 の叡智. 第 2 版, pp302–306, gene, 2019
6) 北野晃祐：脊髄小脳変性症による運動失調症患者の基本動作の評価からプログラムを立案する. 理療ジャーナル 46:1029–1035, 2012

3 筋萎縮性側索硬化症

GIO 一般教育目標　筋萎縮性側索硬化症の対象者に作業療法を実施できるようになるために，この疾患の病態を理解し，作業療法の評価技法と治療・指導・援助法を修得する．

SBO 行動目標

1）筋萎縮性側索硬化症の病態および予後について説明できる．
- □ ①筋萎縮性側索硬化症の病態および病型を説明できる．
- □ ②筋萎縮性側索硬化症の重症度分類および症状と予後を説明できる．

2）筋萎縮性側索硬化症の医学的治療と作業療法の関連について説明できる．
- □ ③筋萎縮性側索硬化症の医学的治療を説明できる．
- □ ④筋萎縮性側索硬化症に対して作業療法が関与できる領域を説明できる．

3）筋萎縮性側索硬化症の対象者に対する作業療法評価を説明できる．
- □ ⑤筋萎縮性側索硬化症の対象者に対する一般的な作業療法評価を列挙できる．
- □ ⑥筋萎縮性側索硬化症に特有の評価法を説明できる．
- □ ⑦筋萎縮性側索硬化症の対象者の評価および治療における注意点を説明できる．

4）筋萎縮性側索硬化症の対象者の各病期に応じた作業療法目標を設定できる．
- □ ⑧筋萎縮性側索硬化症の各病期に応じた作業療法目標を説明できる．

5）筋萎縮性側索硬化症の対象者の各病期に応じた作業療法プログラムを計画できる．
- □ ⑨筋萎縮性側索硬化症の対象者の身体機能を維持する方法を説明できる．
- □ ⑩筋萎縮性側索硬化症の対象者に必要とされる福祉用具および環境制御装置を説明できる．

A 概要

1 筋萎縮性側索硬化症とは

筋萎縮性側索硬化症（amyotrophic lateral sclerosis; ALS）は，一次運動ニューロン（上位運動ニューロン）と二次運動ニューロン（下位運動ニューロン）が選択的かつ進行性に変性・消失していく神経変性疾患である．上位運動ニューロン徴候としては，球麻痺，深部腱反射の亢進，病的反射を認める．下位運動ニューロン徴候としては，筋萎縮（▶図1），筋力低下，筋線維束性攣縮などがある．

有病率は，わが国で7～8.5人/10万人で，男女比は1.4：1とされ，男性にやや多い．主に中年以降に発症し，孤発例が多いが，遺伝性で若年発症例もある[1]．

症状が進行すると四肢・体幹の筋力低下，構音

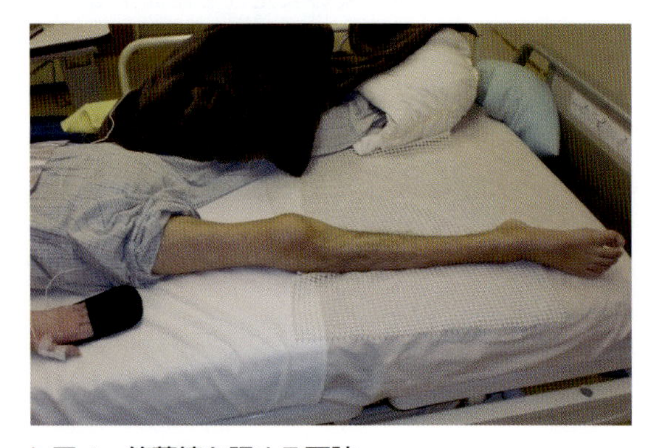

▶図1　筋萎縮を認める下肢

障害，嚥下障害，呼吸障害を生じる．また，以前は高次脳機能障害を伴わないとされていたが，現在は行動異常，性格変化，意欲の低下，言語障害，遂行機能障害などの前頭・側頭葉機能障害を伴うことが報告されている[2)]．

病型は初発症状から上肢型，下肢型，球麻痺型，混合型または呼吸筋麻痺型に分けられる．発症から2〜5年で呼吸筋麻痺をきたし，人工呼吸器の装着がなければ終末期の経過をたどる．人工呼吸器を装着した場合も症状は進行し，意思伝達手段を完全に奪われた状態，いわゆる完全な閉じ込め状態(totally locked-in state; TLS)になる場合もある．現在，人工呼吸療法と機器の進化や栄養保持に対しての胃瘻造設術，各福祉サービス利用のための法整備の進展により，20年以上の長期生存例も存在するようになっている．

2 医学的治療と作業療法の関連

現在，治療効果が確認されている薬物は，リルゾール製剤(リルテック®)とエダラボン(ラジカット®)の2つのみである．リルゾール製剤は延命効果が，エダラボンは症状進行の抑制効果が確認されている．

リハビリテーション(以下，リハ)は，ALS治療ガイドラインにストレッチ・ROM維持訓練は全病期を通じて有効であり，筋力増強訓練が一時的に有効であると示されている．また，拡大・代替コミュニケーション(augmentative and alternative communication; AAC)やADLに使われる補助具の適応で活動・参加を維持していくことも有効である[3)]．

B 作業療法評価

ALSの対象者の病期の分類には，ALSの重症度分類(▶表1)やALS機能評価スケール改訂版(the Revised ALS Functional Rating Scale; ALSFRS-R)の評価を利用する．

▶表1 ALSの重症度分類

重症度	判断基準
1	家事・就労はおおむね可能
2	家事・就労は困難だが，日常生活(身のまわりのこと)はおおむね自立
3	自力で食事，排泄，移動のいずれか1つ以上できず日常生活に介助を要する
4	呼吸困難・痰の喀出困難あるいは嚥下障害がある
5	気管切開，非経口的栄養摂取(経管栄養，中心静脈栄養など)，人工呼吸気使用

(難病情報センター「筋萎縮性側索硬化症」http://www.nanbyou.or.jp/)

しかし，ALSの対象者の病態は多彩であり，「人工呼吸器導入や胃瘻造設術を行っているが，ADLは自立している」などの場合があり，その場合は「重症度は重度介助レベルであるが，ADLは自立している」となり，病期の段階に当てはまらないことがある．

以上のように，1つの評価方法のみで網羅することは難しく，さまざまな評価を組み合わせていることが多い．特にリハでは生活手段の変更に対応することが多く，病期の進行の程度を把握しておくことが重要である．

1 一般的な評価

a 身体機能

ROM，筋力，筋緊張の評価を行う．筋力低下は進行状況を把握することに有効であり，徒手筋力検査(MMT)，握力，ピンチ力がよく用いられる．しかし，6段階の順序尺度であるMMTは細かな経過をみるには適していないため，筋力を数値化できるハンドヘルドダイナモメータを使用することも多い．

b 呼吸機能

呼吸機能は生命予後に大きくかかわるため，定期的な評価で進行を見逃さないことが重要で

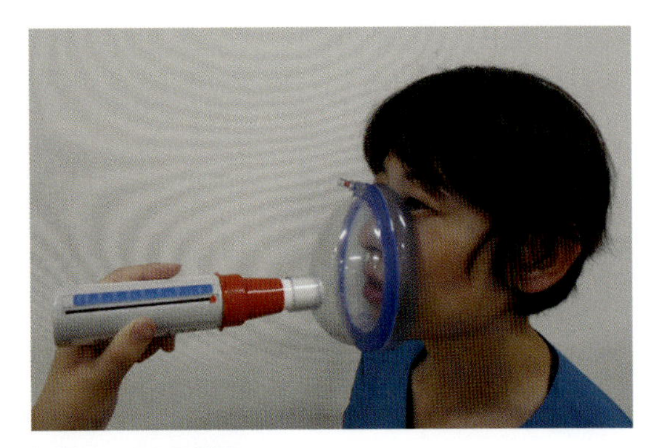

▶図 2　CPF 測定
随意的に咳をしてもらい測定する．

ある．

- 肺活量：呼吸筋の評価として行う．肺活量が不十分であれば喀痰困難となり，窒息するリスクがある．
- 咳の最大呼気流量（cough peak flow; CPF）：中枢気道における分泌物の喀出能力（咳の強さ）を評価する（▶図 2）．
- 最大強制吸気量（maximum insufflation capacity; MIC）：肺に空気を貯められる最大量のことで，進行による肺のコンプライアンス（膨らみやすさ）低下を確認することに有効である．
- 胸郭・腹部可動性：肺のコンプライアンス確認に有効である．

c 心理状態

病期の進行に応じて，胃瘻や人工呼吸器，コミュニケーション手段など，選択を迫られる疾患である．各段階での告知に対しての心理状況や内容理解度の確認が重要である．日々の会話のなかで本人の意思確認を行っていき，本人，家族を含めたチームで共有する．

ALS は完治が望めないことから，対象者 1 人ひとりの価値観に応じたかかわりが重要視される．対象者が最も大切に考えている生活領域を把握するためのツールとして，The Schedule for the Evaluation of Individual Quality of Life（SEIQoL）がよく用いられる[4]．

d 精神機能

前頭・側頭葉機能障害を把握するための評価を行う．上肢型，球麻痺型の対象者は，上肢筋力低下や構音障害のため実施困難な項目があることを把握したうえで評価を選別する．

- MMSE：全般的な認知機能をスクリーニングできる評価スケールである．
- FAB：簡便に実施することのできる前頭葉機能スクリーニング検査である．

e 日常生活活動

ALS の対象者は，発症初期は病型により ADL の自立度が大きく異なる．しかし，どの病型であっても病期の進行により自立度の低下は著明となってくる．病期進行による機能低下は非可逆的であり，ADL 手段変更の必要性も高いため，定期的な評価で進行をいち早く察知することが重要である．

- BI：できる ADL の評価で，残存能力を測定するのに有効である．
- FIM：している ADL の評価で，環境調整の効果判定としても有用である．

f 生活環境

病期の進行の過程で生活遂行についての喪失体験を繰り返す．生活動作，社会参加活動の継続を目標とすることが作業療法の重要な役割である．環境調整により生活動作が可能になることもあるため，生活環境を把握することが重要である．

g コミュニケーション

球症状の評価にて，発話明瞭度を確認する．口頭でのコミュニケーションが困難な場合は AAC 導入を検討するため，AAC を操作するための残存能力を評価する（▶表 2）．

▶表 2 AAC の種類と適応に必要な能力

AAC の種類		特徴	必要な能力
ノンテク	●YES–NO 反応 ●口型やジェスチャー ●口文字盤	●どこでも活用できる ●安価 ●導入が速やか ●自分発信が困難 ●単語・2 語文程度の伝達が主 ●時間・疲労を要する ●汲み取る相手の技術も必要	●言語的コミュニケーション能力 ●耐久性 ●援助者の理解
ローテク	●文字盤 ●単語文字盤 ●透明文字盤 ●コミュニケーションノート		
ハイテク	●意思伝達装置 ●各種電子機器 ●各種アプリ	●電子技術による機器を駆使する ●自分から意思伝達ができる ●詳細な内容も伝達できる ●外界との交流も可能	●機器操作に関しての知識 ●スイッチを使用するための能力(各関節運動や筋の収縮) ●随意的な運動のコントロール(不随意運動で困難なものも多い)

2 筋萎縮性側索硬化症特有の評価

a 筋萎縮性側索硬化症重症度分類

各肢体の筋力低下による運動障害と球麻痺症状および ADL，IADL の実施状況で重症度を分類する(▶表 1).

b ALS 機能評価スケール改訂版

ALS の対象者の生活における自立度を評価する．会話，唾液分泌，嚥下，書字，食事，更衣，床上動作，歩行，階段，呼吸困難，起座呼吸，呼吸不全の 12 項目からなり，それぞれ 5 段階で評価する．点数が低いほど重症度が高いことを示す.

c 四肢症状尺度，球症状尺度 (Modified Norris Scale)[2)]

四肢症状尺度は ADL などに関する 21 項目から，また球症状尺度は構音障害などに関する 13 項目から構成される．それぞれ 4 段階で評価され，点数が高いほど重症度が高いことを示す.

d ALSAQ-40[5)]

ALS Assessment Questionnaire-40(ALSAQ-40)は ALS の疾患特異的 QOL 評価尺度である．歩行，ADL，球症状，心理の 4 項目，各 10 問の質問指標からなり，各 5 段階で評価され，点数が高いほど QOL が低いとされる.

3 評価における注意事項

ALS は，症状の進行により評価自体が行えないことも多いため，可能な評価を判別していくことが重要となる.

全介助に近い状態になってくると，コミュニケーション手段が限られる．全身の筋萎縮が進行すると，随意的な収縮なのか筋線維束性攣縮なのかの判別も困難となる．早期から YES–NO 反応の方法を明確にしておくことや，2 択で答えられるような質問内容にすることが求められる.

C 作業療法目標

ALS の対象者ができるかぎり主体的な生活を送れるよう支援し，QOL の維持・向上をはかる.

ALS の重症度分類(▶表 1)から初期(1～2 期)，中期(3～4 期)，後期(5 期)に分けて，各期の作業療法の目標を示す.

1 初期：二次障害の予防と ADL，IADL の継続，将来的な生活手段変更や呼吸リハ導入への適応準備

病型により症状がさまざまであるが，廃用症候群予防と，生活場面での過用・誤用による進行の抑制を行う．

ALS の対象者は，その進行過程により ADL，IADL 手段の急な変更を余儀なくされる．治療初期段階から，福祉用具や自助具，AAC に触れる機会をもち，代償手段への心的準備を行う．また，呼吸機能訓練の導入については，対象者の機器操作技術も要求されるため，早期から経験することが肝要である．

2 中期：生活手段変更への適応

どの病型においても運動障害が出現し始めるため，これまでの生活手段を変更していくことが求められる．

ADL に関しては，抗重力運動が困難となってくることに対しての代償手段適応が必要となる．代償手段は，物的資源に限らず，人的資源である主介護者や援助者に対しての介助方法指導や介助機器の操作練習も行う．

3 後期：不動によるさらなる二次障害の予防および残存機能を活用した活動・参加機会の創出

自力での運動が困難となるため，同一肢位・姿勢をとることが増え，関節の変形などが生じやすくなる．この時期では，それらの二次障害をおこさないような生活手段の確立を行う．

自力での運動が困難であっても，認知機能は保たれており，ICT（情報通信技術）を活用した社会参加は可能である．球症状の進行により口頭でのコミュニケーションが失われるため，ローテク，ハイテクを駆使したコミュニケーション手段を確立する．特にハイテクコミュニケーション機器は，単純なコミュニケーションを可能にするだけではなく，社会参加につながることも多く，積極的活用が推奨される．

D 作業療法プログラム

作業療法目標に対応したプログラムを以下に示す．

1 初期

過用のリスクはあるものの，適切な負荷量を設定したうえでの筋力増強訓練は有効である[6]．ただし，その負荷量は個人によって調整すべきであり，定期的な評価で負荷量を調整していくことが求められる．

また，仕事や家事など現在の役割を継続することで，日常的に残存機能を使用する機会をもつようにする．反面，過用・誤用の予防も必要であり，生活状況と筋疲労との関連を確認し，使い過ぎになっている生活習慣を是正する．

今後の進行過程をふまえて，患者会などを通して福祉用具や AAC にふれる機会をもつ（▶図 3）．

呼吸機能の低下予防としては，肺コンプライアンスを維持・向上させるための蘇生バッグを用いた最大強制吸気量（MIC）トレーニングや，息止めが困難な人に対しての一方向弁を利用した最大強制吸気量（lung insufflation capacity; LIC）トレーニングを行う．

2 中期

頸椎装具や，スプリングバランサー〔第 I 章 2 の図 4（➡ 13 ページ）参照〕などの補装具や電動ベッド，車椅子，住宅改修などの環境調整が必要となって

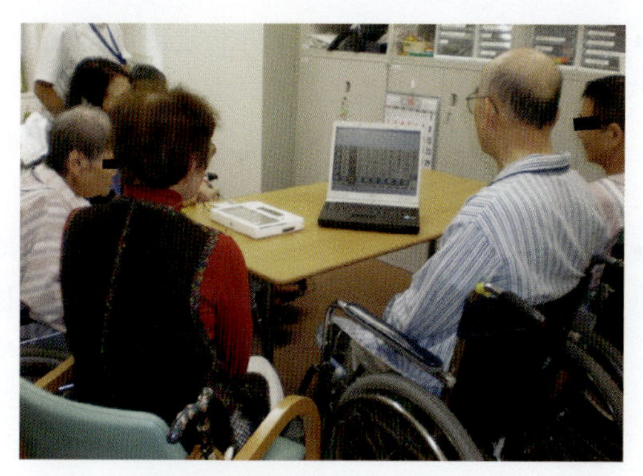

▶図 3 集団的説明会でコミュニケーション機器にふれる機会をもつ

くる．

介助への適応，介助方法指導，介助者への福祉用具の使用方法指導も重要な環境調整となる．ALS に限らず，リハスタッフなどの専門職ができる介助ではなく，対象者の家族や支援者などができる介助方法を確立することが重要である．

呼吸機能として，自己喀痰が困難となってきた場合は，機械による咳介助(mechanical insufflation-exsufflation; MI-E)の導入が必要となる．

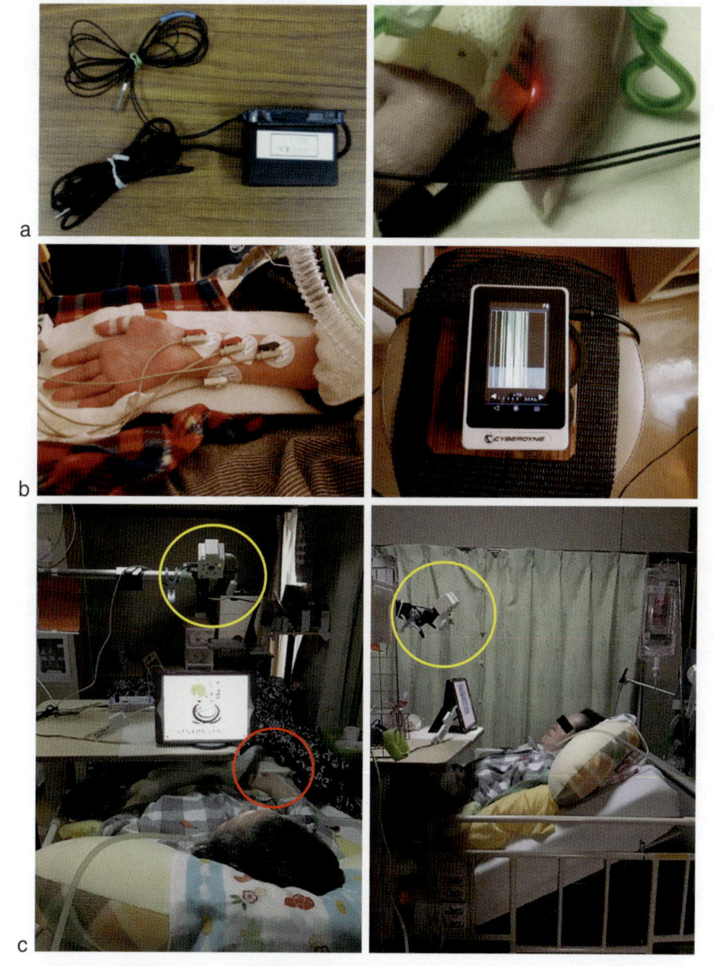

▶図 4 各種スイッチ使用の実際

対象者の残存機能に応じてのスイッチ選定が行われる．

a：ファイバースイッチ(先端より照射された光線の距離の変動を感知する)．右図は母指内側に光線を照射している．

b：生体電位信号検出型(筋活動を伴わない随意信号を検出する)．

c：眼球運動感知スイッチ(黄色枠)と右上肢に設置した空気圧感知スイッチ(赤枠)を併用してパソコン操作を行う対象者．

3 後期

ADL 全般に介助を要する時期となり，日常的に同一姿勢をとる機会が増加する．同一肢位をとり続けることで関節拘縮・変形が出現するため，それを予防する．意思伝達装置やテレビを観続けることが多い場合は，装置やテレビの位置を定期的に変更するようにする．

意思を確認することが難しくなってくるため，対象者の個性や残存機能に合わせた AAC 導入が必要である．関節運動を要するものや眼球運動に反応するもの，筋収縮を認めなくとも活動電位だけに反応するものなど，さまざまなスイッチの種類がある．活用できる残存機能を把握するだけではなく，実際の試用で精度と効率を考えながら対応する必要がある（▶図 4）．

長期目標は現在生活の維持にあるが，カナダ作業遂行測定（COPM）などを用いて短期的かつ可能な目標を設定し，細かな成功体験を重ねることも有効である．

4 注意事項

- 体動が可能な時期は，過用・誤用に注意する．定期的な評価を行うことで急激な機能低下をおこしていないかを確認するようにする．
- 福祉用具は，病期進行により想定よりも使用できる期間が短くなることや，実用性が低くなる場合もある．速やかな導入とともに，実用期間についても考慮した選択が必要となる．
- 進行についての説明を受けていても，実際に機能低下を経験していくなかで絶望感を感じる場合も多い．共感するとともに心理支持的サポートを行う作業療法士としての対応が求められる．

●引用文献

1) 有明陽佑：筋萎縮性側索硬化症—疾患概要 症状，予後，治療．寄本恵輔（監著）：神経難病リハビリテーション 100 の叡智．第 2 版，pp100–104，gene，2019
2) 「筋萎縮性側索硬化症診療ガイドライン」作成委員会（編）・日本神経学会（監）：筋萎縮性側索硬化症診療ガイドライン 2013．南江堂，2013．https://www.neurology-jp.org/guidelinem/als2013_index.html
3) Witgert M, et al: Frontal-lobe mediated behavioral dysfunction in amyotrophic lateral sclerosis. *Eur J Neurol* 17:103–110, 2010
4) 中島　孝：神経難病患者の生活の質評価．作療ジャーナル 49:14–19, 2015
5) 岩谷　力，他（編）：障害と活動の測定・評価ハンドブック—機能から QOL まで．改訂第 2 版，南江堂，2015
6) Bello-Haas VD, et al: A randomized controlled trial of resistance exercise in individuals with ALS. *Neurology* 68:2003–2007, 2007

●参考文献

7) 菊地　豊：筋萎縮性側索硬化症患者に対する発症初期から終末期までの理学療法の関わり．理学療法 34:695–707, 2017

内部疾患

心疾患

GIO 一般教育目標 心疾患の対象者に作業療法を実施できるようになるために，この疾患の病態を理解し，作業療法の評価技法と治療・指導・援助法を修得する．

SBO 行動目標

1）心臓の構造と働きを説明できる．
- □ ①心拍出量を規定する因子を説明できる．
- □ ②心臓の刺激伝達系と心電図の関係を説明できる．
- □ ③代表的な不整脈を 4 つあげ，作業療法との関連を説明できる．

2）虚血性心疾患，心不全，心臓大血管疾患における開胸手術後について，以下を説明できる．
- □ ④代表的な虚血性心疾患を 2 つあげ，それぞれの臨床症状を説明できる．
- □ ⑤虚血性心疾患の心電図変化の特徴を説明できる．
- □ ⑥虚血性心疾患の予防および再発予防のための冠動脈危険因子を列挙できる．
- □ ⑦心不全の定義を説明し，代表的な臨床症状を説明できる．
- □ ⑧急性および慢性心不全の医学的治療を説明できる．
- □ ⑨心不全の増悪因子を列挙できる．
- □ ⑩開胸術の対象となる疾患を列挙できる．
- □ ⑪開胸術後の早期離床の必要性について説明できる．
- □ ⑫各心疾患の対象者に対する作業療法評価を説明できる．
- □ ⑬各心疾患の各病期に応じた作業療法の目標を設定できる．
- □ ⑭各心疾患の各病期に応じた作業療法プログラムを立案できる．
- □ ⑮作業療法実施時のリスク管理を説明できる．

3）各心疾患に対する作業療法の実施について，以下を説明できる．
- □ ⑯作業療法実施時にモニタリングする項目を列挙できる．
- □ ⑰心疾患の対象者の作業・活動の負担を軽減する工夫について説明できる．
- □ ⑱心疾患の対象者に適した運動負荷を決定する方法を列挙できる．
- □ ⑲レジスタンストレーニングの必要性とその具体的方法について説明できる．

A 心臓の構造と働き

身体における各臓器や細胞が正常に機能し続けるためには絶えず酸素や栄養が供給され，代謝により生じた老廃物が取り除かれて組織や細胞が適正な環境に保たれる必要がある．これら酸素や栄養，老廃物の運搬は血液によるが，その循環はポンプ器官である心臓が担っている．心臓の機能低下は末梢各種臓器の循環障害をおこし臓器機能障害につながるため，心疾患においては心臓のみでなく全身をみる必要がある．

1 ポンプ器官としての心臓

心臓のポンプ機能は心拍出量で評価される．心拍出量(L/分)は 1 回拍出量(L/回)×心拍数(回/分)で表されることから，心拍出量は 1 回拍出量

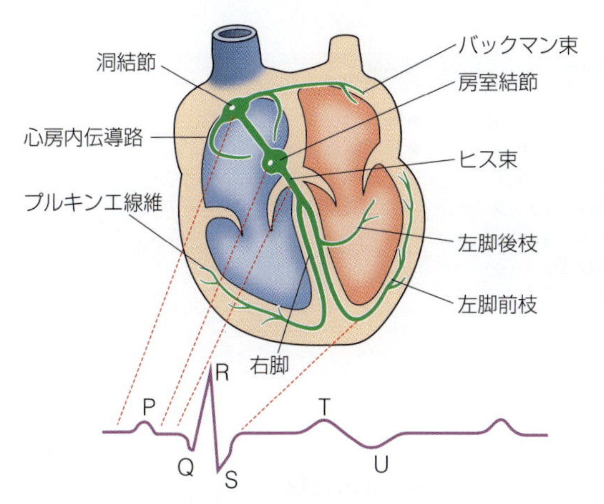

▶図 1 刺激伝導系と基本波形

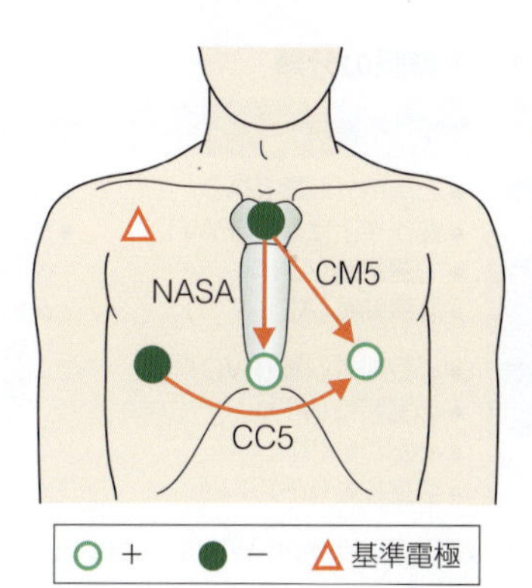

- モニター心電図ではアース電極を左右の鎖骨下など邪魔にならない点に張る.
- 心電図の電極を張る際には, アルコールや濡れたガーゼなどで皮膚を拭き, 筋肉の上を避けて皮膚に密着させて張る.

▶図 2 モニター心電図の誘導法

CM5, CC5 誘導：標準 12 誘導心電図の V5 誘導とほぼ同じ波形が得られ, ST 変化をとらえやすい.
NASA 誘導：P 波がとらえやすく不整脈が問題となる対象者で用いられる.

や心拍数の影響を受ける. 1 回拍出量を規定する因子は「心臓の収縮力」, 「心臓に戻る血液量(**前負荷**, 容量負荷)」, 「心臓が血液を駆出するときの抵抗(**後負荷**, 圧負荷)」である. すなわち, 心臓の収縮力が強いほど, 前負荷が高いほど心拍出量は増加し, 後負荷が高いほど心拍出量は低下する[1].

しかし, 前負荷の持続的な上昇は心臓の収縮力を低下させ, 1 回拍出量の低下や心拡大に, 後負荷の持続的な上昇は心臓の収縮能低下や心肥大をもたらす. 一方, 心拍数についても持続的な心拍数の上昇は心臓の収縮力低下をもたらす.

2 心調律と刺激伝導系

心筋収縮は心筋細胞の電気的興奮に続いて生じる. 心臓の電気的興奮は右房壁にある洞結節から生じ右房から房室結節, ヒス束, 左脚および右脚, プルキンエ線維へと刺激伝導路を介して, すべての心筋細胞に伝播される(▶図 1).

房室結節における刺激伝達速度は少しゆっくりなので, 心房と心室の収縮にずれが生じる. このずれにより心室収縮前の心房収縮による心室内血液流入が促進される. 心室内は非常にすばやい速度で興奮が伝達され, すべての心室筋が同時に興奮し収縮する. この心室の同時収縮が効率的な心拍出につながる[2].

3 心電図と不整脈

一般的な心電図検査として, 標準 12 誘導心電図, モニター心電図(▶図 2), ホルター心電図, 運動負荷心電図があげられる. 心疾患の対象者に作業療法を行う際にはモニター心電図を用い, 安静時の不整脈の状態と運動誘発性の不整脈の有無を観察する必要がある.

代表的な不整脈を**表 1** に示すが, その重症度と作業療法実施の可否を判断することが重要である[3]. 具体的には心房期外収縮が単発であれば作

Keyword

前負荷と後負荷 血液循環を担うポンプ器官である心臓にかかる負担には「前負荷」と「後負荷」がある. 過剰な負荷の継続は心不全の要因となる.

前負荷 心臓が収縮する直前に心室にかかる負荷のことで, 心室内の血液量(静脈還流量)が多いほど前負荷が大きくなり「容量負荷」ともいわれる. 前負荷を軽減させるためには利尿薬や静脈拡張薬が投与される.

後負荷 心臓が収縮する直後に心室にかかる負荷のことで, 左右の心室が動脈圧(肺動脈圧, 大動脈圧)に抗しながら血液を送り出すために動脈圧が高いほど後負荷が大きくなり「圧負荷」とも呼ばれる. 後負荷を軽減させるためには血管拡張薬が投与される.

▶表 1　不整脈の分類

	頻拍性不整脈	徐脈性不整脈	その他
心房性	●心房期外収縮(PAC) ●発作性上室頻拍(PAVT) ●心房粗動(AFL) ●心房細動(AF)	●洞不全症候群(SSS) ●房室ブロック(AVB) ○ I 度房室ブロック ○ II 度房室ブロック Wenckebach 型 Mobitz 型 ○ III 度房室ブロック	●脚ブロック ●早期興奮症候群 ○ WPW 症候群 ○ LGL 症候群
心室性	●心室期外収縮(PVC) ●心室頻拍(VT) ●心室粗動(VFL) ●心室細動(VF)		

WPW：Wolf-Parkinson-White，LGL：Lown-Ganong-Levine.

業療法の妨げにはならないが，頻発する場合や段脈がみられる場合は心房細動に移行する可能性があるため注意を要する．発作性上室頻拍を認めた場合は，作業療法を中止し適切な治療につなげる．心室期外収縮は 3 連発以上の出現を認めたら，ただちに作業療法を中止し，2 連発以下の場合は作業療法中の心電図変化を注意深く追っていく必要がある．

心房細動については初発や心拍数が 100 回/分以上の頻拍の場合は，作業療法を中止する．以前から確認されている心房細動の場合は，自覚症状や心拍数に注意し，作業療法の実施を検討する．

B 虚血性心疾患

1 概要

a 虚血性心疾患とは

心臓は休みなく拍動し全身に血液を供給している．そのエネルギーは心筋への血液供給によりまかなわれているが，その担い手が冠動脈である．冠動脈の動脈硬化変性により心筋への血液供給が不足する病的な状態を虚血性心疾患という．

代表的な虚血性心疾患は，狭心症と急性心筋梗塞である．狭心症とは一過性の心筋虚血により特有の胸部不快感，絞扼感を生じる．一方，心筋梗塞は冠動脈が急性閉塞し心筋壊死を生じる．心筋の壊死は時間とともに心内膜側から心外膜側に広がる．心筋梗塞が生じると発症後 6 時間程度で大半の心筋は壊死する．壊死した心筋は線維化がおこり，4～6 週で瘢痕形成され，安定した組織になる．壊死領域の心筋は収縮力が失われるので広範囲であれば心不全や心原性ショックとなる[4]．また，致死的な不整脈の発症や急性期の心破裂，心室中隔穿孔，乳頭筋断裂などの合併症も問題となる．

▶表 2　狭心症の分類

発作の誘因による分類	●労作性狭心症 ●安静狭心症
臨床経過による分類	●安定狭心症 ●不安定狭心症
発症機序による分類	●器質性狭心症 ●冠攣縮性狭心症 ●冠血栓性狭心症
冠動脈造影検査所見による分類	●一枝病変 ●二枝病変 ●三枝病変 ●左主幹部病変

b 虚血性心疾患の分類と治療

狭心症と急性心筋梗塞はともに，さまざまな視点から分類される(▶表 2，3)．一般的な臨床症状や検査では以下があげられる．

(1) 胸部症状，胸痛

心筋虚血に伴い激しい胸部の痛みや不快感，絞扼感，圧迫感を自覚するが，高齢者や糖尿病者においては症状を伴わないものもあり，無痛性心筋虚血という．消化器症状や肩こり，呼吸苦，精神的ストレスなども胸部症状として訴えられることが多いので，その鑑別が必要となる[5,6]（▶表 4）．

(2) 心電図

狭心症においては発作時の心電図で特徴的なST 変化が観察される．労作時狭心症では ST 部分が低下し，異形狭心症（冠攣縮性狭心症）では ST 部分が上昇する．狭心症発作の消失によりこの心電図変化も消失する．そのため非発作時の心電図変化は狭心症の診断には役立たない．心筋梗塞の心電図では ST 上昇と Q 波が特徴的で，ST 上昇は狭心症と違い，一過性でなく持続する（▶図 3）[7]．12 誘導心電図で ST 変化の部位から心筋虚血範囲や閉塞冠動脈を推定できる．

(3) 冠動脈造影検査

侵襲的な検査法だが冠動脈病変を正確に評価し，治療方針を決定するために必要な検査である．病変動脈枝が多いほど（多枝病変）重症で，左冠動脈主幹部や左前下行枝病変は積極的治療が必要となる．

▶表 3 心筋梗塞の分類

発症時期による分類	● 急性心筋梗塞（発症 24 時間以内） ● 亜急性心筋梗塞（発症 24 時間～1 か月） ● 陳旧性心筋梗塞（発症 1 か月以上）
梗塞範囲による分類	● 貫壁性心筋梗塞 ● 非貫壁性心筋梗塞

(4) 治療

狭心症の治療は，胸痛発作を軽減し，生活の質（QOL）の向上をはかることに加え，心筋梗塞や心不全，不整脈などの心事故を予防し，予後の改善をはかることである．心筋梗塞は救命が重要となる．そのうえで心筋の壊死を阻止し，心筋を救済し心機能の低下を最小限にとどめ，不整脈や心不全をコントロールすることが重要となる．

観血的治療として冠動脈造影検査で狭窄部位の確認後に血行再建・再灌流治療として経皮的冠動

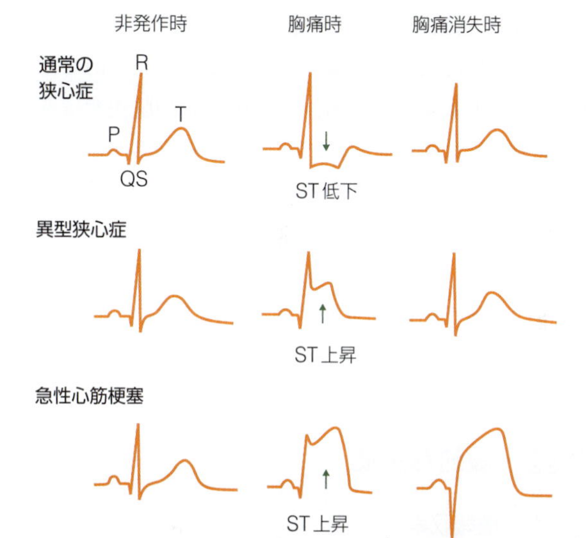

▶図 3 狭心症，急性心筋梗塞の心電図変化
〔山口 徹：虚血性心疾患．藤島正敏，他（編）：循環器科学．p157，放送大学教育振興会，2000 より改変〕

▶表 4 疾患による胸痛の鑑別

病態	持続時間	性状	部位	参考所見
狭心症	2～20 分（病態による）	胸部圧迫感 絞め付けられる感じ	胸骨裏表，頸部，顎，肩，腕（左腕への放散痛）	労作や寒冷，精神的ストレスにより誘発
急性心筋梗塞	不定，時に 30 分以上	胸部圧迫感 重篤な苦悶感	狭心症に類似	心電図変化が重要
発作性心房細動	数分～数時間	脈の異常を感じず，胸痛として自覚することがある	狭心症に類似	脈の不整もしくは頻脈あり
大動脈解離	突然の強烈な痛み	切り裂かれるような，えぐられるような鋭い痛み	前胸部，背部痛	心電図が正常な激しい痛み時に要注意
消化器疾患	長時間	灼熱感，絞め付け，圧迫感	胸骨下，心窩部痛	食後や食質，その後の姿勢により変化する
運動器疾患	不定	うずくような痛み	不定	上肢の動きで増悪，圧痛がある

▶表 5　冠動脈危険因子

対処できないもの	●加齢 ●性別 ●家族歴
修正・治療が可能なもの	●喫煙 ●糖尿病 ●高血圧 ●肥満 ●運動不足 ●高 LDL コレステロール，低 HDL コレステロール ●ストレス

脈形成術(percutaneous coronary intervention; PCI)や冠動脈バイパス術が行われる．

虚血性心疾患の対象者においては再発予防をはかることも重要となる．一般的に冠動脈狭窄は薬物療法では退縮せず，PCI でも新規心筋梗塞の発症は予防できないとされている．病変の退縮や進行予防，心事故の抑制には心臓リハビリテーション(以下，心リハ)による**冠動脈危険因子**の是正や生活習慣の修正が重要である(▶**表 5**)．

2 作業療法評価

a 一般的な評価

(1) 情報収集

①医師の指示内容：病名や合併症のみならず注意事項や禁忌など指示内容を把握する．

②クリティカルパス：クリティカルパス適応の有無とその種類，その進行度，**バリアンス**の有無を確認する．

③病態や重症度，狭窄部位，治療内容，残存狭窄の確認：カルテの医師記録や検査記録，手術記録から治療内容，手術内容，残存障害，合併症の有無を確認する．

Keyword

冠動脈危険因子　心筋梗塞をおこしやすい素因のこと．危険因子を複数もつ場合には相乗的に発症の危険性が高まる．

バリアンス　クリティカルパスで計画・予想された経過から逸脱した結果が生じた場合をいう．バリアンスが生じる要因には，対象者の要因(合併症の発症)，医療スタッフの要因(医療技術の未熟さ)，システムの要因(病院のシステムの不備)などがある

▶表 6　心不全の重症度，病期分類(NYHA 分類)

I 度	心疾患があるが，身体活動には特に制約がなく，日常労作により，特に不当な呼吸困難，狭心痛，疲労，動悸などの愁訴が生じない
II 度	心疾患があり，身体活動が軽度に制約される．安静時または軽労作時には障害がないが，日常労作のうち，比較的強い労作(たとえば，階段上昇，坂道歩行など)によって，上記の愁訴が生じる
III 度	心疾患があり，身体活動が著しく制約される．安静時には愁訴はないが，比較的軽い日常労作でも，上記の主訴が出現する
IV 度	心疾患があり，いかなる程度の身体労作の際にも上記愁訴が出現する．また，心不全症状や狭心症症状が安静時においてもみられ，労作によりそれらが増強する

NYHA：New York Heart Association(ニューヨーク心臓協会)

④治療後経過：初期治療に対する反応やその後の経過，特に心不全の有無や重症度について確認する(▶**表 6**)．

⑤点滴や投薬内容：点滴や投薬内容から対象者の状態や治療方針を推測する．

⑥病前生活：対象者の仕事や趣味，嗜好，家庭内での役割，社会参加，活動度など病前の生活を把握することは対象者が退院後や社会復帰後に求められる役割を推測し，作業療法の目標を設定することに加え，病気の再発・増悪予防のための生活指導にも役立つ．

⑦冠動脈危険因子，増悪因子：冠動脈危険因子や疾病増悪因子を把握し，再発予防のための生活指導に役立てる．

⑧脳血管障害や運動器障害の有無とその程度：既往や合併症を把握し，心リハの進行に活用する．

(2) 直接評価するもの

①心電図：心拍数に加え，不整脈の有無，心筋虚血性心電図の出現に注意する．負荷に伴う心電図変化か否か，その重症度を把握する．

②循環動態(血圧，心拍数，脈拍)と酸素化の状態〔経皮的動脈血酸素飽和度(SpO_2)，酸素投与の有無とその方法〕：心リハを行う基準範囲内にあるかのみでなく，安静時と負荷に伴う変化を

追う．

③息切れや疲労感などの自覚症状：安静時に加えリハ負荷時の息切れや自覚症状について評価する〔自覚的運動強度(RPE)(➡ 140 ページ)〕．

④基本動作能力：離床や今後の日常生活活動(ADL)動作遂行に必要な起居や座位保持，起立，歩行などの動作能力を把握する．

⑤ADL・生活関連活動(IADL)能力：クリティカルパスや安静度に応じて安全に ADL 遂行が可能か評価する．退院後の生活に適応できる IADL 能力を有しているか評価する．

3 作業療法の目標

a 急性期

初期治療が終了した対象者がクリティカルパスやリハプログラム表に沿って安全に ADL を拡大する．

b 回復期

さらなる ADL の拡大と円滑な退院と社会復帰を果たす．

再発予防のために生活習慣を是正する．

c 生活期(維持期)

回復期で行った心リハを継続する．病状に応じて安全に ADL を拡大する．

4 作業療法プログラム

a 急性期

医師の指示やクリティカルパスを確認し，カルテやスタッフから情報収集をしたのちに段階的に身体負荷を上げていく．心筋梗塞後の段階的な身体負荷の一例を示すと，自動座位保持負荷(2～5 分)→立位負荷(1～3 分)→歩行負荷(10～200 m)→階段昇降負荷などがある．これらの身体負荷を行う前後では血圧測定，12 誘導心電図を測定する．加えて，負荷中および負荷後の胸痛や息切れなど自覚症状を聴取する．これらの結果を医師に報告し，次の負荷へ進むことの許可を得る．段階的な負荷プログラムの進行をもとに対象者の ADL を拡大していく．

許可された ADL に対してその遂行能力や実施時の血圧や心電図変化，自覚症状を把握する．特に高齢者や脳梗塞・整形外科疾患など他疾患を有している対象者では，原疾患治療目的の安静により容易に ADL 低下をきたしやすいので，他職種と協力して安全な ADL 向上をはかることが重要である．

b 回復期

この期では急性期プログラムに引き続き，退院やその後の社会復帰まで，入院中ならびに外来で心リハが実施される．その内容は運動療法を中心に生活習慣是正のための生活指導，食事指導，服薬指導，心理カウンセリング，就労指導などからなる包括的なプログラムである．

現状では，これらのプログラムに作業療法士が参画している施設は少ない(ADL 障害が残存している対象者を除いて)が，作業療法士は退院後の生活や社会復帰のために対象者が必要とする各種活動(家事，就労活動，趣味活動など)を把握し，安全に実施するための援助・指導を行うことが役割となる．

c 生活期(維持期)

再発予防，生命予後改善，さらなる健康増進のために，回復期で習得した知識や技術を終生継続することが重要である．この期は対象者自身が自己管理のもとに運動療法や是正された生活習慣の維持をはかることに加え，生活期プログラムに対応した施設や地方自治体で開催されている事業に参加することも有用である．いずれにしても健康維持や増進をはかるためには，生活期以前の回復期で確実な指導を行っておくことと回復期から生活期への連携が重要である．

▶表 7　運動負荷試験が禁忌となる疾患・病態

絶対的禁忌	1. 2 日以内の急性心筋梗塞 2. 内科治療により安定していない不安定狭心症 3. 自覚症状または血行動態異常の原因となるコントロール不良の不整脈 4. 症候性の重症大動脈弁狭窄症 5. コントロール不良の症候性心不全 6. 急性の肺塞栓または肺梗塞 7. 急性の心筋炎または心膜炎 8. 急性大動脈解離 9. 意思疎通の行えない精神疾患
相対的禁忌	1. 左冠動脈主幹部の狭窄 2. 中等度の狭窄性弁膜症 3. 電解質異常 4. 重症高血圧(原則として収縮期血圧 >200 mmHg，または拡張期血圧 >110 mmHg，あるいはその両方とすることが推奨されている) 5. 頻脈性不整脈または徐脈性不整脈 6. 肥大型心筋症またはその他の流出路狭窄 7. 運動負荷が十分行えないような精神的または身体的障害 8. 高度房室ブロック

〔日本循環器学会/日本心臓リハビリテーション学会, 他：2021 年改訂版 心血管疾患におけるリハビリテーションに関するガイドライン. p36, 2021. https://www.j-circ.or.jp/cms/wp-content/uploads/2021/03/JCS2021_Makita.pdf(2021 年 10 月閲覧)より〕

d 注意事項

作業療法の実施に際しては運動負荷試験の禁忌(▶表 7)[8]や運動療法実施中の中止基準(▶表 8)[8]を参考にする．多様化する心疾患の対象者の病態に合致した作業療法を実施するために，対象者個々の症状や心機能などのリスクを階層化し，モニタリングの必要性について認識しておく必要がある．表 9[9]は米国心臓協会(American Heart Association; AHA)の指針であるが，日本でも応用可能である．

Keyword

低灌流症状　左心系の機能不全による心拍出量減少の結果生じる末梢諸臓器の血流循環障害症状をいう．

うっ血症状　心臓のポンプ機能の低下により心臓や全身に血液が滞留し，心臓の上流に位置する肺に血液が滞る「肺うっ血症状」と，心臓が十分に血液を受け取れないために体に血液が滞る「体うっ血症状」がある．

▶表 8　運動療法実施中の中止基準

絶対的中止基準
● 患者が運動の中止を希望 ● 運動中の危険な症状を察知できないと判断される場合や意識状態の悪化 ● 心停止，高度徐脈，致死的不整脈(心室頻拍・心室細動)の出現またはそれらを否定できない場合 ● バイタルサインの急激な悪化や自覚症状の出現(強い胸痛・腹痛・背部痛，てんかん発作，意識消失，血圧低下，強い関節痛・筋肉痛など)を認める ● 心電図上，Q 波のない誘導に 1 mm 以上の ST 上昇を認める(aV_R，aV_L，V_1 誘導以外) ● 事故(転倒・転落，打撲・外傷，機器の故障など)が発生
相対的中止基準
● 同一運動強度または運動強度を弱めても胸部自覚症状やその他の症状(低血糖発作，不整脈，めまい，頭痛，下肢痛，強い疲労感，気分不良，関節痛や筋肉痛など)が悪化 ● 経皮的動脈血酸素飽和度が 90% 未満へ低下または安静時から 5% 以上の低下 ● 心電図上，新たな不整脈の出現や 1 mm 以上の ST 低下 ● 血圧の低下(収縮期血圧 <80 mmHg)や上昇(収縮期血圧 ≧250 mmHg，拡張期血圧 ≧115 mmHg) ● 徐脈の出現(心拍数 ≦40/min) ● 運動中の指示を守れない，転倒の危険性が生じるなど運動療法継続が困難と判断される場合

〔日本循環器学会/日本心臓リハビリテーション学会, 他：2021 年改訂版 心血管疾患におけるリハビリテーションに関するガイドライン. p37, 2021. https://www.j-circ.or.jp/cms/wp-content/uploads/2021/03/JCS2021_Makita.pdf(2021 年 10 月閲覧)より〕

C 心不全

1 概要

a 心不全とは

心不全とは心臓のポンプ機能が低下し，全身の需要に見合う血液循環が保てなくなることによりおこる一連の病態をいい，あらゆる循環器疾患がたどる終末像である．心不全は多様な病型に分類されている(▶表 10)．その症状は，全身各臓器の**低灌流症状**と**うっ血症状**に大別される．低灌流症状としてチアノーゼ，易疲労感・倦怠感(骨格筋灌流障害)，尿量減少(腎臓灌流障害)，意識障害・精神障害(脳灌流障害)などがある．うっ血症状として，肺水腫，労作時呼吸困難，発作性夜

▶表 9　運動療法におけるリスクの階層化

	対象者	分類	臨床特性	活動ガイドライン	監視の必要	ECG と血圧モニタリングの必要性
クラスA	健康な個人	1. 心疾患やその症状，または冠動脈危険因子を有さない 45 歳未満の男性，55 歳未満の女性 2. 心疾患やその症状は有さないが，冠動脈危険因子を 1 つ有する 45 歳未満の男性，55 歳未満の女性 3. 心疾患やその症状は有さないが，冠動脈危険因子を 2 つ有する 45 歳未満の男性，55 歳未満の女性		活動の制限なし	なし	なし
クラスB	安定した心血管疾患を有し，活発な運動時に合併症のリスクは低いが，健常者よりもややリスクが高い人	1. 安定した冠動脈疾患 2. 重度の狭窄または逆流を除く心臓弁膜症 3. 先天性心疾患 4. EF <30% の安定した心筋症，肥大型心筋症や最近の心筋炎は除く 5. クラス C のリスク基準に合致しない運動負荷試験上の異常者	すべてを満たすこと 1. NYHA Ⅰまたは Ⅱ 2. 運動耐容能 6 METs 以下 3. うっ血心不全がない 4. 安静時または 6 METs 以下の運動で心筋虚血がない 5. 運動中の血圧上昇が適切 6. 安静時および運動時に心室頻拍がない 7. 運動強度を自己モニタリングできる	活動は個人ごとに決定する．運動処方を作成してもらう	初期のセッションでは医学的監視が有用で自己モニタリングが可能となるまでスタッフが監視すべきである．職員は ACLS，BLS 研修を受けている	運動の初期（通常 6～ 12 セッション）には有用
クラスC	運動中の心血管リスクが中等度～高度，または活動の自己管理や推奨活動レベルが理解できない	1. 冠動脈疾患 2. 重度の狭窄または逆流を除く心臓弁膜症 3. 先天性心疾患 4. EF <30% の安定した心筋症，肥大型心筋症や最近の心筋炎は除く 5. コントロールされていない心室性不整脈	以下のいずれかに属する 1. NYHA Ⅲ～Ⅳ 2. 運動耐容能 6 METs 以下，6 METs 以下での虚血症状，運動中の血圧が安静時以下に低下，運動による非持続性心室頻拍 3. 原発性心停止の既往 4. 生命の危険性があると医師が判断した場合	活動は個人ごとに決定する．運動処方を作成してもらう	安全性が確立されるまで全セッションで医学的に監視する	安全性が確立されるまで継続する（通常は 12 セッション以上）
クラスD	運動制限のある不安定疾患	1. 不安定心筋虚血 2. 重度および症候性の弁狭窄または逆流 3. 先天性心疾患 4. 代償されていない心不全 5. コントロールされていない不整脈 6. 運動により悪化する可能性のある病態		コンディショニング目的の運動は推奨されない．治療によりクラス C 以上に回復させる．医師は個々の評価に基づいて ADL を処方する		

ACLS：二次救命処置，BLS：一次救命処置．
〔Fletcher GF, et al: Exercise standards for testing and training; a statement for healthcare professionals from the American Heart Association. *Circulation* 104:1724–1725, 2001 より改変〕

▶表 10　心不全の病型分類

時期による分類	慢性心不全 ― 急性心不全
部位による分類	左心不全 ― 右心不全
影響を受ける部位による分類	前方不全 ― 後方不全
心機能による分類	収縮不全 ― 拡張不全
心拍出量による分類	低拍出性心不全 ― 高拍出性心不全

間呼吸困難，起座呼吸（肺うっ血），下肢浮腫，頸静脈怒張，胸水，腹水，肝腫大（静脈うっ血）などがあげられる[10]．

b 心不全の治療

心不全の治療においてはその原因疾患を特定し治療することに加え，急性心不全では呼吸・循環動態を改善し，救命をはかることが主目的となる．

慢性心不全では症状を軽減し，QOL や生命予後の改善をはかることが目的となる．

急性心不全では安静を基本とし，酸素化の維持や心拍出量の確保のための投薬治療が行われる．慢性心不全では前負荷軽減やうっ血の改善を目的に塩分や水分制限が行われる．必要に応じて運動や活動制限も行うが，過度の安静は心不全そのものの悪化や QOL の低下をまねくため，適切な運動や活動を指導する必要がある．薬物抵抗性重症心不全に対しては，動脈内バルーンパンピング(intra aortic balloon pumping; IABP)，経皮的心肺補助法(percutaneous cardiopulmonary support; PCPS)，補助人工心臓，心移植などが治療の選択肢としてあげられる．

2 作業療法評価

虚血性心疾患に準ずる(➡ 412 ページ)．

3 作業療法の目標

a 急性期

治療に伴う廃用性障害を予防し，病状に応じて安全に ADL を拡大する．

b 回復期

さらなる ADL の拡大と円滑な退院と社会復帰を果たす．

増悪予防，再入院予防のために心不全の増悪因子について理解を深め，生活習慣を是正する．

c 生活期(維持期)

回復期で行った心リハを継続する．

Keyword

心臓悪液質 心疾患に起因する複雑な代謝症候群であり，脂肪量が減少するか否かにかかわらず，筋肉量が減少することを特徴とする．臨床病状としては体重減少が認められる．

4 作業療法プログラム

a 急性期

初期治療は呼吸循環管理のために安静が基本となる．酸素投与や点滴治療が中心となるこの期には基本的には心リハは適応外となる．心不全がコントロールされている状態であれば医師の指示のもと徐々に離床が可能となる．安静時の血圧や心拍数などのバイタルサイン，息切れなどの自覚症状を確認しながら進めるが，少量頻回(小負荷，短時間，休息をはさみながら行う)での実施が基本となる．

実施に際してはあらかじめ，体液量管理の指標となる体重や尿量，循環動態の指標である血圧や心拍数の推移，呼吸状態についてカルテや看護記録から情報収集しておくことが重要となる．

b 回復期

この期では，退院や病前生活への復帰を目標に，さらなる ADL の拡大と対象者のニーズに即した家庭復帰や復職を目標とした IADL の評価と練習を行う．対象者にとって今後必要となる作業や活動について情報収集し，対象者の病態や能力に照らし合わせた指導や助言を行うが，模擬的活動やワークシミュレーションも有用である(➡ 419 ページ)．

心不全の対象者においては過度な作業や活動は心不全増悪を引き起こす可能性があり，安全な作業や活動を理解し遂行することが大切である．しかし，リスクや活動制限ばかりを指導すると，心理的な不安から身体的不活動をまねき，心身の廃用をきたす可能性がある．大切なことは，対象者が必要とする作業や活動を運動ととらえ安全かつ継続的に行えるように援助することである．

対象者の ADL や IADL 遂行を妨げる要素として筋力低下があげられる．心不全の対象者の筋力低下は安静に伴う廃用性筋力低下のほかに，心機能障害を発端としたミオパシーや**心臓悪液質**，

▶表 11 心不全の増悪因子

全身要因	●感染症 ●貧血 ●腎不全 ●甲状腺疾患
心臓要因	●心筋虚血 ●不整脈
薬物要因	●β 遮断薬 ●非ステロイド系解熱鎮痛薬 など
生活要因	●水分・塩分の過剰摂取 ●アルコールの過剰摂取 ●服薬コンプライアンス低下 ●肥満 ●運動過多，過活動 ●ストレス・うつ
医療要因	●不適当な治療

サルコペニア(➡ 139 ページ)も関連する．これらの対応としては筋力増強訓練〔レジスタンストレーニング(➡ 422 ページ)〕が有用である．

慢性心不全では ADL・IADL 訓練や運動だけでなく，心不全増悪予防や生命予後改善のための食事指導や服薬指導，生活指導など，心不全管理のための知識と技術を教育することが重要である(▶表 11)．

c 生活期（維持期）

虚血性心疾患の生活期と同様である(➡ 413 ページ)．

d 注意事項

心不全の運動療法の禁忌を表 12[8,11] に示す．慢性心不全の対象者に作業療法を実施する際は，心不全の発症や増悪のもととなる原疾患を把握したうえで，作業療法実施前後にはバイタルサインの確認に加え，全身の低灌流症状やうっ血症状の有無〔「心不全とは」の項(➡ 414 ページ)参照〕を確認する．

▶表 12 心不全患者で運動療法が禁忌となる病態・症状

絶対禁忌
1. 過去 3 日以内における自覚症状の増悪
2. 不安定狭心症または閾値の低い心筋虚血
3. 手術適応のある重症弁膜症，特に症候性大動脈弁狭窄症
4. 重症の左室流出路狭窄
5. 血行動態異常の原因となるコントロール不良の不整脈（心室細動，持続性心室頻拍）
6. 活動性の心筋炎，心膜炎，心内膜炎
7. 急性全身性疾患または発熱
8. 運動療法が禁忌となるその他の疾患（急性大動脈解離，中等度以上の大動脈瘤，重症高血圧，血栓性静脈炎，2 週間以内の塞栓症，重篤な他臓器障害など）
相対禁忌
1. NYHA 心機能分類 IV 度
2. 過去 1 週間以内における自覚症状増悪や体重の 2 kg 以上の増加
3. 中等症の左室流出路狭窄
4. 血行動態が保持された心拍数コントロール不良の頻脈性または徐脈性不整脈（非持続性心室頻拍，頻脈性心房細動，頻脈性心房粗動など）
5. 高度房室ブロック
6. 運動による自覚症状の悪化（疲労，めまい，発汗多量，呼吸困難など）

注）ここに示す「運動療法」とは，運動耐容能改善や筋力改善を目的として十分な運動強度を負荷した有酸素運動やレジスタンストレーニングを指す．

〔Izawa H, et al: Japanese Association of Cardiac Rehabilitation Standard Cardiac Rehabilitation Program Planning Committee. Standard Cardiac Rehabilitation Program for Heart Failure. *Circ J* 83:2394–2398, 2019 より作表，日本循環器学会/日本心臓リハビリテーション学会，他：2021 年改訂版 心血管疾患におけるリハビリテーションに関するガイドライン．p46, 2021. https://www.j-circ.or.jp/cms/wp-content/uploads/2021/03/JCS2021_Makita.pdf(2021 年 10 月閲覧)より〕

D 心臓大血管疾患における開胸手術

1 概要

わが国では年間 6 万件程度の冠動脈バイパス術(coronary artery bypass grafting; CABG)や弁膜症手術，先天性心疾患，胸部大動脈瘤や胸部大動脈解離などの心臓血管外科手術が行われている．これらの手術では胸骨を縦に切開して心臓や血管に到達する胸骨正中切開術が標準的な術式であるが，近年治療技術の向上や手術機器の開発により小切開手術の普及が進んでいる．また，心拍動下冠動脈バイパス術(off-pump coronary artery bypass; OPCAB)のように体外循環を用いない手術も主流となっている．

これら手術の低侵襲化に加え，社会の高齢化により高齢者や合併症を有する対象者も手術の対象となることが多くなってきている[12]．心臓血管外科手術後の過剰な安静は心身のデコンディショニングを生じ，肺炎や無気肺，皮膚障害など合併症の発症を助長するため，可能な範囲で速やかに離床を進め，病前機能への回復をはかる必要がある．

手術後早期には各疾患における特異性や呼吸循環維持のための医療機器や各種ドレーンや点滴が装着されていることに加え，開胸創への影響など，気をつけなければいけない点が多い．

2 作業療法評価

虚血性心疾患に準ずる(➡ 412 ページ)．

3 作業療法の目標

a 急性期

手術後の安静に伴う廃用性障害を予防し，状態に応じて安全に ADL を拡大する．

b 回復期

さらなる ADL の拡大と円滑な退院と社会復帰を果たす．

手術後の身体管理に加え，手術に至った基礎疾患について理解を深め，生活習慣を是正する．

c 生活期(維持期)

回復期で行った心リハを継続し，再発予防をはかる．

4 作業療法プログラム

a 急性期

心臓大血管手術後は，医師の指示によるリハプログラム表に基づいて，離床や ADL の拡大が段階的に進められる．近年，手術の低侵襲化や手術後の管理の進歩によりリハプログラムの進行が速くなる傾向にある．早期の離床や起立や歩行は理学療法士や看護師によって進められることが多いが，作業療法士は離床動作や活動範囲の拡大に伴い，整容動作やトイレ動作などセルフケア動作の確認とその練習を行う．また，起座位での作業活動の提供も臥位傾向からの脱却や日中の覚醒度向上などに役立ち，対象者の ADL 再獲得や認知精神面の悪化を防ぎ，早期退院につながるとの報告もある．

b 回復期

この時期では，さらなる ADL の拡大と社会復帰に向けた運動耐容能向上と QOL の改善が目標となる．入院から外来の心リハプログラムへの参加により，運動習慣の獲得，手術に至った基礎疾患に基づく再発予防のための教育が重要である．この時期での作業療法の役割は，退院後に対象者が必要とする作業・活動を把握し，安全に遂行するための指導と訓練を実施することである．

c 注意事項(胸骨正中切開術)(▶図 4)

人工的な骨折とも考えられる胸骨正中切開術が施行された対象者においては，胸骨の骨融合が得られる手術後 2〜3 か月程度は胸骨の動揺や皮膚切開部の過伸張に注意しなければならない．特に，胸骨縦断端の離開方向へのストレッチや体幹のねじれ方向への運動，さらには胸骨に付着する大胸筋の過度の収縮と伸張を伴う上肢運動は注意が必要である．

手術後間もない急性期では寝返りや起き上がり方法，セルフケア方法を指導し，回復期では家事

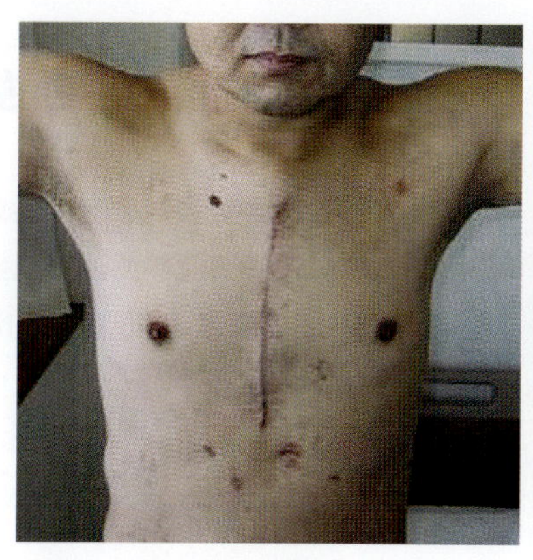
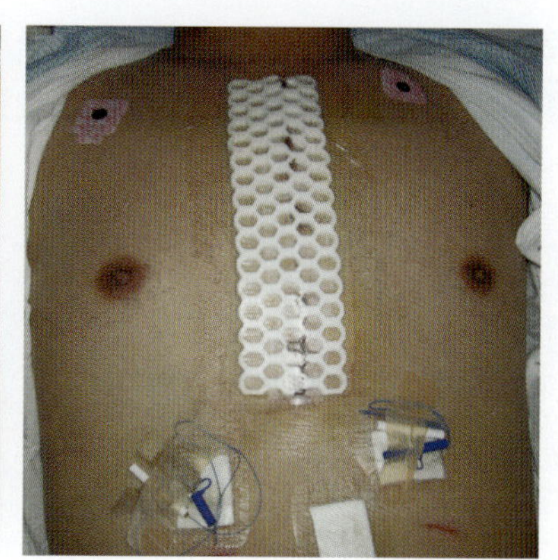
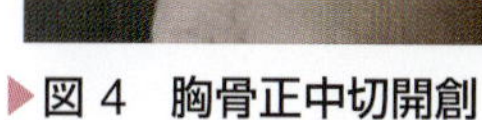

▶図 4　胸骨正中切開創

や就労動作における創部への負担を軽減する動作方法を指導する必要がある．手術後にバストバンドやチェストバンドを利用することは，科学的な根拠はないが対象者に安心感を与える[13]．

E 心疾患の対象者における作業療法プログラムの実際

1 模擬的活動，シミュレーションテスト

対象者が退院や社会復帰をはかるためには，退院後の生活について十分に評価する必要がある．1 日の生活パターンや家庭内での役割，社会的な役割，必要とする作業や活動について対象者や家族から情報を得る．これらの情報をもとに病態や心機能，身体能力を照らし合わせて指導や助言を行う．

その際には模擬的活動やシミュレーションテストが役立つ．対象者が必要としている作業活動について模擬的な活動の試行を行う．実際の作業場面での必要としている活動を行うことが望ましいが，困難な場合は必要な評価をもとに環境を設定する．その際のモニタリングは呼吸状態や血圧，心電図による心拍数や不整脈の有無とその種類，自覚症状について行う．

活動中や活動前後の推移をみるだけでなく，活動後の休息期にも注意を払う必要がある．収縮期血圧と心拍数の積によって求められる二重積(double product；収縮期血圧×心拍数)は心筋酸素消費量の指標として用いられ，活動に対する心臓への負荷を推測するうえで役立つ．労作時狭心症における心電図上の ST 変化は同一の二重積で再現性がよく，活動や運動負荷強度の設定に役立つ．一般的に静的動作(等尺性筋収縮)は収縮期血圧が上昇しやすく，高強度のリズミカルな動的動作は心拍数が上昇しやすい．心負荷のかかりやすい活動は二重積の高い活動であり，等尺性筋収縮と動的動作が同時に行われる活動(重いものを持ちながら歩く，中腰で床を拭くなど)である．収縮期血圧や心拍数，二重積を把握しながら心負荷軽減のための活動を指導することが肝要である．自覚症状は胸痛や胸部不快感，動悸などの胸部症状，眩暈などについても評価する．運動強度，息切れについてはボルグの自覚的運動強度尺度(RPE)(➡ 140 ページ)で評価し，必要であれば SpO_2 を計測し，自覚症状との関係をみる．

その結果をもとに作業療法内容を決定し，過負荷となっている作業方法があれば，作業方法の変更や工夫のための指導を行い，作業許容量が見合っていないものであれば作業内容の再検討を提

▶表 13　作業・活動による負担を軽減するための工夫

作業活動	工夫
更衣	● 椅子に座って着替える ● ズボンや靴下の着脱の際にかがみ続けない
寝具	● 家族に布団の上げ下げを手伝ってもらう ● 布団はたたむが押し入れに入れない ● ベッドを導入する
食事	● 畳や床からの立ち上がりは座卓に手をついて行う ● 座高の高い座椅子を利用する ● 椅子やテーブルで食事を摂る
入浴	● シャワーチェアを利用する ● 洗体時にかがまない ● 浴槽内にもシャワーチェアを設置する ● 湯温をぬるめにする ● 脱衣所と浴室の温度差を少なくする
調理	● 椅子に座りながら調理する ● 鍋に水を入れる場合は小分けにする
洗濯	● 洗濯物は少しずつ運ぶ ● 干し場を 2 階から 1 階に移す ● 干し竿を低くする ● 干し場にも椅子を用意し休息できるようにする
掃除	● 区画ごとに分けて休みながら掃除をする ● 床みがきはモップを利用する ● 窓ふきや床みがきは手伝ってもらう
庭仕事	● 園芸用の低い椅子を利用する ● 園芸用品や土砂などはカートで運ぶ ● 除草は鍬や鋤を使用する ● 作業時間を工夫する
買い物	● 重たいものは家族や知人に運んでもらう ● 買う量を調整し，重くならないようにする ● 店までは自動車やバスを利用する ● 店内では押し車やカートを利用する
坂道や階段	● ゆっくりと自分のペースで歩く ● エスカレーターやエレベーターを利用する ● 坂道は S 字状に歩く ● 坂道での自転車は降りて押す
重量物の運搬	● カートや台車を利用する ● 片手で持たずに両手で持つ
活動全般	● 動作時の「いきみ」を避ける ● 静的な動作やその継続を避ける ● 暑い時間や寒い日の活動を避ける ● ゆとりをもって行動する ● 自覚症状に注意し，休息をとりながら作業する

案する[14]．心大血管系への負担を考慮した作業動作や作業様式の工夫を**表 13** に示す．

2 至適運動強度，活動強度

対象者の病態や能力に合った活動強度の決定には運動療法における運動処方が役立つ．心肺運動負荷試験(CPX)によるもの，心拍数や自覚症状から推定するものがある．

a 呼気ガス分析を用いた心肺運動負荷試験(▶図 5)

①最大酸素摂取量($\dot{V}O_2max$)の 40～60%
(➡ 137 ページ)
②嫌気性代謝閾値(anaerobic threshold; AT)の心拍数
③AT に対応する METs による活動(▶**表 14**)[15]

AT は「増加される運動強度において有酸素的エネルギー産生に無酸素的代謝によるエネルギー産生が加わる直前の運動強度(酸素摂取量)」と定義され，いわゆる有酸素運動の上限の負荷強度である．AT は呼吸，循環，代謝の総合的な指標で心不全の運動耐容能の指標や治療の効果判定などに用いられ，運動療法の運動強度処方に利用される．

b 呼気ガス分析を用いない方法

(1)　最大心拍数法〔%HRmax(ZERO to peak)〕

予測最大心拍数(HRmax = 220 − 年齢)もしくは実測値の 50～70% を至適運動強度とする．

(2)　予備心拍数法

予備心拍数(heart rate reserved; HRR)は，〔HRmax − HRrest(安静時心拍数)〕の 40～60% を至適運動強度とする．

(3)　カルボーネン(Karvonen)法 (➡ 140 ページ)

$$(HRmax - HRrest) \times k + HRrest$$

k(運動強度) = 0.4～0.6 を用いるが，急性期の対象者は 0.2 程度から開始する．

薬物(β 遮断薬)によっては心拍数の上昇を抑制する働きがあるため，判断に注意が必要である．

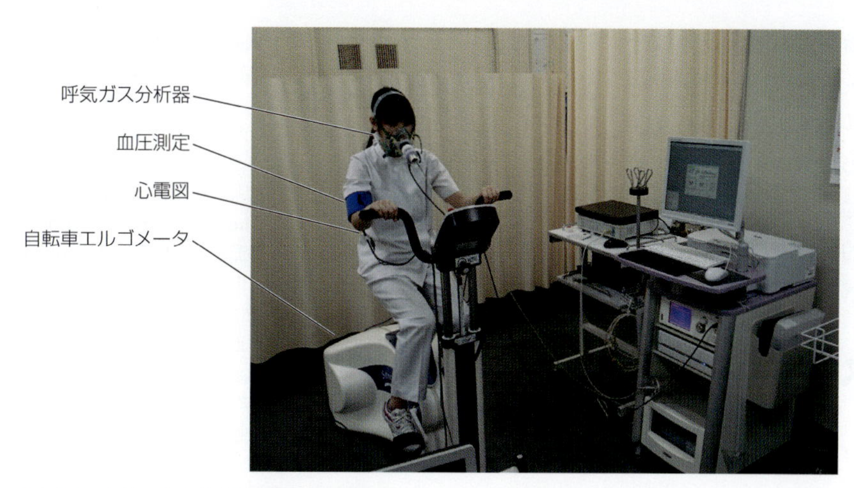

▶図 5　呼気ガス分析を用いた CPX

▶表 14　ADL と酸素摂取量

METs	身のまわりの動作	趣味	運動
1〜2	食事，洗面 裁縫，編物 自動車の運転	ラジオ，テレビ 読書，トランプ 囲碁，将棋	かなりゆっくりとした歩行（1.6 km/時）
2〜3	乗り物に立って乗る 調理，小物の洗濯 床拭き(モップで)	ボーリング 盆栽の手入れ ゴルフ(電動カート)	ゆっくりとした平地歩行（3.2 km/時） (2 階までゆっくり昇る)
3〜4	シャワー 10 kg の荷物を背負って歩く 炊事一般，布団を敷く 窓拭き，膝をついての床拭き	ラジオ体操 釣り バドミントン(非競技) ゴルフ(バックを持たずに)	少し速歩きの歩行(4.8 km/時) (2 階まで昇る)
4〜5	10 kg の荷物を抱えて歩く 軽い草むしり 立て膝での床拭き 夫婦生活，入浴	陶芸，ダンス 卓球，テニス キャッチボール ゴルフ(セルフ)	速歩き(5.6 km/時)
5〜6	10 kg の荷物を片手に下げて歩く シャベル使い(軽い土)	渓流釣り アイススケート	すごく速く歩く(6.5 km/時)
6〜7	シャベルで掘る 雪かき	フォークダンス スキーツアー(4.0 km/時)	
7〜8		水泳，エアロビクスダンス 登山，スキー	ジョギング(8.0 km/時)
8〜	階段を連続して 10 階以上昇る	なわとび，各種スポーツ競技	

安静座位における酸素摂取量(3.5 mL/分/kg)が 1 MET である．
METs : metabolic equivalents
〔厚生労働省運動所要量・運動指針の策定検討会：健康づくりのための運動指針 2006―生活習慣病予防のために(エクササイズガイド 2006)．pp34–36, 国立健康・栄養研究所, 2006 より引用改変〕

(4)　ボルグの自覚的運動強度尺度〔第 II 章 9 の表 16 (➡ 141 ページ)参照〕

ボルグの自覚的運動強度尺度(RPE)の 11〜13 を有酸素運動の運動強度として選択する．RPE の 13 がほぼ AT レベルとの報告があるが，個々の症例により差が生じることがあり，注意が必要である．

これらの指標は有酸素運動域を示すものであり安全な作業・活動遂行に役立つが，いずれも持続性運動に対するものである．ADL や IADL における短時間の作業活動では，上記の指標を超えたからといってすぐに病態悪化につながるものではなく，模擬的活動，シミュレーションテストと組み合わせて解釈する必要がある．

3 レジスタンストレーニング

近年の心リハでは，有酸素運動に加えてレジスタンストレーニングが有用とされている．レジスタンストレーニングは，筋力や筋持久力の向上による動作時の心肺負担の軽減，運動効率の向上，除脂肪体重の増加，結合組織の強化，骨粗鬆症・腰痛・高血圧・糖尿病のリスクを減らし，QOL の改善への効果が報告されている．特に高齢者や低 ADL 対象者において骨格筋機能は ADL に直結するもので，その改善が重要となる．

レジスタンストレーニングにはスクワットやカーフレイズなど自重を利用したものや，ダンベルや重錘，ペットボトルに水を入れた物などを用いたフリーウエイトを利用したもの，レッグカールやベンチプレスなどといったマシンを利用したものなどさまざまな様式がある．

心疾患の対象者に対するレジスタンストレーニングは低い強度から始め，数種類の運動を 10〜15 回繰り返し，中等度の疲労感を感じるまで実施する．実施に際しては息こらえやきばるなどのバルサルバ(Valsalva；息こらえによる血圧と心拍の急な変動を伴う現象)を避ける必要がある．

●引用文献

1) 髙橋尚彦：循環器総論―生理. 医療情報科学研究所(編)：病気がみえる vol.2 循環器. 第 5 版, pp16–29, メディックメディア, 2021
2) 齊藤宣彦(編)：心臓リズムのもとは：興奮伝導系. ナースのための心電図テキスト. pp10–12, 医学書院, 1991
3) 奥村　謙：不整脈総論―概要. 医療情報科学研究所(編)：病気がみえる vol.2 循環器. 第 5 版, pp160–163, メディックメディア, 2021
4) 齊藤宗靖：狭心症・心筋梗塞の病態と治療. 齊藤宗靖, 他(編), 木全心一(監)：狭心症・心筋梗塞のリハビリテーション―心不全・血管疾患の運動療法を含めて. 改訂第 4 版, pp58–84, 南江堂, 2009
5) 赤石　誠：プライマリ・ケアのための呼吸・循環器診療①問診―胸痛. 呼と循 54:407–410, 2006
6) Lee TH: Chest discomfort and palpitations. In Braunwald E, et al (eds): Harrison's Principles of Internal Medicine, 15th ed, pp60–66, McGraw-Hill, New York, 2001
7) 山口　徹：虚血性心疾患. 藤島正敏, 他(編著)：循環器科学. pp153–167, 放送大学教育振興会, 2000
8) 日本循環器学会/日本心臓リハビリテーション学会, 他：2021 年改訂版 心血管疾患におけるリハビリテーションに関するガイドライン. pp36, 37, 46, 2021 https://www.j-circ.or.jp/cms/wp-content/uploads/2021/03/JCS2021_Makita.pdf(2021 年 10 月閲覧)
9) Fletcher GF, et al: Exercise standards for testing and training; a statement for healthcare professionals from the American Heart Association. *Circulation* 104:1694–1740, 2001
10) 木全心一：心不全. 本間光夫, 他(編)：症候から診断へ 第 1 集. pp160–167, 日本医師会, 1998
11) Izawa H, et al: Japanese Association of Cardiac Rehabilitation Standard Cardiac Rehabilitation Program Planning Committee. Standard Cardiac Rehabilitation Program for Heart Failure. *Circ J* 83: 2394–2398, 2019
12) 長山雅俊：開心術後(OPCAB も含む). 江藤文夫, 他(編)：呼吸・循環障害のリハビリテーション. pp287–293, 医歯薬出版, 2008
13) 生須義久, 他：心大血管リハビリテーションの対象疾患. 日本作業療法士協会(編)：心大血管疾患の作業療法. 第 2 版, pp14–20, 日本作業療法士協会, 2019
14) 木村悠子, 他：心大血管疾患に対する就労支援の現状と展望. ぐんま作業研 11:13–17, 2008
15) 厚生労働省運動所要量・運動指針の策定検討会：健康づくりのための運動指針 2006―生活習慣病予防のために(エクササイズガイド 2006). pp34–36, 国立健康・栄養研究所, 2006

●参考文献

16) Borg GA: Perceived exertion. *Exerc Sport Sci Rev* 2:131–153, 1974
17) American College of Sports Medicine(編), 日本体力医学会体力科学編集委員会(監訳)：運動処方の指針―運動負荷試験と運動プログラム. 原著第 8 版, 南江堂, 2011
18) 井澤和大, 他：虚血性心疾患. 聖マリアンナ医科大学病院リハビリテーション部理学療法科：理学療法リスク管理マニュアル. 第 2 版, pp38–63, 三輪書店, 2006
19) 半田俊之介, 他：動脈硬化の危険因子. 半田俊之介, 他(監)：循環器内科ゴールデンハンドブック. 改訂第 4

版, pp226–264, 南江堂, 2018
20) 百村伸一：心臓のしくみとはたらき. 百村伸一(編)：心臓病の治療と看護. pp3–12, 南江堂, 2006
21) Fleck SJ, 他：ストレングストレーニングのタイプ. Fleck SJ, 他(著), 長谷川　裕(監訳)：レジスタンストレーニングのプログラムデザイン—日本語版. pp17–61, Book House HD, 2007
22) 長嶋正實, 他：心疾患患者の学校, 職域, スポーツにおける運動許容条件に関するガイドライン(2008 年改訂版). 日本循環器学会, 2008
23) 江藤文夫, 他(編)：呼吸・循環障害のリハビリテーション. 医歯薬出版, 2008
24) 居村茂幸(監), 高橋哲也, 他(編)：呼吸・心臓リハビリテーション—カラー写真でわかるリハの根拠と手技のコツ. 改訂第 2 版, 羊土社, 2015
25) 齊藤宗靖, 他(編)：狭心症・心筋梗塞のリハビリテーション. 改訂第 4 版, 南江堂, 2009
26) 松崎益徳, 他：慢性心不全治療ガイドライン(2010 年改訂版). 日本循環器学会, 2010
27) 野原隆司, 他：心血管疾患におけるリハビリテーションに関するガイドライン(2012 年改訂版). 日本循環器学会, 2012
28) 安達　仁(編著)：眼でみる実践心臓リハビリテーション. 改訂 4 版, 中外医学社, 2017

2 呼吸器疾患

GIO 一般教育目標 呼吸器疾患の対象者に作業療法を実施できるようになるために，この疾患の病態を理解し，作業療法の評価技法と治療・指導・援助法を修得する．

SBO 行動目標

1）呼吸器の解剖および生理について説明できる．
- □ ①肺の解剖学的構造を説明できる．
- □ ②口および鼻孔から肺胞に至る呼吸器の経路を説明できる．
- □ ③呼吸に関与する筋および呼吸運動を説明できる．
- □ ④安静時における全肺気量の分画を説明できる．

2）呼吸器疾患の病態および分類，症状，医学的治療について説明できる．
- □ ⑤閉塞性肺疾患に分類される疾患をあげ，その症状および特徴について説明できる．
- □ ⑥拘束性肺疾患に分類される疾患をあげ，その症状および特徴について説明できる．
- □ ⑦呼吸器疾患に対する医学的標準治療の種類を列挙できる．

3）呼吸器疾患に用いられる評価について説明できる．
- □ ⑧呼吸器疾患で収集する一般情報を列挙できる．
- □ ⑨呼吸器疾患に用いられる検査の手段を列挙できる．
- □ ⑩呼吸器疾患に対するフィジカルアセスメントの内容を説明できる．

4）呼吸リハビリテーションについて説明できる．
- □ ⑪呼吸リハビリテーションの定義を述べることができる．
- □ ⑫呼吸リハビリテーションの全般的プログラムを列挙し，その内容を説明できる．
- □ ⑬呼吸器疾患の対象者の日常生活活動，生活関連活動に対する指導上のポイントを説明できる．
- □ ⑭呼吸リハビリテーション実施上の注意事項を説明できる．

A 概要

1 呼吸とは

呼吸とは，大気中から必要な酸素(O_2)を体内に取り入れて，二酸化炭素(CO_2)を調節して体外へ排出する機能をいう．

2 呼吸器の解剖

呼吸器は気道(上気道，下気道)と肺胞で構成される．

a 胸郭と胸腔

胸郭は骨(胸骨，肋骨，胸椎)と筋(肋間筋，横隔膜など)に囲まれた籠状の構造である．胸郭の壁を胸壁，囲まれた空間を胸腔という．臓側・壁側にそれぞれ胸膜があり，膜と膜の間の空間を胸膜腔という．

気道			気道分岐次数
導管部	気管		0
	気管支	主気管支	1
		葉気管支	2
		区域気管支	3
		亜区域気管支	4
	細気管支	小気管支	5
		細気管支	～
		終末細気管支	16
呼吸部	呼吸細気管支		17
			18
			19
	肺胞管		20
			21
			22
	肺胞嚢		23

▶図 1 気道の名称と分岐
〔上月正博(編)：新編 内部障害のリハビリテーション. p47, 医歯薬出版, 2009 より〕

縦隔とは左右の肺によって挟まれた部分であり，心臓，大血管，食道，気管，胸腺などが含まれる．左右の主気管支と肺動脈・肺静脈が肺内に出入りする部分を肺門という．

b 気道の構造(▶図 1)[1]

気道は，上気道(鼻腔，咽頭，喉頭)，下気道(気管，気管支)からなる．気管は長さ 10 cm 程度で食道の前に位置する．気管は 2 本の主気管支に分岐(左気管支は右気管支より細く分岐角が大きい)し，2 分岐を繰り返しながら 16 の分枝を経て，終末細気管支となる．17 分岐したところから呼吸細気管支となり，最終的に平均 23 分岐して肺胞に終わる．気道には外気から侵入した有害物質を排除する機構が存在する．

c 肺，肺胞，肺実質と間質(▶図 2)[2]

右肺は 3 つ，左肺は 2 つの葉に分かれ，さらに肺区域(pulmonary segment)に分かれる．サーファクタント(界面活性物質)は肺胞がつぶれる(虚脱)のを防ぐ．肺組織は，ガス交換を行う実質と，実質の間を埋める間質に分けられる．

d 呼吸筋

胸腔内は常に陰圧であり，安静時吸気は主に横隔膜や外肋間筋の収縮に伴い陰圧が強まることで肺が膨らむ．努力吸気には斜角筋，胸鎖乳突筋，僧帽筋などが動員される．安静時呼気は筋の弛緩や肺の弾性力により受動的に行われ，努力呼気には内肋間筋，内腹斜筋などを動員する．

e 循環

肺動脈，肺静脈は機能血管と呼ばれる．肺動脈は CO_2 が豊富な静脈血を右心室から肺へ運び，肺静脈はガス交換(酸素化)後の動脈血を左心房に運ぶ．これを肺循環と呼ぶ．肺動脈は気管支の分岐に沿って伸びる．気管支動脈，気管支静脈は栄養血管と呼ばれる．気管支動脈は肺胞まで達し，静脈血の大半は気管支静脈ではなく肺静脈を還流する．

f 神経系

呼吸中枢は延髄に存在し，呼吸のリズムを形成する．通常，呼吸運動は不随意的だが，速度や深さを意識的に変えることができる．血液ガス(体内の pH，O_2，CO_2 など)の変化は化学受容体から呼吸中枢へ伝わり，換気量を変化させる．下気道や肺には伸展受容体が存在し，気道壁や肺の膨張により吸気を制御し，損傷を防ぐ．気道の内径や分泌腺は自律神経により調節される．交感神経は気道の平滑筋を弛緩させ，副交感神経は気道の平滑筋を収縮，分泌腺を刺激する．

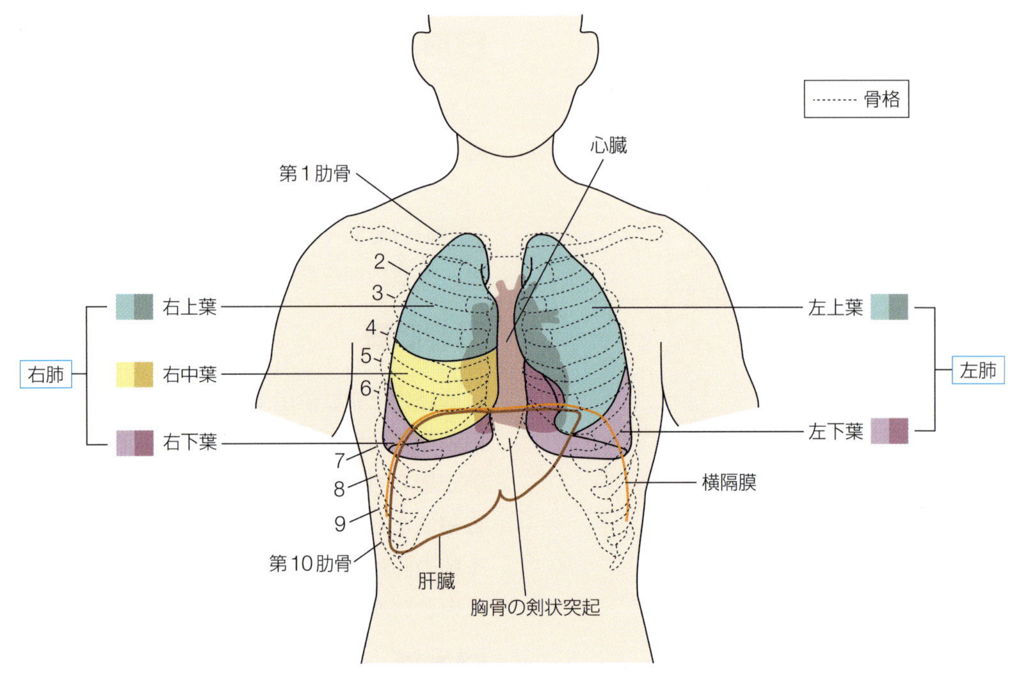

▶図 2 肺と胸部の骨格
〔間瀬教史：胸部の観察．居村茂幸(監)，高橋哲也，他(編著)：ビジュアル実践リハ 呼吸・心臓リハビリテーション―カラー写真でわかるリハの根拠と手技のコツ．改訂第 2 版，p12，羊土社，2015 より〕

g 肺のリンパ系

肺内リンパ管・リンパ節と縦隔に存在する所属リンパ管・リンパ節に分けられ，組織間液を調整している．

3 呼吸器の生理

a 換気量

肺気量分画の定義と略語については，**図 3**[3] と**表 1**[4]，また生理学のテキストを参照すること．

気道や気管支内の酸素は，実際にはガス交換に利用されず，解剖学的死腔という．肺胞死腔と併せて生理学的死腔という．

単位時間あたりの肺胞換気量($\dot{V}_A$)と単位時間あたりの毛細血管血流量($\dot{Q}$)の比を換気血流比($\dot{V}_A/\dot{Q}$)といい，正常値は 0.8〜1.2 である．ガス交換効率の低下を VQ ミスマッチという．肺胞気酸素分圧(P_AO_2)と動脈血酸素分圧(PaO_2)の差を A-aDO_2 と呼び，肺疾患によりガス交換に異常を認めると差が拡大する．肺血管は低酸素状態に対して収縮し，その部位の還流を減少させる．

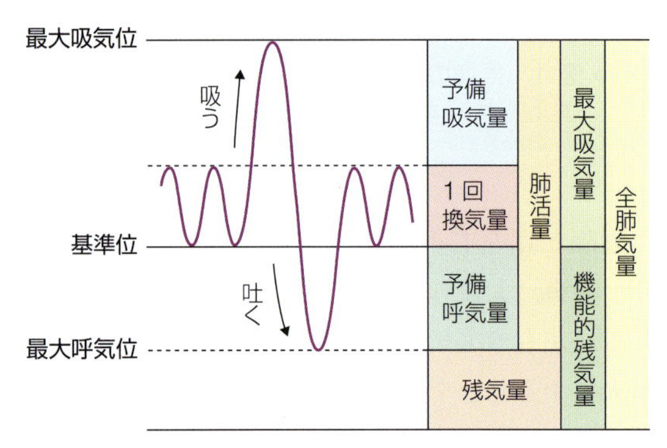

▶図 3 肺気量分画
〔玉置 淳(監)：全部見える 呼吸器疾患．p64，成美堂出版，2013 より〕

b 動脈血ガス分析

動脈血ガス分析は，動脈血中のガス交換(PaO_2，$PaCO_2$)や酸塩基平衡の状態から疾患や障害の有

▶表 1 肺気量分画の定義と略語

肺気量分画	略語	定義
1 回換気量 (tidal volume)	TV	安静呼吸で出入りするガスの量 約 500 mL
予備吸気量 (inspiratory reserve volume)	IRV	安静吸気位と最大吸気位との差 約 1〜2 L
予備呼気量 (expiratory reserve volume)	ERV	安静呼気位と最大呼気位との差 約 1 L
最大呼気量 (inspiratory capacity)	IC	予備吸気量＋ 1 回換気量 約 2 L
残気量 (residual volume)	RV	最大呼出時になお肺内に残っているガスの量 約 1〜2 L
機能的残気量 (functional residual capacity)	FRC	残気量＋予備呼気量 約 2〜2.4 L
肺活量 (vital capacity)	VC	予備吸気量＋ 1 回換気量＋予備呼気量 約 4〜5 L
全肺気量 (total lung capacity)	TLC	最大吸気位における肺内ガス量(＝肺活量＋残気量) 約 5〜6 L

〔高橋仁美, 他(編)：動画でわかる呼吸リハビリテーション. p54, 中山書店, 2006 より〕

無，重症度を評価する.

c 酸塩基平衡

動脈血の pH は 7.35〜7.45 の間で一定に保たれる．pH が低下する病態をアシドーシス，pH 7.35 以上の状態をアシデミアという．pH が上昇する病態をアルカローシス，pH 7.45 以下の状態をアルカレミアという．pH を維持する機能には緩衝系と肺・腎での調節がある.

4 呼吸器疾患

呼吸不全とは，「PaO_2 が 60 Torr 以下」となる状態である．高二酸化炭素血症を伴わない I 型と，高二酸化炭素血症を伴う II 型に分類される(▶表 2)[1].

急性呼吸不全には，急性呼吸窮迫症候群(acute respiratory distress syndrome; ARDS)や肺炎，術後無気肺などがある．慢性呼吸不全は，呼吸不全の状態が少なくとも 1 か月以上持続するもので，慢性閉塞性肺疾患(chronic obstructive pulmonary disease; COPD)や結核後遺症などがある.

a 閉塞性肺疾患

閉塞性肺疾患は，気道閉塞(狭窄)により呼気流量が減少するもので，過剰な分泌物，気管支平滑筋の収縮，気道壁の脆弱化，細気管支周囲の炎症などによりおこる．息をすばやく吐き出す能力を示す 1 秒量($FEV_{1.0}$)と 1 秒率($\%FEV_{1.0}$)が低下する.

(1) 慢性閉塞性肺疾患

COPD は，タバコ煙などの有害物質により気道や肺に炎症がおこり，咳嗽，喀痰，労作時呼吸困難を呈する．喫煙者の 15〜20% が発症し，高齢者の罹患率が高いが，疾患認知度は低い.

肺の動的過膨張は COPD の特徴であり，労作時呼吸困難の原因となる．肺がんや気胸などの肺合併症に注意が必要である.

診断には呼吸機能検査が行われ，胸部 X 線，CT，血液・生化学検査などで他疾患と鑑別する．治療には薬物療法と非薬物療法があり，病態に応じて在宅酸素療法の適応となる.

呼吸器疾患は，労作時の呼吸困難感が身体活動の低下をまねき，さらに呼吸困難感が強まるという悪循環に陥りやすい．身体活動性は予後に関連し，呼吸リハビリテーション(以下，呼吸リハ)が重要である.

COPD は安静時エネルギー消費量(resting energy expenditure; REE)が増大する．エネルギー不足は筋蛋白質分解を亢進させ，呼吸器悪液質(pulmonary cachexia)を形成する.

(2) 気管支喘息

気道の慢性炎症により気道過敏性が亢進，気道壁が厚くなるなどリモデリングが進行し，喘息症

▶表 2　低酸素血症の分類

呼吸不全	病態	PaO_2	$PaCO_2$	$A\text{-}aDO_2$
I 型呼吸不全	換気血流比不均等	低下	正常または低値	開大
	拡散障害	$PaO_2 < 60$ Torr	$PaCO_2 \leqq 45$ Torr	
II 型呼吸不全	肺胞低換気	低下	$PaCO_2 > 45$ Torr	正常
	換気血流比不均等 およびシャント			開大

〔上月正博(編)：新編 内部障害のリハビリテーション. p68, 医歯薬出版, 2009 より〕

状が出現する．遺伝やアトピー素因，肥満などの個人因子と，大気汚染やアレルゲンなどの環境因子がある．症状には呼吸困難，喘鳴，咳があり，聴診で笛音(wheeze)を認める．治療は，薬物療法と危険因子の回避や除去である．

b 拘束性肺疾患

肺実質の異常や胸膜・胸壁の疾患のために肺の拡張が制限される．空気を肺に貯める能力が年齢・性別・身長相応にあるのかを評価する％肺活量が低下する．

(1) 間質性肺炎

肺間質の炎症や線維化を基本とする疾患の総称である．原因が特定できないものを特発性間質性肺炎という．肺活量の低下(%VC < 80%)に加え，間質の肥厚・線維化に伴う拡散障害(DLco 低下，$A\text{-}aDO_2$ 開大)が特徴で，乾性咳，労作時呼吸困難を主症状とする．両側下葉での捻髪音(fine crackles)も特徴である．薬物療法や酸素療法に加え，肺移植が適応されることもある．

(2) 肺結核後遺症

結核菌による感染症(飛沫・空気感染)で，感染後長期間経過後，免疫力の低下とともに発症することが多い．2 週間以上持続する咳を主症状とする．胸部 X 線・CT で上肺野に病変を認めることが多く，小結節・粒状影・空洞影など所見が多彩である．塗抹検査，培養検査などで確定後，治療開始となる．治療は多剤併用療法で長期間投与となる．

c その他

(1) 肺がん

肺がんには原発性と転移性がある．危険因子には，喫煙(リスク 2.8〜4.4 倍)，COPD などの肺疾患，職業的な有害物質の吸入曝露などがあげられる．咳，痰，倦怠感に加え，周囲の臓器や遠隔転移に伴う多彩な症状を呈する．臨床病期分類には TNM 分類(➡ 461 ページ)が使用され，治療方針の決定に重要である．performance status(PS)〔第 VIII 章 2 の表 2(➡ 470 ページ)参照〕は，がんを有する対象者の全身状態を表す指標である．治療は手術療法，放射線治療，薬物治療，緩和療法がある．

5 医学的治療

呼吸器疾患は，さまざまな検査の結果から疾患・病態を診断し，エビデンスに基づいた標準治療を決定する．標準治療として，外科的な手術療法，内科的な薬物療法，酸素療法，吸入療法，人工呼吸療法，呼吸リハなどがあげられる．

COPD や喘息の治療の基本は薬物療法であり，主に吸入薬が用いられる．長期管理薬(コントローラー)に加え，発作時には発作治療薬(リリーバー)を使用する．適切な吸入方法の指導，発作の原因となる環境因子へ調整などが重要となる．

間質性肺炎の増悪期などでは，ステロイドを短期間に大量投与するステロイドパルス療法が選択されることがある．治療後も長期間内服を継続することによる易感染性や骨粗鬆症，血糖値の上昇などの副作用に留意が必要である．

結核の治療は多剤併用療法による長期管理となり，確実な内服管理にDOTS〔directly observed treatment short-course(直接内服薬確認療法：第3者の監視により中断を防ぐ)〕が重要である．

肺がんの治療は外科(手術)療法，放射線治療，薬物療法(抗がん剤治療)などに分類され，病期や症状に応じて選択される．放射線治療における照射後早期の副作用として，皮膚粘膜の炎症や易感染性，間質性肺炎などの放射線肺臓炎がある．抗がん剤治療後初期には，嘔気や嘔吐，食欲低下や倦怠感を伴うことが多く，投与後2週目以降，臓器障害や骨髄抑制，口内炎や下痢，脱毛，しびれなどの副作用を呈することがある．これらの副作用が治療の継続やリハビリテーション(以下，リハ)の進行を妨げることがあり，留意が必要である．

6 作業療法との関連

呼吸リハのエビデンスの確立と推進，有効性の実証のために呼吸器に関連した学会などの共同作業により，2001年に呼吸リハのステートメント初版が作成された．また，2003年には運動療法，2007年にはセルフマネジメント教育の具体的な実施方法が示されたマニュアルの作成，全国調査結果や提言を示した在宅呼吸ケア白書が出版された．近年では2018年に「呼吸リハビリテーションに関するステートメント」[5]が発表され，呼吸リハの啓発や質の向上を目指した取り組みが行われている．

対象者の主訴の多くは息切れであり，『在宅呼吸ケア白書2010』においても「息切れを気にしないで生活したい」という望みがある[6]．また，息切れが生じやすい特徴的な姿勢や動作がADLに影響することがわかっている．その対処法となる包括的呼吸リハは世界的な主流となっており，行動範囲やコミュニケーション機会の拡大，高いQOLを維持するための支援が必要となる．多職種医療の一員として作業療法士は重要な役割を担っている．

B 作業療法評価

1 一般的な評価(▶図4)[7]

疾患の病態を理解し，全身状態や重症度，精神心理面や社会的背景を含めた全体像を把握する．また，効率的な動作指導や住環境整備が可能となるよう，問題点の抽出，目標の設定，適切なプログラムの立案が重要である．

作業療法では対象者の意欲を引き出し，具体的に目安となる数字を提示し，行動パターンに働きかけて自己管理能力を向上させる．作業療法開始時から定期的に評価を行い，終了後の再評価を行うことで自立を継続的に支援することができる．

a 一般情報からの評価

(1) 問診および情報収集

息切れや咳嗽，痰，喘鳴などの症状の有無や程度を，ADLをふまえて聴取する．自覚症状がいつごろから，どのような場面で出現するのかを確認する．

(2) 喫煙歴

喫煙による人体への影響を予測する指標であるブリンクマン指数(Brinkman Index; BI)(1日の喫煙本数×喫煙年数)が400を超えると，がん発生率が高くなる．

(3) 既往歴，合併症

結核，喘息，アレルギー，副鼻腔炎，鼻ポリープ，小児期の下気道感染症やその他の呼吸器疾患の既往歴，呼吸器疾患の家族歴についても聴取する．

(4) 職業歴

粉塵吸入などの職場環境や，重症度に見合った作業が行えるかどうかなどの職場理解の確認が必要である．必要に応じて産業医と連携する．

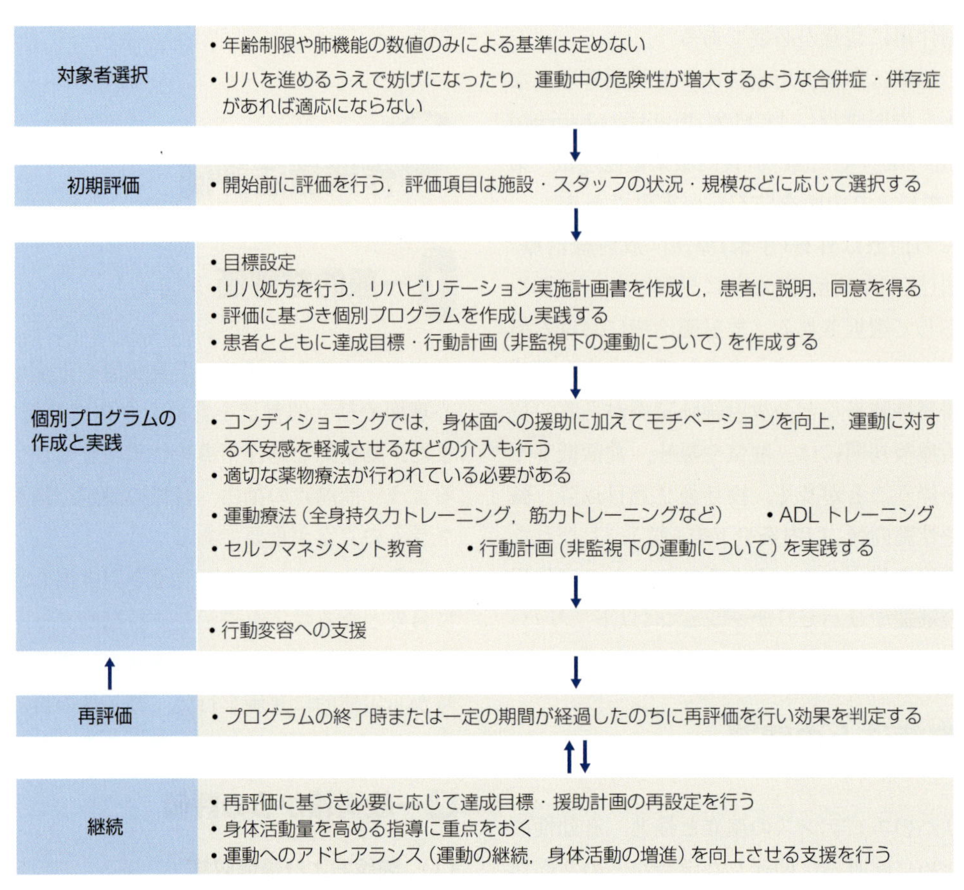

▶**図 4　運動療法のプロセスと支援方法**

〔日本呼吸ケア・リハビリテーション学会, 他(編)：呼吸リハビリテーションマニュアル—運動療法. 第 2 版, p1, 照林社, 2012 をもとに作成〕

(5) 運動習慣

過去から現在までの運動経験，意欲や頻度，時間，種目などを聴取する．1 日の身体活動量の把握も重要である．

(6) 栄養

栄養評価は，簡易栄養状態評価表(Mini Nutritional Assessment-Short Form; MNA®-SF)，身体計測(身長，体重，BMI，上腕周囲長，上腕三頭筋皮下脂肪厚)，食習慣の確認，食事摂取時の息切れなどの臨床症状と摂取量，REE，特に体重変化の経過が重要である．血液検査では TP，ALB，コリンエステラーゼの各値などが有用である．栄養管理開始後には，短期の栄養状態評価ができる rapid turnover protein(RTP)のプレアルブミン，トランスフェリンなどが有用である．

(7) 摂食嚥下機能

呼吸と摂食嚥下は密接に関係しており，嚥下のメカニズムは，脳によって口唇，舌，軟口蓋，下咽頭，輪状咽頭筋が呼吸と統合される．嚥下は呼吸を中断する動作であり，呼吸と嚥下の調節が重要となる．高齢者の多くは誤嚥性肺炎を繰り返すことも多く，摂食嚥下機能検査を行い指導に役立てる．

(8) 日常生活活動

バーセルインデックス(BI)や機能的自立度評価法(FIM)が用いられるが，息切れや酸素流量などの影響を反映しづらい．呼吸器疾患特有の症状について，息切れ，動作速度，酸素使用状況などを加味した質的な問題点を抽出することができる評価として，長崎大学呼吸器 ADL 質問票

(Nagasaki University Respiratory ADL Questionnaire; NRADL)，後藤らの P-ADL(pulmonary emphysema-ADL)などがある．

(9) 生活の質

呼吸機能の低下によって QOL が低下する．包括的質問票として SF-36®(Medical Outcomes Study Short-Form 36-Item)や EQ-5D(EuroQoL 5 Dimension)がある．疾患特異的質問票として SGRQ(St. George's Respiratory Questionnaire)や CAT(COPD Assessment Test)などを用いる(本シリーズ『作業療法評価学』参照)．身体面だけでなく精神面や社会面の改善も必須であり，総合的に行うことが望ましい．

(10) 精神・心理面

低酸素血症や高二酸化炭素血症に伴う認知障害や高齢者の認知能力の低下を認めることがある．認知機能スクリーニング検査として MMSE や改訂長谷川式簡易知能評価スケール(HDS-R)などの評価を行う．

また，疾患によるストレスのほか，疾病から派生するさまざまな心理的ストレスをかかえており，心理的にも不安・抑うつといった情緒障害を呈しやすい．うつ症状のスクリーニング検査として自己評価式抑うつ尺度(Self-rating Depression Scale; SDS)や HADS(Hospital Anxiety and Depression Scale)などの評価は重要となる(本シリーズ『作業療法評価学』参照)．

(11) 社会面

呼吸困難のためできなくなった趣味，支援してくれる家族の有無や経済状況，居住している家屋構造や階段やエレベーターの有無などの周辺環境，家庭内の立場の変化，性の問題，地域生活，職業，経済面による社会的役割の変化などの把握が重要である．また，身体障害者手帳の交付，公的サービス利用など社会的支援を受けているかも確認する．

b 検査情報からの評価(▶表 3)[7]

スパイロメトリー検査，一般生化学検査，動脈血ガス検査，パルスオキシメータ，画像検査，心電図，息切れや呼吸困難，運動耐容能，握力について以下に示す．

▶表 3 運動療法のための評価項目

必須の評価	● フィジカルアセスメント ● スパイロメトリー ● 胸部単純 X 線写真 ● 心電図 ● 呼吸困難(安静時，労作時) ● 経皮的酸素飽和度(SpO_2) ● フィールド歩行試験(6 分間歩行試験，シャトルウォーキングテスト)* ● 握力
行うことが望ましい評価	● ADL ● 上肢筋力，下肢筋力 ● 健康関連 QOL(一般的，疾患特異的) ● 日常生活動作における SpO_2 モニタリング ● 栄養評価(BMI など)
可能であれば行う評価	● 心肺運動負荷試験 ● 呼吸筋力 ● 動脈血ガス分析 ● 心理社会的評価 ● 身体活動量 ● 心臓超音波検査

* 在宅，訪問リハ時を除く．

〔日本呼吸ケア・リハビリテーション学会，他(編)：呼吸リハビリテーションマニュアル—運動療法．第 2 版，p26，照林社，2012 より改変〕

(1) スパイロメトリー検査(▶図 5 ①)

肺気量の指標を測定できる．数回の安静換気ののち，最大呼気と最大吸気を行わせて肺活量(VC)を測定し，引き続き最大吸気位からなるべく速く完全に呼気をさせて(これで得られる曲線を努力呼気曲線という)，努力肺活量(FVC)，$FEV_{1.0}$，$\%FEV_{1.0}$ を計算する．換気障害のパターンと主な疾患を図 6[1] に示す．

(2) フローボリューム曲線

通常，FVC を測定する際に，同時にフローボリューム曲線が得られる．X 軸が肺気量，Y 軸が気流速度の関係を表した曲線で，呼吸器の病態によって特徴的なパターンを示す(▶図 7)[8]．

(3) 一般生化学検査

赤沈および CRP・電解質を含む生化学検査は，炎症や貧血，栄養状態の指標であり，経時的変化を確認することが重要である．

① スパイロメトリー検査

② リラクセーション

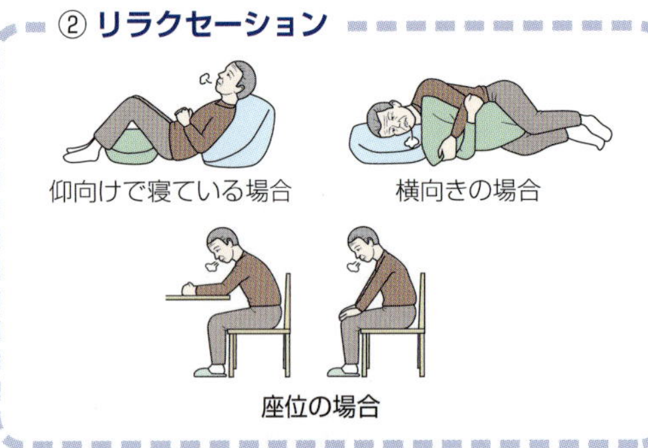

③ ストレッチ

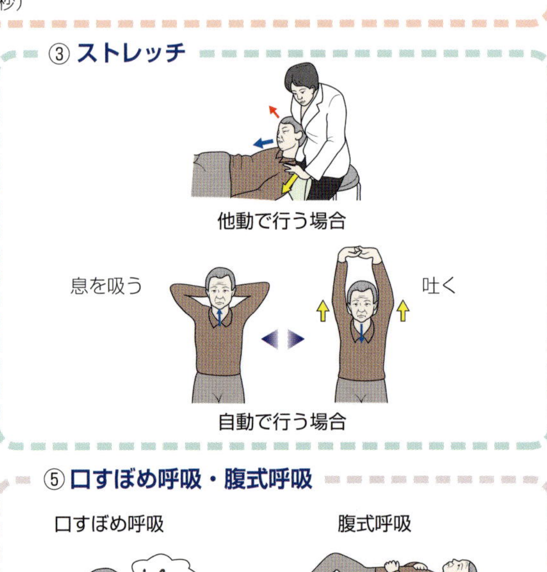

④ ストレッチング(体操)

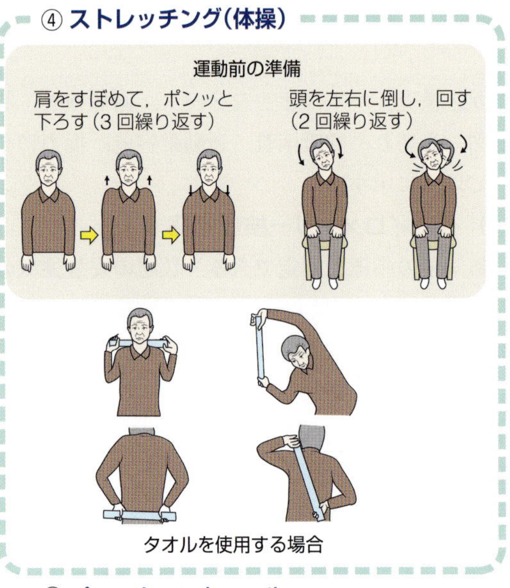

⑤ 口すぼめ呼吸・腹式呼吸

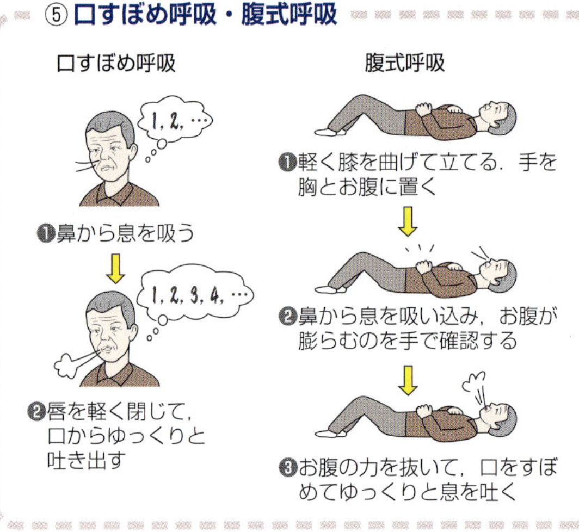

⑥ パニックコントロール

▶図 5　呼吸器疾患患者の検査・トレーニングなど

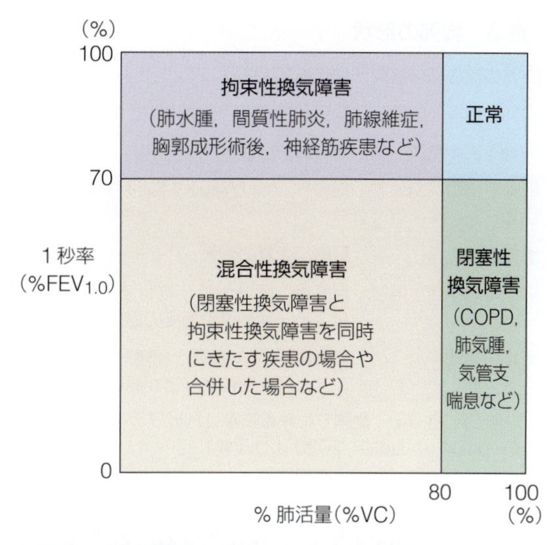

▶図6 換気障害のパターンと主な疾患

〔上月正博(編)：新編 内部障害のリハビリテーション．p55，医歯薬出版，2009より〕

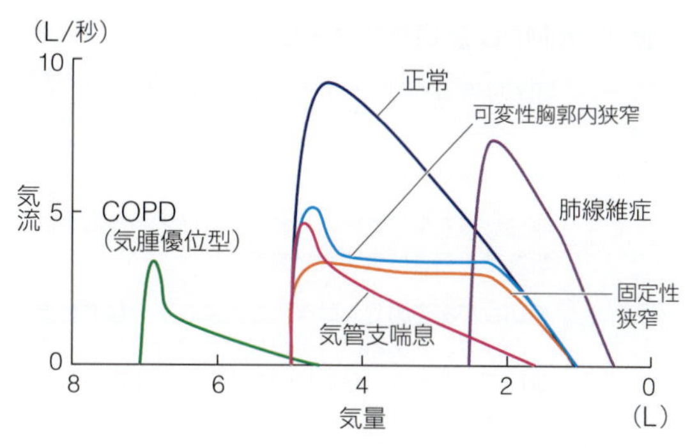

▶図7 疾患により異なるフローボリューム曲線パターン

〔日本呼吸器学会肺生理専門委員会(編)：呼吸機能検査ガイドライン．メディカルレビュー社，2004より〕

(4) 動脈血ガス検査

呼吸障害の有無や，肺でのガス交換機能の指標となる．正常値は PaO_2 が 80〜100 mmHg，$PaCO_2$ が 35〜45 mmHg である．

(5) 経皮的動脈血酸素飽和度

パルスオキシメータは血管内の経皮的動脈血酸素飽和度(SpO_2)を非侵襲的に簡便に測定でき，正常値は 96〜99% である．血流に依存し，体動や指先の冷え，マニキュアなど光の透過が阻害される場合，正確な値が得られにくい．長時間の同一部位での使用では皮膚の熱傷に留意する．

呼吸困難の自覚症状が少ない場合，客観的指標として数値の変化をフィードバックし，活動範囲の設定，動作パターンの変更につなげていく．

(6) 画像検査

胸部X線検査は，基本は立位(PA像)，困難時は臥位(AP像)で実施される．病変分布や病勢の把握に重要である．主な異常所見は，肺野透過性の変化，肺容積・形態の変化，**シルエットサイン**の有無などに大別される．胸部CT検査は，縦隔条件と肺野条件で示される．縦隔条件は縦隔内の構造がわかりやすく，腫瘍や動脈瘤の検出に有用である．肺野条件では，肺胞や間質，血管，気管支などの情報を確認できる．

(7) 心電図

肺性心の合併に留意する．虚血性心疾患やうっ血性心不全などを合併・既往していることもあり，心電図や心臓超音波検査を確認する必要がある．

(8) 息切れや呼吸困難

直接的評価法としてボルグの修正自覚的運動強度尺度(Borg category-ratio 10; Borg CR-10)(本シリーズ『作業療法評価学』参照)や視覚的アナログスケール(VAS)，間接的評価法として ADL や在宅生活の評価から判断する修正 MRC(medical research council)息切れスケール(mMRC)が用いられる(▶表4)[9]．

(9) 運動耐容能

運動耐容能は呼吸器疾患の予後や健康関連 QOL(health-related QOL; HRQOL)に関連する．重症度や病態の把握，運動処方，薬物療法やリハ前後の効果判定を目的に実施される．代表的なものは6分間歩行試験(6-minute walk test; 6MWT)であり，漸増シャトルウォーキングテスト(incremental shuttle walk test; ISWT)や CPX がある．6MWT は米国胸部学会(Ameri-

Keyword

シルエットサイン X線検査における臓器の輪郭を指し，輪郭が不鮮明な場合をシルエットサイン陽性とする．胸部正面単純画像では，胸腔内に病変があると心臓や大血管などの縦隔臓器および横隔膜との境界が不鮮明となる．

▶表 4　mMRC 息切れスケール

グレード分類	当てはまるものにチェックしてください（1 つだけ）
0	激しい運動をしたときのみに息切れがある
1	平坦な道を早足で歩く，あるいはゆるやかな上り坂を歩くときに息切れがある
2	息切れがあるので，同年代の人より平坦な道を歩くのが遅い，あるいは平坦な道を自分のペースで歩いているとき，息切れのために立ち止まることがある
3	平坦な道を約 100 m，あるいは数分歩くと息切れのために立ち止まる
4	息切れがひどく家から出られない，あるいは衣服の着替えをするときにも息切れがある

なお，呼吸リハの保険適用における息切れスケールは 1，2，3，4，5 であるため，+1 を加算して評価する．

〔Bestall JC, et al: Usefulness of the Medical Research Council (MRC) dyspnoea scale as measure of disability in patients with chronic obstructive pulmonary disease. *Thorax* 54:581–586, 1999 より〕

can Thoracic Society; ATS）のガイドラインに基づいて行われ，30 m の平坦な直線コースを 6 分間できるだけ速く歩く．臨床的に意義のある最小変化量（minimal clinically important difference; MCID）は 25～33 m．歩行距離は死亡率とも相関があり，300 m 未満では予後が悪い．

（10）握力

握力は簡便に測定でき，全身の筋力を反映する指標となる．

C フィジカルアセスメント

視診，触診，打診，聴診について以下に示す．

（1）視診

姿勢，意識レベル，呼吸状態の観察，胸郭の形状変化（▶表 5）[10] や左右対称性を確認する．呼吸数は 1 分以上静かに観察する（正常 12～18 回/分，吸気・呼気の間に休止期がある）．深さやリズムに留意する．

（2）触診

左右対称に両手を置き，通常呼吸もしくは深呼吸を促して確認する．上部胸郭はポンプ柄の動き（pump-handle motion），下部胸郭はバケツ柄の動き（bucket-handle motion）となる．呼吸補助筋の収縮や圧痛にも留意する．

▶表 5　胸郭の形状

胸郭の前後径の拡大	樽状胸（COPD）
胸郭の前後径の低下	扁平胸（胸膜癒着，両側・広範の肺萎縮）
胸骨下部の陥凹	漏斗胸（先天的）
胸骨下部の突出している	鳩胸（くる病が原因のことがある）
患側の拡大	気胸，大量の胸水
患側の扁平化・陥凹	無気肺，陳旧性肺結核や滲出性胸膜炎による一側胸膜の高度の癒着
脊椎の彎曲	後側彎が多い（亀背，側彎症，脊椎カリエス，脊椎関節炎などが原因）

〔高橋仁美，他（編）：動画でわかる呼吸リハビリテーション．第 5 版，p104，中山書店，2020 より改変〕

（3）打診

体表を叩くことで生じる音の反響から，部位の性状を知る方法である．横隔膜の動き，含気量や胸水の有無，分泌物の存在など，胸壁から 5 cm 程度の深さの病変を見分けることができる．

（4）聴診

聴診器の膜型を用いて，胸壁に密着させる．基本は座位姿勢で行う．上部から下部へ，前面・背面・側胸部の順に左右を比べながら確認する．

2 評価における注意点

さまざまな評価を適切に行い対象者のニーズを明確化することは，個別的なプログラムの作成には必須のものである．しかしながら，一度に詳細に行おうと過度な評価を行うことは身体的にも精神的にも負担になることも念頭において評価計画を立てるようにする．また，導入プログラム実施前後，終了時の再評価は，呼吸リハの効果判定や継続への指針を決定するうえできわめて重要である．再評価は，先にあげた運動療法のための必須の評価を中心に，自覚症状や ADL，QOL などを評価する．一定期間継続しなければ機能維持は困難であり，行動変容したライフスタイルが習慣となるように支援する．

▶表 6 運動療法の適応

1	症状のある慢性呼吸器疾患
2	標準的治療により症状が安定している
3	呼吸器疾患により機能制限がある
4	呼吸リハの施行を妨げる因子や不安定な合併症・併存症がない
5	年齢制限や肺機能の数値のみによる基準は定めない

〔日本呼吸ケア・リハビリテーション学会, 他(編)：呼吸リハビリテーションマニュアル—運動療法. 第 2 版, p25, 照林社, 2012 をもとに作成〕

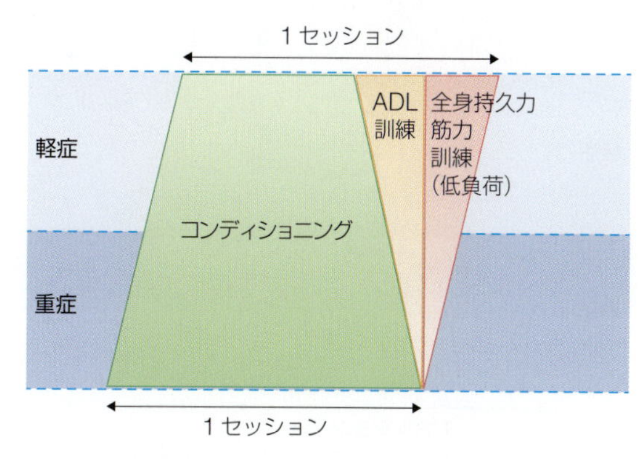

▶図 8 急性期におけるプログラム構成
〔日本呼吸ケア・リハビリテーション学会, 他(編)：呼吸リハビリテーションマニュアル—運動療法. 第 2 版, p5, 照林社, 2012 より改変〕

C 作業療法目標

作業療法士の役割は，呼吸器疾患を有する対象者の ADL，IADL の改善や拡大に向けた行動変容であり，教育による効率的な動作指導や住環境整備などの生活に密着した視点での支援である．

D 作業療法プログラム

1 呼吸リハビリテーション

「呼吸リハビリテーションに関するステートメント」のなかで，「呼吸リハビリテーションとは，呼吸器に関連した病気を持つ患者が，可能な限り疾患の進行を予防あるいは健康状態を回復・維持するため，医療者と協働的なパートナーシップのもとに疾患を自身で管理して，自立できるよう生涯にわたり継続して支援していくための個別化された包括的介入である」[5] と定義しており，機能回復だけでない全人的な治療の必要性を意味している．病期や重症度に応じてプログラムを構成していくことが望ましい．

2 呼吸リハビリテーションの対象

表 6[7] に当てはまる呼吸器疾患，呼吸器関連疾患で医師が必要と判断した場合に適応となる．病態に応じて維持期から終末期までのシームレスな援助であることが重要である．治療開始日から起算して 90 日を限度として所定点数を算定する．

3 各病期におけるプログラム

a 急性期(▶図 8)[7]

重症例はベッド上でのリラクセーションやストレッチなどのコンディショニング(➡ 438 ページ)，排痰支援，呼吸練習から開始する．ADL 訓練を行いながら，歩行を中心とした低負荷での運動を開始する．軽症例はコンディショニングの継続，全身持久力運動に加え，症状軽減や遂行能力向上をはかる．

b 回復期(▶図 9)[7]

重症例はコンディショニング，低負荷の全身持久力・筋力訓練を行い，基礎的な ADL 訓練を実施する．軽症例は中〜高負荷の全身持久力・筋力訓練を主体に実施する．

c 維持期(▶図 10)[7]

重症例はコンディショニングが主体となる．ADL 訓練はベッド上で可能な基本的な起居動作を行い，全身持久力・筋力訓練も低負荷で開始す

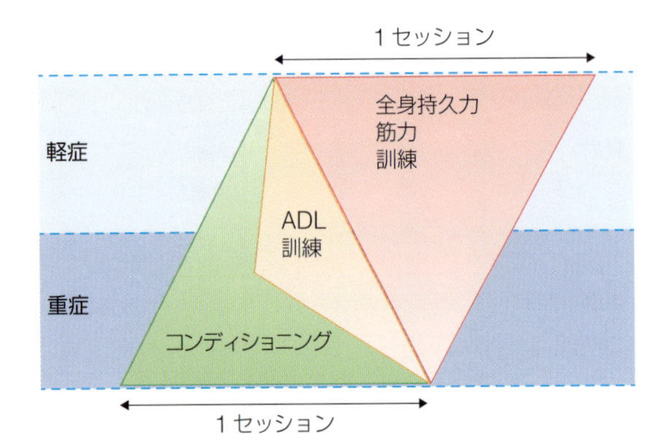

▶図 9　回復期におけるプログラム構成
〔日本呼吸ケア・リハビリテーション学会, 他(編)：呼吸リハビリテーションマニュアル―運動療法. 第 2 版, p5, 照林社, 2012 より改変〕

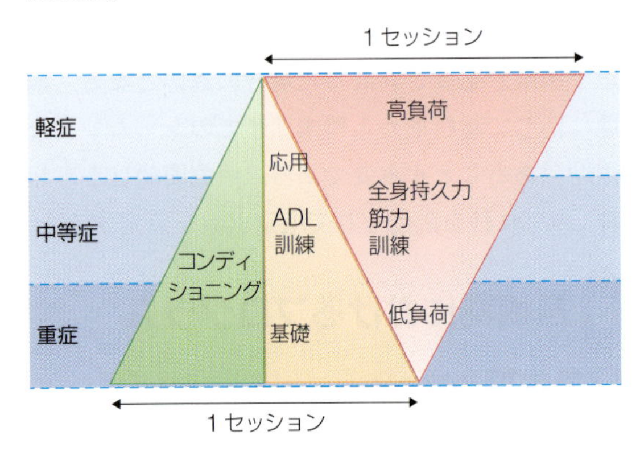

▶図 10　維持期におけるプログラム構成
〔日本呼吸ケア・リハビリテーション学会, 他(編)：呼吸リハビリテーションマニュアル―運動療法. 第 2 版, p4, 照林社, 2012 より改変〕

る．軽症例は歩行が主体となり，ADL 遂行時に必要な運動時の呼吸方法習得に向けた訓練も開始する．

d 在宅生活での継続支援

在宅生活は自己管理となるため，予防を含めたシームレスな双方向性の医療連携をはかりながら，継続的にリハを実施していくことが重要である．

ピアサポート，患者会への参加により，同じ悩みをもつ家族(介助者)の交流の場の提供，リハや病気に対する知識や情報が交換でき，対象者や家族の双方に対するサポートにつながる．自らの体験を通して，他者に助言をするなどの役割を発見することで，自己効力感が高まりアドヒアランス(➡ 442 ページ)が向上するため，心理面への援助は重要となる．対象者，家族，医療スタッフの信頼関係を深めることで孤立感からの逸脱をはかることは，治療継続に有用である．また，身体障害者手帳(呼吸機能障害)や介護保険制度，特定疾患特別対策推進事業に関連した支援，国民年金など，経済的な支援の情報提供を行う必要がある．

e 終末期

重症例はコンディショニングを主体とし，呼吸練習やリラクセーション，ポジショニングを実施する．終末期では，トータルペイン(➡ 468 ページ)や呼吸困難，咳嗽の軽減，廃用症候群の予防など，QOL の維持や緩和ケア，家族支援を目的とする．

4 全般的なプログラム

呼吸リハは包括的なチーム医療によって最大の効果が得られ，持続的に援助することで対象者やその家族に対して地域社会における活動レベルをできるかぎり高めることが目標となる．対象者および家族の協力が重要になる．具体的な援助方法について以下に示す．

a 精神的サポート

障害の進行や死への恐怖に伴う不安・抑うつ・怒り，心身症状に対して精神面での安定をはかるために重要なのは，傾聴する姿勢，多職種による多方面からのアプローチ，家族・友人の協力，周囲の人間関係，患者会などの活用，レジャー・娯楽など活動と参加への支援であり，効果的な治療を継続するには不可欠である．

b 教育(対象者，家族)

対象者および家族への教育は重要で，初期からプログラムの一環として提供すると効果的である．生活指導においては，対象者の意向を尊重し，個々の問題に合わせた自己管理能力を身につける援助をすることが，アドヒアランスの改善に重要である．

c 薬物療法

鎮咳薬，去痰薬，気管支拡張薬，抗炎症薬，抗生物質，ステロイド薬などの適応や作用・副作用を把握しておく必要がある．吸入薬の種類は，エアロゾル吸入療法，定量噴霧式吸入器，ドライパウダー吸入などがあり，使用方法の正確な習得を支援する．

d 感染予防指導

うがいや手洗いの励行，予防接種，室内の換気，湿度や温度を適正に保ち，体力維持，感染予防に努めることが重要である．環境因子（タバコの副流煙，ダニ，ハウスダスト，排出ガスなど）も病態の悪化をまねくため，調整を行うことが望ましい．

e 栄養指導

慢性の呼吸器疾患では，エネルギー消費量が増大し，栄養状態が悪化している．体重減少に加え，呼吸筋量減少や呼吸筋力低下，免疫能低下により，しばしば重篤な呼吸器感染症の原因となる．栄養サポートチーム（NST）や管理栄養士と協働して行うことが望ましい．

脂質を中心とした高カロリー，高蛋白を原則とし，1 回の摂取量を少なくして分食にする．低酸素血症のため消化器系の働きは悪くなり，便秘により呼吸困難が増加，食欲減退につながるので，腸内でガスを発生させる食品の過食を避けるようにすることが重要である．

f 酸素療法

酸素療法の目的は低酸素症の改善であり，安静時，労作時での必要量を確認する．低流量システムと高流量システムがある．

g 運動療法

運動療法を行う際には，適応，中止基準（▶表 7）[11]，禁忌（▶表 8）[7] をよく熟知しておく必要があり，運動プログラムはウォームアップ，持久力運動，クールダウンで構成する．内容や指

▶表 7　リハビリテーションの中止基準（訓練中止などを考慮する目安としての参考値）

1. 積極的なリハビリテーションを実施しない場合
①安静時脈拍 40/分以下または 120/分以上
②安静時収縮期血圧 70 mmHg 以下または 200 mmHg 以上
③安静時拡張期血圧 120 mmHg 以上
④労作性狭心症の方
⑤心房細動のある方で著しい徐脈または頻脈がある場合
⑥心筋梗塞発症直後で循環動態が不良な場合
⑦著しい不整脈がある場合
⑧安静時胸痛がある場合
⑨リハビリテーション実施前にすでに動悸・息切れ・胸痛のある場合
⑩座位でめまい，冷や汗，嘔気等がある場合
⑪安静時体温が 38 度以上
⑫安静時酸素飽和度（SpO_2）90% 以下
2. 途中でリハビリテーションを中止する場合
①中等度以上の呼吸困難，めまい，嘔気，狭心痛，頭痛，強い疲労感等が出現した場合
②脈拍が 140/分を超えた場合
③運動時収縮期血圧が 40 mmHg 以上，または拡張期血圧が 20 mmHg 以上上昇した場合
④頻呼吸（30 回/分以上），息切れが出現した場合
⑤運動により不整脈が増加した場合
⑥徐脈が出現した場合
⑦意識状態の悪化
3. いったんリハビリテーションを中止し，回復を待って再開する場合
①脈拍数が運動前の 30% を超えた場合．ただし，2 分間の安静で 10% 以下に戻らないときは以後のリハビリテーションを中止するか，またはきわめて軽労作のものに切り替える
②脈拍が 120/分を超えた場合
③1 分間 10 回以上の期外収縮が出現した場合
④軽い動悸，息切れが出現した場合
4. その他の注意が必要な場合
①血尿の出現
②喀痰量が増加している場合
③体重が増加している場合
④倦怠感がある場合
⑤食欲不振時・空腹時
⑥下肢の浮腫が増加している場合

- 本表は出典元ガイドライン第 1 版に掲載された資料であり，第 2 版では「基準」という表現ではなく，「参考値」として示されている．
- 本表内の数値は絶対的なものではなく，あくまで目安である．

〔日本リハビリテーション医学会リハビリテーション医療における安全管理・推進のためのガイドライン策定委員会（編）：リハビリテーション医療における安全管理・推進のためのガイドライン．第 2 版，p112，診断と治療社，2018 より改変〕

表 8 運動療法の禁忌

1	不安定狭心症，発症から間もない心筋梗塞，非代償性うっ血性心不全，急性肺性心，コントロール不良の不整脈，重篤な大動脈弁狭窄症，活動性の心筋炎，心膜炎などの心疾患の合併
2	コントロール不良の高血圧症
3	急性全身性疾患または発熱
4	最近の肺塞栓症，急性肺性心，重度の肺高血圧症の合併
5	重篤な肝・腎機能障害の合併
6	運動を妨げる重篤な整形外科的疾患の合併
7	高度の認知障害，重度の精神疾患の合併
8	他の代謝異常(急性甲状腺炎など)

〔日本呼吸ケア・リハビリテーション学会, 他(編)：呼吸リハビリテーションマニュアル―運動療法. 第 2 版, pp25–26, 照林社, 2012 をもとに作成〕

導において主治医との相談を行い，個々に適したFITT〔frequency(頻度)，intensity(強度)，time(持続時間)，type(種類)〕を明確にして，安全に運動ができる範囲を検討していく．全身持久力訓練はガイドラインで推奨されている．特に歩行は性別，年齢を問わず取り組みやすく，在宅での継続に有用である．下肢に重錘をつけた足踏み運動や，エルゴメータを使用した運動療法は，下肢筋力を増強する基礎トレーニングになる．

対象者は，運動が呼吸困難を増悪させることへの不安感や恐怖感をいだいており，運動を敬遠しがちである．運動様式の選択には，対象者のニーズを把握して日常生活に役立つことが大切であり，開放感や楽しさを実感できるようになることで運動習慣がライフスタイルに組み込まれることが望ましい．

(1) コンディショニング(▶図 5 ②③)

離床や ADL 拡大，運動療法を進める前に，リラクセーションやストレッチなどのコンディショニングを行う．離床への意欲やアドヒアランス(➡442 ページ)の向上につながる．

(2) リラクセーション(▶図 5 ②④)

頸部や肩甲帯の呼吸補助筋が過緊張となり，浅く速い努力呼吸を行っている場合に適応となる．リラクセーションには，安楽な姿勢，呼吸補助筋のマッサージ・ストレッチング(体操)，呼吸介助法などがあげられる．

(3) 呼吸トレーニング(▶図 5 ⑤)

①口すぼめ呼吸

口すぼめ呼吸は口をすぼめて[フー]あるいは[スー]という音を出しながら，ゆっくりと息を吐く．吸気と呼気の比は 1：3〜5 程度，呼吸数 10〜20 回/分を目指す．口すぼめ呼吸の効果は，COPD でエビデンスの得られた呼吸法である．

②横隔膜呼吸(腹式呼吸)

両下肢屈曲位，体幹をやや屈曲させた姿勢(ファーラー位)をとり，腹部に手を置き，ゆっくりと呼吸して腹部が上下に動くのを手で感じるようにする．

(4) 排痰法

排痰は気道内分泌物の除去，換気やガス交換の改善，これらに伴う酸素化の改善を目的に行われる．

適応は痰の量が 1 日 30 mL 以上，痰の喀出が困難な場合である．禁忌は，血行動態の不安定な者，肺出血，脳浮腫，ショックなどがある．

①排痰の手技

- 咳嗽：分泌物や異物を排除するための生体防御反応で，十分な吸気から閉鎖した声門を急激に開放する．
- ハフィング(huffing)：口と声門を開いたまま強制的に行う呼出である．末梢気道の分泌物は低・中肺気量から持続的な呼出で行う．中枢気道からの分泌物は高肺気量から速く強く行う．
- 体位排痰法(postural drainage)：気道分泌物が貯留した末梢肺領域が高い位置にくるように体位変換し，重力の作用によって分泌物の排出をはかる．
- スクイージング(squeezing)：体位排痰法と併用して胸郭を呼気時に圧迫し，吸気時に圧迫を開放する手技である．

②吸引

気管や鼻咽頭部，口腔内にある分泌物などに対し，吸引カテーテルを挿入して直接除去する方法である(➡ 151 ページ)．安全に実施するには適切な教育・研修を受け，医師の指示のもと，多職種で連携をはかるなど留意する．

(5) パニックコントロール(▶図 5 ⑥)

強い呼吸困難が惹起された場合は，座位をとらせるか，手すりや壁に手をついてもたれて，上体はやや前傾させ姿勢の安定をはかる．介助者は側面ないし背側より呼気に合わせて呼吸を介助する．落ち着いてきたら深いゆっくりとした呼気を確保していく．

h 日常生活活動指導

ADL に関しては，作業療法士の積極的な援助が望まれている．ADL 評価から個々のニーズを把握して有効な援助方法を指導するように心がける．ADL 訓練は活動レベルに応じて短時間・低負荷から開始して，段階的に時間や回数などの負荷を高めていく．

(1) 呼吸困難感を生じる動作

呼吸困難感を引き起こす要因となり，ADL 訓練のなかで指導が必要なものを以下にあげる．

- 上肢の 90° 以上屈曲(前方挙上)を伴う動作
- カニューレを外して室内気下で行わなければいけない動作
- 胸腹部を圧迫する動作
- 呼吸を止める(力む)動作
- 反復する速い動作

(2) 呼吸困難感への動作指導

上記で記した ADL 動作を観察，分析することは重要である．以下のような指導が有効となる．

[呼吸方法の指導] 口呼吸や息こらえを避ける，口すぼめ呼吸や腹式(横隔膜)呼吸をしながらゆっくり呼吸を整える，呼気と動作を合わせるなどの工夫がある．

[動作方法の指導] 動作の間に休憩をとる，速度の調整，疲労しにくい姿勢，計画的な動作などがある．

[環境調整] 生活環境の変更や整備，用具の検討などがある．

(3) 日常生活活動の動作指導(▶図 11 ①〜⑦)

習慣化している動作様式の変容を促していく．方法の変更に抵抗を感じやすいため，できるかぎり生活範囲や余暇活動を制限しないように，重要性を十分に理解できるよう説明し，実践的に指導する．生活が楽になったと実感できると，取り組みが継続しやすい．家族指導を中心に行うことや，絵や写真を入れたパンフレットなどの使用も有用である．

[食事] 摂食嚥下機能の低下，腹部膨満感による息苦しさなどから，楽しみよりも苦痛である場合がある．必要に応じて食事中に SpO_2 を確認する．呼吸パターンが乱れやすい食物は水分や麺類，熱いものや刺激物である．かき込んで食べる方法も呼吸パターンの乱れを誘発する要因となる．ゆっくりと休憩をとりながら，嚥下と呼吸のタイミングを乱さないように食べるとよい．肘をつけるように，テーブルの高さや座る椅子の高さを低めに設定することを検討する．また，栄養状態不良の場合，訴えを傾聴して食事内容や形態を NST や管理栄養士と検討し指導する．

[排泄] 和式トイレを洋式トイレに変えるだけで腹部の圧迫感は減少する．排便方法は，ゆっくり呼吸しながら呼気に合わせて腹圧をかけるタイミングをはかるとよい．便が硬い場合は水分摂取や食事内容，あるいは下剤を使用することも検討し指導する．トイレに行くのを急ぐためにカニューレをつけていない，安静時吸入量のままで増量していない場合は，動作手順の修正が必要である．

[整容] 化粧，ひげ剃り，洗顔動作はカニューレを外して行う場合が多く，SpO_2 が低下しやすい．動作は呼気に合わせて行い，前後には休憩をとり呼吸パターンを整えてから次の動作に移るようにする．洗面台を低い位置にするか，座面の高い椅子に座って行い，上肢の運動に余裕をもたせる．重症例ではハンカチやタオルを使って顔を拭くの

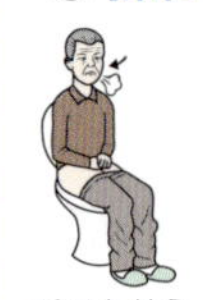

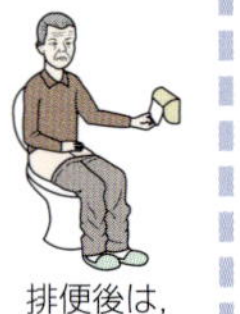

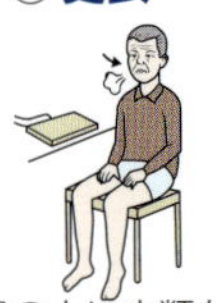

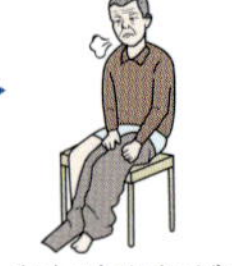

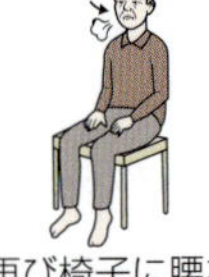

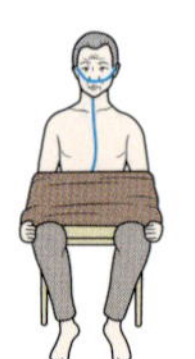

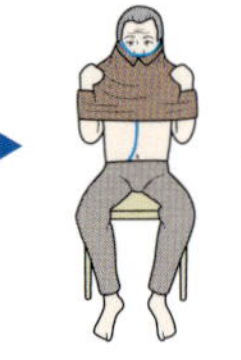

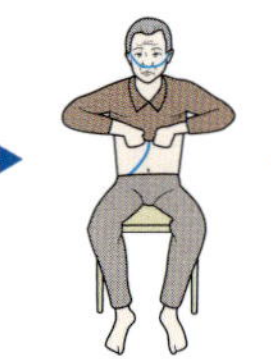

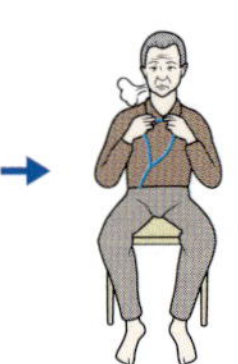

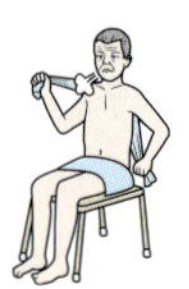

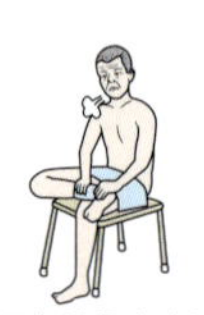

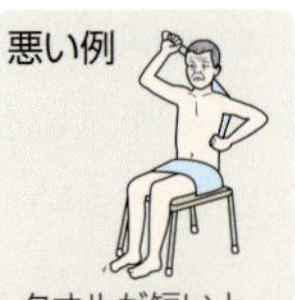

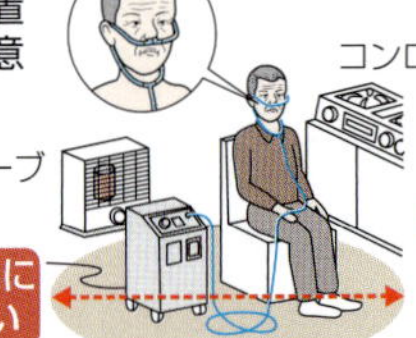

▶図 11　呼吸器疾患患者の ADL・IADL の動作指導

もよい．歯みがきでは空間での反復動作を避け，座位で洗面台に肘をついて行う．電気ひげ剃り器や電動歯ブラシへの変更も有効である．

[更衣]　更衣動作は息切れや呼吸困難感を伴いやすいが，カニューレをつけず，または安静時吸入量のまま行っていないかを確認する．十分に安全を確認しながら酸素吸入を行わず更衣動作を行い，SpO_2 変化を示して理解を得ることも 1 つの方法である．上衣では，かぶりシャツの場合は上肢が肩よりも高く挙上されることで胸郭の動きが制限され，SpO_2 の低下をきたしやすい．前開きのシャツに変更したり，衣類のサイズや伸縮性のある素材の検討も有効である．下衣や靴下においては，立ったまま動作を行うと全身が力んでしまう．座面のやや高い椅子に座って行うとよい．床に座って行うと，腹部を圧迫することで横隔膜の活動を制限するため，呼吸困難を誘発する．

[歩行]　必要に応じて，介助者の力を借りたり，歩行器や車椅子を使ったりする．歩行は連続した動作となり，呼吸は鼻から息を吸い口から口すぼめ呼吸で吐く．また動作のリズムと呼吸のリズムを合わせる(4 歩進みながら息を吐いて 2 歩進む間に息を吸う)ように注意する．こまめに休息を入れ，徐々に歩く距離を延長する．歩数計で運動量を管理するのもよい．

[階段昇降]　段差や勾配に注意が必要である．下肢の動きと呼吸の同調を意識し，呼気のタイミングで昇段する．1 段ごとにゆっくりと口すぼめ呼吸で呼吸パターンに動きを合わせて昇降し，息を吐く時間が長くならないように注意する．また息切れが強い場合には休憩をする．パターンの設定は個々の状態に合わせて設定する．

[入浴]　移動，衣服の着脱，洗髪，洗体，入湯，体の水気を拭き取るなど，連続した動作で呼吸困難を引き起こしやすい活動であるため，経時的変化の影響を評価することが必要である．洗体時は椅子を高めにし，胸腹部の圧迫を緩和させる．長めのタオル，長柄ブラシ，シャンプーハット，バスローブを使用して呼吸パターンが乱れることを防ぐなど，用具の工夫も重要である．浴室や脱衣所を温める温度設定にも注意する．無理をせず介助してもらう，シャワーのみという選択肢も検討する．

i 生活関連活動指導(▶図 11 ⑧〜⑩)

応用動作となる家事動作，外出や余暇などの社会生活に関連した IADL はさらに困難な状態となる．IADL 制限は精神心理面にも影響があり，社会的側面への視点や援助が求められる．

(1) 家事動作指導

[調理]　酸素は可燃性ガスであり，熱傷や火災に十分な注意が必要である．可能であれば IH 調理器をすすめ，厚生労働省作成の「在宅酸素療法における火気の取扱いについて」のリーフレット[12)]を利用して指導するとよい．調理などで火気を使用する場合，カニューレが火気に近づかないように調整する．

[掃除]　掃除器具の準備や片づけ，床や高い所の掃除，物を移動させる動作など負荷が高い動作であり，場面に応じた工夫が必要である．力強く何度もこする反復動作を行わないよう指導する．床掃除は手で拭かず，モップや簡易ワイパー，掃除機など立って行える器具の使用をすすめる．カニューレと掃除機のコードやホースなどは絡みやすく，動線や手順に工夫が必要である．介護サービスなどの利用も検討する．

[洗濯]　洗濯ネットを使用し，洗濯物の絡みを防ぎ，取り出す際の重さを調整する．物干し竿の高さを調整する．

[布団の出し入れ]　布団の出し入れや敷いたり畳んだりする動作は負荷が高い．介助者の力を借りるか，ベッドの導入を検討する．

(2) 社会参加

社会生活の充実をはかるため，外出は積極的にすすめていくべきであり，可能な範囲で近所の散歩や買い物，外食，旅行など活動の継続が望ましい．社会的活動には趣味やレジャーの継続，復職，社会資源の活用と経済的負担の軽減などに働きかけが必要である．

j 環境調整

自宅内外の構造や設備の位置が ADL に影響するため，環境調整が重要である．自宅の写真や図面を提供してもらい，退院前訪問や訪問リハなどで家屋状況を確認，疾患の影響や加齢に伴う変化に対応できる環境を整える．在宅酸素療法を行っている場合に，据え置き型酸素濃縮器からの酸素チューブが ADL を障害することがあるので，濃縮器や家具の配置を検討する．

k 生活の質

呼吸不全の進行に伴い，活動や参加にも制限が生じて QOL が低下する．健康関連 QOL の改善は呼吸リハの重要な目標である．趣味活動や社会参加は，方法や頻度を変更することで可能になる場合も多く，困難な活動については新しい趣味を促すことも大切である．活動範囲を広げるため，利用可能な福祉サービスなどの最新情報を伝えることも QOL 向上に欠かせない援助である．

l 心理面

生活行動変容では，行動変容ステージモデルといわれる 5 つのステージ（無関心期→関心期→準備期→実行期→維持期）をたどるとされる．対象者のステージに合わせた援助が必要である．対象者が行動変容の必要性を理解し，自分の意思で治療に参加することをアドヒアランスという．アドヒアランスの改善には，望ましい成果が得られることを信じ，行動することが重要で，成功体験や励ましの言葉などで自己効力感が高まる．

Keyword

CO_2 ナルコーシス　呼吸の自動調節機能が破綻し，CO_2 が体内に貯留することで意識障害が出現する病態の総称．過剰な酸素投与により体内の酸素が過剰であると判断されると，呼吸が抑制または停止する．肺胞は低換気となり，CO_2 が体内に貯留することにより意識障害を呈する．

5 注意事項

呼吸器疾患は重症になると虚血性心疾患やうっ血性心不全などを合併しやすく，バイタル指標の上限（中止基準）を事前に主治医に確認することが重要である．作業療法中に息切れ，呼吸困難感，疲労感の増悪などが出現する場合，一時中断し，SpO_2 や血圧，脈拍の測定を行い，必要に応じて医師へ報告し指示を仰ぐ．また，粉塵吸入を伴うものや臭いの強い作業，火気を使用する活動では，環境設定に留意する．

酸素療法の酸素吸入量は主治医が決定し，変更が必要となる際は主治医に相談する．II 型の呼吸不全（$PaCO_2$ が 45 Torr を超えるもの，**表 2**[1]）を有する場合の酸素吸入量には注意を要する．過剰な酸素投与は $PaCO_2$ を上昇させ，**CO_2 ナルコーシス**の原因となる．

●引用文献

1) 上月正博（編）：新編 内部障害のリハビリテーション．pp47, 55, 68, 医歯薬出版, 2009
2) 間瀬教史：胸部の観察．居村茂幸（監），高橋哲也，他（編著）：ビジュアル実践リハ 呼吸・心臓リハビリテーション—カラー写真でわかるリハの根拠と手技のコツ．改訂第 2 版, p12, 羊土社, 2015
3) 玉置　淳（監）：全部見える 呼吸器疾患．p64, 成美堂出版, 2013
4) 高橋仁美, 他（編）：動画でわかる呼吸リハビリテーション．p54, 中山書店, 2006
5) 日本呼吸ケア・リハビリテーション学会, 他：呼吸リハビリテーションに関するステートメント．日呼吸ケアリハ会誌 27:95–114, 2018
6) 日本呼吸器学会肺生理専門委員会 在宅呼吸ケア白書ワーキンググループ（編）：要約 在宅呼吸ケア白書 2010. p9, 日本呼吸器学会, 2010
7) 日本呼吸ケア・リハビリテーション学会, 他（編）：呼吸リハビリテーションマニュアル—運動療法．第 2 版, pp1, 4, 5, 25–26, 55, 照林社, 2012
8) 日本呼吸器学会肺生理専門委員会（編）：呼吸機能検査ガイドライン．メディカルレビュー社, 2004
9) Bestall JC, et al: Usefulness of the Medical Research Council (MRC) dyspnoea scale as measure of disability in patients with chronic obstructive pulmonary disease. *Thorax* 54:581–586, 1999
10) 高橋仁美, 他（編）：動画でわかる呼吸リハビリテーショ

ン．第 5 版, pp104, 112, 中山書店, 2020
11) 日本リハビリテーション医学会リハビリテーション医療における安全管理・推進のためのガイドライン策定委員会（編）：リハビリテーション医療における安全管理・推進のためのガイドライン．第 2 版, p112, 診断と治療社, 2018
12) 厚生労働省：在宅酸素療法における火気の取扱いについて
https://www.mhlw.go.jp/stf/houdou/2r98520000003m15_1.html

●参考文献

13) 東口高志（編）：「治る力」を引き出す 実践！ 臨床栄養．医学書院, 2010
14) 日本作業療法士協会（編）：呼吸器疾患の作業療法①．作業療法マニュアル 45. 2011
15) 日本作業療法士協会（編）：呼吸器疾患の作業療法②．作業療法マニュアル 46. 2011

3 糖尿病

GIO 一般教育目標 糖尿病の対象者に作業療法を実施できるようになるために，この疾患の病態を理解し，作業療法の評価技法と治療・指導・援助法を修得する．

SBO 行動目標

1）糖尿病の病態および分類，障害像について説明できる．
- □ ①1 型糖尿病と 2 型糖尿病の違いを説明できる．
- □ ②高血糖の判定区分について説明できる．
- □ ③糖尿病の三大合併症をあげ，それぞれについて説明できる．

2）糖尿病の医学的治療と作業療法の関連について説明できる．
- □ ④糖尿病の対象者に用いられる 3 つの治療法を列挙できる．
- □ ⑤糖尿病の対象者が高血糖もしくは低血糖になったときの症状および対処法について説明できる．
- □ ⑥シックデイとは何か，またその対処法について説明できる．

3）糖尿病の対象者に対する作業療法評価を説明できる．
- □ ⑦糖尿病の対象者に対する一般的な作業療法評価を列挙できる．
- □ ⑧自分の BMI および理想体重を算出できる．

4）糖尿病の対象者の作業療法目標を設定できる．
- □ ⑨糖尿病の対象者の作業療法目標を設定するうえで考慮すべき要因を説明できる．

5）糖尿病の対象者に対する療養指導を計画できる．
- □ ⑩糖尿病の対象者の症状に応じた食事量と運動強度を決定できる．
- □ ⑪合併症を有する糖尿病の対象者の生活指導を行うことができる．

6）糖尿病の対象者の地域生活・社会参加のための作業療法プログラムを計画できる．
- □ ⑫糖尿病の対象者の疾患教育にかかわる職員をあげ，作業療法士が果たせる役割について説明できる．
- □ ⑬糖尿病の対象者の社会的つながりを保つための社会資源には何があるか，説明できる．

A 概要

1 糖尿病とは

a 定義

糖尿病（diabetes mellitus; DM）とは，「インスリン作用の不足による慢性高血糖を主徴とし，種々の特徴的な代謝異常を伴う疾患群である」と定義されている（日本糖尿病学会）．

b 疫学

(1) 肥満研究

日本人は欧米人に比べ，軽度の肥満でも糖尿病を発症しやすい．肥満遺伝子の研究からも，日本人には基礎代謝量が低下した倹約遺伝子をもつ人が多く，過食していなくても肥満する人が30％程度存在するといわれている[1]．

(2) 糖尿病が疑われる者の増加

厚生労働省の 2016（平成 28）年「国民健康・栄養調査」[2] によると，糖尿病が強く疑われる者（糖尿病有病者)は約 1,000 万人，糖尿病の可能性を否定できない者は約 1,000 万人と推計され，両者を合わせると約 2,000 万人と推計される．2007(平成 19)年の約 2,210 万人をピークにわずかに減少している．

C 病態

(1) 1 型糖尿病

1 型糖尿病(type 1 diabetes mellitus)は膵 β 細胞の破壊性病変で，インスリンの欠乏が生じることによっておこる糖尿病である．この型の糖尿病では β 細胞破壊が進展して，インスリンの絶対的欠乏に陥ることが多い．多くの症例では発病初期に膵島抗原に対する自己抗体が証明でき，β 細胞破壊には自己免疫機序がかかわっているとみなされる[3]．

(2) 2 型糖尿病

全糖尿病の 95% を占め，家族歴が認められ，肥満または，肥満の既往が多い．インスリン分泌の低下や**インスリン抵抗性**をきたす複数の遺伝因子に過食や運動不足などの環境因子が加わって，インスリン作用不足を生じ発症する[4]．

(3) その他，特定の機序，疾患によるもの[5]

A. 遺伝因子として遺伝子異常が同定されたもの
①膵 β 細胞機能にかかわる遺伝子異常，②インスリン作用の伝達機構にかかわる遺伝子異常．

B. 種々の疾患，症候群や病態の一部として糖尿病状態を伴うもの
①膵外分泌疾患，②内分泌疾患，③肝疾患，④薬物や化学物質によるもの，⑤感染症，⑥免疫機序による稀な病態，⑦その他の遺伝的症候群で糖尿病を伴うことの多いもの．

(4) 妊娠糖尿病

妊娠糖尿病(gestational diabetes mellitus; GDM)とは「妊娠中に初めて発見または発症した糖尿病に至っていない糖代謝異常」である．胎児の過剰発育がおこりやすく周産期のリスクが高くなること，ならびに母体の糖代謝異常が産後いったん改善しても一定期間後に糖尿病を発症するリスクが高いため，定期的な経過観察が重要である[6]．

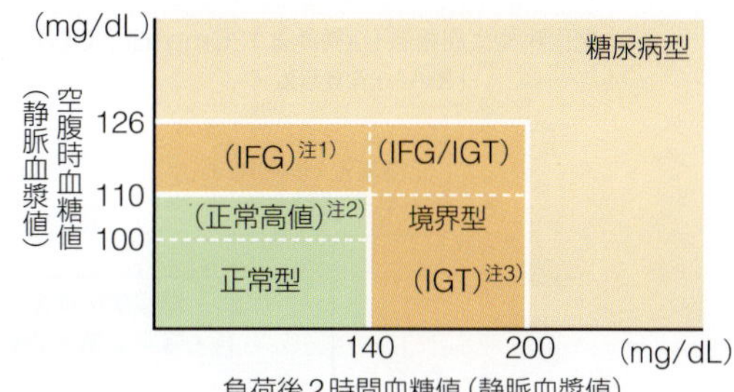

注 1) IFG は空腹時血糖値 100～125 mg/dL で，2 時間値を測定した場合には 140 mg/dL 未満の群を示す(WHO)．ただし ADA では空腹時血糖値 100～125 mg/dL として，空腹時血糖値のみで判定している．

注 2) 空腹時血糖値が 100～109 mg/dL は正常域ではあるが，「正常高値」とする．この集団は糖尿病への移行や OGTT 時の耐糖能障害の程度からみて多様な集団であるため，OGTT を行うことがすすめられる．

注 3) IGT は WHO の糖尿病診断基準に取り入れられた分類で，空腹時血糖値 126 mg/dL 未満，75 g OGTT 2 時間値 140～199 mg/dL の群を示す．

▶図 1 空腹時血糖値および 75 g OGTT による判定区分

OGTT：Oral Glucose Tolerance Test(経口ブドウ糖負荷試験)
IFG：impaired fasting glucose(空腹時血糖異常)
IGT：impaired glucose tolerance(耐糖能異常)
〔日本糖尿病学会(編・著)：糖尿病治療ガイド 2020–2021. p28, 文光堂, 2020 より〕

d 診断基準[7]

慢性高血糖を確認し，さらに病状や臨床所見，家族歴，体重の変化などによって総合的に判断する．

(1) 高血糖の判定区分(▶図 1)[6]

以下の場合に糖尿病型とする．

Keyword

インスリン抵抗性 膵臓からインスリンが血液中に分泌されていても肝臓や骨格筋，脂肪組織でのインスリンに対する反応(インスリン感受性)が低下しているために，インスリンの血糖を下げる働きが十分に発揮されない状態のことをいう．血糖値を正常に戻すためにより多くのインスリンが必要となり，この状態が続くと膵臓のインスリン分泌機能が低下し，血糖値が上昇するために 2 型糖尿病を引き起こすといわれている．このインスリン抵抗性を引き起こす最大の要因は肥満であるといわれている．

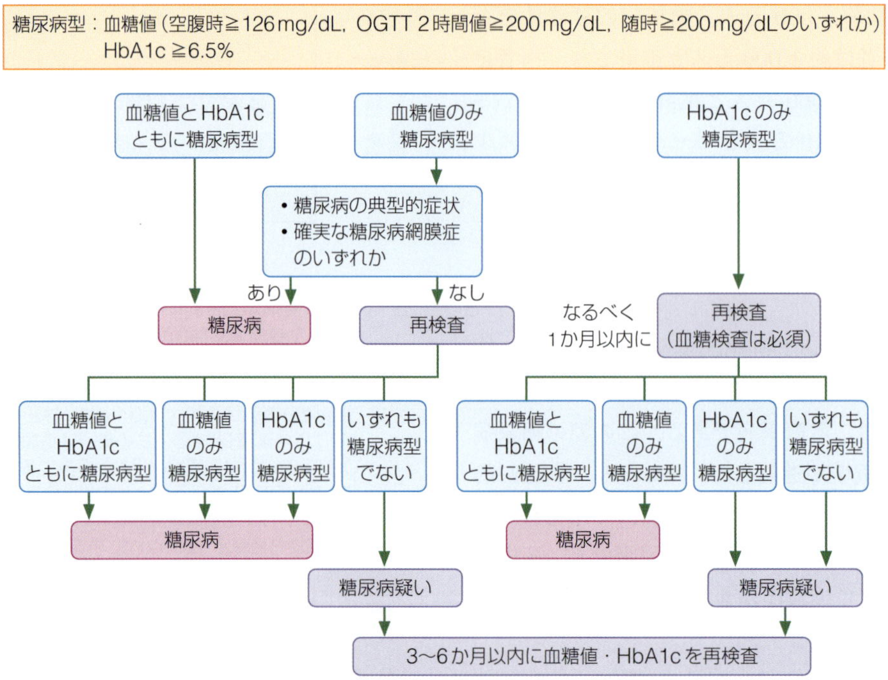

糖尿病型：血糖値（空腹時≧126 mg/dL，OGTT 2時間値≧200 mg/dL，随時≧200 mg/dLのいずれか）
HbA1c ≧6.5%

血糖値とHbA1c ともに糖尿病型 → 糖尿病

血糖値のみ糖尿病型 →
• 糖尿病の典型的症状
• 確実な糖尿病網膜症
のいずれか
あり → 糖尿病
なし → 再検査

再検査 → 血糖値と HbA1c ともに糖尿病型／血糖値のみ糖尿病型／HbA1c のみ糖尿病型 → 糖尿病
いずれも糖尿病型でない → 糖尿病疑い

HbA1cのみ糖尿病型 → なるべく 1か月以内に 再検査（血糖検査は必須）

再検査（血糖検査は必須）→ 血糖値と HbA1c ともに糖尿病型／血糖値のみ糖尿病型 → 糖尿病
HbA1c のみ糖尿病型／いずれも糖尿病型でない → 糖尿病疑い

糖尿病疑い → 3〜6か月以内に血糖値・HbA1cを再検査

▶**図 2　糖尿病の臨床診断のフローチャート**
〔日本糖尿病学会：糖尿病の分類と診断基準に関する委員会報告(国際標準化対応版). 糖尿病 55:485–504, 2012 より一部改変〕

①空腹時血糖値 ≧126 mg/dL
② 75 g OGTT（75 g 経口ブドウ糖負荷試験）2 時間値 ≧200 mg/dL のいずれかの場合
③随時血糖値 ≧200 mg/dL および **HbA1c** ≧6.5% の場合

正常型にも糖尿病型にも属さないものは境界型とする.

(2) 診断手順

日本糖尿病学会の診断手順では，**図 2**[8] の手順で糖尿病と診断する.

C 合併症[9]

糖尿病を主病とした作業療法は算定できないが，以下の合併症の症状がみられた場合に処方される.

Keyword
HbA1c　ヘモグロビン・エー・ワン・シー．採血時から過去1〜2 か月の平均血糖値を反映し，血糖コントロール状態の指標となる．耐糖能正常者の HbA1c の基準値は 4.6〜6.2（国際標準値）である．HbA1c 値が 6.5% 以上であれば，通常は糖尿病と判断される．

(1) 糖尿病性大血管病

①脳血管疾患：糖尿病者の脳梗塞発症リスクは，非糖尿病者の約 3 倍で，死亡率も高く，再発しやすい.

②冠動脈疾患：糖尿病者は冠動脈疾患の発症リスクが高く，心筋梗塞の既往がある非糖尿病者の心筋梗塞再発率に匹敵する．糖尿病者の心筋梗塞再発率はさらに高い[9].

③末梢動脈疾患：糖尿病者は末梢動脈疾患の頻度が高く，壊疽，下肢切断の最大の原因となる.

(2) 糖尿病細小血管病

糖尿病性網膜症，糖尿病性神経障害，糖尿病性腎症の 3 つを合わせて三大合併症といわれる.

①糖尿病性網膜症

糖尿病性網膜症（diabetic retinopathy）は，わが国の後天性視力障害の原因の 19% を占め，成人の視覚障害原因の第 2 位の疾患である．網膜の血管壁細胞の変性，基底膜の肥厚による血流障害，血液成分の漏出が原因で，出血，白斑，毛細血管瘤，網膜浮腫などの初期病変が発症する．

進展すると網膜細小血管閉塞をきたし，網膜が虚血となる．高度に進行すると網膜前および硝子体内に新生血管が生じ，硝子体出血や網膜剝離をおこして，視力障害に陥る（増殖型網膜症）[7]．

進行した網膜症では，硝子体出血，網膜剝離をおこす可能性があり，運動療法は禁忌である[10]．妊娠の際に初めて糖尿病を指摘された症例は，網膜症が進行していることもあるため，可能なかぎり早期に眼科受診が必要である[5]．

②糖尿病性神経障害

糖尿病性神経障害（diabetic neuropathy）は，遠位性対称性の多発神経障害，局所性の単神経障害に分けられる．多発神経障害は，糖尿病神経障害の中核型で，最も頻度が高く，感覚・運動神経障害と自律神経障害に分けられる．

感覚・運動神経障害では，発症早期に下肢末端に，自発痛・しびれ感・錯感覚・感覚鈍麻などの異常感覚が出現し，症状が上行するとともに，上肢末端にも症状が現れる．これらの自覚症状と下肢の腱反射の低下，振動覚低下，知覚鈍麻などの検査で診断される．

自律神経障害は，瞳孔機能異常，起立性低血圧，心臓の障害（突然死，無痛性心筋梗塞），発汗異常，消化管の障害（便秘，下痢），膀胱機能障害，勃起障害などの病態を呈する．血糖コントロールが最も重要である[7,11]．また，足部の壊疽を防ぐためにも，感覚障害の評価は重要である．

③糖尿病性腎症

高血糖が持続すると，腎臓の糸球体に負担がかかり，アルブミンなどの蛋白が漏出するようになり，さらに進行すると濾過ができなくなり，糸球体濾過量（glomerular filtration rate; GFR）が低下してくる．クレアチン濃度や尿素窒素濃度が上昇するようになれば，末期腎障害

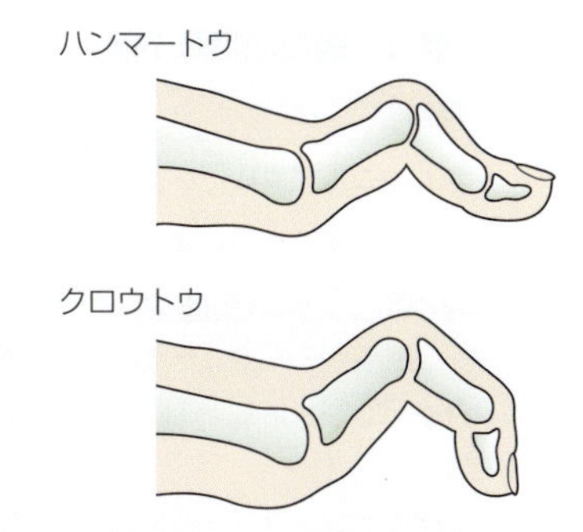

▶図 3　ハンマートウ変形，クロウトウ変形

の状態となり，さらに上昇すれば透析治療が必要になる[11]．わが国の人工透析新規導入患者の約 44.5% が糖尿病性腎症（diabetic nephropathy）によるもので，年に 16,000 名を超えている．また，糖尿病性腎症における人工透析導入患者の 5 年生存率は 60.3% と生命予後に影響[7]するため，糖尿病性腎症の発症・進展を抑制することは急務である[11]．

(3)　糖尿病性足病変

下肢切断者の 70% は糖尿病者であり，その 85% に足潰瘍が先行する．足潰瘍の成因としては，神経障害（感覚，運動，自律神経）と末梢動脈疾患による末梢血流障害を基礎とする．

その他の危険因子として，足潰瘍・切断の既往歴，腎障害（透析患者），視力障害，血糖コントロール不良，足変形，関節可動域制限，高足底圧などがある．これらの障害を有する足に外傷，靴擦れ，低温熱傷などの外因が加わって，足潰瘍を発症する．

その他，糖尿病では，外反母趾，内反小趾，凹足，鷲爪趾〔クロウトウ（claw toe）〕，槌状趾〔ハンマートウ（hammer toe）〕（▶図 3），胼胝（べんち）・鶏眼（けいがん）（別名「うおのめ」；heloma molle），亀裂，靴ずれ，足および爪白癬，陥入爪が生じる．

糖尿病性足病変（diabetic foot）は，末梢神経障害（peripheral neuropathy; PN）による自律神経障害や運動神経障害，知覚神経障害や末梢動脈性疾患（peripheral arterial disease; PAD），外傷，感染症などが複雑に関連している[12,13]．早期の診

▶表 1　経口血糖降下薬

種類	作用	カテゴリー
スルホニル尿素薬(SU 薬)	インスリン分泌の促進	インスリン分泌促進系
ビグアナイド薬(BG 薬)	肝臓での糖新生の抑制	インスリン抵抗性改善系
α グルコシダーゼ阻害薬	炭水化物の吸収遅延，食後高血糖値の改善	食後高血糖改善系
チアゾリジン系薬	骨格筋・肝臓でのインスリン感受性の改善	インスリン抵抗性改善系
速効型インスリン分泌促進薬(グリニド薬)	より速やかなインスリン分泌の促進・食後高血糖の改善	食後高血糖改善系
DPP-4 阻害薬	血糖依存性のインスリン分泌促進と分泌抑制	インスリン分泌促進系

〔日本糖尿病学会(編)：科学的根拠に基づく糖尿病診療ガイドライン 2013. pp53–71, 南江堂, 2013；上月正博：オーバービュー―糖尿病と障害, リハビリテーションの考え方. *J Clin Rehabil* 23:208–215, 2014 を参考に作成〕

断が重要で，観察や足背動脈拍動の確認，血流障害や神経障害の評価などが必要である．

2 医学的治療と作業療法の関連

糖尿病の医学的治療は，糖尿病の重症度に応じて血糖コントロールと血圧管理，食事療法，運動療法を組み合わせて実施される．2 型糖尿病では，チーム医療による多角的強化治療(厳格な血糖・血圧管理，薬物療法による脂質の減少，運動・禁煙指導など)が行われる．これらは，医療機関の外来治療だけでなく，健康教室・糖尿病教室などでも実施され，作業療法士は，チームの一員としての役割を担う．

食事療法はすべての対象者において治療の基本であり，他の治療に優先して実施すべきである．適切な食事療法の実践は血糖コントロール状態を改善させる．一方，運動療法は，心肺機能の改善，血糖コントロールの改善，脂質代謝の改善，血圧低下，インスリン感受性の増加が認められ，有酸素運動とレジスタンストレーニングの併用による効果がある．運動療法を開始する際には，心血管疾患の有無や程度，末梢および自律神経障害，網膜症，腎症，整形外科的疾患などの医学的評価を事前に実施する必要がある．

食事療法と運動療法を組み合わせると，さらに高い効果が期待できる．食事療法および運動療法の詳細については後述することとし，以下には糖尿病者に対する薬物療法について述べる．

a 経口血糖降下薬[14)]

インスリン非依存状態の糖尿病で，十分な食事療法，運動療法を 2～3 か月行っても良好な血糖コントロールが得られない場合，血糖降下薬の適応となる．

表 1[7, 9)] に，経口血糖降下薬の作用，カテゴリーを示す．治療目標は，年齢，罹患期間，臓器障害，低血糖のリスク，サポート体制などを考慮して個別に設定する．**表 2**[7, 14)] に，対象者の状態別に血糖コントロールの目標値を示す．

1 型糖尿病，糖尿病合併妊娠，糖尿病昏睡，重篤な感染症，外科手術時など，インスリン治療の絶対的適応がある場合は，血糖降下薬による治療を行ってはならない．

インクレチン薬である DPP-4 阻害薬は，単独投与では低血糖がおこりにくく，最も多く処方される薬物の 1 つである．しかし，DPP-4 阻害薬と SU 薬(スルホニル尿素薬)の併用では，重篤な低血糖を生じるリスクがあるので，高齢者や腎機能の低下した症例では，より低血糖に注意が必要

▶**表 2　対象者の状態別血糖コントロールの目標値**

HbA1c	目標	状態
6.0%	血糖正常化を目指す際の目標	適切な食事療法や運動療法だけで達成可能，または，薬物療法中でも低血糖などの副作用がなく達成可能な場合．罹患期間が短く，心血管系に異常のない若年者
7.0%	合併症予防のための目標	対応する血糖値は，空腹時血糖値 130 mg/dL 未満，食後 2 時間血糖値 180 mg/dL 未満
8.0%	治療強化が困難な場合の目標	低血糖などの理由で治療強化ができない状態だが，最低限達成が望ましい目標値．網膜症のリスクが増加する

注）妊娠例は除く，成人の目標値
〔日本糖尿病学会(編)：科学的根拠に基づく糖尿病診療ガイドライン 2013. pp23–24, 南江堂, 2013；武田　純：「科学的根拠に基づく糖尿病診療ガイドライン 2013」でどこが変わったか. *J Clin Rehabil* 23:216–222, 2014 を参考に作成〕

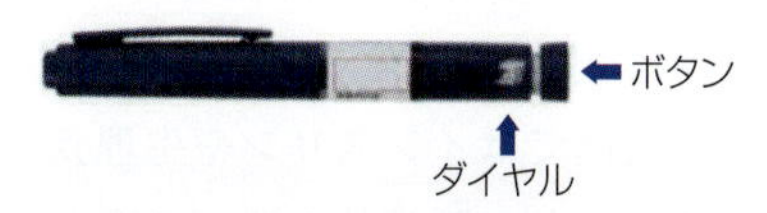

▶**図 4　インスリン注射器（プレフィルドタイプ）**

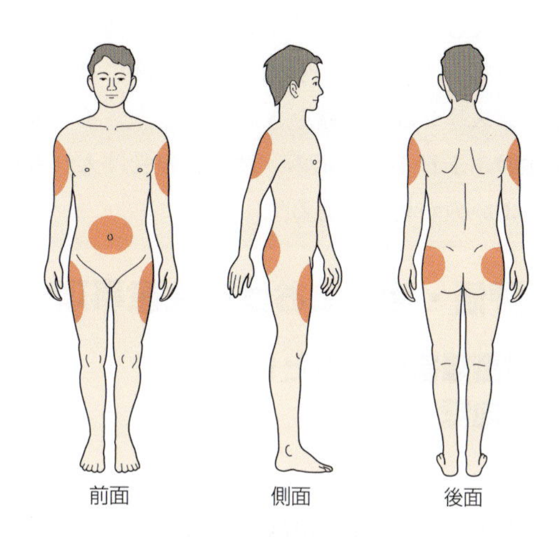

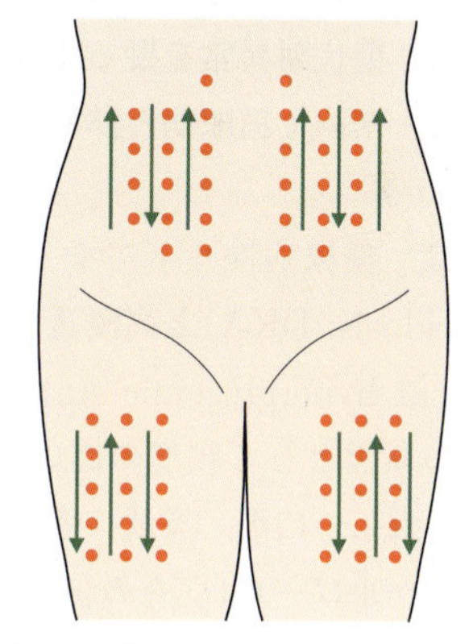

▶**図 5　注射部位**

である．

b インスリン治療

(1) インスリン治療の適応

インスリン治療は，1 型糖尿病，糖尿病昏睡〔糖尿病ケトアシドーシス(➡ 450 ページ)，高浸透圧高血糖症候群〕，糖尿病合併妊娠，外科手術時では絶対適応となる．2 型糖尿病では，食事療法，運動療法，経口血糖降下薬による血糖コントロールができない場合に適応となる．

(2) インスリン注射指導

[注射器のタイプ]　注射器は，カートリッジを交換するカートリッジタイプと，インスリンが充填されている使い捨てタイプのプレフィルドタイプ(▶図 4)がある．カートリッジタイプは低コストであるが，プレフィルドタイプのほうが対象者のストレスは低い[15]．インスリン自己注射を行う場合，糖尿病の対象者は糖尿病性網膜症による視力低下や糖尿病性神経障害による感覚障害，筋力低下を生じていることがあるので，対象者が使いやすい注入器(注射器)を選択する必要がある．

[注射部位]　インスリン自己注射は，皮下注射で，主に腹壁，上腕，大腿部，殿部に 2〜3 cm ずらして注射する(▶図 5)．

[注射方法]　手順は，以下のとおりである．

①インスリンと針を準備する．
②針をセットする．
③混合型インスリンの場合は，よく混ぜる．
④空打ち(試し打ち)を行い，針先からインスリン

が出ることを確認する.

⑤指示された単位にダイヤルを合わせる.

⑥注射する部位をアルコール消毒したのち，皮下注射する.

⑦注入後ダイヤルがゼロになっていることを確認し，ボタンを押したまま 10 秒数える.

⑧針を外して後始末をする.

(3) BOT(basal supported oral therapy)

経口血糖降下薬で治療中の対象者に経口血糖降下薬を継続したまま，持効型インスリンを上乗せして導入し，基礎インスリン分泌を持効型インスリンで補う方法を BOT という．BOT で使用するインスリンは低血糖をきたしにくく，インスリン注射が 1 日 1 回で済み，対象者の受け入れも比較的よいのが利点である[4].

3 評価・治療における注意事項

a 意識障害の原因としての高血糖・低血糖

意識障害の原因として，糖代謝異常(高血糖・低血糖)は比較的頻度が高い．意識障害のために救急搬送され，糖代謝異常を疑って血糖値計測を実施した結果，初めて糖尿病と診断されることもある.

高血糖では，糖尿病性ケトアシドーシス(diabetic ketoacidosis; DKA)と高浸透圧高血糖状態(hyperosmolar hyperglycemic state; HHS)が糖尿病性昏睡の原因として頻度の高い病態である．両者ともに，激しい口渇，多飲，多尿，急激な体重減少，皮膚ツルゴール(皮膚の張り)の低下などの重篤な脱水症状を認める[4].

低血糖では，発汗，手足のふるえ，動悸，不安感などの自律神経症状，思考力低下，錯乱，異常行動，記銘力低下などの中枢神経症状，意識障害，昏睡，痙攣などの大脳機能低下症状などが生じる[7].

b 低血糖・高血糖への対応

低血糖による自律神経症状が生じたら，安静にして速やかにブドウ糖 5〜10 g，または，ブドウ糖を含む飲料水を 150〜200 mL 飲ませる．飴や角砂糖は溶けるまでに時間がかかり，すすめられない．常時，砂糖を持ち歩き，意識消失に備えて，「インスリン注射使用中」と記載したカードや「糖尿病治療手帳」を携帯することも重要である.

一方，高血糖ではインスリンや生理食塩水の持続的静脈注射などの医学的処置が必要となる[7].

c シックデイ

糖尿病者が感染症などによって，発熱，下痢，嘔吐，または食欲不振による食事摂取ができない場合をシックデイという．この場合，高血糖やケトアシドーシスを回避する特別な対応が必要となる．経口薬，インスリン治療を行っている場合は中断せずに，水分補給との調整を行う.

シックデイルールとしては，次のものがある.

①できるだけ摂取しやすい，お粥，麺類，果汁などでエネルギー，炭水化物を補給する．最低 100 g/日以上の炭水化物を摂取する.

②水分は少なくとも 1,000 mL/日以上摂取する．味噌汁や野菜スープなどのミネラルを含むものが望ましい.

③血糖自己測定を行い，できれば，**尿ケトン体**測定も行う.

④食事ができなくてもインスリン量を極端に減らしたり，中止してはいけない[7].

d その他の注意事項

糖尿病性網膜症がある場合，筋力検査で息をこらえて力むと，眼底出血をおこすことがあるので注意が必要である.

人工透析を導入している場合，透析日には疲労

Keyword

尿ケトン体　ケトン体とは脂肪の分解によって生成されるアセトン，アセト酪酸，β-ヒドロキシン酪酸の総称．尿ケトン体は血中のケトン体増加を反映する．糖尿病で血糖が高く，尿ケトン体も認めるときは，体内のインスリン欠乏のため血中のブドウ糖を利用できないことを示す.

▶表3 メディカルチェック

観察・面談	①症状：典型的な口渇，多飲，体重減少などの自覚症状，意識障害や浮腫が治療のきっかけになった場合は，意識障害(高血糖・低血糖)，浮腫(糖尿病性腎障害によるネフローゼ) ②糖尿病歴：1型糖尿病では，発症時に典型的症状が得られるが，2型糖尿病では症状が乏しく，最大体重時期を発症時期に推定する ③既往歴：肝疾患，内分泌疾患 ④家族歴：遺伝性はないか ⑤肥満歴：身長，体重，ウエスト周囲長(身体計測も参照) ⑥妊娠・出産歴：妊娠糖尿病，巨大児分娩 ⑦生活歴：職業，喫煙，運動習慣，飲酒，食生活 ⑧身体所見：血圧(130/80 mmHg)，心拍数，貧血
糖・脂質代謝の検査	①血糖値(空腹時，食後)，インスリン，75 g 経口糖負荷試験(75 g OGTT)(空腹時血糖：110〜125 mg/dL，随時血糖：140〜199 mg/dL)，HbA1c(6.0〜6.4%)，GA：グルコアルブミン(1週間の平均血糖値を反映)，1.5-AG：1.5-anhydroglucitol(短期間の血糖コントロールの鋭敏な指標)，尿糖，尿ケトン体 ②総コレステロール，中性脂肪，HDL・LDH コレステロール
血液検査	①白血球，赤血球，ヘマトクリット，血色素，血小板，AST(GOT)，ALT(GPT)，γGTP，尿酸，電解質
合併症の検査	①眼底検査 ②足部感覚検査，アキレス腱反射，内果振動覚検査，心電図 ③ ABI (ankle-brachial index；足関節上腕血圧比)，脳波伝搬速度 ④ BUN (blood urea nitrogen；血液尿素窒素)，クレアチニン(必要時クレアチニンクリアランス)，尿中微量アルブミン，尿蛋白
呼吸循環器系の検査	①安静時心電図(必要時，ホルター心電図)，胸部X線像 ②肺機能検査(必要時，動脈血液ガス)
運動耐容能の検査	①心肺運動負荷試験，6分間歩行
骨・関節系の検査	① ROM，筋力，バランス，歩行能力
足部の検査	①足病変

が大きく，評価を行う際には疲労の影響がないかを見極めることも重要である．また，血圧測定の際はシャントがある側の上肢での測定を避ける．手根管症候群による運動・感覚障害がないかにも気をつける必要がある．

B 作業療法評価

1 一般的な評価

a メディカルチェック[4, 16)]

運動療法を安全に行うために，以下のメディカルチェック(▶表3)を行う．血糖コントロールだけでなく，合併症，心肺機能，運動機能など，多面的な評価が必要となる．

b 身体機能

前述のように，糖尿病性神経障害があると，感覚障害(手袋型・靴下型感覚障害)や運動障害が出現する可能性があるため，運動器の評価が必要となる．具体的には，① ROM，②感覚，③筋力，④腱反射，⑤上肢機能などである．

また，糖尿病性網膜症により視覚障害を呈することもあるため，視力低下や視野障害についての評価も必要である．

糖尿病以外の疾患や障害(例：脳血管疾患，人工透析による手根管症候群や関節症状)を併発している場合は，それらに対する評価も行う．

c 知的・精神機能

糖尿病の治療は自己管理が必須であるため，対象者が病状を理解し，治療(薬物療法や運動療法，食事療法など)を適切に遂行していくためにも，対象者の知的能力や精神機能の評価も必要となる．

d 日常生活活動，生活関連活動

身体および知的・精神機能の評価結果と併せ，それらが ADL・IADL に及ぼす影響も把握しておく．

インスリン療法を行っている場合，血糖コントロールの状態，低血糖症状時の自覚症状の有無，それに対する対処法の習得情報も把握しておく．

糖尿病性腎症により人工透析を行っている場合，透析日と透析日以外の生活状況を分けて把握することも重要である．

2 身体計測[17)]

糖尿病治療の基本は食事・運動・薬物療法であり，日常生活の管理と病態把握が重要である．受け身ではなく，対象者自身が治療に積極的にかかわり，自ら治療行動を行う「自己管理」が治療の中心となるため，身体計測を行い，適正体重を知り，体重の増減をコントロールすることが必要になる．

(1) 肥満指数(BMI)

$$\mathrm{BMI} = \frac{\text{体重(kg)}}{〔\text{身長(m)}〕^2}$$

BMI ＝ 22.0 のときが理想体重 (ideal body weight; IBW)(本シリーズ『作業療法評価学』を参照)

(2) 理想体重比(%IBW)

$$\%\mathrm{IBW}(\%) = \frac{\text{現体重(kg)}}{\text{理想体重(kg)}} \times 100$$

IBW(%)	80〜90%	軽度栄養障害
	70〜79%	中等度栄養障害
	0〜69%	高度栄養障害

(3) 体重減少率

$$\frac{\text{平常時の体重(kg)} - \text{現体重(kg)}}{\text{平常時の体重(kg)}} \times 100$$

- 有意な体重減少：1〜2%/週，5%/月，7.5%/3 か月，10%/6 か月

C 作業療法の目標

糖尿病は，発症していても気づかなかったり，発症後も治療を継続できなかったりする人も多く，血糖値，HbA1c，血圧，体重，脂質を適切にコントロールする必要がある．わが国では，がん，循環器疾患，慢性閉塞性肺疾患，そして糖尿病は生活習慣病の 1 つとして位置づけられており，栄養・食生活，身体活動・運動，休養，飲酒，喫煙および歯・口腔の健康に関する生活習慣の改善が，国民の健康増進の取り組みとして位置づけられている[18)]．糖尿病を発症した人には，食事療法・運動療法を含めた生活指導が作業療法においても重要である．また，発症していない人に対しては，糖尿病を発症しないようにすることが重要である．

1 食事療法と生活様式の改善

食事療法を基本として，生活習慣の改善や運動習慣の獲得などを目標とするが，対象者によっては，画一的な対応や指導では改善できないこともあり，個別の対応・目標設定が重要である．

2 行動変容

糖尿病の治療は，自己管理と永続的な治療が必要であることから，対象者の心理的状態に応じた指導方法の工夫をすることで，対象者が病気と向き合う助けになる．行動変容に応じた指導方法を**表 4**[4, 19)] に示す．

▶表 4　行動変容のステージ

ステージ	内容
前熟考期（無関心期）	6 か月以内に運動を始める気がない **対応**：病態の把握と情報交換，社会的サポート，環境調整 糖尿病や合併症に対する関心が低いため，病気の症状や治療に関する基礎知識をわかりやすく伝え，食事療法・運動療法の重要性に理解を深める．家族の協力や生活習慣の改善などの環境調整も考慮する
熟考期	6 か月以内に運動を始める気がある **対応**：セルフモニタリング，刺激統制法，認知再構成法 身体を動かすことの必要性を認識しているが，「運動するメリット」（体重減少，血糖値改善など）と「運動するデメリット」（運動すると疲れる，時間がとれないなど）とのアンビバレントな感情をいだいていることがあり，メリットだけを強調するのではなく，理解を示し，共感することも大切である．動機づけ面接が効果的である
準備期	1 か月以内に運動を始める気がある，または，不定期に開始している時期 **対応**：行動目標設定，オペラント強化法 達成可能な目標を設定し，とにかく運動を開始し自信をつけることから始める．運動開始宣言（コミットメント）を行うことやランニングシューズを新調するなども効果的で，歩数計でのモニタリングや運動内容や回数，時間の記録（レコーディング）などを行い，定期的に実施できるように工夫する
実行期（行動期）	運動を始めて 6 か月未満 **対応**：再発防止訓練 運動量が増加しない，定期的な運動が継続していない場合は，その原因を分析する．体調不良，仕事，家事，モチベーションの低下などが考えられるが，実施できていないことより実施できたことを評価し，運動開始前に戻らないように工夫する．対策としては，運動種目や運動量の調整，場所を変えてみることや血糖値，HbA1c，体重，体脂肪率，腹部周囲径などの医学的指標で運動の効果を確認すること（モニタリングとフィードバック）は，運動の継続につながる．運動の継続がなされた場合は，「疲れにくくなった」「身体が軽くなった」「服のサイズが小さくなった」などのメリットを確認し，家族や友人と一緒に運動することや趣味を通じて，継続的な運動量の維持と増加をはかる
維持期	運動を始めて 6 か月以上 **対応**：維持するための工夫，支援 運動をすることが日常生活の一部に取り入れられている状態であるが，運動量や回数が十分であるか，医学的指標と併せて，継続的にモニタリングすることが重要である．運動継続に対しての外的報酬（旅行や欲しいものを購入するなど）もモチベーションの維持には効果的であるが，内的動機づけ（病状の改善，努力は報われるなど）もフィードバックすることでより強化される．また，飽きないためにも新しい種目への挑戦や経験のあるスポーツの再開，新たな目標設定（マラソン大会に出場する，1 年後には体重を○○ kg にするなど）を行う．また，継続には家族や友人，もちろん医療従事者の支援が重要であり，努力に対する称賛は自信を増強させる

〔河盛隆造，他（監），日吉　徹（編）：糖尿病診療ハンドブック．改訂版，pp85–87，羊土社，2012；佐藤祐造（編）：糖尿病運動療法指導マニュアル．pp68–73，南江堂，2011 を参考に作成，一部改変〕

D 作業療法プログラム

1 一般的なプログラム

a 食事療法

1 日にどれだけのエネルギーを摂取すべきかは病状によって異なるため，医師の指示を確認する必要がある．

(1) 摂取エネルギー量の目安[7)]

摂取エネルギー量算定は，身体活動量や食事摂取量，血糖値，身長，体重，年齢，合併症の有無などを考慮して決定するが，目安として以下の計算式で求められる．

摂取エネルギー量 ＝ 標準体重 × 身体活動量

- 標準体重(kg) ＝〔身長(m)〕^{2} × 22
- 身体活動量(kcal/kg 標準体重)

○ 軽い労作(デスクワークが多い職業など)：25〜30

○ 普通の労作(立ち仕事が多い職業など)：30〜35

○ 重い労作(力仕事が多い仕事など)：35〜

具体的には，身長 170 cm で身体活動量が軽い労作の場合，

- 標準体重 = $[1.7\,\mathrm{m}]^2 \times 22 = 63.58\,\mathrm{kg}$
- 身体活動量 25 とすると，摂取エネルギー量 = $63.58 \times 25 = 1{,}589.5\,\mathrm{kcal}$ となる．

(2) 食事療法の実際

糖尿病における食事療法は，基本となる治療であるため，継続的な自己管理が求められる．作業療法士も NST の一員として，対象者の食事療法の支援を行う．しかし，食事療法などの療養指導は，疾患管理の問題点ばかりに焦点を当て，対象者の希望や自己管理の悩み，療養に対する動機づけなどには，支援されていないことが多いと考えられる．医療者に指導されるだけの関係性ではなく，エンパワメント(empowerment)の関係性が重要である[20, 21](➡ 456 ページ)．後述する運動療法と併せて，対象者の行動変容に応じた支援や心理的配慮が求められる．

b 運動療法[19, 22, 23]

糖尿病に対する運動療法では，エネルギー消費，インスリン抵抗性の改善，遊離脂肪酸の効率的な利用が重要で，中等度以下の運動の継続が推奨される[24]．1 回の運動で 2〜3 日はインスリン感受性が亢進することが知られており，週 3〜5 日間，可能であれば毎日の継続的な実施が望ましい．

(1) 運動の種類と強度

運動の種類は，有酸素運動とレジスタンストレーニングに分けられる．ともに血糖コントロールに有効である．身体活動の強度の指標として，ボルグの RPE(➡ 140 ページ)，代謝当量(METs)，心拍数が用いられる．RPE，心拍数は相対的な身体活動の強度を示す．METs は絶対的な消費エネルギーを計算する場合に用いたり，身体活動の種類による強度の違いを示す．

▶表 5　体重別消費カロリー(kcal)

METs	体重					
	50 kg	55 kg	60 kg	65 kg	70 kg	75 kg
	1 時間活動したときの消費カロリー					
3	157.5	173.3	189.0	204.8	220.5	236.3
3.5	183.8	636.7	220.5	238.9	257.3	275.6
4	210.0	231.0	252.0	273.0	294.0	315.0
4.5	236.3	259.9	283.5	307.1	330.8	354.4
5	262.5	288.8	315.0	341.3	367.5	393.8
5.5	288.8	317.6	346.5	375.4	404.3	433.1
6	315.0	346.5	378.0	409.5	441.0	472.5
6.5	341.3	375.4	409.5	443.6	477.8	511.9
7	367.5	404.3	441.0	477.8	514.5	551.3
8	420.0	462.0	504.0	546.0	588.0	630.0
9	472.5	519.8	567.0	614.3	661.5	708.8
10	525.0	577.5	630.0	682.5	735.0	787.5
11	577.5	635.3	693.0	750.8	808.5	866.3
15	787.5	866.3	945.0	1023.8	1102.5	1181.3

〔佐藤祐造(編)：糖尿病運動療法指導マニュアル．pp21–27, 南江堂, 2011 を参考に作成〕

(2) 消費カロリーの計算

消費カロリーは体重，運動の種類(METs)，運動した時間で算出される．

- 消費カロリー(kcal) = 1.05×METs×時間(時)×体重(kg)

(3) 身体活動と METs，消費エネルギー

METs は身体活動の消費エネルギーを表す単位で，安静座位を 1 MET として，その人にとってその何倍に相当するのかを表す(本シリーズ『作業療法評価学』を参照)．また，体重によって消費カロリーが異なるため，消費カロリーの計算式から消費カロリーの理論値を算出する．METs と体重別消費カロリーを表 5 に示す．

(4) 有酸素運動

糖や脂質を利用する有酸素運動としては，毎日実施可能なウォーキングや自転車などの全身的なリズミカルな運動が有効といわれている．運動強度は中等度が望ましいといわれており，最大酸素

摂取量 40〜60%，RPE 12 程度の「ややきつい」と感じる程度である．

目標心拍数を設定するためのカルボーネン(Karvonen)の式(➡ 140 ページ)を参考とする[24]．

(5) レジスタンストレーニング

レジスタンストレーニングは筋肉量や筋力を増加させ，インスリン抵抗性を改善し，血糖コントロールを改善させるといわれる．ゴムチューブ，ウエイトや自重を利用して，力んで呼吸をしない程度の運動を，1 セットあたり 8〜15 回，1〜3 セット行う．RPE 12〜13 から開始し，15〜16 程度を目指す．徐々に強度やセット数を増加させていき，継続することが重要である．レジスタンストレーニングは，虚血性心疾患などの合併症がある場合には不適切であることから，事前の確認は必須である[7, 24]．

(6) 身体活動強度の目安

厚生労働省の「健康づくりのための運動指針 2006(エクササイズガイド 2006)」では，生活習慣病予防のために 1 日 8,000〜10,000 歩以上の身体活動を推奨している[25]．

「健康づくりのための身体活動基準 2013」では，運動指標として，強度が 3 METs 以上の身体活動を 23 METs・時/週行うとしており，具体的には，歩行またはそれと同等以上の強度の身体活動を毎日 60 分実施することになる〔18〜64 歳の身体活動(生活活動・運動)の基準〕[26]．身体活動が低い対象者では 2,000 歩/日の歩行から開始し，犬の散歩や家事，趣味活動と組み合わせて活動量を増やしていく．

運動療法の進め方や個人の基礎体力，年齢，体重，健康状態などによって異なるため，導入時には歩行習慣をつけて，持続できれば徐々に歩行時間を延ばすなどの無理のない程度に活動量を増加させることが持続への近道である．また，本人の嗜好に合った運動，経験のあるスポーツなどを用いることで継続が期待できる．さらに，継続させるためにも，多種目を用いることで楽しみながら行うことが重要である．たとえば，ウォーキング＋ガーデニングと家事，または，ウォーキング＋ゴルフやテニスなど，飽きない工夫が必要である．

C 糖尿病の合併症に対する注意指導

糖尿病性神経障害，糖尿病性網膜症によって，感覚障害と視覚障害が生じることがあり，対象者に合わせた生活指導が必要となる．

(1) 糖尿病性網膜症

糖尿病性網膜症の医学的治療は，単純網膜症までは血糖コントロールと血圧管理が主であるが，前増殖網膜症となるとレーザーを用いた光凝固法を行い，さらに，進行すると硝子体手術が行われる[11]．

生活レベルの対処法として，四肢の外傷に注意し，部屋の照明を明るくする，マーキングを行うなどの工夫が必要となる．また，電気器具や調理器具のスイッチの工夫，シャンプー・ボディソープなどのボトルの区分け，視覚障害者を対象とした点字の活用なども総合的に活用することが重要である．

(2) 糖尿病性腎症

糖尿病性腎症の治療は，①血糖コントロール，②血圧管理，③食事の塩分と蛋白制限である．塩分は 1 日 6 g 未満が推奨される．高蛋白食が腎症を悪化させるため，体重あたり 0.6〜1.0 g/kg/日の蛋白制限食が処方される．さらに，糖尿病性腎症による人工透析に至った場合は，透析による拘束時間や体力低下・活動性の低下を防ぎ，透析実施前に近い QOL 状態を維持することが重要である．そのためにも，透析の時間帯や回数に合わせた就労形態などの選択も必要となる．

(3) 糖尿病性足病変

糖尿病者は足に病変ができても，視力障害や神経障害によって確認・自覚できない場合は，足壊疽まで進行し，切断となる．PAD を合併する場合は，切断率が高く，生命予後も不良である．また，糖尿病者は PAD のリスクが 3〜4 倍高く，HbA1c が 1% 増加するごとに PAD のリスクが

26% 増加する[7,11]．リハビリテーション(以下，リハ)を開始する前に，足や靴，歩行状態のチェックが必要である．

[靴のチェック] 日常的に履く靴や訓練用の靴もチェックする．靴の中敷きの摩耗をみて，足底圧の高い部位が推定できる．靴底の摩耗からは歩行状態が推定できる．足の変形がある場合は，靴の素材や足底板，靴下が必要で，必要に合わせて，オーダーメード靴を作製する．足趾変形がある場合は，つま先の部分が深く，広く，柔らかい素材の靴をすすめる[27]．

[リハ時の指導と注意点] 運動療法を行う前に，心血管障害の有無を確認する必要がある．足病変の発症・再発予防には，①足の定期診察とリスク評価，②胼胝，鶏眼，白癬，爪病変の治療，③靴・装具の指導調整，④患者や家族へのフットケア指導が重要である[27]．

d 対象者教育とチームアプローチ

(1) 情報提供，継続支援

外来通院をしている対象者には，製薬会社などが発行しているパンフレットや情報誌「さかえ」[28]はわかりやすく，手軽に情報を入手できる．また，糖尿病ニコニコ学校[29]，糖尿病サイト[30]などは，レシピの提供，HbA1c，血糖値，体重などの管理も可能で，自己管理が重要な糖尿病治療において，治療への動機づけを手助けすることができる．生活習慣を改善し，測定値を維持するためには，医療従事者のチームアプローチ，家族の継続的な支援が重要である．

(2) 糖尿病教室，教育入院

各医療機関が実施している糖尿病教室は，糖尿病に関する基礎知識を対象者に提供している．医師，看護師，管理栄養士，理学療法士などの各領域の専門家がわかりやすく，糖尿病の理解を深め，対象者の治療への意欲を高めようと努めている．就労などで生活習慣の改善や治療ができない場合は，1～2 週程度の教育入院をすすめることもある．

(3) 糖尿病とチームアプローチ

食事療法，薬物療法，運動療法，対象者教育など，糖尿病の治療は作業療法士だけでなく，多職種連携による治療が必要で，他の疾患よりさらに，チームアプローチが重要である．また，糖尿病の治療は終了することはなく，継続的・永続的な支援が必要である．海外での糖尿病に対するリハの効果についても，脳卒中の合併[31]，大腿骨頸部骨折[32]，包括的作業療法[33]，グループリハのプログラムの検討[34]，個別リハ[35]などが報告されている．

(4) 糖尿病療養指導とエンパワメント[36]

糖尿病の治療は，日常生活のなかで対象者自身の自己管理によって実施されることから，治療を行うことさえも，対象者の意思決定に委ねられている．従来の指導では，食事や運動に関する知識の提供が重視されており，対象者は道義的に治療に従うと考えられていた．しかし，知識があることが行動変化の十分条件にはならず，対象者が十分な情報と知識に基づく自発的な選択〔インフォームドチョイス(informed choice)〕ができるような努力が必要である．

一方，糖尿病治療の主体は対象者にあることを原点とするエンパワメントという新しい概念が提唱された．対象者は医療者の指示を守るだけの受動的な存在ではなく，「糖尿病は患者のものであり，患者自身がその問題を解決し，治療方針を立てていく権利と能力をもっている」という基本理念がある．

また，エンパワメントは，医療者と対象者の治療同盟と役割分担を明確にし，互いが協働して糖尿病治療の問題解決を行うことを提唱する理念である．対象者の効果的な行動変容を支援するためにも，作業療法士も対象者との関係性に配慮し，対象者の価値観・QOL を重視する必要がある．

●引用文献

1) 鈴木文歌, 他：高度肥満の糖尿病患者のリハビリテーション. *J Clin Rehabil* 23:223–228, 2014
2) 厚生労働省：平成 28 年国民健康・栄養調査報告.

https://www.mhlw.go.jp/bunya/kenkou/eiyou/h28-houkoku.html
3) 葛谷　健, 他：糖尿病の分類と診断基準に関する委員会報告. 糖尿病 42:385–404, 1999
4) 河盛隆造, 他(監), 日吉　徹(編)：糖尿病診療ハンドブック. 改訂版, 羊土社, 2012
5) 日本糖尿病学会(編・著)：糖尿病診療ガイドライン 2019. 南江堂, 2019
6) 日本糖尿病学会(編・著)：糖尿病治療ガイド 2020–2021. pp28, 101–103, 文光堂, 2020
7) 日本糖尿病学会(編)：科学的根拠に基づく糖尿病診療ガイドライン 2013. 南江堂, 2013
8) 日本糖尿病学会：糖尿病の分類と診断基準に関する委員会報告(国際標準化対応版). 糖尿病 55:485–504, 2012
9) 上月正博：オーバービュー—糖尿病と障害, リハビリテーションの考え方. *J Clin Rehabil* 23:208–215, 2014
10) 小林哲郎(編著)：臨床糖尿病マニュアル. 改訂第 3 版, pp71–77, 南江堂, 2012
11) 渥美義仁：糖尿病の病態と最新の治療. 作療ジャーナル 44:1224–1238, 2010
12) 寺師浩人, 他：糖尿病性足潰瘍の病態別分類—神戸分類の提唱. 医のあゆみ 240:881–887, 2012
13) 寺師浩人：糖尿病性足潰瘍(with/without PAD)の治療. 創傷 1:1–12, 2010
14) 武田　純：「科学的根拠に基づく糖尿病診療ガイドライン 2013」でどこが変わったか. *J Clin Rehabil* 23:216–222, 2014
15) 門脇　孝, 他(編)：すべてがわかる最新・糖尿病. pp169–176, 照林社, 2011
16) 清野　裕, 他(監), 大平雅美, 他(編)：糖尿病の理学療法. pp40–42, メジカルビュー社, 2015
17) 栢下　淳, 他(編著)：リハビリテーションに役立つ栄養学の基礎. 第 2 版, p192, 医歯薬出版, 2018
18) 厚生労働省：国民の健康の増進の総合的な推進を図るための基本的な方針. https://www.mhlw.go.jp/stf/seisakunitsuite/bunya/kenkou_iryou/kenkou/kenkounippon21.html
19) 佐藤祐造(編)：糖尿病運動療法指導マニュアル. 南江堂, 2011
20) 坂根直樹(編著)：エビデンスを活かす糖尿病療養指導. pp192–201, 中外医学社, 2009
21) 山本佳代子, 他：自己決定理論構成概念の測定尺度日本語版の信頼性・妥当性の検証—血液透析患者の自己管理における自律性支援認知, 動機づけ, 有能感の測定. 日看研会誌 32:13–21, 2009
22) 村上晴香, 他：健康づくりのための運動基準 2006 における身体活動量の基準値週 23 メッツ・時と 1 日あたりの歩数との関連. 体力科学 61:183–191, 2012
23) 大島秀武, 他：加速度計で求めた「健康づくりのための運動基準 2006」における身体活動の目標値(23 メッツ・時/週)に相当する歩数. 体力科学 61:193–199, 2012
24) 百田貴洋：糖尿病と作業療法. 作療ジャーナル 44:1229–1234, 2010
25) 健康づくりのための運動指針 2006—生活習慣病予防のために(エクササイズガイド 2006). https://www.mhlw.go.jp/shingi/2006/07/dl/s0719-3c.pdf
26) 厚生労働省：健康づくりのための身体活動基準 2013. https://www.mhlw.go.jp/content/000306883.pdf
27) 河野茂夫：糖尿病足病変とリハビリテーション. *J Clin Rehabil* 23:237–244, 2014
28) 日本糖尿病協会・https://www.nittokyo.or.jp/
29) 三和化学研究所：糖尿病ニコニコ学校・https://www.dm-school.net/
30) ノボ ノルディスク ファーマ：糖尿病サイト・https://www.club-dm.jp/
31) Tanovic E, et al: Assessment of the effects of rehabilitation after cerebrovascular accident in patients with diabetes mellitus and hypertension as risk factors. *Med Arch* 68:124–127, 2014
32) Reistetter TA, et al: Diabetes comorbidity and age influence rehabilitation outcomes after hip fracture. *Diabetes Care* 34:1375–1377, 2011
33) Haltiwanger EP, et al: Reduction of depressive symptoms in an elderly Mexican-American female with type 2 diabetes mellitus: a single-subject study. *Occup Ther Int* 20:35–44, 2013
34) Vadstrup ES, et al: Health-related quality of life and self-related health in patients with type 2 diabetes: effects of group-based rehabilitation versus individual counselling. *Health Qual Life Outcomes* 9:110, 2011
35) Vadstrup ES, et al: Lifestyle intervention for type 2 diabetes patients: trial protocol of The Copenhagen Type 2 Diabetes Rehabilitation Project. *BMC Public Health* 9:166, 2009
36) Anderson B, 他(編), 石井　均(監訳)：糖尿病エンパワーメント—愛すること, おそれること, 成長すること. 第 2 版, 医歯薬出版, 2008

●参考文献

37) 前田眞治(編)・奈良　勲, 他(シリーズ監修)：標準理学療法学・作業療法学 専門基礎分野 内科学. 第 4 版, 医学書院, 2020

悪性腫瘍(がん)

1 悪性腫瘍切除術後

GIO 一般教育目標 悪性腫瘍切除術後の対象者に作業療法を実施できるようになるために，この疾患の病態を理解し，作業療法の評価技法と治療・指導・援助法を修得する．

SBO 行動目標

1）腫瘍の種類と医学的治療，障害を説明できる．
- □ ①次の用語を説明できる．
  腫瘍，良性腫瘍，悪性腫瘍，癌腫，肉腫
- □ ②がんの分類と病期（ステージ）を説明できる．

2）がんの医学的治療と作業療法の関連について説明できる．
- □ ③がんの医学的治療を 3 つあげることができる．
- □ ④乳がんの医学的治療を 3 つあげることができる．
- □ ⑤がんの治療過程に伴う障害を列挙できる．

3）乳がんの対象者に対する作業療法評価を説明できる．
- □ ⑥乳がんの対象者に対する医学的検査項目を列挙できる．
- □ ⑦乳がんの対象者に対する作業療法評価を説明できる．
- □ ⑧乳がんの対象者の作業療法評価を実施する際の注意事項を説明できる．

4）乳がんの対象者の病期に応じた作業療法目標を設定できる．
- □ ⑨がんの病期に応じたリハビリテーションの分類を列挙できる．
- □ ⑩がんの病期および予後を考慮した目標を設定することができる．

5）乳がんの対象者の作業療法プログラムを計画できる．
- □ ⑪乳がんの術後の作業療法プログラムを計画できる．
- □ ⑫乳がんの化学療法・放射線療法中の作業療法プログラムを計画できる．
- □ ⑬乳がんの術後のリンパ浮腫への対応を説明できる．
- □ ⑭乳がんの対象者の作業療法を実施する際の注意事項を説明できる．

6）乳がんの対象者の地域生活・社会参加のための作業療法プログラムを計画できる．
- □ ⑮乳がんの対象者の社会参加のために必要な連携を説明できる．

A 概要

がん対策基本法が2006年に成立し，2010年度診療報酬改定により「がん患者リハビリテーション料算定」が新設された．がん治療の医学的発展とともにがんと共存する時代へと移行してきており，今後さらに，がんのリハビリテーション（以下，リハ）の重要性は増すものと思われる．

1 悪性腫瘍（がん）とは

a がんの種類

良性腫瘍と悪性腫瘍および癌腫（がん）と肉腫の違いを確認しておきたい．そもそも腫瘍とは，「身体を構成する細胞が，なんらかの原因で自律的に不可逆性に増殖する性質を獲得し，体内で増殖を続け，宿主を傷害する病態」[1]とされる．

さらに悪性腫瘍とは浸潤性の増殖を示すものであり，良性腫瘍は圧排性の増殖のみで生命を脅かすことはほとんどない．また，悪性腫瘍のうち，上皮性（上皮細胞）に生じるものを「癌腫」，非上皮性に生じるもの（骨など）を「肉腫」としている．

b がんの統計

わが国のがん死亡者数は，2019年で約37万6千人であり，男性が女性の約1.5倍である．2017年の罹患率は多くの部位で男性が高く，特に口腔・咽頭，食道，胃，肝臓，喉頭，肺，膀胱，腎臓で男性は女性の2倍以上である[2]．

また，全国がんセンター協議会による部位別の10年相対生存率（1999〜2002年初発入院治療例）をみると，甲状腺（90.9%），前立腺（84.4%），子宮体（83.1%），乳（80.4%），喉頭（71.9%），大腸（69.8%），胃（69%）となっている[3]．

本項では，乳がんについて詳述することとし，他臓器および小児のがんについては成書を参照していただきたい．

2 医学的治療と作業療法の関連

a がんの分類

悪性腫瘍の進行度を判定するのに，国際対がん連合（Union International Contra Cancrum; UICC）が定めるTNM分類に基づき病期（stage）を決定することが一般的である．この分類は，原発腫瘍の大きさ（T：primary Tumor），リンパ節への転移の有無（N：regional lymph Nodes），遠隔転移の有無（M：distant Metastasis）から構成される．このTNM分類は，さらに病期0，病期I，病期II，病期III，病期IVに分類される．

乳がんの病期分類を示す（▶表1）[4]．

▶表1 乳がんの病期

病期	内容
0期	非浸潤がん※1，あるいはパジェット病※2 できわめて早期のがん
I期	がんの大きさが2cm以下で，リンパ節や他の臓器に転移していない
IIA期	がんの大きさが2cm以下で，腋の下のリンパ節に転移し，そのリンパ節は固定されておらず動く，もしくは，がんが2cmを超え5cm以下の大きさでリンパ節や他の臓器への転移はない
IIB期	がんが2cmを超え5cm以下の大きさで，腋の下のリンパ節に転移し，そのリンパ節は固定されておらず動く，もしくは，がんが5cmの大きさを超え，リンパ節や他の臓器への転移はない
IIIA期	がんの大きさが5cm以下で，腋の下のリンパ節に転移し，そのリンパ節は固定されて動かないか，リンパ節が互いに癒着している，または，腋の下のリンパ節には転移はないが胸骨の内側のリンパ節に転移がある もしくは，しこりの大きさが5cm以上で，腋の下または胸骨の内側のリンパ節に転移がある
IIIB期	がんの大きさやリンパ節への転移の有無にかかわらず，しこりが胸壁に固定されていたり，がんが皮膚に出たり皮膚が崩れたり皮膚がむくんでいるような状態 しこりがない炎症性乳がんもこの病期から含まれる
IIIC期	がんの大きさにかかわらず，腋の下のリンパ節と胸骨の内側のリンパ節の両方に転移がある，または鎖骨の上下にあるリンパ節に転移がある
IV期	他の離れた臓器への転移（骨，肺，肝臓，脳などへの遠隔転移）がある

※1：非浸潤がん：がん細胞が乳管や乳腺小葉のなかにとどまっている乳がん．
※2：パジェット病：乳頭や乳輪の表皮内にがん細胞がみられ，乳頭や乳輪が赤くなり，湿疹のような状態となるもの．
〔日本乳癌学会（編）：臨床・病理 乳癌取扱い規約．第18版，金原出版，2018を参考に作成〕

b がん治療の現在

がん治療は手術療法，化学療法，放射線療法の3つに大別される．

(1) 手術療法

手術療法には開胸，開腹手術のみならず，消化管に対しての内視鏡治療や体腔鏡下手術も含まれる．

(2) 化学療法

薬物療法（抗がん剤を用いた治療），抗体療法，内分泌療法，分子標的療法など，今日ではさまざまな化学療法（chemotherapy）が実施されている．

(3) 放射線療法

放射線を使用して行う療法（radiation therapy）であり，温存療法すなわち組織切除なしに実施で

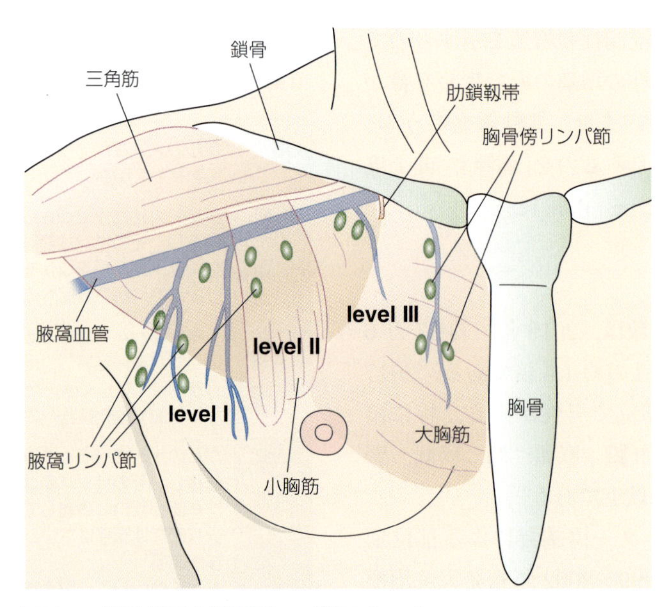

▶**図 1　切除範囲と腋窩リンパ節の level**
腋窩リンパ節の**郭清**は level I が中心であるが，リンパ節の腫大がどの level まで確認されるかにより，郭清の level は拡大することとなる．level I：小胸筋外側縁から広背筋前縁のリンパ節，level II：小胸筋背側のリンパ節，level III：小胸筋内側縁から肋鎖靱帯までのリンパ節(level III より内側は胸骨傍リンパ節)．

きる反面，正常組織に対する放射線の影響を考慮する必要がある．

c 乳がんにおける手術療法

乳がんの多くは，乳腺の上皮組織に発生する．乳腺は乳管，小葉，乳管開口部とその支持組織からなる．乳管部に発生したものを乳管がん，小葉部に発生したものを小葉がん，乳管開口部に発生したものをパジェット(Paget)病と呼ぶ．乳がんは乳管や小葉の上皮細胞から発生し，乳房(支持組織)へと進展していく．

(1) 乳房温存療法

腫瘍の大きさ 3 cm 以下や**マンモグラフィー**にて広い範囲に石灰化がみられないなどの条件を満たす場合，乳房の一部を切除するのみで，乳房を残す乳房温存療法が選択される．

(2) 乳房切除術

切除術には，乳房，胸筋，腋窩リンパ節を切除する拡大胸筋合併乳房切除術，大胸筋を温存し，乳房，小胸筋，腋窩リンパ節を切除する胸筋温存乳房切除術〔パティー(Patey)法〕，胸筋を温存し，乳房，腋窩リンパ節を切除する胸筋温存乳房切除術〔オーキンクロス(Auchincloss)法〕が代表的である．切除範囲を**図 1** に示す．

(3) 乳房再建術

乳房再建には，手術直後に再建する一期的再建と，術後一定の期間が経過したのちに再建する二期的再建がある[5]．乳房再建には人工物や自家組織を用いる．

Keyword

マンモグラフィー　X 線により乳腺・乳房を撮影し，乳がんを診断する方法.

リンパ節郭清　がん細胞が転移している可能性のあるリンパ節を予防的に切除し，腫瘍の取り残しをできるかぎり減らす目的で行われる外科的治療法であり，この治療法を郭清と呼ぶ.

d リハビリテーションの対象となる障害

がんに対する各種療法による治療成績の向上は，がん生存者(がんサバイバー)の増加へとつな

▶表 2 リハビリテーションの対象となる障害

がん自体による障害	主に治療過程において生じうる障害
1) がんの直接的影響 ●骨転移 ●脳腫瘍に伴う脳局所症状 ●脊髄・脊椎腫瘍に伴う四肢麻痺，対麻痺など ●腫瘍の直接浸潤による神経障害 ●疼痛 2) がんの間接的影響（遠隔効果） ●がん性末梢神経炎（運動性・感覚性・混合性） ●悪性腫瘍随伴症候群〔小脳運動失調，シャイ-ドレーガー(Shy-Drager)症候群，筋炎〕	1) 全身性の機能低下，廃用症候群 ●化学・放射線療法，造血幹細胞移植後 2) 手術 ●骨・軟部腫瘍術後（患肢温存，四肢切断後） ●乳がん術後の肩関節の運動障害 ●乳がん・子宮がん・卵巣がん術後リンパ浮腫 ●頸部リンパ節郭清術後（嚥下障害・構音障害） ●開胸・開腹術後（呼吸器合併症） 3) 化学療法・放射線療法の副作用 ●化学療法（末梢神経炎） ●放射線療法（さまざまな臓器に不可逆性障害）

〔辻　哲也：がんのリハビリテーション診療の概要．辻　哲也(編)：がんのリハビリテーションマニュアル―周術期から緩和ケアまで．第 2 版，pp24–25，医学書院，2021 より抜粋〕

がる．さらにがん治療の方法が広がるに従い，がん自体による影響だけでなく，がんの治療過程に伴う障害(▶表 2)[6] も広がりをみせている．がんと共存しながらの生活行為をどのように作業療法の立場から支援可能かを当事者とともに考え共有し，医療チームとしての積極的な取り組みが求められる．

B 作業療法評価

1 乳がんにおける一般的評価

a 検査項目

乳がんの診断は存在診断（病変があるかの確認）と質的診断（病理診断や画像による病変範囲の推定）により行われる[5]．以下に，代表的な評価項目を示す．

①視診，触診
②マンモグラフィー
③超音波検査
④ MRI，CT
⑤外科的生検，細胞診，組織診
⑥乳管造影
⑦腫瘍マーカー（転移を調べる検査）

▶表 3 周術期における作業療法評価項目

1	整形外科的既往（肩に関する疾患）
2	カルテ（手術・検査記録）
3	関節可動域
4	筋力，握力
5	感覚，しびれ，疼痛
6	上肢周径，圧痕性テスト
7	ADL〔バーセルインデックス(BI)，機能的自立度評価法(FIM)〕，IADL
8	作業歴
9	役割（家庭，職場）

b 乳がんにおける作業療法評価(▶表 3)

作業療法を実施するにあたり，術前からのかかわりの重要性を強調しておきたい．機能的変化を追うのみでなく，当事者との関係づくりを術前より始めていくことはラポール（信頼関係）形成のためにも大切な機会となる．

(1) 術前評価

既往歴，作業歴，上肢の関節可動域（ROM），筋力，感覚，生活状況などを確認する．

(2) 手術・検査に関する記録

手術実施日，術側，術部，術法をカルテより確認する．併せて病理診断報告書を確認しておく．

(3) 術後評価

術前評価と同様の項目を実施する．さらに浮腫範囲を確認するために上肢周径や圧痕性テストの測定を実施する．「リンパ浮腫診療ガイドライン 2014 年版」では，上肢周径の測定は中手指節関節（MP 関節）周囲，手関節周囲，肘窩線をはさみ末梢側 5 cm と中枢側 10 cm と規定している．

(4) 日常生活活動

これまでの日常生活の流れ，動作内容，活動度を確認しておく．また，副作用の出現に応じて活動度も変化するため，病状の変化に応じた活動能力評価およびその障害予測が求められる．

2 評価における注意事項

a 評価に臨むにあたり必要なこと

改めて考えておきたいことは，作業遂行として何ができるか・できないかを評価するだけでなく，何を支援すると当事者の自己効力感を高めることができるかという観点からの作業療法評価を実施していくことである．

b 周術期の管理

当事者は手術後集中治療室(ICU)へ入室し，各種モニターにて循環動態が管理される．高度に侵襲を受ける手術の場合，合併症のリスクも高いものとなり，感染管理，栄養管理が重要となる．医療安全管理に配慮した評価活動が求められる．また，術後の評価では，まだドレーン挿入中のこともあり，検査測定時には挿入部の過度な運動や刺激が加わらないように注意する．

c 転移

がんの進行が認められた場合には，転移巣に対する評価を検討する必要がある．他内臓器以外の転移として留意しておくものに骨転移，脳転移がある．転移巣に応じた局所症状の評価内容および評価方法を検討し実施する．

d 精神心理面

告知やインフォームドコンセントに対する当事者の受け止め方は日々変化していく．告知直後と以後または手術前と手術後にはインフォーマルな会話から，今の心理的状況を把握するように努めることも重要である．

また，検査・測定や面接を行う際に，不安感や焦燥感の訴えがみられた場合には，精神科医，精神腫瘍科医，臨床心理士への依頼・相談を行い，その時々の心理状況に応じたアプローチ方法を検討していく．

▶表 4　がんのリハビリテーションの分類

1. 予防的リハ
がんと診断されたのち，早期に開始されるもので，手術，放射線・化学療法の前もしくは後すぐに施行される．機能障害がまだないが，その予防を目的とする
2. 回復的リハ
機能障害や能力低下をもった患者に対して，最大限の機能回復を目指した包括的訓練を意味する(いわゆる一般的なリハ)
3. 維持的リハ
がんが増大し，機能障害，能力低下も進行している患者に対して，すばやく効果的な手段(たとえば，自助具やセルフケアのコツの指導など)により，セルフケアの能力や移動能力を改善させる．また，拘縮，筋萎縮，筋力低下，褥瘡のような廃用を予防することも含まれる
4. 緩和的リハ
終末期のがん患者に対して，そのニーズを尊重しながら，身体的，精神的，社会的にも QOL の高い生活が送れるようにすることを目的とし，疼痛，呼吸困難，浮腫などの症状緩和や拘縮，褥瘡の予防などをはかる

〔辻　哲也：その他の疾患．千野直一(編)：現代リハビリテーション医学．改訂第 3 版，p494，金原出版，2009 より改変〕

C 作業療法の目標

1 病期による目的の違い

当事者のニーズを中心に目標を設定していく．がんのリハにおいてはがん治療に伴う副作用や全身状態への影響を考慮し，機能障害や生活障害の予防もしくは改善をはかる．リハの目標として**表 4**[7] に示すように，がんの病期に合わせ，予防的，回復的，維持的，緩和的リハに分類されている．作業療法の目標を設定する際の指標として用いることができる．

2 二次的障害の予防と対応

いずれのがんの病期であれ，二次的障害の予防に取り組む必要がある．疼痛のコントロール状況を確認しながら，疼痛や倦怠感からくる廃用症候群の予防に努める．また，拘縮予防や安楽を確保するための安静時肢位を検討し，介助者に指導する．

3 予後との関係

がんのような進行性疾患の場合，予後の理解と予後の判断について理解しておかなければならない．予後は発症後の経過予測・見通しを意味し，生命予後，機能予後としていわれることが多い．また，がんの場合にはがん治療の効果指標として生存率が調査されており，部位別に**5年生存率**，10年生存率が公表されている．

当事者に対して予後をどのように伝えているかは，事前に医師に確認しておく必要がある．がんの進行に伴い，月単位，週単位，数日単位での予後予測を確認しながら，当事者のニーズを理解し，具体的な作業療法目標を設定する．

D 作業療法プログラム

1 一般的なプログラム

a 乳がん術後のプログラム（▶図2）

胸部や腋窩切開部の疼痛や違和感の訴え，術側肩の運動制限，拘縮を認めることがある．術後の肩関節のROM訓練は術部のドレーン抜去までは自動運動による可動性拡大（屈曲，外転）をはかる．また，術部の疼痛や伸張することに不安を感じ，術側肩甲帯の過緊張をおこしている場合には，肩周囲のリラクセーション方法，振り子体操などを指導する．

b 化学療法・放射線療法中のプログラム

副作用として悪心，嘔吐，食欲低下，易疲労性がみられ，臥床期間が長期化する傾向にある．そのため，不動による運動機能の低下，廃用症候群を助長することとなる．

ベッドサイドでの対応で可能なコンディショニング（腹式呼吸やポジショニングなど），機能訓練を実施する必要があり，弾性ストッキングの装着も深部血栓静脈症の予防に有効である．

c 乳がん術後のリンパ浮腫への対応

リンパ浮腫への対応は予防が基本であり，特に日常生活での予防指導が重要となる．たとえば，術側上肢の挙上，上肢への負担軽減，セルフマッサージなどを指導し，予防や浮腫の早期発見に努める．

リンパ節郭清後や放射線療法後の合併症として浮腫を認める場合には，スキンケア，圧迫療法，**リンパドレナージ**など複合的に治療を実施する必要がある．

d 参加への支援

がん治療が終了し経過観察をする時期になると，治療前と同様の社会生活が始まる．乳がんによる入院日数は短くなってきており，早期の社会参加が見込まれる．

しかし，抗がん剤や化学療法などの影響から，場合によっては後遺症をかかえながら長期間の療養生活を余儀なくされることがある．復職に向け

Keyword

5年生存率　主としてがんに用いられ，診断から5年経過後に生存している対象者の割合を示す．多くのがんでは，治療によりがんが消失してから5年経過後までに再発がない場合を治癒とみなす．

リンパドレナージ　リンパ浮腫を改善するために行うマッサージの手技．上肢や下肢に貯留した浮腫液を深部リンパ管に送り込み，静脈に合流させて還流させる．

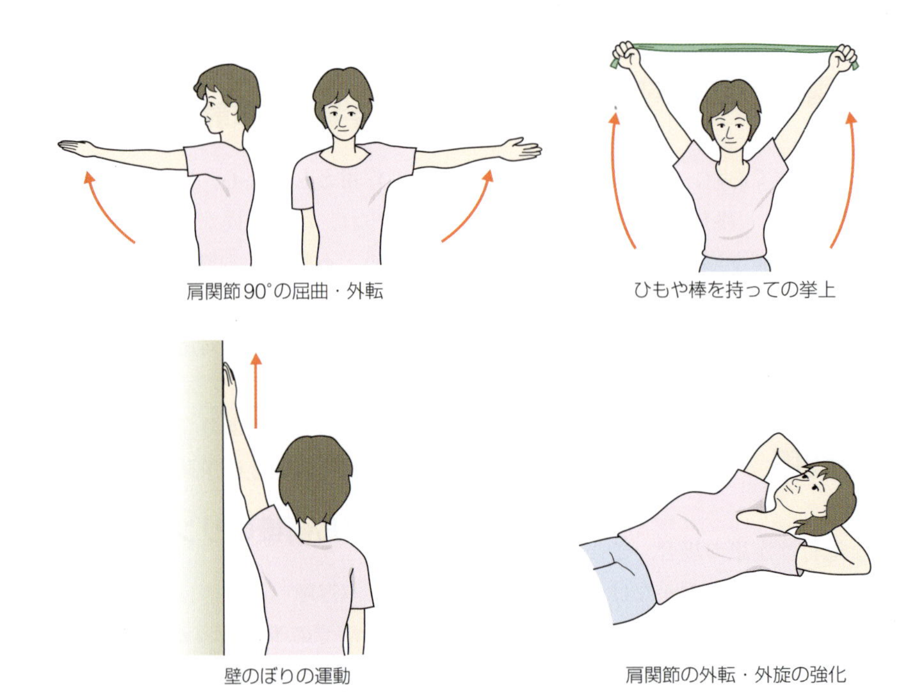

▶図 2　乳がん術後の上肢プログラム例

てだけではなく，社会的役割を担うための環境調整や経済的支援の方法も医療ソーシャルワーカーと協業しながら参加支援を実施していく．

2 注意事項

作業遂行障害や参加状況の改善を目標に作業療法は展開される．しかし，がんの進行によっては機能障害が増悪し，これまで自立していた動作や作業ができなくなることも理解しておかなければならない．場合によってはリハの実施方法の変更や一時中止を余儀なくされることがある．そのため，これらの状況変化をふまえた柔軟な作業療法プログラムの立案，実施が望まれる．

さらに，がんという疾患や闘病生活に対しての心理的適応という課題を常に意識せざるをえない当事者に対しての作業療法の役割や価値を再確認しておく必要がある．喪失体験に直面している当事者に対して，さまざまな作業活動を提示するなかで，ポジティブなメッセージをいかに伝え合い，共有していくことができるかが重要である．

●引用文献

1) 伊藤正男，他(総編集)：医学書院医学大辞典．第 2 版，p1289，医学書院，2010
2) 国立がん研究センター がん情報サービス：がんに関する統計データ．https://ganjoho.jp/reg_stat/statistics/dl/index.html (2020 年 11 月 23 日アクセス)
3) 全国がんセンター協議会(全がん協加盟施設の生存率協同調査)．https://www.zengankyo.ncc.go.jp/etc/seizonritsu/seizonritsu2007.html#10(2021 年 8 月 25 日アクセス)
4) 日本乳癌学会(編)：臨床・病理 乳癌取扱い規約．第 18 版，金原出版，2018
5) 辻　哲也：乳がんの特徴・診療・リハビリテーション診療の概要．辻　哲也(編)：がんのリハビリテーションマニュアル―周術期から緩和ケアまで．第 2 版，pp149–150，医学書院，2021
6) 辻　哲也：がんのリハビリテーション診療の概要．辻　哲也(編)：がんのリハビリテーションマニュアル―周術期から緩和ケアまで．第 2 版，pp24–25，医学書院，2021
7) 辻　哲也：その他の疾患．千野直一(編)：現代リハビリテーション医学．改訂第 3 版，p494，金原出版，2009

●参考文献

8) 垣添忠生(監)：新 癌の外科―手術シリーズ，乳癌．メジカルビュー社，2001
9) 辻　哲也(編)：がんのリハビリテーションマニュアル周術期から緩和ケアまで．医学書院，2011
10) 日野原重明(監)：実践 がんサイバーシップ―患者の人生を共に考える医療をめざして．医学書院，2014

2 ターミナルケア（終末期がん）

GIO 一般教育目標　ターミナルケアの対象者に作業療法を実施できるようになるために，この疾患の病態を理解し，作業療法の評価技法と治療・指導・援助法を修得する．

SBO 行動目標

1）ターミナルケアと医学的治療，作業療法の関連について説明できる．
- □ ①終末期およびターミナルケアの用語を説明できる．
- □ ②トータルペインに含まれる4つをあげ，それぞれについて説明できる．
- □ ③ターミナルケアの対象者に作業療法を実施する際に必要なことを説明できる．

2）ターミナルケアの対象者に対する評価法を列挙できる．
- □ ④ターミナルケアの対象者の予後にかかわる評価を説明できる．
- □ ⑤ターミナルケアの対象者の終末期症状を説明できる．
- □ ⑥ターミナルケアの対象者の作業療法評価を実施する際の注意事項を説明できる．

3）ターミナルケアの対象者の作業療法目標を設定できる．
- □ ⑦ターミナルケアの対象者の目標設定における考慮点を説明できる．

4）ターミナルケアの対象者の作業療法プログラムを計画できる．
- □ ⑧生命予後に応じた作業療法プログラムを計画できる．
- □ ⑨ターミナルケアの対象者の作業療法を実施する際の注意事項を説明できる．
- □ ⑩死後の作業（グリーフケア）とその対象者を説明できる．

A 概要

1 ターミナルケアとは

a 終末期の定義

「ターミナル」という用語では，生命予後が6か月以内の段階とされることが一般的である．最近ではこの時間的な制約にとらわれず，死が避けられなくなった時期でも生活状況をよりよいものにするためのあらゆる努力を指すようになってきている．日本老年医学会「立場表明 2012」[1] によると終末期の定義を「病状が不可逆的かつ進行性で，その時代に可能な限りの治療によっても病状の好転や進行の阻止が期待できなくなり，近い将来の死が不可避となった状態」としている．

また，全日本病院協会による「終末期医療に関するガイドライン」[2] では，以下のように終末期を定義している．

①医師が客観的な情報をもとに，治療により病気の回復が期待できないと判断すること

②患者が意識や判断力を失った場合を除き，患者・家族・医師・看護師等の関係者が納得すること

③患者・家族・医師・看護師等の関係者が死を予測し対応を考えること

b ターミナルケアの定義

それでは，がんにおけるターミナルケアをどのように定義するとよいのだろうか．日本ホスピス緩和ケア協会によると，ホスピス緩和ケアとは「生命を脅かす疾患に直面する患者とその家族のQOL(人生と生活の質)の改善を目的とし，さまざまな専門職とボランティアがチームとして提供するケア」[3]とされる．

終末期ともいわれる時期であるが，死を待つ，死を迎えるという受動的な時期を指すのではない．自律性ある一個人として人生の最期を迎える準備を当事者，家族，医療スタッフ，ボランティアがチームとして実践するケアおよび支援を指すものである．

2 医学的治療と作業療法の関連

a ターミナルケアにて行うこと

がんのターミナルケアを考えた場合，生存期間の予測を行いながらも，有意義な時間を最期まで送るためのケア実践が求められる．

そのケアのプロセスのなかで，がんの症状に対する積極的治療ではなく，がんに伴うつらい苦しみの軽減をはかりながら，当事者がその最期まで人格を保ち，家族との関係を保てるよう支援することがケアの中心に据えられる(▶表 1)[3]．作業療法士としてこのケアの基本原則を理解し，さらにがんサバイバーとしてのこれまでの治療経過をていねいに聞き，その痛みにふれることで作業療法の実践につなげていくことが重要である．

b トータルペイン(▶図 1)[4]

末期がんの当事者が感じる痛みとは，身体的苦痛のみを指すのではない．それはトータルペイン(total pain; 全人的苦痛)と呼ばれ，身体的苦痛のほかに，精神的苦痛，社会的苦痛そして霊的・実存的苦痛から構成されている．苦痛を感じる体験はさまざまな状況から引き起こされ，それぞれの苦痛は単独で存在するものではない．

▶表 1　日本ホスピス緩和ケア協会によるホスピス緩和ケアの基本方針

1	痛みやその他の苦痛となる症状を緩和する
2	生命を尊重し，死を自然なことと認める
3	無理な延命や意図的に死をまねくことをしない
4	最期まで患者がその人らしく生きていけるように支える
5	患者が療養しているときから死別したのちに至るまで，家族がさまざまな困難に対処できるように支える
6	病期の早い段階から適用し，積極的な治療に伴って生ずる苦痛にも対処する
7	患者・家族の QOL を高め，病状によい影響を与える

〔日本ホスピス緩和ケア協会：「基準と評価指針」ホスピス緩和ケアの基準．https://www.hpcj.org/what/kijyun.html より〕

(1)　身体的苦痛(physical pain)

痛みや身体症状により自覚的に感じ取れる苦痛もあるが，日常での動作による疲労感や倦怠感，動作自体に支障をきたし始めていることも身体的苦痛として表現されることがある．

(2)　精神的苦痛(mental pain)

病状の進行に対する不安や治癒に向かわないことに対するいらだちを表出することがある．反対に表出できず，孤独感やうつ的状態，絶望感の気持ちに至ることもある．心理状態は一定ではなく，時期や状況により変化する．

(3)　社会的苦痛(social pain)

人は社会のなかで生き，そのなかで社会的欲求を満たし，生活・人生の安定のために作業を行っている．しかし，これらの欲求や安定がはかれない場合，社会的制約や障壁が伴う．それを社会的苦痛と呼んでいる．

(4)　霊的・実存的苦痛(spiritual pain)

自分自身でできていることやできていたことの喪失，生きる価値・意欲の喪失からくる痛みである．精神的苦痛と分かちがたい部分もあるが，生きていることに対する関心や懐疑は誰もがもつものである．

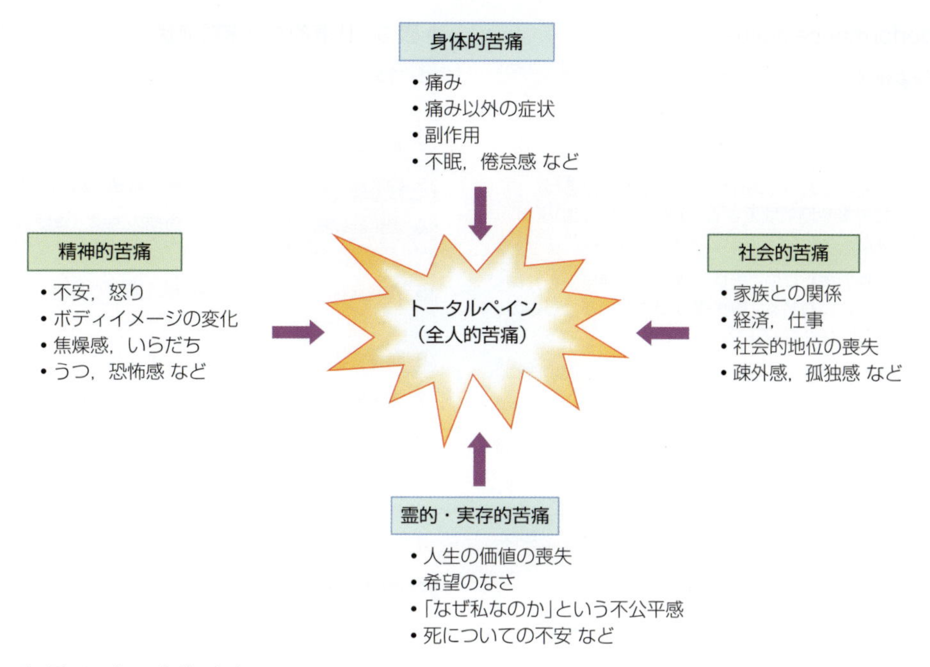

▶**図 1　トータルペイン**
〔Twycross R, 他(著), 武田文和(監訳)：トワイクロス先生のがん患者の症状マネジメント. 第 2 版, p14, 医学書院, 2010 より一部改変〕

C 作業療法実践にあたり必要なこと

作業療法を実際に開始するまでには，十分な準備が必要である．身体機能・動作能力の把握のみで評価が完了するわけではない．その動作ができることの価値やその動作ができないことが精神心理面に与える影響を分析することが求められる．今ある当事者の状態をトータルペインの観点から，把握することが重要である．

意思決定が可能な場合は，作業療法の目的や実施内容・方法を明確に説明し，内容について当事者の意思を最大限に尊重する．また，個々のライフスタイルに合わせた作業の提供を心がける必要がある．

意思決定が困難な場合は家族への説明を行い，同意を得たうえで作業療法を実施する．症状の進行とともに，互いに何かをするという段階から穏やかにそばにいることを優先することがある．非言語的コミュニケーションをどのように駆使するか，そして声なき声にどれだけ耳を傾け，感じ取ることができるかが求められる．

B 作業療法評価

1 一般的な評価

a 予後にかかわる評価

予後関連因子として，①腫瘍の状態(部位，組織，病期，転移部位，治療状況・効果など)，②全身状態(performance status，体重減少，合併症など)，③血液検査(アルブミン，白血球数など)など[5] があげられている．

遂行状況を示す指標に performance status がある(▶表 2)[6]．これはがん化学療法の施行症例選択基準として，当事者の全身状態を示すものとして開発されたものである．

▶表 2 performance status

Grade	全身状態
0	無症状で社会活動ができ，制限を受けることなく，発病前と同等に振る舞える
1	軽度の症状があり，肉体労働は制限を受けるが，歩行，軽労働や座業はできる．たとえば，軽い家事，事務など
2	歩行や身のまわりのことはできるが，時に少し介助が必要なこともある．軽労働はできないが，日中の50% 以上は起居している
3	身のまわりのことはある程度できるが，しばしば介助は必要で，日中の 50% 以上は就床している
4	身のまわりのこともできずに，常に介助と，終日臥床を必要としている

〔辻 哲也：その他の疾患．千野直一(編)：現代リハビリテーション医学．改訂第 3 版，p494，金原出版，2009 より一部改変〕

b 作業療法実施にかかわる評価

作業療法評価としては，上記以外に国際生活機能分類(ICF)に基づき評価内容を選択し実施することは他疾患と変わる部分はない．しかし，ターミナルの時期ではリハビリテーションの中止基準に則り作業療法を実施することが困難なことが多く，症状把握のために緩和病棟スタッフとの密接な情報交換が求められる．

2 終末期症状(▶表 3)

松岡ら[5] によるとホスピス入院時の主訴として，約 6 割の当事者に疼痛がみられ，以下，食欲不振，全身倦怠感，腹部不快・膨満感，呼吸困難の順であったという．以下に示す終末期症状を理解しながら，全身状態の把握に努める必要がある．

a 疼痛

疼痛の原因やその特徴を理解することから始める．さらに日常生活や精神面に与える影響を明らかにしていく．フェイス・スケール(痛みの評価スケール)だけでなく，表情，言動も観察し総合的に評価することが重要である．

▶表 3 代表的な終末期症状

1. 疼痛	原因・部位・性質の理解，トータルペインの観点からの評価
2. 骨転移	神経症状，病的骨折の有無
3. 呼吸器症状	呼吸困難，咳嗽，吃逆，胸水，死前喘鳴など
4. 消化器症状	悪心，嘔吐，腹部膨満感，腸閉塞，下痢，便秘など
5. 皮膚症状	がんの皮膚転移に基づくもの，乾燥肌，かゆみなど
6. 精神症状	せん妄，不眠，不安など
7. 倦怠感	症状緩和・増悪の要因を検討
8. 浮腫	出現部位，原因の確認を行う

b 骨転移

骨転移は肺がん，乳がんなどに多くみられ，好発部位として脊椎，骨盤，上腕骨，大腿骨があげられる．多発性に広がることが多く，神経症状や病的骨折に留意する必要がある．

c 呼吸器症状

主観的な経験として呼吸困難があげられる．困難感の評価として視覚的アナログスケール(VAS)や呼吸器評価を行う．また，他の症状として咳嗽，吃逆(しゃっくり)があり，生活への影響の程度を評価する．

胸水は胸膜液が胸膜腔に貯留することを指し，聴診や胸部 X 線画像を確認する．死前喘鳴(ぜいめい)は死亡数日前での喘鳴であり，意識が低下していることが多い．

d 消化器症状

悪心は嘔吐がおこりそうな主観的な不快感を指し，食欲不振との鑑別が必要である．嘔吐は口腔からの内容物の吐出をいう．腹部膨満感は腸閉塞か胃の狭窄のことがあり，原因を確認しておく必要がある．また，腸や便の状況として腸閉塞や下痢・便秘の有無について確認を行う．

e 皮膚症状

がんの皮膚転移や浸潤した創は潰瘍化することがあり，滲出液を伴い臭いを放つ．また，乾燥肌によるかゆみの訴えも多く，皮膚の保湿とともにかゆみに対するケアが必要となる．

f 精神症状

せん妄は原因を治療することで回復するものもあり，認知症との鑑別を行う必要がある．また，精神的苦痛の症状として不眠，不安，抑うつなどを示すことがある．

g 倦怠感

倦怠感は身体的に影響を及ぼすだけでなく，精神的にも影響を及ぼす．定時的に評価を継続していくことが大事であり，症状緩和・増悪の要因を検討していく必要がある．

h 浮腫

局所性，全身性に浮腫がみられることが多い．原因として心機能障害，腎機能，低アルブミン血症，抗がん剤の副作用などがあげられ，原因，病態，症状を複合的に理解する．

3 評価における注意事項

作業療法評価として予定していたものがすべて行えるとは限らない．そのときの進行度，治療内容，疼痛コントロールの影響を受けるものである．その時間に評価できたこと，観察し気づくことができたことを，ていねいに当事者にフィードバックすることは大切である．

評価とは，今感じている痛みとは何かを共感的に理解していくこと，そして今あるエネルギーを最大限に向ける必要がある活動を当事者とともに見つけていく共同作業でもある．

C 作業療法の目標

がんの病期が進行し，耐えがたい，癒しがたい苦痛に対して作業療法は何を目標に行うとよいだろうか．当事者がさまざまな制約のあるなかで自分自身の生活を営み，最期まで自分自身であること，自己効力感を維持し実感できるよう生きることの援助を考えておきたい．

さらに，生命予後という時間軸において今何を行うとよいか，誰と行うとよいかを考慮しておくことも重要である．できることが少しずつ制限され，活動する時間にも制限があるなかで，人生最期のケアを受けることになる．目標を設定するにあたり，再度考えておかなければならないことは，誰にとって最善のケア・作業であるかということである．死を受け入れる，死を乗り越えることは，当事者，家族にとって受け入れがたい出来事である．そのような情況のなかで作業に従事することの価値を作業療法士は模索していかなければならない．当事者・家族とともに生きられた時間をたどりながら，誰もが納得できる目標設定が求められる．

D 作業療法プログラム

実施するプログラムには当事者の何が反映されているだろうか．刻々と変化する病状や身体状況のなかで，当事者中心の作業療法実践へとつなげていかなければならない．

1 一般的なプログラム（▶表 4[7]，図 2）

a 生命予後：数か月

痛みや各症状に対する緩和的治療が行われ始めるとともに，精神的サポートとして支持的療法が必要となる．廃用症候群による ADL の低下はまだ改善の可能性があり，機能改善が望める部分

▶表 4　各ターミナルステージにおける患者と家族のケア

ターミナルステージ	生命予後	患者に対するケア	家族に対するケア
ターミナル前期	数か月	●疼痛などのコントロール ●各症状に対する緩和的治療 ●精神的援助 ●身辺整理への配慮	●告知などに関する悩みへのケア ●死の受容への援助
ターミナル中期	数週間	●コルチコステロイドの使用 ●高カロリー輸液の中止 ●日常生活の援助 ●スピリチュアルケアへの援助	●予期悲嘆への援助 ●延命と苦痛緩和の葛藤への配慮
ターミナル後期	数日	●安楽ポジションの工夫 ●せん妄・混乱への対応 ●セデーションの考慮	●看病疲れへの配慮 ●蘇生術についての話し合い
死亡直前期	数時間	●人格をもった人として接する ●死前喘鳴への対応 ●非言語的コミュニケーション	●死亡直前の症状の説明 ●家族にできることを伝える ●聴覚は残ることを伝える

〔淀川キリスト教病院ホスピス(編)：緩和ケアマニュアル. 第 5 版, p23, 最新医学社, 2007 より一部改変〕

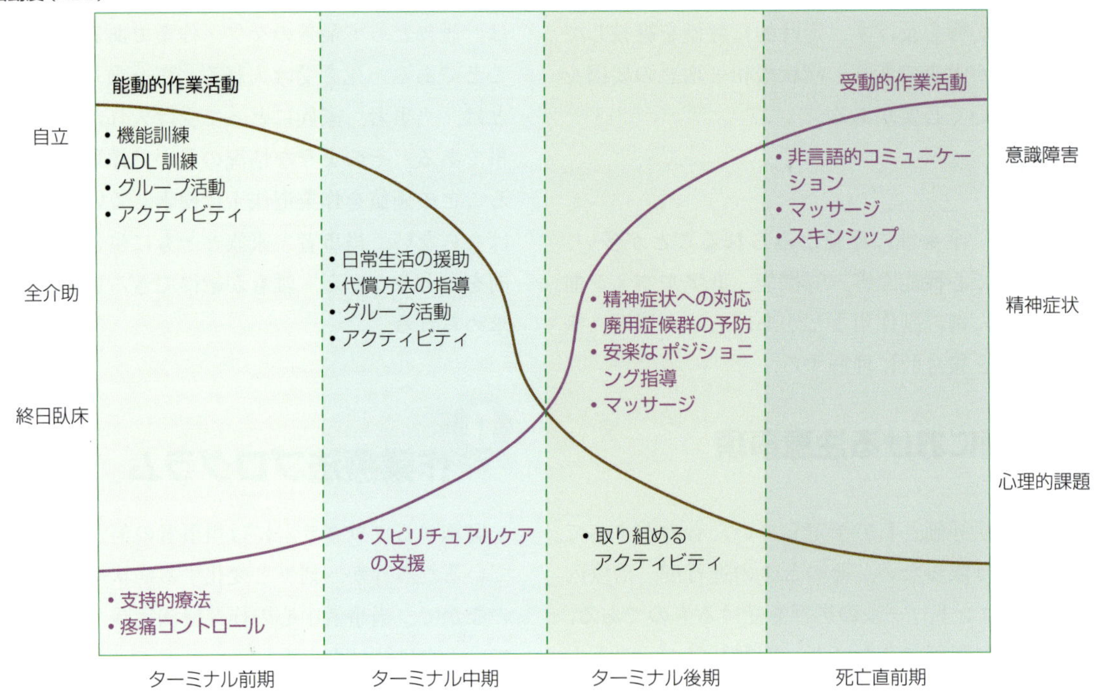

▶図 2　症状変化と作業との関連

ターミナル前期では能動的作業活動を中心に作業療法を展開していく．活動度が低下していくとともに，日常生活の援助は増加し受動的作業活動として，廃用症候群の予防，安楽なポジショニング指導を行う．死亡直前期では非言語的コミュニケーションが中心となり，受動的な活動がアプローチの大部分を占めることとなる．

を見落とさないように，愛護的にアプローチしていく．

b 生命予後：数週間

終末期症状も増加するとともに，日常生活にも援助を要するようになる．また，生活動作そのものに苦痛を感じることが多い．自宅への外出や自宅での看取りを希望される場合に対応するために，介護保険の申請など，環境整備も必要となる．

c 生命予後：数日以内

日中を過ごす場所が自室となることがほとんどであり，全身衰弱が進むと臥床を余儀なくされる．安楽なポジションの検討，廃用症候群の防止に努める．せん妄や混乱への対応とともに家族の不安や疲れも増す時期であり，家族に対するケアも重要となる．

d 最期（死亡直前期）のケア・作業

意識がない状況になっても人格をもった人としてケアを行う．死亡直前のケアは人生で受ける最後のケアとなる．家族にもケアに参加してもらうことは重要なことである．挨拶をする，手を握る，話しかける，腕をさする，髪を撫でるなどは，当たり前の行為であるが，改めて，当たり前のスキンシップをはかることを大切にしたい．

2 ターミナルケアにおいて留意すること

a 日常生活での援助

(1) 骨転移がある場合

各ADL動作にも制限すべき動作（骨への荷重・牽引・捻転の程度）を考慮し，負荷をかけない安楽な動作方法を指導する．場合によっては代償手段の指導を行う．介助者にも転移部への負荷のない介助方法を指導することが重要となる．

(2) 栄養摂取の支援

悪液質と呼ばれる食欲不振に伴う全身機能低下の把握も重要である．がんに伴う食欲不振は栄養補給だけでは改善が難しい場合がある．“食べる”という行為には身体的・心理的負担を伴うこともあることを理解し，単なる量としての栄養摂取の支援に終わらず，食欲不振の原因を把握するとともに，少量であっても食べることができたことに視点を向けることができるように支援することも重要である．

b ケアチームでの共有

作業療法実施前に他職種より十分な情報収集を行い，実施後にはケアチームに実施内容，心理的状況の変化について情報共有をはかる．また，感染症対策についても院内感染管理を徹底し，標準予防策，感染経路に留意した予防策をチームにて検討する必要がある．

c 家族に対してのケア実践

「集中治療における終末期患者家族へのこころのケア指針」[8]には5つの中核的要素が定められている．

①家族の権利擁護
②家族の苦痛緩和
③家族との信頼関係の維持
④家族が患者の状況が理解できる情報提供
⑤家族のケア提供場面への参加

家族にできるケアの説明と参加，さらに家族のトータルペインを理解しながら家族の不安や緊張をほぐすかかわりが求められる．

d 死後の作業（グリーフケア）

当事者の死後において，家族はこれまでのケアの時間にどのように向き合うことが望まれるのだ

Keyword

悪液質 がんなどのなんらかの疾患の進行によって現れる食欲低下や体重減少によるやせ衰えた状態，あるいは倦怠感，腹水，胸水といった症状を指す．がんの場合，がん細胞から分泌される物質や老廃物の蓄積，炎症細胞からのサイトカイン（リンパ球が生産する免疫系細胞の増殖，分化，運動などを調節する蛋白質の総称）の過剰分泌，血液循環障害など，多くのメカニズムが積み重なって生じる．

グリーフケア 配偶者や親，友人など，大切な人を亡くし大きな悲嘆（grief）に襲われている家族（遺族）や関係者が，その悲嘆を乗り越え，再び日常生活に適応していくことを見守ってサポートしていく（care）こと．

ろうか．おそらく家族だけでなく，作業療法士自身も同様に死後の作業(**グリーフケア**)が必要である．

高橋[9]は以下のように言う．「われわれ OT にとっても対象者の死は喪失体験である．時には後悔の念を抱くこともあるが，それを癒してくれるのはご家族であることが多い．ご家族の言葉やその後の健康な生活は，われわれの励みにもなり，また明日から頑張ろうという気持ちを再び抱かせてくれる力にもなっている」．当事者亡きあとにおいても，ケアに従事した家族との関係を大切にしたい．

●引用文献

1) 日本老年医学会：「立場表明」2012. https://www.jpn-geriat-soc.or.jp/proposal/pdf/jgs-tachiba2012.pdf(2020 年 11 月 23 日アクセス)
2) 全日本病院協会：終末期医療に関するガイドライン. https://www.ajha.or.jp/voice/pdf/161122.1.pdf (2020 年 11 月 23 日アクセス)
3) 日本ホスピス緩和ケア協会：「基準と評価指針」ホスピス緩和ケアの基準. https://www.hpcj.org/what/kijyun.html(2020 年 11 月 23 日アクセス)
4) Twycross R, 他(著), 武田文和(監訳)：トワイクロス先生のがん患者の症状マネジメント. 第 2 版, p14, 医学書院, 2010
5) 松岡洋人, 他：末期がん患者の臨床経過. 外科治療 96: 885–890, 2007
6) 辻　哲也：その他の疾患. 千野直一(編)：現代リハビリテーション医学. 改訂第 3 版, p494, 金原出版, 2009
7) 淀川キリスト教病院ホスピス(編)：緩和ケアマニュアル. 第 5 版, p23, 最新医学社, 2007
8) 日本集中治療医学会：集中治療領域における終末期患者家族のこころのケア指針. https://www.jsicm.org/pdf/110606syumathu.pdf(2020 年 11 月 23 日アクセス)
9) 高橋春美：終末期における ADL 支援の意義. 作療ジャーナル 42:1304–1311, 2008

●参考文献

10) 東原正明(編著)：癌緩和ケア—必携 ベッドサイドで役立つ癌緩和ケアマニュアル. 新興医学出版社, 2008
11) Cooper J(編), 三木恵美, 他(監訳)：がんと緩和ケアの作業療法. 原著第 2 版, 三輪書店, 2013

身体機能作業療法学の発展に向けて

A 知識・技術の臨床への応用

2018年に作業療法の定義が「作業療法は，人々の健康と幸福を促進するために，医療，保健，福祉，教育，職業などの領域で行われる，作業に焦点を当てた治療，指導，援助である．作業とは，対象となる人々にとって目的や価値を持つ生活行為を指す」と改訂された[1)]．今回の改訂では，心身障害に特化するのではなく，広く一般の人も対象となり，今後，教育や健康予防分野への活躍を期待していることが示されている．

本書では，そのなかでも対象者の数が多く，基本となる身体機能の障害をもつ方々への作業療法が中心となっている．本書は，学生が臨床実習で活用できるように目的別に2部構成で記述されている．第1部「身体機能作業療法学概論」では，身体機能作業療法の基礎的理解と治療原理を知るための基本的な機能障害の見方や理論・手段を述べている．第2部では「疾患別身体機能作業療法」として，臨床場面で多く対応する疾患・外傷に加えて，近年作業療法の対象として加わった内部疾患や悪性腫瘍について取り上げた．

現在の医療現場は専門分化しており，特に身体機能障害分野では，疾患の理解と経過に関する知識なくしては，見通しをもって対処することが難しい．臨床では，より専門性の高い知識が必要となる．本書は基礎として活用していただき，応用にはより高度な専門書が必要となる．

技術解説はできるだけ写真やイラストやビデオを活用し，理解を促す構成としたが，知識があるからといって実際にできるものではない．ぜひオスキー(objective structured clinical examination; OSCE，客観的臨床能力試験)で模擬患者(simulated patient; SP)を活用した練習なども行っていただきたい．

学生は第1部で学習した基本事項が，第2部で取り上げられる各疾患でどのように生かされるのかを学び，「理論的推論(theoretical reasoning)」を身につけて臨床に出なければならない．臨床では，生活歴も価値観も異なる対象者をユニークな個人としてみるため，個別対応の治療の選択，すなわち「臨床的推論(clinical reasoning)」が重要視されている．臨床的推論を身につけるには経験知が重要であるため，さまざまな経験を積む必要がある．理論的推論を基本として，どう修正・改変されるかを考察し，検討・検証していくことが大切である．このことによって，作業療法の知識・技術は常に発展してきたのである．発展の一翼を担うのが自分自身であることを自覚してほしい．

B 学校教育と臨床の差

学生は，学校で学んだことと臨床実習での違いに戸惑うはずである．学校で学ぶことは，多くの実践の最大公約数であり，一般に適用可能な形で学ぶことになる．しかし，臨床では，“個別性”が重要であり，対象者固有の問題解決のための治療・指導・援助が行われる．はじめは，同じことを真似して実施してみる必要がある．同じように実施しても，同じ効果が出ない場合も心配する必要はない．治療・支援技術の差はすぐに埋めることはできないため，経験や練習が必要なのである．この戸惑いの理由が理解できれば，必要以上に卑下することも失望することもない．臨床実習においては，まだ未熟であることを理解したうえで，知識や技術を学ぶ場であることを自覚し，「なぜ学習したことと異なるのか」を考え，調べ，問いかけることが大切である．

C 身体機能作業療法に求められること

身体機能作業療法を概観すると，大きく2つの流れがある．1つ目は理念や理論の充実，2つ目は身体機能改善に向けた具体的な治療法の充実である．共通する課題は，作業療法の有効性や特徴を，他のリハビリテーション（以下，リハ）職種と差別化し，いかに提示できるかである．言うまでもなく，作業療法はアートとサイエンスの2つの要素をもっている．今までの臨床における作業療法の価値観は，目の前にいる対象者をいかに改善するかが主流で，アートに重きがおかれていた．ただし，作業療法士の自己満足だけではなく，リハ関係の他職種に加えて，厚生労働省や一般市民に認められること，つまり，サイエンスの部分が今後は強化されなければならない．アートとサイエンスを常にバランスよく取り入れて進めていく必要がある．

わが国においては，個人にとっての“意味のある作業”が改めて重要視され，「生活行為向上マネジメント」にみられるように，「活動への参加」や「地域生活支援」に焦点を当てた実践が求められている．

D 近年の身体機能作業療法の動向

ここでは，理論重視タイプを「理論的作業療法実践モデル」，技術重視タイプを「手段的作業療法実践モデル」として概観する．

1 理論的作業療法実践モデル

人間作業モデル（model of human occupation; MOHO）[2]やカナダ作業遂行モデル（Canadian Model of Occupational Performance-Enablement; CMOP-E）[3]，作業療法介入プロセスモデル（occupational therapy intervention process model; OTIPM）[4]，作業科学（occupational science; OS）[5]，また，川モデル[6]などがあげられる．

MOHOは，障害のみに向かうのではなく，クライエントの参加と活動を中心に据えたトップダウンアプローチのモデルである．COPMは，クライエント中心の概念を不変のテーマとし，人と作業と環境の関係を示したものである．OTIPMは，クライエントから作業ニーズを引き出したのち，実際の作業遂行を観察することで，常に作業から離れることのない作業療法を展開できるとしている．OSは，「作業的存在としての人間を研究する新しい社会科学の一分野である」として始まったもので，作業に焦点を当てた学問とされている．川モデルは，日本人の特性に適った作業療法理論として「川」の比喩を用いて生活や人生，さらには作業療法アプローチを表現している．

2 手段的作業療法実践モデル

(1) 運動コントロールモデル

主に中枢神経障害を対象としたモデルとして古くから活用されている．このモデルは他の領域のモデルの潜在的要素や共通の技術になっている．ルード(Rood)のアプローチ[7]，ボバース(Bobath)概念[8,9]，ブルンストローム(Brunnstrom)の運動療法[10]，固有受容性神経筋促通法(proprioceptive neuromuscular facilitation; PNF)[11]がある．

(2) 機能的回復モデル

損傷後の神経機能回復の促進を目的にしたニューロリハビリテーションが注目されており，「脳卒中治療ガイドライン 2015」[12]においてもエビデンスが高いモデルとして，CI 療法(constraint-induced movement therapy)[13]，促通反復療法(川平法)[14]，rTMS(repetitive transcranial magnetic stimulation)療法[15]，HANDS(hybrid assistive neuromuscular dynamic stimulation)療法[16]があげられている．

(3) 心理学モデル

認知心理学や神経心理学，行動心理学の側面から，作業療法実践を支援する治療として，認知神経リハビリテーション[17]，認知行動療法(cognitive behavioral therapy; CBT)[18]，行動リハビリテーション[19]がある．

(4) 日本独自の作業療法実践モデル

“作業・活動”を手段として，上記のさまざまなモデルを規範とし，日本の文化や環境に適応できるように実践のなかから発生したモデルである．活動分析アプローチ[20]，環境適応アプローチ[21]，アクティビティアプローチ[22]がある．

E 生活行為向上マネジメント(MTDLP)への研鑽

生活行為向上マネジメント(management tool for daily life performance; MTDLP)[23]は，「人がよりよく生きていくうえで営む必要のある生活全般の行為が実現できるように支援するための1つの手法」である．生活における「やりたいこと」を「できる」ようにするための支援ツールである．

MTDLP は，6 年間にわたって，日本作業療法士協会が研究・開発に取り組んできたものである．

基本方針として，

①MTDLP を自立支援型医療・介護を具体化する手法とする
②MTDLP を制度に組み込む
③MTDLP を他職種も使えるものにする
④都道府県作業療法士会での MTDLP に関する啓発を支援する

などがあげられている．

2015 年度の介護報酬改定のなかで，通所リハにおいて「生活行為向上リハビリテーション実施加算」が新規に設けられた．

方略としては，MTDLP のサイクル(▶図 1)[23]を基軸としている．「インテーク」や「生活行為アセスメント」により，行為を制限している要因を認知機能や心身機能などの側面で評価し，興味・関心チェックシートで活動や参加を抽出し，住宅や支援者マンパワーなどの環境面を把握する．そのうえで，「している能力」と「できる能力」について総合的にアセスメントする．具体的に段階づけされたプランを作成し，「介入」で支援を行う．

その後，一定期間治療・指導・援助を行った見直しとしての「評価の見直し」を行い，「考察振り返り」では，必要に応じて「生活行為アセスメント」や「生活行為向上プラン」を変更し，「解決・未解決課題申し送り」では，「生活行為申し送り表」を活用し，他職種と情報を共有しつつ，包括的なアプローチのための一元化された情報として提供する．

このモデルは，日本作業療法士協会が主体となって実施しており，現在は介護保険のみを対象としているが，将来的には全般的に使えるモデルになることを指針としている．

F 作業療法の発展に向けて

作業療法臨床の場面では，先に述べたようにアートとサイエンスが存在し，アートの部分が先

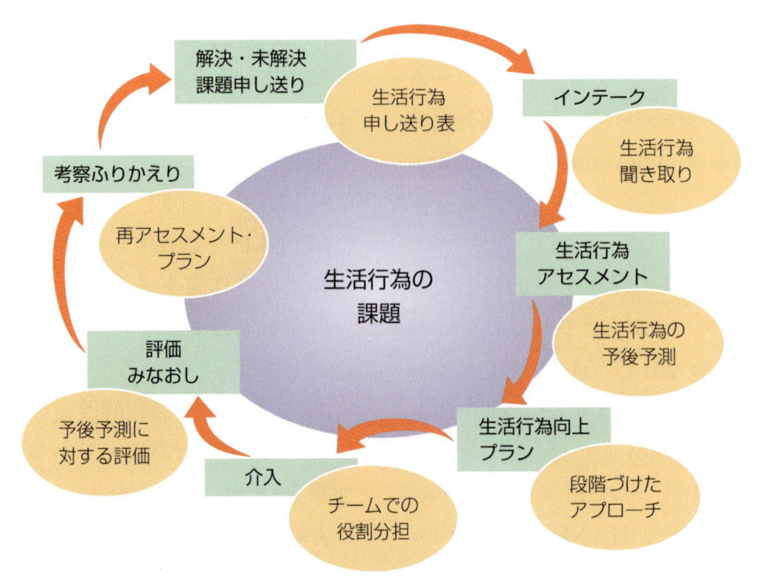

▶**図 1　生活行為向上マネジメント(MTDLP)のサイクル**
〔日本作業療法士協会(編著)：生活行為向上マネジメントパンフレット―生活行為の自立を目指して. 日本作業療法士協会, 2014 より〕

行して発達を遂げてきた．近年のエビデンスが必要だという概念は，目の前にいる対象者の支援を第一義的に考え，支援し続けてきたことを否定するものではない．これは，おざなりにされてきたサイエンスの部分を，作業療法の存続のために，強化し提示していかなければならないという危機感に起因している．55 年の間，作業療法場面で積み重ねられてきた「臨床知」や言語化するのが困難な「暗黙知」をいかに表出し，他職種や一般の人々に理解できるように伝えるかが大きな課題となる．加えて，現実的な課題としては，作業療法実施による「費用対効果」なども今後の課題である．

現在，身体機能作業療法の分野においては上述してきた多様な研究会が開催されている．また，日本ハンドセラピィ学会や脊髄損傷作業療法研究会など，疾患別の学会・研究会も多く存在する．特にニューロリハビリテーションなどの新しいリハは，障害をもつ人々の期待や反響も大きい．これらの多くの理論や治療法のノウハウは，「生活行為向上マネジメント」のための基礎概念や手段として統合されるような方向になる必要がある．

アートとサイエンスの両輪が，偏ることなくバランスよく駆動されることが，今後の作業療法の発展の礎となるのである．そのためには，卒前ではもちろんのこと，国家資格取得後も継続的な技術や知識の習得が必要となる．

●引用文献

1) 日本作業療法士協会：第三次作業療法 5 ヵ年戦略(2018–2022). 日本作業療法士協会, 2018
2) Taylor RR(編著), 山田　孝(監訳)：キールホフナーの人間作業モデル―理論と応用. 改訂第 5 版, 協同医書出版社, 2019
3) 吉川ひろみ：作業療法がわかる COPM・AMPS スターティングガイド. 医学書院, 2008
4) 齋藤佑樹(編)：作業で語る事例報告―作業療法レジメの書きかた・考えかた. 医学書院, 2014
5) 吉川ひろみ：「作業」って何だろう―作業科学入門. 第 2 版, 医歯薬出版, 2017
6) Iwama MK(著)・松原麻子, 他(訳)：川モデル―文化に適した作業療法. 三輪書店, 2014
7) Kielhofner G(著), 石井良和, 他(訳)・山田　孝(監訳)：作業療法実践の理論. 原書第 4 版, 医学書院, 2014
8) 高畑進一, 他(編)：OT の臨床実践に役立つ理論と技術―概念から各種応用まで. 作療ジャーナル 47:595–860, 2013

9) メアリ・リンチ・エラリントン, 他(編)・小野　剛, 他(訳)・紀伊克昌(監訳)：英国ボバース講師会議によるボバース概念—神経リハビリテーションの理論と実践. ガイアブックス, 2013
10) Brunnstrom S(著)・佐久間穣爾, 他(訳)：片麻痺の運動療法. 医歯薬出版, 1974
11) Hedin S(著)・野澤絵奈(訳)・市川繁之(監訳)：PNF 基本的手技と機能的訓練. 原著第 2 版, 医歯薬出版, 2012
12) 日本脳卒中学会脳卒中ガイドライン委員会(編)：脳卒中治療ガイドライン追補 2019 対応. 協和企画, 2019
13) 道免和久(編)：CI 療法—脳卒中リハビリテーションの新たなアプローチ. 中山書店, 2008
14) 川平和美, 他：片麻痺回復のための運動療法—促通反復療法「川平法」の理論と実際[DVD 付]. 第 3 版, 医学書院, 2017
15) 安保雅博, 他(編著)：脳卒中後遺症に対する rTMS 治療とリハビリテーション. 金原出版, 2013
16) 藤原俊之：Hybrid Assistive Neuromuscular Dynamic Stimulation (HANDS) therapy. 総合リハ 41:341–346, 2013
17) 宮本省三：リハビリテーション身体論—認知運動療法の臨床×哲学. 青土社, 2010
18) 大野　裕：はじめての認知療法. 講談社, 2011
19) 山崎裕司, 他(編)：リハビリテーション効果を最大限に引き出すコツ—応用行動分析で運動療法と ADL 訓練は変わる. 第 3 版, 三輪書店, 2019
20) 山本伸一, 他(編)：活動分析アプローチ—中枢神経系障害の評価と治療. 第 2 版, 青海社, 2011
21) 柏木正好：環境適応—中枢神経系障害への治療的アプローチ. 第 2 版, 青海社, 2007
22) アクティビティ研究会(編)：アクティビティと作業療法—活用したい 45 のクラフトと段階づけ. 三輪書店, 2010
23) 日本作業療法士協会(編)：生活行為向上マネジメント. 改訂第 3 版, 日本作業療法士協会, 2018

さらに深く学ぶために

第1部　身体機能作業療法学概論

第1部では，基本的な身体機能作業療法について述べた．

第1章では，作業療法を何のために何を手がかりに導入するのか，対象者のどこに注目して治療・指導・援助手段を選択するのか，それらの実践手順と方法などを概説した．第2章では“治療原理”として，作業療法士が対象者の治療に取り組むために知っておきたい知識や技術を最大公約数的にまとめた．

これらは身体機能障害の回復において基礎知識であることを理解し，繰り返し読んで確実に修得してほしい．リハビリテーション医学をとりまく情勢は日進月歩であり，さまざまな新しい治療法や技術が開発されている．「身体機能作業療法学の発展に向けて」で提示した専門書や論文などの精読をすすめたい．また，本シリーズ『作業療法臨床実習とケーススタディ』に掲載の症例報告(ケーススタディ)を読むとさらに理解が深まるだろう．

どのような疾患・外傷に対し，どの病期に，どこで作業療法が実施され，その内容は何か，どのような効果が得られたか，という観点で読むと，作業療法士の“臨床的推論(クリニカル・リーズニング)”とは何かが理解されよう．そして，作業療法は，対象者に応じたオーダーメイドの治療形態であることが理解できるに違いない．

■第Ⅰ章　身体機能作業療法学の基礎

(1)　身体機能作業療法の基本を学ぶ

作業療法士としてのアイデンティティを得るために，作業療法の起源と哲学に関して学んでほしい．起源となる欧米での発展を学び，わが国においてどのように普及し日本型の作業療法として哲学を形成していったかを知ることは重要である．なぜならば，それらは現在に至るまでのわが国の作業療法の礎となっているからである．

身体機能作業療法の対象となる疾患や障害を知り，何ができるのか，何をすべきかを知ることで，学習する意味を自覚してほしい．臨床では，教科書的な正解はなく，対象者にとって“ベター”を提供することが重要であるが，対象者と医療者のコンセンサス(複数の人による合意)がなければ成立しない．その意味では，身体機能作業療法学の枠組みや実践を知ることは，より具体的な方略を身につけることにつながる．加えて，医療における作業療法の重要性を示すために成果を出すことも忘れてはならない．

近年，“意味のある作業”が重要視されており，帰納的なトップダウンアプローチの重要性が示唆されている．しかし，それは演繹的なボトムアップアプローチを用いなくてよいということではない．病期や施設の特徴，対象者のニーズによって方略の用い方は変わる．臨床経験のない(少ない)学生にとって，トップダウンアプローチは難しい．経験知や臨床知，臨床技術が伴わなければ，的外れなことをしてしまうおそれがあることも理解しておくべきである．

(2) 身体機能作業療法における評価と治療

本書では各疾患の初期評価から再評価までのプロセスを学ぶ．共通していえることは，評価とはレポートのために行うものではなく，治療方法や治療目標を設定し，その成果を検証するために行うものであるということである．臨床では，定型的な評価と同時に治療と一体化した評価が用いられている．たとえば，臨床の現場では，肩関節屈曲の可動域測定をしたのちに，姿勢を整えたり，肩周囲の緊張を軽減してからもう一度計測をして効果をみるといった評価をしながら治療する“仮説–検証”のプロセスが行われている．詳しくは，本シリーズ『作業療法評価学』を参照していただきたい．

加えて，“作業”を活用して治療するという枠組みのなかで，さまざまな治療手段が存在する．臨床の現場では，それらを理解し活用していかなければならない．先にも述べたように，臨床は正解がないのであり，“ベター”を求めるならば，卒後も継続的な研鑽が必要なのである．

(3) 臨床現場に適応するための知識

臨床では，さまざまな情報の取り扱いやリスクマネジメント，保険点数取得などの実務能力も要求される．社会人，そして医療人としての知識や振る舞いは，現場で実行できなければ意味をなさない．作業療法を実施するうえで最低限必要なマナーや「報告・連絡・相談」などの基本を真摯に学び，身につけてほしい．

■第Ⅱ章 身体機能作業療法の治療原理

本章では身体機能作業療法において，よく用いられる治療原理が述べられている．さまざまな治療原理を学び，適材適所の対応が必要となる．解剖学や生理学，運動学，物理学を基礎とし，臨床的な解釈にて用いられている項目により構成されている．

(1) 身体機能障害の治療原理

目的活動に先立つ準備として用いられる運動療法的な手法について解説している．急性期・回復期にある対象者に，作業療法場面で一般的に用いられている方法の1つである．準備活動としての介助法や対人操作技術なども解説している．教科書を読んで理解することと実際できることには乖離があるため，まずは，学生どうしでやってみることをすすめる．また，新カリキュラムで追加された摂食・嚥下障害や廃用性症候群についても第3版に比べ詳細な解説がなされているので，学習していただきたい．加えて，電気刺激を用いた治療やホットパックなどの物理療法に関しても解説がなされている．近年併用している病院も多いため習得してほしい．このほかに準備活動として用いられるのは，機能障害を軽減するのに役立つ要素的作業活動である．対象者の疾患，実施時期や場所，作業療法士のセンスに応じて，何を使用するかは千差万別であるため，第2部「疾患別身体機能作業療法」で紹介している．

(2) 普段の生活のなかで“作業”と“作業遂行方法・手段”を分析する目を養う

作業療法実践の場は“地域”に大きく移りつつある．作業療法士は，生活の場で対象者が必要とする作業を可能にする方法・手段の確立を求められることになるであろう．そのときこそ，ここにあげた治療原理を応用して，身体機能の回復と作業遂行を同時にはかることができる工夫が必要となる．対象者が選択する“作業”と“作業遂行方法・手段”の分析がさらに要求されることになる．作業療法を学ぶ学生にとっては，普段の生活のなかで常に身体機能と作業・作業遂行との関連を考察する姿勢が大切である．

(3) 文献を参照する習慣をつける

本書では，文献を多く引用している．記載内容をさらに深く理解したいときには文献にあたることをすすめる．インターネットに解説が掲載されている場合もある．効率よく多くの文献にあたり，確かな治療方法を確認することは，根拠ある作業療法(evidence-based occupational therapy; EBOT)の実践のための必須要件である．

第2部　疾患別身体機能作業療法

中枢神経疾患，運動器疾患，神経筋疾患，神経変性疾患，内部疾患，悪性腫瘍(がん)という分類にて，疾患別に構成した．現在，作業療法の対象として最も多いのは中枢神経疾患であり，また，高齢化に際して，骨関節疾患への対応にも迫られている．さらに，新カリキュラムで規定されている呼吸器疾患の解説も強化したので参照していただきたい．がんリハビリテーションのニーズも年々高まってきており，今後の研鑽が求められる．

■第Ⅲ章　中枢神経疾患

ここでは大きく脳血管疾患，頭部外傷，脊髄損傷に分けた構成とした．脳の障害と脊髄の障害は，同じ中枢神経疾患でも異なる知識が要求されるため，それぞれの基礎的疾患の理解が必要である．

(1)　日常的に観察眼を磨こう

中枢神経疾患はいずれの病期でも，病院，施設，在宅を問わず，作業療法の対象疾患としては最も対応する機会が多い．学校で学んだような姿勢・肢位をとっているのか，動作・運動障害はどうか，どのような作業遂行が困難なのか，よく観察し原因を考えてみよう．損傷部位や範囲，習慣によって，多様な病態や特徴的な動作があることを知る必要がある．

(2)　脳血管疾患の作業療法

脳血管疾患の作業療法では，身体機能障害と高次脳機能障害が合併することが多く，単純な動作訓練だけでは通用しないところが特徴である．したがって，同時並行的なアプローチが必要である．身体機能障害に対しても，従来型の残存機能強化型の作業療法と機能回復を目指したニューロリハビリテーションがある．それらの適応に関しては，病期や対象者の能力などによって異なるため，それぞれの長所・短所を把握する必要がある．具体的なアプローチも記載しているので参考にしていただきたい．ただし，対象者の臨床症状は多様なため，完全に当てはまることは少ないかもしれない．1人ひとりの状態をきちんと評価したうえで，さまざまな創意工夫が必要となる．第Ⅱ章に記載している治療原理は共有する箇所が多いため，読み返してみることをすすめる．

現在，回復期においては，効果判定が日常生活活動(ADL)を基準にしているため，ADLへのアプローチが主となることが多い．ADLに関しては，本シリーズの『日常生活活動・社会生活行為学』に詳しく記されているので，参照してほしい．

(3)　頭部外傷の作業療法

頭部外傷では，身体機能障害は軽度でも高次脳機能障害が出現する場合がある．画像診断でも損傷部位を特定できないびまん性軸索損傷などの影響により，生活行為での問題が出現する．注意障害や認知障害，記憶障害などが，日常生活にどのように影響するかを学習してほしい．加えて，長期の経過を必要とするため，多職種連携をふまえたうえで，急性期や回復期でどのような作業療法アプローチをすべきかを理解してほしい．また，生活期における家族会や脳外傷者を集めた作業所など，居場所づくりが進められてきているので調べて理解を深めてほしい．

(4)　脊髄損傷の作業療法

脊髄損傷では，見た目ではわかりにくい自律神経障害や膀胱直腸障害が生じる．そのため，運動・感覚麻痺とともに合併症の知識と実践が結びつくように学習しなければならない．単なる運動学的理解ではなく，生活動作と関連づけて神経と筋の作用を再確認することが大切である．完全麻痺の場合は損傷レベル(高位)とADLの相関が高いため，ゴール設定がしやすいが，年齢や合併症の有無で変わってしまうので，個別の評価による予後予測は重要である．高齢不全麻痺に関しては，完全麻痺と共通する部分も多いが，高齢の対象者は独自の背景をもつこともあるので，両者に対するアプローチの差に関して把握しておく必要がある．失われた機能を補う福祉用具に関する知識は作業療法士にとって必須である．損傷レベル別に必要とされる典型的な自助具やスプリントの製作を体験することが理解を深めることにつながる．

■第Ⅳ章　運動器疾患

本章は，骨折，加齢性関節疾患，関節リウマチ，全身性エリテマトーデス，多発性筋炎および皮膚筋炎，上肢の末梢神経損傷，腱損傷，熱傷，切断と義肢，腰痛症で構成した．骨関節疾患は，高齢者の転倒転落などの外傷性の疾患はもとより，膠原病などのさまざまな病態が増加傾向にある．各疾患の原因や対応については整理しておく必要がある．

(1)　整形外科疾患の作業療法

下肢の骨折や加齢性関節疾患は，作業療法では直接的・積極的に対応してこなかった疾患ではあるが，不活動による廃用性症候群や認知症の発症などの二次的問題の予防に重要な役割をもつようになってきた．疾患の治療だけではなく，認知症の悪化などへの予防的なアプローチも含め，回復過程や予後などもきちんと理解し，作業を用いた活動性の改善などの視点も学ぶべきである．ADL の指導も一過性になるのか，継続性をもつのか症状の経過によって変化するので，柔軟な対応が必要である．

(2)　膠原病の作業療法

関節リウマチ，全身性エリテマトーデス，多発性筋炎および皮膚筋炎などは膠原病と呼ばれ，原因や治療法が不確定な場合が多い．しかし，近年効果的な薬や治療法も開発されてきているので，論文などから情報を収集する必要がある．加えて，非可逆的な身体変化をおこしている場合の作業療法については，本書では熱可塑性プラスチック以外の具体的なスプリントや自助具などを記載しているので，参考にしたうえで専門書を紐解いてほしい．関節保護の教育は初期治療での必須項目となっている．

(3)　手の外科の作業療法

上肢の末梢神経損傷，腱損傷などはハンドセラピーの分野で，より専門性の高いアプローチが行われている．手の外科領域での切断や再接着に関しては，術式と固定方法，さらには術後の管理についての十分な知識がないと作業療法を行うことができない．術式や術後のプロトコールなどの知識を確認しておかなければならない．

神経叢損傷の治療は，観血的治療が多い．近年，さまざまな神経移植術や移行術，遊離筋肉移植術などによって積極的な上肢機能再建が試みられている．作業療法においても機能再建術についての知識を深め，対象者にとっての意義を考える必要がある．再建された上肢機能が真に“使える手”となりうるような援助を行う．

本書では具体的なスプリントや代償動作やアプローチが記載されているので，実際に試用することも必要である．

(4)　熱傷の作業療法

熱傷のリハビリテーションは外科的治療と前後して，あるいは並行しながら進められるため，急性期における医学的管理はもちろんのこと，外科的局所治療に関する知識を学ぶ必要がある．特に植皮術は，遊離植皮，有茎植皮に大別されるさまざまな方法があり，それぞれに特徴があるため，その後のリハビリテーションの進行にも影響を与える．また複合組織を伴う皮膚の移植方法である皮弁術やドナーとなる皮膚を拡張させるための方法など，植皮術以外の形成術にも精通しておく必要がある．合併症を予防しながら作業療法を実施するための，基本的な評価や訓練が記載されているので学んでほしい．

(5)　切断と義肢の作業療法

本書で学んだ知識をもとに切断術式や断端管理に関する文献を熟読することをおすすめする．義肢装具士の技術と義肢装具開発の発展にも注目したい．義手の操作については可能なかぎり装着して練習する．学習用の義手のうち，いくつかは切断されていない四肢に装着できるものもあるので，練習してほしい．アプローチでは，義手を使用しない ADL 訓練も重要である．加えて，断端の形成への成熟は共通するが，能動義手と残存筋を活用する筋電義手とでは操作法や訓練方法が異なる場合があり，整理しておく必要がある．

(6) 腰痛症の作業療法

腰痛症単独で作業療法士がかかわることは稀であるが，腰痛症は他の疾患との合併が多くみられることと，予防医学の観点から，今後は腰痛教室などでの集団訓練などでのかかわりが多くなると予想される．正しいボディメカニクスを理解し，生活レベルの具体的動作を提示することが習慣化のために重要である．腰痛教室での評価，教育課題，訓練内容をまとめてみてほしい．腰痛，頸肩腕障害は作業関連運動器疾患の代表例である．予防を目的として，発症の作業要因をまとめてみよう．

■第Ⅴ章　神経筋疾患

本章は，ギラン–バレー症候群，多発性硬化症，重症筋無力症で構成した．神経筋疾患の多くは，薬物療法の影響の把握が重要となる．また，分子生物学の発展などから，効果的な治療薬が開発されつつある疾患もある．これらも含めた最新の治療法についての情報収集を常に心がけてほしい．

発症年齢は乳幼児期から成人期にわたるため，心身両面の発達に関する知識と深い理解をもち，対象者の人生において，いつ，どのように発症し，どれくらいの経過にあり，それは人生のどの過程にあるのかについて考慮する．

準備的な機能訓練内容に終始せず，自助具や補装具を活用した段階づけされたADLアプローチや，機能回復・維持，心理・社会面，支援的な手段として，治療活動を活用することが有効である．そのために，作業活動の分析を十分行えるよう，研鑽してほしい．

■第Ⅵ章　神経変性疾患

本章は，パーキンソン病，脊髄小脳変性症，筋萎縮性側索硬化症で構成した．神経変性疾患は原因不明のうえ，長い間に徐々に悪化する退行性変性疾患である．時期別のプログラムが記載されているので，その差異なども把握する必要がある．最終的には生活の場(自宅)での援助が欠かせない．作業療法士は，維持的機能訓練の方法やADLの援助方法などの在宅訪問指導に必要な知識と技術をしっかり身につけなければならない．最新の福祉用具情報を入手し，紹介できるよう準備する必要がある．また，市販品がない場合は，対象者の必要とする自助具を考案，作製，紹介ができることが望ましい．神経変性疾患の対象者は，認知機能はある程度保たれているため，精神的には支援的に対応すべきである．

■第Ⅶ章　内部疾患

本章は，心疾患，呼吸器疾患，糖尿病で構成した．内部疾患に対する作業療法は，臨床での処方や報告も少ない．作業療法にとっては新しい分野であるため，今後積極的にチームに参入し，かかわる領域を確立していくことが急務である．エビデンスのある，正確な情報をチームや対象者，家族にフィードバックしていくことにより，ADL・QOLの向上につなげていけるように努力しなければならない．

内部疾患のうち，心疾患も糖尿病も高齢化社会の生活習慣病である．身体機能障害の作業療法の臨床においても，合併症としてかかわる場面が多い．この2つの疾患に対する十分な医学的理解なしには，安全で効果のある治療・指導・援助は期待できない．そのため，本章では医学的説明に多くを割いている．呼吸器疾患も作業療法においては新しい分野であるが，呼吸器障害を起因とした肺炎などの死亡数も多く，医学的な知識は必須である．本書では具体的な体操やADLの動作指導が記載されているので熟読してほしい．

近い将来，この領域における作業療法の専門的治療法が確立されるだろう．そして日常生活の注意事項にとどまらず，自立的に過ごす際の活動指標が明確になり，作業療法がどのような現場でも活用可能になれば，対象者にとっても大きな利益になるはずである．

■第 VIII 章　悪性腫瘍（がん）

本章は，切除術後，ターミナルケア（終末期がん）で構成した．

悪性腫瘍も近年作業療法の対象になった疾患の１つであるが，対象者数が多いものの，まだ確立されているとはいえず，報告も少ない．現時点では乳がんや肺がんなどの，上肢機能や呼吸機能に関連ある部位の疾患が多い．告知による精神的ダメージやターミナルケアも含めると，心身機能に同時的にアプローチが必要な疾患の１つである．

本章では，悪性腫瘍に対して，悪性腫瘍切除術後とターミナルケアの作業療法を分けて記載している．悪性腫瘍切除術後では乳がんを中心に，医療的な知識と具体的なアプローチを記した．手術との関連性が高いため，術式や結果など医師と連携して実施していく必要がある．また，リンパ浮腫療法なども具体的なアプローチとして知っておく必要がある．ターミナルケアの作業療法では，尊厳のある生き方への支援が中心となる．具体的には痛み軽減や自己効力感を感じられるような“生きるための支援”という，医療としては最も困難なアプローチとなる．どのような声かけが，またどのような態度が苦しいときの慰めになるのか，自らも行えるよう訓練してほしい．闘病記，体験記など対象者本人や家族の著作物を読んで，理解を深めよう．普段の生き方が援助者としての資質を育てるのである．

索引

＊用語は五十音方式で配列した.
＊数字で始まる用語は「数字・欧文索引」に掲載した.
＊太字は主要説明箇所を, はキーワードのページを示す.

和文

あ

い

う

え

お

か

き

く

け

こ

す

G

H

I

J

K

L

M

N

O

P

Q

R

S

このシールをはがすと，『《標準OT 専門分野》身体機能作業療法学 第4版』の動画にアクセスするためのIDとパスワードが記載されています。

ここからはがしてください。